한의학원론

최승훈

KOREAN MEDICINE

한의학원론

첫째판 1쇄 인쇄 | 2020년 6월 22일
첫째판 1쇄 발행 | 2020년 7월 6일

지 은 이 최승훈
발 행 인 장주연
출판기획 김도성
책임편집 안경희
편집디자인 조원배
표지디자인 김재욱
일러스트 유시연
제작담당 신상현
발 행 처 군자출판사(주)
등록 제4-139호(1991. 6. 24)
본사 (10881) **파주출판단지** 경기도 파주시 회동길 338(서패동 474-1)
전화 (031) 943-1888 팩스 (031) 955-9545
홈페이지 | www.koonja.co.kr

ISBN 979-11-5955-578-7

정가 90,000원

한의학원론

최승훈

서 문

인류는 삶의 세 가지 기본 요소인 의식주와 더불어 살아가는 동안 끊임없이 발생하는 질병을 극복하기 위해 부단히 노력해왔으며, 이는 전통의학의 형태로 계승 발전되었다. 그러므로 전통의학에는 인류 탄생 이후 축적해온 귀중하고도 방대한 임상 경험과 기술이 담겨져 있다. 이와 관련하여『회남자(淮南子)』는 고대 중국문명의 창시자 가운데 하나인 神農이 "하루에 70 가지 약물을 맛보았다[1]" 는 기록을 통해 수천 년에 걸쳐 진행된 한약 관련 임상 경험을 소개하고 있다. 그러한 경험을 바탕으로 형성된 君臣佐使이론에 따라 처방된 한약화합물이 양약보다 인체 내 대사산물의 화학적 구조에 더 유사하다[2] 는 최근 연구결과는 한의약의 가치를 과학적으로 입증하고 있다.

의학은 건강을 유지하고 질병을 예방, 완화시키거나 치료하는 학문 (혹은 기술)이다[3]. 의학은 인체를 대상으로 하는데, 인체에 관한 객관적인 진리체계 구성은 거의 불가능하다. 왜냐하면 몸에서 나타나는 생명현상은 물리적으로 환원될 수 없는 함수의 추상적 속성을 지니기 때문에 애매모호한 측면이 많고 절대적인 기준이 성립될 수 없다. 따라서 의학의 진리체계는 결국 우리 몸의 비질서 (disorder)를 질서 (order)로 환원시키는 능력을 우선적인 대안으로 삼을 수밖에 없고, 어떤 방식이던지 비질서를 질서로 환원시키는 능력이 있으면 넓은 의미에서 의학으로 인정받게 된다. 그러한 관점에서 현재 지구상에는 양의학과 함께 한의학 등 다양한 전통의학이 광의의 의학으로 공존하고 있다.

한의학은 중국에서 기원하여 조선시대 허준의『동의보감』을 거쳐 이제마의 사상의학에 이르러 독자적인 발전을 이룬 우리 민족 전통의학이다. 근대 서구 자연과학기술에 힘입어 양의학이 급진적인 발전을 이루어 왔음에도 불구하고, 국내외에서 한의학은 지속적으로 주목을 받고 있다. 이는 각종 난치성 질환을 극복하기 위한 인체 스스로의 능력을 높이는 데에 무기력한 양의학의 한계에서 비롯되었다. 그러므로 자연과학을 도구로 분석적、환원주의적、객관적 접근을 하면서 실험에 기반을 두고 질병 중심으로 적극적、공격적인 cure를 하고 있는 인위적 성격의 양의학과, 전통과학을 도구로 전인적、주관적 접근을 하면서 경험에 기반을 두고 인간중심으로 예방적、방어적인 care를 하고 있는 자연주의적 한의학의 상호보완을 통해 인간과 질병의 문제를 동시에 해결할 수 있는 새로운 의학의 탄생을 기대하고 있다.

한의학이 채택하고 있는 기본 관점과 내용들이 궁극적으로 첨단 자연과학과 충돌해서는 안되고 또 그렇게 보이지도 않는다. 무엇보다도 한의학에서는 인간이 자연의 산물이기 때문에 자연의 이치에 따라 살아야 하고, 만약 그렇지

1) 神農 … 嘗百草之滋味 … 一日而遇七十毒 (淮南子·修務訓)
2) Kim HU et al, A systems approach to traditional oriental medicine, Nature Biotechnology 33, 264-268 (2015)
3) Medicine is the science or practice of the diagnosis, treatment, and prevention of disease. Medicine encompasses a variety of healthcare practices evolved to maintain and restore health by the prevention and treatment of illness. (Wikipedia)

않으면 질병으로 대표되는 비정상적인 상태에 빠지며, 이 비정상적인 상태에서 정상적인 상태로 환원되기 위해서는 인간이 속한 자연의 법칙에 따라 자연의 산물을 활용해야 한다는 대전제를 가진다. 이러한 방식으로 수천년 동안 활용되고 발전을 거듭해왔기 때문에 한의학은 인체에서 발생한 질병을 치료하기 위한 최적의 형태를 지닌 기술과 도구를 가지고 있다. 그러한 이유로 한의학은 현대에도 주류의학의 한 축으로서 충분한 자격을 갖추고 있다. 다만 지속적인 발전과 더 보편적인 활용을 위해서 현대 과학기술과의 접목이 필요하다.

서구 과학문명이 밀려오면서 한의학이 이전에는 경험하지 못했던 중대한 도전에 직면해 있다. 물론 그렇다고 해서 한의학이 폐기되거나 사라질 가능성은 없다. 그러나 지금과 같은 모습으로 계속 남아있지는 않을 것이다. 아마도 한의학의 내용 가운데 의료로서 유용하고 가치 있는 부분만을 남기는 취사선택의 과정이 진행될 것이다. 그러한 상황에 대비하여 한의계 스스로는 무엇이 남을 것이고 또 무엇을 남길 것인가를 고민해야 한다. 그렇지 않으면, 약 백 년 전 중국에서 제기되었던 '폐의존약(廢醫存藥)'의 구호처럼, 침구와 한약 같은 실용 임상 지식과 기술만 선택적으로 남아 양의학으로 합병될 것이고, 침구와 한약의 작동원리를 설명해왔던 이론부분은 배척될 것이다. 그러나 그리 되면 결국에는 침구와 한약까지도 枯死시킬 것이며, 이는 역사의 후퇴일 수밖에 없다. 그러므로 전 한의계가 공유하고 있는 최소한의 이론적인 내용은 이제 스스로 확보해야만 한다. 그러한 의미에서 이 책은 앞으로 바람직한 통합의학의 시대에 모두가 공감하고 수용해야 할 기반 제공을 목표로 한다.

2009년 세계전통의학 문헌 가운데 최초로 유네스코 세계기록문화유산으로 등재되고 최근에 국보로까지 지정된 『동의보감』은 400년전 동북아지역의 의학지식과 기술을 총망라하고 있다. 조목조목 밝혔듯이 대부분의 내용은 허준(許浚) 자신의 창의적 컨텐츠가 아니고 그때까지 전해 내려온 중국의학의 정수(精髓)를 체계적으로 정리한 것이다. 이처럼 전통의학이라고 하더라도 국적과 민족을 초월할 수 있어야 그 보편적 가치는 더욱 빛을 발한다. 이 책은 한의학에 대한 개론 수준에서의 이해를 돕기 위해 기초 이론 뿐만 아니라 자주 발생하는 질병 패턴 105개 증(證), 많이 쓰이는 한약(본초) 274종과 151개 대표 처방을 소개하고 있다.

30년전 대만과 중국에서 교환교수로 근무하면서부터 우리나라에도 한의학 전반을 성실하게 안내하는 한의학개론서가 있었으면 하는 생각을 가졌었다. 이제 군자출판사의 도움으로 그 포부를 펼치고자 한다.

뜻을 공유하면서 그간 필요한 자료를 제공하고 각 분야에 대한 교정과 감수를 담당해준 심범상 교수(경희대), 박경모 교수(경희대), 김기왕 교수(부산대), 인창식 교수(경희대), 오명숙 교수(경희대), 이의주 교수(경희대), 이상훈 교수(경희대), 김윤경 교수(원광대) 이시우 박사(한국한의학연구원), 김재욱 박사(한국한의학연구원), 이준환 박사(한국한의학연구원), 최고야 박사(한국한의학연구원), 그리고 남민호 박사(한국과학기술연구원, KIST)에게 특별한 감사를 드린다.

한국 한의계를 대표하는 각 분야 전문가들과 2015년부터 33차례에 걸친 집담회를 거치면서
이 책의 출간을 위하여 한 뜻으로 작업할 수 있었음에 무한한 감사와 보람을 느낀다.

2020년 여름
최 승 훈

韓醫學

목차

PART 01 기초이론

제9장 병인

제10장 병기

PART 02 진단과 치료

제11장 진찰방법

제12장 변증

제16장 본초

제17장 방제

제18장 침구

韓醫學

PART 1 기초이론

제 1 장 역사

History

한의학의 역사는 침구학의 발전과 함께 證의 발견과 方의 발명에 관한 기록이다.
인체의 병적 현상을 자연의 산물로 해결한 과학이다.
이처럼 인간과 자연의 끊임없는 교류와 대화가 이룬 인류 최고의 자산이다.

우리나라의 반만년 전 건국신화를 소개하고 있는『삼국유사』[1]에는 쑥과 달래가 등장하는데, 이는 의약과 관련된 우리 민족의 오랜 전통을 보여준다. 역사적으로 우리 의학은 중국의 전통의학과 밀접하게 상호 교류하는 한편, 13세기부터는 독자적으로 발전을 거듭하여 향약, 동의학 등으로 자리매김하였다.

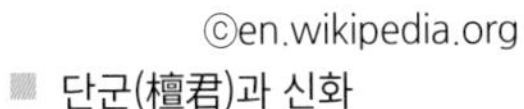

©en.wikipedia.org

■ 단군(檀君)과 신화

1) 凡主人間三百六十餘事 在世理化 時有一熊一虎 同穴而居 常祈于神雄 願化爲人 時神遺靈艾一炷 蒜二十枚曰 爾輩食之 不見日光百日 便得人形 熊虎得而食之忌三七日 熊得女身 虎不能忌 而不得人身 熊女者無與爲婚 故每於壇樹下 呪願有孕 雄乃假化而婚之 孕生子 號曰壇君王儉 (三國遺事·紀異篇)

제1절 한국

한국 의학의 흐름을 대체로 살펴보면, 삼국시대부터 고려 전기까지는 의료제도의 정비, 의서 연구, 방서의 발간 등 의료의 기본 틀을 잡고 발전시켜 나가는 과정이었으며, 고려 중기부터는 향약 운동이 펼쳐지면서 우리 실정에 맞는 의학을 추구하는 움직임이 일어났다. 이러한 움직임은 조선 시대에 접어들면서 의학에 대한 국가적인 지원에 힘입어 각종 의서의 발간으로 이어졌고, 그 과정에서 중국의 금원의학(金元醫學)이 도입 정리되면서 『동의보감(東醫寶鑑)』이 간행되기에 이르렀다. 『동의보감』 편찬 이후 우리나라 의학은 국가 주도에서 민간 주도로 발전해 나갔으며, 조선 말기에는 우리나라 고유의 사상체질의학이 완성되었다.

1. 한국 의학사의 전반적인 흐름

1) 삼국시대

삼국시대에 고대 중국 의학을 받아들이고 나서, 통일신라와 발해까지는 의료제도를 정비하고 『소문(素問)』, 『침경(鍼經)』, 『난경(難經)』, 『본초경(本草經)』, 『갑을경(甲乙經)』, 『명당경(明堂經)』 등 기본 의서를 중심으로 이론을 연구하였으며, 『고려노사방(高麗老師方)』, 『백제신집방(百濟新集方)』, 『신라법사방(新羅法師方)』 등 방서를 간행하여 우리 실정에 맞는 의료체계를 만들어 나갔다. 한편, 삼국시대에 이미 고대 중국 의학의 수입이 시작되었다고는 하나, 실제 임상에서는 보편화하지 못하였는데, 그 이유로, 통일신라 시대에는 왕가의 질병에 고대 중국 의학의 활용보다는 인도에서 들어온 불교 의학을 익힌 승려들의 활동이 두드러졌기 때문이다.

2) 고려 시대

고려 시대에는 중앙과 정부의 의료기구를 더욱 확충하였으며, 의료제도를 시행하여 의료 인력 양성과 학문 발전에 새로운 전기를 마련하였고, 중국 의서 간행도 많이 이루어졌다. 이러한 의학 발전에 힘입어 고려 중기부터 고려 자체의 방서들이 만들어졌는데, 『제중입효방(濟衆立效方)』, 『신집어의촬요방(新集禦醫撮要方)』, 『향약구급방(鄕藥救急方)』, 『삼화자향약방(三和子鄕藥方)』, 『향약고방(鄕藥古方)』, 『향약혜민경험방(鄕藥惠民經驗方)』, 『향약간이방(鄕藥簡易方)』, 『동인경험방(東人經驗方)』 등이 그것이다. 이러한 향약서(鄕藥書)들 특징 가운데 하나는 기후환경과 지리 그리고 문화적인 면에서 중국과 다른 우리나라의 특수성을 고려하여 우리 실정에 맞는 자주적인 의학을 만들려고 한 것이다. 이와 같은 고려의 향약 개발을 위한 노력은 조선 시대에 중국으로부터 새롭게 들어온 금원의학의 영향으로 다소 약화하였으나, 그 정신은 계속 이어져 갔다.

3) 조선 시대

조선은 건국 이후 유교 이념에 따라 새로운 유교 국가를 세우고자 하였으며, 통치 수단의 하나로 의료체제의 정비에 힘썼다. 즉, 의료는 통치의 중요한 부분을 차지하였는데, 이는 고려 시대 의학과 조선 시대 의학이 구별되는 점이다. 조선 정부는 우선 의료기구를 재정비하여, 중앙에는 내의원(內醫院), 전의감(典醫監), 혜민서(惠民署) 등 삼의사(三醫司)와 함께 제생원(濟生院), 활인서(活人署) 등 특수 기구가 있었으며, 지방에는 의원을 두어 모든 의료 업무를 맡게 하였다. 또한, 고려 시대와 마찬가지로 의료제도가 있었으며, 수시로 의료 인력을 수급할 수 있는 취재(取才)를 따로 두었다. 의학 교육은 해당 관청에서 담당하였으며, 의생은 전의감, 혜민국, 제생원에 분속되어 있었다. 특히 의학 교육을 장려하기 위하여 의학서의 정리와 연구를 전문으로 하는 의서습독관(醫書習讀官)을 두고 나라에서 직접 의학

교육을 했는데, 이 제도는 16세기에 금원의학의 수용과『동의보감』의 완성에 많은 영향을 주었다.

조선은 의료제도 정비와 동시에 건국 초기부터 국가 주도의 대규모 의서 편찬 사업을 진행하였다. 태조 때에 이미 30권의『향약제생집성방(鄕藥濟生集成方)』을 간행하였으며, 대대적인 문화 사업이 시행된 세종 때에는『향약집성방(鄕藥集成方)』85권,『의방유취(醫方類聚)』365권 등이 차례로 간행되었다.『향약집성방』은 그 명칭에서 볼 수 있듯이, 고려 시대 향약 정신을 계승한 것으로 조선 시대의 새로운 의학 전통으로 이어지는 과도기적 성격을 가지는 것으로 볼 수 있다. 그러나 향약이라는 명칭을 사용한 것과 처방 중심의 편제는 고려의 향약서들과 유사하지만, 병증에 대한 설명이 더욱 풍부해지고 백과사전식으로 그 분량이 엄청나게 늘어난 것이 고려 시대 향약서들과 다른 점이다. 이렇게 흐름이 바뀐 이유는 고려 말과 조선에 걸쳐 중국의 금원의학이 본격적으로 우리나라에 들어오게 되자 새로운 의학 지식의 수집과 정리가 요구되었으며, 그에 따라서 다양한 지식을 모은 책이 필요하였기 때문이다. 이처럼 새로운 지식의 유입과 이념이 결합함으로써『향약집성방』의 성격이 변화되었다고 볼 수 있다.

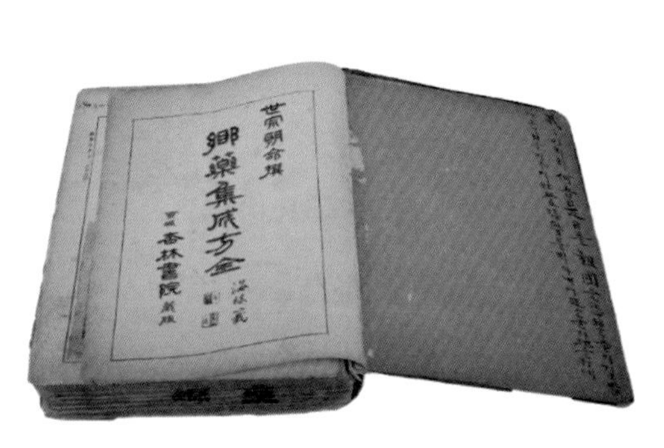
©museum.ddm.go.kr

■ 향약집성방(鄕藥集成方)

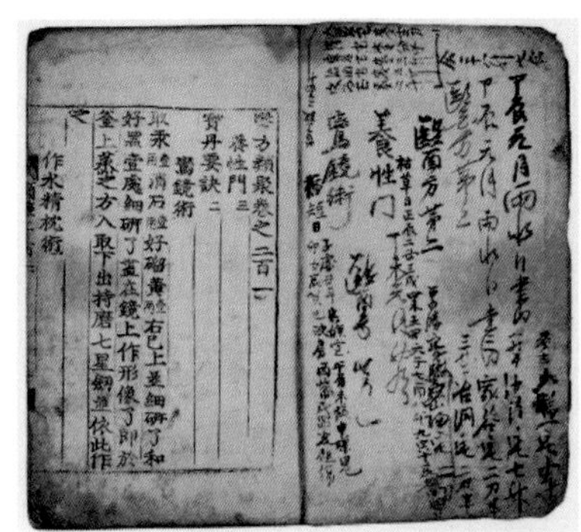
©cha.go.kr

■ 의방유취(醫方類聚)

『향약집성방』 편찬 이후 향약 운동을 마무리하고 세종 때에 와서 당시까지의 의학서들을 총합하여『의방유취』를 간행하였다.『의방유취』는 명나라 초기까지의 중국 의서 153종을 수집하여 91개의 문(門)으로 나누어 정리한 것으로, 많은 우여곡절 끝에 세종 때에는 간행되지 못하고 이후 여러 차례의 교정과 편집과정을 거친 다음 성종 때에 가서 금속활자본 30질이 간행되었다.『의방유취』의 완성으로 우리나라 의학은 중국 의학을 새롭게 정리하여 독자적으로 발전해 나갈 수 있는 토대를 마련하게 되었다.『의방유취』가 완성되면서 중국 의학에 관한 연구를 더욱 심화시키기 위해 중국 의서의 간행에 역점을 두게 되었는데,『내경(內經)』과『상한론(傷寒論)』으로부터 송、원、명대의 의서 약 70여 종이 15세기와 16세기에 걸쳐서 간행되었다.

조선 초기에 국가 주도로 의학 연구가 이루어지는 과정에서 금원의학은 더욱 활발히 우리나라에 수용되기 시작하였다.『향약집성방』과『의방유취』가 만들어지면서 이미 많은 금、원、명의 의서들이 인용되었으며, 취재 과목으로 장자화방(張子和方)이 채택되기도 하였다. 그러나 15세기에는 아직 금원의학의 본질을 근본적으로 이해하고 받아들였다기보다는 사대가(四大家) 각각의 주장을 단편적으로 파악하거나 그 처방에 대해서만 주목하는 수준이었다. 중국 의학 전통에서 금원의학이 가지는 특징으로, 형식 면에서는 이론과 임상의 유기적인 결합이 이루어졌고, 내용 면에서는 장부와 경락을 바탕으로 하여 인체의 생리 및 병리에 관한 연구가 심화된 점 등을 들 수 있다. 즉,『내경』과『상한론』이후 당송 대에 이르기까지 의학의 기초이론인 음양오행 이론과 장부 경락 체계를 임상과 체계적으로 연결하고자 하는 노력보다는 많은 양의 처방을 수집한 방서들이 더욱 많았던 것과 달리 금원사대가부터는『내경』에 대한 연구를 바탕으로 생리 병리이론을 발전시키고, 그것을 임상에 적절하게 연결함으로써 비약적인 발전을 이루었다. 이러한 특성을 가진 금원의학이 우리나라에 본격적으로 수용되어 정리되기 시작한 것은 16세기부터라고 할 수 있다. 당시 명대 의서인 『의학정전(醫學正傳)』, 『만병회춘(萬病回春)』, 『의학입문(醫學入門)』 등이 수입되었는데, 이러한 책들은 바로 금원시대 의학을 종합적으로 정리한 것이므로 금원의학에 대한 이해가 더욱 쉽게 이루어지게 되었다.

14세기부터 본격적으로 시작된 의학 발전은 1610년 허준에 의하여 『동의보감』이 완성됨으로써 절정을 이루었다. 『동의보감』은 조선 건국 이후 이어져 온 우리나라 의학 전통이 집대성된 산물이라 할 수 있는데, 그 특징은 다음과 같다. 의학사적으로 『동의보감』은 금원의학에 뿌리를 두고 있으며, 정치적으로는 오랜 전란으로 인해 피폐해진 민심을 수습하고 체제 안정을 꾀하고자 했던 위정자들의 요구에도 부응한 것이었다. 한편 『동의보감』이 현실적으로 가장 큰 영향을 미쳤던 이유는, 『동의보감』이 당시에 급격히 증가한 의료 수요에 적절히 대응할 수 있도록 이론과 임상 치료 전반에 걸쳐 일목요연하게 정리된 종합 의서였기 때문이다.

©nationalculture.mcst.go.kr

■ 허준(許浚)

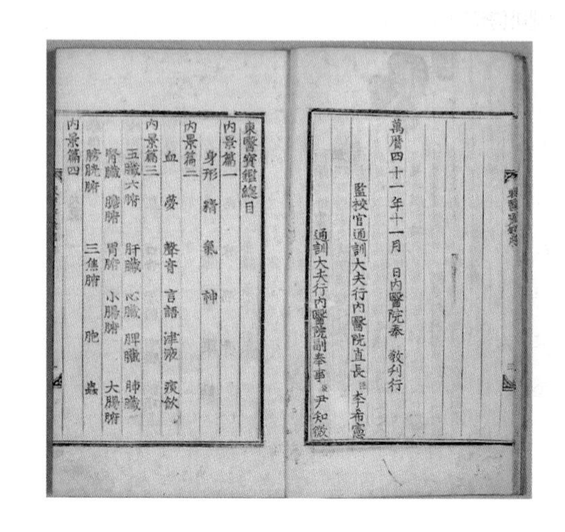
萬曆四十一年十一月 日內醫院奉 敎刊行
監校官通訓大夫行內醫院直長 臣 李希憲
通訓大夫行內醫院副奉事 臣 尹知微

東醫寶鑑總目
內景篇一 身形 精 氣 神
內景篇二 血 夢 聲音 言語 津液 痰飮
內景篇三 五臟六腑 肝臟 心臟 脾臟 肺臟 腎臟 膽腑 胃腑 小腸腑 大腸腑 膀胱腑 三焦腑 胞 蟲
內景篇四

©zh.wikipedia.org

■ 동의보감(東醫寶鑑)

『동의보감』 간행 이후 우리나라 의학은 官 주도에서 점차 벗어나 민간 주도로 더욱 발전하게 되었다. 임상의학의 본격적인 발전이라고도 표현되는 이러한 경향은 이후 계속해서 이어졌다. 『광제비급(廣濟秘笈)』, 『제중신편(濟衆新編)』 등 『동의보감』의 임상실용서에 해당하는 서적들의 출판과 『고사촬요(攷事撮要)』, 『고사신서(攷事新書)』 등 본초서적 출간, 『침구경험방(鍼灸經驗方)』, 『침구요결(鍼灸要訣)』 등 침구서 출간 등은 임상의학이 이론과 실제에서 이미 상당한 수준에 이르렀음을 알게 해준다. 특히 허임의 『침구경험방』에 소개된 보사법과 사암 도인의 사암 침법 등은 『동의보감』에서 고양된 조선 의학의 성취와 어깨를 나란히 하였다는 점에서 의의가 깊다.

19세기에 들어와 정치 사회적 혼란으로 인하여 민생이 피폐해지면서 새로운 실용의학에 대한 필요성이 대두되었고, 그 결과로 이제마(李濟馬)의 『동의수세보원(東醫壽世保元)』, 황도연(黃度淵)의 『의종손익(醫宗損益)』과 『방약합편(方藥合編)』, 이규준(李圭晙)의 『소문대요(素問大要)』와 『의감중마(醫鑑重磨)』 등이 간행되었다. 그 가운데 이제마의 사상의학은 도가 배경의 전통의학에 신유학을 접목함으로써 우리나라 고유의 사상체질의학을 완성하여 한의학 발전의 새로운 전기를 마련하였다.

©nationalculture.mcst.go.kr

■ 이제마(李濟馬)

■ 동의수세보원(東醫壽世保元)

4) 일제 강점기와 현대

조선 말기까지 국가 보건의료를 전담해오던 한의사들은 1900년(광무 4년) 종래의 의과(醫科) 제도가 폐지되고 새로 '의사규칙(醫士規則)'이 제정되면서 근대식 의사로서 새로 유입된 양의사들과 함께 관리로 임용되어 일반 의료를 담당하게 되었다. 그러나 1905년 을사늑약 이후 일제의 한의학 말살 정책에 따라 한의사는 모든 관용의료(官用醫療)에서 배제되었으며, 1913년에는 醫生으로 격하되는 등 많은 시련을 겪게 되었다. 일제 강점기에도 그 명맥은 미미하게나마 이어졌는데, 조헌영(趙憲永)은 1934년에『통속한의학원론』을 저술하였고, 동서의학의 비교를 논한 장기무(張基茂)의『동서의학신론』과 동서의학의 병증과 병명을 대조한 최동섭(崔東燮)과 이면수(李冕秀)의『의문수지(醫門須知)』, 도진우(都鎭羽)에 의해 동서의학연구회에서 간행된『동서의학요의(東西醫學要義)』가 있다.

최초의 근대적 한의학 교육기관은 1904년(광무 8년)에 설립된 동제의학교(同濟醫學校)인데, 근대화의 물결과 일제의 말살 정책으로 인해 폐교되었다. 해방 후 1948년에 4년제 교육기관인 동양대학관이 만들어졌는데, 1951년 국민의료법이 제정된 후인 1953년에 폐관되고 다시 입학정원 60명으로 서울한의과대학이 설립되었다. 서울로 돌아온 이후, 서울한의과대학은 서울 성북구 안암동으로 이전 개교하였으며, 1955년에는 동양의약대학으로 이름을 바꾸면서 약학과를 증설하고 교사도 증축하는 등 교세를 확장해 나갔다. 그러나, 1961년 5.16 혁명정부는 국가 재건이라는 구호 아래 국민의료법을 전면 폐기하고 새롭게 의료법을 제정하는 과정에서 의료일원화로 방향을 잡아, 당시 유일의 한의학 전문교육기관인 동양의약대학을 대학설치기준령 미달이라는 이유로 폐교하려고 하였다. 이에 한의사협회와 한의대 재학생들은 국가재건최고회의에 건의서와 탄원서를 제출하고 한의대 부활 운동을 전개하였다. 이러한 한의계의 노력과 국민적 여론에 밀려 국가재건최고회의가 문제 된 의료법을 개정함으로써 64년 6년제 동양의과대학(한의학과 6년, 약학과 4년)이 부활하였다. 그 이듬해 동양의대의 행림재단이 경희대학교 고황재단에 합병되면서 한의학과는 경희대학교 의과대학 한의학과로 바뀌었으며, 68년에 대학원 석사과정이, 1974년에는 박사과정이 설치되어 심도 있는 한의학교육과 연구의 토대를 마련하게 되었다. 70년대에 들어와 사회적으로 한의학에 관한 관심이 높아지자 전국적으로 한의과대학이 증설되기 시작하였는데, 1972년 원광대학교에 한의과대학이 인가된 후로 모두 11개 한의과대학이 개설되었다. 그러나 이들은 모두 私學에 소속되어 있으므로 장기적이고도 안정적인 한의학교육과 연구를 위해서는 어려움이 많은 실정이었다. 2008년에 국립 부산대학교 한의학전문대학원이 개설됨으로써 본격적으로 한의학 교육 분야에 국가적인 지원이 가능케 되었다.

1994년 정부에서는 한국한의학연구소(이후 한국한의학연구원으로 개칭)를 설치하여 국가 주도적인 한의학연구를 시작하였으며, 1997년에는 보건복지부 내에 한방정책관이라는 직제가 설치됨으로써 행정적으로도 한의학의 관리와 육성이 본격화되었다. 2003년 제정된 한의약육성법에 근거하여 2019년에는 보건복지부 산하 기타공공기관으로서 한국한의약진흥원이 설립되어 한의약 산업화를 본격적으로 추동하는 계기가 마련되었다.

2. 한국 의학의 중요 성과

1) 향약 운동과 『향약집성방』 완성

(1) 의학의 자주적 발전

고려는 11세기부터 유학을 비롯한 여러 분야의 학문이 발달하였는데, 의학 분야에서도 삼국시대에 전래된 중국의학을 수용하면서 독자적인 의학을 새로 마련하고자 노력하였다. 우선 고려는 중국 의학을 연구하기 위하여 중국의 의서들을 다시 간행하였는데, 당시 발달한 목판인쇄기술을 이용하여 11세기 말에 『황제팔십일난경(黃帝八十一難經)』, 『상한론』, 『소아소씨병원(小兒巢氏病源)』, 『소아약증병원일십팔론(小兒藥證病源一十八論)』, 『장중경오장론(張仲景五臟論)』, 『주후방(肘後方)』 등과 그 외에 10여 종의 의서를 간행했던 기록이 남아 있다. 이러한 중국 의서의 대규모 간행은 과거제도 시행과 의학 교육 확대로 인해 의서에 대한 수요가 대폭 늘어난 데에도 그 원인이 있었다.

꾸준한 의학연구에 힘입어 고려 중기부터는 우리의 독자적인 의서가 간행되기 시작하였는데, 이른바 향약이란 이름을 사용한 우리 고유의 방서들이 바로 그것이다. 김영석(金永錫)의 『제중입효방』을 비롯하여 『신집어의촬요방』, 『향약구급방』, 『삼화자향약방』, 『향약고방』, 『향약혜민경험방』, 『향약간이방』, 『동인경험방』 등이 간행되었다.

향약을 개발코자 한 이러한 일련의 흐름은 몇 가지 특징을 가지고 있다. 첫째로 기후환경과 지리, 그리고 문화적인 면에서 중국과는 다른 우리의 특수성을 고려하여 우리 실정에 맞는 의학을 만들려고 하였다는 점이다. 이러한 정신은 조선으로 계속 이어져 자주적인 의학 전통을 확립하는 데에 크게 이바지하였다. 둘째로는 당송 대까지 중국에서 유행하던 방서(方書) 중심의 의학에 영향을 받았다는 점이다. 그때까지 중국 의학은 『내경』과 『상한론』 이후 음양오행 이론을 임상에 효과적으로 접목하지 못한 채 수많은 치료 경험들을 수집해 전하였기 때문에 당면한 병증에 적합한 처방을 선별해내는 것이 과제였다. 고려 의학도 그러한 중국 의학의 흐름에 영향을 받아, 음양오행 이론을 바탕으로 질병의 기전을 체계적으로 설명해 내기보다는 임상적으로 효과가 뛰어난 처방을 찾아내는 데 주력하였다. 그러나 이러한 흐름 속에서도 고려 의학은 학문 연구의 전통을 밑바탕으로 임상경험을 통해 우리 질병에 적합한 치료방법을 찾아내려고 노력하였다. 따라서 향약이라는 이름을 사용하였지만, 그것은 단순한 약재의 개발이나 처방의 정리를 의미하는 것이 아니라, 당시 고려 의학의 자주적 발전을 전반적으로 의미하는 것이라고 할 수 있다. 셋째로 고려의 향약서들은 의학을 공부하지 않은 사람도 쉽게 처방을 쓸 수 있도록 간편하고 실용적으로 만들어졌다. 분량이 적고 처방의 효과가 좋으며 위급하거나 간단한 질병들에 손쉽게 사용할 수 있게 만들어진 것이다. 이러한 고려 시대의 향약 개발 운동은 조선 시대에도 계속 이어져 갔다.

(2) 조선의 의학진흥 정책

조선 건국 이후, 국가는 강력한 관료 중심체계를 바탕으로 정치, 사회, 경제, 문화 등 모든 분야에 걸쳐 통제해 나가기 시작하였는데, 그 목적은 민본주의를 바탕으로 하는 유교 정치의 이상을 실현하기 위해서였다. 따라서 그 방편의 하나로 의학을 대대적으로 권장하게 된 것이다.

한편 약재의 원활한 수급을 위하여 향약의 재배와 채취를 국가에서 직접 관리하였는데, 종약색(種藥色)이라는 관직을 두어 재배를 전담하게 하였으며, 각도에 소속된 채약정부(採藥丁夫)를 통해 산야의 약초를 채취 공급하였다. 세종 때에 이르러 각 지방에 분포된 향약의 실태를 조사한 것을『세종지리지』에 기록하였고 약재의 올바른 감별을 위하여 전문가를 중국에 파견하였으며,『향약채취월령(鄕藥採取月令)』을 간행하여 약재 채취법을 보급하였다. 또한『구급방언해(救急方諺解)』,『언해향약본초(諺解鄕藥本草)』,『구급역해방언해(救急易解方諺解)』,『우마양저염역병치료방언해(牛馬羊猪染疫病治療方諺解)』,『언해두창집요(諺解痘瘡集要)』,『언해태산집요(諺解胎産集要)』 등 언해본이 간행되었는데, 이는 누구나 쉽게 의술을 익히고 급한 경우에 쓸 수 있게 한 것으로, 고려 향약서의 전통을 이은 것이다.

2)『동의보감』의 출현과 한국 의학의 정립

(1) 조선의 관치(官治) 의학

조선은 유교 정치 실현의 한 방편으로 의료제도를 정비하여 학문 발전과 의료 대중화의 기틀을 마련하였는데, 중앙에 전의감, 내의원, 혜민서 등을 두었으며, 지방에는 도마다 의원을 설치하여 의료 행정과 시술을 담당케 하였다. 그리고, 의료 인력의 수급에서는 의과(醫科)를 통하여 의원을 뽑아 관리로 등용시켜 진료를 담당케 함으로써 국가가 의료 전반을 주도해 나갔다. 즉, 일반 의료에 대한 국가의 개입이 확대됨으로써 관의(官醫)의 역할이 크게 강화되었다. 또한, 유능한 의사를 양성하기 위하여 의학 교육을 활성화하였는데, 각 관청에서 실시하는 의학 교육 이외에도 관리의 신분으로서 의학서의 정리와 연구를 전문으로 하는 의서습독관(醫書習讀官)을 따로 두었다. 의서습독관 제도를 시행함으로써 금원의학 중심의 중국 의학의 수용이 더욱 빨라졌으며,『동의보감』의 편찬에도 큰 영향을 미치게 되었다.

(2) 금원의학의 수용

중국 의학은 금원시대에 이르러 이전과는 다른 양상으로 발전하였는데, 특히 이 시기 의학의 특징은 송대에 발달한 주자학의 인본주의적 경향 속에서『내경』과『상한론』에 담긴 전통 이론을 바탕으로 하여 송대까지 수집된 많은 양의 임상경험과 의사 스스로가 체험한 임상 결과들을 재해석하여 체계적으로 종합시킨 의학이라고 할 수 있다.

금원의학이 시대적으로는 고려 말에 해당하지만, 당시의 혼란한 시대 상황으로 인하여 본격적으로 우리나라로 유입된 것은 조선 초부터이다. 그때까지 우리나라 의학은 고려 시대 향약 운동을 계승한 것이었는데, 조선 초에 이르러 금원의학의 영향을 받아 새로운 의학으로 방향을 전환하게 된다. 고려의 향약서들은 우리 실정에 맞는 처방들을 모아 급하거나 간단한 질환에 있어서 일반인들도 손쉽게 치료할 수 있도록 정리한 것이었다. 그러나 단순한 처방의 정리로는 다양한 질병 치료에 적절히 대처하기에 부족하였기 때문에 더욱 발전된 금원시대 의학의 수용에 적극적으로 나서게 된 것이다.

16세기에 들어와서는 금원의학의 내용을 정리하여 종합한『의학정전』,『만병회춘』,『의학입문』 등 명대 의서가 임상가에서 크게 유행하였다. 이로써『동의보감』이 편찬되기 직전인 16세기 말에는 이미 금원시대 의학이 우리나라에 정착하기 시작했음을 알 수 있다. 고려 시대 향약 연구 전통 가운데 우리나라에 맞는 치료방법을 개발하려는 정신은 향약의 재배와 채취에 대한 노력 등으로, 급한 병에 대한 간편한 처치를 목적으로 한 것은 조선 전기 여러 구급서의 편찬 등으로, 누구나 익힐 수 있는 손쉬운 의학을 만들려는 노력은 조선 전기 각종 언해본의 발간과 후기의『방약합편』 등의 간행으로 그 전통이 계속 이어졌다고 볼 수 있다. 그러나 전반적으로 금원의학의 이론적 바탕 위에서 의학을 재정립하고자 하는 새로운 움직임이 일어나게 되었고, 그 결과『동의보감』이 완성된 것이다.

(3) 『동의보감』의 성립

선조는 1596년에 의서의 편찬을 허준(許浚)에게 명령하였는데, 유의(儒醫) 정작(鄭碏)、태의(太醫) 양예수(楊禮壽)、김응탁(金應鐸)、이명원(李命源)、정예남(鄭禮男) 등과 함께 편집국을 설치하여 편찬에 착수하였다. 이듬해 정유재란으로 잠시 중단되었다가 그 후 선조가 다시 허준에게 단독으로 이 일을 완성하도록 명하고 내장방서(內藏方書) 5백 권을 내어 고증자료로 삼게 하였다. 10여 년의 노력 끝에 광해군 2년(1610년) 편찬을 끝내고 서명을 『동의보감』이라 하였으며, 광해군 5년 내의원에서 활자를 써서 상재(上梓)하여 25권 25책으로 반포하였다.

당시 조선은 정치가 불안해지면서 건국 초기의 국가 질서가 무너지고 사회적 불평등이 심화하였으며, 국력의 약화로 왜적의 침입을 받아 민생이 피폐해졌다. 부정적인 민심을 수습하는 방안의 하나로서 의료에 대한 요구에 부응하면서 임상에 쉽게 응용할 수 있고 동시에 의학 교육에 필요한 이론서의 역할도 겸할 수 있는 새로운 의서가 필요했다.

의사학적으로, 『동의보감』은 금원의학에 뿌리를 두고 있는데, 금원의학은 고려 말과 조선 초부터 우리나라에 들어오기 시작하여 『의방유취』의 편찬과 대량의 중국 의서 간행으로 더욱 쉽게 접할 수 있게 되었으며, 여러 교육기관과 의서습독관의 설치를 통해 그 내용에 대한 이해도 깊어졌다. 한편, 『동의보감』 편찬에 참여하였던 양예수는 『동의보감』이 완성되기 전 『의림촬요(醫林撮要)』라는 의서를 편찬하였다. 이 책은 내용과 편제에 있어서 『동의보감』 형성에 많은 영향을 주었는데, 내용상 『의학정전』을 많이 인용한 것으로 보아 금원의학이 실제로 『동의보감』 형성에 직접적인 영향을 주었음을 알 수 있다.

『동의보감』의 사상적 배경을 살펴보면, 도교 문헌으로부터의 인용이 적지 않고 인체의 정(精)、기(氣)、신(神)을 강조하였으며, 집례(集例)에서 허준 자신이 "도가는 그 정수(精髓)를 얻은 것이고 의가는 그 조략(粗略)을 얻은 것이다"[2] 라고 한 것으로 보아 도가사상을 중시했음을 알 수 있다. 이는 『동의보감』이 한의학의 철학적 배경이 되는 도가사상에 충실히 하고자 한 것이며, 16세기에 들어서 도교가 발전하였던 우리나라의 상황을 반영한 것이다. 실제로, 『동의보감』 편찬에 참여하였던 정작(鄭碏)의 형인 정렴(鄭𥖝)은 역학의 대가인 남사고(南師古)의 문하생으로서 『단가요결(丹家要訣)』을 지었으며, 수련(修鍊)을 중시하였던 것으로 미루어 『동의보감』 편찬에 많은 영향을 준 것으로 보인다.

『동의보감』 편제는 내경편(內景篇)、외형편(外形篇)、잡병편(雜病篇)、탕액편(湯液篇)、침구편(鍼灸篇) 등으로 되어 있는데, 외형편과 잡병편보다 내경편을 앞에 둔 것은 질병 치료보다는 양생이 더 중요하며, 외형보다는 내부의 정기신혈(精氣神血)과 오장육부가 인체에 있어서 중심이 된다는 관점을 나타낸 것이다. 각 문의 내용에서도 이론과 학설을 전제하고 병인、증상、치법 등을 논하고 있어서, 이 책 하나로 의학에 대한 다양한 이론을 습득할 수 있고, 아울러 임상에서도 응용이 편리하도록 하였다. 본초와 방제에서는 허준 자신의 임상 경험을 살려 불합리한 내용을 배척하고 유효한 처방을 기준으로 하여 약량(藥量)을 우리 체질에 맞도록 조절하였으며, 향약의 사용을 권장하기 위하여 약재 이름에다 俗名을 한글로 덧붙여 표기하였다.

『동의보감』이 간행된 이후, 의가들로부터 많은 호응을 얻었으며, 바로 중국과 일본에 전해져 그 가치를 높이 평가받아 여러 차례 추가적인 간행이 이루어졌다. 『동의보감』은 한국 의학의 수준을 한 차원 높게 끌어올렸으며, 한국 의학이 이론과 임상의 각 분야에서 자주적으로 발전할 수 있는 기틀을 마련하였다는 점에서 한국 의학 정립에 큰 역할을 하였다고 평가할 수 있다. 2009년 UNESCO에서 『동의보감』을 세계기록유산으로 등재하였는데, 이는 전통의학 분야에서는 세계 최초이며, 그만큼 한국에서뿐만 아니라 국제적으로도 『동의보감』의 가치가 귀중한 것임을 보여준 좋은 사례라고 할 수 있다.

---

2) 道得其精 醫得其粗 (東醫寶鑑·集例)

(4) 『동의수세보원』과 사상체질의학의 탄생

19세기 말 이제마는 기존 한의학과는 사상적 배경과 체계를 달리하는 사상체질의학을 제창하였다. 즉 사람은 각자 선천적으로 타고난 장부의 편성 편쇠와 성정(性情)의 특징에 따라 각기 체질을 형성하며, 그에 따라 생리와 병리 기전이 다르게 나타나므로 치법도 그 체질에 맞게 결정해야 한다고 하는 것이다. 사상의학은 성리학의 사단론(四端論)에 영향을 받은 것으로, 오장 중에 心은 마치 군주의 역할과 같이 온전하고 원만한 성질을 가지고 있지만, 나머지 사장(四臟)은 그렇지 못하여 어느 한쪽으로 치우치기 쉬운 성질을 가지고 있다고 보았다. 따라서 사람은 편향된 장부를 타고 나며, 그러한 장부 편차에 따라 마음의 성정도 독특하게 나타나게 되고, 우리 몸에서는 사장(四臟)이 위치한 사초(四焦)의 승강운동에 영향을 미쳐 각 체질을 형성하게 된다는 것이다.

이제마는 『격치고(格致藁)』 등에서 체질 의학의 배경사상인 사단론(四端論)을 제시하였고, 『동의수세보원』에서 그것이 실제로 임상에 어떻게 적용되는가를 설명하여 사상의학의 체계를 완성하였다. 사상적으로, 기존 한의학이 도가적인 배경을 가지고 있는 것과는 달리, 사상의학은 도가와 유가 사상을 결합하였다.

제2절 중국

중국 의학의 기원은 상고시대로 거슬러 올라간다. 그 예로, 『한비자 오두(韓非子 五蠹)』에서 "상고시대에는 …, 사람들이 나무와 풀의 열매, 또는 대합 같은 조개를 날로 먹었는데, 비린 냄새와 악취가 나고 위장계통의 질병이 많았다. 그때 성인이 나타나 나무를 비벼서 불을 만들어 음식을 익혀 냄새를 제거하였는데, 사람들은 기뻐서 그 성인을 세상을 다스리는 왕으로 삼고, 수인씨(燧人氏)라 불렀다"[3]고 하였으며, 『예위 함문가(禮緯 含文嘉)』에서도 "수인씨가 나무를 서로 비벼 불을 얻었으며, 날 것을 불에 굽거나 익혀서 먹은 다음부터는 사람들이 배탈을 앓지 않게 되었다"[4]고

ⓒcommons.wikimedia.org ⓒen.wikipedia.org ⓒzh.wikipedia.org

■ 수인씨(燧人氏) ■ 신농씨(神農氏) ■ 복희씨(伏羲氏)

3) 上古之世 … 民食果蓏蚌蛤, 腥臊惡臭, 而傷害腹胃, 民多疾病. 有聖人作, 鑽燧取火, 以化腥臊, 而民悅之, 使王天下, 號之曰燧人氏 (韓非子·五蠹)

4) 燧人氏始鑽木取火, 炮生而熟, 令人無腹疾 (禮緯·含文嘉)

하였다. 다른 기록에는 상고시대의 신농씨(神農氏)가 百草를 맛보았으며, 복희씨(伏犧氏)는 구침(九鍼)을 만들었다는 등의 전설이 있다. 이로 보아 중국 의약의 기원은 매우 오래되었으며, 농경 등 일상생활과 밀접한 관련이 있었음을 알 수 있다.

상주(商周)시대 갑골문(甲骨文)에는 학(瘧)、개(疥)、고(蠱)、우(齲) 등 질병 명칭이 많이 나오고, 부분적으로는 질병의 원인에 대해 분석도 하였다. 『여씨춘추 고락(呂氏春秋 古樂)』에 "먼 옛날 도당(陶唐)씨 초기에 음기가 많이 머물러 깔리고 두껍게 쌓여서 물길이 막히고 들로 통행 되지 못하여 거기에 사는 사람들의 정기가 울체(鬱滯)되어 근골이 당기고 펴지지 않으므로 춤을 추게 하여 그 기를 잘 통하게 하였다"[5]고 한 것으로 미루어 보아 그 당시 의학 수준을 짐작할 수 있다.

춘추 시대 『산해경(山海經)』에는 38가지 병명과 백여 가지 약물이 기재되어 있다. 또 『주례 천관(周禮 天官)』에는 당시 궁정 의사의 分工과 의정(醫政)조직의 조치(措置)와 의료제도 등에 관해 기록하고 있다. 『좌전(左傳)』 등에서는 의화(醫和)와 의완(醫緩) 등 명의에 대해 언급하였는데, 당시에 이미 전문적인 의사가 등장하였음을 알 수 있다. 임상적인 경험과 의학지식이 대량으로 쌓이면서 소박한 형태의 의학 이론이 생겨나기 시작하였으며, 『좌전』에서 의화가 진후(晋侯)를 진찰하면서 말한 내용은 원시적인 병리론에 해당한다.

©zh.wikipedia.org

■ 의화(醫和)

@baike.so.com

■ 의완(醫緩)

1. 고대 중국 의학 이론체계의 형성

고대 중국 의학 이론체계는 전국(戰國)과 양한(兩漢) 시기에 걸쳐 이루어졌다. 『황제내경(黃帝內經)』, 『난경(難經)』, 『상한잡병론(傷寒雜病論)』, 『신농본초경(神農本草經)』 등 의학 전문서적의 출현은 고대 중국 의학 이론체계의 형성을 의미한다.

5) 昔陶唐氏之始, 陰多滯伏而湛積, 水道壅塞, 不行其原, 民氣鬱閼而滯著, 筋骨瑟縮不達, 故作爲舞以宣導之 (呂氏春秋·古樂)

1) 고대 중국 의학 이론체계 형성의 배경

고대 중국 의학 이론체계는 오랜 기간에 걸쳐 서서히 형성되었다. 전국(戰國) 이후, 사회의 급격한 변혁과 학자들의 백가쟁명(百家爭鳴)은 의학 이론체계의 형성에 유리한 환경을 만들었다. 당시의 의사들은 인체의 신비와 인간과 자연과의 관계에 관해 연구함으로써 기존의 의학적 경험을 이론으로 승화시켰다. 그들은 의학적 경험과 해부학적 지식을 바탕으로 고대 철학의 정기(精氣)、음양(陰陽)、오행학설(五行學說)을 사유방법으로 활용함으로써 장상(藏象)、경락(經絡)、정신기혈진액(精神氣血津液) 등 학설을 만들었으며, 아울러 사람의 자연과의 관계를 연구함으로써 육음(六淫) 발병학설을 만들고, 인체의 생리와 병리를 설명하였으며, 질병 진단과 치료를 고안하여 점차로 고대 중국 의학의 이론체계를 세웠다.

(1) 유리한 사회문화적 배경

전국시대는 사회적으로 대변혁 시기였다. 농경 도구가 개선되어 생산 수준이 높아짐으로써 서주(西周)시기에는 농사를 근본으로 하는 경제구조가 형성되었으며, 전국시대 이후에는 더욱 발전하여 농업과 관련되는 과학기술, 즉 천문、역산(曆算)、농학、식물학、광물학、야금、제련 및 양조기술 역시 상응하는 발전을 하였다. 이러한 배경은 고대 중국 의학 이론체계 형성에 유리하게 작용하였다. 전국 시기 철학 분야에서는 "많은 학자가 벌떼같이 일어나고 여러 학파의 주장이 활발해지면서(諸子蜂起, 百家爭鳴)" 도가、유가、법가、병가、음양가 등 다양한 사상들이 유행하였다. 이러한 분위기 역시 고대 중국 의학의 이론체계 형성에 영향을 주었는데, 그중에서 도가는 무위자연(無爲自然)을 강조함으로써 고대 중국 의학 이론 전반에 깊은 영향을 미쳤고, 유가의 "스스로 힘씀에 쉬지 않고, 덕을 쌓아 만물을 싣는다"[6]는 근면한 정신과 도덕관념은 의사의 수양과 윤리의 형성에 도움을 주었으며, 병가의 용병술은 고대 중국 의학에서의 치료원칙과 방법의 수립에 영향을 미쳤다.

(2) 의약 지식 축적

원시시대부터 형성된 약물에 대한 지식은 지속해서 축적되었으며 전국 시기에 이르러 종합 정리되면서 전국시대 이후 의약학 발전의 기초가 되었다.

은상(殷商) 시기에 이미 다양한 약물이 사용되었으며, 술이나 탕액을 만들었을 뿐만 아니라, 실제 환자 치료를 목적으로 독약을 응용하기도 하였다. 서주(西周)시기에는 질병에 대한 이해가 깊어지고 전문적인 병명이 사용되었다. 춘추 시기에는 치료 기술이 더욱 발전하였다. 예컨대,『좌전』에는 진(秦)나라 명의인 의완(醫緩)이 "뜸으로 안 되고, 침으로도 안 되며, 약으로도 치료할 수 없다"[7]고 하여 攻(뜸 치료)、達(침 치료)、藥(약물치료)이 당시 의사들이 상용하는 치료방법임을 보여주고 있다. 전문적인 의사의 출현은 의학 이론 형성에 매우 유리한 조건이 되었다. 예를 들어『좌전』에 기록된 秦나라 명의 의화(醫和)가 진후(晋侯)의 병을 진찰하면서 육기병원설(六氣病源說)을 이용하여 질병 발생의 원인을 설명하였는데, 이는 병리학의 추형(雛形)에 해당한다. 이 시기는 의학 이론이 싹텄던 시기라고 할 수 있다.

전국 시기에는 편작(扁鵲) 등과 같은 직업적인 의사가 대량으로 나타났고, 질병에 대한 진단방법도 알려졌는데,『사기 편작창공열전(史記 扁鵲倉公列傳)』에는 편작이 병을 진찰하면서 "맥을 짚고, 색을 보며, 소리를 듣고, 형체를

---

6) 自强不息, 厚德載物 (易經·乾卦, 坤卦)
7) 攻之不可, 達之不及, 藥不至焉 (左傳·成公十年)

■ 편작(扁鵲)

기록하여 병의 위치를 안다"[8]고 하여 '사진(四診)'의 방법이 이미 기본적으로 형성되었음을 설명하고 있다. 병을 치료하는 방법 역시 많이 발전하였는데, 약물、침구、도인 등 치료방법 외에도, 정서의 변화를 이용하는 정신요법도 있었다. 그 예로『여씨춘추』에서 문지(文贄)가 격노시키는 방법으로 제민왕(齊閔王)의 우사병(憂思病)을 치료한 예를 기록하고 있다. 장사(長沙) 마왕퇴(馬王堆)의 한묘(漢墓)에서 출토된 의학 자료의 하나인『오십이병방(五十二病方)』에는 103개의 병명과 내과、외과、부인과、소아과、오관과 등 전문 과목 명칭, 247개의 약 이름과 283개의 약 처방이 기재되어 있는데, 이는 전국 시기 의약 수준이 이미 상당한 수준에 도달하였음을 말해준다.

의학지식의 축적은 체계적인 이론화 과정을 거쳤으며 고대 철학사상이 제공하는 사유방법의 도움을 받아 많은 의학자의 공동 작업을 통해 현존하는 고대 중국 의학 최고 문헌인『황제내경』이 편찬되었다.

(3) 인체 생명현상과 자연현상에 대한 관찰

고대에는 인체 생명의 신비, 그리고 생명 활동과 자연환경의 관계를 연구하기 위하여 직접관찰법 (direct observation)과 정체관찰법(整體觀察法, holistic observation)을 사용하였다. 직접관찰법은 해부라는 방법을 통해 인체를 직접 관찰하는 것으로, 시체의 해부를 중요한 방식으로 받아들였다. 예컨대,『영추 경수(靈樞 經水)』에서 "시체를 해부하여 볼 수 있다"[9]고 하였다. 시체 해부를 통해 사람들은 장기의 형태를 파악했을 뿐만 아니라, 그들의 기능까지도 유추하였다. 예를 들면, 소화기계통에 대한 해부 관찰을 통해 소화관 전체의 길이와 용량, 즉 식도와 장관의 길이 비율은 1:35(해부학에서는 1:37)이며, 위의 용량은 "3斗 5升"이라고 하였으며, 또한 위장관의 소화 기능 및 인체 생명 활동에 대한 역할 등이 알려졌다. 해부학적인 관점에서,『내경』에서는 "심은 우리 몸의 혈맥을 주관한다"[10]는 견해를 제시하

8) 切脈, 望色, 聽聲, 寫形, 言病之所在 (史記·扁鵲倉公列傳)
9) 其死可解剖而視之 (靈樞·經水)
10) 心主身之血脈 (素問·痿論)

였다. 이외에도 해부를 통해 폐、비、간、신、방광、담、뇌、여자포 등 장기와 그들의 위치, 상호 연접된 상황 및 외부기관과의 연계 등을 알게 되었는데, 예컨대 폐가 호흡을 주관하면서 목구멍이나 코로 통한다는 등이다.

비록 당시의 해부학 지식이 상당히 풍부해졌다고 할지라도, 단지 육안적인 관찰로만 획득한 지식으로는 이미 축적된 치료의 경험과 감정、사고、정서 등과 같은 복잡한 생명현상을 설명하기에는 부족하였으며, 체계적인 이론을 구축하기에도 충분치 않았다. 그래서 인체를 파악하기 위해 추구했던 또 다른 방법이 바로 정체관찰법이다.

정체관찰법은 살아있는 인체를 하나의 정체(整體, 유기적인 통일체)로 보아 그것이 다양한 환경조건과 외부의 자극에 대해 나타내는 반응 등을 관찰 분석하고, 기존의 해부학적 지식과 결합해 정기학설、음양학설、오행학설을 운용하여 유비추리(類比推理) 함으로써 인체 생명 활동의 원리를 파악하는 방법이다.

인체는 안팎이 유기적으로 통일된 개체이기 때문에 체내 장부의 생리 병리 변화가 외부로 드러나서 "안에 있는 것은 반드시 밖으로 나타난다"[11]고 하였다. 또 인체 외부로 나타나는 생리 병리 현상을 관찰하면 체내 장부의 변화를 추측할 수 있는데, 이를 "밖으로 나타나는 현상을 보면 그에 상응하는 내부 장기의 상태를 알 수 있다"[12]고 하였다. 당시의 의사들은 임상 경험을 통해 어떤 질병이 발생할 때 대개 서로 관계되는 일련의 증상들이 동시에 출현하는데, 이러한 증상들은 인체 외부의 특정한 부위나 기관과 서로 연관되어 있으며 또 인체 내장의 특정한 생리기능이 파괴되는 것과도 관련되어 있다는 것을 알게 되었다. 치료의 과정에서 특정한 약물들이나 혈(穴)들이 특정 증상에 대해 가지는 비교적 특이한 치료 효과를 관찰하였으며, 점차로 그 원리를 만들어갔다. 이와 관련된 무수한 반복 관찰과 실험을 통해 '오장분증(五臟分證)'의 원리를 만들어냈다. '오장분증'이란 실제로 어떠한 부위와 기관에 나타나는 일련의 특정한 증상을 오장 가운데 어떤 한 장의 기능 실조로 귀결시켜 인체 외부로 나타나는 병리적인 징후 (sign)를 내부 장기와 연결한 것이다. 치료할 때에도 이 한 장기의 병리적인 문제를 조절하면 질병이나 병의 상태를 완화할 수 있다. 이해의 수준이 높아지면서 사람들은 외부로 나타난 징후와 내부 장기의 관계를 연구하는 동시에 체내 각 장기 사이의 관계를 연구하였다. 이러한 반복적인 과정을 통해서『내경』시대에 오장 중심의 장상학설(藏象學說)을 형성하였다.

인체 생명현상에 대한 정체적인 (holistic) 관찰을 통해 점차로 정、기、혈、진액 등 개념을 만들었다. 생식과 관련된 정을 관찰함으로써 정의 개념을 만들었으며, 호흡과 관련된 기와 인체가 활동하면서 발산하는 열기 등의 관찰과 추리를 통하여 기의 개념을 형성하였다. 고대 철학의 정기학설과 음양학설의 영향을 받아 점차로 정、기、혈、진액의 기능과 상호 간의 관계를 파악하였다. 아울러 그들의 작용과 대사과정으로 장부의 생리공능과 병리 변화를 이해하였으며, 장부 사이의 생리 병리적인 연관 관계를 해석함으로써 기능계통 중심적인 장상이론을 만들어냈다.

당시의 사람들은 폄석(砭石)으로 병을 치료하는 과정에서 폄석 자극으로 인한 느낌이 전도되는 노선을 알게 되었다. 이는 경락학설을 세우는 중요한 근거가 된다. 그러한 느낌의 방향과 순행하는 노선에 대한 총체적인 관찰과 장상이론이 확립되면서 사람들은 점차로 장부 사이、장부와 체표 및 오관 사이에 필연적인 연결 통로가 있다는 사실을 알게 되었으며, 이를 바탕으로 이미 알고 있는 폄석 자극으로 인한 노선과 내재하는 장부를 하나하나 연계시켜 십이경맥(十二經脈)의 순행을 추측하였다. 그 후에 점차로 기경팔맥、십이경별、십이경근、십이피부、십오별락 등 이론이 생겨나면서 경락학설이 만들어졌다. 경락학설의 형성은 장부 사이, 장부와 체표 및 오관 사이의 연계에 대해 확고한 기반을 제공하였으며, 인체의 정체적 특성에 대한 인식을 강화하였다.

춘추전국시대에는 농업이 발전하고 생산력이 높아지면서 계절 기후 변화에 대한 인식이 깊어졌다. 인간중심의 정

---

11) 有諸內, 必形諸外 (孟子·告子下)

12) 視其外應, 以知其內臟 (靈樞·本藏)

체적인 관찰을 바탕으로 계절의 기후 변화가 자연계 만물의 생장 변화에 영향을 미칠 뿐만 아니라, 인체의 생리 활동이나 병리 변화에도 영향을 미친다는 것을 알게 되었다. 자연계의 기후 변화가 지나쳐 인체의 적응능력을 초과하면 발병인자가 되고, 또 사회나 경제적인 상황이나 지위의 변화도 때로는 발병인자가 됨을 점차로 알게 되었다. 이로부터 사람과 자연환경은 끊임없이 서로 연관되어 있으며, 사회환경과도 서로 밀접하다는 생각을 하게 되었다. 이로써 인체의 생리 병리에 대한 인식은 심화되었고, 인체 생명 활동과 질병 발생 및 변화의 원리를 거시적으로 이해하게 되었다.

(4) 고대 철학사상이 의학에 미친 영향

先秦시기에 나타난 정기、음양、오행학설 등은 철학적 사유방법으로서 고대 중국의학 이론체계 형성에 영향을 미쳤다.

2. 고대 중국 의학 이론체계의 확립

전국에서 진한(秦漢)에 이르는 시기의 『황제내경』、『난경』、『상한잡병론』、『신농본초경』 등 의학서적의 출현은 고대 중국 의학 이론체계가 기본적으로 확립되었음을 보여준다.

1) 이론의 뼈대를 세움

『내경』의 출현은 선진(先秦)에서 서한(西漢)에 이르는 시기에 이루어진 의학 발전의 필연적인 결과이다. 이 책은 전국과 진한 시기에 처음 만들어졌으며, 동한(東漢)에서 수당(隋唐)에 이르는 동안 수정 보완되었다. 『내경』은 『소문』과 『영추』의 두 책으로 합쳐서 모두 18권 162편인데, 선진에서 서한에 이르는 의학 경험과 이론의 집대성이며, 내용이 매우 풍부하다. 이 책의 내용은 전면적으로 고대 중국 의학의 사유방법、인간과 자연의 관계、인체의 생리 병리 및 질병의 진단 예방 치료 등을 망라하고 있어서 고대 중국 의학 이론체계 확립의 기초가 되었을 뿐만 아니라, 동시에 고대 중국 의학의 이론과 임상이 지속해서 발전하는 밑바탕이 되었다.

『내경』은 인체 자체가 하나의 유기적인 통일체이며, 또 인간은 자연이나 사회환경과도 서로 밀접한 관계에 있음을 강조하였다. 즉 『내경』은 인체의 각 구성 부분이 고립된 것이 아니라, 서로 연관되어 있으며, 이러한 연계를 생리와 병리, 장부와 경락 등으로 다양하게 설명하고 있다. 『내경』은 체내 장부와 체표 형체가 대응 관계에 있으며, 국소 병변은 전신이나 기타 장기에 영향을 미치기 때문에 치료 시에 국소와 전체의 연계를 중시한다. 『내경』은 또한 인간과 자연 사회적 환경이 서로 통일되어 있다고 하였다. 인체의 건강과 질병은 직접 계절、기후、지리환경 및 사회、정치、경제적인 상황 등에 의해 영향을 받고 있으므로 실제 임상에서 반드시 이러한 내용을 고려해야 정확한 진단과 치료를 할 수 있다.

『내경』은 정기、음양、오행학설 등과 같은 당시의 철학 사상을 의학 영역으로 끌어들여 인체 생명의 탄생、생명과정 및 질병 발생 원인과 기전 그리고 진단、예방、치료 등을 해석하였다. 『내경』에서는 정기(精氣)가 인간을 포함하는 우주 만물을 공통으로 구성하고 있는 본원이며, 인체와 우주 만물에 존재하고 있는 동원성으로 인해 밀접한 관계에 있는 것으로 보고 있다. 인체의 각 장부、경락、형체는 모두 정에서 생겨난 것이기 때문에 역시 동원(同源)이면서 서로 연계된 것이다. 『내경』은 음양의 대립과 통일을 우주 만물의 보편적인 원리라고 보기 때문에 인체 내 음양 역시 평형 협조하고 있는 것으로 보고 있다. 일단 이러한 평형이 파괴되면 인체에 질병이 생긴다. 진단할 때에 병증의 음양 속성을 잘 밝히고, 치료할 때에는 음양을 잘 조정하여 평형을 회복해야 한다. 『내경』에서는 오행학설을 운용하여 인체의 생명과 활동과 자연계와의 관계를 해석하고 계절의 기후 변화와 인체의 생리、병리 및 정신 상태를 포함하는 자연계 각종 사물과 현상을 오행으로 모두 분류하였으며, 아울러서 인체 내 장부 사이에는 '생극제화(生剋制化)'의 자율적인 조절이 이루어지고 있으며, 장부와 자연계 사이에도 역시 상호 감응하는 연계가 존재한다고 하였다.

『내경』은 장상, 경락이론을 세워 비교적 상세하게 장부의 생리 기능에 대해 묘사하고 있다. 이는 진한 이전의 인체에 대한 관찰 결과를 집대성한 것이며, 당시의 해부지식과 서로 결합하여 얻어낸 결론이다. 『내경』에서는 인체 해부를 바탕으로 정체적인 관찰 방법을 더욱 중시하여 장부의 생리공능을 인식하였으며, 관찰을 통해 알아낸 호흡, 순환, 소화, 배설, 생식, 정신 생리 등 인체 생리공능을 오장에 나누어 귀속시킴으로써 오장 중심의 생리계통을 만들고, 또 정, 기, 신, 혈, 진액의 작용으로 연계 조절되는 장부 형체의 생리공능을 아울러서 장상이론을 구축하였다. 『내경』에서는 경락학설에 대해 구체적으로 논술하고 있는데, 십이경맥의 순행 방향, 장부와의 관계 및 주관하는 병증에 대해서도 기재하고 있을 뿐만 아니라, 기경팔맥, 십이경별, 십오별락, 십이경근, 십이피부의 유주 방향과 분포 및 기능에 관해서도 기술하고 있다. 『내경』은 진한 이전의 경락에 대한 경험과 이해를 정리하여 체계적으로 이론화함으로써 경락이론을 만들어냈다.

『난경』은 『내경』과 짝을 이루는 고전이라고 할 수 있으며, 편작(扁鵲)이 만든 것으로 알려져 있다. 이 책의 내용은 간결하고 설명과 해석이 비교적 잘 되어 있다. 전반적으로 기초이론 위주이면서 생리, 병리, 진단, 병증, 치료 등 각 분야에 걸쳐 있으며, 특히 맥학에 대해서는 비교적 상세하면서도 논리적으로 설명하였다. 경락학설이나 장상학설 가운데 명문과 삼초에 대한 설명은 『내경』을 기초로 더욱 발전된 것으로, 『내경』과 더불어 후세의 임상을 이끄는 중요한 이론서이다.

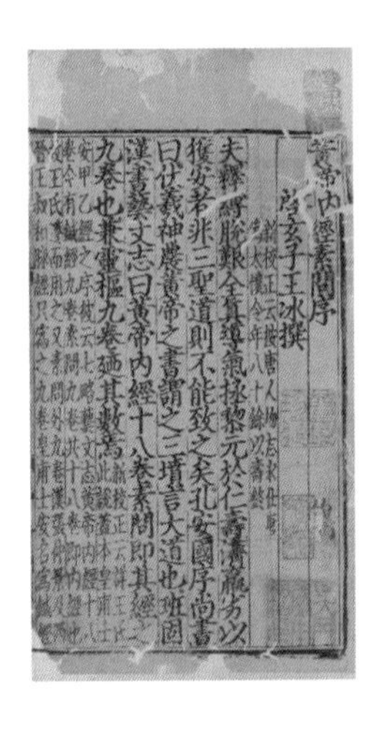

©commons.wikimedia.org

■ 황제내경(黃帝內經)

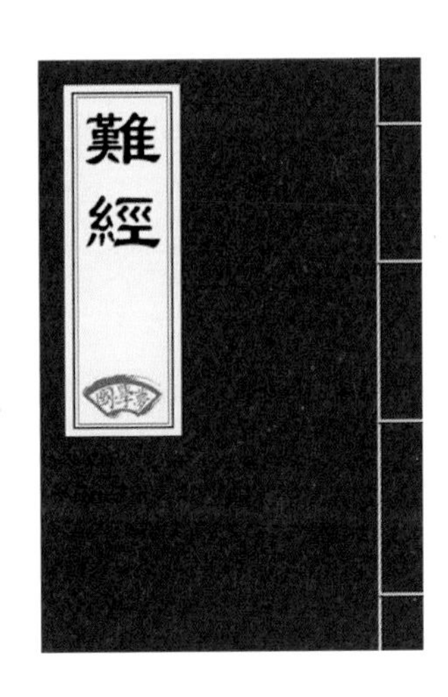

@guoxuemeng.com

■ 난경(難經)

『상한잡병론』에서 변증논치 이론이 본격적으로 만들어졌다. 이 책은 동한(東漢) 장기(張機)(자는 仲景)의 저술이며, 나중에 왕숙화(王叔和)에 의해 『상한론(傷寒論)』과 『금궤요략(金匱要略)』 두 부분으로 나누어졌는데, 전자는 육경(六經)으로 상한(傷寒)을 설명하였고, 후자는 장부로써 잡병을 논하였다. 이 책에서 "맥과 증을 살펴 무엇이 어떻게 잘못되었는지를 알아 그 증에 따라 치료한다"[13]는 변증논치의 원칙을 제시하였으며, 고대 중국 의학의 기초이론과 임상을 긴밀하게 결합해 임상의학 발전의 기초가 되었다.

13) 觀其脈證, 知犯何逆, 隨證治之 (傷寒論·辨太陽病脈證幷治)

이상의 내용을 종합하면, 진한시대의 이러한 세 의학 문헌의 완성은 당시 의학 발전의 수준을 보여주는 것이며, 널려 있던 의학지식과 의료 경험이 체계적인 이론으로 승화되면서 고대 중국 의학 이론의 뼈대를 세웠다.

2) 치료 기술의 발전

고대 중국 의학 이론의 뼈대가 만들어지면서 치료 기술 역시 상응하는 발전을 하였다. 정체관과 변증논치이론에 의해 고대 중국 의학은 치병구본(治病求本)、삼인제의(三因制宜)、정치반치(正治反治)、표본완급(標本緩急)、부정거사(扶正祛邪) 및 조정음양(調整陰陽) 등 치료원칙을 확립하였다. 다양한 치료 기술 가운데 약물과 침구 요법이 가장 빠르게 발전하였다.

약물요법의 발전: 변증논치라는 임상 치료체계가 확립되면서 약물요법은 단일 약물의 대증치료로부터 체계적인 약물의 조합과 운용이 이루어졌으며, 아울러 이미 형성된 원칙에 따라 조성된 복합처방은 치료 효과를 상승시켰고, 동시에 개별 약물에 대해서도 더욱 깊이 있게 연구하였다.

이 시기에는 약물학 지식도 매우 풍부해졌다. 마왕퇴(馬王堆)에서 출토된 서적에는 243종 약물이 기재되어 있으며, 서한(西漢) 시대에는 '본초대조(本草待詔)'라는 관직이 설치된 것으로 미루어 당시에 이미 약물학 연구와 관리에 종사했던 전문가가 있었음을 알 수 있다.

『신농본초경』은 『본경(本經)』 혹은 『본초경』이라고도 하는데, 중국에서 현존하는 최초의 약물학 전문서적이다. 이 책에는 365종 약물이 기재되어 있으며, 약물이 가지고 있는 독성 정도에 근거하여 상중하 세 가지로 분류하였는데, 상품약은 독이 없고 주로 기운을 돋우는 약이며, 중품약은 주로 병을 치료하거나 허한 것을 보하고, 하품약은 독이 있으며, 병의 원인을 제거하거나 적취 등을 파괴한다. 이 책에서는 모든 약물의 성능(性能)과 주치(主治)를 기재하여 임상적으로 약을 쓰기에 편리하게 하였으며, 특히 '사기오미(四氣五味)'의 약성 이론을 제시하였는데, "한(寒)은 더운 약으로 치료하며, 열(熱)은 찬 약으로 치료한다"[14]는 약물 운용의 원리를 명확히 하여 약리학과 병리학을 결합함

@hyqzyy.com

■ 신농본초경(神農本草經)

©history.cultural-china.com

■ 상한론(傷寒論)

14) 治寒以熱藥, 治熱以寒藥 (本草經集注·序錄上)

으로써 중국 의학 이론체계를 더욱 성숙케 하였다. 동시에 이 책에서 언급한 단행(單行)、상수(相須)、상사(相使)、상외(相畏)、상오(相惡)、상반(相反)、상살(相殺) 등 '칠정화합(七情和合)'의 약물 배합이론은 처방 구성의 중요한 이론적 근거가 된다.

약물이론의 형성은 방제의 발전을 이끌었다. 비록『내경』에는 13개 처방밖에 나오지 않지만,『내경』에 앞서는『오십이병방』에서는 280여 처방을 기록하고 있다. 이러한 처방들은 고대에 의사들이 질병을 치료했던 경험의 집대성이며, 한대 이전 방제학의 성취를 반영하고 있다. 그러나 변증논치 이론에 따른 처방의 구성은 장기의『상한잡병론』에서 비롯한다고 보아야 한다. 이 책에 실린 269개 처방 (『상한론』의 112개 처방과『금궤요략』의 262개 처방 사이에 중복된 처방을 제외한)은 군신좌사(君臣佐使)와 약물의 배오를 지키고 치료 효과가 확실하므로 '경방(經方)'으로 불렸다.

침구 요법의 발전: 시기적으로 침구 요법은 약물요법보다 이르다. 침구 요법은 신석기시대에 만들어졌으며, 춘추전국시대에 비교적 많은 발전을 하였다. 당시의 많은 의사가 침구로 질병을 치료하였으며, 그 가운데 전국 시기의 편작은 침구 치료를 잘하였는데, 그는 침으로 괵태자(虢太子)의 시궐(尸厥)병을 치료하였고, 폄석으로 진무왕(秦武王)의 얼굴 질환을 치료하였다고 한다.『내경』에 소개된 치료방법은 대부분 침구에 관한 것인데, 이 책에서는 침구이론과 혈위에 관해 비교적 상세하게 기록하고 있다. 361개 수혈(腧穴)을 기록하였으며, 오수혈(五輸穴)과 십이원혈(十二原穴)의 개념과 아울러, 봉시보사(逢時補瀉)、영수보사(迎隨補瀉)、질서보사(疾徐補瀉)、심천보사(深淺補瀉)、호흡보사(呼吸補瀉)、개합보사(開闔補瀉)、제삽보사(提插補瀉) 등 다양한 보사법에 대해 강조하였다.

의학 이론의 형성은 치료 기술 발전의 바탕이 되었으며, 치료 기술의 진보와 약물방제학의 발전은 다시 이론을 수정 보완하였고, 그를 통해 중국 의학 이론이 실제 임상에 더욱 활발하게 이용되었다. 전국에서 진한에 이르는 시기에 나온『황제내경』,『난경』,『상한잡병론』,『신농본초경』 등 의학 문헌에 실린 내용을 보면, 당시 의학자들이 고대 중국 의학의 이론적 뼈대를 구축하였을 뿐만 아니라, 이미 약물과 침구 등 치료 기술을 잘 운용하였으며, 아울러 이론과 임상을 연계시킴으로써 임상을 통해 끊임없이 이론을 수정 보완하여 마침내 중국 의학의 이법방약(理法方藥)이 하나로 어우러진 이론체계를 만들어냈다.

3. 중국 의학 이론체계의 발전

고대 중국 의학 이론체계가 만들어지면서 이론과 임상 분야의 발전이 활발해졌다. 고대 중국 의학은 한대(漢代) 이후에 전면적인 발전 시기로 진입하였다.

1) 위진수당(魏晋隋唐) 시기

위진남북조와 수당의 五代는 700여 년에 걸쳐 있는데, 의학 이론과 기술은 이 시기의 정치、경제、문화의 발전에 따라 더욱 진보하였으며, 수많은 명의와 저서들이 나와 중국 의학 이론체계의 발전을 이끌었다.

진(晋)의 왕숙화(王叔和)가 편찬한『맥경(脈經)』은 중국의학 최초의 맥학 전문서적이다. 이 책에서는 기초이론에서 실제 임상에 이르기까지 맥학 전반에 대해 체계적으로 설명하였으며, '촌구맥법(寸口脈法)'을 제시하여 좌촌(左寸)은 심과 소장을 주관하고, 관(關)은 간담을, 우촌(右寸)은 폐와 대장을, 관(關)은 비위를, 양척(兩尺)은 신과 방광을 주관한다는 삼부의 맥위를 밝혔으며, 부(浮)、규(芤)、홍(洪)、활(滑)、삭(數)、촉(促)、현(弦)、긴(緊) 등 24종 병맥의 맥상 형태와 그 주관하는 병증을 설명함으로써 촌구맥진법의 보편적인 응용을 도모하였다.

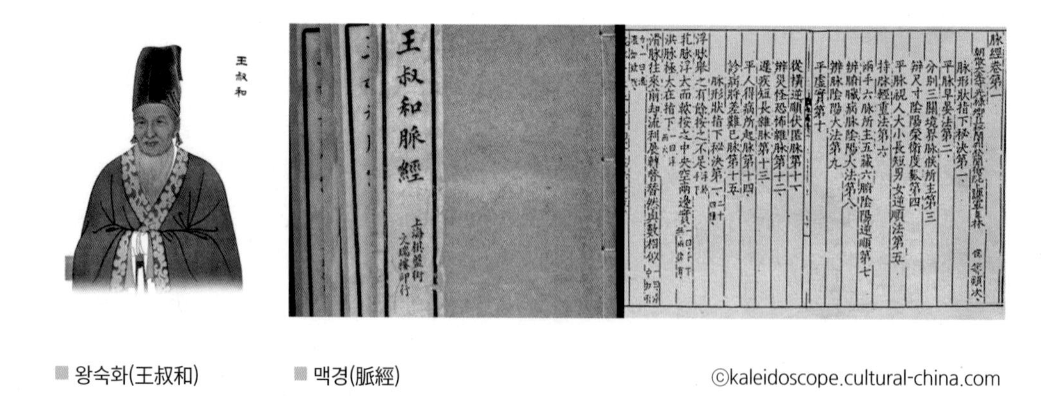

■ 왕숙화(王叔和) ■ 맥경(脈經) ©kaleidoscope.cultural-china.com

진(晋)의 황보밀(皇甫謐)이 편찬한 『침구갑을경』은 현존하는 최초의 침구학 전문서적이다. 이 책에서는 장상, 경락, 수혈, 표본, 구침, 자법, 진법, 병증, 치법 등 내용을 서술하고 있는데, 위진 이전 침구경락이론을 집대성한 것으로 후세 침구의학 발전에 미친 영향이 매우 크다.

欽定四庫全書 子部五
鍼灸甲乙經 醫家類
提要
臣等謹案鍼灸甲乙經十二卷晉皇甫謐撰謐
有高士傳已著錄是編皆論鍼灸之道隋書
經籍志稱黄帝甲乙經十卷註曰音一卷梁
十二卷不著撰人姓名考此書首有謐自序
稱七略藝文志黄帝内經十八卷今有鍼經

©namu.wiki ©ctext.org
■ 황보밀(皇甫謐) ■ 침구갑을경(鍼灸甲乙經)

수(隋)의 소원방(巢元方)이 편찬한 『제병원후론(諸病源候論)』은 중국 의학 최초의 병리학 분야 전문서적이다. 이 책에서는 내, 외, 부인, 소아, 오관, 피부 등 각 전문과목에 해당하는 병증의 병인, 병기 및 증상을 1,729 조목으로 나누어 설명하였다. 예컨대 개창(疥瘡)의 원인이 개충(疥蟲)이고, 촌백충(寸白蟲 · 조충(絛蟲), taenia와 같음)병은 익히지 않은 쇠고기를 먹어 발생하며, '칠창(漆瘡)'의 발생과 체질은 유관하고, 일부 전염병은 자연계의 '괴려지기(乖戾之氣)'로 발생하고 아울러 "서로 쉽게 전염된다[15]"는 특징 등 병의 원인에 관한 연구에 더욱 치중하였다.

15) 轉相染易 (諸病源候論·溫病瘥後諸病候)

©kaleidoscope.cultural-china.com
■ 소원방(巢元方)

©ctext.org
■ 제병원후론(諸病源候論)

남제(南齊)의 공경선(龔慶宣)은 현존하는 최초의 외과학 전문서적인 『유연자귀유방(劉涓子鬼遺方)』을 저술하여 외과와 피부과의 임상경험과 방법을 총정리하였다.

©cnbat.cn
■ 공경선(龔慶宣)

©ctext.org
■ 유연자귀유방(劉涓子鬼遺方)

당대(唐代)의 린도인(藺道人)은 『선수리상속단비방(仙授理傷續斷秘方)』을 썼는데, 이는 현존하는 최초의 상과(傷科) 전문서적으로, 자주 발생하는 상과 전문 질환에 대한 진단과 치료를 소개하고 있다.

잠은(昝殷)은 『경효산보(經效產寶)』를 저술하여 산부인과에서 자주 볼 수 있는 병증의 진단 치료 및 응급처치 등을 논술하였다. 이외에도 소아과, 오관과 및 안마 등 분야에도 적지 않은 전문서적과 문헌 자료들이 만들어졌다. 이 시기에 내과 분야의 발전은 더욱 두드러졌는데, 예를 들면, 소갈병(消渴病) 환자의 오줌이 달다는 사실을 확인하였으며, 황달의 치료를 위한 효과적인 방법과 표준을 찾아냈고, 아울러 자주 발생하는 병증에 대해 유효한 치료방법을 모색하였다. 이러한 성과들은 의학발전사에서 주요한 의미가 있다.

이 시기에 또한 방약(方藥)에 관한 저술이 대대적으로 이루어졌는데, 『수서 경적지(隋書 經籍志)』에 기재된 의방류의 저서는 3,714권에 달한다. 당의 손사막(孫思邈)이 편찬한 『천금요방(千金要方)』과 『천금익방(千金翼方)』은 중국 의학 최초의 의학 백과 전서라고 할 수 있다. 이 책들은 당 이전의 의학 이론, 방제, 진법, 치법, 식이 양생 등에 관해 서술

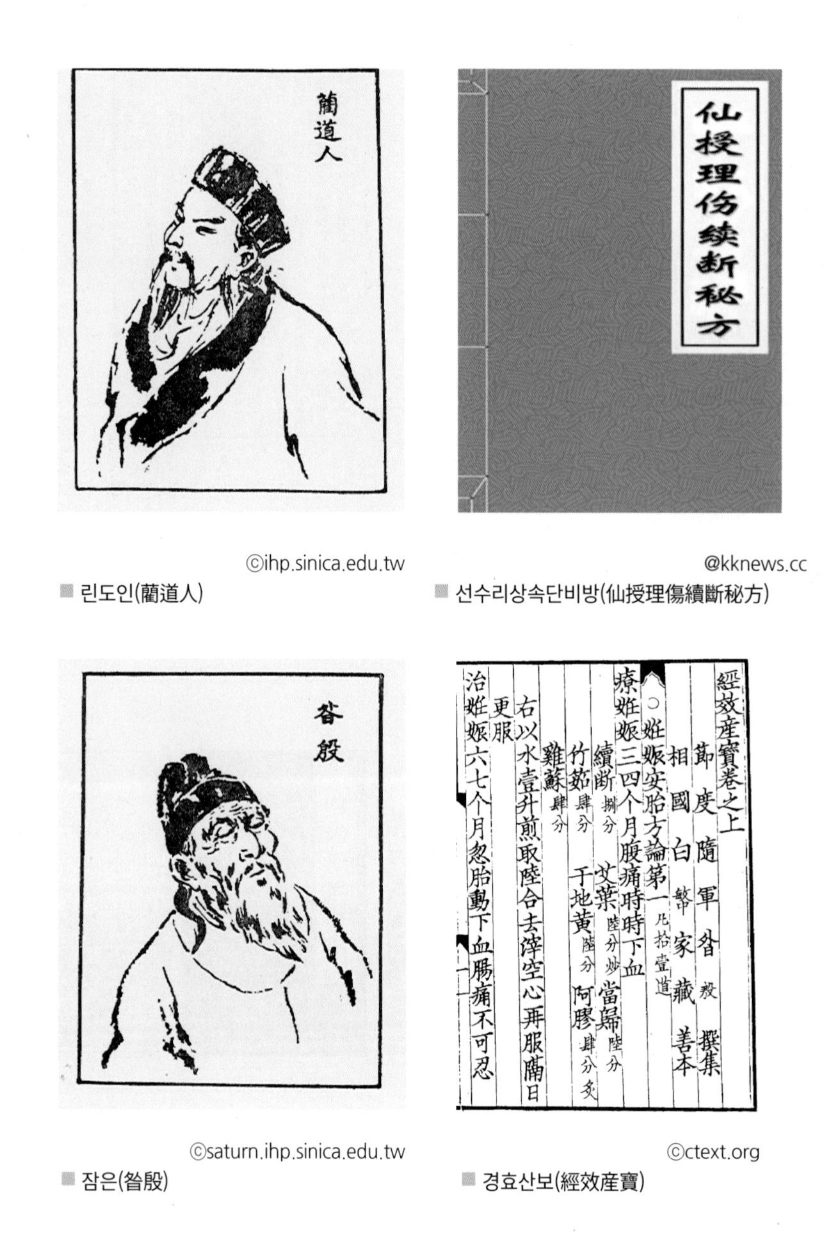

經效産寶卷之上
節度隨軍昝殷撰集
相國白敏中家藏善本
○妊娠安胎方論第一 凡拾壹道
療妊娠三四个月腹痛時時下血
續斷 捌分 艾葉 陸分炒 當歸 陸分
竹茹 肆分 干地黄 陸分 阿膠 肆分炙
雞蘇 肆分
右以水壹升煎取陸合去滓空心再服隔日
更服
治妊娠六七个月忽胎動下血腸痛不可忍

©ihp.sinica.edu.tw
■ 린도인(藺道人)

@kknews.cc
■ 선수리상속단비방(仙授理傷續斷秘方)

©saturn.ihp.sinica.edu.tw
■ 잠은(昝殷)

©ctext.org
■ 경효산보(經效産寶)

하였는데, 당의 의학 수준을 대표하고 있다. 그는 또 의사가 갖추어야 할 의덕에 관해 언급함으로써 의료윤리학 분야를 열었다고 할 수 있다.

당의 조정에서는 659년 세계 최초의 국가 약전인 『신수본초(新修本草)』를 반포하였는데, 이후 주변 국가에 두루 영향을 미쳤다.

이상의 성과는 양진(兩晋) 수당 시기의 임상의학이 매우 빠르게 발전하였음을 보여준다.

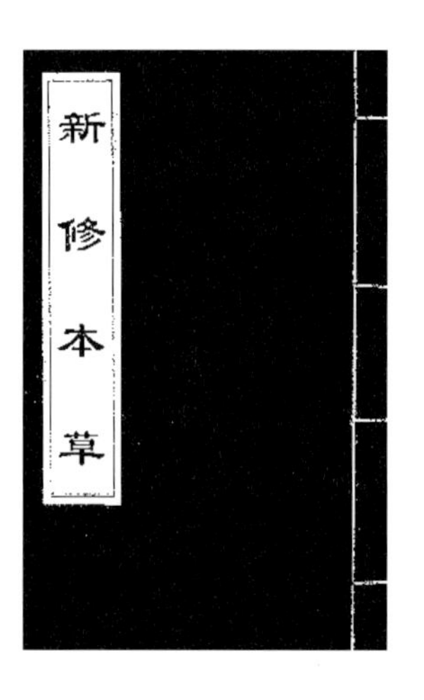

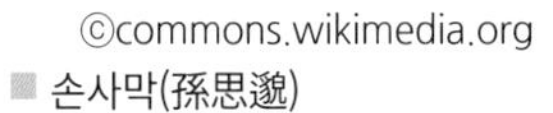
©commons.wikimedia.org
■ 손사막(孫思邈)

©history.cultural-china.com
■ 천금방(千金方)

©ctext.org
■ 신수본초(新修本草)

2) 송금원(宋金元) 시기

송대에서 금원에 이르는 시기에는 괄목할만한 과학 기술 발전이 이루어졌으며 그에 따라 의학 학술 유파도 많이 생겨나서 의학 발전에 미친 영향도 매우 컸다.

남송의 진언(陳言)(자 无擇)은 장중경의 "수많은 질병 역시 세 가지 범주를 벗어나지 않는다"[16]는 견해를 바탕으로 자신의 임상경험과 『내경』의 유관내용을 결합하여 『삼인극일병증방론(三因極一病證方論)』을 저술하였는데, 줄여서 『삼인방(三因方)』이라고도 한다. 모두 18권으로 되어 있으며, 병인을 셋으로 분류하였는데, 외감육음(外感六淫)은 외인, 칠정내상(七情內傷)은 내인, 음식소상(飮食所傷)、규호상기(叫呼傷氣)、충수소상(蟲獸所傷)、질타(跌打)손상、중독(中毒)、금창(金瘡) 등은 '불내불외인'이라고 하였다. 이 책에서는 병인과 병증을 서로 결합해 삼인 이론을 체계적으로 설명하였다. 진언의 병인 삼분법은 송대 이전 병인론의 총결이며, 그후 병인학의 발전에 깊은 영향을 미쳤다.

금원시기의 유완소(劉完素)、장종정(張從正)、이고(李杲)、주진형(朱震亨) 등은 중국 의학 이론 발전에 중요한 공헌

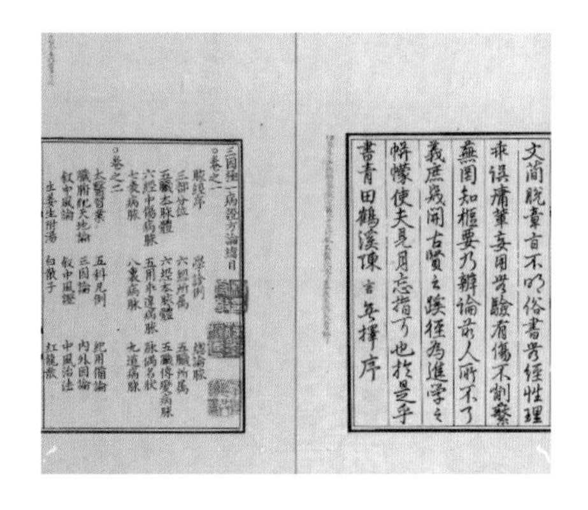

©theme.npm.edu.com
■ 삼인방(三因方)

16) 千般疢難, 不越三條 (金匱要略·藏府經絡先後病脈證第一)

을 하였는데, 나중에 '금원사대가(金元四大家)'로 불리었다.

ⓒqihuang.net.cn

■ 금원사대가(金元四大家)

유완소(자 수진(守眞), 후대에 유하간이라고 존칭하였음)는 하간학파(河間學派)를 열었으며, 화열론(火熱論)을 이끌었다. 그는 "육기는 모두 화(火)로 바뀐다"17)고 하여 화와 열로 바뀌는 것이 외감병의 주요 병기라 하였고, 내상병에서는 "오지(五志)가 지나치게 극렬한 것은 열이 심하기 때문이다"18)라고 하였다. 모든 병은 화열로 인해 생긴다고 보아 한량한 약물로써 청열시키는 치료를 위주로 하므로 후대에 '한량파(寒凉派)'로 불렸다. 대표 저서로는『소문현기원병식(素問玄機原病式)』과『소문병기기의보명집(素問病機氣宜保命集)』등이 있다.

장종정(자 子和, 호 대인(戴人))은 유완소의 제자로, 邪氣(병인)가 원래 몸에 있는 것이 아니므로 "사기가 사라지면 원기가 스스로 회복된다"19)고 하였으며, 보약을 남용해서는 안 된다는 견해를 내놓고 치료에서 한토하(汗吐下)의 사기를 공격하는 세 가지 방법을 위주로 하였기 때문에 후세에 '공사파(攻邪派)'라고 하였다. 대표 저서는『유문사친(儒門事親)』이다.

이고(자 明之, 호는 東垣老人이며, 후인들이 이동원으로 존칭하였음)는 이수학파(易水學派)의 창시자인 장원소(張元素, 자 결고(潔古))로부터 배웠으며, 胃氣의 발병에 대한 결정적인 작용을 강조하여 "모든 병은 비위가 쇠하여 생기는 것이다"20)라고 하였으며, 비위를 온보시키는 방법을 위주로 하였기 때문에 후세에 '보토파(補土派)'로 불렸다. 대표 저서로는『비위론(脾胃論)』과『내외상변혹론(內外傷辨惑論)』등이 있다.

주진형(자 언수(彦修), 호는 단계옹(丹溪翁)이며, 후인들이 주단계로 존칭하였음)은 하간의 학문을 전하면서 상화(相火)의 원리에 관해 설명하였는데, 살아있는 생물이 움직이는 것을 화(火)의 속성으로 보고 "사람이 살아있으면 또

17) 六氣皆從火化 (素問玄機原病式·火類)
18) 五志過極皆爲熱甚 (素問玄機原病式·火類)
19) 邪去而元氣自復也 (儒門事親·汗下吐三法該盡治病詮十三)
20) 百病皆由脾胃衰而生也 (脾胃論·脾胃勝衰論)

한 항상 움직이는데, 그 항상 움직이게 하는 것은 모두 상화의 작용이다"[21], "사람이 이 화(火)가 없으면 살 수 없다"[22] 고 하였다. 상화가 망동하는 것은 사화(邪火)에 속하는 것으로 진음(眞陰)을 끊인다고 하여 "양은 항상 남아돌고, 음은 항상 부족하다(陽常有餘, 陰常不足)"라는 견해를 제시하였다. '자음강화(滋陰降火)'의 치료방법을 만들었으며, 후세에 '자음파(滋陰派)'라고 하였다. 대표 저서로는『격치여론(格致餘論)』이 있다.

금원사대가의 이론은 각기 독창적인 견해가 있어서 이들은 다양한 각도에서 중국 의학 이론을 풍부하게 하였다.

3) 명청(明淸) 시기

명청 시기는 중국 의학 이론이 종합적으로 회통되면서 심화 발전되었는데, 다양한 발명과 독창적인 견해가 있었으며, 의학 이론과 임상 경험이 종합적으로 정리되면서 대량의 의학 전서、총서、유서 등이 편찬되었다.

자음파와 온보파의 논쟁 끝에 명대에 이르러 재조명된 명문학설(命門學說)은 중국 의학의 장상 이론에 새로운 내용으로 추가되었다. 장개빈(張介賓)(자 景岳)、조헌가(趙獻可)(자 양규(養葵)) 등 의학자들은 유완소와 주진형의 관점과는 다른 견해를 제시하면서 한량한 약물이 인체의 양기를 해치는 것에 대해 반대하였으며, 온보신양(溫補腎陽)과 자양신음(滋養腎陰)의 양생과 질병의 예방과 치료에서의 중요성을 강조하였다. 장개빈은 "양(陽)은 유여(有餘)하지 않다", "진음(眞陰)은 부족하다"라는 견해를 내세워 신양과 신음을 보양할 것을 주장하였다. 조헌가는 명문을 몸에서 가장 중요한 것으로 보고,『의관(醫貫)』을 저술하여 '명문지화(命門之火)'의 양생과 질병 예방에서의 중요성을 강조하였다. 명문학설은 중국 의학 이론과 임상 각과의 발전에 비교적 큰 영향을 미쳤으며, 특히 양생을 통한 질병 예방과 만성 질병과 노인병의 재활 치료 등에 대해 중대한 영향을 미쳤다.

■ 장개빈(張介賓)

©ihp.sinica.edu.tw

■ 조헌가(趙獻可)

명청 시기 온병학설(溫病學說)의 형성과 발전은 중국 의학 이론의 발전에 있어서 매우 중요한 의미가 있다. 온병은 각종 급성 열병의 통칭으로, 전염성과 유행성을 가지고 있다. 온병학설은『내경』,『난경』및『상한잡병론』에서 시작하여 계속된 발전을 거듭한 끝에 명청에 이르러 무르익었다. 온병학설의 형성과 발전과정에서 명대의 오유성(吳有

21) 人有此生, 亦恒于動, 其所以恒于動, 皆相火之爲也 (格致餘論·相火論)
22) 人非此火不能有生 (格致餘論·相火論)

©ihp.sinica.edu.tw ■ 오유성(吳有性) ©taijichinesemedicine.com ■ 섭계(葉桂) ©zt.cast.org.cn ■ 설설(薛雪)

性)과 청대의 섭계(葉桂)、설설(薛雪)、오당(吳瑭) 등은 모두 지대한 공헌을 하였다.

오유성(자 우가(又可))은『온역론(溫疫論)』을 저술하여 '여기설(戾氣說)'을 만들었으며, 온역병의 병인에 대해 탁월한 견해를 내었다. 그는 온역병의 병인을 '여기'라 하고, 일반적인 육음과는 다르다고 하였으며, 여기는 "입과 코로부터 들어온다"[23]고 하였다. 서로 전염되고 지역적으로 크게 유행하여 그 증상이나 병의 양상이 서로 비슷하다. 역병에 따라 발생하는 계절이 다르고, 인간과 가축에도 모두 역병은 있지만, 서로 다르다고 하였다. 세균과 미생물이 발견되기 200여 년 전에 오유성은 전염병의 병인에 대해 비교적 깊이 있는 견해를 내놓았다.

섭계(자 천사(天士), 호는 향암(香岩))는『온열론(溫熱論)』을 저술하였는데, "온사(溫邪)는 위에서 받아 먼저 폐로 들어오고, 심포로 역전(逆傳)된다"[24]는 온열병 발병의 원리를 설명하였으며, 온열병의 위기영혈(衛氣營血) 변증이론을 만들었고, 청대 온병학설의 발전과정에서 중간에 해당하는 역할을 하였다.

설설(자 생백(生白))은『습열조변(濕熱條辨)』을 저술하였는데, 습열병(온병의 한 종류)의 병인、증상、전변원리、치료원칙、치료방법 등에 대해 간략하게 정리함으로써 온병학설의 발전에 공헌하였다.

오당(자 국통(鞠通))은『온병조변(溫病條辨)』을 저술하여 "온병은 먼저 상초에서 시작되어 수태음경(手太陰經)에 있는 것이다"[25], "상초의 병을 치료하지 않으면 중초, 즉, 위와 비로 옮겨간다"[26], "중초의 병을 치료하지 않으면 하초, 즉 간과 신으로 옮겨간다"[27]고 함으로써 온열병의 삼초변증이론을 만들어 온병학설이 더욱 체계적으로 발전하는 데에 이바지하였다.

이 외에도, 청의 왕청임(王淸任)(자 훈신(勛臣))은『의림개착(醫林改錯)』을 저술하여 기존 의서 가운데 인체 해부분야에서 잘못된 부분을 개정하였으며, "신령한 정신 및 기억작용은 심이 아니라 뇌에서 나오는 것이다"[28]라고 하였

23) 邪自口鼻而入 (溫疫論·原病)
24) 溫邪上受, 首先犯肺, 逆傳心包 (溫熱論·溫病大綱)
25) 凡病溫者, 始于上焦, 在手太陰 (溫病條辨·上焦篇·風溫溫熱溫疫溫毒冬溫)
26) 上焦病不治則傳中焦, 胃與脾也 (溫病條辨·中焦篇·風溫溫熱溫疫溫毒冬溫)
27) 中焦病不治, 即傳下焦, 肝與腎也 (溫病條辨·中焦篇·風溫溫熱溫疫溫毒冬溫)
28) 靈機記性不在心在腦 (醫林改錯·腦髓說)

©zt.cast.org.cn ©unopartidoporx.worldpress.com

■ 오당(吳瑭) ■ 왕청임(王淸任)

다. 아울러 어혈이론을 발전시켰으며, 어혈 병증을 치료하는 데에 유효한 방제들을 개발하였고, 기혈이론의 발전에 지대한 공헌을 하였다.

4) 근대와 현대

16세기 말, 서양 선교사들이 양의학의 지식을 가지고 들어왔는데, 당시 양의학의 수준은 낮았고, 특히 임상 분야에서는 중국의학과 견줄 만하지 못했기 때문에 별로 영향을 미치지 못하였다. 아편전쟁을 전후하여 서구 열강은 문화、경제、정치적인 침략을 목표로 의학을 앞세워 중국 각지에 교회、병원、의과대학을 설립하였다. 1838년 의학전도회(醫學傳道會)가 성립되면서 내세운 "기독교를 중국에 소개하는 가장 좋은 방법은 의약을 통해서 하는 것이고, 중국에 상품을 수출하는 가장 좋은 방법은 선교사를 통해서 하는 것이다. 의약은 기독교의 선봉이고, 기독교는 또한 상품 진출의 선봉이다"[29]라는 내용으로 미루어 서구의 열강들이 중국에 양의학을 전파한 것은 중국 의학 발전을 위한 것이 아니라, 식민과 침략정책의 하나로 이루어진 것임을 알 수 있다.

아편전쟁 후, 양의학의 전입은 중국 의학에 매우 큰 충격을 주었으며, 중국 의학계에서는 중서의회통(中西醫匯通)의 思潮가 나타났는데, 그 대표적인 인물은 당용천(唐容川)、주패문(朱沛文)、운철초(惲鐵樵)、장석순(張錫純) 등이다. 그 가운데 운철초는 양의학이 해부와 세균 그리고 병원(病源)과 국부의 병소(病巢)를 중시하는 반면, 그 결점으로는 반자연(反自然)과 사시오행(四時五行)의 무시에 있으며, 중국 의학에서는 '형능(形能)'과 '기화(氣化)'를 강조하고 자연에 순응하며 치료에서 사시오행 등 외계 환경의 영향을 중시하기 때문에 두 의학은 각기의 장점이 있어서 "과정은 다르지만 하나로 귀결된다"[30]고 하였다. 그래서 그는 "의사는『내경』이 전부라고 생각해서는 안 된다"[31]고 하여 양의학의 장점을 받아들여서 중국 의학을 발전시켜야 한다고 강조하였다. 중서의회통은 당시 중국 의학계로서는 진보적인 사조에 해당하였지만, 당시 두 의학은 회통을 위한 조건을 갖추고 있지 못했으며, 연구 방법상으로도 천박한 수준이었기 때문에 중서의회통의 성과는 매우 미흡한 편이었고, 최근 주목받고 있는 중서의결합이나 동서의학의 접목과

29) 欲介紹基督教于中國, 最好的辨法是通過醫藥; 欲在中國擴充商品的銷路, 最好的辨法是通過教士. 醫藥是基督教的先鋒, 而基督教又是推銷商品的先鋒 (關于論近代教會醫藥事業對中國醫學早期現代化的影響, 杜誌章, 2012)

30) 殊途而同歸 (易經·繫辭下)

31) 治醫者不當以內經爲止境 (群經見智錄·三卷)

는 질적으로 커다란 차이가 있다.

양의학의 전입으로 말미암아 중국 의학계에는 20세기 전반 두 가지의 흐름이 나타났는데, 하나는 중국의학중심의 복고주의적인 경향이며, 또 하나는 국민당 정부의 중국 의학에 대한 부정적인 정책 추진으로, 그중에는 한약의 우수한 효과는 인정하지만 중국의학이론의 가치는 부정하여 "중의학이론은 없애고 한약만 취하려는(廢醫存藥)" 시도가 있었다. 이러한 시도는 1895년 한의사제도를 폐지한 일본 영향을 받은 일부 민족 허무주의적인 인사들에 의해 주도되었다. 국민당 정부의 그러한 중의학 말살 기도는 "중의학을 금지하는 것은 바로 백성들을 죽음으로 몰아넣는 것이다"[32]라는 전국민적인 저항을 받음으로써 좌절되었다. 이러한 시대적인 상황에서 중의학은 별다른 발전 없이 답보상태에 놓이게 되었다.

1949년 공산당이 집권하면서 중의학은 재도약의 전기를 마련하게 되었다. 이미 공산당이 정강산(井崗山)과 연안(延安)에 있을 무렵부터 공산당은 중서의 결합을 강조하면서 전통의학의 계승과 발전을 도모하였다. 1949년 모택동은 "반드시 중의들을 잘 단결시켜서 중의의 업무를 잘 수행토록 해야 비로소 수억의 인구를 위한 위생 사업을 잘 담당해 나갈 수 있다"[33]고 하였으며, 1955년 주은래 역시 "조국의 의약학 유산을 발양시켜 사회주의의 건설 복무를 하자"[34]고 하였다. 이외에도 수차례에 걸쳐 모택동은 중의약학을 부정하고 배척하는 시각을 신랄하게 비판하였으며, 중의약학을 계승 발전시켜야 할 필요성、중요성 및 그 가능성을 강조하였다. 1949년 이후, 중국 전역에 중의학 관련 행정조직의 설치와 30개 중의과대학의 설립을 통해 대량의 중의 인력을 배양하는 한편, 중서의결합의 발전을 위하여 양의학 전공자들이 체계적으로 중의학을 학습하고 연구토록 하였다.

그러나, 1966년부터 76년까지의 문화대혁명(文化大革命) 동안 중의학과 중서의결합은 좌절과 시련을 겪게 된다. '사인방(四人幇)'이 물러간 후, 특히 중국 공산당의 11차 3중전회(中全會) 이후에, 중국 정부는 다시 중의 정책을 중시하면서 중의학을 발전시키기 위한 일련의 조치를 전개하였다. 1980년 위생부가 소집한 전국중의화중서의결합공작회의(全國中醫和中西醫結合工作會議)에서 30년에 걸친 중의 업무의 경험과 교훈을 정리하면서, 향후 중의와 중서의 결합사업의 지도방침 정책 및 조치를 토론하였다. 당시 제시된 당의 중의 정책에 관한 기본방침은 유산(遺産)을 계승하고, 보고(寶庫)를 발굴하며, 전통의약의 수준을 높이고, 중의계가 단결하며, 중의를 발전시키고, 중서의결합을 견지하며, 서의가 중의학을 공부하고 연구하는 것을 조직화한다는 것이었으며, 또 중의는 현대화되어야 하고, 중의와 중서의결합사업을 계획에 따라 발전시키며, 아울러 그러한 발전을 위하여 필요한 조건들을 만들어 나가고, 동시에 중의、서의、중서의결합의 세 분야는 모두 발전하여야 하고 장기적으로 병존시킨다는 방침을 내놓았다. 그 후로 공산당과 정부 지도자들은 중의와 서의가 동등한 지위에 있어야 함을 계속 강조하였고, 이로 말미암아 중의 정책이 진흥되면서 학문적으로도 지속적인 발전을 하였다. 한편, 중의학이론의 발전은 크게 세 가지 양상으로 나타났다. 첫째, 중의학이론을 더욱 체계화 표준화시켰다. 예컨대, 60년대에는 전국 통편교재인『내경강의(內經講義)』를 만들었고, 70년대에는 중의학기초를, 다시 분화하여 80년대에는 중의 기초이론을 만들었다. 둘째, 철학、cybernetics、informatics、system theory 등 다양한 분야의 방법론을 이용하여 중의학을 연구하였으며 대량의 전문서적과 과학적인 연구성과가 나왔다. 셋째, 중의학 이론체계를 구축하는 사유방법에 관한 연구를 진행하고, 중의학 이론 개념의 발생 연원、계속된 발전

32) 取締中醫藥就是治病民于死命 (高丹楓, 中國國醫節的由來, 光明日報, 2011-03-20)

33) 必須很好地團結中醫, 搞好中醫工作, 才能擔負起几億人口艱巨的衛生工作任務 (韓洪洪, 毛澤東, 把中醫提到對全世界有貢獻的高度, 中國中醫藥報, 2014-11-19)

34) 發揚祖國醫藥學遺産, 爲社會主義建設服務 (田剛, 建國後毛澤東中西醫結合思想與實踐, 首都醫科大學學報 社會科學版增刊, 2011-07-09)

및 새로운 방향을 모색하였다.

제3절 국제기구

1) 세계보건기구 (World Health Organization: WHO)

현존하는 일부 전통의학이 수천 년의 역사를 가지고 있지만, 국제적으로 인정받기 시작한 것은 1979년 구소련의 알마아타 (Alma-Ata)에서 WHO와 UNICEF(유엔아동기금)가 공동 주최한 '일차 보건의료에 관한 국제회의'가 열리고 나서부터이다. 이 회의에서는 "전통의학 시술자들이 일차 의료에 참여해야 한다"[35]는 내용을 포함하는 선언문을 채택하였다. 이를 계기로 WHO에는 전통의학을 담당하는 부서가 신설되었으며, 관련 전문가들이 본격적으로 활동하기 시작하였다. WHO 6개 지역 가운데 서태평양지역 (Western Pacific Region)이 전통의학 분야에서 가장 활발하게 활동하였는데, 특히 전통의학의 보편화를 위해서는 표준화가 필수적인 과정임을 확인하고, 표준화 작업에 주력하였

■ WHO-IST

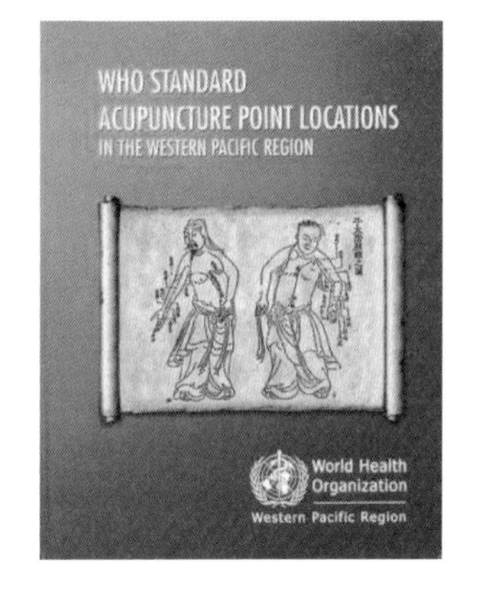

■ WHO-APL

다. 이 과정에서 만들어진 'WHO International Standard Terminologies on Traditional Medicine in the Western Pacific Region'(WHO-IST, 2007)[36] 과 'WHO Standard Acupuncture Point Locations in the Western Pacific Region'(WHO-APL, 2008)[37]은 그 대표적인 성과라고 할 수 있다.

---

35) "Primary health care relies, at local and referral levels, on health workers, including physicians, nurses, midwives, auxiliaries and community workers as applicable, traditional practitioners as needed, suitably trained socially and technically to work as a health team and to respond to the expressed health needs of the community.", International Conference on Primary Health Care, 6-12 Sep, 1978, Alma-Ata

36) 2004년부터 개최된 세 차례의 국제회의를 통해 한의학에서의 대표적인 표준용어 선정과 영역을 실행하였으며, 그를 기반으로 만들어진 초안은 다시 영어권 전문가들을 중심으로 3차의 검증과 수정 과정을 거쳤다. 총 3,259개 표준용어의 code 번호, 영문, 한문, 영문 정의를 (1) General (2) Basic Theories (3) Diagnostics (4) Disease (5) Therapeutics (6) Acupuncture and Moxibustion (7) Medicinal Treatment (8) Classics로 나누어 소개하고 있다.

37) 2003년부터 WHO가 주관하는 국제 전문가 회의를 통해 각국 간에 92개 경혈의 위치가 서로 다름을 확인하였으며, 이어 상이한 경혈 위치를 통일하는 전문가 회의를 거쳐 표준화된 경혈 위치를 확정하고 2008년 출판하였다. 4년에 걸쳐 모두 11차례의 국제회의

WHO-IST를 기반으로 WHO/WPRO(서태평양지역 사무처)에서는 2005년부터 한의학의 표준화된 질병 분류를 위해 WHO International Classification of Traditional Medicine (ICTM) 개발에 착수하였으며, 이는 발전을 거듭하여 ICD-11에 포함됨으로써 한의학이 전 세계 주류의학으로 편입되는 성과를 이루었다.38)

이상의 표준화 작업과 동시에 WHO/WPRO에서는 2004년부터 전통의학의 임상진료지침 개발작업을 진행하여 2007년 임상진료지침 개발을 위한 지침을 완성하였다. 중국에서는 이 지침에 따라 2010년에 중의 내과 20개 질환, 전과전병(專科專病) 8개 질환, 침구 5개 질환에 대한 중의순증임상실천지남(中醫循證臨床實踐指南, Evidence-based Guidelines of Clinical Practice in Chinese Medicine)39)을 개발하였다.

2) 국제표준화기구 (International Organization for Standardization: ISO)

최근 전통의학의 산업화에 대한 요구가 점증하고 있으며, 산업화하기 위해서는 표준화가 선결되어야 한다. 중의학의 산업화에 대해 강한 의지를 가지고 있던 중국 정부는 1980년대부터 중의학의 국가표준 (GB)을 개발하였으며, 이를 WHO/WPRO의 전통의학 표준화 과정에서 반영하려 하였으나 뜻을 이루지 못하였고, 그 대안으로 2009년 ISO/TC249를 주도적으로 조직하였다. 2015년 현재 이 기술위원회는 한국과 중국을 포함한 20개국이 회원국으로 참가하고 있으며, 5개 작업반 (working group: WG)40)과 1개 공동작업반 (joint working group)41)을 운영하고 있다.

■ ISO/TC249 제3차 연례총회, 2012년, 대전

가 열렸다.

38) Cyranoski, D., Nature, vol 561, pp. 448-450, Sep. 2018

39) 中國中醫科學院, 中醫循證臨床實踐指南, 2010, 中國中醫藥出版社

40) WG1: 한약재와 수치법의 품질과 안전성, WG2: 한약 제품의 품질과 안전성, WG3: 침의 품질과 안전성, WG4: 침 이외 의료기기의 품질과 안전성, WG5: 용어와 정보

41) TC249와 TC215간의 정보 관련 공동작업반

참고문헌

1. 『格致餘論』 朱震亨
2. 『景岳全書』 張介賓
3. 『經效産寶』 昝殷
4. 『高麗老師方』
5. 『攷事新書』 徐命膺
6. 『攷事撮要』 魚叔權 等
7. 『救急方諺解』
8. 『救急易解方諺解』
9. 『群經見智錄』 惲鐵樵
10. 『金匱要略』 張仲景
11. 『難經』 扁鵲
12. 『丹家要訣』 鄭𥖝
13. 『東西醫學新論』 張基茂
14. 『東西醫學要義』 都鎭羽
15. 『東醫寶鑑』 許浚
16. 『東醫壽世保元』 李濟馬
17. 『東人經驗方』
18. 『脈經』 晋 王叔和
19. 『孟子 告子下』
20. 『百濟新集方』
21. 『脾胃論』 李杲
22. 『內外傷辨惑論』 李杲
23. 『史記扁鵲倉公列傳』 司馬遷
24. 『山海經』
25. 『三國遺事 紀異篇』 一然
26. 『三因極一病證方論』 南宋 陳言
27. 『三和子鄕藥方』
28. 『傷寒論』 張仲景
29. 『仙授理傷續斷秘方』 唐 藺道人
30. 『素問·痿論』
31. 『靈樞 經水』
32. 『靈樞 本藏』
33. 『素問大要』 李圭晙
34. 『醫鑑重磨』 李圭晙
35. 『素問玄機原病式』 劉完素
36. 『素問病機宜保命集』 劉完素
37. 『隋書 經籍志』
38. 『濕熱條辨』 薛雪
39. 『神農本草經』
40. 『新羅法師方』
41. 『新修本草』 蘇敬 等
42. 『新集禦醫撮要方』
43. 『新集禦醫撮要方』 崔宗峻
44. 『諺解胎産集要』 許浚
45. 『諺解鄕藥本草』
46. 『呂氏春秋 古樂』 呂不韋
47. 『易經·繫辭下』
48. 『禮緯 含文嘉』
49. 『五十二病方』
50. 『溫病條辨』 吳瑭
51. 『溫疫論』 吳又可
52. 『溫熱論』 葉桂
53. 『牛馬羊猪染疫病治療方諺解』
54. 『儒門事親』 張從正
55. 『劉涓子鬼遺方』 南齊 龔慶宣
56. 『醫貫』 趙獻可
57. 『醫林改錯』 王淸任
58. 『醫林撮要』 楊禮壽
59. 『醫門寶鑑』 周命新
60. 『醫門須知』 崔東燮, 李冕秀
61. 『醫方類聚』
62. 『醫宗損益』 黃度淵
63. 『方藥合編』 黃度淵
64. 『諸病源候論』 隋 巢元方
65. 『濟衆新編』 康命吉
66. 『濟衆立效方』 金永錫
67. 『左傳』
68. 『周禮 天官』
69. 『千金要方』 唐 孫思邈
70. 『千金翼方』 唐 孫思邈
71. 『鍼灸甲乙經』 晋 皇甫謐
72. 『鍼灸經驗方』 許任
73. 『鍼灸要訣』 柳成龍
74. 『通俗漢醫學原論』 趙憲永
75. 『韓非子 五蠹』 韓非
76. 『鄕藥簡易方』
77. 『鄕藥古方』
78. 『鄕藥救急方』
79. 『鄕藥濟生集成方』 權仲和 等
80. 『鄕藥集成方』 兪孝通 等
81. 『鄕藥採取月令』 兪孝通 等
82. 『鄕藥惠民經驗方』
83. 김기욱, 강좌 중국의학사, 2006, 대성의학사
84. 홍원식, 한중의학사개설, 2007, 주민출판사
85. 高思華 等, 中醫基礎理論, 2012, 人民衛生出版社
86. 樊巧玲 主編, 中醫學概論, 2010, 中國中醫藥出版社

87. 梁永宣, 中國醫學史, 2012, 人民衛生出版社
88. 朱邦賢, 中醫各家學說, 2012, 人民衛生出版社
89. 中國中醫科學院, 中醫循證臨床實踐指南, 2010, 中國中醫藥出版社
90. 陳大舜 等, 맹웅재 역, 各家學說, 2001, 대성의학사
91. 何建成 等, 中醫學基礎, 2012, 人民衛生出版社
92. Cyranoski, D., Nature, vol 561, pp. 448-450, Sep. 2018
93. WHO International Standard Terminologies on Traditional Medicine in the Western Pacific Region (WHO-IST, 2007)
94. WHO Standard Acupuncture Point Locations in the Western Pacific Region (WHO-APL, 2008)

제 2 장 관점과 사유

Viewpoint and Thinking

제 1절 관점

모든 의학은 당시의 철학 사상에 기초하여 의학적인 문제에 대한 관점을 가지고 있다. 그러한 관점이 진단과 치료에 구체적으로 영향을 미치지는 않지만, 인간과 자연의 관계 그리고 건강과 질병의 본질 등 문제에 대한 인식을 심화시킴으로써 실제 진료 활동에 도움을 준다. 이러한 관점을 소개하면 다음과 같다.

1. 천인관(天人觀)

천인관은 자연과 인간의 관계에 대한 인식이다. 한의학에서 말하는 하늘(天)이나 천지(天地)는 자연계를 가리키며, 끊임없이 운동 변화하는 물질세계를 의미하기도 한다. 인간은 만물 가운데 하나로 자연계와 끊임없는 연관관계를 가지는데, 『소문 거통론(素問 擧痛論)』에서는 "자연의 이치를 잘 말하는 것은 반드시 사람으로부터 겪어 얻은 것"[1]이라 하여 자연과 인간의 통일적인 연관관계를 강조한 바 있다.

레오나르도 다 빈치 (Leonardo da Vinci, 1452-1519)가 1492년에 집필한 미출판 원고 '물에 대한 논고 (Studies of water)'에서 "인간은 고대로부터 작은 세계(소우주)라는 이름으로 불렸다. 인간도 다른 대상과 마찬가지로 흙, 물, 바람, 불이 결합되어 이루어진 존재이기 때문에 지구의 다른 대상들과 동일하다는 의미에서 이 명명은 옳다. … 세계와 인간이 아주 유사하다"[2]한 것처럼 동양과 서양은 고대로부터 자연과 인간의 관계에 대해 매우 유사한 관점을 가지고 있었다.

1) 자연에 대한 인식

(1) 자연계는 물질로 이루어져 있다

역사적으로 세계의 실체에 대한 관점은 다양하였으며, 고대 한의학자들은 당시 철학사상의 영향으로 자연계의 물질성을 인정하면서 '기일원론(氣一元論)'적인 자연관을 받아들였다.

1) 善言天者, 必有驗於人 (素問·擧痛論)
2) Ernst Peter Fischer, Die andere Bildung, 2001, Ullstein Verlag

기(氣)는 고대 중국의 철학개념으로, 천지만물을 구성하는 본질적 실체를 가리킨다. 기와 물(物)은 통일적이어서 "기가 모이면 형(形)을 이루고, 기가 흩어지면 형이 사라진다[3]"고 하였다.

『내경(內經)』에서는 만물을 구성하고 있는 본원적인 기를 음기(陰氣)와 양기(陽氣)로 나누었다. 맑고 가벼운 양기는 주열(主熱)､주승(主升)､주동(主動)하고, 무겁고 탁한 음기는 주한(主寒)､주강(主降)､주정(主靜)한다. 전자는 공중으로 흩어지면서 떠올라 하늘을 이루고, 후자는 가라앉으면서 엉키고 굳어져 땅과 유형의 물체를 이루었다. 그래서『소문 음양응상대론(陰陽應象大論)』에서는 "맑은 양(陽)은 하늘이 되고 탁한 음(陰)은 땅이 된다"[4],『소문 보명전형론(寶命全形論)』에서는 "천지의 기가 합해져서 아홉으로 나뉘고 사시(四時)로 나뉘어지며, 달은 차고 일그러짐이 있고, 해는 길고 짧음이 있으며, 만물이 이에 함께 하여 두루 다 헤아릴 수가 없다"[5]고 하여 천지지기(天地之氣)의 상호작용으로 모든 사물이 생겨나고, "기에는 다소(多少)가 있으며 형에는 성쇠(盛衰)가 있다"[6]고 하여 기의 다소가 물(物)의 성쇠를 결정한다고 하였다.

『온역론(溫疫論)』에서 "대개 기가 있고 나서 물(物)이 있는 것이다. 미루어 그 이치를 넓히자면 무한한 기가 있으면 반드시 무한한 물이 있는 것이다"[7]라고 하여 기의 성질과 수량의 차이는 자연계 만물 사이의 각종 차이를 일으킨다고 하였다. 예컨대, 성질이 다른 사기(邪氣, 발병인자)는 다른 성질의 질병을 일으킨다. 이러한 생각은 자연계의 물질성과 통일성, 물질세계의 다양성과 차이성을 인정하는 것이며, 소박하면서도 합리적인 존재론의 기초를 이루는 것이다.

(2) 만물은 밀접히 연계되어 있다

한의학에서는 자연계 각종 사물들이 고립적이거나 서로 불간섭적인 것이 아니라 서로 밀접한 내재적 연계를 가지고 있는 것으로 보고 있다. 만물 사이의 다양한 연계를 두 가지 기본 형식으로 설명하였다. 음양학설(陰陽學說)은 서로 관련되는 두 가지 사물과 현상 사이에 존재하는 가장 일반적이고도 보편적인 연계를 설명하고 있으며, 오행학설(五行學說)은 복잡하면서도 체계적인 내재 구조와 그 연계 방식을 표현하고자 한 것이다. 이러한 두 가지 설명 방식을 통하여 한의학 이론은 자연계의 엄청나게 복잡한 사물의 내외 관련과 그 운동 변화 원리를 해석하였으며, 생명체가 내외 환경의 부단한 변화 속에서 어떻게 자신의 기능 활동의 상대적인 안정을 유지하는 가를 설명하였다. 동시에, 자연계 각 사물 사이의 연계성이 대부분 단일한 선형 관계 (linear relationship)가 아니라, 다향(多向)의 비선형 관계(nonlinear relationship)이며, 항상 서로 교차 혹은 중첩되어 있음을 보여주고 있다. 이러한 기본 관점들은 모두 복잡한 의학의 문제를 탐구하고 이해하는 데에 많은 도움을 준다.

(3) 쉼 없는 운동은 자연계의 기본 특징이다

물질의 구성적 측면에서 보면, 기는 만물을 구성하는 본원이고, 물질의 운동적 측면에서 보면, 기는 매우 강한 활동성을 가지고 있어서 쉼 없는 운동이 그 주요 특징이다. 자연계가 운동 변화하는 가운데 새로운 것이 끊임없이 생겨나고 날로 커지면서 강해지며, 오래된 것은 점점 쇠퇴하여 결국에는 소멸한다는 것이 한의학에서 그려낸 자연계의 기

3) 氣聚則形成, 氣散則形亡 (素問·寶命全形論)
4) 淸陽爲天, 濁陰爲地 (素問·陰陽應象大論)
5) 天地合氣, 別爲九也, 分爲四時, 月有小大, 日有短長, 萬物幷至, 不可勝量 (素問·寶命全形論)
6) 氣有多少, 形有盛衰 (素問·天元紀大論)
7) 蓋先有是氣, 然後有是物. 推而廣之, 有無限之氣, 固有無限之物也 (溫疫論)

본적인 그림이다.

자연계의 운동은 기의 추동과 격발에서 비롯되고, 기의 이러한 특징은 외부 다른 인자에 의하지 않고, 기의 음양 두 측면의 상호작용에 근원을 두고 있으며, 기가 쉼 없는 운동 상태에 있으므로 모든 사물의 운동 변화를 촉진하고 추동한다.

(4) 자연계는 변화하고 발전하는 과정 중에 있다

끊임없이 운동 변화하는 가운데, 자연계가 변화하고 발전하는 과정을 겪고 있다는 것이 한의학의 기본적인 관점이다.『노자(老子)』에서 "천하의 만물이 유(有)로부터 생기며, 유(有)는 무(無)로부터 생긴다"[8]고 하였는데, '무(無)'는 천지가 나뉘기 이전에 원기(元氣)가 공간에 가득 차 있으면서 아직 분화되지 않아 구체적인 형질(形質)을 이루지 않았을 때의 상태이다.

송의 임억(林億) 등이 의서를 교정하면서『소문』의 책이름에 담긴 뜻을 해석할 때 "『건착도(乾鑿度)』에 이르기를, '무릇 유형은 무형에서 생기니, 태역(太易)이 있고, 태초(太初)가 있고, 태시(太始)가 있고, 태소(太素)가 있다. … 태소는 질(質)이 시작하는 때이다. 기와 형이 모두 갖추어지면 질병이 이로부터 생겨난다"[9]고 하였는데, 이는 자연계의 발생과 발전이 무형에서 유형으로 변화하는 과정이라는 의미이다. 인체는 기와 형과 질을 갖추고 있어서 불가피하게 질병에 걸리게 되므로, 질병 역시 변화의 산물임을 알 수 있다. 이러한 관점은 실제 임상에서 의사들로 하여금 질병을 포함하는 모든 세계가 불변한다는 관점에서 보게 하는 것이 아니라 끊임없이 변화 발전하는 대상으로 인식하게 한다. 많은 의학자들이 과거와 현재의 자연조건이 다르고 사람의 체질에도 차이가 있으며 질병 역시 변화하고 발전하므로 "옛날 처방으로 요즘 병을 치료하는 것은 가능하지 않다"[10]고 하였다. 그러므로 전통 계승도 중요하지만 끊임없이 탐구하여 새로운 것을 창조해야만 한다.

(5) 자연계의 변화 원리는 이해가 가능하다

자연계 변화가 복잡다단하지만, 거기에는 일정한 원리가 있다.『내경』에서는 이러한 원리를 '천지지도(天地之道)' 혹은 '물화지상(物化之常)'이라 하였는데, '도(道)'와 '상(常)'은 모두 원리를 의미한다. 고대 의학자들은 자연계의 운동 변화 원리는 인식할 수 있는 것이라고 분명히 밝히고 있다.『소문 오운행대론(五運行大論)』에서는 자연계의 여러 가지 복잡한 현상을 설명하고 나서 "그 상(象)을 살펴보면 그 이치가 비록 요원하더라도 능히 알 수 있다"[11]고 하였는데, 요원하고 또 신묘한 현상이라도 관찰하고 분석하면 이해할 수 있으며, 사람들은 이러한 연구를 통해 사물 운동 변화의 내재된 원리를 파악할 수 있다. 이러한 원리를 이해하면 인류는 대자연의 변화에 더 이상 무력하지 않게 된다. 사람들은 자연계의 운동변화 원리에 따라 자연에 순응하고 어느 정도 자연을 개조할 수 있다.『소문 상고천진론(上古天眞論)』의 "천지를 조정하여 음양을 장악한다"[12]는 내용은 인간의 주체적인 능동성을 강조한 것이고,『영추 옥판(靈樞

---

8) 天下萬物生于有, 有生于無 (道德經)
9) 按乾鑿度云: '夫有形者生于無形, 故有太易, 有太初, 有太始, 有太素. … 太素者, 質之始也.' 氣形質具, 而瘵痾由是萌生, … (乾鑿度)
10) 古方新病, 不相能也 (張元素傳)
11) 仰觀其象, 雖遠可知也 (類經)
12) 提挈天地, 把握陰陽 (素問·上古天眞論)

玉板)』의 "사람은 천지를 지배하는 존재이다"13)라는 표현은 인간의 자연변화에 대한 적극적인 역할을 말한 것이다.

2) 천인관계에 대한 인식

최근 과학계에서는 "우리 몸을 구성하고 있는 원자들은 45억 년 전 지구가 만들어질 때에도 존재했다. 외계의 유성을 타고 온 소수의 것들을 제외하고는 … 그 이전에 원자는 엄청나게 오랜 시간 동안 우주 공간을 떠 다녔다. 일부는 우주가 시작될 즈음부터 있었다. … 우리 몸의 유기 분자와 물에 들어 있는 수소의 생성 연대는 우주가 시작하던 때까지 거슬러 올라간다. … 우리의 몸 속에 든 모든 원자들은 빅뱅에서 나왔거나 별에서 나왔다. 빅뱅에서 나왔다면 137억년이 되었고, 별에서 나왔다면 그 나이가 70억 년에서 120억 년은 된다. … 우리 몸 안에 있는 모든 원자들은 한때 우주에 있었으며, 한때 더 넓은 우주의 일부였다"14)고 설명하고 있다.

한의학에서 보는 인체와 자연과의 관계 역시 이와 다르지 않다.

(1) 인간은 天地의 氣를 타고 태어났다

『장자 지북유(莊子 知北游)』에서 "사람이 태어남은 기가 모이는 것이니, 모이면 살고 흩어지면 죽는다"15)고 한 것은 인간의 생사를 기의 취산(聚散)으로 본 것이며, 인간의 물질성을 인정하는 것이다. 한의학에서는 더 나아가 인간과 만물은 모두 천지자연의 산물이며, 다만 인간은 자연계의 변화 발전 과정에서 비교적 고급 단계의 산물로 보았는데, 『소문 보명전형론(寶命全形論)』의 "하늘이 덮고 땅이 실어 만물을 갖추었으나 사람보다 귀한 것은 없다. 사람은 천지의 기로부터 생겨나 사계절의 변화원리로 형성된다"16)는 내용이 바로 이에 해당한다.

인류의 기원과 본질을 이해하기 위해서는 반드시 인간과 가장 관계가 밀접하며 인간이 생존의 토대로 삼고 있는 자연환경에 대해 먼저 이해해야 한다. 그래서 『소문 육미지대론(六微旨大論)』에서는 "사람을 말하는 자는 기교(氣交)를 구한다. … 기교란 무엇인가? 기교란 하늘과 땅의 기가 교류하는 것을 말하고, 그 가운데에서 사람이 거처하는 것이다."17)라고 하여 내려오는 하늘의 기와 올라가는 땅의 기가 만나는 공간이 바로 사람이 생활하는 장소라고 하였다. 또 『소문 생기통천론(生氣通天論)』에서는 "천지가 만나서 만물이 번성하고 결실한다"18)고 하여 천지 사이의 운동 변화와 이로부터 생산되는 물질의 교환은 생명의 생성、발전、변화를 포함하는 만물에게 물질적인 기초와 자연 조건을 제공한다. 특히 자연의 양기인 태양의 빛에너지와 열에너지는 매우 중요한 것으로서, 지구에 대량의 열에너지를 공급하여 지구의 온도를 유지하고 생명활동을 일으켜 지구상의 모든 생명이 이에 의존하여 살아간다. 그래서 『소문』에서는 "하늘의 운(運)은 마땅히 태양으로써 빛난다"19)고 하여 "생기(生氣)가 하늘에 통함20)"을 강조하였다.

(2) 생명과정은 시공(時空)의 특성을 지닌다

13) 人者, 天地之鎭也 (靈樞·玉板)
14) The Universe Inside You (과학을 안다는 것), 2012 Brian Clegg, 2013,엑스오 북스, pp.58-59
15) 人之生, 氣之聚也, 聚則爲生, 散則爲死 (莊子·知北游)
16) 天覆地載, 萬物悉備, 莫貴于人. 人以天地之氣生, 四時之法成 (素問·寶命全形論)
17) 言人者求之氣交. … 何謂氣交? 曰: 上下之位, 氣交之中, 人之居也 (素問·六微旨大論)
18) 天地之交, 萬物華實 (素問·生氣通天論)
19) 天運當以日光明 (素問·生氣通天論)
20) 生氣通天

생명은 자연계의 산물이고, 만물의 변화는 모두 시공의 특성을 가진다. 생명 과정 역시 그러한데, 『내경』 등에서는 이러한 면을 강조하였다. 『소문 장기법시(藏氣法時)』에서는 인체 오장지기(五臟之氣)의 생리활동과 발병과 치료는 모두 사시오행(四時五行)과 밀접한 관계가 있음을 설명하고 있는데, 이와 관련된 내용은 매우 풍부하다. 예컨대 간(肝)의 생리로 말하자면, 간은 소설(疏泄)하는 성질을 가지고 있으며, 기기(氣機)를 조창(調暢)하고, 혈(血)을 저장하며, 혈의 운행을 조절함으로써 인체의 생기(生機)를 촉진하는데, 이런 모든 작용들은 봄에 왕성하며, 북반구에서는 3월의 발진(發陳)하는 자연계 변화에 발맞춰 만물이 생장 번영하는 환경에 적응하게 된다. 또 지구의 운행이 태양시공(太陽時空)의 인묘(寅卯) 위에 이르는 봄에는 간기(肝氣)가 더욱 왕성케 된다. 이로써 장부의 공능(功能)[21]을 고찰하면서 시공 인자와 환경 변화도 고려하여야 한다.

각 장부는 서로 다른 시공적 특성을 가지고 있기 때문에 우리 인체에는 복잡다단한 상황이 나타나게 된다. 『영추 세로(歲露)』에서는 "사람이 천지 자연과 서로 응(應)하며, 일월(日月)과도 서로 응한다"[22]고 하여 그러한 인체 변화를 강조하였다. 인간의 생리 활동과 병리 과정은 뚜렷한 시공적 특성을 지니는데, 그 이유는 인간이 천지의 기를 타고 태어났기 때문이다. 물질적인 기초로 말하자면, 인체와 자연계 만물은 동일성을 가지고 있는데, 이러한 동일성은 천지 만물과 인간이 내재적인 연계를 가지게 한다. 또 인간이 천지의 기가 서로 만나는 공간에서 생활하고 거기에 가득 차 있는 무형의 기가 감응(感應)작용을 일으키면 자연계의 변화 상황이 인체에 전달되며 인체 생명 과정에 영향을 미치게 된다. 이러한 내용들이 한의학의 '천인상응(天人相應)'관점의 이론적인 바탕을 이루었으며, 역대 의학자들의 연구와 실제 활동에 영향을 미쳤는데, 한의학의 기초 이론과 실제 임상에서 중요한 역할을 하였다.

한의학의 천인관은 자연과 인간사이의 동일성과 상응성 그리고 생명 과정의 시공적인 특성을 강조하였으며, 이러한 인식은 한의학의 정체적인 이론의 기초가 되고, 또 생명 과정, 건강과 질병 등의 문제를 광범위하게 인식하고 고찰하게 한다.

2. 생명관

생명과정은 의학연구의 중요한 대상이기 때문에, 의학 관련 문제들은 모두 그 의학이 가진 생명관에 바탕을 두고 전개된다. 한의학에서는 생명에 대한 미신적인 접근을 일찍이 배척하였으며, 인간의 생명은 일종의 자연현상으로서 자연계 물질의 운동으로 말미암아 생긴 결과로 보았다.

1) 생명은 양정(兩精)이 상박(相搏)하여 만들어진 것이다

한의학에서 새로운 생명은 부모의 두 정(精)이 만나 이루어진 것으로 보았다. 이에 관하여 『영추 본신(本神)』에서 "생(生)의 근원을 정(精)이라 하고, 양정(兩精)이 서로 만나 신(神)이 형성된다"[23]고 하였는데, 이에 대해 양상선(楊上善)은 "남녀의 두 신(神)이 서로 만나 하나의 형(形)을 이루는데, 내 몸이 태어나기 전에 있는 것을 정(精)이라 한다"[24]고 주석하였으며, 장개빈(張介賓) 역시 "양정(兩精)은 음양(陰陽)의 정(精)이다. '박(搏)'은 서로 결합하는 것이다. … 사람이 생겨나기 위해서는 반드시 음양의 기가 합해져야 하므로, 부모의 정, 즉 양정(兩精)이 상박(相搏)하여 형신(形

21) 영어로는 organic function으로 해석되며, 단순 mechanical function을 의미하는 機能과는 구별된다
22) 人與天地相參也, 與日月相應也 (靈樞·歲露)
23) 生之來謂之精, 兩精相搏謂之神 (靈樞·本神)
24) 雄雌兩神相搏, 共成一形, 先我身生, 故謂之精也 (黃帝內經太素)

神)이 형성되는 것이다"[25]라고 하였다. 한의학에서는 생식능력이 있는 물질을 '정(精)'이라고 하였으며, 남녀가 성교하여 쌍방의 정(精)이 서로 만나면 새로운 생명을 이루게 된다고 보았다. 그 후 열 달의 임신과정을 거쳐 분만하면 독립적인 새 생명이 탄생한다. 부모가 지닌 생식의 정과 임신과 분만 과정의 정상 여부는 새 생명의 선천적인 내용을 결정한다. 여기에는 비록 유전이라든가 유전자라는 술어가 나오지는 않지만, 소박하게나마 그와 유사한 이해를 하고 있다.

2) 생명활동 과정은 자가 생극승복(生剋勝復)기전에 의해 좌우된다

생명의 기본적인 특징은 '항동부지(恒動不止)'하다는 것이다. '항동(恒動)'은 모든 생명과정에서 나타난다. 그러나 생명과정 중의 항동은 단순한 반복이 아니고, 혼란스럽거나 불규칙한 항동도 아니며, 생장장노사(生長壯老死)의 과정에서 '생극승복(生剋勝復)'으로 나타난다. '생극(生剋)'은 오행의 상생 상극이며, 생극을 통해 승복이 이루어진다. 생극은 생명활동의 각 단계에서 서로 촉진하고 제약하면서 형성한 동적이면서도 스스로 조절하는 기전이다. 또 '승복(勝復)'은 생명과정에서 상호 관련된 요소들이 서로 맞물리면서 승(勝)하는 규칙을 가지고 있는 것으로, 지나친 항진이나 부족을 조절하여 항상성을 유지하게 하는 방식이다. 이와 같이, 한의학에서는 항동하는 과정에서의 생극승복 기전을 통해, 운동하면서 생명체의 안정상태를 유지시켜주고 아울러 생명체로 하여금 지속적으로 신진대사의 과정에 있게 하는 것으로 보고 있다. 생극승복이 멈추면 생명 역시 멈추게 된다. 이러한 인식이 비교적 소박하기는 하지만 생명과정의 기본 특징을 기술하고 있다.

3) 생명은 인체의 생장장노사(生長壯老死)의 과정이다

생명은 변화 발전하는 과정이며, 이 과정은 대략적으로 생장장노이(生長壯老已)의 단계로 나뉘어지는데, 매 단계마다 각기 특징이 있다. 『영추 천년(天年)』에서는 10년을 단위로 건강한 인체의 발전 변화와 노화과정을 묘사하고 있다. 일반적으로, 10대와 20대에는 "혈기가 왕성하기 시작하며 기육이 발달한다"[26]고 한 것처럼 생장발육 상태에 있고, 30대와 40대에는 "오장이 크게 안정되고 기육이 견고해지며 혈맥이 충만해진다"[27], "오장、육부、십이경맥이 모두 크게 왕성하여 안정된다"[28]고 한 것처럼 인체의 기능과 정력이 가장 왕성하지만, 40세 전후로 "주리가 성글어지기 시작하고 외모가 점차 퇴락한다"[29]고 한 것처럼 기능 역시 점차 쇠감하는 징조가 나타난다. 50세 이후에는 노쇠 과정이 가속화되어 "오십 세에는 간기가 쇠하기 시작한다"[30], "육십 세에는 심기가 쇠하기 시작한다"[31], "칠십 세에는 비기가 허하며 피부가 마른다"[32]고 하였다. 80~90세나 그 이후에는 몸이 매우 약해져 손발이 부자유한 상태에 있으면서 "그러므로 말 실수를 잘 한다"[33]고 하였으며, 나아가 "오장이 모두 허하여 신기(神氣)가 모두 빠져나가 형체만 남

25) 兩精者, 陰陽之精也. 摶, 交結也. … 人之生也, 必合陰陽之氣, 媾父母之精, 兩精相摶, 形神乃成 (類經)
26) 血氣始盛, 肌肉方長 (靈樞·天年)
27) 五臟大定, 肌肉堅固, 血脈盛滿 (靈樞·天年)
28) 五臟六腑十二經脈, 皆大盛以平定 (景岳全書)
29) 腠理始疏, 榮華頹落 (靈樞·天年)
30) 五十歲, 肝氣始衰 (靈樞·天年)
31) 六十歲, 心氣始衰 (靈樞·天年)
32) 七十歲, 脾氣虛, 皮膚枯 (靈樞·天年)
33) 故言善誤 (靈樞·天年)

게 되어 곧 죽는다"[34]고 하였다. 한편 이와는 달리 남녀에 따른 차이가 있어서, 여성은 7년을 단위로, 남자는 8년을 단위로 성장과 노화가 진행되는데, 이에 관하여는『소문 상고천진론(上古天眞論)』에 비교적 상세히 기술되어 있다. (더 자세한 내용은 제6장 장상(藏象) 신(腎)의 주요 생리공능을 참조)

4) 생명 활동과 선후천(先後天)의 관계

선후천은 출생 전과 출생 후를 가리킨다. 생명 활동의 정상 여부와 체질 차이는 출생 전과 출생 후의 여러 인자들과 관련이 있는데, 이를 선후천이라고 한다. 그 가운데 선천(先天)은 선천적으로 타고 난 것이며, 주로 부모와 관계되기 때문에 부모의 강약, 임신 기간과 분만 시의 상태 등을 가리킨다. 이중재(李中梓)의『의종필독(醫宗必讀)』에서 "영아 초기에 먼저 양신(兩腎)이 생기는데, 몸이 있기 전에 양신이 먼저 있다"[35]고 하였으며, 신정(腎精)은 인체의 생장, 발육 및 생식의 물질적인 기초이므로 "선천의 근본은 신(腎)에 있다"[36]고 함으로써 각종 선천적인 인자로 인해 발생한 병증에 대한 진단과 치료에서 신(腎)을 강조하였다. 또『의종필독』에서는 "아이가 처음 태어날 때 하루에 두 번 먹지 아니하면 굶주리고, 칠 일 동안 먹지 아니하면 장위(腸胃)의 기가 끊어져 죽게 된다. … 몸이 있으려면 곡기가 반드시 공급되어야 하고, 곡식이 위에 들어가 육부를 적시어 기가 이르고, 오장이 조화되어 혈이 만들어지고, 사람은 이로써 살게 되므로 후천(後天)의 근본은 비(脾)에 있다고 하는 것이다"[37]라고 하였다. 비위(脾胃)의 소화흡수 기능은 출생 후 생명 과정의 연속과 건강상태의 유지에 있어 매우 중요한 의미를 갖는다. 생명 과정은 선후천 인자가 공동으로 작용한 결과이며, 왕성한 생기와 건강한 신체를 유지하기 위해서는 양호한 선천의 품부(稟賦)와 건전한 소화공능이 필수적이다. 이에 대하여 한의학에서는 스스로 적극적이고도 합리적인 섭생과 함께 후천의 본(本)인 비위의 공능을 통해 어느 정도 좌우될 수 있는 것으로 보고 있다.『경악전서(景岳全書)』에서는 "그러므로 사람이 태어나서 늙을 때까지 선천적으로 부족하더라도 후천적으로 잘 배양하면 선천적인 부족이 보충되어 절반 이상 잘 살 수 있으니 비위의 기가 사람의 삶에 미치는 영향이 적지 않다"[38]고 하였는데, 비위기능의 정상적인 유지는 건강하고도 합리적인 음식과 섭생을 통하여 가능하다. 이러한 인식은 인체가 자신의 생명 활동과 기능 상태를 유지·개선·증진시키는 데에 매우 중요하다.

5) 생명 활동 중의 형신관(形神觀)

형(形)과 신(神)은 세 가지 의미를 지니는데, 가장 넓은 의미로서, 형은 물질을, 신은 운동을 가리켜서 형신(形神)의 관계는 물질과 운동의 관계를 지칭한다. 둘째로, 형은 인체를, 신은 생명 기능을 가리켜서 형신의 문제는 인체와 생명 기능의 관계를 나타낸다. 셋째로, 형은 육체를, 신은 정신을 가리켜서 형신은 육체와 정신의 관계를 의미한다[39]. 이 세 가지 의미 가운데, 후자는 전자에 속하는 동시에 더 구체적인 것이다. 예컨대 셋째의 의미에서 정신 역시 일종의 공능활동이지만 일반적인 생명 공능과는 비교되며, 자신의 특수성을 가지는 한층 더 고급의 공능활동으로, 형체의 공능

34) 五臟皆虛, 神氣皆去, 形骸獨居而終矣 (靈樞·天年)
35) 兒初生先兩腎, 未有此身, 先有兩腎 (醫宗必讀)
36) 先天之本在腎 (醫宗必讀)
37) 兒旣生, 一日不再食則饑, 七日不食則腸胃涸絶而死. … 一有此身, 必資穀氣, 穀入于胃, 洒陳于六腑而氣至, 和調于五臟而血生, 而人資之以爲生者也, 故曰後天之本在脾 (醫宗必讀)
38) 故人之自生至老, 凡先天之有不足者, 但得後天培養之力, 則補(先)天之功, 亦可居其强半, 此脾胃之氣所關乎人生者不小 (景岳全書)
39) 內經的哲學和中醫學的方法, 劉長林, 北京科學出版社, 1982

활동 기초 위에 나타난다. 이 세가지 가운데 한의학에서는 둘째와 셋째의 의미에 대해 주로 다루고 있다.

(1) 형(形)이 갖추어지면 신(神)이 생겨난다[40]

선진(先秦)의 철학자 순황(荀况)은 "형이 갖추어져야 신이 생기고, 호오희노애락(好惡喜怒哀樂)이 이에 저장된다"[41]고 하였다. 장개빈(張介賓)도 『유경(類經)』에서 "신은 형에 기대어 생긴다"[42], "형이 없으면 신이 생길 수 없다"[43], "혈맥이 조화로우면 정신이 이에 머문다"[44]고 하였다. 이러한 생각들은 정신이 형체와 공능활동의 바탕 위에서 생긴다고 보는 것이며, 형신 사이의 선후주차(先後主次)관계를 정확히 파악한 것으로, 형신일원관(形神一元觀)을 드러낸 것이다.

(2) 형(形)과 신(神)이 하나로 합쳐져서 사람이 된다[45]

『영추 천년』에 "혈기가 조화로워지고 영위가 통하며 오장이 잘 갖추어지면 신기(神氣)가 심에 머물고 혼백이 모두 갖추어져 사람이 된다"[46]고 하였으며, 『소문 상고천진론』에서는 "형체가 쇠로하지 않으면 정신이 산란해지지 않는다"[47]고 하여 사람이 건강하기 위해서는 "형과 신이 모두 갖추어져야 함"[48]을 강조하였다. 장개빈도 "사람은 혈기를 본으로 하고 정신을 용으로 하는데, 합하여 이 넷이 생명을 유지케 하며 성명(性命)을 완전케 한다"[49]고 하였으며, 아울러 "형과 신은 함께 함"[50]을 강조하였다. 이러한 견해들은 인간의 생명활동이 장부기혈(臟腑氣血)과 정신의 밀접한 연계에서 비롯되고, 또 종합되어 이루어진 것임을 의미한다. 형신(形神)이 갖추어지면 서로 합해져서 사람이 되는 것이다. 이처럼 정신활동은 생명과정에서 중요한 부분을 차지하고 있다.

(3) 형(形)은 질(質)이고 신(神)은 용(用)이 되어 신은 형을 거느린다[51]

금(金)의 유수진(劉守眞)은 형신관계를 '형질신용(形質神用)'으로 설명하였는데, 형체는 심리활동의 물질 기초이며, 심리활동은 형체의 공능표현이다. 장개빈 역시 "형은 신의 본이고 신은 형의 용이다; 신이 없으면 형이 살아갈 수 없고 형이 없으면 신이 생길 수 없다"[52]고 하여 "형기(形氣)가 쇠하였는데 신이 왕성해질 수는 없으며, 또한 신이 이미 흩어졌는데도 형이 홀로 존재하는 경우는 없다"[53]고 하였다. 이러한 인식과 남북조 시대 범진(范縝)의 관점은 일치하는데, 그는 칼날을 비유로 들어 "신은 용이고 형은 질이다"[54], "질에 있어 신은 마치 칼날의 날카로움과 같고, 용

---

40) 形具而神生 (荀子·天論)
41) 形具而神生, 好惡喜怒哀樂藏焉 (荀子·天論)
42) 神依形生 (類經)
43) 無形則神無以生 (類經)
44) 血脈和則精神乃居 (荀子·天論)
45) 形神合一而爲人 (類經)
46) 血氣已和, 營衛已通, 五臟已成, 神氣舍心, 魂魄畢具, 乃成爲人 (靈樞·天年)
47) 形體不敝, 精神不散 (素問·上古天真論)
48) 形與神俱 (素問·上古天真論)
49) 人身血氣爲本, 精神爲用, 合是四者以奉生, 而性命周全矣 (類經)
50) 形神相卽 (類經)
51) 形質神用, 神可御形
52) 形者神之本, 神者形之用; 無神則形不可活, 無形則神無以生 (類經)
53) 未有形氣衰而神能王(旺)者, 亦未有神旣散而形獨存者 (類經)
54) 神用形質 (神滅論)

에 있어 형은 마치 날카로운 칼날과 같다. 날카로움이 칼날 그 자체는 아니고, 또 칼날은 날카로움 자체는 아니다. 그러나 날카롭지 않은 칼날이 없으며, 칼날이 없이 날카로울 수 없다. 칼날이 없이 날카롭다는 것을 들어보지 못했으니, 어찌 형이 망했는데 신이 존재하겠는가?"[55]라고 하였다. 또한 형신사이의 상호의존 관계를 중시하여 "오장이 안정되면 신이 몸을 잘 지키고, 신이 몸을 잘 지키면 몸이 건강하다"[56]고 하였다.

(4) 형신(形神)연계의 보편성과 특이성

정신적인 활동과 형체는 복잡 다양한 연관관계를 가지고 있으며, 이러한 연계는 두 가지 유형으로 나타나고, 각기 다른 수준에서 이해된다. 총체적으로 말하자면, 각종 정신적인 활동은 모두 심을 대표로 하는 장부공능과 서로 관계되며, 기혈운행 등 총체적인 기능을 바탕으로 생겨난다. 즉 형과 신 사이에는 보편적인 연계가 존재한다. "희노(喜怒)의 정서는 기에서 생긴다"[57], "기가 조화로우면 신이 안정된다"[58], "혈이 망하면 칠신(七神)은 어디에 기댈 수 있는가?"[59], "신이 안정되면 심(心)이 조화롭고, 심이 조화로우면 형이 온전하다. 신이 요동하면 심이 흔들리고, 심이 흔들리면 형이 상한다"[60]는 등의 내용은 모두 이러한 인식을 보여준다.

또, 형신 사이에는 특이성의 연계가 있는데, 심리과정이나 정신활동과 특정한 장부의 관계는 특별히 밀접하거나 서로 대응하고 있다. 감각에 관하여, "오장의 정기는 항상 내부에서 상부의 칠규(七竅)로 모인다. 폐기(肺氣)는 코로 통하여 폐기가 조화로우면 코로 냄새를 맡을 수 있고, 심기(心氣)는 혀로 통하여 심기가 조화로우면 혀로 오미를 맛볼 수 있다. 간기(肝氣)는 눈으로 통하여 간기가 조화로우면 눈이 오색을 변별할 수 있고, 비기(脾氣)는 입으로 통하여 비기가 조화로우면 입이 오곡(五穀)의 맛을 알 수 있다. 또한, 신기(腎氣)는 귀로 통하여 신기가 조화로우면 귀가 오음을 들을 수 있다. 오장이 조화롭지 않으면 칠규가 통하지 않고 육부가 조화롭지 않으면 기가 머물러 옹(癰)이 생긴다"[61]고 하였다. 또 정서에 관해서는,『소문 음양응상대론』에서 심(心)과 희(喜)、간(肝)과 노(怒)、폐(肺)와 우(憂)、신(腎)과 공(恐)、비(脾)와 사(思) 등이 모두 특수한 대응관계를 가지고 있으며, 이러한 연계는 생리적인 측면과 함께 병리적으로도 상호 파급되고 영향을 미치게 된다. 이와 같이 형신 사이에는 보편적이고도 특수한 관계가 있다는 인식은 한의학 형신관(形神觀)의 특징이며, 이는 형신 사이의 문제를 이해하고 파악하는 데에 도움을 주고, 아울러 형신의 병변에 대한 이해와 치료에도 지침이 된다.

3. 질병관

의학은 "질병이란 무엇인가", 또 "질병은 어떻게 발생하는가"라는 문제에 대해 답을 가지고 있어야 한다. 질병관은

55) 神之于質, 猶利之于刃; 形之于用, 猶刃之于利. 利之名, 非刃也; 刃之名, 非利也. 然而, 舍利無刃, 舍刃無利. 未聞刃沒而利存, 豈容形亡而神在? (神滅論)
56) 藏安則神守, 神守則身强 (素問·脈要精微論 王冰注)
57) 喜怒之所生, 皆生于氣 (素問·陰陽應象大論 王冰注)
58) 氣和則神安 (素問·解精微論 王冰注)
59) 血亡則七神何依? (脾胃論)
60) 神靜而心和, 心和而形全; 神躁則心蕩, 心蕩則形傷 (道藏精華錄·七部語要)
61) 五臟常內閱于上七竅也, 故肺氣通于鼻, 肺和則鼻能知臭香矣; 心氣通于舌, 心和則舌能知五味矣; 肝氣通于目, 肝和則目能辨五色矣; 脾氣通于口, 脾和則口能知五穀矣; 腎氣通于耳, 腎和則耳能聞五音矣. 五臟不和則七竅不通, 六腑不和則留爲癰 (靈樞·脈度)

이러한 문제에 대한 기본적인 관점이며, 동시에 건강, 질병, 발병 등 일련의 문제에 대한 견해이기도 하다. 서로 다른 질병관은 사람들로 하여금 질병에 대해 각기 다른 태도와 조치를 취하게 한다. 질병관은 의학 이론을 구성하는 중요한 요소이며, 그의 정확성 여부는 의학 발전에 영향을 미친다.

1) 질병관

동서고금을 통해 질병에 대해서는 다양한 관점이 제시되었으며, 아직까지 통일된 견해는 없다. 그러나 수천 년에 걸쳐 한의학에서는 이에 대하여 일관된 견해를 가지고 있다.

(1) 질병은 귀신으로 말미암은 것이 아니다

한의학은 질병과 귀신의 관련성을 매우 강력하게 부정하고 있다. "형체가 없으면 질병도 없다[62]"고 하여 어떤 구조나 형체가 있고서 그로부터 정상적인 생리활동과 함께 무질서한 상태도 발생하게 된다("기와 형질이 갖추어지면 병이 여기에서 생긴다"[63])고 하였다. 그러므로 질병은 전혀 신비로운 것이 아니고, 살아가면서 겪게 되는 불가피한 현상으로 자연스런 과정이며, 그렇다고 해서 예방이 불가능한 것도 아니다. 그러므로 질병에 대해 적극적이고도 능동적인 태도를 가지고 건강할 때에는 예방에 힘쓰고 병에 걸리면 적절하고도 적극적인 치료를 하게 된다. 전국(戰國)시대 편작(扁鵲)이 "'무당을 믿고 의사를 믿지 않으면'[64] 그 병을 고칠 수 없다"고 한 것과, 『소문 오장별론(五臟別論)』에서 "귀신에 사로잡혀 있는 자와는 더불어 그 지극한 덕을 말하지 않는다"[65]는 내용은 한의학 질병관의 단면을 반영하고 있다.

질병은 일종의 자연과정이기 때문에 반드시 인식될 수 있으며, 그 변화도 일정한 원리에 따르게 된다. 역대 많은 학자들은 질병의 본질과 그 변화 원리를 탐구하였는데, 그와 관련하여 상한병(傷寒病)의 육경변증(六經辨證), 온열병(溫熱病)의 위기영혈(衛氣營血)과 삼초변증(三焦辨證) 등은 진단분야에서의 중요한 성과라고 할 수 있다.

(2) 질병은 체내 음양의 동적 평형 (dynamic equilibrium)과 오행 조화 (harmony)의 실조이다

『내경』 등 문헌에서 질병에 대해 직접적으로 정의하지 않았지만, 건강의 개념에 대한 설명과 '불병(不病)'과의 관련을 통해 질병의 의미를 분석할 수 있다. "이른바 평인(平人)이란 질병이 없는 사람을 말한다. 질병이 없는 사람은 촌구맥과 인영맥이 사계절과 상응하고, 상하가 상응하여 왕래하고, 육경의 맥이 쉬지 않고 박동하고, 본말(本末, 오장과 지체)의 한온(寒溫)이 조화를 유지한다. 이와 같이 형육(形肉)과 혈기(血氣)가 서로 부합하면 평인이라고 한다"[66]고 하였다. 즉, 인체가 외부 환경에 잘 적응하고 있으면서 내부적으로 각종 활동이 조화를 이루고 있으면 건강하다고 하였다.

한의학에서는 전통적으로 음양이라는 도구개념으로 상관되거나 동일한 사물의 상대적인 속성을 표현하였다. 건

62) 無形無患 (素問·六微旨大論)
63) 氣形質具而痾瘵由是萌生 (素問·上古天眞論 林億注)
64) 信巫不信醫 (史記·扁鵲倉公列傳)
65) 拘於鬼神者, 不可與言至德 (素問·五臟別論)
66) 所謂平人者, 不病. 不病者, 脈口人迎應四時也, 上下相應而俱往來也, 六經之脈不結動也, 本末之寒溫之相守司也, 形肉血氣必相稱也, 是謂平人 (靈樞·終始)

강 역시 음양소장(陰陽消長)의 동적 평형으로 설명될 수 있으며, "음양이 평형을 이루고 있다[67]"고도 하였다. 또 오행이라는 도구 개념으로 인체 내부 구조를 오장 중심의 장부론으로 귀결시켰다. 오행귀류(五行歸類) 방식과 생극승모(生剋乘侮) 및 항해승제(亢害承制) 원리로 인체의 생리 병리현상을 해석하고 진단과 치료에 적용시켰다. 질병은 음양의 동적 평형이나 오행 조화의 실조나 파괴로, 이를 구체적으로 표현하면, 인체의 외부환경에 대한 적응 불량, 자신의 정신심리와 형체기능 간의 관계 실조 및 각 장부와 경락 공능 사이의 부조화 등으로 설명할 수 있다.

질병 발생에는 반드시 원인이 있다. 인체에 정상적인 조절 기전이 있으면 각종 생리 활동 역시 모두 일정한 역치 범위에 있으며, 이는 인체로 하여금 대부분의 상황에서 자신의 동적 평형과 조화를 유지하면서 외부 변화에 대해서도 적응할 수 있는데, 이를 건강이라고 한다. 내외 인자가 인체에 작용하여 인체의 조절 기전을 약화 또는 파괴시키거나, 그 강도가 인체가 적응할 수 있는 범위를 초과하면 인체는 자신의 동적 평형과 조화를 유지할 수 없게 되어 질병이 발생한다. 이러한 내외 인자를 한의학에서는 '병인'이라고 한다. 그러므로 질병은 병인이 인체에 작용하여 동적 평형과 조화가 실조된 상태라고 할 수 있다.

2) 발병관(發病觀)

질병관과 발병관은 서로 밀접하게 연관되어 있다. 질병관은 질병이란 무엇인가를, 발병관은 질병이 어떻게 발생하는가를 설명하는 것이다. 대개의 경우, 발병관은 질병관의 내용 중에 포함되기 때문에 질병관을 구성하는 한 부분이기도 하다.

(1) "정기(正氣)가 체내에 있으면 사기(邪氣)가 감히 침범하지 못한다"[68]

한의학에서는 질병이 인체와 발병인자 사이의 상호작용의 과정이자 그 결과이며, 발병 원리가 인체 자체와 병인을 벗어나지 않는 것으로 보고 있다. 전자를 '정기(正氣)'라 하여, 질병에 대해 저항능력을 가진 조직구조 물질과 그 공능활동을 가리키고, 후자를 '사기(邪氣)'라고 하여, 각종 발병 인자를 가리킨다. 질병의 발생과 진행 여부는 사기와 정기 사이의 대립에 의해 결정된다. 일반적으로, 이 둘 사이에서는 정기가 주도적인 위치를 차지하고 있으며, 질병 발생은 거의 모든 경우에 신체 구조의 손상, 기혈진액(氣血津液) 등 물질의 부족과 각 장부공능의 실조를 포함하는 정기의 부족을 내재(內在) 근거로 하며, 사기는 단지 질병 발생의 중요한 조건이 될 뿐이다. 이에 관하여 『소문 자법론(刺法論)』에서 "정기가 체내에 있으면 사기가 감히 침범하지 못한다"[69], 『소문 평열병론(評熱病論)』에서 "사기가 모인다는 것은 반드시 정기가 허하기 때문이다"[70]라고 하였다.

(2) "병이 생기는 것은 사람이 스스로 그리 한 것이다"[71]

정기는 질병 과정에서 항상 주도적인 역할을 하는데, "정기와 진기(眞氣)가 깎이는 것은 자연계가 아닌 사람이 스스로 그렇게 하는 것이다"[72]라고 하였다. 대개 질병의 발생은 환자 자신에 기인하고 있다. 지나치거나 지속적인 정신

---

67) 陰平陽秘 (素問·生氣通天論)
68) 正氣存內 邪不可干 (素問·刺法論)
69) 正氣存內, 邪不可干 (素問·刺法論)
70) 邪之所湊, 其氣必虛 (素問·評熱病論)
71) 疾之所生, 人自爲之
72) 使正眞之氣如削去之者. 非天降之, 人自爲之爾 (素問·生氣通天論 王氷注)

적 자극, 비위생적인 음식, 불규칙한 생활, 과로와 게으름, 지나친 정신노동, 무절제한 성생활 등이 모두 정기를 상하게 할 수 있으며, 직간접적으로 질병의 발생과 진행을 일으키게 된다. 『소문 조경론(調經論)』에서 "무릇 사기는 음에서 생길 수도 있고 양에서도 생길 수 있다. 양에서 생긴다는 것은 풍우한서(風雨寒暑)의 외사(外邪)를 얻은 것이고, 음에서 생긴다는 것은 음식거처(飮食居處)와 음양희노(陰陽喜怒)로 말미암은 것이다"[73]라고 한 바와 같이, '생우음자(生于陰者)'는 주로 자신의 행위로 말미암은 질병을 가리킨다.

대부분의 질병에서 '인자위지(人自爲之)'를 강조하는 것은 질병 발생에 대한 생활습관의 중요성을 드러내는 것이고, 이러한 인식은 사람들이 평소 생활습관을 잘 관리함으로써 질병을 예방하고 건강을 유지하는 기본 원리가 된다.

(3) 체질의학적 발병관

한의학의 발병관에서는 인체의 정기를 질병의 과정에서 주도적인 역할을 하는 인자로 보고 있다. 이러한 인식은 질병의 예방과 치료에 있어서 정기를 북돋워 자신의 면역, 즉 항병 능력을 증강시킴으로써 기대하는 치료효과를 거두게 한다.

정기위주의 발병관을 가지는 한의학은 자연적으로 질병의 발생과 진행 과정에서 정기의 다양한 구성양태를 의미하는 체질을 중시하게 되었으며, 이를 전제로 한의학에서는 개체의 생리적인 특성과 그를 바탕으로 나타나는 병증의 이감수성(易感受性)과 병증 변화의 경향성(傾向性)을 중시함으로써 구체적이고도 독창적인 체질학설을 형성하였다. 체질에 대한 관심은 질병의 발생, 진행 및 변화의 원리를 더욱 심층적으로 파악하게 함으로써 예방과 치료에 도움을 준다.

제2절 사유(思惟)

사유는 인간의 가장 높은 수준의 심적(心的) 능력으로서 일반적으로 감성의 작용과 구별된 개념, 판단, 추론 등의 작용을 가리킨다. 또한 개별적인 것으로 향하는 감각에 반해 사유는 보편적인 것과 본질의 파악에 관한 능력을 의미한다[74]

1. 사유 특징

한의학의 사유 특징은 다음 세 가지로 귀납할 수 있다.

1) 거시적 (Macroscopic) 관점에서 사물을 관찰한다

한의학은 고대 중국에서 기원하여 인체의 구조, 생리공능 및 병리 변화에 대하여 관찰, 분석하였으며, 다양한 방법과 수단을 통하여 질병을 치료하고 예방하는 방법을 개발하였다. 동시에 주위 사물 - 예를 들어 천문, 지리, 기상, 동물, 식물, 광물 및 사회 등 - 을 두루 관찰 분석하였는데, 이러한 결과들과 인체의 생리 병리에 관한 연구를 결합함으로써

73) 夫邪之生也, 或生于陰, 或生于陽. 其生于陽者, 得之風雨寒暑; 其生于陰者, 得之飮食居處, 陰陽喜怒 (素問·調經論)
74) 마키노 애이지, 이신철 역, 칸트사전, 2009, 도서출판 b

합리적이면서도 실용적인 결론들을 도출했다. 이처럼 거시적이면서도 전방위적인 연구방법은 미시적인 연구방법이 빠뜨릴 수 있는 단점을 보완할 수 있다.

2) 철학적 (Philosophical) 사유를 운용한다

한의학자들은 인체의 구조, 생리공능 및 병리 현상을 관찰하기 위하여 고대 중국철학의 사유방법을 운용하여 이러한 자료들을 분석하고 연구한 뒤에 결론을 끌어냈다. 한의학 이론 가운데 사실과 사실 사이를 이론적인 추리를 이용하여 연계시켰을 뿐만 아니라, 의학적인 술어와 이론에 중국철학 내용을 집어넣었다. 예를 들어 오장을 모두 음양으로 나누어 신음(腎陰)、신양(腎陽)、간음(肝陰)、간양(肝陽) … 등으로, 또 보비(補脾)로 조폐(助肺)하는 치료방법을 '배토생금(培土生金)'이라고 한 것 등이다.

3) 정체적 (Holistic) 연구를 중시한다

한의학에서는 대개 정체적(整體的)인 관점에서 질병의 원리를 분석하고 귀납하여 진단하고 치료하는 방법을 만들어냈다. 즉 인체 자체는 하나의 통일적인 유기체이며, 동시에 우리 인간은 자연 그리고 사회 환경과 불가분의 관계라는 관점을 가지고 있다. 그러므로 한의학 연구에서는 체내 각 장부、조직、기관 사이의 연계와 공능을 중시하고 인체와 외부 환경 사이의 통일적인 조화를 강조하고 있으며, 한의학의 진단과 치료는 철저하게 이러한 정체적 관점을 바탕으로 하고 있다.

이러한 사유 특징은 한의학이 만들어진 시대와 밀접한 관계가 있다. 한의학에서는 주로 거시적인 관점에서 철학적인 방법을 운용하여 정체적으로 인체의 생명과 질병에 대해 연구를 함으로써 이론체계를 세웠고, 수 천 년의 경험을 통하여 효과적인 예방과 치료방법을 축적해 왔다. 그러한 사유 특징은 양의학과는 다르며, 따라서 두 의학은 상호 보완적인 성격을 가진다.

2. 사유 방법

한의학에서도 다른 분야와 마찬가지로 다양한 사유방법들이 활용됐는데, 그 중 대표적인 사유방법들은 아래와 같다.

1) 비교(比較, Comparison)

비교는 대상들 사이의 서로 다른 점과 같은 점을 살피는 것이다. 비교는 객관적으로 존재하는 대상에 대하여 인식하는 기초이며, 논리적인 법칙과 각종 과학 방법의 전제이다. 한의학에서는 오랜 경험을 통하여 인체의 생리와 병리를 탐구하면서 비교라는 방법을 통해 의학 이론과 실제 임상에 관해 설명하였다. 『내경』에서 언급한 '규도기항(揆度奇恒)'은 비교의 방법을 운용하여 감별하는 수단이다. 이른바 '규도(揆度)'는 형량(衡量)이고, '기항(奇恒)'은 비정상과 정상의 의미로, 이는 일반적인 상황과 비정상적인 상황을 비교하여 서로 다른 점을 끌어낸다는 것이다. 건강과 질병의 비교를 예로 들면, 건강은 '항(恒)'이 되고, 질병은 '기(奇)'가 되며, 질병에도 또 기항의 구별이 있어서, 일반 질환 가운데 많이 발생하는 증상은 '항'이 되고, 특이한 증상은 '기'가 된다. 비교를 통해 서로 다른 점을 감별할 수 있다. 또 다른 측면으로, 많은 종류의 사물을 비교하자면 반드시 그 사물들에 존재하는 공통점이 나타나기 때문에 그러한 공통점을 가진 사물들을 한 부류로 하고, 또 다른 공통점을 가지는 사물들을 다른 부류로 귀납하는 것이 "방(方)으로써 유(類)를 모으고 물(物)로써 무리를 나눈다[75]"는 것인데, 한의학에서 자주 활용하는 귀류방법(歸類方法)이다.

비교를 통해 다른 점을 구분하고 감별하는 방법은 한의학에서 보편적으로 활용되었다. 예를 들어 정상과 비정상을 구별하는데, 『소문 평인기상론(平人氣象論)』에서 "사람이 한 번 숨을 내쉴 때 맥이 두 번 뛰고, 한 번 들이쉴 때 맥이 다시 두 번 뛰며, 호흡을 가다듬어 숨 쉴 때를 포함해 맥이 모두 다섯 번 뛰면서 어쩌다가 한숨 쉬는 것을 平人이라 하는데, 평인은 병들지 않는다. 항상 병들지 않은 평인을 기준으로 하여 환자를 조리하는데, 의사는 병들지 않았으므로 환자를 돌봄에 의사의 평시 호흡을 기준으로 삼는다[76]"고 하였으며, 또 "사람이 숨을 한 번 내쉴 때 맥이 한 번 뛰고, 한 번 들이쉴 때 맥이 한 번 뛰는 것을 소기(少氣)라 하고, 사람이 한 번 숨을 내쉴 때 맥이 세 번 뛰고 한 번 들이쉴 때 맥이 세 번 뛰면서 동요하고 척부(尺膚)에서 열이 나면 온병을 앓는다고 한다. 사람이 숨을 한 번 내쉴 때 맥이 네 번 이상 뛰면 죽는다[77]"고 하였는데, 이는 맥박수의 비교를 통해 평인맥(平人脈)、병인맥(病人脈)과 위중병인맥(危重病人脈)을 구별하는 경우이다. 또, 예를 들어 임상에서 환자가 허증인지 실증인지를 감별해야 보법(補法)을 쓸 것인지 사법(瀉法)을 쓸 것인지를 결정할 수 있다. 『소문 옥기진장론(玉機眞藏論)』에서 "맥이 성한 것과 피부의 열과 배가 창만한 것과 대소변이 통하지 않는 것과 가슴이 답답하고 눈이 흐릿한 것을 일러 오실(五實)이라 한다. 맥이 세약하고 피부가 차고 기가 적으며 대소변이 마구 나오고 음식을 먹을 수 없는 것을 일러 오허(五虛)라 한다[78]"고 하였는데, 여기에서 거론한 여러 증상은 확실히 비교를 통해 허실을 감별하는 요점이다.

대상이 지닌 공통점의 비교를 통해 귀납을 진행하는 방법은 한의학에서 매우 빈번하게 이용된다. 예를 들어, 인체 내장의 경우, 일부 내장은 '간장혈(肝藏血)'이나 '신장정(腎藏精)'처럼 인체 정혈의 저장을 위주로 함을 알 수 있는데, 이런 내장은 정혈을 안에 저장하여 쓸데없이 밖으로 새어 나가지 않도록 함으로써 정과 혈의 생리 활동을 충분히 발휘하도록 한다. 또 위、소장、대장 등과 같은 내장들은 음식물을 받아들여 소화하고 그 정미(精微)를 흡수하는 것을 위주로 하는데, 이들은 음식물을 소화 흡수한 다음 바로 배출시켜 그 다음에 먹은 음식물의 진입을 이롭게 해준다. 전자에 해당하는 내장의 활동 특징은 저장하여 배출을 적게 하고, 후자에 해당하는 내장은 이와 상반되게 바로 배출하여 오랫동안 저장하지 않는다. 그래서 『소문 오장별론(五藏別論)』에서는 전자의 내장을 "정기를 저장하되 내보내지 않는다[79]"고 하여 오장(五臟)이라 하고, 후자의 내장을 "음식물을 이동시키고 소화하되 저장하지 않는다[80]"고 하여 육부(六腑)로 명명하였다. 비교를 통해 내장을 오장과 육부로 귀납한 것이다. 아울러 오장은 "정기를 저장하되 내보내지 않는" 것으로 인식하기 때문에 양생과 치료 시에 마땅히 충만하게 채워야 하는데, 바로 『소문 상고천진론(上古天眞論)』에서 말한 '지만(持滿)(가득 참을 지킴)'에 주력하는 것이다. 육부는 계속해서 음식물을 소화、흡수하고 "내보내되 저장하지 않는(瀉而不藏)" 특징을 가지는 것으로 인식하기 때문에 양생과 치료 시에는 마땅히 잘 통하게 하여 내용물이 바로 배출되어 비워질 수 있도록 해야 한다. 이러한 인식은 한의학의 양생과 진료에 중요한 의미가 있다.

비교는 일종의 사유방법으로 과학 분야 전반에서 광범위하게 응용되며, 한의학에서도 가장 많이 운용되는 방법 가운데 하나이다.

---

75) 方以類聚, 物以群分 (周易·繫辭上)

76) 人一呼脈再動, 一吸脈亦再動, 呼吸定息, 脈五動, 閏以太息, 命曰平人. 平人者, 不病也. 常以不病調病人. 醫不病, 故爲病人平息以調之爲法 (素問·平人氣象論)

77) 人一呼脈一動, 一吸脈一動, 曰少氣. 人一呼脈三動, 一吸脈三動而躁, 尺熱, 曰病溫. 人一呼脈四動以上曰死 (素問·平人氣象論)

78) 脈盛, 皮熱, 腹脹, 前後不通, 悶瞀, 此謂五實; 脈細, 皮寒, 氣少, 泄利前後, 飮食不入, 此謂五虛 (素問·玉機眞藏論)

79) 藏精氣而不瀉 (素問·五臟別論)

80) 傳化物而不藏 (素問·五臟別論)

2) 연역(演繹, Deduction)

연역은 일반적인 사실이나 원리를 전제로 하여 개별적인 사실이나 보다 특수한 다른 원리를 끌어내는 사유방법이다. 사람들은 귀납을 통해 얻은 일반적인 공통의 결론을 근거로 개별적인 것을 연구하는데, 아직 깊이 연구되지 못했거나 새로이 나타난 사물에 대하여는 다시 새로운 결론을 탐구한다. 이처럼 추리하게 되면 더 많은 새로운 결과를 얻을 수 있다. 연역법은 과학 분야에서 비교적 많이 이용되는데, 한의학에서도 상당히 보편적으로 이용된다.

한의학에서 연역법은 생명 활동을 이해하거나 혹은 질병의 진단과 치료에 이용되는 추리방법이다. 예를 들어 간의 생리공능에 대한 인식은 간이 오행 가운데 목에 속하고 목은 승발(升發)과 나뭇가지처럼 펼치고 뻗어 나가는 것을 좋아하는 특성을 갖추고 있다는 것에서부터 출발하고 있다. 간은 목에 속하므로 간 역시 승발과 서창(舒暢), 조달(條達)을 좋아하는 생리 특징을 가지고 있다. 이러한 추리에 근거하여 한의학에서는 간은 승(升)을 주관하고, 인체의 기가 위를 향해 승발할 수 있게 한다. 만약 간기가 지나치게 왕성하면 승발하는 힘이 너무 강해져서 기혈이 위로 넘쳐 면홍목적(面紅目赤), 두창두통(頭脹頭痛) 등 증상이 나타난다. 이때에는 간기를 평정하게 회복시켜야 하는데, 임상에서는 평간(平肝)시키는 한약이나 침구 등을 이용함으로써 효과를 거둘 수 있다. 연역추리에 근거하여, 한의학에서 간이 소설(疏泄)을 주관하기 때문에, 간은 체내 기의 운동을 원활하게 하여 소통하면서 정체하지 않고, 산발(散發)하면서 울결되지 않게 하는 공능을 가지고 있다. 이러한 공능이 정상적이면 전신의 기혈이 잘 흐르고 정서적으로 편안해진다. 만약 간의 소설을 주관하는 공능이 장애를 받으면 '간실소설(肝失疏泄)'이라고 한다. 이때 기의 운동이 원활하지 않으면 기가 울결되거나 정체되므로 병변 부위가 답답하거나 그득하고 통증 등의 증상이 나타난다. 이때는 서간(舒肝)시켜야 하는데, 서간이기(舒肝理氣)시키는 약물이나 침구, 추나 등의 요법을 이용한다.

또 예컨대 부종을 치료하는 경우에는 오행의 상극원리에 따라 '토극수(土剋水)'해야 한다. 오장 가운데 비는 토에 속하므로 건비(健脾)시켜 비를 왕성하게 하면 수를 제약할 수 있으므로 부종이 제거된다. 그러므로 임상에서는 부종의 경우 건비이수(健脾利水)의 방법을 상용하는데, 脾虛로 부종이 된 경우에 좋은 효과를 거둘 수 있다. 이러한 추리방법은 한의학에서 상용하는 것으로 이론과 임상에서 모두 중요한 의미가 있다.

한의학에서는 음양학설, 오행학설, 정기학설 등 철학적 방법론을 이용하여 인체의 생리, 병리, 변화를 설명하거나 양생과 질병에 대해 진료를 한다. 즉 일반적인 이론으로써 특수한 사물에 적용하거나 논증하기 때문에 연역법은 한의학에서 매우 널리 사용되고 있다.

■ 나무와 肝의 疏泄

3) 유비(類比, Analogy)

유비법은 두 개의 특수한 사물(혹은 두 부류의 사물)을 비교하여 양자 간에 존재하는 일련의 공통점(서로 같은 속성)을 근거로 그들이 또 다른 어떤 특성과 원리에서도 서로 같은 것으로 추론하고 증명하는 것이다. 이런 방법은 과학적인 인식 과정 중에 새로운 지식을 획득하는 주요 수단이며, 과학계의 중요한 발명들이 유비법을 통해 이루어졌다. 『소문 시종용론(示從容論)』에서 유비법에 대해 "사물을 끌어다가 比類한다[81]"고 하였는데, 한의학에서도 널리 활용되고 있다.

한의학에서는 정체관을 바탕으로 자연계와 사회의 사물로써 인체 내의 사물을 서로 유비시켰다. 예컨대 날씨가 추워지면 강물이 얼어붙어 흐르지 않고, 식물의 영양은 대개 뿌리에 저장되며, 작은 동물은 땅속에 숨어 겨울잠을 잔다. 날씨가 따뜻해지면 강물이 잘 흐르고 동식물은 모두 바깥에서 번성하며, 사람 역시 그에 상응한다. 그래서 『소문 팔정신명론(八正神明論)』에서는 "날씨가 따뜻하고 날이 밝을 때는 사람의 혈액이 매끄럽게 잘 흐르면서 위기(衛氣)도 위로 떠 올라 혈을 사(瀉)하기가 쉬워지고 기는 잘 흐르게 된다. 그러나 날씨가 춥고 날이 어두우면 사람의 혈액이 잘 흐르지 못하고 위기(衛氣) 역시 안으로 가라앉게 된다[82]"고 하였다.

한의학에서는 주로 유비법으로 병인을 설명하고 있다. 예컨대, 나뭇가지 스스로는 움직일 수 없지만 바람이 불면 흔들리는데, 미풍에 나뭇잎이 흔들리고, 바람이 비교적 세게 불면 나뭇가지가 흔들리며, 바람이 매우 세면 나무 전체가 기울어지고, 바람이 멈추어야만 나무는 비로소 평정을 회복하게 된다. 한의학에서는 인체의 사지와 머리가 불수의적으로 진전(振顫)、요동(搖動)하거나 심해져서 갑자기 쓰러지거나 반신불수 등의 병증이 나타나면 모두 풍이 일으킨 것으로 보았다. 한당(漢唐) 시대에는 풍이 외부에서 오는 것으로 보고 거풍약(祛風藥)으로 치료하였는데, 효과가 좋지 않았었다. 그러나 송명(宋明)에 이르러 의사들은 점점 이런 부류의 풍이 밖에서 오는 것이 아니라 체내 양기의 움직임이 지나치게 빠른 것으로 보게 되었다. 말하자면, 자연계에서 기의 움직임이 지나치게 빠른 것은 풍인데, 이런 유의 풍이 외부로부터 인체에 침입하는 것을 외풍(外風)이라 하고, 인체 내 기의 움직임이 지나치게 빠른 것 역시 풍인데, 이런 유의 풍이 일으키는 질병을 내풍(內風)이라고 하였다. 그래서 청대(淸代)의 섭천사(葉天士)가 『임증지남의안 중풍(臨證指南醫案 中風)』에서 "내풍은 체내 양기의 비정상적인 움직임이다[83]"고 하였다. 내풍을 쫓아내는 방법은 없고, 단지 가라앉힐 뿐이어서 후세의 의사들은 거풍약 대신 식풍약(熄風藥)으로 바꾸어 효과를 얻을 수 있었다. 동요하는 것을 풍으로 보고 또 체내 기의 흐름이 지나치게 빠른 것 역시 풍으로 인식하였으며, 나아가 풍병을 외풍과 내풍으로 나누었고, 치료도 또한 거풍(祛風)과 식풍(熄風)으로 나누었다. 이러한 단계적인 추리는 모두 한의학에서 유비법을 응용한 것이다.

질병을 치료할 때에도 한의학에서는 유비법을 상용한다. 예컨대, 『영추 역순(靈樞 逆順)』에서 "『병법(兵法)』에 이르기를 '기세가 극성하면 맞서 싸우지 말고 위풍당당한 진용은 공격하지 말라'고 했으며, 『자법(刺法)』에서는 '열이 펄펄 끓으면 자침 하지 말고 땀이 줄줄 흐를 때도 자침 하지 말라'고 하였다[84]"고 하였다. 이는 전쟁 시에 적군의 사기가 드높고 진용이 당당하면 그에 맞서 싸워서는 안되며, 침 치료 시에도 환자에게 고열이 있고 땀이 많이 나올 때는 병사(病邪)가 체내에 있고 그 세력이 항성하므로 함부로 침을 놓아서는 안 된다는 의미로, 전투와 침 치료를 유비한 것이다. 청대의 서영태(徐靈胎)도 용병의 도와 치병의 법에 대하여 『의학원류론 용약여용병론(醫學源流論 用藥如用兵

---

81) 援物比類 (素問·示從容論)
82) 天溫日明, 則人血淖液而衛氣浮, 故血易瀉, 氣易行; 天寒日陰, 則人血凝泣 而衛氣沉(素問·八正神明論)
83) 內風乃身中陽氣之動變 (臨證指南醫案)
84) 兵法曰: 無迎逢逢之氣, 無擊堂堂之陣. 刺法曰: 無刺熇熇之熱, 無刺漉漉之汗 (靈樞·逆順)

論』에서 각종 치법과 병법을 유비시키고 끝에 말하기를 "손무자(孫武子) 십삼 편에 병을 다스리는 법이 모두 들어있다[85]"고 하였다.

질병 치료의 구체적인 방법에서도, 한의학에서는 대부분 유비추리를 이용하여 새로운 방법을 착안하였다. 예컨대, 열이 많이 나는 것을 치료할 때에 상체의 열이 비교적 뚜렷하여 인후가 발갛게 부으면서 아프고, 혀도 붉게 부서질 듯 아프며, 입안에 부스럼이 생기고, 대변이 굳어서 잘 나오지 않으면 화롯불이 왕성한 것으로 보고, 화로 안의 땔감을 끄집어내면 불이 저절로 꺼지는 것에 착안하여, 한량공하법(寒涼攻下法)을 이용하였다. 대변이 일단 통하면 화열이 아래로 내려가면서 위의 열이 바로 사라진다. 이런 치법을 '부저추신법(釜底抽薪法)'이라고 하였다. 또 음허(陰虛)와 장액(腸液)이 말라서 생긴 변비를 치료할 때에는 물이 배를 움직이는 데에 착안하여 자음증액(滋陰增液)시킴으로써 장액이 많아지게 하여 대변이 저절로 통하게 하였다. 청대의 오국통(吳鞠通)은 이를 위해 증액탕(增液湯)과 증액승기탕(增液承氣湯)을 만들었는데, 이 치법을 '증수행주법(增水行舟法)'이라고 하였다.

유비법이 대개 유효하지만, 역시 그 적용에는 한계가 있다. 사물 사이에는 동일성과 함께 차이가 있기 때문이다. 동일성은 유비의 논리적 근거를 제공하고, 차이는 유비 추론의 오류를 초래한다. 서로 비슷한 두 개의 대상 사이에는 어느 정도 차이가 있는데, 만약 추론해야 할 내용이 바로 그 차이점에 해당하는 경우라면 이때의 결론은 오류를 범하게 된다. 그러므로 유비법의 경우, 그 결론에 대해서는 반드시 실천을 통해 검증해야 한다.

유비법은 한의학에서 자연을 인식할 때 상용하는 방법이다. 구체적으로 운용할 때에 다음 몇 가지 점을 주의해야 한다. 우선 옛날 사람들은 자연계를 확충하여 동일시하는 경향이 있어서 다양하고 많은 사물의 세세한 측면에 대해 철저한 정밀성이 부족하였다. 유비를 통해 얻은 결론 중에는 탁월한 통찰이나 독창적인 견해가 많이 있지만, 다소 허황하고 견강부회적인 내용도 섞여 있다. 이를 피하기 위해서는 논리적이어야 하며, 유비 되는 쌍방의 유관 자료를 될 수 있는 대로 많이 수집하고, 유비 가능한 항목을 확대하며, 이미 알고 있는 항목과 아직 모르고 있는 항목 사이의 상관성을 증가시켜 이미 알고 있는 속성과 추론코자 하는 속성 사이에 본질적인 연계가 있도록 함으로써 오류를 줄여야 한다.

그 다음으로 비유는 비슷한 부류의 사물에 빗대어 논증하는 것으로, 모종의 학설、견해 혹은 경험을 설명하기 위하여 사람들이 이미 잘 알고 있는 상식에 빗대는 것이다. 유비는 비유와 형식이 비슷하기는 하지만, 목적과 성질이 완전히 다르다. 유비는 이미 아는 것에서 아직 알지 못하는 것을 추론해내는 것으로 목적과 결과는 새로운 지식을 얻는 것이며, 자연계를 인식하는 논리 방법에 속한다. 그 추론으로 나온 결론은 개연성이 있으므로 진일보된 실증이 필요하다. 비유의 경우, 비유되는 한쪽은 항상 사람들이 이미 잘 알고 있는 상식이고 설명되는 쪽은 모종의 학설、견해 혹은 경험으로, 양자는 이미 모두 알고 있는 내용에 속한다. 비유하는 목적은 학설、이론 등에 대하여 통속적인 상식을 빌어서 설명하는 것이기 때문에 그것은 논증의 방법에 속한다. 비유는 추리의 방법이 아니므로 유비 추론 원리의 제한을 받지 않는다. 때로 비유되는 쌍방이 전혀 관련이 없거나, 비유가 순전히 견강부회에 속하더라도, 논증되는 내용 자체는 정확한 것이다. 이는 결론이 비유를 통해 얻은 것이 아니라, 다른 방법을 통해 얻은 것으로서, 비유는 그저 설명하고 밝히기 위한 것이다. 유비와 비유는 반드시 구별되어야 한다.

4) 이표지리(以表知裏)

'이표지리'는 사물의 겉으로 드러난 현상을 관찰하여 그 사물의 내재 상황과 변화를 분석 판단하는 방법이다. 이런

---

85) 孫武子十三篇, 治病之法盡之矣 (醫學源流論·用藥如用兵論)

방법은 과학 분야에서 광범위하게 응용된다. 예컨대『관자 지수(管子 地數)』에서 "위에 단사(丹砂)가 있으면 그 아래에 황금이 있고, 위에 자석(磁石)이 있으면 그 아래에 구리가 있다. 위에 능석(陵石)이 있으면 그 아래에 연석적동(鉛錫赤銅)이 있으며, 위에 자석(赭石)이 있으면 그 아래에 철이 있다. 이것이 산의 영화로움을 보는 것이다[86]"라고 하였는데, 이는 이표지리법이 지질학에 응용된 경우이다. 이런 방법에 대해 고대에는 "안에 있는 것은 반드시 밖으로 나타난다[87]"고 하였는데, 이는 실질적으로 관련되는 부분들이 서로 밀접하게 연결되어 있다는 정체관이 사유방법에 구체적으로 운용된 것이다.

한의학에서는 이표지리법이 매우 중요하게 응용되었는데, 장상학설(藏象學說)이 좋은 예이다. 이른바 '장(藏)'은 체간부에 있는 내장을 말하고, '상(象)'은 밖으로 표현되는 생리공능과 병리 현상을 가리키기 때문에 '장상(藏象)'은 바로 (체간부에 있는) 내장의 (밖으로 표현되는) 생리공능과 병리 현상이다. 예를 들어 폐는 체간에 있는 내장이고, 호흡은 밖으로 표현되는 생리공능이며, 기침、천식、객혈 등은 밖으로 표현되는 병리 현상이다. 폐가 없으면 호흡이 있을 수 없고, 또한 기침、천식과 객혈이 나타날 수 없다. 그래서 장이 없으면 상이 없으며, 상은 장으로부터 생겨나는 것이다. 장이 있으면 반드시 현상이 나타나는데, 장과 상은 서로 나눌 수 없는 관계이다. 그러므로 한의학에서는 겉으로 드러나는 현상에 대한 관찰을 통해 내장의 상황을 분석하고 판단한다. 한의학에서는 장과 상 사이의 연계를 매우 중시하는데, 내장을 연구하는 학설을 장상학설이라고 한다. 또한, 질병을 진단하면서 항상 이표지리법을 응용하는데, 얼굴색을 살피는 것이 이에 해당한다. 얼굴에는 혈관이 풍부하게 분포하고, 피는 맥중(脈中)을 운행하며, 그 빛깔은 피부를 통해 밖으로 나오므로 병이 없는 사람은 얼굴색이 약간 붉으면서 윤기가 흐른다. 만약 혈허(血虛)하면 안색이 창백하고, 혈열(血熱)하면 안색이 붉으며, 혈어(血瘀)하면 안색이 청자색을 띤다. 피가 안에서 흐르고 그 색이 밖으로 나타나기 때문에 색을 보아 피를 살필 수 있다. 그래서『소문 음양응상대론(陰陽應象大論)』에서는 "나로써 남을 알고, 겉으로써 속을 알며, 지나치고 부족함의 이치를 깨달아서 기미를 살펴 허물을 미리 다스리니 치료함이 위태롭지 않다[88]"고 하였는데, 이는 이 방법이 한의학에서 운용되는 의의를 충분히 설명하고 있다.

5) 시탐(試探, Exploratory testing)과 반추(反推, Reverse confirmation)

시탐은 연구대상에 대하여 먼저 살펴서 초보적인 가정을 내어놓고, 그 가정에 근거하여 조처한 다음, 몸에서 나타나는 반응에 근거하여 원래의 가정을 적절하게 수정하고 그 다음 조치를 결정하는 사유방법이다. 반추는 결과로부터 원인을 거슬러 올라가거나 추측하고 실증하는 일종의 역향적(逆向的) 사유방법이다. 이 두 방법의 같은 점은 모두 결과로부터 반추하는 것이고, 다른 점을 말하자면, 시탐법에서는 먼저 조처한 다음 결과를 관찰하는 것이고, 반추법에서는 그런 조처를 하지 않는 것이다. 이 두 가지 방법은 각종 과학 분야의 연구와 의료분야에서 널리 사용되었는데, 고대 의학 문헌에서 시탐법은 항상 병을 살피기 위해 이용되었으며, '소식법(消息法)'이라고 불리었다.

한의학에서는 시탐법을 써서 병의 원인을 살피는 경우가 적지 않다. 예컨대 한대의 장중경(張仲景)은『상한론』에서 "만약 대변이 6~7일간 통하지 않으면 조시(燥屎)가 있을 수 있는데, 이를 알려면 먼저 소승기탕(小承氣湯)을 조금 투여하여 약이 배에 들어가 방귀가 나오면 조시가 있는 것이므로 공격할 수 있다. 만약 방귀가 나오지 않으면 이는 대변의 처음 부분은 굳었지만, 뒷부분은 반드시 무르기 때문에 공격하면 안 된다. 공격하면 반드시 창만하여 음식을 먹

86) 上有丹砂者, 下有黃金, 上有磁石者, 下有銅金, 上有陵石者, 下有鉛錫赤銅, 上有赭者, 下有鐵. 此山之見榮者也 (管子·地數)
87) 有諸內, 必形諸外 (孟子·告子下)
88) 以我知彼, 以表知裏, 以觀過與不及之理, 見微得過, 用之不殆 (素問·陰陽應象大論)

지 못하게 된다[89]"고 하였는데, 이는 소승기탕을 이용하여 조시의 유무를 시탐하는 방법이다. 또 명대의 장개빈(張介賓)도『경악전서 전충록(景岳全書 傳忠錄)』에서 "허증이 의심되어 보하고 싶지만, 만약 분명하지 않으면 우선 가벼운 소도지제(消導之劑) 중 몇 개의 약물만 써서 알아본다. 그 약을 받아들이지 못하면 진짜 허증이다. 한편 실증이 의심되어 공격하고 싶지만 결정하지 못한다면 우선 감온(甘溫)한 순보지제(純補之劑) 가운데 몇 개 약물을 써서 알아본다. 보해서 체기가 느껴지면 실사(實邪)가 있음을 알 수 있다. 가한(假寒)의 경우 약간의 온법(溫法)을 쓰면 반드시 번조(煩躁)케 되고, 가열(假熱)의 경우에는 약간의 한법(寒法)을 쓰면 반드시 구오(嘔惡)케 된다. 그 정황을 잘 살피면 방침은 저절로 정해진다[90]"고 하였는데, 이는 한약을 소량 사용하여 허실과 한열을 시탐하는 방법이다.

반추의 방법 역시 한의학에서 매우 널리 응용되었다. 예컨대 신허(腎虛) 환자는 대개 이명(耳鳴)이나 이롱(耳聾)이 나타나는데, 보신약(補腎藥)을 쓰면 신기(腎氣)의 충족여부에 따라 이명과 이롱이 가벼워지거나 낫는다. 이로써 반증하면 신과 귀는 밀접한 관계가 있으므로 한의학에서는 "신은 귀로 구멍이 열려 있다[91]"고 하였다. 또 임상적으로도, 질병을 진단할 때 대부분 임상 표현에 근거하여 병인을 역추적하므로 '심증구인(審證求因)'이라고 한다.

상술한 사유방법들은 한의학뿐만 아니라, 양의학이나 다른 분야에서도 모두 이용할 수 있다. 양의학의 경우, 임상의 감별진단에서 이용하는 것은 비교법이며, 염증의 주요 특징을 열(熱)、적(赤)、종(腫)、통(痛)으로 보아서 인체 어디든지 열、적、종、통이 있으면 모두 염증으로 진단하는데, 이는 연역법(演繹法)이다. 동물의 병태모형(病態模型)이 병리、약리、독성학 등의 연구에 이용되는 것은 유비법의 응용이며, 개가 짖는 것 같은 기침 소리를 들어 후두염으로 일차적인 진단을 하는 것은 '이표지리'의 응용이다. 난치병의 경우 진단성 치료를 활용하는 것은 시탐법에 해당한다. 그러나 한의학에서 이러한 방법을 응용하는 데에는 나름대로 특징이 있다. 즉 한의학에서는 정체관을 배경으로 음양학설、오행학설과 정기학설(精氣學說) 등 철학사상의 기초 위에 상술한 각종 사유방법을 운용하였다. 이러한 사유방법들을 잘 이해하면 한의학의 고문헌을 깊이 이해하거나 한의학 이론과 임상을 학습하기에 유리할 뿐만 아니라, 이런 이론과 사유방법에 근거하여 임상과 과학적인 연구에 이용하면 적은 노력으로도 큰 효과를 거둘 수 있을 것이다.

89) 乃可攻之. 若不轉矢氣者, 此但初頭硬, 後必溏, 不可攻之, 攻之必脹滿, 不能食也 (傷寒論)
90) 若疑其爲虛, 意欲用補而未決, 則以輕淺消導之劑, 純用數味, 先以探之. 消而不投, 卽知爲眞虛矣. 疑其爲實, 意欲用攻而未決, 則用甘溫純補之劑, 輕用數味, 先以探之. 補而覺滯, 卽知其有實邪也. 假寒者略溫之, 必見煩躁; 假熱者略寒之, 必加嘔惡. 探得其情, 意自定矣 (景岳全書·傳忠錄)
91) 腎開竅于耳

참고문헌

1. 『乾鑿度』
2. 『景岳全書』 張介賓
3. 『公孫龍子·跡府』 公孫龍
4. 『管子·地數』
5. 『道德經』
6. 『道藏精華錄·七部語要』
7. 『臨證指南醫案』 葉桂
8. 『孟子·告子下』
9. 『脾胃論』 李杲
10. 『史記·扁鵲倉公列傳』 司馬遷
11. 『傷寒論』 張仲景
12. 『素問·擧痛論』
13. 『素問·寶命全形論』
14. 『素問·上古天眞論』
15. 『素問·生氣通天論』
16. 『素問·示從容論』
17. 『素問·五臟別論』
18. 『素問·玉機眞藏論』
19. 『素問·六微旨大論』
20. 『素問·陰陽應象大論』
21. 『素問·刺法論』
22. 『素問·調經論』
23. 『素問·天元紀大論』
24. 『素問·八正神明論』
25. 『素問·評熱病論』
26. 『素問·平人氣象論』
27. 『荀子·天論』 荀況
28. 『神滅論』 范縝
29. 『靈樞·脈度』
30. 『靈樞·本神』
31. 『靈樞·歲露』
32. 『靈樞·逆順』
33. 『靈樞·玉板』
34. 『靈樞·終始』
35. 『靈樞·天年』
36. 『溫疫論』 吳有性
37. 『類經』 張介賓
38. 『醫宗必讀』 李中梓
39. 『醫學源流論·用藥如用兵論』 徐大椿
40. 『金史·張元素傳』 元朝 脱脱 等 撰
41. 『莊子·知北游』
42. 『周易·繫辭上』
43. 『黃帝內經太素』 楊上善
44. 高思華 等, 中醫基礎理論, 2012, 人民衛生出版社
45. 樊巧玲 主編, 中醫學概論, 2010, 中國中醫藥出版社
46. 劉平, 中醫藥科研思路與方法, 2012, 人民衛生出版社
47. 何建成 等, 中醫學基礎, 2012, 人民衛生出版社
48. 何裕民, 中醫學導論, 2012, 人民衛生出版社
49. 마키노 애이지, 이신철 역, 칸트사전, 2009, 도서출판b
50. Brian Clegg, The Universe Inside You (과학을 안다는 것), 2013 엑스오북스
51. Ernst Peter Fischer, Die andere Bildung, 2001, Ullstein Verlag

제 3 장 이론체계

Theory Structure

한의학 이론체계는 정체관과 변증논치를 특징으로 하고 있다.

제 1절 整體觀念 (Holism)

정체관념은 사물이 하나의 정체(整體, 유기적인 통일체)로서, 사물 내부의 각 부분은 서로 연계되어 분리될 수 없으며, 사물과 사물 사이에도 밀접한 관계가 있어서 우주 역시 하나의 거대한 정체라고 보는 관점이다. 한의학에서는 이러한 관점에서 출발하여 인체를 하나의 유기적인 통일체로 보고 있다. 인체 구조는 서로 연계되어 나뉘어질 수 없고, 인체의 각종 기능 역시 서로 통합적으로 작동하고 있다. 그러므로 병에 걸려도 체내 구조나 기능의 병리적 상태는 개별 구조나 기능에 한정되지 않고 다른 구조나 기능에 서로 영향을 미친다. 동시에, 한의학에서는 사람과 환경 역시 서로 밀접하게 영향을 미치는 하나의 유기적인 통일체로 보고 있다. 정체관념은 한의학의 생리、병리、진단、변증、양생과 예방、치료 등 전 분야에 걸쳐 있다.

정체관념은 주로 인체 자체의 정체성과 인체와 자연 및 사회환경과의 정체성의 두 가지 측면으로 나타난다.

1. 유기적인 통일체로서 인체

인체는 안팎으로 연계되어 있으면서 자가 조절과 자가 적응을 하는 유기적인 통일체이다. 인체는 장부、형체、기관으로 구성되어 있으며, 이들은 서로 다른 구조와 기능을 가지고 있다. 그러나 그들은 고립적이거나 서로 무관한 것이 아니라, 서로 연계되어 제약하고 협조하고 있다.

1) 생리적 정체성

인체의 생리적 정체성은 대개 두 가지 측면으로 나타난다. 첫째는 인체를 구성하고 있는 각 부분의 구조나 기능이 오장을 중심으로 완전히 통일되어 있어서, 이를 오장일체관(五臟一體觀)이라 하며, 둘째는 육체와 정신이 서로 의존하고 불가분의 관계에 있어서, 이를 심신일체관(心身一體觀)이라고 한다.

(1) 오장일체관

인체는 肝、心、脾、肺、腎의 오장과 胃、小腸、大腸、三焦、膀胱、膽의 육부, 皮、肉、筋、脈、骨 등 형체와 眼、耳、鼻、口、舌、前陰、肛門 등 주요 기관 등으로 구성되어 있다. 그들은 각기 독특한 기능을 가지면서 하나의 독립적인 기관을 이루고 있다. 그러나 모든 기관은 경락을 통해 서로 연관되어 있으며, 이러한 연관관계는 독특한 원리를 가지고 있다. 즉, 臟과 腑에 연계된 형체와 기관은 하나의 계통을 형성하고 있다. 예를 들면, 肝、膽、筋、目은 '간계통(肝系統)'을, 心、小腸、脈、舌은 '심계통(心系統)'을, 脾、胃、肉、口는 '비계통(脾系統)'을, 肺、大腸、皮、鼻는 '폐계통(肺系統)'을, 腎、膀胱、骨、耳、二陰은 '신계통(腎系統)'을 이루고 있다. 이러한 계통들은 모두 오장을 중심으로 경락을 통하여 "안으로는 장부(臟腑)에 속하고 밖으로는 사지와 관절에 연결된다"[1]고 하면서 肝 心 脾 肺 腎의 다섯 생리계통을 이루고 있다.

이러한 구조적 완정함은 기능적 통일의 기초가 된다. 精氣血津液은 인체를 구성하는 중요한 조성 부분이며, 인체의 각종 생리기능을 유지하는 정미로운 물질이다. 정기혈진액은 장부、형체、기관에서 분포、저장、대사、운행하고 있는데, 각자의 기능을 수행하면서 그들 사이의 밀접한 배합과 상호 협조를 통하여 공동으로 인체의 각종 생리기능을 완성함으로써 다섯 생리계통 사이의 질서를 유지하고 있다. 동시에 장부의 기능활동은 정기혈진액의 생성、운행、분포、저장과 대사를 촉진 유지함으로써 장부、형체、기관의 기능을 지지하고 있다. 이처럼 오장 중심으로 구조와 기능이 서로 통일되어 있는 관점을 '오장일체관(五臟一體觀)'이라고 한다.

오장일체관의 관점에서 보면, 인체의 정상적인 생명활동은 각 장부의 정상적인 기능의 발휘뿐 아니라 장부들의 상호 협동과 제약의 균형에 의해서 유지되고 있다.

인체는 서로 다른 기능을 가진 장부가 心을 중심으로 밀접하게 협조하고 있는 유기적인 통일체이기도 하다. 심은 神을 저장하고 있기 때문에 "오장육부의 군주"[2]이며, 심신(心神)은 인체 생명활동을 주재하고 있다. 神은 氣를 다스리고 기는 장부의 기능을 추동하고 조절하는 작용을 하기 때문에 심신은 전신、장부、경락、형체、기관의 기능을 제어 조절하는데 주도적인 역할을 한다. 즉, 心氣가 심장의 박동을 추동하고 조절하여 혈액을 순환케 하고, 肝氣는 소설(疏泄)함으로써 기기를 조창하고 정서가 편안하게 하며, 肺氣는 선강(宣降)함으로써 호흡과 수액을 운행하고, 脾氣는 음식물을 운화하고 혈액을 통섭하며, 腎氣는 생식을 주관하고 수액대사를 관장하면서 납기하는 등이 모두 심신(心神)의 통일적인 주도하에 이루어지고 있는 것이다. 그러므로『소문 영란비전론(素問 靈蘭秘典論)』에서 "主君이 밝으면 신하들이 안정케 되고, … 주군이 밝지 못하면 十二官이 위태롭게 된다"[3]고 하였다.

인체 생명활동의 정상 여부는 심이 주도하는 외에도, 오장 사이의 기능적인 협조에 좌우된다. 인체 기능이 완성되기 위해서는 오장 사이의 관계가 밀접하게 배합되어 협조하고 통일되어야만 한다. 예컨대, 혈액의 순행은 心이 주관하기는 하지만, 여전히 肺、肝、脾 등의 협조가 필요하다. 심장의 박동은 혈액을 전신으로 보내고, 肺는 氣를 주관하여 심의 혈액 운행을 도와주며, 肝은 소설을 주관함으로써 혈액의 운행을 촉진시키고, 혈을 저장함으로써 순환하는 혈액의 양을 조절하며, 脾는 운화를 주관함으로써 혈액이 만들어지는 원천이 될 뿐 만 아니라, 혈액이 맥 중으로 운행되는 것을 통섭한다. 이처럼 네 장이 긴밀하게 조화되어야만 비로소 정상적인 혈액순환이 유지된다. 오장은 각각 자신의 역할을 할 뿐 만 아니라, 상호 협조함으로써 인체의 복잡한 기능을 유지한다.

인체의 형체와 기관은 오장을 중심으로 하는 계통에 분별 귀속되며, 이 계통 사이에는 협조와 통일의 관계가 있다.

---

1) 內屬于腑臟, 外絡于肢節 (靈樞·海論)
2) 五臟六腑之大主 (靈樞·邪客)
3) 主明則下安 … 主不明則十二官危 (素問·靈蘭秘典論)

따라서 형체와 기관의 기능은 안에서 상응하는 장부와 밀접한 관계가 있을 뿐 만 아니라, 다른 장부의 기능과도 연계를 가진다. 예컨대, 筋의 작용은 관절과 관련되어 운동을 주관하는데, 주로 간의 정기나 간혈의 자양에 의존하기 때문에 간은 근을 주관한다고 한다. 그러나 근의 기능은 여전히 전신 기혈진액의 유양에 의존하고 있다. 그러므로 어떠한 원인에 의해 기혈진액의 소모가 지나치면 종종 근맥이 구련 추축하는 등의 병변이 발생한다. 이는 근이 간과 유관할 뿐 만 아니라, 심 비 등과도 유관함을 설명하는 것이다. 또 눈은 시각을 주관하는데, 눈이 사물을 볼 수 있는 것은 주로 간혈이나 간의 정기의 유양에 의존한다. 간혈이나 간의 정기가 부족하여 눈을 유양하지 못하면 두 눈이 건삽해지고 어지러우면서 잘 안보이게 된다.『영추 대혹론(靈樞 大惑論)』에서 "오장육부의 정기는 모두 눈으로 모인다"[4]고 한 것처럼, 눈의 시각기능은 간의 정기와 관계될 뿐 만 아니라, 다른 장부의 정기 충족 여부와도 유관하다. 이로 보아, 인체의 외재하는 형체 기관과 내재하는 장부는 밀접한 관계에 있으며, 그들의 기능은 실제적으로 인체 기능의 한 부분이다. 이는 인체 내외의 통일성을 충분히 보여주고 있다.

(2) 심신일체관

육체와 정신은 생명의 양대 요소로, 양자는 상호 의존하면서 상호 제약하는 관계를 가지고 있다.

육체는 인체의 장부、경락、오체와 기관 및 거기에서 운행되고 있거나 혹은 저장되어 있는 정기혈진액 등으로 구성되어 있다. 그들은 오장을 중심으로 경락을 연락통로로 삼아 이루어진 유기적인 통일체이며, 아울러 정기혈진액의 저장、운행、수포、대사를 통해 인체의 통일된 기능 활동을 완성한다.

神은 광의와 협의의 구분이 있는데, 광의의 신은 인체 생명활동의 모든 표현이나 주재자를 가리키며, 협의의 신은 정서、사상、성격 등 일련의 심리 활동을 포함하는 인간의 정신、의식、사유활동을 가리킨다.

심신일체관은 육체와 정신의 결합과 통일을 의미한다. 살아 있는 몸에서는 양자가 서로 의지하면서 분리되지 않는다. 육체는 신이 거하고 있는 곳이며, 신은 육체의 생명 체현이다. 신은 육체를 떠나 홀로 존재할 수 없으며, 육체가 있어야 비로소 신이 있으며, 육체가 건강해야 신도 왕성해진다. 그리고 신이 일단 만들어지면 육체에 대해 주재적인 작용을 한다. 양자의 통일이 있어야 생명이 존재하게 된다.

精은 사람의 육체를 구성하고 있는 가장 기본적인 물질이며, 기와 신이 만들어지는 물질적 기초이다. 정은 장부에 저장되어 있으며 함부로 새어나가지 않도록 해야 하고, 또한 신과 기의 제어와 조절을 받고 있다.

氣는 체내에서 활력이 매우 강하여 끊임없이 운동하고 있는 정미한 물질이며, 인체 생명활동을 추동하고 조절하는 근본 동력이다. 기 역시 신을 만드는 기본 물질인데, 기가 충만하면 신이 왕성해지고, 기의 운행은 신의 제어와 조절을 받기 때문에 "신은 기를 부릴 수 있다"[5]고 하였다. 정、기、신은 몸의 '삼보(三寶)'인데, 정은 기초이고, 기는 동력이며, 신은 주재가 되어 육체와 더불어 유기적인 통일체를 구성하고 있다.

정과 기는 인체를 구성하고 생명활동을 유지하는 기본 물질이고, 인체는 오장 중심의 유기적인 통일체이기 때문에 정신적 활동과 오장 정기는 밀접한 관계를 가지고 있다. 한의학에서는 정신적 활동이 오장 정기로부터 생기며, 오장이 공동으로 정신적 활동을 유지하고 있으며, 모두 심의 통솔에 의한 것으로 보고 있다. 오장의 정기가 충만하고 기능이 잘 협조되면 정신이 충만하여 사유가 민첩해지고、반응이 영활하며、언어가 유창해지고、정신적 활동이 정상적으로 이루어져 흥분하거나 억울되지 않는다. 만약 오장의 정기가 부족하고 기능이 실조되면 정신적으로 이상 변화가 생

4) 五臟六腑之精氣, 皆上注于目 (靈樞·大惑)
5) 神能馭氣 (養性延命錄)

긴다. 한편, 정신 활동의 이상은 오장의 기능에 영향을 미치는데, 갑작스럽거나 강렬하거나 장기적으로 지속되는 정신적인 스트레스는 생리적으로 조절할 수 있는 한계를 넘어가게 하고 결국 오장에 영향을 미쳐 오장 정기의 상응하는 병변을 일으킨다.

2) 병리적 정체성

한의학은 병증의 병리기전을 분석할 때 정체관념을 기초로, 국소 병변에 의해 만들어진 전체의 병리 반응에 착안하여 국소의 병리변화와 전체의 병리반응을 유기적으로 해석한다. 즉, 국소에서 발생한 병변의 장부、경락、형체、기관을 중요하게 고려하고, 동시에 병변이 있는 국소의 장부 경락이 다른 장부 경락에 미치는 영향 역시 고려한다.

인체는 내외가 긴밀하게 연계된 정체이기 때문에 내장에 병이 있으면 상응하는 형체와 기관에 병증이 나타나기 때문에 "안에 있는 것은 반드시 밖으로 나타난다"[6]고 하였다. 형체와 기관 질병의 병리기전을 분석할 때에는 반드시 국소와 전체의 연관관계를 고려하여야 한다. 일반적으로 말하자면, 국소의 병변은 대개 전체의 생리기능 실조가 국소로 반영된 것이다. 예컨대, 눈의 병변은 간의 정기의 생리기능 실조로 나타난 것일 수도 있고, 또 오장정기 기능 실상의 표현일 수도 있다. 눈병에 대한 병리기전은 눈의 국소적인 분석만 할 것이 아니라, 오장 전체의 연계로도 이해해야 한다. 이는 실제 임상에서 눈병을 치료하는 처방이 대부분 간과 관련된 약물을 위주로 구성되어 있음을 통해 알 수 있다.

장부 사이에는 생리적으로 밀접하게 협조 통일되어 있으며, 병리적으로도 서로 영향을 미치고 있다. 예컨대 肝의 소설기능에 이상이 있으면 간 자체에 병변이 나타날 뿐 만 아니라, 대부분 脾의 운화기능에 영향을 주어 완복창만(脘腹脹滿)、식욕부진、복통、설사 등 증상이 나타나며, 肺氣의 선발(宣發) 숙강(肅降)에도 영향을 미쳐 기침과 천식을 일으키며, 심(心)에도 영향을 주어 번조 불안이나 우울하게 하고, 심혈의 운행에 영향을 주어 흉부의 동통이 나타난다. 이와 같이 오장 가운데 한 장에 병이 나면 다른 장들에 영향을 미친다. 어느 한 장의 병기를 분석할 때에는 그 장의 병변이 다른 장에 미치는 영향을 고려해야 할 뿐만 아니라, 다른 장의 병변이 본 장에 미치는 영향에도 주의하여야 한다.

다섯 계통에서는 그 구성부분끼리 서로 영향을 미친다. 예컨대, 신허(腎虛)하면 腎 자체의 기능이 감퇴할 뿐만 아니라, 동시에 귀에도 영향을 미쳐 청력 저하、이명、이롱 등이 나타나며, 방광에 영향을 미쳐 방광으로 하여금 고섭무력(固攝無力)케 하여 유뇨 또는 소변 실금케 한다. 또 골격에도 영향을 미쳐 소아의 경우, 골연무력(骨軟無力) 하거나 쉽게 변형되고, 노인의 경우, 골질이 약해져 쉽게 골절케 된다.

또한, 인체의 形과 神은 병리적으로 서로 영향을 미친다. 형체의 병변은 정기혈진액의 병변을 포함하고 정신적인 실상을 일으킬 수 있으며, 정신적인 실상 역시 형체를 손상하고 정기혈진액 병변을 일으킬 수 있다.

3) 진단과 치료에서의 정체성

인체의 국소와 전체는 통일적이며, 각 장부、경락、형체、기관은 생리 병리적으로 서로 연계되어 있고 서로 영향을 미치기 때문에 질병을 진단하고 치료할 때에는 형체、기관、색맥 등 외재하는 병리표현들에 대한 관찰을 통해서 내재하는 장부의 병리변화를 추측하여 진단함으로써 치료의 근거를 제공한다. 이를『영추 본장(本藏)』에서는 "겉으로 드러나는 상태를 보고 내장의 상태를 알 수 있으므로, 곧 병의 상황을 안다는 것이다"[7]라고 하였다.

예를 들어 설진(舌診)은 겉으로 보이는 혀를 살펴 신체 내부의 상태를 살피는 진단방법이다. 혀는 경락을 통해 직

6) 有諸内者, 必形諸外 (丹溪心法·能合脉色可以万全)
7) 視其外應, 以知其內臟, 則知所病矣 (靈樞·本藏)

간접적으로 오장육부와 서로 통하기 때문에 장부의 기능상태는 혀로 나타난다. 『임증험설법(臨證驗舌法)』에서 "장부도(臟腑圖)를 살펴보면, 비、간、폐、신은 심에 관련되지 않은 것이 없으며, 경락을 보면 수족음양경이 모두 혀로 통하지 않은 것이 없다. 따라서 경락 장부의 병을 알기 위해서는 상한 발열에 설태를 보는 것뿐 만 아니라, 내외의 잡증에도 혀에 그 색이 드러나지 않는 것이 없다"[8]고 하였는데, 체내 장부의 허실、기혈의 성쇠、진액의 영휴(盈虧) 및 질병의 경중순역(輕重順逆)은 모두 혀에 나타난다. 따라서 혀를 살피면 내장의 기능상태를 알 수 있다. 혀뿐 아니라, 맥、안색、심지어 귀를 관찰하면 정기의 성쇠와 병인의 소재를 알 수 있는데, 이는 정체관념이 진단에 구체적으로 운용된 예이다.

질병 치료를 위하여 전체적인 수준에서 국소 병변에 대한 조절을 함으로써 정상상태로 회복시킨다. 음양을 조정하는 것과 관련하여 "陰을 좇아 陽을 이끌고 陽을 좇아 陰을 이끌며, 왼쪽으로써 오른쪽을 다스리고 오른쪽으로써 왼쪽을 다스린다"[9], "병이 위에 있는 것은 아래를 취하여 다스리고, 병이 아래에 있는 것은 위를 취하여 다스린다"[10]고 한 것은 모두 정체관념에 입각한 치료원칙이다.

국소 병변은 대부분 전체의 병리변화가 국소에 반영된 것이기 때문에 치료는 전체로부터 출발하여 국소 병변과 전체 병변의 내재적인 연관관계를 확인하고서 적절한 치료원칙과 방법을 세워야 한다. 구설생창(口舌生瘡)에 대한 치료를 예로 들자면, 심은 혀에 개규하고 있으며, 소장과 표리관계에 있기 때문에 구설생창은 대개 심과 소장의 火가 성하여 일어나는 것이므로 청심화(淸心火)하는 방법으로 치료한다. 처방할 때에 이수(利水)시키는 약을 가하여 화열을 소변으로 배출시킨다. 심화와 소장화가 빠져 나가면 구설생창은 저절로 낫는다. 또 오랜 설사가 낫지 않는 것은 대개 신양허쇠(腎陽虛衰)로 인한 것인데, 그 병이 하부에서 생긴 것이지만, 뜸으로 머리의 백회혈(百會穴)을 치료하면 독맥(督脈)의 양기가 더워져서 심양이 충만해지면 설사가 저절로 멎는데, 이를 "신체의 하부에 병이 있으면 상부를 치료한다[11]"고 하는 것이다. 어지러워서 쓰러질 것 같은 경우, 만약 수불함목(水不涵木)이라면 그 병이 비록 위에서 생겼다고 하더라도 침으로 발바닥의 용천혈(湧泉穴)을 치료하여 신수(腎水)가 채워지면 간양(肝陽)을 함양하여 어지러운 것이 저절로 없어지는데, 이를 "신체의 상부에 병이 있으면 하부를 치료한다 [12]"고 하는 것이다.

또한 한의학에서는 오장 사이의 관계와 전변의 원리를 중시하는데, 『난경 칠십칠난(難經 七十七難)』에서 "치미병(治未病)이라고 하는 것은 肝이 병든 것을 보면 바로 肝病이 脾로 傳하는 것을 알아 먼저 脾氣를 충실하게 하여 肝의 邪氣를 받지 않게 하므로 치미병이라고 한다"[13]고 하였다. 이는 오장관계에 근거하여 病情의 발전을 추정하여 치료의 법칙을 정한 것으로, 정체관이 한의학 치료에서 구체적으로 운용된 예이다.

인체는 형신이 통일된 유기체이고, 형병(形病)은 신병(神病)을 일으키며, 신병 역시 형병을 일으키기 때문에 한의학에서는 형신을 함께 배양하는 양생의 방법을 강조하는데, 형신이 고루 회복되면 질병이 치료된다. 양생의 측면에서 "먹고 마시는 데에 절도가 있고 행동거지가 떳떳함이 있으며 망령되이 수고로움을 짓지 않아야 한다"[14]고 하여 신체를 단련해서 그 형을 기르고 형을 건강하게 하면 신이 왕성하여지며, 또 염담허무(恬惔虛無)하고 정서를 잘 통하게 하

8) 查諸臟腑圖, 脾肝肺腎無不系根于心. 核諸經絡, 考手足陰陽, 無脈不通于舌. 則知經絡臟腑之病, 不獨傷寒發熱有胎可驗, 卽凡內外雜證, 也無一不呈其形, 著其色于舌, 據舌以分虛實, 而虛實不爽焉; 據舌以分陰陽, 而陰陽不謬焉; 據舌以分臟腑, 配主方, 而臟腑不差, 主方不誤焉 (臨證驗舌法)
9) 從陰引陽, 從陽引陰, 以右治左, 以左治右 (素問·陰陽應象大論)
10) 病在上者下取之, 病在下者高取之 (靈樞·本神)
11) 下病上取 (素問·五常政大論)
12) 上病下取 (素問·五常政大論)
13) 所謂治未病者, 見肝之病, 則知肝當傳之于脾, 故先實其脾氣, 無令得受肝之邪, 故曰治未病焉 (難經·七十七難)
14) 飮食有節, 起居有常, 不妄作勞 (素問·上古天眞論)

면 신이 길러져서 신이 맑아지고 형이 건강해진다. 질병에 대한 재활치료를 할 때에, 만약 신체의 병변으로 인해 정신적인 병변이 일어난 것이라면 마땅히 신체적인 질병을 우선적으로 치료하고, 만약 정신적인 상해로 신체의 질병이 일어난 것이라면 마땅히 정신적인 실조를 조리하여야 한다. 그러나 "神은 形의 주인"15)이기 때문에 신체적인 질병은 대개 정신적인 상해를 수반하고, 이러한 정신적인 손상은 또 신체질병의 치료와 재활을 방해하기 때문에 질병의 치료와 재활의 과정에서는 정신과 감정을 먼저 잘 조리(治神) 하여야 한다.

養生의 분야에서도 정체관념은 매우 중요하다. 예컨대 지나치게 편안하게 지내는 경우, 사지를 적당하게 운동할 것을 강조한다. 또한 한의학에서는 심신(心神)의 안녕을 강조하고 있다. 심은 몸의 주재이기 때문에 심신이 안정되면 오장육부도 모두 안정된다. 만약 심신이 불안하면 오장도 모두 불안해져 질병이 쉽게 발생한다. 이러한 양생방법은 모두 정체관념을 응용한 것이다.

2. 사람과 자연환경의 통일성

사람은 자연 환경 속에 살고 있으며, 자연계에는 사람들이 살아가는 데에 필수적인 조건들이 있다. 대자연의 햇빛、공기、물、온도、자장(磁場)、인력(引力)、생물권 등은 사람들이 살아가는 데에 필요한 환경을 제공하고 있다. 동시에 자연환경의 변화는 직간접적으로 인체의 생명활동에 영향을 미친다. 이와 관련하여 『영추 사객(邪客)』에서는 "사람과 천지가 상응한다"16)고 하였는데), 사람과 자연은 끊임없이 서로 연계된다는 '천인일체(天人一體)'의 정체관념을 요약한 것이다.

인류는 우주 만물 가운데 하나로, 천지만물과는 생성 본원을 공유하고 있다. 중국의 고대철학자들은 우주만물이 '도' '태극' 혹은 '기'로부터 생겨난 것으로 보았다. '기'를 우주만물이 시작하는 본원으로 보는 사상을 '기일원론(氣一元論)'이라고 한다. 기는 음양으로 나뉘고 천지를 이룬다. 천지 음양의 두 기가 교감하면 만물이 생겨난다. 예컨대 『주역 계사상(周易 繫辭上)』에서는 "천지가 쌓이고 합함에 만물이 감화되어 두터워진다"17), 『소문 보명전형론(寶命全形論)』에서는 "하늘과 땅이 기운을 합하니, 이름하여 사람이라고 한다"18), "사람은 하늘과 땅의 기운에 의해 생겨나고 사시(四時)의 법에 의해 이루어졌다"19)고 하였다. 인체의 생명과정은 필연적으로 대자연의 법칙에 의해 지배되고 있으며, 계절이나 지역의 차이 등 자연환경의 각종 변화는 반드시 인체의 생리 병리에 대해 직간접적으로 영향을 미친다.

1) 자연계가 인체 생리에 미치는 영향

자연환경은 주로 기후와 지리적 조건을 의미하기 때문에 '천지(天地)'라고 한다. 천지의 음양은 끊임없이 운동 변화하고 있기 때문에 인체의 생리활동은 반드시 천지 기의 영향을 받아 그에 상응하여 변화한다.

기후는 자연계 음양의 운동변화로 생기는 단계적인 날씨 현상이다. 일년의 기후 변화는 일반적으로 봄은 따뜻하고 여름은 더우며 가을은 서늘하고 겨울은 춥다(春溫、夏熱、秋凉、冬寒). 자연계의 생물은 이러한 규칙적인 기후 변화의 영향 아래 봄에 생겨나고 여름에 자라며 가을에 거두고 겨울에 갈무리하는(春生、夏長、秋收、冬藏) 등 상응하는 변

15) 神乃形之主 (類經·鍼刺類)
16) 人與天地相應也 (靈樞·邪客)
17) 天地絪縕, 萬物化醇 (易經)
18) 天地合氣, 命之曰人 (素問·寶命全形論)
19) 人以天地之氣生, 四時之法成 (素問·寶命全形論)

화를 하고 있으며, 인체 생리 역시 계절의 변화에 상응하는 조절이 되고 있다. 『영추 오륭진액별(五癃津液別)』에서는 "날이 더울 때 옷이 두터우면 주리(腠理)가 열리므로 땀이 나고, …, 날이 추우면 주리가 막혀 氣와 濕이 순행하지 못하므로 水氣가 하행하여 방광에 머무르면 오줌과 김으로 변한다"[20]고 하였다. 마찬가지로 기혈의 운행도 각 계절 기후의 영향을 받아 상응하는 변화를 한다. 인체의 맥상도 계절기후의 변화에 따라 봄에는 현맥(弦脈), 여름에는 홍맥(洪脈), 가을에는 모맥(毛脈), 겨울에는 석맥(石脈)이 나타나는 것과 같은 규칙적인 변화를 한다. 『소문 맥요정미론(脈要精微論)』에서 "사계절의 변화가 사람의 기운을 움직이는데, 맥이 더불어서 위아래로 오르내린다"[21], "봄에는 기운이 위로 떠오르기 때문에 마치 물고기의 노님이 물결 위에 있음과 같고, 여름에는 기운이 피부에 있기 때문에 범범(泛泛)한 것이 만물에 기운이 유여함과 같고, 가을에는 기운이 피부에서 아래로 내려가기 때문에 칩충(蟄蟲)이 장차 들어가려는 것과 같고, 겨울에는 기운이 뼈에 있기 때문에 칩충이 주도면밀하게 칩거하는 것과 같다"[22]고 하였다, 이시진(李時珍)의 『빈호맥학(瀕湖脈學)』에서도 "봄의 맥은 현맥이고, 여름의 맥은 홍맥이며, 가을의 맥은 모맥이고, 겨울의 맥은 석맥이니, 사계절의 맥이 느슨한 것을 평맥(平脈)이라 이른다"[23]고 하여 계절에 따른 맥상의 규칙적인 변화를 언급하였는데, 인체의 생리기능이 계절기후의 변화에 따라 스스로 상응하는 조절을 보여주는 것이다. 이 외에도, 경락기혈의 운행이 날씨의 영향을 받는데, 『소문 팔정신명론(八正神明論)』에서 "날씨가 따뜻하고 날이 밝으면 인체의 血이 부드러워지고 위기(衛氣)도 잘 퍼지기 때문에 혈이 매우 빠르게 잘 흐르고 기도 쉽게 운행되며, 날씨가 춥고 어두우면 인체의 혈이 엉겨 굳어지고 위기(衛氣)도 가라앉는다[24]"고 하였다.

계절에 따른 기후 변화가 인체 생리활동에 영향을 미칠 뿐 만 아니라, 하루 중에도 밤낮의 변화는 인체 생리에 영향을 미치며, 인체도 그에 적응하고 있다. 『영추 순기일일분위사시(順氣一日分爲四時)』에 "하루로써 사계절을 나누면, 아침은 봄이고, 한낮은 여름이며, 해가 질 때는 가을이고, 밤은 겨울이다"[25]라고 하였는데, 밤낮의 기온변화가 사계절만큼 뚜렷하지는 않아도 인체는 그에 따른 음양소장(陰陽消長)의 변화를 일으킨다. 『소문 생기통천론(生氣通天論)』에 "그러므로 양기는 한낮에 밖으로 나와 작용하는 것이, 해가 뜰 때(平旦)에 사람의 양기가 발생하여 해가 중천에 있을 때(日中)에 양기가 융성해지고, 해가 서쪽으로 지려고 할 때(日西) 양기가 쇠약하게 되어 기가 출입하는 문이 닫히게 되는 것과 같다"[26]고 한 것처럼, 인체의 양기가 낮에는 체표로 떠오르고 밤에는 내부로 들어가는 양상은 인체가 밤과 낮에 음양 두 기의 성쇠변화에 따라 나타내는 적응성 조절을 보여주는 것이다.

지역환경은 인류의 생존환경인자 가운데 하나로, 지역의 고도, 지역성 기후, 물산 및 인문지리, 풍속, 습관 등이다. 지역기후의 차이, 지리환경과 생활습관의 차이는 어느 정도 인체의 생리활동과 장부기능에 영향을 미치고 나아가 체질 형성에도 영향을 준다. 예컨대, 이미 오래 살던 곳에서 다른 지역으로 옮겨가면 환경이 갑자기 바뀌어 처음에는 잘 적응하지 못하여 피진(皮疹)이 나타나거나 설사를 하는 등, 이른바 '수토불복(水土不服)'을 겪게 된다. 이는 지역환경의 변화에 인체가 잠시 동안 적응하지 못하여 생겨나는 것이다. 그러나 시간이 지나면 점차로 적응하게 된다. 이는 지역환경이 인체 생리에 영향을 미치고, 인체의 장부도 자연환경에 적응하는 능력이 있음을 설명하는 것이다.

---

20) 天暑衣厚則腠理開, 故汗出 … 天寒則腠理閉, 氣濕不行, 水下留于膀胱, 則爲溺與氣 (素問·上古天眞論)
21) 四變之動, 脈與之上下 (類經·脈合四時陰陽規矩)
22) 春日浮, 如魚之游在波; 夏日在膚, 泛泛乎萬物有餘; 秋日下膚, 蟄蟲將去; 冬日在骨, 蟄蟲周密 (素問·脈要精微論)
23) 春弦夏洪, 秋毛冬石, 四季和緩, 謂之平脈 (瀕湖脈學)
24) 天溫日月則人血淖液而衛氣浮, 故血易瀉, 氣易行; 天寒日陰則人血凝泣而衛氣沉 (類經·八正神明寫方補員)
25) 以一日分爲四時, 朝則爲春, 日中爲夏, 日入爲秋, 夜半爲冬 (靈樞·順氣一日分爲四時)
26) 故陽氣者, 一日而主外, 平旦人氣生, 日中而陽氣隆, 日西而陽氣已虛, 氣門乃閉 (類經·生氣邪氣皆本於陰陽)

2) 자연환경이 인체 병리에 미치는 영향

인체가 자연환경에 적응하는 능력에는 한계가 있는데, 만약 기후 변화가 극렬하거나 갑작스러워서 인체의 적응능력을 초월하거나 인체의 조절기능이 실조되면 자연환경의 변화에 적응하지 못하여 질병이 발생한다. 그러므로 질병의 발생은 인체 정기의 적응·조절·항병 등 능력과 자연계 발병인자의 발병능력의 두 가지 요소와 관계된다. 만약 인체의 정기가 충만하여 적응·조절 및 항병능력이 강하면 병인의 침범을 막아 병에 걸리지 않으며, 만약 기후가 매우 나쁜 경우에는 인체의 정기가 상대적으로 부족하여 병인에 저항할 수 있는 능력이 감퇴되어 병인이 이를 틈타 들어와 병을 일으킨다.

계절의 이상 기후 변화에도 불구하고 매 계절에는 특징이 있다. 그래서 일반적인 질병 외에도, 계절적으로 주로 다발하는 병이나 유행병들이 있다. 예컨대 『소문 금궤진언론(金匱眞言論)』에 "봄에는 코피를 흔히 앓고, 여름에는 가슴과 옆구리 병을 흔히 앓으며, 늦여름에는 설사와 한사(寒邪)가 직중하는 병을 흔히 앓고, 가을에는 풍학(風瘧)을 흔히 앓으며, 겨울에는 수족이 저리면서 싸늘해지는 비궐(痺厥)을 흔히 앓는다"[27]고 한 것이 그 예이다. 질병의 발전과정이나 만성병의 회복기에 종종 기후가 급변하거나 환절기에는 병이 심해지거나 재발하는 경우가 흔하다. 예컨대 관절동통의 경우, 춥거나 비가 오면 심해진다. 또 증상이 심해져서 날씨나 계절이 바뀌는 변화를 미리 아는 경우가 있는데, 이와 관련하여 『類經·風證』에서는 두풍병(頭風病)을 가리켜 "바람을 맞기 하루 전에는 병이 심해진다"[28]고 하였다.

밤낮의 변화 역시 질병에 영향을 미친다. 일반적으로 낮에 병정(病情)은 가벼워지고 밤에는 심해진다. 그래서 『영추 순기일일분위사시(順氣一日分爲四時)』에서는 "무릇 온갖 병은 아침에 상쾌하고 낮에 편안하다가 저녁에 병세가 더해지고 밤에 심해진다. … 아침에 사람의 기가 활동하기 시작하면 사기(邪氣)는 쇠퇴하므로 아침에 병이 나은 듯 상쾌하고, 낮에는 사람의 기가 왕성해져 사기를 이겨내므로 편안하며, 저녁에는 사람의 기가 쇠퇴하기 시작하여 사기가 활동하기 시작하므로 병세가 더해지고, 밤에는 사람의 기가 장에 들어가므로 사기가 홀로 몸에 머물러 있어 심해진다"[29]고 하였다. 아침·낮·저녁·밤에는 인체의 양기가 생겨나고 자라며 쇠하고 들어가는(生·長·衰·入)하는 원리에 따라 병정 역시 상쾌하고 편안하며 악화되고 심해지는(慧·安·加·甚) 변화가 일어난다. 실제 임상에서도 반드시 밤낮의 변화에 주의하여야 한다.

지역 환경도 질병 발생 변화에 영향을 미친다. 예컨대 『소문 이법방의론(異法方宜論)』에 "그러므로 동방 지역에서는 …, 앓는 병이 모두 옹양(癰瘍)이고 …, 서방에서는 … 사기가 형체를 상하지 못하여 병이 모두 안에서 생기고 …, 북방에서는 … 장(藏)이 한(寒)하여 그득찬 듯한 만병(滿病)이 생기고 …, 남방에서는 연비(攣痺)를 앓는다"[30]고 하였으며, 수(隋)의 소원방(巢元方)은 『제병원후론 영후(諸病源候論 癭候)』에서 영병(癭病)의 발생이 '음사수(飮沙水)'와 유관하다고 하였는데, 이는 이 병과 그 지역의 수질이 유관하다고 본 것이다.

3) 자연환경과 예방 치료의 관계

자연환경의 변화가 사람의 생명활동과 병리변화에 영향을 미치기 때문에 질병을 예방하고 치료하는 과정에서 반

27) 春善病鼽衄, 仲夏善病胸脇, 長夏善病洞泄寒中, 秋善病風瘧, 冬善病痺厥 (素問·金匱真言論)
28) 先風一日則病甚 (類經·風證)
29) 夫百病者, 多以旦慧晝安, 夕加夜甚. … 朝則人氣始生, 病氣衰, 故旦慧; 日中人氣長, 長則勝邪, 故安; 夕則人氣始衰, 邪氣始生, 故加; 夜半人氣入臟, 邪氣獨居于身, 故甚也 (靈樞·順氣一日分爲四時)
30) 故東方之域 … 其病皆爲癰瘍 … ; 西方者, … 故邪不能傷其形體, 其病生于內 … ; 北方者, … 藏寒生滿病 … ; 南方者, … 其病攣痺 … (素問·異法方宜論)

드시 자연환경과 인체의 관계를 중시해야 한다. 양생과 예방에 있어서는 자연의 법칙에 순응하고, 치료 과정에는 인시제의(因時制宜)와 인지제의(因地制宜)의 원칙에 따라야 한다. 『소문 음양응상대론(陰陽應象大論)』에서 "그러므로 다스림에 하늘의 벼리를 본받지 않고 땅의 이치를 쓰지 않는다면 큰 피해를 입을 것이다"[31]라고 하였다.

기후 변화는 인체의 생리、심리 및 병리변화에 영향을 미치기 때문에 양생과 질병의 예방을 위해서는 사계절 기후 변화에 순응해야 하는데, "사시를 본받음[32]", "사계절에 따라 신(神)을 조양(調養)함"[33], "봄 여름에는 양(陽)을 기르고, 가을 겨울에는 음(陰)을 기름"[34]으로써 자연환경에 유기적으로 적응하면 정신이 잘 간직되고 신체가 강건해진다. 기후 변화가 심하거나 갑작스러우면 "허사(虛邪)와 적풍(賊風)을 제 때에 잘 피함"[35]으로써 병인이 인체를 침입하여 발병하는 것을 막아야 한다. 질병을 치료할 때에는 "반드시 세기(歲氣)를 먼저 알아서 천화(天和)를 벌하지 않도록"[36]하여 기후 변화의 규칙을 잘 이해하고 각 계절의 기후 특징에 근거하여 치료약을 잘 사용해야 하는데, 이를 인시제의(因時制宜)라고 한다. 인시제의의 처방원칙은 일반적으로 봄 여름에는 온열한 약을, 가을과 겨울에는 한량한 약을 사용하는 것이다. 그러나 "여름은 날 수 있으나 겨울을 나기 힘든"[37] 양허음성(陽虛陰盛)한 사람은 여름에도 온열한 약을 피해서는 안되고, "겨울은 날 수 있으나 여름을 나기 힘든"[38] 음허양항(陰虛陽亢)한 사람은 겨울에도 한량한 약을 피할 필요가 없다. 여름에 온열한 약을 써서 양을 기르면 겨울에 병에 걸리지 않고, 겨울에 양윤한 약을 써서 음을 기르면 여름철에 병에 걸리지 않는다. 사계절의 변화에 따르고 인체의 음양을 잘 배양하면 작은 노력으로도 큰 이익을 얻을 수 있는데, 이를 "겨울의 병은 여름에 치료한다"[39], "여름의 병은 겨울에 치료한다"[40]라고 한다. 이 외에도, 인체의 기혈이 자연계 음양의 성쇠에 따라 상응하는 변화를 한다는 것과 시간에 따라 일정한 경맥을 흐른다는 이론에 근거하여 자오유주침법(子午流注鍼法)이 만들어졌는데, 시간에 맞추어 취혈하면 효과적으로 기혈을 조리하고 음양을 조절하여 질병을 예방 치료할 수 있다고 한다.

인체의 생리 병리변화는 여전히 지역 환경의 영향을 받기 때문에 양생과 질병 예방을 하는 과정에 적절한 지리환경을 선택하고 자연이 제공하는 각종 조건을 충분히 이용하고 적극적으로 자연환경을 적응 개조함으로써 건강의 수준을 높이고 질병 발생을 예방할 수 있다.

3. 사람과 사회환경의 통일성

사람들은 복잡한 사회에서 살면서 필연적으로 사회환경의 영향을 받게 된다. 사람과 사회환경은 서로 연계되어 있기 때문에 상호 영향을 미친다.

사람은 생물적인 속성이 있지만, 사회의 일원으로서 사회적인 속성도 가지고 있다. 인체의 생명활동은 자연환경

31) 故治不法天之紀, 不用地之理, 則灾害至矣 (素問·陰陽應象大論)
32) 法于四時
33) 四氣調神 (素問·四氣調神大論)
34) 春夏養陽, 秋冬養陰 (素問·四氣調神大論)
35) 虛邪賊風, 避之有時 (素問·上古天眞論)
36) 必先歲氣, 無伐天和 (素問·五常政大論)
37) 能夏不能冬 (類經·陰陽類)
38) 能冬不能夏 (類經·陰陽類)
39) 冬病夏治
40) 夏病冬治

변화의 영향을 받기도 하지만, 사회환경 변화의 제약을 받기도 한다. 정치､경제､문화､종교､법률､혼인､인간관계 등 사회인자는 필연적으로 인체의 각종 생리 심리활동과 병리변화에 영향을 주고 있으며, 사람 역시 사회활동을 하면서 생명활동의 질서와 평형을 유지하는데, 이것이 바로 사람과 사회환경의 통일성이다.

1) 사회적 환경이 인체 생리에 미치는 영향

사회적 환경이 달라지면 개인의 생리적 기능､정서적 특징과 신체적 능력도 달라진다. 이는 사회 변화가 사람들의 생활조건､생활방식､사상 의식 및 정신상태에 상응하는 변화를 줄 수 있어서 사람의 심신기능의 변화에 영향을 미치는 것이다. 일반적으로 말하면, 양호한 사회환경､유력한 사회적 지지､만족할 만한 인간관계는 심신의 건강에 유리한 반면, 불리한 사회환경은 정신적으로 억압되고 긴장 혹은 공포와 두려움을 주기 때문에 심신의 기능에 영향을 미쳐 건강을 해친다. 금원(金元) 시대의 이고(李杲)는 전란에 처한 백성들이 건강에 심각한 손해를 받고 있음에 대해 "임신(壬辰) 개원(改元)에 경사(京師)의 계엄이 3월 하순에 이르렀는데, 변고를 당한지 보름 정도 되었다. 포위를 푼 다음 그 안에 살았던 백성들 가운데 병들지 않은 사람이 만 명 중에 한두 명도 없었으며, 이미 병들거나 죽은 사람이 계속 끊이지 않았다"41)고 하였다.

정치 경제적인 상황은 개인의 심신기능에 중요한 영향을 미친다. 정치 경제적인 지위가 지나치게 높으면 사람이 교만해지는데, 『영추 사전(師傳)』에서 "왕이나 벼슬을 하는 사람들과 기름진 음식을 먹는 군주는 교만하고 방자하여 욕심을 부리고 남을 경시한다"42)고 하였다. 정치 경제적인 지위가 낮으면 비겁하거나 서러운 마음을 가지게 되어 장부의 기능과 기혈의 소통에 영향을 미친다. 정치 경제적 지위의 차이는 또한 심신의 역량에도 영향을 미친다. 이와 관련하여 명(明)의 이중재(李中梓)는 "대개 부귀한 자들은 정신적으로 고생을 하고, 빈천한 자들은 육체적으로 고생을 한다. 부귀한 자들은 고량진미를 먹어 스스로를 잘 봉양하고, 빈천한 자들은 변변찮은 음식으로 겨우 배를 채운다. 부귀한 자들은 주거 공간이 넓고, 빈천한 자들은 주거 공간이 좁고 누추하다. 정신적으로 고생하면 중기(中氣)가 허하고 근육과 뼈가 약해지며, 육체적으로 고생하면 중기가 실하고 뼈와 근육이 단단해진다. 고량진미를 먹어 스스로를 잘 봉양하는 자는 장부가 연약하고, 변변찮은 음식으로 겨우 배를 채우는 자는 장부가 견고하다. 주거 공간이 넓은 자는 주리가 성글어 육음(六淫)이 잘 침입하고, 주거 공간이 좁고 누추한 자는 주리가 치밀해 외사(外邪)가 쉽게 들어오지 못한다"43)고 하였다. 그러므로 개인이 처한 환경이 다르고 정치 경제적 지위가 다르면 심신기능과 역량도 반드시 달라진다.

2) 사회적 환경이 인체 병리에 미치는 영향

사회환경은 항상 변하고, 각 사람의 사회적인 지위나 경제조건도 바뀐다. 극렬하거나 갑작스런 사회환경 변화는 인체 장부 경락의 생리기능에 적지 않은 영향을 미쳐서 사람의 심신건강에 해를 끼친다. 『소문 소오과론(疏五過論)』에 "아직 어떤 병에 걸렸다는 진단을 받지 않은 경우에, 귀하게 지내다가 나중에 천하게 되었는지를 반드시 물어서

41) 向者壬辰改元, 京師戒嚴, 迺三月下旬, 受敵者凡半月. 解圍之後, 都人之有不病者, 萬無一二; 旣病而死者, 斷踵不絶 (景岳全書·勞倦內傷)

42) 王公大人, 血食之君, 驕恣縱欲, 輕人 (靈樞·師傳)

43) 大抵富貴之人多勞心, 貧賤之人多勞力; 富貴者膏粱自奉, 貧賤者藜藿苟充; 富貴者曲房廣厦, 貧賤者陋巷茅茨; 勞心則中虛而筋柔骨脆, 勞力則中實而骨勁筋强; 膏粱自奉者臟腑恒嬌, 藜藿苟充者臟腑堅固; 曲房廣厦者玄府疏而六淫易客, 茅茨陋巷者腠理密而外邪難干 (醫宗必讀·富貴貧賤治病有別論)

'그렇다' 하면 비록 사기(邪氣)에 당하지 않았더라도 병이 안에서부터 생겨난 것으로 '탈영(脫營)'이라 하고, 부유하였던 이가 나중에 가난하게 되었으면 '실정(失精)'이라 한다. 五氣가 편중되어 병이 쌓인 바가 있는 것이다"[44]라고 하였으며, 또한 "귀했던 이가 세력을 빼앗기면 사기에 당하지 않더라도 정신이 안으로 상하여 몸이 반드시 크게 상한다. 부자였던 이가 가난해지면 사기에 당하지 않았더라도 피부가 쪼그라들고 근육이 굽어 절뚝거리고 뒤뚱거리게 된다"[45]고 하였다. 사회적 지위와 경제적 상황의 극렬한 변화는 반드시 사람의 정신과 감정을 불안정하게 하여 인체 장부 정기의 기능에 영향을 미쳐 심신의 질병을 발생케 한다. 가정의 파탄、이웃과의 불화、가족의 사망、주변과의 긴장관계 등 불편한 사회환경은 원래 지니고 있는 심리적인 안정을 파괴하여 심신의 질병을 일으킬 뿐 만 아니라, 심장 질환、고혈압、당뇨병、암 등 질환의 병세를 악화시키고 심하면 사망케 한다.

3) 사회적 환경과 질병의 예방 치료의 관계

사회적 환경의 변화는 대개 정신적으로 영향을 미치고 인체의 생명활동과 병리변화에 대해 영향을 미치기 때문에 질병을 예방하고 치료할 때에는 반드시 사회적 인자가 인체의 심신기능에 미치는 영향을 고려하여야 한다. 불리한 사회적 인자가 정신적으로 자극을 주지 않도록 하면서 유리한 사회환경을 만들고 또 유력한 사회적 지지를 얻도록 하며, 아울러 정신적으로 사회적 환경에 대한 적응능력을 높임으로써 심신건강을 유지하고 질병 발생을 예방하며 질병이 호전될 수 있도록 하여야 한다.

제 2절 辨證論治 (Pattern identification and treatment)

변증논치(辨證論治)는 한의학에서 질병을 진단하고 치료하는 기본 원칙이다. 한의학은 변증논치, 변병논치(辨病論治)와 대증치료(對症治療)의 세 가지 방식 가운데 변증논치를 중시하면서 가장 보편적으로 활용하고 있다. 그러나 한의학에서는 실제 임상에서 변증논치를 위주로 하면서도, 변증과 변병이 서로 결합되어야 함을 강조하고 있다.

1. 病、證、症의 기본 개념

병(病)은 병인이 인체에 작용하여 정기와 서로 싸우면서 일으킨 인체 음양의 실조、장부조직의 손상이나 생리공능 장애의 전 과정이다. 병은 일반적으로 발병원인과 병리변화의 기전, 그리고 비교적 고정적인 증상과 징후가 있으며, 또 진단요점과 유사질병 간의 감별점이 있다. 그러므로 질병의 이러한 개념은 질병 전과정의 총체적인 속성、특징 및 원리를 반영하고 있다. 감기、이질、학질、수두、천식、소갈、중풍 등은 모두 질병의 개념에 속한다.

증(證)은 증후를 의미하며, 질병 과정의 어느 한 단계나 한 유형의 병리적인 요약인데, 대부분 내재적으로 연계된 병변의 본질을 드러내는 증상 (symptom)이나 징후 (sign)의 조합으로 이루어져 있다. 증은 병기의 외재적인 반영이며, 병기는 증의 내재적인 본질이다. 병기에는 병변의 부위、원인、성질 및 사정성쇠(邪正盛衰)의 변화가 포함되어 있어서 증을 통해 병변의 기전과 발전 추세를 알 수 있기 때문에 한의학에서는 치법과 처방을 확정하는 근거로 삼고 있다. 풍

44) 凡未診病者, 必問嘗貴後賤, 雖不中邪, 病從內生, 名曰脫營. 嘗富後貧, 名曰失精, 五氣留連, 病有所幷 (素問·疏五過論)
45) 故貴脫勢, 雖不中邪, 精神內傷, 身必敗亡; 始富後貧, 雖不傷邪, 皮焦筋屈, 痿躄爲攣 (類經·藏象)

한감모(風寒感冒)、간양상항(肝陽上亢)、심혈휴허(心血虧虛)、심맥비조(心脈痺阻) 등은 모두 증에 속하는 개념이다.

증(症)은 증상과 징후의 총칭이다. 질병과정에서 나타나는 개별적인 현상으로, 오한발열、오심구토、번조이노(煩躁易怒) 등 증상처럼 환자의 주관적 느낌이나 행위 표현이며, 또한 설태와 맥상 등 징후처럼 의사가 환자를 검사할 때에 나타나는 객관적인 현상이다. 증(症)은 질병을 판단하고 증을 변별하는 중요한 근거이지만, 질병의 개별 현상이기 때문에 병과 증(證)의 본질을 완전히 반영하지는 못한다. 같은 증상이라 할지라도 다른 발병인자에 의해 일어날 수 있으며, 그 병리기전도 다양하기 때문에 서로 다른 병과 증에서 나타날 수 있다. 개별적인 증상이나 징후는 병과 증의 본질을 온전히 반영할 수 없기 때문에 치료의 근거로 삼을 수 없다.

병(病)、증(證)、증(症)은 서로 구별되면서도 연계되어 있다. 병(病)과 증(證)은 둘 다 질병의 본질에 대한 인식이지만, 병(病)의 중점은 전 과정이며, 증(證)의 중점은 특정 단계에 있다. 증상과 징후는 병(病)과 증(證)의 기본 요소이며, 병과 증은 둘 다 증상과 징후로 이루어져 있다. 내재 연계되어 있는 증상과 징후는 조합을 이루어 증을 구성하고, 질병의 어느 한 단계나 한 유형의 병변 본질을 반영하고 있으며, 각 단계나 유형의 증은 하나로 꿰어지고 모아져서 병의 전 과정을 이룬다. 그러므로 하나의 병은 서로 다른 증들로 구성되고, 또 하나의 증은 서로 다른 병의 과정에서 나타나기도 한다.

불변을 지향하는 플라톤 (Plato)과 유클리드 (Euclid)적 전통을 지닌 서양의학은 질병의 전 과정으로서의 병(病)을 대상으로 치료한다. 반면에, 인간을 포함하는 우주 만물이 끊임없이 운동하고 변화한다는, 마치 헤라클리투스 (Heraclitus)적 전통을 가진, 한의학에서는 변화하는 질병의 어느 한 단계를 개괄하고 있는 증(證)을 치료의 구체적인 목표로 설정하고 있다.

2. 변증논치의 기본 개념

변증논치는 한의학 이론으로 질병 자료를 변별 분석하여 증을 확립하고, 그에 대한 치료 원칙、치료 방법 및 처방을 결정하는 사유와 실천의 과정이다.

변증은 질병을 인식하는 과정에서 증을 확립하는 사유와 실천의 과정인데, 사진(四診) 즉, 망(望) 문(聞) 문(問) 절(切)을 통해 수집한, 증상과 징후를 포함하는, 질병의 모든 자료를 한의학이론을 운용하여 질병의 원인、성질、부위 및 발전추세와 방향을 분석、종합、변별한 다음, 증으로 개괄 판단하는 과정이다. 증은 질병과정의 어느 한 단계나 한 유형의 병리적인 개괄이기 때문에 질병의 어느 한 단계와 한 유형의 병변 본질만을 반영한다. 그래서 한의학에서 증후를 변별할 때에는 질병의 원인、병위(病位)、병성(病性) 및 그 발전변화의 추세와 방향, 즉 질병의 총체적인 병기(病機)를 동시에 파악하고 있어야 한다.

1) 변병인(辨病因): 병인이론을 이용하여 질병의 증상과 징후를 분석하고, 질병 발생의 원인과 기전을 도출하며, 병인으로 명명된 증후를 이끌어내고, 병인치료에 대한 근거를 제공한다. 예컨대, 오한발열、두통、신통、무한(無汗)、맥긴(脈緊) 등은 풍한사(風寒邪)에 의한 풍한감모(風寒感冒)이다. 병인이 일단 판명되면 증은 바로 확립되고, 치료로서 병인에 맞춰 처방하게 된다. 외감성 질병에 대해서는 병인을 변별하는 것이 변증과정에서 가장 중요한 관건이 된다. 그러나 대부분의 내상성 질병은 병인변증의 방법으로는 직접적인 병인을 찾을 수 없으며, 오로지 그 질병의 증상과 징후에 근거하여 그 단계와 유형의 병기 특징을 추측함으로써 증을 확정케 된다. 예컨대 소갈병(消渴病)의 경우, 환자로부터 신음휴허(腎陰虧虛)의 병기특징이 나타나면 소갈병의 신음휴허증으로 볼 수 있다.
2) 변병위(辨病位): 병증이 있는 부위를 확정하는 것이다. 다양한 발병인자들이 인체의 서로 다른 부위를 침범하

여 서로 다른 병증을 일으킨다. 일반적으로 외부의 발병인자가 인체의 표(表)를 침범하여 표증(表證)을 일으키고, 그 다음에 유표입리(由表入裏)한다. 정서적으로 불편하고, 음식이 부적절하며, 노일(勞逸)이 정상적으로 이루어지지 않으면 쉽게 직접 장부의 정기를 손상하여 병변이 안에 있게 된다. 병변 부위를 밝히면 발병인자의 속성을 알 수 있을 뿐 만 아니라, 병정의 경중 및 질병 전변의 추세나 방향을 알게 되므로 증의 확립에 대단히 중요하다. 예컨대 수종병(水腫病)의 경우, 만약 허리 위쪽이나 전신의 수종, 특히 얼굴이나 안검에 두드러진 경우는 외감풍사(外感風邪)로 인한 것으로, 병이 표(表)에 속하고 풍수(風水)라 하며, 발한시켜야 한다. 허리 아래의 수종이 다리 아래로 심하고 얼굴에는 이상이 없는 경우 대개 비신(脾腎) 공능이 실조되어 나타난 것으로, 병이 이(裏)에 속하고 석수(石水)라 하며, 이뇨시켜야 한다. 병변 부위가 다르고 발병의 원인도 다르면 증이 다르기 때문에 치료 역시 달라진다.

3) 변병성(辨病性): 질병의 허실한열(虛實寒熱)에 해당하는 성질을 확정하는 것이다. 질병은 발병인자가 인체에 작용하여 인체의 정기가 병인에 맞서 싸우면서 일으킨 결과이다. 사정(邪正)의 성쇠는 병증의 허실을 결정하는데, 『소문 통평허실론(通評虛實論)』에서 "사기(邪氣)가 성하면 실(實)이라 하고, 정기(精氣)가 부족하면 허(虛)라고 한다"[46]고 하였다. 그러나 발병인자에도 음양이 있고, 인체 정기에도 음양이 있다. 속성이 다른 병인이 인체를 침범하면 인체의 상응하는 정기가 맞서 싸워서 다양한 유형의 음양실조가 일어나고 한열성의 병증이 나타나는데, 양이 우세하면 열이 나고, 음이 우세하면 한이 생기고, 양이 부족하면 한이 생기고 음이 부족하면 열이 난다.

4) 변병세(辨病勢): 질병 변화의 추세와 예후를 밝히는 것이다. 질병은 일반적으로 모두 일정한 전변 기전이 있다. 『상한론(傷寒論)』에서는 외감 열병을 육경(六經)으로써 그 병기와 발전 추세를 표시하고, 그 전변 기전을 태양 → 양명 → 소양 → 태음 → 소음 → 궐음으로 개괄하였다. 온병학자들은 위기영혈(衛氣營血)과 상중하 삼초(三焦)로 온열병과 습열병의 전변 기전을 정리하였다. 내상잡병의 전변에 대하여 『내경(內經)』에서는 오행의 생극승모(生剋乘侮)의 원리로 설명하였는데, 현재의 추세와 방향에 대해서는 장부 사이의 상호관계와 정기혈진액 사이의 상호 영향으로 설명하였다. 질병의 전변 기전을 파악하면 질병의 발전변화와 예후의 전모를 알 수 있다. 이는 증후, 즉 질병 과정 중에 처해 있는 단계와 유형을 확립하는 데에 유익하여 변증의 정확성을 높일 수 있다. 이 외에도, 질병의 전변을 분석하는 가운데 정체관에서 출발하여 전방위로 고찰하면서 자연과 사회환경의 인체에 대한 영향 역시 고려하여야 한다.

질병의 원인, 부위, 성질 및 전변의 기전을 밝히면 질병과정 중의 어떤 단계나 유형의 병기특징을 알 수 있고, 이어 질병과 증후에 대해 명확한 진단을 하면 치료의 근거를 제공할 수 있다.

논치는 변증사유를 통해 얻어진 증후진단의 기초 위에 상응하는 치료원칙과 방법을 확립하고, 적당한 치료수단과 조치로써 질병을 치료하는 실천과정이다. 논치의 과정은 일반적으로 다음과 같은 세 단계로 나누어진다.

1) 인증입법(因證立法): 이미 밝혀진 증에 따라 상응하는 치료방법을 확립하는 것이다. 증은 변증의 결과이며, 동시에 논치의 근거이다. 질병의 증을 확립해야만 그 증의 성질에 적중하는 구체적인 치료방법을 확정할 수 있다. 예컨대, 병이 풍한감모증(風寒感冒證)이면 신온해표법(辛溫解表法)을, 풍열감모증(風熱感冒證)이면 신량해표법(辛凉解表法)을 쓴다.

2) 수법선방(隨法選方): 증에 근거하여 치법을 세운 다음, 치법에 따라 상응하는 치료수단이나 조치를 선택하여

46) 邪氣盛則實, 精氣奪則虛 (素問·通評虛實論)

처방을 한다. 치료수단에는 약물요법과 비약물요법이 있다. 약물요법에는 내복법과 외용법의 구분이 있으며, 비약물요법은 침구, 추나 등 다양한 수단을 포함한다. 처방은 치료수단을 선정한 다음, 치법에 근거하여 구체적인 치료방안을 확정하는 것이다. 약물요법을 하는 경우, 치법에 부합하는 방제와 그 약물 조성을 정하고 개별 약물의 용량, 제작방법, 복용시간과 용량 등을 결정한다. 침구요법을 하는 경우, 치법에 부합하는 혈위를 정하고 침구수기법, 자극량, 자극시간 등을 결정한다. 같은 증을 치료할 때에는 같은 치료수단을 선택하며, 몇 가지 요법을 연합하여 응용할 수도 있다.

3) 거방시치(據方施治): 처방에 따라 치료를 실시한다. 치료는 일반적으로 의료인이 실시하고, 상황에 따라서는 의사의 지도아래 환자 자신이 할 수도 있다.

변증과 논치는 질병을 진단 치료하는 과정에서 서로 분리될 수 없다. 변증은 질병을 인식하고 증을 확립하는 것이며, 논치는 변증의 결과에 따라 치법을 확립하고 처방을 하는 것이다. 변증은 논치의 전제이자 근거이며, 논치는 변증의 연속이며, 동시에 변증의 정확성 여부를 검증하는 것이다. 변증이 정확해야 비로소 올바른 치법이 가능하고 치료효과도 분명해진다. 그러므로 변증과 논치는 이론과 실천이 서로 결합된 것이며, 이법방약(理法方藥)의 이론체계가 임상적으로 응용되는 것이기 때문에 한의 임상을 이끄는 기본 원칙이다.

3. 동병이치(同病異治)와 이병동치(異病同治)

증은 질병과정의 어느 한 단계나 유형의 병리적인 요약인데, 하나의 병에 여러 증이 있을 수 있으며 하나의 증이 여러 병에 나타날 수 있다. 질병을 진단 치료하면서 동병이치와 이병동치의 원칙을 파악하고 있어야 한다.

동병이치: 같은 질병이라도 발병의 시간과 지역의 차이 혹은 질병의 단계나 유형이 다르거나, 혹은 환자의 체질이 다르기 때문에 나타나는 증이 다르고 그로 말미암아 치료 역시 달라지는 것이다. 예컨대, 마진(痲疹, 홍역)은 단계에 따라 증이 달라지기 때문에 마진을 치료할 때 처음에는 해표투진(解表透疹)시키고, 중기에는 청폐열(淸肺熱), 후기에는 자양폐음위음(滋養肺陰胃陰)하는 등 다른 치법을 사용한다. 동일한 시기와 지역에서 발생한 감기의 경우에도 풍한(風寒), 풍열(風熱), 풍조(風燥), 기허(氣虛) 등 증이 나타나기 때문에 신온해표(辛溫解表), 신량해표(辛凉解表), 신윤해표(辛潤解表), 익기해표(益氣解表) 등 상응하는 치법을 각기 사용한다.

이병동치: 서로 다른 질병이라도 과정 중에 서로 같은 병기로 인해 같은 증이 나타나면 같은 치법과 처방으로 치료한다. 예컨대, 위하수, 신하수, 자궁하수, 탈홍(탈항) 등의 경우에 그 과정에서 동일한 '중기하함(中氣下陷)'이라는 병기가 나타나서 증이 같으므로 병은 달라도 동일하게 중기를 보익하는 방법으로 치료한다.

그러므로 한의학의 진단과 치료의 주안점은 증에 대한 변별이고 증에 대한 치료를 하는 것이다. 증이 같으면 치료가 같고, 증이 다르면 치료가 다른 것이 변증논치의 정신이다.

4. 辨證과 辨病의 결합

변병은 구체적인 병의 종류를 인식하는 것이다. 모든 질병은 발생 원인, 발병 기전, 발전 과정과 예후를 가진다. 변병의 목적은 질병 변화의 원리를 파악하는 데에 있으며, 그에 따라 치료의 방침을 확정하고 예후를 판단하는 근거를 제공한다. 그러나 證은 병의 어떤 단계나 유형의 표현으로, 변증은 질병의 특정 단계의 병기변화와 그 표현에 대해 변별하는 것이다. 즉, 변병은 주로 질병 전체 과정의 변화 원리를 파악하는 것이며, 변증은 그 가운데 어느 한 단계나 유형의 병변을 변별하는 것이다.

한의학은 '변증논치'를 특징으로 하고 있지만, 여전히 임상적으로는 '변병시치'의 방법도 사용하고 있다. 특히 한의학의 이론체계가 만들어지던 당시에는 증의 개념이 아직 질병으로부터 분화되지 않았기 때문에 '병'을 변별 분석하는 목표로 삼았고, 치료 역시 병에 근거하여 시행하였다. 예컨대 『내경』의 13方은 기본적으로 병에 대한 치료를 한 것이며, 『신농본초경(神農本草經)』, 『제병원후론』 등 문헌 역시 대부분 구체적인 질병을 치료 목표로 삼았는데, '상산절학(常山截瘧)', '황련치리(黃連治痢)' 등이다. 오늘날에도 한의학이 변증논치에 무게를 두고는 있지만, 여전히 변병치료의 방식도 운용하고 있다. 예컨대 폐노(肺勞), 폐옹(肺癰), 장옹(腸癰), 습진, 학질, 마진, 수두, 회충, 조충병 등에 대한 예방과 치료는 변병에 기초를 두고 있다. 그러므로 한의학의 변병사유와 변증사유는 동시에 존재하는 것이며, 함께 종합적으로 운용되는 것이다.

변병의 과정은 실제적으로 질병을 진단하는 과정이며, 사진(四診)을 통해 수집한 병변의 자료와 필요한 생화학적 검사를 한 다음 모든 유관 질병의 자료를 분석 종합하는 질병 진단의 사유와 실천과정이다. 질병 진단이 확정된 후에는 '병'에 근거하여 치료하게 된다. 일부 질환의 경우, 특이적 치료작용을 하는 한약 단방이나 복합처방의 치료를 하는데, 학질의 경우에는 상산(常山)을, 이질에는 일반적으로 황련(黃連), 마치현(馬齒莧) 등으로 치료하며, 장옹의 경우에는 대황목단탕(大黃牧丹湯)으로 치료한다. 그러나 이와 같은 단일한 약물이나 처방으로 하나의 질병을 치료하는 것이 한의학적 치료방법의 주류는 아니다.

변증사유의 과정에서 증을 변별분석의 목표로 삼는 것은 한의학 진단 치료의 특징을 보여주는 것이다. 그러나 만약 증의 차이에만 주의한다면 질병의 단계성이나 유형성만을 고려하는 것으로 질병의 전과정과 전모를 고려하는 것이 아니기 때문에 그 특정 질병의 본질을 충분히 인식하기에 부족하고, 그런 이유로 변증의 정확성도 떨어질 수 있다. 그러나 반대로 질병에 대한 진단에만 치중하고 질병의 단계성과 유형성의 본질을 반영하는 증에 대한 변증사유를 운용하지 않는다면 한의학적으로 적정하고도 유효한 치료를 실시하기 어렵다.

그러므로 한의학의 진단 치료가 더욱 완정해지기 위해서는 반드시 변증과 변병을 서로 결합시키는 방식을 견지해야 한다. 변병사유를 운용하여 질병을 확진하면 어떤 질병의 병인과 병변의 진행 및 예후에 대한 총체적인 인식을 하는 것이며, 여기에 다시 변증사유를 운용하여 그 병의 임상 표현과 검사 결과에 근거해서 그 병이 현재 병변의 어느 단계나 어느 유형에 속해 있는가를 변별 분석하면 당시 질병의 '증'을 확립하게 되며, 그리고 나서 '증'에 근거하여 치료원칙과 방법 및 처방을 확정하게 된다. 이는 통상적으로 말하는 "변병을 우선으로 하고 변증을 위주로 한다"47)는 임상 진단 치료의 원칙이다. 확진하기 어려운 병증에 대해서는 변증사유를 운용하여 환자의 임상표현에 따라 증을 밝혀내고 증에 따른 치료를 한다.

임상적으로 변증논치나 변병논치의 전제하에, 때로는 환자의 증상에 대하여 환자의 고통을 경감시키는 대증요법을 쓰는 것도 역시 필요하다. 그러나 분명한 것은 대증요법은 단지 환자의 고통만을 경감시켜 주는 것이지, 근본적인 문제를 해결해주는 것은 아니다. 뿐만 아니라, 경우에 따라서 대증요법은 어떤 주요 증상을 가리게 하여 변증논치나 변병논치를 곤란케 하기 때문에 대증요법을 사용할 수는 있지만, 조심스럽게 사용해야 하며, 주된 치료방법으로 사용해서는 안 된다.

47) 以辨病爲先, 以辨證爲主

참고문헌

1. 『景岳全書·勞倦內傷』 張介賓
2. 『難經·七十七難』 扁鵲
3. 『孟子·告子下』
4. 『類經·脈合四時陰陽規矩』 張介賓
5. 『類經·生氣邪氣皆本於陰陽』 張介賓
6. 『類經·陰陽類』 張介賓
7. 『類經·藏象』 張介賓
8. 『類經·疾病』 張介賓
9. 『類經·鍼刺類』 張介賓
10. 『類經·八正神明寫方補員』 張介賓
11. 『類經·風證』 張介賓
12. 『丹溪心法·能合脉色可以万全』 朱震亨
13. 『瀕湖脈學』 李時珍
14. 『素問·金匱真言論』
15. 『素問·靈蘭秘典論』
16. 『素問·脈要精微論』
17. 『素問·寶命全形論』
18. 『素問·四氣調神大論』
19. 『素問·上古天真論』
20. 『素問·疏五過論』
21. 『素問·五常政大論』
22. 『素問·陰陽應象大論』
23. 『素問·異法方宜論』
24. 『素問·移精變氣論』
25. 『素問·著至教論』
26. 『素問·通評虛實論』
27. 『靈樞·本神』
28. 『靈樞·本藏』
29. 『靈樞·邪客』
30. 『靈樞·師傳』
31. 『靈樞·海論』
32. 『靈樞·大惑』
33. 『靈樞·順氣一日分爲四時』
34. 『壽親養老新書·下籍宴處起居第五』 陳直
35. 『養生類纂』 周守忠
36. 『養性延命錄』 陶弘景
37. 『易經』
38. 『醫宗必讀·富貴貧賤治病有別論』 李中梓
39. 『臨證驗舌法』 楊雲峰
40. 何裕民 主編, 『中醫學導論』, 上海中醫學院出版社, 1987
41. 王琦 主編, 『中醫藏象學』, 人民衛生出版社, 1998
42. 孫廣仁 主編, 『中醫基礎理論』, 中國中醫藥出版社, 2002
43. 樊巧玲 主編, 『中醫學概論』, 中國中醫藥出版社, 2010

제 4 장 기、음양、오행

Qi、Yin-yang、Five Phases

인체의 생명 활동이나 질병의 원리를 탐구하기 위해서는 인간과 세계에 대한 전반적인 이해가 필수적이다. 한의학은 고대 중국에서 기원하였는데, 당시에는 자연과학이 발달하지 못했으므로 부득이하게 당대 철학의 도움을 받아 인체의 생리와 병리현상을 해석하였다. 그러므로 한의학의 기초이론을 잘 이해하기 위해서는 반드시 고대 중국의 주요한 철학사상에 대해 알고 있어야 하며, 이러한 철학사상의 한의학에서의 구체적인 운용을 이해해야만 한다.

한의학 이론체계는 "많은 학자들이 벌떼같이 일어나고 여러 학파들의 주장이 활발했던"[1] 전국에서 진한에 이르는 시기에 형성되었는데, 그 때에는 이미 중국 고대 철학사상이 상당한 수준에 이르고 있었다. 당시 정기학설、음양학설과 오행학설은 천문、지리、정치、병법、농업、역법 등 다양한 분야에서 성행하였을 뿐 만 아니라, 의학분야에서도 이론체계 형성에 깊은 영향을 미쳤다. 정기학설、음양학설과 오행학설의 기본 관점과 방법이 한의학에 유입되고, 한의학 고유의 지식이나 경험과 융합되면서 인체의 구조, 생명 현상 및 질병의 원인、기전、진단、예방、치료 등을 해석함으로써 한의학 방법론체계를 구성하였다.

*方法*은 어떠한 목적을 이루기 위해 채용하는 수단과 절차를 말한다. 과학의 방법은 대상을 인식하는 방법과 대상을 개조하는 방법을 포함하며, 전자는 기초과학의 방법을, 후자는 응용과학의 방법을 구성한다. 모든 방법론체계는 몇 개의 층차로 나뉘어지는데, 아래 층차에서 위 층차로 갈수록 방법의 개괄 정도가 점점 높아져서 적응범위도 더욱 넓어지며, 윗 층차에서 아래 층차로 가면 일반적인 데서 특수한 데로 가는 것이며, 지도하고 지도받는 관계가 된다. 한의학의 방법론체계는 위에서부터 아래로 대개 세 단계로 나눌 수 있는데, 첫째는 한의학의 철학방법, 둘째는 한의학의 일반 사유방법, 셋째는 한의학에서의 구체적인 방법이다. 한의학의 철학방법은 앞서 말한 고대 중국의 철학사상으로 정체관념 (holism)、정기학설、음양학설과 오행학설 등을 말하며, 한의학의 일반 사유방법에는 이미 소개한 비교(比較)、연역(演繹)、유비(類比)、이표지리(以表知裏)、시탐(試探)과 반증(反證) 등이 있다. 한의학에서의 구체적인 방법은 구체적인 이론의 연구방법、질병에 대한 진단방법、치료방법、예방방법 등을 말한다. 중국 고대 철학사상과 방법은 한의학 이론체계를 구축하는 데에 결정적인 역할을 하였으며, 동시에 한의학의 인체 구조와 생명현상에 대한 관찰과 인식 또한 고대 철학사상과 방법이 더 무르익을 수 있는 토양이 되었다. 정기학설、음양학설 및 오행학설은 한의학의 인체와 생명현상에 대한 관찰과 이해의 기초 위에 자연현상에 대한 관찰과 추리로부터 얻은 인식과 결합하여 다시 더욱 구체적으로 발전되었다.

그러나 이와 같이 철학적 방법을 기반으로 발전해 온 한의학을 그대로 답습하고만 있어서는 안 되고 온고창신(溫

1) 諸子蜂起, 百家爭鳴 (諸子百家大解讀·時代新命題)

故創新)의 정신으로 현대 과학기술과의 접목을 통해 끊임없이 검증 발전시켜 나가야 한다.

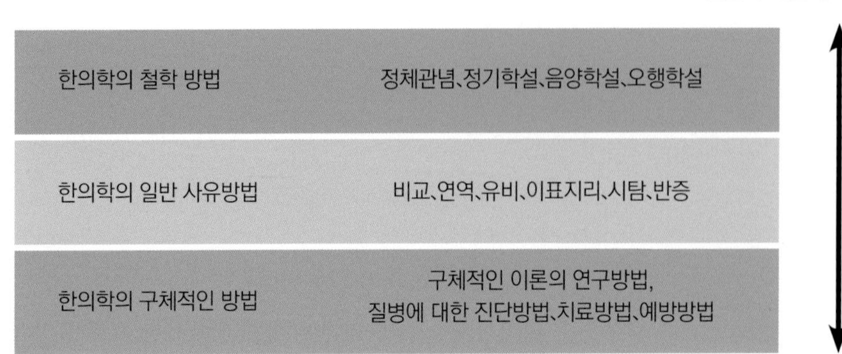

■ 한의학의 방법론 체계

제1절 정기학설(원기론)

정기학설은 정기의 의미와 그 운동변화의 원리를 연구하며, 우주만물을 구성하고 있는 본원과 그 발전 변화를 해석하는 고대 철학사상이다. 이 학설은 선진(先秦)시기에 성행하다가 양한(兩漢)시기에는 '원기설(元氣說)'에 동화되었는데, 선진과 양한은 한의학 이론체계가 형성되던 시기이므로 이 때에 성행했던 정기학설은 필연적으로 한의학 이론체계 형성에 깊은 영향을 주었다.

1. 고대 철학에서의 정과 기의 기본 개념

정과 기의 개념이 고대 철학의 범주에서는 기본적으로 동일하지만, 한의학에서는 확연히 구별된다. 정과 기의 고대 철학에서의 개념과 한의학에서의 의미를 정확히 인식하기 위하여 다음과 같이 나누어 설명코자 한다.

1) 정의 기본 개념

정(精)은 정기(精氣)라고도 한다. 고대 중국철학에서는 일반적으로 기를 가리키고, 우주에 가득 차 있는 무형(육안으로 보이지 않는)이면서 끊임없이 운동하고 있는 매우 미세한 물질로, 우주 만물을 구성하고 있는 본원이며, 또한 기의 정수에 해당하여 인체를 구성하고 있는 실체를 가리킨다. 이와 관련하여『관자 내업(管子 內業)』에서는 "정은 기의 정미로운 부분을 말한다"2)라고 하였다.

정기는 일찍이『역전 계사상(易傳 繫辭上)』과『관자』에 등장하고,『여씨춘추(呂氏春秋)』,『회남자(淮南子)』,『논형(論

2) 精也者, 氣之精者也 (管子·內業)

衡)』에도 기재되어 있다. 『역전 계사상』에서 "정기가 만물을 이룬다"[3]고 하여 우주만물이 정기로 구성되어 있다고 하였다. 『관자 심술하(心術下)』에서는 "하나의 기가 능히 변할 수 있는 것을 정이라 한다"[4]고 하여 정은 정미하고 변화하는 기라고 하였다. 『회남자』에서는 기를 정이라 하고, 정은 세계 만물을 구성하고 있는 정미한 물질이며, 우주 만물이 생성되는 물질적 기초라고 하였다. 이들은 모두 정을 우주만물의 본원으로 보고 있으며, 그래서 기의 의미와 동일한 것이다.

『회남자 정신훈(精神訓)』에서는 정(혹은 기)을 정기(精氣)와 번기(煩氣)의 둘로 나누어 "번기는 벌레가 되고, 정기는 사람이 된다"[5]고 하였다. 인류는 정기를 받아서 생겨나고, 벌레는 번기를 받아서 생겨나기 때문에 사람과 벌레는 서로 형체가 다르고 사람의 정신, 감정, 지혜 등은 동물이 전혀 미치지 못한다고 보았다. 『논형』에서는 정기가 원기의 가장 정미한 부분으로 인체와 도덕정신의 정미한 기를 형성하는 것으로 보고 있다.

정기 개념은 '수지설(水地說)'에서 비롯되었다. 고대인들이 자연계 만물의 발생과 성장과정을 관찰하는 가운데, 자연계 만물이 물과 흙에서 생겨나고 물과 흙의 양육에 의지하여 성장 변화하는 것을 보고 물과 흙을 만물 생성의 본원으로 보았다. 예컨대 『관자 수지(水地)』에서는 "땅은 만물의 근원이며, 모든 생의 근원이다"[6]라 하고, 또 "물은 무엇인가? 만물의 본원이자 모든 생의 뿌리이다"[7]라고 하였다. 자연계의 물은 천지의 정이고, 만물이 의지하여 생장 발육하는 근원이기 때문에 '수지설'의 기초 위에서 '정'의 개념을 이끌어 내고 다시 정을 만물의 근원으로 삼았다. 인간의 탄생은 남녀 생식의 정이 서로 결합하여 이루어지는데, 마찬가지로 물이 응축하여 된 것이라 할 수 있다. 예컨대 『관자 수지』에서는 "사람은 물이다. 남녀의 정기가 합하면 물이 흘러 형을 이룬다"[8]고 하였다. 물은 정인데, 엉기고 서로 합쳐져서 사람이 되는 것이다. 이는 서양 최초의 철학자이자 수학자인 탈레스 (Thales, 624 ~ 546 BC)가 만물의 근원이 물이라고 주장[9]한 것과 일맥상통한다. 나아가 그리스 초기의 철학자 엠페도클레스 (Empedocles, 490 ~ 430 BC)는 탈레스의 물, 아낙시메네스 (Anaximenes, 585 ~ 528 BC)의 공기, 헤라클리투스 (Heraclitus, 535 ~ 475 BC)의 불에 흙을 더해 4원소설을 제창한 바 있다.

인체에서 정과 관련되는 인식은 철학에서의 정기 개념 형성에 대해 중요한 역할을 하였다. 예컨대 『역전 계사하』에서 "남녀의 정이 얽혀 만물이 생긴다"[10]고 하였는데, 남녀 양성의 생식에 관련된 정이 서로 합쳐져서 배태(胚胎)를 형성한다는 생각은 나아가 암수 두 성의 정이 합쳐져서 만물을 생성하는 것으로 추리되고, 더 나아가 천지 음양의 정기가 서로 합쳐져서 만물이 생겨나는 것으로 확대되었다. 이처럼 구체적인 생식의 정이 무형의 천지정기(天地精氣)로 추상화된 것이다.

『역전』과 『관자』에서는 정의 개념을 추상하여 무형이면서 움직이는 극히 미세한 물질이라고 하였다. 『내경』에서도 정을 태허(太虛, 우주)에 가득 차 있는 극히 미세한 물질이라고 보았는데, 『소문 오운행대론(五運行大論)』에서 "허(虛)

3) 精氣爲物 (易·繫辭)
4) 一氣能變曰精 (管子·心術下)
5) 煩氣爲蟲, 精氣爲人 (淮南子·精神訓)
6) 地者, 萬物之本原, 諸生之根菀也 (管子·水地)
7) 水者, 何也? 萬物之本原也, 諸生之宗室也 (管子·水地)
8) 人, 水也. 男女精氣合而水流形 (管子·水地)
9) Aristotle reported Thales' hypothesis that the originating principle of nature and the nature of matter was a single material substance: water, Wikipedia
10) 男女媾精, 萬物化生 (易傳·繫辭下)

는 그래서 하늘에 응하는 정기를 나열하고 있다"11)고 하였다. 이처럼 정기의 개념을 우주에 존재하는 무형이면서도 움직이고 있는 극히 미세하고 정미로운 객관 실재이면서 우주만물 공동의 구성 본원이라고 규정한다면 기의 개념과 같아지는데, 이러한 이해는 기학(氣學)의 범주 안에 들어와서 '기일원론'으로 발전하였다.

2) 氣의 기본 개념

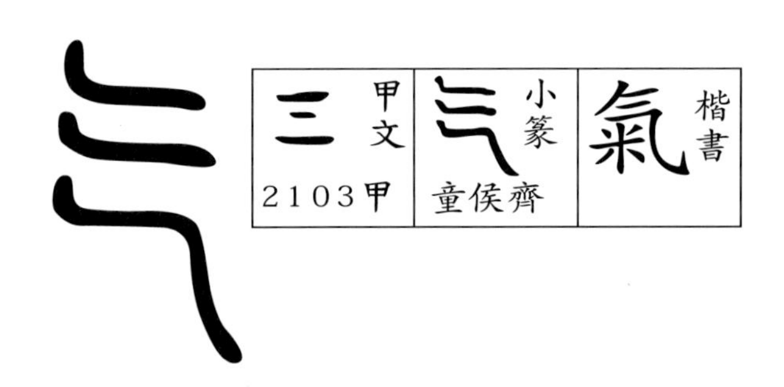

기는 우주에 존재하면서 끊임없이 운동하는 무형의 극히 미세한 물질이며, 우주 만물을 구성하고 있는 본원이다.

기의 개념은 '운기설(雲氣說)'에서 기원하였는데, 『설문해자(說文解字)』에 "기는 구름 기운이다"12)라고 하였다. 예부터 "사물을 보고 상(象)을 취한다"13)는 사유방법을 운용하여 "가까이는 자기 몸에서 취하고 멀리서는 다른 사물에서 취한다"14) 고 하였다. 직접 관찰한 구름、바람、물기와 입김 등을 개괄하여 다듬고 추상하여 기의 일반적인 개념을 만들어냈다. 또한 자연계의 형질을 가진 물체는 모두 바람이나 구름처럼 형상이 없는 것으로부터 만들어지고, 변화무쌍하고 끊임없이 움직이기 때문에 『노자』에서 "유는 무에서 생긴다"15)고 하였다. 동시에 사람들은 인체의 생명현상을 관찰하면서 기의 존재를 느꼈고, 숨 쉬면서 혹은 운동하면서 나오는 '열기' 등이 인체의 생명활동에 중요하다는 것을 알게 되었다. 자연계의 구름、바람과 인체의 입김、열기 등을 추상하여 기의 일반 개념을 만들었으며, 기는 무형이면서 끊임없이 움직이고 있는 극히 미세한 물질이며, 우주 만물이 생성되는 본원으로 이해하였다.

기의 개념이 형성되는 과정에서 선진시기의 학자들은 충기(沖氣)、천지지기(天地之氣)、정기(精氣) 등의 개념을 추상해냈다. 『국어(國語)』에서는 기를 "천지음양의 기"16)라고 하여 "무릇 천지의 기는 그 차례를 잃지 않는다. … 양이 엎드려 나오지 못하고 음이 눌려서 올라가지 못하는데, 이것이 지진이다"17)라고 하였다. 노자(老子)는 기를 충기라고 하면서 "만물은 음을 지고 양을 싸고 있으니, 충기로써 조화를 이룬다"18)고 하였다. 장자(莊子)는 노자의 철학을 계승 발전시켜 음양으로 기를 논하였는데, "음양은 기의 큰 것이다"19)라고 하였다. 순자(荀子)는 기가 자연의 기이며, 천지 만물이 생멸 변화하는 것이며, 음양의 두 기가 교감 운동하여 만들어지는 것으로, "천지가 합하여 만물이 생기고, 음

11) 虛者, 所以列應天之精氣也 (素問·氣交變大論)
12) 氣, 雲氣也 (說文解字)
13) 觀物取象 (易傳·繫辭)
14) 近取諸身, 遠取諸物 (易傳·繫辭下)
15) 有生于無 (道德經·四十章)
16) 天地陰陽之氣 (國語·幽王三年)
17) 夫天地之氣, 不失其序, … 陽伏而不能出, 陰迫而不能烝, 于是有地震 (國語·周語上)
18) 萬物負陰而抱陽, 冲氣以爲和 (道德經·四十二章)
19) 陰陽者, 氣之大者也 (莊子·則陽)

양이 교접하여 변화가 일어난다"[20]고 하였다.『주역』과『관자』에서는 기를 정기 혹은 정이라 하였다.

선진시기에 나타났던 각종 기의 개념은 양한시기에 '원기설'로 동화되었다. 원기는 우주의 본원이며, 우주만물을 구성하는 가장 기본이면서도 원시적인 물질이다. 이는 바로 후세에서 말하는 '원기일원론(元氣一元論)'이다.

2. 정기학설의 기본 내용

정기학설은 우주의 생성 발전 변화와 관련된 고대 철학 사상이다. 정기는 우주의 본원이며, 우주는 만물이 서로 통하고 있는 유기적인 통일체이고, 인류는 만물 가운데 하나로서 정기로 이루어져 있다. 정기는 우주에 존재하고 있으면서 끊임없이 움직이고 있는 극히 미세한 물질이며, 정기의 운동변화는 우주만물의 발생 발전 변화를 추동하고 있다.

1) 정기는 우주를 구성하는 본원이다

정기학설에 의하면 우주에 있는 모든 사물은 정이나 기로 구성되어 있으며, 우주 만물의 생성은 정이나 기가 운동한 결과이고, 정이나 기는 인간을 포함하는 천지 만물이 공유하고 있는 원시 물질이다. 예컨대,『역전 계사상』에서는 우주 만물이 모두 정기로부터 생겨난 것이라 하여 "정기가 만물을 이룬다"[21]고 하였다. 춘추전국시대의 장주(莊周)는『장자 지북유(知北游)』에서 천지 만물과 인류는 모두 한 기에서 나온 것이라 하여 "천하를 통틀어 오직 기 하나뿐이다"[22]라고 하였다.『회남자 천문훈』에서 유안(劉安)이 자연의 만물은 모두 정기로부터 생성된 것이라 하여 "우주에서 기가 생기는데, 기에는 경계가 있다. 청양(淸陽)한 것은 묽고 흩어져 하늘이 되고, 중탁한 것은 굳어져 땅이 된다"[23]고 하였으며, 다시 정기를 음양의 두 기로 나누어 양은 강하고 음은 유하여 두 기가 교감하여 합쳐지면 만물이 싹트고 형체를 갖추어 "음양이 합하고 조화하여 만물이 생긴다"[24]고 하였다. 유안은 또 "양이 쌓여 생긴 열기는 화(火)를 만들고, 화기(火氣)의 정(精)은 태양이다. 음이 쌓여 생긴 한기는 수(水)를 만들고, 수기(水氣)의 정은 달이다"[25]라고 하였는데, 수, 화, 일, 월 또한 기로 이루어졌음을 알 수 있다. 그러나 이 정과 기는 우주 최초의 본원이 아니고, 우주 최초의 본원은 '도(道)'라고 하였다. 정이나 기는 '도'에서 생겨나고, '도생만물(道生萬物)'의 중간단계로서 우주만물을 구성하는 직접적인 물질 재료이다. 이와 관련하여『노자 사십이장』에서 "도는 하나를 만들고, 하나는 둘을 만들고, 둘은 셋을 만들며, 셋은 만물을 만든다"[26]고 하였다.

양한시기에 정기학설은 당시 흥했던 원기설에 동화되었으며, 점차 '원기일원론'으로 발전하였다. 원기일원론은 기가 가장 원시적이며, 우주의 유일한 본원 혹은 본체로, 만물이 모두 원기에서 생겨나는 것이라고 보았다. 그래서 기를 '원기'라고 하였다. 서한의 동중서(董仲舒)는 "원(元)은 만물의 근본이다"[27]라고 하여 원기가 만물의 본원이라는 사상을 열었으며, 동한의 왕충(王充)은 원기가 자연에 존재하는 정미한 물질이며, 우주 만물의 유일한 본원이라고 하였다. 하휴(何休)는 원기를 천지 만물의 최초의 본원으로 보고, "원(元)은 기이다. 형이 없이 일어나고 형이 생겨 나뉘어져

---

20) 天地合而萬物生, 陰陽接而變化起 (荀子·禮論)
21) 精氣爲物 (易傳·繫辭上)
22) 通天下一氣耳 (莊子·知北游)
23) 宇宙生氣, 氣有涯垠. 淸陽者, 薄靡而爲天; 重濁者, 凝滯而爲地 (淮南子·天文訓)
24) 陰陽合和而萬物生 (淮南子·天文訓)
25) 積陽之熱氣生火, 火氣之精者爲日; 積陰之寒氣生水, 水氣之精者爲月 (淮南子·天文訓)
26) 道生一, 一生二, 二生三, 三生萬物 (道德經·四十二章)
27) 元者, 爲萬物之本 (春秋繁露·重政)

천지가 만들어지니, 이것이 천지의 시작이다"28)라고 하였다.

'원기일원론'의 형성과정에서 보면, 양한시기에 우주 본원에 대한 연구는 기본적으로 두 방향으로 전개되었다. 하나는 선진 도가의 "道 – 氣 – 物(人)"의 만물 생성 모델의 기초 위에서 "태역(太易) – 태초(太初) – 태시(太始) – 태소(太素) – 만물"의 우주 발생 모델을 내놓고 기를 우주 만물을 만드는 중간 물질로 보았고, 또 하나는 왕충으로 대표되는데, 원기가 우주 만물의 본원이라는 사상을 명확히 제시하면서 기본론(氣本論) 철학을 열었다.

정기에서 만물이 생기는 기전에 대해 고대 철학자들은 천지의 기가 교감하고 음양의 두 기가 화합한다는 방식으로 해석하였다. 정기 자체의 운동 변화는 천지 음양의 두 기로 나뉘어지는데, 이른바 "양이 쌓여서 하늘이 되고 음이 쌓여서 땅이 된다"29)는 것이다. 하늘의 양기는 내려가고, 땅의 음기는 올라 가서 두 기가 하늘과 땅 사이에서 교감하면 서로 섞여서 만물이 생겨난다는 것으로, 『역전 함(咸)』에서 "천지가 감응하여 만물이 만들어진다"30)고 하였다. 그러므로 천지 음양 두 기의 교감과 화합은 인류를 포함하는 우주 만물이 발생、발전、변화하는 근본 원인이다.

정기에는 '무형'과 '유형'의 두 가지 존재방식이 있다. 이른바 '무형'은 정기가 흩어져 운동하고 있는 상태로 무한한 우주공간에 채워져 있는 것이며, 정기의 기본 존재 양식이다. 육안으로는 보이지 않기 때문에 '무형'이라고 하는데, 송의 장재(張載)는 "크게 허하고 형체가 없는 것이 기의 본체다"31)라고 하였다. 이른바 '유형'은 정기가 응축되어 안정된 상태로, 대개 육안으로 그 구체적인 형태를 볼 수 있다. 유형의 물체는 기가 응축하여 된 것으로, 『소문 육절장상론(六節藏象論)』에서 "기가 뭉쳐서 형체가 된다32)"고 하였다. 그러나 전통적으로 흩어져 있는 상태의 기를 '기'라 하고, 형질이 있는 실체를 '형'이라고 한다. 『의문법률 선철격언(醫門法律 先哲格言)』에서는 "무형의 기가 응축되면 형체를 이루고, 기가 흩어지면 형체가 사라진다"33)고 하였는데, 기를 본원으로 하여 '무형'과 '유형'의 사이에서 끊임없이 바뀌고 있는 것이다.

2) 정기의 운동과 변화

정기는 활동력이 매우 강하고 끊임없이 움직이는 정미한 물질이다. 정기가 끊임없이 운동하기 때문에 정기로 구성된 우주는 부단히 운동 변화하는 것이다. 자연계 모든 사물의 변화는 모두 정기 운동의 결과이다.

(1) 氣의 운동

기의 운동을 기기(氣機)라고 한다. 기가 운동하는 형식은 매우 다양하지만, 주로 승、강、취、산(升、降、聚、散)으로 볼 수 있다. 승과 강, 취와 산이 서로 대립적이지만, 협조 평형의 관계를 유지하고 있다. 정기 자신의 운동은 천지 음양의 두 기로 바뀌는데, 『소문 음양응상대론(陰陽應象大論)』에서 "양이 쌓여서 하늘이 되고 음이 쌓여서 땅이 된다"34)고 하였다. 천기가 내려오고 지기가 올라가면 천지 음양의 두 기가 서로 만나 부딪히고 합쳐지면서 우주 만물이 생겨나고 그들의 발전변화를 추동한다. 『소문 육미지대론(六微旨大論)』에서 "기의 승강은 천지의 갱용(更用)이다. … 올라

28) 元者, 氣也. 無形以起, 有形以分, 造起天地, 天地之始也 (公羊傳解詁·隱公元年)
29) 積陽爲天, 積陰爲地 (素問·陰陽應象大論)
30) 天地感而萬物化生 (易傳·咸)
31) 太虛無形, 氣之本體 (正蒙·太和)
32) 氣合而有形 (素問·六節藏象論)
33) 氣聚則形成, 氣散則形亡 (醫門法律·先哲格言)
34) 積陽爲天, 積陰爲地 (素問·陰陽應象大論)

간 후에는 내려오니 내려오는 것을 천(天)이라 하고, 내려간 후에는 올라오니 올라오는 것을 지(地)라 한다. 천기(天氣)가 하강하면 기가 땅에 흐르고, 지기(地氣)가 상승하면 기가 하늘로 솟는다. 높고 낮음이 서로 부르고 승강이 서로 인하여 이에 변화가 일어난다"[35]고 하였다. 취와 산도 정기의 운동 형식인데, 송의 장재는 "태허(太虛)에 기가 없을 수 없으며, 기가 모이지 않을 수 없음이 만물을 이루고, 만물이 흩어지지 않을 수 없음이 태허가 된다"[36]고 하였다.

기의 운동은 보편성을 가지고 있다. 『소문 육미지대론』에서 "그러므로 승강출입이 없는 기(器)는 없다"[37]고 하였는데, '기(器)'는 기가 취합하여 생겨난 형체이다. 우주의 어떤 형체나 구체적인 사물도 모두 운동하고 있는 기가 교감 취합하여 생긴 것이기 때문에 그 자신 역시 운동의 특성과 승강취산 등의 운동형식을 가지고 있다. 기의 승강취산 운동은 우주 전체로 하여금 생기(生機)로 가득 차게 하여 무수한 새로운 사물의 생육과 발생을 촉진하고, 오래 된 사물을 쇠하게 함으로써 자연계 신진대사의 평형을 유지한다. 기의 운동이 멈추면 우주는 생생지기(生生之機)를 잃게 된다. 나흠순(羅欽順)이 『곤지기(困知記)』에서 "무릇 천지를 통틀어 고금을 잇는 것은 오로지 기 하나밖에 없다. 기는 본래 하나인데, 한 번 움직이고 한 번 멈추며 한 번 가고 한 번 오며 한 번 닫고 한 번 열며 한 번 올라가고 한 번 내려가서 순환함이 끝이 없으니 미미한 것이 뚜렷해지고 다시 뚜렷했던 것이 미미해져서, 사계절의 온량한서(溫凉寒暑)가 되고 만물의 생장수장(生長收藏)이 되고 사람에게 떳떳한 도리가 되고 人事의 성패득실(成敗得失)이 된다"[38]고 하였다.

(2) 氣化

기화는 기의 운동이 일으키는 각종 변화의 과정을 가리킨다. 기의 작용으로 우주 만물은 형태 성능 및 표현 방식에서 각종 변화를 일으키는데, 이는 모두 기화의 결과이다. 기화의 형식은 주로 다음과 같다.

① 氣와 形 사이의 전화(轉化): 무형의 기가 교감 취합하여 유형의 물체가 되는데, 이는 '기생형(氣生形)'의 기화 과정이며, 유형의 물체가 죽어서 흩어지면 무형의 기가 되는데, 이는 '형화기(形化氣)'의 기화과정이다.

② 形과 形 사이의 전화: 유형의 물체는 기의 추동과 자극에 의해 역시 상호 전화할 수 있는데, 자연계의 얼음이 물이 되거나, 물이 안개、서리、비、눈 등이 되는 것이다.

③ 氣와 氣 사이의 전화: 무형의 기 사이에도 서로 전화되는데, 天氣가 땅으로 내려오면 변하여 지기가 되고, 地氣는 하늘로 올라가 또한 변하여 천기가 된다. 『소문 음양응상대론』에서 "지기가 올라가 구름이 되고, 천기가 내려와 비가 된다[39]"고 하였다.

④ 유형의 물체는 그 자체가 부단히 변화한다: 식물의 생장화수장(生長化收藏)이나 동물의 생장장노사(生長壯老死) 등 변화는 모두 유형의 물체가 스스로 끊임없이 변화하고 새로워지는 기화 과정이다. 동식물의 이러한 변화는 유형의 물체 내부와 자연계 무형의 기 사이의 승강출입이 바뀌면서 진행되는 것이며, 그들과 자연계는 하나의 통일체 안에 있는 것이다. 기화과정은 '化'와 '變'의 두 가지 유형으로 나눌 수 있다. 『소문 천원기대론(天元紀大論)』에서 "物이 생기는 것을 '化'라 하고, 物이 다하면 '變'이라 한다"[40]고 하였는데, '化'는 기의 완만한 운

---

35) 氣之升降, 天地之更用也. … 升已而降, 降者謂天; 降已而升, 升者謂地. 天氣下降, 氣流于地; 地氣上升, 氣騰于天. 故高下相召, 升降相因, 而變作矣 (素問·六微旨大論)

36) 太虛不能無氣, 氣不能不聚爲萬物, 萬物不能不散而爲太虛 (正蒙·太和)

37) 是以升降出入, 無器不有 (素問·六微旨大論)

38) 蓋通天地, 亙古今, 無非一氣而已. 氣本一也, 而一動一靜, 一往一來, 一闔一闢, 一升一降, 循環無已, 積微而著, 由著復微, 爲四時之溫凉寒暑, 爲萬物之生長收藏, 爲斯人之日用彝倫, 爲人事之成敗得失 … (困知記)

39) 地氣上爲雲, 天氣下爲雨 (素問·陰陽應象大論)

40) 物生謂之化, 物極謂之變 (素問·天元紀大論)

동으로 일어나는 변화로, '양변(量變)'과 유사하고, '變'은 기의 극렬한 운동으로 일어나는 뚜렷한 변화로 '질변(質變)'과 같다. 化나 變 모두 기의 운동으로 일어나는 것이다. 일단 기의 운동이 멈추면 각종 변화 역시 멈춘다. 그러므로 기의 운동을 기화과정을 일으키는 전제와 조건이라고 말할 수 있으며, 기화과정 중에는 또 기의 각종 형식의 운동이 있게 된다. 기의 운동과 기화과정의 유지는 영원하고 멈추지 않으며, 그들은 우주 만물이 발생 발전 변화하는 내재적인 메커니즘이다.

총괄하면, 고대 중국 철학자들은 氣가 끊임없이 운동하고 변화하여 세상 모든 사물의 끊임없는 운동과 변화를 일으키기 때문에 세상의 모든 운동 변화는 모두 氣의 운동 변화의 구체적인 표현이라고 보았다.

3) 정기는 천지 만물의 연계를 중개한다

기는 음양으로 나뉘어 천지를 이루고, 천지가 교감하면 만물이 생겨난다. 천지와 만물은 서로 독립적인 실체이다. 그러나 그들은 서로 고립적인 것이 아니라, 서로 연계되어 작용하고 있다. 정기는 천지 만물이 생성되는 본원이기 때문에 천지 만물 사이에는 무형의 기로 가득 차 있을 뿐 만 아니라, 이 무형의 기는 유형의 실체에 스며 들어가 이미 유형의 실체를 이루고 있는 기와 함께 각종 형식의 교환활동을 진행함으로써 정기는 천지 만물이 상호 연계되고 상호 작용하는 중개성 물질이다. 정기의 중개작용은 일반적으로 다음의 두 가지로 볼 수 있다.

(1) 천지 만물 사이의 상호 연계를 짜고 있다

정기는 천지 만물 사이의 중개이면서 천지 만물 사이의 상호 연계를 짜고 있어서, 그들로 하여금 하나의 유기적인 통일체를 이루게 한다. 무형의 기로 우주 만물이 하나로 연계되어 있다는 생각은『장자 천하』에서 말한 '천지일체(天地一體)'의 관점과 통한다. 사람은 우주 만물의 하나로, 천지 기교의 사이에 있으므로 역시 이 통일체의 한 부분이 된다. 기의 중개작용을 통하여 사람과 천지 만물의 변화는 끊임없이 서로 통하고 있다.『영추 세로(靈樞 歲露)』에서 "사람은 천지와 서로 간여하고, 日月과 서로 응한다"[41]고 하였다.

(2) 만물로 하여금 서로 감응케 한다

감응은 사물 사이에 서로 감동하고 영향을 미치면서 작용하는 것이다.『여씨춘추 응동(應同)』에서 같은 부류의 사물 사이에는 "그 종류가 같으면 서로 부르고, 그 기가 같으면 합하여지고, 그 소리가 비슷하면 서로 응한다"[42]고 하는 상호 감응의 연계가 있다고 하였다. 사물 사이의 상호 감응은 자연계에 널리 존재하고 있는 현상으로, 각종 물질 형태가 서로 영향을 미치고 작용하는 것이 모두 감응이다. 예컨대 악기의 공진 공명, 자석이 쇠를 끌어당기는 것, 해와 달이 바닷물을 끌어당겨 조석을 일으키고, 밤낮 그리고 계절의 기후변화가 사람의 생리와 병리과정 등에 영향을 미치는 것은 모두 자연계의 감응현상에 속한다. 形에서 氣로 화하고, 氣가 形 사이를 채우고 있으며, 氣가 능히 物을 감(感)하고 物이 감하면 응하므로 氣가 중개가 되며, 유형의 물체 사이, 유형의 물체와 무형의 기 사이는 거리의 원근을 떠나서 모두 서로 감응할 수 있다. 기의 이러한 특성은 양자역학을 통해 생물학적 현상을 이해하려는 양자생물학과 만날 수 있는 가능성을 보여준다.

41) 人與天地相參也, 與日月相應也 (靈樞·歲露論)
42) 類同則召, 氣同則合, 聲比則應 (呂氏春秋·應同)

4) 천지의 정기는 사람이 된다

고대의 철학자들이 인간은 천지의 정기가 서로 결합하여 된 것이며, 천지의 정기는 인체를 구성하는 본원 물질로 보았다. 『관자 내업(內業)』에서 "사람이 태어남에, 하늘에서 精이 나오고 땅에서 形이 나와 합해져서 사람이 되는 것이다"43), 『소문 보명전형론(寶命全形論)』에서는 "천지가 기를 합친 것을 이름하여 사람이라 한다"44), 『논형 논사(論死)』에서는 "기가 사람이 되는 것은 물과 얼음의 관계와 유사한데, 물이 응결되어 얼음이 되는 것처럼 기가 응결되어 사람이 되는 것이다"45)라고 하였다. 사람은 우주 만물의 하나로, 우주 만물이 모두 정기로 이루어져 있어서 인류 역시 천지 음양의 정기가 교감하고 취합하여 생겨난 것이다.

인류는 우주의 다른 존재와는 달리, 생명이 있을 뿐 만 아니라, 정신활동이 있다. 그래서 '정기'는 기 가운데 정수(精粹)한 부분에서 생겨난 것이다. 『회남자 천문훈』에서 "번기는 벌레가 되고 정기는 사람이 된다"46)고 하였는데, 사람은 천지 음양의 정기가 응축하여 된 것이며, 사람이 죽으면 다시 흩어져 기가 된다. 예컨대 『장자 지북유(知北遊)』에서 "사람의 삶은 기가 모인 것이니, 모이면 살고 흩어지면 죽는 것이다."47), 『논형 논사』에서는 "음양의 기가 뭉쳐서 사람이 된다. 수명을 다하면 죽어서 다시 기로 돌아간다"48)고 하여 사람의 삶과 죽음 역시 기의 취산 과정이라고 하였다.

3. 정기학설의 한의학에서의 응용

정기학설은 선진에서 진한에 이르는 시기에 형성되었는데, 이 때는 바로 한의학 이론체계가 형성되던 무렵이기 때문에 정기학설은 한의학 이론체계, 특히 정기 생명이론과 정체관념의 구축에 깊은 영향을 미쳤다.

1) 한의학의 정기 생명이론 형성에 미친 영향

한의학의 정기학설은 인체내의 정과 기의 의미, 기원､분포､기능､상호관계 및 장부 경락과의 관계에 대한 이론이다. 정이나 기가 우주 만물의 본원이라는 고대철학의 정기학설에 관한 인식은 한의학에서의 정이 인체 생명의 본원(本源)이고, 기는 인체 생명의 유계(維系)이며, 인체의 장부､형체､기관은 정에서 생겨나고, 인체의 각종 기능은 기의 추동과 제어와 조절에서 비롯된다는 등 이론 형성에 매우 중대한 영향을 미쳤다. 한의학의 정기이론은 고대철학의 정기학설의 핵심 내용을 받아들였으며, 하나의 사유방법으로 삼아 한의학 고유의 이론 및 임상과 융합시켜 한의학의 정기 생명이론을 탄생시켰다.

(1) 한의학의 정기학설 형성에 미친 영향

한의학에서 精은 정기(精氣)라고도 하는데, 장부에 저장되어 있는 액체 상태의 순정한 물질로, 인체를 구성하고

43) 人之生也, 天出其精, 地出其形, 合此以爲人 (管子·內業)
44) 天地合氣, 命之曰人 (素問·寶命全形論)
45) 氣之生人, 犹水之爲氷也. 水凝爲氷, 氣凝爲人 (論衡·論死)
46) 煩氣爲蟲, 精氣爲人 (淮南子·天文訓)
47) 人之生, 氣之聚也. 聚則爲生, 散則爲死 (莊子·知北遊)
48) 陰陽之氣, 凝而爲人; 年終壽盡, 死還爲氣 (論衡·論死)

인체의 생명 활동을 유지하는 가장 기본적인 물질이다. 부모로부터 유전된 생명물질을 포괄하기 때문에 '선천지정(先天之精)'이라고 하며, 후천적으로 섭취하여 획득한 음식물의 정을 '후천지정(後天之精)'이라고 한다.

한의학의 精이론은 인류의 생식 번육하는 과정에 대한 관찰과 경험에서 얻어진 것으로, '생식지정(生殖之精)'에 대한 인식에서부터 유래하여 발전해온 것이다.

고대 철학에서 말하는 정이 우주 만물을 공동으로 구성하고 있는 본원이라는 사상은 한의학에 들어와 인체내의 정은 사람의 형체와 정신을 만드는 원천이며 인체를 구성하고 인체의 생명 활동을 유지하는 가장 기본적인 물질이라는 인식을 만들었으며, 방법론에 있어서 유비(類比) 사유를 일으키는 작용을 하였다. 인체의 각 장부、형체、기관은 정으로부터 만들어진 '동원이구체(同源異構體)'이고, 그들 사이에는 밀접한 연계가 있으며, 인체의 생명 활동을 추동하고 조절하는 氣와 神 역시 精으로부터 생겨난 것이고, 정은 기와 신이 생겨나는 본원이다.

고대 철학의 정기학설은 '수지설(水地說)'에 뿌리를 두고 있으며, 한의학의 '정이론' 성립에 영향을 미쳤다. 물은 곧 정이고, 물에서 만물이 생겨난다는 것은 양성이 서로 합쳐져서 생명을 만든다는 생각에 영향을 미쳤는데, 『관자 수지』에서 "사람은 물이다. 남녀의 정기가 합하여 물이 흘러 형이 된다"[49]고 하였다.

(2) 한의학의 기이론 형성에 미친 영향

한의학에서 말하는 기는 체내에서 생명력이 매우 강하고 부단히 운동하지만 눈에 보이지 않는 극히 미세한 물질을 가리킨다. 인체의 중요한 조성 부분이고, 생명 활동을 자극하고 조절하는 동력 원천이며, 인체의 각종 정보를 받아들이고 전달하는 매체이다. 기는 부단히 움직이면서 인체 내외의 신진대사를 추동 조절하고 있으며, 물질과 에너지의 전화를 일으키고, 생명 정보를 싣고서 전달하며, 장부의 기능을 추동하고 조절함으로써 인체의 생명과정을 유지하고 있다. 기의 운동이 멈추면 생명이 끝나는 것임을 의미한다.

한의학의 기 개념이 비록 "가까이는 자기 몸에서 취하고, 멀리는 다른 사물에서 취한다"[50]는 사유 방법에서 유래하여 호흡의 기와 체내에서 발산되는 '열기'와 같이 쉽게 알 수 있는 중요한 생명 현상과 체내에서 흐르는 기에 대한 관찰과 유추를 통해 발전하였지만, 여전히 철학의 기학설과 밀접한 관계에 있다.

한의학에서의 기에 대한 인식은 고대 철학에서 기는 끊임없이 운동하고 우주 만물의 발생 발전 변화를 추동하는 동력이라는 사상이 영향을 미친 것이다. 『관자 추언(樞言)』에서 "기가 있으면 살고 없으면 죽는다. 살아있는 것은 기에 의한 것이다"[51] 등 기가 우주 만물이 발생하고 발전 변화한다는 사상은 한의학에 들어와 한의학에서 '人氣'가 정、혈、진액 등 유형의 물질 사이, 그리고 그것들과 무형의 기 사이에 서로 전화된다는 이론을 만들어냈다. 이는 고대 철학의 "유형은 무형으로부터 나오고, 유형은 무형으로 바뀐다"[52]는 기화사상이 한의학에 반영된 것이다. 인체의 기는 기화과정의 추동력이자 조절력이며, 동시에 기화과정의 중간 산물이다. 精이 氣로 바뀌는 것은 유형이 무형으로 바뀌는 것이며, 기에서 정이 생기는 것은 무형이 유형으로 바뀌는 것이다. 그러나 한의학에서 말하는 유형과 무형 사이의 전화는 고대 철학에 비해 구체적이다. 예컨대 기에서 정이 생긴다는 것은 일반적으로 기가 응축하여 정이 된다는 것보다는 기의 운동이 정이 생기는 것을 촉진한다는 의미이다. 체내의 기는 부단히 운동하여 물질과 에너지의 신진대사를 추동하고 장부 공능활동의 동력을 생산하기 때문에 인체의 정상적인 생명과정을 유지한다. 만약 체내에서 기의 운

49) 人, 水也. 男女精氣合而水流形 (管子·水地)
50) 近取諸身, 遠取諸物 (易傳·繫辭下)
51) 有氣則生, 無氣則死, 生者以其氣 (管子·樞言)
52) 有形生于無形, 有形化爲無形 (管子·水地說)

행이 잘못되면 기울(氣鬱)、기체(氣滯) 혹 기역(氣逆)하여 정、혈、진액 등 유형 물질의 운행대사가 실조되거나 울체되어 징적(癥積)이 된다. 이 경우 기기(氣機)를 조리하는 것이 이러한 병증을 예방 치료하는 주요한 방법이다. 한의학에서 형질(形質)보다 氣化를 더 중하게 여기는 관념은『노자』의 "無에서 有가 생긴다"는 견해의 영향을 받은 것으로 볼 수 있다.

한의학의 '기본일기(氣本一氣)'는 인체의 모든 기는 몸의 기의 다양한 형태라는 인식이며, '원기일원론'사상의 영향을 받은 것이다. 한의학에서는 원기일원론을 하나의 사유방법으로 이용하여 체내의 각종 기 역시 공동의 원천을 가지고 있음을 유비하였다. 즉 온 몸의 기는 정으로부터 생겨나서 들이마신 자연계의 맑은 기와 서로 융합되어 만들어진 것이다. 원기(元氣)、종기(宗氣)、영기(營氣)、위기(衛氣)와 각 장부、경락의 기를 포함하는 체내의 각종 기는 모두 온몸의 기가 분화된 것이다. 이것이 바로 '기본일기설'이다.

고대 철학에서 기는 음양으로 나뉘고 천지를 이루며 천지의 기는 오르고 내려서 서로 교감하여 만물을 낳고 기른다는 관점은 한의학에서도 사람의 기는 음양으로 나뉘고 음양의 기의 승강출입 운동이 인체의 생명 과정을 유지한다는 이론의 탄생에 깊은 영향을 주었다. 정으로부터 생겨나서 들이마신 자연계의 맑은 기와 결합하여 형성된 기를『내경』에서는 '人氣'라고 하였는데, 그 운동의 추세와 발휘하는 작용에 근거하여 음기와 양기로 나누었다. 음기는 양윤(凉潤)、영정(寧靜)、억제、숙강(肅降)을 주관하고, 양기는 온후(溫煦)、추동、흥분、승발(升發)을 주관한다. 음양 두 기의 운동과 공능이 질서가 있고 평형과 안정을 유지하면 인체는 건강하다. 이를『소문 조경론(調經論)』에서는 "음양이 두루 평형을 이루고 있는 사람을 平人이라고 한다[53]"고 하였다.

사람의 기는 체내에서 부단히 승강출입의 운동을 한다는 인식은 아마도 옛사람들이 '도인(導引)'이나 '기공'과 같은 단련을 하면서 자신의 몸에서 느낀 것으로부터 비롯된 것이라고 볼 수 있다. 물론 고대 철학의 氣學사상과도 유관하다. 고대의 의사들은 유비 추리를 하여 인체를 하나의 소천지로 보아 인체내의 기와 우주에 존재하는 천지의 기를 서로 같은 것으로 보고 인체 내에서 부단히 승강출입의 운동을 함으로써 인체의 생명활동을 유지한다고 보았다. 우주에 존재하는 천지의 기의 운동원칙은 天氣는 내려가고 地氣는 올라가서 서로 교감하고 합해지며 협조하면서 질서를 유지하는 것이다. 사람의 기의 운동 원칙 역시 천지의 기와 같아서, 아래에 있는 기는 위로 올라가고 위에 있는 기는 내려가서 음과 양이 서로 교감 협조함으로써 질서를 유지한다. 예컨대, 심화(心火)가 하강하고 폐기(肺氣)가 숙강하는 것은 천기가 하강하는 것과 같고, 신수(腎水)가 상제하고 간기(肝氣)가 승발하는 것은 지기가 상승하는 것과 같다. 이렇게 되면 心腎의 水火가 서로 잘 협조되고 肺肝의 두 氣도 질서 있게 운행된다. 또 脾氣는 올라가고 胃氣는 내려가는 것을 주관하여 체내의 모든 기를 돌려서 인체 기기 승강의 중심이 된다. 인체 기의 운행이 잘 이루어진 것을 '기기조창(氣機調暢)'이라고 하는데, 인체의 생명활동이 안정적으로 잘 유지되고 있음을 보여주는 것이다.

인체의 기가 정보를 감응하고 전달하는 매체라는 인식은 고대 철학에서 기가 우주 만물의 연계를 중개한다는 사상의 영향을 받았다. 인체내의 각종 생명정보는 모두 체내에서 승강출입 운행하는 기를 통해서 감응 전달되고, 체내 각 장부、경락、조직、기관사이의 밀접한 연계를 구축하고 있다. 외재하는 정보는 내재하는 장부에서 감응 전달되고, 내재하는 장부의 각종 정보는 체표로 반영되며, 내재하는 장부의 각종 정보의 상호 전달은 모두 체내 무형의 기가 정보의 매체가 되어 감응하고 전달하는 것이다. 예컨대 내재하는 장부 정기의 정상 여부는 기를 매체로 하고 경락을 통로

53) 陰陽匀平 … 命曰平人 (素問·調經論)

로 삼아 체표의 상응하는 부위로 나타나는데, "心氣는 혀로 통한다[54]", "肝氣는 눈으로 통한다[55]", "脾氣는 입으로 통한다[56]", "肺氣는 코로 통한다[57]", "腎氣는 귀로 통한다[58]" 등이다. 장부에서 저장하고 있는 정기의 성쇠와 그 공능의 강약은 모두 기의 개입을 통해 얼굴과 혀 등 체표부위로 나타난다. 장부 사이의 각종 생명정보는 기를 매체로 하고 경맥이나 삼초를 통로로 하여 서로 전달되는데, 장부 간의 공능 협조를 유지하고 있다. 외부 체표에서는 각종 정보와 자극을 받아들이는데, 이 역시 기에 실려서 내재하는 장부로 전달된다. 예컨대 침、뜸、안마 등 자극은 경락을 흐르는 경기(經氣)에 실려 내장으로 전달됨으로써 조절하는 작용을 한다. 기의 중개작용을 통해 우주만물이 서로 감응한다는 고대 철학의 인식은 한의학에서 인체의 기가 생명정보를 실어 전달한다는 이론을 탄생시켰으며, 유비추리 방법을 제공하였다.

총괄하자면, 고대철학에서 말하는 精과 氣는 그 의미가 같고, 우주의 본원에 관한 개념이다. 한의학에서 말하는 인체내의 정과 기는 그 의미가 달라서 인체의 탄생과 유지에 관한 인식이다. 정과 기의 개념은 고대철학과 한의학에서 서로 구별되는데, 인체내 정과 기의 개념은 구체적이고, 우주에 있는 정이나 기의 개념은 매우 추상적이다. 고대 철학의 정기학설은 한의학에서 사유방법의 하나로 응용되었다.

2) 한의학의 정체관념 구축에 미친 영향

한의학의 정체관념은 인체 자체의 완정성과 사람과 자연이나 사회환경과의 밀접한 상응관계를 말한다. 이는 인체가 하나의 유기적인 통일체이며, 사람이 자연이나 사회환경에서 생활하는 가운데 반드시 자연이나 사회환경에서 일어나는 각종 변화의 영향을 받고, 또 자연과 사회환경에 적응하면서 인체의 생명활동을 유지한다는 것이다.

고대 철학의 정기학설은 정기의 개념이 자연、사회、인류의 각 층차를 포괄하고 있으며, 정기는 우주 만물을 구성하고 있는 본원으로, 자연 만물과 더불어 인류가 만들어지는 원천이고, 우주에서 운행되고 있는 정기는 각 유형의 물체 사이에서 정보를 전달하는 중개작용을 하며, 만물 사이에 감응을 일으킨다. 이러한 철학사상은 한의학에 스며들어 한의학으로 하여금 동원성(同源性)의 사유와 상호연관성의 관점을 형성하였고, 인체 자체의 완정성과 사람과 자연 사회환경과의 통일성으로 드러나는 정체관념을 구축하였다. 한의학은 사람과 자연 사회환경 사이에 각종 물질과 정보의 교류가 이루어지고 있음을 인정하고 있다. 폐、코、피부를 통해 체내외의 기가 교환되고 있으며, 감각기관을 통해 자연과 사회환경에 있는 각종 정보를 받아들이고 전달하고 있다. 그러므로 기의 중개작용을 통해 사람과 자연 사회환경은 서로 통일되어 있다. 자연과 사회환경의 각종 변화는 인체의 생리와 병리에 대해 일정한 영향을 주고 있다. 극렬한 기후 변화와 사회의 동요는 발병인자가 되며, 이는 인체에 영향을 미쳐 질병을 일으킨다. 한의학의 정체관념은 거시적인 관점과 자연과 사회의 다양한 양상을 강조하고 있으며, 인체의 생리와 병리 및 질병의 예방과 치료에 대해 전면적으로 걸쳐 있다.

54) 心氣通于舌 (靈樞·脈度)
55) 肝氣通于目 (靈樞·脈度)
56) 脾氣通于口 (靈樞·脈度)
57) 肺氣通于鼻 (太平聖惠方·卷第三十七)
58) 腎氣通于耳 (素問·陰陽應象大論)

제2절 음양학설

■ Pythagoras

동서양을 막론하고 인류는 인간을 포함하는 우주 만물에 대한 오랜 경험과 관찰을 통해 상대적인 관점을 가지고 있다. 서양의 경우, 그리스의 철학자 피타고라스 (Pythagoras, BC 582~507)가 "만약에 빛이 있으면 어둠이 있고, 차가움이 있으면 뜨거움이, 높이가 있으면 깊이가, 단단함이 있으면 부드러움이, 거칠음이 있으면 매끄러움이, 고요함이 있으면 격렬함이, 번영이 있으면 역경이, 삶이 있으면 죽음이 있다"59)고 한 것이 그 예이며, 동양에서는 고대 중국에서 기원한 음양학설이 대표적이다. 그러나 서양에서는 그 이후 더 이상 그러한 상대적인 관점이 학문의 주류로 발전하지 못했지만, 고대 중국에서는 음양의 의미와 그 운동변화의 원리를 연구하고 우주 모든 사물의 발생, 발전, 변화를 해석하는 소박한 대립통일이론으로서 우주의 본원을 탐구하고 해석하는 하나의 세계관이자 방법론으로 자리 잡았다.

음양관념의 기원은 매우 오래 되었는데, 하상대(夏商代) 혹은 더 거슬러 올라갈 수 있다. 그 이론의 형성이 늦게는 전국시대까지 내려오는데, 『역경(易經)』의 "한번 陰이고 한번 陽인 것을 道라고 한다"60)는 이미 음양이론을 확립한 것으로, 음과 양의 대립과 통일은 모든 사물에 걸쳐 있으며, 모든 사물의 운동과 변화 발전의 근원이자 원리이다. 전국과 진한 무렵에 나온『내경』은 음양학설을 이용하여 의학의 다양한 문제 및 사람과 자연계의 관계를 해석하고, 음양학설과 의학을 결합하여 한의학의 음양학설을 형성하였다. 음양학설은 한의학의 모든 영역에 적용되었는데, 그것은 한의학의 이론적인 도구이자 한의학 이론체계의 중요한 조성부분이다.

음양학설은 유형과 무형을 막론하고, 우주나 대지 위의 모든 만물이 보편적인 연계를 가지며, 쉬지 않고 운동하고 있는 것으로 본다. 그리고 모든 사물의 발전과 변화는 모두 음양의 상호작용 아래 일어나는 것으로 본다. 예컨대 하늘과 땅, 해와 달, 물과 불, 낮과 밤, 밝음과 어두움, 추위와 더위, 위와 아래, 삶과 죽음 등은 서로 관련되면서 대립되는 사물과 현상이기 때문에 이들은 모두 음양으로 나눌 수 있다.

음양학설은 모든 상호대립적인 사물이 천차만별이지만, 서로 상대적인 쌍방은 속성상 모두 두 가지 상반되는 경향을 나타낸다. 한 부류는 밝음, 활동, 흥분, 향상(向上), 온열, 향외(向外), 확산, 개방 등이며, 다른 한 부류는 어두움, 침정(沈靜), 억제, 향하(向下), 한량, 향내(向內), 응취, 폐합(閉闔) 등의 경향이다. 앞의 부류는 양에 속하고, 뒤의 부류는 음에 속한다. 음양은 구체적인 사물이나 현상으로부터 추상하여 사물 속성의 범주를 표시할 뿐이고 어떤 구체적인 사물을 대표하는 것은 아니기 때문에『영추 음양계일월(靈樞 陰陽繫日月)』에서 "무릇 음양이라 하는 것은 이름이 있으나 형체는 없는 것이다"61)라고 하여 음양이 어떤 속성에 대한 개념임을 분명히 하였다.

현재 우주의 행성 가운데 생명체가 존재하는지에 대한 탐사가 진행되고 있는데, 미국 항공우주국(NASA)은 생명

59) If there be light, then there is darkness; if cold, heat; if height, depth; if solid, fluid; if rough, smooth; if calm, tempest; if prosperity, adversity; if life, death

60) 一陰一陽之爲道 (易經)

61) 且夫陰陽者, 有名而無形 (靈樞·陰陽繫日月)

체가 태어나기 위한 기본적 조건을 "복잡한 유기 분자가 결합되기에 적합한 조건인 액체로서 물이 존재함과 동시에, 물질대사를 가능케 해 주는 에너지원을 공급받을 수 있는 곳"62)이라고 정의했다. 생명체 존재의 기본 조건은 에너지원인 항성의 주위에 있으면서 물이 액체상태로 있을 만큼 적당한 표면온도를 가져야 한다는 것이다. 이는 한의학에서 음양론을 채택하여 상대적인 균형을 추구해온 것과도 통한다. 양은 항성 가운데 하나인 태양에서 기원하는 불로, 음은 행성인 지구에 존재하는 물로 상징되었다. 그리고 인간을 비롯한 생명체가 존재하기 위한 적절한 조건으로서 음양의 균형이 요구되었다.

1. 음양의 개념

1) 음양의 기본 개념

음양은 자연계에서 상호 관련되는 사물의 대립되는 쌍방 속성의 요약이다. 그러므로『유경 음양류(類經 陰陽類)』에서 "음양은 하나가 나뉘어 둘이 된 것이다63)"라고 하였다.

■ 음양의 기원

음양의 최초 의미는 매우 소박한 것으로, 햇빛의 향배(向背)를 가리켜 말한 것인데, 햇빛을 향하고 있으면 양이고, 햇빛을 등지고 있으면 음이다. 그러므로『설문해자(說文解字)』에서 "양은 높고 밝은 것이다", "음은 어두운 것으로 수(水)의 남쪽이고 산의 북쪽이다64)"라고 하여 햇빛의 향배로써 음양을 정하였다. 햇빛이 비치는 곳은 밝고 따뜻하며, 그늘진 곳은 어둡고 춥기 때문에 그런 소박한 느낌으로부터 음양을 나누었다. 옛날 사람들은 생활하는 가운데 양극의 현상을 경험하였으며, 끊임없이 그 의미를 확대시킴으로써 하늘 땅, 위 아래, 해 달, 낮 밤, 물 불, 안 팎, 승강, 동정, 자웅(雌雄) 등 상반되는 사물과 현상이 모두 음양으로 개괄될 수 있었다.

음양 개념은 대략 서주시기에 형성되었다. 당시의 시가(詩歌) 중에 '음양'이라는 표현이 여러 군데에 나타나는데, 예를 들면『시경 대아(詩經 大雅)』에서 "그림자로 방향을 재어 그 음양을 보시고 또 그 흐르는 샘물을 살펴보시니 65)"라고 하였다.『역경』에서의 역괘(易卦)는 음효(陰爻)와 양효(陽爻)로 이루어진다. '- -'는 음을 표시하고, '—'은 양을 표

62) "The NASA Astrobiology Roadmap 'Goal 1: Understand the nature and distribution of habitable environments in the Universe'", ASTROBIOLOGY Vol. 8, No. 4, 2008
63) 陰陽者, 一分爲二也 (類經·陰陽類)
64) 陽, 高明也. 陰, 暗也. 水之南, 山之北也 (說文解字)
65) 既景乃岡, 相其陰陽, 觀其流泉 (詩經·大雅)

시하기 때문에 음양의 개념은 이미 서주시기에 형성되었음을 알 수 있다. 가장 이른 음양개념으로서 현재 볼 수 있는 자료는『국어 주어(國語 周語)』인데, 주선왕(周宣王)의 즉위 시(기원전 827년)에 괵문공(虢文公)이 宣王에게 적전(籍田)을 폐지할 수 없다고 설득하는 구절이 기재되어 있다. 거기에서 "음양의 기운이 널리 퍼지면서 번개와 우뢰가 생기며 땅이 기름지게 되는데, 이때 땅을 개간하지 않으면 형벌을 관장하는 사구(司寇)라는 벼슬아치의 책임이다"[66]라고 하였다. 또 주유왕(周幽王) 2年(기원전 780年)에 지진이 있었는데, 백양부(伯陽父)가 음양개념을 이용하여 지진의 형성을 해석하기를 "양이 엎드려 나오지 못하고 음이 눌러 올라가지 못하므로 지진이 일어난다"[67]고 하였다. 이상의 내용으로 보아, 서주 말기 사람들은 이미 음양으로 절기와 지진 등 다양한 자연 현상을 해석하였다.

춘추전국시대에 이르러 철학은 급속도로 발전하기 시작했고, 철학이론으로서의 음양학설도 점차 형성되었는데, 당시의 철학자들은 사물 내부에 존재하는 음양 두 가지의 대립하는 세력뿐만 아니라, 이 두 세력이 운동 변화하면서 상호작용하고 있음을 인식하였다. 음양의 상호작용은 우주의 모든 사물과 현상의 발생과 변화를 추동하고 있다. 예컨대,『관자 승마(乘馬)』에서는 "봄 가을 겨울 여름의 계절은 음양이 변화하여 나타나는 것이다. 시간의 길고 짧음은 음양으로 말미암은 것이다. 낮과 밤이 바뀌는 것도 음양으로 된 것이다[68]",『국어 월어(越語)』에서는 "양이 다하면 음이 되고 음이 다하면 양이 된다. 해가 지면 다시 뜨고, 달이 차면 기운다[69]"고 하였는데, 사계절과 밤낮의 교체, 해가 뜨고 지며, 날이 차고 기우는 것은 모두 음양 쌍방의 운동변화와 상호작용의 결과라고 본 것이다. 동시에 철학자들은 우주 만물이 모두 음양의 상반된 측면을 가지고 있으며, 음양의 상호작용으로 만들어진 충화지기(沖和之氣)는 사물의 발생、발전、변화를 추동하는 근원으로 보았다.『역전(易傳)』에서는 음양학설을 철학적으로 개괄하여 "하늘의 도를 세워서 음과 양이라 하고[70]"(『역전 설괘(說卦)』), "한번 陰이고 한번 陽인 것을 道라고 한다[71]"(『역전 괘사상』)고 하여 음양의 존재와 그 운동변화를 우주의 근본원리로 보았다. 선진(先秦)시기의 철학자들은 사물 내부에 존재하는 음양의 운동은 사물의 발생、발전、변화의 근본 원인이고, 음양의 상호작용、대립통일、소장전화(消長轉化)는 사물 운동변화의 기본 원리로 보았기 때문에 음양학설이 당시 사람들이 세계를 인식하는 하나의 방법론으로 형성되었음을 알 수 있다.

춘추전국시기 의사들은 음양개념을 의학에 이용하기 시작하였다.『좌전 소공원년(左傳 昭公元年)』(기원전 541년)에 보면, 秦의 명의 의화(醫和)가 진후(晋侯)의 병을 진찰하면서 "하늘에 六氣가 있는데, 이것이 땅으로 내려오면 오미(五味)가 생기고, 색으로 나타나면 오색(五色)이 되고, 음률로는 오성(五聲)이 되고, 음기(淫氣)가 되면 육질(六疾)이 생긴다. 六氣는 음양풍우회명(陰陽風雨晦明)이다. 사시(四時)로 나뉘고, 차례로는 오절(五節)이 되는데, 지나치면 재앙이 된다. 陰으로 잘못되면 한질(寒疾)이 되고, 陽으로 잘못되면 열질(熱疾)이 되며, 風으로 잘못되면 사지말단의 병을 일으키고, 雨로 잘못되면 복부의 병을 일으키며, 회(晦)에 잘못되면 정신이 미혹되는 병을 일으키고, 明에 잘못되면 마음의 병을 일으킨다"[72]고 하였다. 전국에서 진한교체기에 완성된『내경』에서는 음양학설을 운용하여 많은 의학적인 문제와 사람과 자연계의 관계를 해석하였으며, 음양학설과 의학을 밀접하게 결합함으로써 한의학의 중요한 사유 방법의 하나가 되었다.

---

66) 陰陽分布, 震雷出滯, 土不備墾, 壁在司寇 (國語·周語上)
67) 陽伏而不出, 陰迫而不能蒸, 于是有地震 (國語·周語上)
68) 春秋冬夏, 陰陽之推移也; 時之長短, 陰陽之利用也; 日夜之易, 陰陽之化也 (管子·乘馬)
69) 陽至而陰, 陰至而陽, 日困而還, 月盈而匡 (國語·越語)
70) 立天之道, 曰陰與陽 (易傳·說卦)
71) 一陰一陽之謂道 (易傳·繫辭上)
72) 天有六氣, 降生五味, 發爲五色, 徵爲五聲, 淫生六疾. 六氣曰陰陽風雨晦明也. 分爲四時, 序爲五節, 過則爲菑. 陰淫寒疾, 陽淫熱疾, 風淫末疾, 雨淫腹疾, 晦淫惑疾, 明淫心疾 (左传·定公元年)

2) 사물의 음양속성

음양은 서로 관련되면서 대립되는 사물과 현상뿐만 아니라, 하나의 사물 내부에서 대립하고 있는 두 가지 측면을 표시할 수 있다. 전자에는 하늘과 땅, 해와 달, 낮과 밤, 물과 불 등이 해당되고, 후자에는 한(寒)과 열(熱), 승(升)과 강(降), 명(明)과 암(暗), 인체 내부의 기(氣)와 혈(血), 장(臟)과 부(腑) 등이다. 일반적으로 운동, 외향, 상승, 온열, 무형, 밝음, 흥분적인 것은 모두 양에 속하고, 상대적으로 정지, 내수(內守), 하강, 한랭, 유형, 어두움, 억제적인 것은 모두 음에 속한다. 예를 들어, 천지로 말하자면 "하늘은 양이요, 땅은 음이다"[73]로, 天氣는 맑고 가벼워 위로 향하므로 양에 속하고, 地氣는 탁하고 무거워 아래로 향하므로 음에 속한다. 水火로 말하자면, "물은 음이요, 불은 양이다"로[74], 물의 성질이 차가우면서 아래로 적셔 내리므로 음에 속하고, 불의 성질은 뜨거우면서 위로 타오르므로 양에 속한다. 물질의 운동 변화로 말하자면, "양은 기로 바뀌고, 음은 형을 이룬다"[75]고 할 수 있는데, 물질이 유형으로부터 변하여 무형이 되는 과정은 양에 속하고, 물질이 무형의 기로부터 응축하여 형을 이루어 유형의 물질이 되는 과정은 음에 속한다. 음과 양의 상대 속성을 의학의 영역에 도입하면, 인체 가운데 비어 있고, 외향, 미산(彌散), 추동, 온후, 흥분, 승거(升擧) 등의 특성을 가진 사물과 현상은 모두 양에 속하고, 속이 가득 차 있고, 내수(內守), 응축, 영정(寧靜), 양윤(凉潤), 억제, 침강(沈降) 등의 특성을 가진 사물과 현상은 모두 음에 속한다. 즉, 臟은 음이고 腑는 양이며, 精은 음이고 氣는 양이며, 영기(營氣)는 음이고 위기(衛氣)는 양이다

사물의 음양속성은 절대적인 것이 아니라 상대적인 것이다. 이러한 상대성은 두 가지 양상으로 나타나는데, 하나는 음양의 쌍방이 비교를 통해 음양으로 나뉘는 것이기 때문에 단일 사물의 경우 음양을 정할 수 있는 방법이 없다. 예를 들어 60℃의 물을 10℃의 물과 비교하면 분명히 양에 속하지만, 100℃의 물과 비교하면 음에 속한다. 또 하나는 음양 중에 또 다시 음양이 있는 것으로 나타난다. 예를 들어 낮은 양이 되고, 밤은 음이 되는데, 낮의 오전과 오후를 상대적으로 말하자면, 오전은 양중의 양이 되고 오후는 양중의 음이 되며, 어두운 밤의 자정 이전과 이후를 상대적으로 말하자면, 자정 이전은 음중의 음이 되고 이후는 음중의 양이 된다. 그래서 음양에 또 음양이 있다고 하는 것이다. 이로써 우주 간의 어떤 사물이라도 모두 음과 양으로 개괄할 수 있으며, 모든 사물의 내부는 다시 음과 양의 두 가지 측면으로 나눌 수 있음을 알 수 있다. 이처럼 사물이 서로 대립하면서도 서로 연계되는 현상은 자연계에 무궁무진하다. 그래서 『소문 금궤진언론(金匱眞言論)』에서 "음 가운데에 양이 있고, 양 가운데에 음이 있다"[76], 『소문 음양이합론(陰陽離合論)』에서 "음양은 열을 세어 백을 추단할 수 있고, 천을 세어 만을 추단할 수 있다. 만의 크기는 능히 셀 수 없으니 결국 그 요점은 하나다"[77]라고 하였다.

음양의 기본 개념에 대하여 명대의 장개빈은 『유경 음양류(陰陽類)』에서 "음양은 하나가 둘로 나뉜 것이다"[78]라고 하였다. 엄격하게 말해서 어떤 사물도 임의로 음양을 나눌 수 없다. 寒은 양에 속하고, 熱은 음에 속한다고 할 수 없으며, 또한 여자는 양에 속하고, 남자는 음에 속한다고 할 수 없는데, 반드시 음과 양이 가지는 특유의 속성에 따라 하나가 둘로 나누어져야 비로소 음양인 것이다. 그러므로 비교적 완정하면서도 간요한 기본 개념은 바로 "음양은 특정한 속성으로 하나가 둘로 나누어진 것"이다.

73) 天爲陽, 地爲陰 (素問·陰陽離合論)
74) 水爲陰, 火爲陽 (素問·陰陽應象大論)
75) 陽化氣, 陰成形 (素問·陰陽應象大論)
76) 陰中有陽, 陽中有陰 (素問·金匱眞言論)
77) 陰陽者, 數之可十, 推之可百, 數之可千, 推之可萬, 萬之大, 不可勝數, 然其要一也 (素問·陰陽離合論)
78) 陰陽者, 一分爲二也 (類經·陰陽類)

2. 음양학설의 기본 내용

음양학설의 기본 내용은 음양의 상호교감、대립제약、호근호용、소장평형과 상호전화 등의 측면에서 설명할 수 있다.

1) 음양의 상호 교감(相互 交感)

음양의 교감은 음양의 두 氣가 운동 중에 서로 감응하여 교합하는 과정을 말한다.『역전 함(咸)』에서는 "咸은 감(感)과 같다. 부드러운 것은 아래로 내려가고 굳건한 것은 위로 올라가, 그 두 가지 기가 서로 감응하여 함께 한다"79), "천지가 감응하여 만물이 화생한다"80)고 하여 음양의 교감이 만물 화생(萬物化生)의 근본 조건이라고 하였는데, 만약 음양의 두 氣가 운동 중에 교합 감응하지 못하면 새로운 사물이나 개체가 태어날 수 없다. 그러므로『역전 계사하』에서 "천지가 쌓이고 합함에 만물이 감화되어 두터워진다. 남녀의 精이 얽혀 만물이 화생한다"81)고 하였는데, ''천지인온(天地氤氳)'(천지가 쌓이고 합함)'은 천지 음양의 두 기가 교합하는 교감을 말한다. 음양 두 기가 서로 교감하여 점차 응고되면서 유형의 만물이 형성됨을 가리킨다. ''남녀구정(男女媾精)'(남녀의 精이 섞임)'은 음양 두 성의 정기의 교합을 가리킨다. 여기에서 '남녀'는 인류의 남녀 두 성을 가리킬 뿐만 아니라, 생물계의 자웅을 광범위하게 가리킨다. 천지 음양 두 기의 교감이나 자웅 두 성의 정의 교합으로 인해 유형의 만물과 새로운 개체가 비로소 탄생하는 것이다.

『내경』에서는 천지 음양 두 기의 교감운동에 대하여 깊은 이해가 있었는데,『소문 천원기대론(天元紀大論)』에서 "하늘에 음양이 있고 땅에도 음양이 있다. 동정(動靜)이 서로를 불러 위아래에 함께 하니 음양이 서로 섞여 변화하여 만물이 생기는 것이다"82)라고 하였다. '상소(相召)'、'상임(相臨)'、'상착(相錯)'은 모두 천지 음양의 기가 서로 감응하여 교합하는 것을 말한다.『내경』에서는 천지 음양 두 기의 상호 감응과 교합을 만물의 발생과 변화의 근본 이유로 보았는데,『소문 육미지대론(六微旨大論)』에서 "천기가 하강하여 기가 땅으로 흘러 들어가고, 지기가 상승하여 기가 하늘로 솟아오른다. 이에 위아래가 서로를 불러 승강이 일어나 변화가 일어나는 것이다"83)라고 하였다.

자연계에서 하늘의 양기가 하강하고 땅의 음기가 상승하여 음양의 두 기가 교감하면 구름、안개、번개、비、이슬을 형성하고, 생명이 탄생하여 만물이 만들어진다. 햇볕과 우로(雨露)와 목욕(沐浴)과 자윤(滋潤)으로 만물은 성장한다. 인류의 경우 남녀가 구정(媾精)하여 새로운 생명이 탄생하고 인류가 번성하게 된다. 만약 음양의 교감운동이 없으면 생명이 없고, 자연계도 없다. 따라서 음양 교감은 생명이 태어나는 기본 조건으로 볼 수 있다.

음양 교감은 음양 두 기 운동의 과정에 진행되는데, 음양 두 기의 운동이 없으면 음양의 교감 역시 일어나지 않는다. 따라서 음양 두 기의 운동은 음양의 교감이 실현되는 기초이며, 음양의 교감은 음양 두 기가 운동 중에 서로 감응하는 하나의 과정으로, 음양의 운동과정 중에서 가장 좋은 상태라고 할 수 있다. 이와 같이 가장 좋은 상태의 실현은 음양 두 기의 운동과정 중의 평형과 협조에서 오는 것으로, 고대 중국철학에서 말하는 '화(和)'이다. 예를 들어『노자 사십이장』에서 "道는 一을 낳고, 一은 二를 낳고, 二는 三을 낳고, 三은 만물을 낳는다. 만물은 음을 지고 양을 감싸는데 충기(冲氣)가 이에 조화롭게 된다"84)고 하였는데, '충기이위화(冲氣以爲和)'는 음양 두 기가 운동하여 화해 상태

79) 咸, 感也. 柔下而剛上, 二氣感應以相與 (易傳·咸)
80) 天地感而萬物化生 (易傳·咸)
81) 天地氤氳, 萬物化醇, 男女媾精, 萬物化生 (太平御覽·敘人)
82) 天有陰陽, 地亦有陰陽, … 動靜相召, 上下相臨, 陰陽相錯, 而變由生也 (易傳·繫辭下)
83) 天氣下降, 氣流于地; 地氣上升, 氣騰于天. 故高下相召, 升降相應, 而變作矣 (素問·六微旨大論)
84) 道生一, 一生二, 二生三, 三生萬物, 萬物負陰而抱陽, 冲氣以爲和 (老子·四十二章)

에 도달하면 교감작용을 일으켜 만물이 만들어지는 것을 말한다. 운동하는 화해의 기는, 곧 노자가 말한 '충기'이다. 장자는 노자의 사상을 계승하여 역시 같은 인식을 가졌는데, "지극한 음은 고요하기 그지없고 지극한 양은 활발하게 약동한다. 그지없이 조용한 것은 하늘로부터 나오고 활발하게 약동하는 것은 땅으로부터 나온다. 이 둘이 서로 통하여 조화를 이루는데, 조화를 이루는 그 속에서 만물이 생긴다"85)고 하였다.『관자』는 사람의 생성에 대하여 "무릇 사람이 생김에 하늘에서 그 精을 내고 땅에서 그 형체를 내니, 이것이 합하여 사람이 되는 것이다. 조화로우면 생기고 조화롭지 않으면 생기지 않는다"86)고 하였는데, 그는 여기에서 '和'와 '生'의 관계를 특별히 강조하고 있다.

음양 교감의 이론은 음양 두 기가 영원히 운동하고 있으며, 그들은 운동과정 중에 서로 만나고, 또 화해상태에 이르면 교감작용을 일으킨다는 것이다. 음양의 상호교감은 대립하고 있는 두 부류의 사물이나 역량을 하나로 통일시킴으로써 자연계를 만들고, 만물을 만들며, 인류를 만들고, 동시에 자연계가 항상 운동 변화하는 가운데 있도록 한다.

2) 음양의 대립 제약(對立 制約)

대립은 상반(相反)의 의미로, 예컨대 상하、천지、동정、출입、승강、주야、명암、화수(火水)、한열 등이다.

음양의 상반은 음양의 상호제약에 이른다. 예를 들면 온열은 한냉을 몰아낼 수 있고, 얼음은 고온을 내릴 수 있으며, 물은 불을 끌 수 있고, 불은 물을 끓여서 기로 바뀌게 하는 등이다. 온열과 火는 양에 속하고, 한냉과 水는 음에 속하는데, 이것이 바로 음양 사이의 상호제약이다. 음양 쌍방간 제약의 결과로 사물은 동적 평형 (dynamic equilibrium)을 얻을 수 있다. 인체의 생리기능으로 말하자면, 기능의 항진은 양이고, 억제는 음에 속하며, 양자는 상호 제약하여 인체기능의 동적 평형을 유지하며, 이것이 바로 인체의 정상 생리상태이다. 장경악(張景岳)은『유경도익 의역(類經圖翼 醫易)』에서 "움직임이 극한 것은 고요함으로 누르고, 음이 지나치면 양으로 제압해야 한다"87)고 하였는데, 이는 그가 치법 가운데 동과 정、음과 양 사이에 상호 대립하면서 제약하는 것을 운용하여 질병을 치유하는 이론을 개괄한 것이다. 음양 대립하는 양측은 서로 무관하게 하나의 통일체에 같이 있는 것이 아니라, 시시각각으로 상대방을 서로 제약하고 있다.

3) 음양의 호근 호용(互根 互用)

음양호근은 모든 사물이나 현상 가운데 서로 대립되는 음양의 양쪽이 서로 의존하면서 서로 근원이 되는 관계를 가리킨다. 즉, 음과 양은 어느 한 쪽이 다른 한 쪽을 떠나서 홀로 존재할 수 없고, 매 一方은 모두 상대적인 다른 一方의 존재를 자기 존재의 전제와 조건으로 삼는다. 예를 들면, 上은 양이 되고, 下는 음이 되는데, 上이 없으면 下 역시 말할 수 없고, 下가 없으면 上 역시 말할 수 없다. 熱은 양이 되고, 寒은 음이 되는데, 熱이 없으면 寒을 말할 수 없고, 寒이 없으면 熱 역시 말할 수 없는 등, 양은 음에 의존하고, 음은 양에 의존하고 있다. 한의학에서는 음양의 이러한 상호의존관계를 '호근'이라고 한다.

'호용'은 음양 쌍방이 끊임없이 상대방을 자생(資生)、촉진、조장하는 것을 가리킨다. 예를 들면,『소문 생기통천론(生氣通天論)』에서 "음은 精을 저장하여 수시로 氣를 만들고, 양은 밖을 지켜서 견고하게 한다"88)고 하였는데, 이는 체내에 저장된 음정(陰精)은 끊임없이 생겨나 양기(陽氣)가 되며, 신체의 바깥을 지키는 양기는 음정이 안에서 간직될 수 있도록 하는 것을 말한다.『소문 음양응상대론(陰陽應象大論)』에서 "음은 안에 있어 양이 이를 지켜주고, 양은

85) 至陰肅肅, 至陽赫赫, 肅肅出乎天, 赫赫出乎地, 兩者交通, 成和而物生焉 (莊子外篇·田子才)
86) 凡人之生也, 天出其精, 地出其形, 合此以爲人. 和乃生, 不和不生 (管子·內業)
87) 動極者鎭之以靜, 陰亢者勝之以陽 (類經附翼·醫易)
88) 陰者, 藏精而起亟也; 陽者, 衛外而爲固也 (素問·生氣通天論)

밖에 있어 음이 이를 부린다"89)고 하였는데, 이는 음정이 안에 있으면서 양기의 근거가 되며, 양기는 밖에 있으면서 음정의 사역임을 설명한 것이다.

『내경』 이래로 학자들은 음양 호근 호용의 기전을 다양하게 해석하였는데, 『의관폄 음양론(醫貫砭 陰陽論)』에서 "음양은 서로 그 뿌리가 되어, 양은 음에 뿌리를 두고 음은 양에 뿌리를 둔다. 양이 없으면 음도 생길 수 없고, 음이 없으면 양도 될 수 없다"90)고 하였으며, 『의관 음양호근론(醫貫 陰陽互根論)』에서는 "양은 스스로 설 수 없고 음을 얻어야만 일어설 수 있으니 음이 양의 기초가 되고, 음이 양의 어미가 되는 것이다. 음은 스스로 볼 수 없고 양을 얻어야만 볼 수 있으니 양이 음을 제어하고, 양이 음의 아비가 되는 것이다. 양에 뿌리를 두고 음에 뿌리를 두니, 곧 자연과 사람이 하나의 이치이다"91)라고 하였다.

4) 음양의 소장평형(消長平衡)

'소(消)'는 감소이고, '장(長)'은 증가이다. '음양소장'은 한 사물 가운데 음양의 양(量)과 음양 사이의 비례가 한 번 이루어지면 불변하는 것이 아니라, 끊임없이 소장 변화하는 것을 의미한다.

음양소장은 대개 네 가지로 나뉘어진다.

(1) 차장피소(此長彼消)

음장양소(陰長陽消), 양장음소(陽長陰消)로, 서로 간의 제약이 너무 지나친 경우이다. 음양은 서로 대립하면서 제약하는 가운데 쌍방 간에 세력이 비슷하면 상대적인 평형을 유지하게 되는데, 만약 어떤 이유로 음양의 어느 한 쪽이 증가하여 지나치게 강성해지면 반드시 다른 쪽의 역량을 제약하여 소멸시킨다. 질병 가운데 열성상음(熱盛傷陰)과 한성상양(寒盛傷陽)이 여기에 해당되는데, 『소문 음양응상대론』에서 "양이 성하면 열병(熱病)이 생기고, 음이 성하면 한병(寒病)이 생긴다"92)고 하였다.

(2) 차소피장(此消彼長)

음소양장(陰消陽長), 양소음장(陽消陰長)으로, 서로 간의 제약이 모자라서 된 경우이다. 음양이 서로 제약하면서 평형이 유지되는데, 만약 음양 가운데 어느 한 쪽이 부족하여 다른 쪽을 제약하지 못하면 반드시 다른 쪽을 증가시키거나 심지어 편항(偏亢)케 한다. 질병 가운데 음허화왕(陰虛火旺)과 양허음성(陽虛陰盛)이 이에 속하는데, 당의 왕빙이 『소문 지진요대론』에 대해 "水의 주(主)를 장실하게 하여 양의 빛을 억제하고, 火의 원(源)을 더하여 음의 그늘을 없앤다"93)고 주해한 것은 전적으로 이런 부류의 병기를 설명하는 것이다.

(3) 차장피역장(此長彼亦長)

음장양장(陰長陽長), 양장음장(陽長陰長)으로, 호근 호용의 관계에서 일어나게 된다. 음양의 쌍방이 서로 의뢰하

---

89) 陰在內, 陽之守也; 陽在外, 陰之使也 (素問·陰陽應象大論)

90) 陰陽又各爲其根, 陽根于陰, 陰根于陽; 無陽則陰無以生, 無陰則陽無以化 (醫貫砭·陰陽論)

91) 陽不能自立, 必得陰而後立, 故陽以陰爲基, 而陰爲陽之母; 陰不能自見, 必得陽而後見, 故陰以陽爲統, 而陽爲陰之父. 根陽根陰, 天人一理也 (醫貫·陰陽互根論)

92) 陽勝則熱病, 陰勝則寒病 (素問·陰陽應象大論)

93) 壯水之主, 以制陽光; 益火之源, 以消陰翳 (素問·至眞要大論)

고 서로 도와주는 것을 호근 호용이라고 한다. 호용의 관계에서는, 어느 한 쪽이 왕성해지면 다른 쪽도 역시 그를 따라 증가하게 되는데, 임상적으로 보기(補氣)하여 생혈(生血)하고, 보혈(補血)하여 양기(養氣)하며, 양에서 음을 구하고, 음에서 양을 구하는 등의 치법은 모두 이를 이론적인 기초로 삼고 있다.

(4) 차소피역소(此消彼亦消)

음소양소(陰消陽消), 양소음소(陽消陰消)로, 호근 호용의 관계가 부족하거나 허약한 양상에서 나타난 것이다. 음양 가운데 어느 한 쪽이 허약해져 다른 쪽을 자생 조장하지 못하면, 결과적으로 다른 쪽도 따라 소멸되어 허약해진다. 임상적으로 자주 나타나는 기허(氣虛)로 인한 혈허(血虛), 혈허로 인한 기허, 양손급음(陽損及陰)과 음손급양(陰損及陽) 등은 모두 이에 속한다. 음양소장은 단지 음양변화의 과정일 뿐이고, 이런 과정이 일어나는 근본적인 원리는 음양의 대립제약과 호근 호용이다. 세상에 존재하는 사물은 매우 복잡하고, 변화가 다양하며, 성질이 각기 다르기 때문에 각종 사물의 음양적 관계 역시 각각 달라진다. 예컨대 寒과 熱은 대립과 제약을 위주로 하며, 氣와 血의 음양적 관계는 호근 호용을 위주로 한다. 바로 이러한 이유로 일단 지나친 음양소장이 나타날 때, 전자는 '차장피소', '차소피장'으로 표현되고, 후자는 '차장피역장', '차소피역소'로 표현된다. 음양소장이 완만하여 일정한 범위 내에 있는 것을 평형이라고 한다. 예컨대 일년 가운데 봄에는 양장음소(陽長陰消)하고, 여름에는 확연하게 양이 음보다 왕성하며, 가을에는 음장양소(陰長陽消)하고, 겨울에는 현저하게 음이 양보다 왕성하다. 하루 가운데 아침에는 양장음소(陽長陰消)하고, 낮에는 양이 가장 왕성하며, 황혼에는 음장양소(陰長陽消)하고, 밤에는 음이 가장 왕성하다. 사람 역시 자연과 상응하여 낮에는 양이 많고 음이 적어 흥분되면서 체온이 다소 높고, 밤에는 음이 많고 양이 적어하여 억제되면서 체온이 다소 낮다. 자연계와 인체의 음양은 소장 변화하는 가운데 있다고 볼 수 있는데, 다만 이러한 소장이 완만하여 일정한 한도를 넘어서지 않으면 평형상태에 있는 것으로 볼 수 있다. 만약 소장이 지나쳐서 평형이 파괴되면, 자연계에서는 한파、무더위、물난리、가뭄 등의 재해가 발생하고, 인체에서는 한증、열증、허증、실증 등과 같은 병변을 일으킨다.

5) 음양의 상호전화(相互轉化)

'음양전화'는 어떤 사물의 총체적인 속성이 일정 조건하에서 그와 상반된 방향으로 바뀌는 것을 말한다. 양에 속한 사물이 음에 속하는 사물로 바뀌고, 음에 속한 사물이 양에 속하는 사물로 바뀌는 것인데, 기후를 예로 들면, 양에 속하는 여름 날씨가 음에 속하는 겨울 날씨로, 음에 속하는 겨울 날씨가 역시 양에 속하는 여름 날씨로 바뀔 수 있는 것이다. 병증의 경우도, 양에 속하는 열증이 음에 속하는 한증으로 바뀔 수 있고, 음에 속하는 한증 역시 양에 속하는 열증으로 바뀔 수 있는 것이다.

'음양전화'는 음양운동의 기본 형식이다. 음양 쌍방의 소장운동이 발전하여 일정한 단계에 이르면 사물 내부 음양의 비율이 뒤바뀌어서 해당 사물의 속성이 바뀌기 때문에 '전화'를 소장의 결과라고 하는 것이다. 음양의 상호전화는 일반적으로 발전변화의 '물극(物極)' 단계에서 발생하기 때문에 '물극필반(物極必反)'이라고 한다. 그러므로 사물의 발전과정 중에서 '음양소장'을 양변(量變)의 과정이라고 한다면 '음양전화'는 양변을 기초로 한 질변(質變)이라고 할 수 있다.

『내경』에서는 "음이 거듭되면 반드시 양이 되고, 양이 거듭되면 반드시 음이 된다"[94), "寒이 다하면 열이 생기고,

94) 重陰必陽, 重陽必陰 (素問·陰陽應象大論)

熱이 다하면 한이 생긴다"95), "物이 생김은 화(化)를 따르고, 物이 다함은 변(變)으로 말미암는다"96)고 하여 '음양전화'의 기전을 해석하였다. '생화극변(生化極變)'은 사물의 발생 발전의 원리이다. 어떤 사물도 모두 끊임없이 운동 변화하는 과정 중에 있으므로 정지하여 변하지 않는 것은 불가능하다. 그러므로『소문 육미지대론』에서 "성패(成敗)와 의복(倚伏)은 움직임에서 생기고, 움직여 멈추지 않으면 변화가 일어난다"97)고 하였는데, 사물의 발생、발전 원리는 모두 작은 데서부터 큰 데에 이르고 성했다가 쇠하는 것이며, 사물의 발전이 극점에 이르면 그와 반대되는 측면으로 바뀐다.『소문 육미지대론』의 "物이 생김을 化라고 한다"98)는 사물이 작은 데서 큰 데에 이르는 발전단계를 말하며, "物이 다함을 變이라고 한다"99)는 것은 사물의 발전이 극점에 이르면 성한 데서 쇠하여 그와 상대면으로 바뀌는 단계를 가리킨다. 이로써 음양의 상호전화는 모든 사물의 발전하는 과정 중에 존재하는 "物이 다하면 반드시 반대로 변한다"100)는 원리를 가리킨다. "음이 더해지면 반드시 양이 되고, 양이 더해지면 반드시 음이 된다(重陰必陽, 重陽必陰)"의 '중(重)', "한이 극(極)하면 열이 생기고, 열이 극하면 한이 생긴다(寒極生熱, 熱極生寒)"의 '극(極)' 및 "한이 심하면 열이 되고, 열이 심하면 한이 된다(寒甚則熱, 熱甚則寒)"101)의 '심(甚)'은 사물에서 전화(轉化)가 발생하는 내부 인자이자 조건이다.

음양의 상호전화는 점변의 형식뿐만 아니라, 돌변의 형식으로도 나타날 수 있다. 예컨대 일년 사계절에 일어나는 더위와 추위의 교차, 하루 중 주야의 바뀜 등은 '점변'의 형식에 속하고, 여름날 매우 더운 날씨의 갑작스러운 추위와 우박, 급성 열병으로 고열이 나다가 갑작스러운 체온 하강과 사지궐냉 등은 '돌변'의 형식에 속한다.

질병의 발전과정 중에 음양의 전화는 항상 일정 조건하에서의 표증과 이증、한증과 열증、허증과 실증、음증과 양증의 상호 전화로 나타난다. 예를 들어 사열옹폐(邪熱壅肺)의 환자가 고열、면적、기침、기조(氣粗)、번갈、맥삭유력(脈數有力) 등을 나타내면 양열실증(陽熱實證)에 속한다. 극열(極熱)한 상태에서 정기(正氣)를 대량으로 모상(耗傷)하면 갑자기 안색창백、사지궐냉、정신위미、맥미욕절(脈微欲絕) 등의 허한(虛寒)한 음증이 나타난다. 또 한음중조(寒飮中阻)의 환자는 본래 음증인데, 한음(寒飮)이 오래 머물러 있거나 약이 원인이 되어 한음이 열로 바뀌어 양증으로 바뀔 수 있다. 상술한 두 가지 병례 가운데 전자는 열독이 극히 중하고, 후자는 한음이 오래 머물러 열로 바뀐 것으로 음양의 상호전화를 촉발하는 내재 인자이자 조건이다.

이상의 내용을 종합하면, 음양의 교감、대립 제약、호근 호용、소장 평형 및 상호 전화는 서로 다른 측면에서 음양 사이의 상호관계와 그 운동의 원리를 설명하는 것이고, 그들은 서로 고립된 것이 아니라, 서로 연계되어 있다. '음양교감'은 음양의 가장 기본적인 전제이다. 만물은 음양의 교감에서 생겨 나고 음양의 교감이 없으면 세계 만물이 존재할 수 없다. 음양의 '호근 호용'은 음양 쌍방이 피차 의존하고 서로 촉진하며, 서로 쓰임이 되고, 분리될 수 없음을 설명하는 것이다. '대립 제약'은 음양의 가장 보편적인 원리로, 사물 내부의 음과 양은 대립과 제약을 통해서 평형을 얻는다. 음양의 '대립 제약'과 '호근 호용'은 음양학설 가운데 가장 근본적인 원리이다. '음양 소장'은 음양운동의 형식으로, 음양의 소장이 안정적으로 일정한 범위 내에 있으면 동적 평형을 얻게 된다. 음양의 '상호 전화'는 또한 음양운동의 기본

95) 寒極生熱, 熱極生寒 (素問·陰陽應象大論)
96) 物之生從于化, 物之極由乎變 (素問·六微旨大論)
97) 成敗倚伏生乎動, 動而不已, 而變作矣 (素問·六微旨大論)
98) 物生謂之化 (素問·六微旨大論)
99) 物極謂之變 (素問·六微旨大論)
100) 物極必反 (文子·九守)
101) (靈樞·論疾診尺)

형식이며, '음양소장'의 결과이다. 음양 운동은 영원한 것이며, 평형은 상대적인 것이다. 다만 이런 상대적 평형은 자연계와 인류에 대하여 지극히 중요한데, 만약 이러한 상대적인 평형이 없으면 운동과 상호전화의 과정에서 끊임없이 문제가 발생하여 물질세계가 순식간에 변화하며 상대적으로 안정된 물질의 형태가 불가능해지고, 생명현상 역시 당연히 존재할 수 없다.

3. 음양학설의 한의학에서의 응용

음양학설은 한의학 전 분야에 걸쳐 인체의 조직구조, 생리기능, 병리변화에 대한 설명과 아울러 임상에서 진단과 치료에 응용되고 있다.

1) 인체의 조직구조를 설명한다

음양학설에서는 인체가 음양의 결합으로 이루어진 유기적인 통일체로서, 각 조직 구조는 그 부위와 기능적 특징에 근거하여 그 음양 속성을 나눌 수 있는 것으로 보고 있다. 『소문 보명전형론(寶命全形論)』에서 "사람이 태어나 형체를 갖춤에 음양을 떠날 수 없다"102)고 하였으며, 또 『소문 금궤진언론』에서는 "무릇 사람의 음양을 논하자면, 바깥은 양이요 안은 음이다. 몸의 음양을 논하자면, 등은 양이요 배는 음이다. 인체 장부의 음양을 논하자면, 臟은 음이고 腑는 양이며, 간、심、비、폐、신 오장은 모두 음이고, 담、위、대장、소장、방광、삼초 육부는 모두 양이다"103)라고 하여 더욱 구체적으로 설명하였다.

인체 장부조직의 음양 속성을 확정하는 데는 대체로 두 가지 방식이 있다. 첫째는 신체구조에 근거한 것으로, 예를 들면 상하부위를 상대적으로 말해서 上은 양이고, 下는 음이며; 체표와 체내를 말하자면, 체표는 양이 되고 체내는 음이 되며; 구간(軀幹)의 앞뒤로 말하자면, 뒤의 등은 양이고 앞의 배는 음이며; 사지의 안팎을 말하자면, 바깥쪽은 양이 되고, 안쪽은 음이 되는 등이다. 둘째는 생리활동의 상대적인 속성에 근거한 것인데, 예컨대, 오장(五臟)의 "정기를 저장하고 내보내지 않는다"104)와 육부(六腑)의 "음식물을 이동시키고 소화시키되 저장하지 않는다"105)를 상대적으로 말하자면, 오장은 음에 속하고, 육부는 양에 속하는 등이다. 음양의 속성은 무한히 나눌 수 있기 때문에 음양을 다시 음양으로 나눌 수 있다. 예를 들어 등과 배를 음양으로 나누면 "등은 양인데, 양 중의 양은 心이다. 등은 양인데 양 중의 음은 肺이다. 배는 음인데 음 중의 음은 腎이다. 배는 음인데 음 중의 양은 肝이다. 배는 음인데 음 중의 지음(至陰)은 脾이다"106)라고 할 수 있다. 하나의 臟도 음양으로 나눌 수 있는데, 예를 들어 心에는 심음과 심양이 있고, 肝에는 간음과 간양이 있으며, 腎에는 신음과 신양이 있는 등이다.

인체의 경락계통 역시 음양으로 나뉘는데, 그 중에서 정경(正經)인 십이경맥(十二經脈)은 수족삼음삼양(手足三陰

102) 人生有形, 不離陰陽 (素問·寶命全形論)
103) 夫言人之陰陽, 則外爲陽, 內爲陰. 言人身之陰陽, 則背爲陽, 腹爲陰. 言人身之藏府中陰陽, 則臟者爲陰, 腑者爲陽, 肝心脾肺腎五臟, 皆爲陰, 膽胃大腸小腸膀胱三焦六腑, 皆爲陽 (素問·金匱眞言論)
104) 藏精氣而不瀉 (素問·五臟別論)
105) 傳化物而不藏 (素問·五臟別論)
106) 背爲陽, 陽中之陽, 心也; 背爲陽, 陽中之陰, 肺也. 腹爲陰, 陰中之陰, 腎也; 腹爲陰, 陰中之陽, 肝也; 腹爲陰, 陰中之至陰, 脾也 (素問·金匱眞言論)

三陽)으로, 양경(陽經)은 지체의 외측면을 지나고, 음경(陰經)은 지체의 내측면을 순행한다. 기경팔맥(奇經八脈) 가운데 교맥(蹻脈)과 유맥(維脈)에서 몸의 내측을 지나는 것을 음교,음유라 하고, 몸의 외측을 지나는 것을 양교,양유라고 한다. 독맥(督脈)은 배부(背部)를 지나면서 양경의 기능을 총감독하므로 '양맥(陽脈)의 바다'라 하고, 임맥(任脈)은 복부(腹部)를 지나면서 각 음경의 작용을 임양(任養)하는 작용을 갖추고 있으므로 '음맥(陰脈)의 바다'라고 한다.

요약하면, 인체의 장부,경락 등의 조직구조는 모두 그 소재의 상하,내외,표리,전후 등 각 상대 부위와 상대적인 기능활동의 특징에 근거하여 그 음양 속성을 요약하고 아울러 나아가 그들 사이의 대립통일관계를 설명하고 있다.

2) 인체의 생리공능을 설명한다

인체의 생리공능에 대하여 음양을 이용하여 설명할 수 있다. 인체의 정상적인 생명활동은 음양이 협조와 평형을 유지한 결과이다. 예를 들어 승강출입은 인체 기기운동의 기본 형식이다. 양은 승(升)을, 음은 강(降)을 주관하며; 양은 출(出)을, 음은 입(入)을 주관한다. 인체의 생리공능은 모두 氣의 승강출입을 통해 실현된다. 예컨대 청양(清陽)은 상승하고 탁음(濁陰)은 하강하며, 청양은 주리(腠理)로 나가고 탁음은 오장으로 들어가며, 청양은 밖으로 사지를 실하게 하고 탁음은 안으로 육부에 들어가며, 비승위강(脾升胃降)하는 등 모두 음양 승강출입의 운동에 속한다. 승강출입이 잘 이루어져 평형을 이루면 정상이고, 그렇지 않으면 病이다.

음양은 체내에서 다양한 생리공능을 하는 물질의 구분에도 이용되는데, 예를 들면, 몸을 보호하고 덥히는 작용을 갖춘 위기(衛氣)를 '위양(衛陽)'이라고 하며, 혈액을 만들고 유양작용을 하는 영기(營氣)를 '영음(營陰)'이라고 한다. 영위(營衛)가 화해하면 정상이고, 영위가 불화하면 병이다.

총괄하면, 인체의 모든 생리공능은 음양을 이용하여 설명할 수 있기 때문에 『소문 생기통천론』에서 "生의 근본은 음양에 있다"[107]고 하였다.

3) 인체의 병리변화를 설명한다

인체내 음양 사이의 소장과 평형은 정상적인 생명활동을 유지하는 기본 조건이며, 음양의 실조는 모든 질병이 발생하는 기본 원리의 하나이다.

질병의 발생과 발전은 인체의 정기(正氣)와 사기(邪氣)의 두 인자와 관계된다. 정기는 인체의 기능활동과 사기에 대한 저항능력, 외부환경에 대한 적응능력과 조직의 손상에 대한 회복능력 등을 가리킨다. 사기는 각종 발병인자를 광범위하게 가리키는데, 이들은 모두 음양을 이용하여 개괄적으로 설명할 수 있다. 정기는 음기와 양기로 나누어지고, 사기 역시 음사와 양사로 나누어지는데, 육음(六淫) 가운데 한(寒)과 습(濕)은 음사이고, 풍(風),서(暑),열(熱),화(火),조(燥)는 양사이다. 질병 과정은 대개 사정(邪正)이 투쟁하는 과정이며, 그 결과로 인체 음양의 편승이나 편쇠를 일으키기 때문에 질병의 병리변화가 아무리 복잡하더라도 모두 음양의 편승과 편쇠로 개괄할 수 있다.

(1) 음양편승(陰陽偏勝)

'勝'은 사기의 성함, 즉 우세함을 의미한다. 음양편승은 음사나 양사의 편성을 가리키며, 음이나 양의 어느 한 쪽이 정상 수준보다 높은 병리상태에 속하는데, 『소문 음양응상대론』에서 "음이 왕성하면 양병(陽病)이 생기고 양이 왕성

---

107) 生之本, 本于陰陽 (素問·生氣通天論)

하면 음병(陰病)이 생긴다. 양이 왕성하면 熱이 되고 음이 왕성하면 寒이 된다"108)고 하였다.

양승즉열(陽勝則熱), 양승즉음병(陽勝則陰病): 양승(陽勝)은 양사가 인체를 침범하여 양이 항성케 된 유형의 질병이다. 양의 특성은 熱이기 때문에 '양이 왕성하면 열이 난다'고 하였는데, 예를 들어, 온열의 사기가 인체를 침범하면 고열、번조、면적、맥삭 등 양이 왕성한 열증이 나타날 수 있다. 양은 음을 제약할 수 있는데, 양이 왕성하면 반드시 신체의 음을 모손하고 제약하며, 진액의 생산을 감소시켜 자윤(滋潤)이 부족하고 건조한 증상이 나타나기 때문에 양이 왕성하면 음병이라고 한다. 그러므로 외감 온열병이 진행되면 반드시 구건설조、설홍소진 등 양이 왕성하여 음을 손상하는 증상이 나타나게 된다.

음승즉한(陰勝則寒), 음승즉양병(陰勝則陽病): '음승(陰勝)'은 음사가 인체를 침범하여 '음'이 항성케 된 유형의 질병이다. 음의 특성은 寒이기 때문에 '음이 왕성하면 차가워진다'고 하였는데, 예를 들어 寒邪가 태음(太陰)에 직중하면 면백형한(面白形寒)、완복냉통、묽은 설사、설질담태백(舌質淡苔白)、맥침지(脈沈遲) 혹 침긴(沈緊) 등 음이 왕성하여 생긴 한증이 나타날 수 있다. 음은 양을 제약할 수 있는데, 陰이 왕성하면 신체의 양기를 손상하고 제약하여 허쇠케 하므로 음이 왕성하면 양병이 생긴다고 하였다. 한사가 내장(內臟)에 직중한 것을 예로 들면, 병이 진행됨에 따라 지냉(肢冷)、권축(踡縮)、맥지복(脈遲伏) 혹 세미욕절(細微欲絕) 등 음이 왕성하면 양을 상하거나 혹은 음이 왕성하면 양이 쇠한 증상이 나타날 수 있다.

음양편승(盛)이 형성하는 병증은 실증인데, 양사가 지나치게 왕성하면 실열증이 되고, 음사가 지나치게 왕성하면 실한증이 된다. 그러므로『소문 통평허실론(通評虛實論)』에서 "사기가 성하면 실증이다"109)라고 하였다.

(2) 음양편쇠(陰陽偏衰)

음양편쇠는 음허와 양허로, 음양의 어느 한 쪽이 정상 수준보다 떨어진 병리상태에 속하는데,『소문 조경론』에 "양이 허하면 겉이 寒하고, 음이 허하면 속이 熱하다"110)고 하였다.

양허즉한(陽虛則寒): '양허(陽虛)'는 인체의 양기가 허쇠한 것을 광범위하게 가리킨다. 음양의 상호 제약 원리에 근거하여, 음이나 양의 어느 한 쪽이 부족하여 상대방을 제약하지 못하면 반드시 그 상대방의 편승(偏勝)에 이를 수 있다. 양허로 음을 제약하지 못하면 음이 상대적으로 왕성해지면서 한상(寒象)이 나타난다. 예를 들어 신체의 양기가 허약하면 면색창백、외한지냉、신피권와(神疲踡臥)、자한(自汗)、맥미(脈微) 등 양이 허해서 생긴 허한증(虛寒證)이 나타날 수 있다.

음허즉열(陰虛則熱): 인체의 음기는 양열(陽熱)을 제약하는 공능이 있는데, 음허하여 양을 제약하지 못하면 양이 상대적으로 왕성해지면서 열상(熱象)이 나타난다. 예를 들어 오랜 병으로 음을 소모하거나 본래 음허하면 조열、도한、오심번열、구건설조 、맥미삭(脈微數) 등 음이 허하여 생긴 허열증(虛熱證)이 나타날 수 있다.

음양편쇠가 일으키는 병증은 허증인데, 음허하면 허열증이 나타나고, 양허하면 허한증이 생긴다. 그래서『소문 통평허실론』에서는 "정기(精氣)가 없어지면 허증이다"111)라고 하였다.

이상의 내용을 종합하면, 질병의 병리변화가 복잡다단하지만 모두 음양실조로 개괄하여 설명할 수 있다.

음양은 '호근 호용'하기 때문에 음양의 편쇠가 계속 진행되면 '음손급양(陰損及陽)'과 '양손급음(陽損及陰)'의 상황이

108) 陰勝則陽病, 陽勝則陰病, 陽勝則熱, 陰勝則寒 (素問·陰陽應象大論)
109) 邪氣盛則實 (素問·通評虛實論)
110) 陽虛則外寒, 陰虛則內熱 (素問·調經論)
111) 精氣奪則虛 (素問·通評虛實論)

나타날 수 있다. 양허가 어느 정도에 이르면 양허로 인해 음을 만들 수 없고 이어서 음허의 현상이 나타나면 '양손급음'이라고 한다. 마찬가지로 음허가 어느 정도에 이르면 음허로 인해 양을 만들 수 없고 이어서 양허의 현상이 나타나면 '음손급양'이라고 한다. '양손급음'이나 '음손급양'은 최종적으로 모두 '음양양허'에 이른다. 음양양허는 음양 쌍방이 모두 동일하게 낮은 수준의 평형상태를 이루고 있는 것이 아니라, 양허나 음허의 어느 한 쪽에 치우친 양상을 가지고 있다.

4) 질병의 진단에 이용된다

음양학설은 질병의 진단에 쓰이며, 음양으로 병변의 부위, 성질 및 각종 증후의 속성을 개괄적으로 설명하기 때문에 변증의 강령이 된다. 그러므로 『소문 음양응상대론』에서 "진찰을 잘 하는 사람은 색을 보고 맥을 짚음에 먼저 음양을 변별한다"112)고 하였다.

(1) 피부색, 목소리, 증상, 맥상과 병변 부위의 음양 속성

피부색의 음양을 변별하자면, 황, 적색은 양에 속하고, 청, 백, 흑색은 음에 속하며, 색이 선명한 것은 양에 속하고, 어두운 것은 음에 속한다. 음성의 음양을 변별하자면, 목소리가 높고 크면서 우렁차면 양에 속하고, 말소리가 낮고 힘이 없으면 음에 속한다. 증상의 음양을 변별할 때에는 대개 증상의 한열, 윤조, 동정에 따라 그 음양의 속성을 구별한다. 예컨대 신열(身熱)은 양에 속하고 신한(身寒)은 음에 속하며, 입이 건조하고 목이 마르면 양에 속하고, 입이 건조하지 않거나 마르지 않으면 음에 속하며, 조바심을 내면서 불안해하면 양에 속하고, 구부려 눕거나 조용하면 음에 속하는 등이다. 脈의 음양을 변별할 때, 부위로는 촌(寸)은 양이 되고 척(尺)은 음이 되며, 빠르기로는 빠르면 양이고 느리면 음이며, 형태로써 나누자면, 부대홍활(浮大洪滑)은 양이고 침삽세소(沈澁細小)는 음이다. 질병부위로 음양 속성을 변별하자면, 겉, 바깥, 위에 있는 것은 양에 속하고, 속, 안, 아래에 있는 것은 음에 속한다.

(2) 증후의 음양속성을 변별한다

변증에서 일반적으로 우선 음양표리한열허실을 변증의 강령으로 삼고, 팔강(八綱) 중에서도 음양을 총강으로 삼아서 음양으로 표리, 한열, 허실을 통솔한다. 표, 열, 실은 양에 속하고, 이, 한, 허는 음에 속한다. 임상 변증에서 우선 음양을 분별하는 것이 필요하며, 그래야만 비로소 질병의 본질을 파악할 수 있어 요약과 정리가 가능하다. 청대의 정종령(程鍾齡)은 『의학심오(醫學心悟)』에서 "병의 대강은 한열, 허실, 표리, 음양의 여덟 자에 지나지 않는다. 병의 음양은 위의 여섯 자로 말할 수 있는데, 포괄하고 있는 의미가 자못 넓다. 熱한 것도 양이요, 實한 것도 양이요, 表에 있는 것도 양이다. 寒한 것도 음이요, 虛한 것도 음이요, 裏에 있는 것도 음이다"113)라고 하였다.

총괄하면, 망문문절(望聞問切)의 사진을 망라하여 모두 음양 분별을 우선으로 삼는데, 음양의 원리를 파악해야 비로소 질병의 음양속성을 정확하게 분석하고 판단할 수 있다. 그러므로 『경악전서 전충록(景岳全書 傳忠錄)』에서는 "병을 진찰하고 치료를 하면서 반드시 음양을 먼저 살펴 의도(醫道)의 강령으로 삼아야 한다. 음양에 오차가 없으면 어찌 병이 낫지 않겠는가? 의도가 비록 번잡하나 한 마디로 정리할 수 있으니, 바로 음양일 따름이다. 따라서 증(證)에도 음양이 있고 맥(脈)에도 음양이 있고 약(藥)에도 음양이 있다. … 명확히 음양을 변별할 수 있다면 의학의 이치가

112) 善診者, 察色按脈, 先別陰陽 (素問·陰陽應象大論)

113) 病有總要, 寒熱虛實表裏陰陽八字而已. 至于病之陰陽, 統上六字而言, 所包者廣. 熱者爲陽, 實者爲陽, 在表者爲陽; 寒者爲陰, 虛者爲陰, 在裏者爲陰 (醫學心悟·寒熱虛實表裏陰陽辨)

비록 현묘하다고 하더라도 그 절반은 잡은 것이다"[114]라고 하였다.

5) 질병의 예방과 치료에 이용된다

음양을 조리하는 것은 상대적인 평형을 유지하거나 회복시키는 것으로, 질병을 예방 치료하는 기본 원칙이며, 실제 임상에서도 주요 내용이다.

(1) 양생의 원칙을 제공한다

양생은 건강을 유지하는 중요한 수단이며, 양생의 가장 근본은 음양의 원리를 잘 지키는 것이다. 인체의 음양은 생명의 근본이다. 자연계에는 춘하추동 사계절의 변화가 있어서 '사시음양'이라고 한다. 양생을 잘 하는 사람은 인체의 음양을 사계절의 음양 변화에 잘 적응시켜 인체와 자연계의 협조와 통일을 유지함으로써 건강을 유지하고 장수한다. 『소문 사기조신대론(四氣調神大論)』에서 "사계절과 음양은 만물의 근본이다. 따라서 성인은 봄 여름에는 양을 기르고, 가을 겨울에는 음을 길러 그 근본을 따르는데, 만물과 더불어 생장수장(生長收藏)의 이치에 따르는 것이다. 그 근본을 거스르면 사람의 근본인 오장육부를 상하여 진기(眞氣)가 무너지게 된다"[115]고 하여 사시음양을 조절하고 기르는 기본 원칙과 그 중요성을 강조하였다.

(2) 질병의 치료에 이용된다

음양학설은 질병의 치료에 응용되는데, 기본적으로 먼저 음양 실조의 상황을 파악하고, 약물、침구 등 치료방법을 이용하여 그 음양의 평형을 회복한다. 그래서 『소문 지진요대론(至眞要大論)』에서는 "음양이 어디에 있는지 알아서 이를 조화롭게 하되, 평형을 목표로 한다"[116]고 하였는데, 구체적으로 말하자면, 첫째는 치료 원칙을 확정하는 것이고, 둘째는 약물의 성능을 분석하고 귀납하는 것이다.

① 치료 원칙을 확정한다

질병의 발생과 발전의 근본 원인은 음양 실조이기 때문에 부족하면 보(補)하고 유여하면 손(損)함으로써 음양의 평형을 회복하여 질병을 치료하는 것이 근본 원칙이다.

- 음양편승의 치료 원칙: 음양편승은 실증이 되기 때문에 기본적인 치료 원칙은 "실증은 사(瀉)한다[117]"로, 그 유여함을 깎는 것이다. 세분해서 말하자면, 양사가 왕성하여 된 실증은 "열증은 차게 한다[118]"는 치료방법을 사용하고, 음사가 왕성하여 된 한실증은 "한증은 따뜻하게 한다[119]"는 치료원칙을 사용한다. 만약 양성이나 음성과

---

114) 凡診病施治, 必須先審陰陽, 乃爲醫道之綱領, 陰陽無謬, 治焉有差? 醫道雖繁, 而可以一言蔽之者, 曰陰陽而已. 故證有陰陽, 脈有陰陽, 藥有陰陽 … 設能明徹陰陽, 則醫理雖玄, 思過半矣 (景岳全書·傳忠錄)

115) 夫四時陰陽者, 萬物之根本也, 所以聖人春夏養陽, 秋冬養陰, 以從其根, 故與萬物沉浮於生長之門. 逆其根, 則伐其本, 壞其眞矣 (素問·四氣調神大論)

116) 謹察陰陽所在而調之, 以平爲期 (素問·至真要大論)

117) 實者瀉之 (靈樞·刺節眞邪)

118) 熱者寒之 (素問·至真要大論)

119) 寒者熱之 (素問·至真要大論)

동시에 "양이 성하면 음병이 되거나[120]" 혹은 "음이 성하면 양병이 되는[121]" 것으로 인해 음허나 양허가 나타나면 그 부족한 측면도 고려해야 하기 때문에 "실한 것을 사하는" 가운데 자음(滋陰)이나 조양(助陽)의 약을 배합한다.

- 음양편쇠의 치료 원칙: 음양편쇠는 허증이 되기 때문에 기본적인 치료 원칙은 "허증은 보한다[122]"로, 그 부족함을 보한다. 세분해서 말하자면, 음의 편쇠로 인해 "음이 허하면 열이 생기는[123]" 허열증(虛熱證)의 경우, 치료는 마땅히 자음함으로써 양을 억제해야 하기 때문에 "水의 主를 장실하게 하여 양의 빛을 억제하는[124]" 치법을 사용하는데, 『내경』에서는 이런 치법에 대해 "양병에는 음을 치료하라[125]"고 하였다. 양의 편쇠로 인해 "양이 허하여 차가워지는[126]" 허한증(虛寒證)의 경우, 치료는 마땅히 양을 북돋음으로써 음을 억제해야 하기 때문에 "火의 源을 더하여 음의 그늘을 없애는[127]" 치법을 사용하는데, 『내경』에서는 이런 치법에 대해 "음병에는 양을 치료하라[128]"고 하였다. 음양편승편쇠의 치료에 대하여, 장경악은 '음양 호근'의 원리에 근거하여 "陰에서 양을 구하고[129]", "양에서 음을 구하는[130]" 치법을 제시하였는데, 그는 "보양(補陽)을 잘 하는 자는 반드시 음 중에서 양을 구해야 하니, 양이 음의 도움을 얻으면 생화(生化)하는 것이 무궁무진해진다. 보음(補陰)을 잘 하는 자는 반드시 양 중에서 음을 구해야 하니, 음이 양의 오르는 기운을 얻으면 샘의 물이 마르지 않을 것이다"[131]라고 하였다.

② 약물의 음양속성을 분석하고 귀납한다

음양학설은 질병 치료에 있어서, 치료 원칙을 확정하는데 쓰일 뿐만 아니라 약물의 성능을 개괄하는 데에도 쓰이기 때문에 임상에서 약을 선택하는 근거가 된다. 질병을 치료하기 위해서는 정확한 진단과 치료 방법이 있어야 할 뿐만 아니라 숙련되게 약물의 성능을 파악하고 있어야 한다. 확정된 치료 원칙에 따라 적절한 약물을 선택해야 비로소 기대하는 치료 효과를 거둘 수 있다.

약물의 성능은, 일반적으로 그 氣(性), 味와 승강부침에 따라 결정하는데, 약물의 氣, 味와 승강부침 또한 모두 음양으로 귀납하여 설명한다.

약성은 한열온량(寒熱溫凉)의 네 가지로, '사기(四氣)'라고도 한다. 그 가운데 한량은 음에 속하고, 온열은 양에 속한다. 일반적으로 한성(寒性)이나 양성(凉性) 속하는 약물은 양열(陽熱)한 사기를 식히거나 내보냄으로써 인체의 열상(熱象)을 경감시키거나 제거할 수 있다. 일반적으로 열성(熱性)이나 온성(溫性)의 약물은 음한(陰寒)한 사기를 몰아냄으로써 인체의 한상(寒象)을 경감시키거나 제거할 수 있다.

---

120) 陽勝則陰病 (素問·陰陽應象大論)
121) 陰勝則陽病 (素問·陰陽應象大論)
122) 虛者補之 (素問·至真要大論)
123) 陰虛則熱 (類經·陰陽虛實寒熱隨而刺之)
124) 壯水之主, 以制陽光 (醫方集解·大補陰丸)
125) 陽病治陰 (素問·陰陽應象大論)
126) 陽虛則寒 (素問·調經論)
127) 益火之源, 以消陰翳 (素問·至真要大論)
128) 陰病治陽 (素問·陰陽應象大論)
129) 陰中求陽 (素問·陰陽應象大論)
130) 陽中救陰 (素問·陰陽應象大論)
131) 善補陽者, 必于陰中求陽, 則陽得陰助而生化無窮; 善補陰者, 必于陽中求陰, 則陰得陽升而泉源不竭 (景岳全書·新方八陣補略)

五味는 시고(酸)、쓰고(苦)、달고(甘)、맵고(辛)、짠(鹹) 다섯 가지 맛이다. 일부 약물에는 담미(淡味)나 삽미(澁味)도 있어서 실제로는 五味에만 그치지 않지만, 관행적으로 '五味'라고 한다. 그 가운데, 신、감、담미는 양에 속하고, 산、고、함미는 음에 속한다.『소문 지진요대론』에서 "辛味와 甘味는 발산하여 양이 되고, 酸味와 苦味는 용설(涌泄)하여 음이 되며, 淡味는 삼설(滲泄)하여 양이 된다"132)고 하였는데, 맵고 단 맛에는 발산시키는, 시고 쓰고 짠 맛에는 토하거나 설사시키는, 담미에는 소변을 잘 나가게 하는 효과가 있음을 지적하였다.

승강부침(升降浮沈)은 약물이 체내에서 발휘하는 작용의 방향을 가리킨다. '升'은 위로 올라가는 것이고 '浮'는 밖을 향해 표(表)로 뜨는 것이므로, 升浮의 약은 그 성질이 상승 발산하는 특징이 있는 것이 많은데, 양의 속성에 부합하기 때문에 양에 속한다. '降'은 아래로 내려가는 것이고, '沈'은 안을 향해 이(裏)로 가라앉는 것이므로, 沈降한 약은 그 성질이 안으로 거두거나、설사 시키거나、무겁게 진정시키는 특징이 있는 것이 많은데, 음의 속성에 부합하기 때문에 음에 속한다.

총괄하자면, 음양학설은 질병의 예방과 치료에 있어서 중요한 원칙을 제공한다. 양생과 질병의 예방에서는 사계절 음양의 변화상황에 따르고 있으며, 질병을 치료한다는 것은 병증의 음양 편성편쇠의 상황에 근거하여 치료원칙을 확정하는데, 음양이 편성하면 그 유여한 것을 덜어내고, 음양이 편쇠하면 그 부족한 것을 보충한다. 그런 다음 다시 약물의 사기 오미와 승강부침의 음양속성에 따라 적절한 약물을 선택하여 신체의 음양실조상태를 조정함으로써 평형을 회복하게 하여 질병을 치유하고 병의 상태를 완화시키는 목적에 이르게 한다.

제3절 오행학설

아이작 뉴턴 (Sir Issac Newton 1642-1727)이 처음에는 무지개를 다섯 색깔로 보았다가 나중에 일곱 음계로부터 유비하여 일곱 색깔 무지개라고 한133) 이래로 서양에서는 그 전통을 따르고 있다. 그에 반해 동양에서는 오행학설에 따라 무지개의 색깔이 오색영롱하다고 하였으며 음악에서도 오음체계를 기본으로 하고 있다. 이처럼 한의학에서 채용한 오행학설은 木、火、土、金、水 다섯 가지 세력의 특성 및 그 '상생(相生)'과 '상극(相剋)'의 원리로써 세계를 인식하고 해석하며, 우주의 법칙을 탐구하는 하나의 세계관이자 방법론이다.

일찍이 은상대(殷商代)(혹은 더 이른) 시기의 사람들은 이미 五方의 관념을 가지고 있었다. 예를 들면, 은상의 갑골문에 '동토수년(東土受年)'、'서토수년(西土受年)'、'북토수년(北土受年)'、'남토수년(南土受年)'과 '왕정수중상년(王貞受中商年)' 및 "계묘일(癸卯日), 오늘은 비가 온다. 서쪽에서 오는 것일까? 동쪽에서 오는 것일까? 북쪽에서 오는 것일까? 남쪽에서 오는 것일까?"134) 등의 복사(卜辭)가 있는 것으로 보아 당시에 이미 오방관념으로 방위를 확정하였음을 알 수 있다.

오행은 일찍이『상서 대우모(尙書 大禹謨)』에 木火土金水와 곡(穀), 즉 '육부(六府)'로 기재되었는데, 여기서의 육부는 인간 생활에 필수적인 여섯 종류의 물질적 재료를 의미한다. 나중에『상서 홍범구주(洪範九疇)』에서 "水는 윤하(潤下)하고, 火는 염상(炎上) 하고, 木은 곡직(曲直)하고, 金은 종혁(從革)하고, 土는 가색(稼穡)한다"135)고 하여 木、

132) 辛甘發散爲陽, 酸苦涌泄爲陰, 鹹味涌泄爲陰, 淡味滲泄爲陽 (素問·至眞要大論)
133) Rainbow, Wikipedia
134) 癸卯, 今日雨. 其自西來雨? 其自東來雨? 其者北來雨? 其者南來雨? (卜辭通纂·天象門)
135) 水曰潤下, 火曰炎上, 木曰曲直, 金曰從革, 土爰稼穡 (尙書·洪範九疇)

火、土、金、水의 다섯 가지 속성과 운행변화를 의미하는 형이상학적 개념이 되었다. 오행 가운데 매 한 행은 하나의 공능 속성만을 대표하는 것이 아니라, 그들 사이에는 생극(生剋)과 제화(制化)의 관계가 있으며, 이러한 상호작용의 관계를 통해 오행은 조화를 이루면서 사물의 생존과 발전을 유지한다.

오행학설에서는 우주의 모든 사물이 木、火、土、金、水 다섯 가지 기본 물질의 '상잡(相雜)'과 '상화(相和)'로 이루어진 것으로 보고 있다. 예를 들어『국어 정어(鄭語)』에서는 "先王이 土를 金水火와 섞어 만물을 이루어 놓으셨다"136)고 하였다. 그러므로 우주의 모든 사물은 오행의 특성에 따라 귀류할 수 있다. 오행 사이의 '상생'과 '상극'의 원리는『유경도익 운기 오행통론 (運氣 五行統論)』에서 "조화(造化)의 틀에는 생(生)이 없으면 안되고 제(制)가 없어서도 안된다. 생이 없으면 발육할 수가 없고, 제가 없으면 지나쳐서 해(害)가 생긴다. 생극(生剋)의 순환은 쉬지 않고 운영되어 天地의 도가 이처럼 무궁하다"137)고 한 것처럼 우주 간의 각종 사물이 보편적으로 연계되는 기본 법칙이다.

『내경』에서는 오행학설을 의학에 응용함으로써 철학이론을 의학지식과 유기적으로 결합시켜 한의학의 오행학설을 형성하였다. 한의학은 오행학설을 이용하여 인체의 부분과 부분、부분과 전체、체표와 내장의 유기적인 관계 및 인체와 외부 환경과의 통일을 설명하였다. 오행학설은 한의학에서 인체의 생리 병리뿐만 아니라, 임상에서의 진단과 치료를 설명하는 데에 활용됨으로써 한의학 이론체계의 중요한 부분을 이루고 있다.

1. 오행의 기본 개념

오행은 木、火、土、金、水의 다섯 가지 속성과 그 운동 변화이다. 오행의 '五'는 木、火、土、金、水 등 세계를 구성하는 다섯 가지 속성을 가리키고, '行'은 이러한 다섯 가지 운동과 세력을 가리킨다.『상서정의(尙書正義)』에서는 "五라 함은 각각 재간이 있는 것이다. '行'이라 함은, 하늘에서는 다섯 氣가 흐르는 것이고, 땅에서는 세상에서 쓰이는 바이다"138)라고 하였다.

오행에 대한 인식은 음양과 마찬가지로 역사적으로 오랜 과정을 거쳐 완성되었다. 일찍이 인류는 불 쓰는 법을 알았다. 북경의 주구점(周口店) 산정 동굴의 유적에서 발견된 적철광사(赤鐵礦砂)와 앙소(仰韶) 유적에서 발견된 도기 등은 모두 인류의 金과 土에 대한 지식과 기술이 상당한 수준에 이르렀음을 설명하는 것이며, 동시에 오행의 진정한 기원은 인류 조상의 생활과 생산 활동이었음을 보여주는 것인데,『상서대전(尙書大傳)』에서 "水와 火는 사람들이 먹는 것이다. 金과 木은 사람들이 만드는 데 쓰는 것이다. 土는 만물을 자양하여 태어나게 하는 것으로 사람이 쓰는 것이다"139)라고 한 것과 같다. 앞서 소개한 바와 같이,『상서 홍범구주』에서는 오행에 대한 인식이 더욱 발전하여 오행의 특성에 대한 경전적인 해석을 하였고, 이러한 다섯 가지 세력이 가지는 각 특성으로 각종 사물을 귀류시키는 기본 근거를 만들었다. 아울러 木生火、火生土、土生金、金生水、水生木과 木剋土、土剋水、水剋火、火剋金、金剋木의 '상생'과 '상극'원리로 각종 세력의 보편적인 연계를 해석하는 기본 법칙을 만듦으로써 오행학설을 형성하였다.

---

136) 故先王以土與金水火雜, 以成百物 (國語·鄭語)

137) 蓋造化之機不可無生, 亦不可無制. 無生則發育無由, 無制則亢而爲害. 生剋循環, 運行不息, 而天地之道, 斯無窮已 (類經圖翼·運氣·五行統論)

138) 言五者, 各有材干也. 謂之行者, 若在天, 則爲五氣流注; 在地, 世所行用也 (尙書正義)

139) 水火者, 百姓之所飮食也; 金木者, 百姓之所興作也; 土者, 萬物之所資生也, 是爲人用 (尙書大傳)

©zwbk.org ©zh.wikipedia.org

■ 周口店 ■ 赤鐵礦砂 ■ 仰韶陶器

2. 오행학설의 주요 내용

오행학설은 오행의 추상적인 특성으로 각종 사물을 귀납하고, 오행 간의 '상생'과 '상극'의 관계로써 자연계의 각종 사물이나 현상 간의 상호 연계와 협조 평형을 해석하는 것이다. 오행학설의 주요 내용은 오행의 특성, 사물에 대한 오행 속성의 이해와 분류, 오행 사이의 생극제화, 승모(乘侮)와 모자상급(母子相及)을 포함한다.

1) 오행 각자의 특성

오행 각자의 특성은 고대에 오랜 기간 동안 木, 火, 土, 金, 水에 대한 직관적인 관찰과 소박한 이해를 바탕으로 추상하여 점차로 형성된 개념이며, 각종 사물의 오행 속성을 식별하는 기본적인 근거로 사용한다. 일반적으로 『상서 홍범』에서의 내용이 오행의 특성에 대한 설명으로 받아들여지고 있다.

(1) 木의 특성

'목왈곡직(木曰曲直)'에서 '曲'은 굽히다(屈)는 뜻이며, '直'은 펴다(伸)는 뜻이다. '곡직'은 나무의 가지가 생장과 유화(柔和)를 하면서 또 구부리고 펴는 특성이 있음을 가리킨다. 따라서 모든 생장, 승발(升發), 조달(條達), 서창(舒暢)하는 등의 성질이나 작용을 가진 사물은 모두 木에 속한다.

(2) 火의 특성

'화왈염상(火曰炎上)'에서 '炎'은 불타다, 열기가 맹렬하다는 뜻이며, '上'은 상승한다는 뜻이다. '염상'은 火에 온열과 상승의 특성이 있음을 가리킨다. 따라서 온열이나 상향하는 성질이나 작용을 가지고 있는 사물은 모두 火에 속한다.

(3) 土의 특성

'토원가색(土爰稼穡)'에서 '爰'은 '曰'과 같으며, '稼'는 곡물의 씨앗을 뿌리고 기르는 것이며 '穡'은 곡물을 수확하는 의미로, '稼穡'은 곡물을 기르고 수확하는 농사활동을 가리킨다. 따라서 생화, 승재(承載), 수납(受納) 등의 성질이나 작용을 가진 사물은 모두 土에 속한다. 그러므로 "土가 나머지 四行을 싣고 있다"[140], "만물은 土에서 생긴다"[141], "만

140) 土載四行 (禮記正義)
141) 萬物土中生

물은 土에서 사라진다"[142]와 "土는 만물의 어미다"[143]라고 하였다.

(4) 金의 특성

'금왈종혁(金曰從革)'에서 '從'은 말미암다(由)는 뜻으로, 金의 기원을 설명하며, '革'은 변혁의 뜻으로, '從革'은 金이 변혁을 통해 생산된 것임을 의미한다. 자연계에는 완성된 형태로 존재하는 금속이 극히 적고 대부분의 금속은 모두 광석에서 야금과 연단을 거쳐 생산된 것이다. 광석은 土에 속하며, 야금과 연단은 변혁의 과정이므로, 金은 土가 변혁을 거쳐 이루어진 것임을 알 수 있다. 그래서 예로부터 '혁토생금(革土生金)'이라는 견해도 있었기 때문에 '금왈종혁(金曰從革)'이라고 하는 것이다. 金의 성질은 무겁고, 또 살육하는 데 주로 사용되었기 때문에 모든 침강、숙살、수렴 등의 성질이나 작용을 가진 사물은 모두 金에 속한다.

(5) 水의 특성

'수왈윤하(水曰潤下)'에서 '潤'은 조습(潮濕)、자윤(滋潤)、유윤(濡潤)의 뜻이며, '下'는 아래로 향하거나 혹은 내려간다는 뜻이다. '潤下'는 물의 자윤하고 하행하는 특징을 가리킨다. 그러므로 모든 자윤、하행、한량、폐장(閉藏) 등의 성질이나 작용을 가진 사물은 모두 水에 속한다.

이상으로부터 오행학설 중의 오행은 이미 木、火、土、金、水 다섯 가지 물질 자체의 의미를 벗어나 오행의 추상적인 특성으로써 각종 사물과 현상을 귀납하는 것임을 알 수 있다.

2) 사물은 오행 속성에 따라 귀류(歸類)된다

(1) 사물을 오행 속성에 따라 귀류하는 방법

오행학설은 오행의 특성에 따라 사물에 대한 귀류를 하며, 구체적인 귀류방법은 아래와 같다.

① 취상비류법(取象比類法): '취상'은 사물의 형상(형태、작용、성질) 중에서 본질을 반영할 수 있는 특유의 징상(徵象)을 찾아내는 것이며, '비류'는 오행 각자의 추상적인 속성을 기준으로 어떤 사물이 가진 특유한 징후와 서로 비교하여 그 오행의 귀속을 확정하는 것이다. 예컨대 사물의 속성과 木의 특성이 서로 유사하면 그것을 木에 귀속시키고, 水의 특성과 서로 유사하면 水에 귀속시키는 등이다.

예를 들어, 방위를 오행에 배속시키면, 해가 동쪽에서 뜨는 것은 木의 승발하는 특성과 유사하므로 東方은 木에 귀속되고, 남쪽은 몹시 더워 火의 특성과 서로 유사하므로 南方은 火에 귀속되고, 해가 서쪽으로 지는 것은 金이 침강하는 것과 서로 유사하므로 西方은 金에 귀속되고, 북방은 한랭하여 水의 특성과 서로 유사하므로 北方은 水에 귀속되고, 중원(中原)지대는 토지가 비옥하고 만물이 무성하여 土의 특성과 서로 비슷하므로 중앙은 土에 귀속된다.

② 추연락역법(推演絡繹法): 이미 알고 있는 어떤 사물의 오행 귀속에 근거하여 그 밖의 서로 관련 있는 사물을 추연 귀납하여 이런 사물의 오행 귀속을 확정하는 것이다.

예를 들면, '간은 木에 속한다(肝屬木)'는 것은 이미 알고 있는데, 간은 쓸개와 합하고(肝合膽), 힘줄을 주관하며(肝

142) 萬物土中滅
143) 土爲萬物之母 (東醫寶鑑·土部)

主筋), 그 華는 손발톱에 있고(其華在爪), 눈으로 열리기 때문에(開竅于目) 쓸개, 힘줄, 손발톱, 눈은 모두 木에 속한다고 할 수 있다. 같은 방식으로 心이 火에 속하기 때문에 소장, 맥, 얼굴, 혀 역시 火에 속하고; 脾가 土에 속하기 때문에 위, 살, 입술, 입 역시 土에 속하며; 肺가 金에 속하기 때문에 대장, 피부, 모발, 코 역시 金에 속하고; 腎이 水에 속하기 때문에 방광, 머리털, 귀, 이음(二陰) 등은 水에 속한다.

(2) 사물에 대한 오행 귀류

한의학의 오행학설은 자연계의 각종 사물과 현상 및 인체의 장부조직, 기관, 생리 병리현상을 광범위하게 연계시키고, 동시에 '취상비류'나 '추연락역'의 방법으로써 사물의 서로 다른 형태, 성질과 작용에 따라 木, 火, 土, 金, 水 '오행' 중에 분별 귀속시켜서 인체 장부조직간의 생리, 병리 방면의 복잡한 연계 및 인체와 외부 환경 사이의 상호 관계를 상세히 설명하였다. 그래서 인체의 생명활동과 자연계의 사물과 현상을 연계하였으며, 내외 환경을 연계하는 오행계통을 형성하였고, 이로써 인체 자체와 인체와 환경 간의 통일성을 설명하였다. 자연계와 인체에 유관한 사물이나 현상의 오행귀속을 표로 나열하면 다음과 같다.

표. 사물 속성의 오행 귀류

자연계(自然界)							오행(五行)	인체(人體)						
오음(五音)	오미(五味)	오색(五色)	오화(五化)	오기(五氣)	오방(五方)	오계(五季)		오장(五臟)	오부(五腑)	오관(五官)	형체(形體)	정서(情緖)	오성(五聲)	변동(變動)
각(角)	산(酸)	청(靑)	생(生)	풍(風)	동(東)	춘(春)	목(木)	간(肝)	담(膽)	목(目)	근(筋)	노(怒)	호(呼)	악(握)
치(徵)	고(苦)	적(赤)	장(長)	서(暑)	남(南)	하(夏)	화(火)	심(心)	소장(小腸)	설(舌)	맥(脈)	희(喜)	소(笑)	우(憂)
궁(宮)	감(甘)	황(黃)	화(化)	습(濕)	중(中)	장하(長夏)	토(土)	비(脾)	위(胃)	구(口)	육(肉)	사(思)	가(歌)	얼(噦)
상(商)	신(辛)	백(白)	수(收)	조(燥)	서(西)	추(秋)	금(金)	폐(肺)	대장(大腸)	비(鼻)	피(皮)	비(悲)	곡(哭)	해(咳)
우(羽)	함(鹹)	흑(黑)	장(藏)	한(寒)	북(北)	동(冬)	수(水)	신(腎)	방광(膀胱)	이(耳)	골(骨)	공(恐)	신(呻)	율(慄)

3) 오행의 상생, 상극과 제화

오행 사이의 상생, 상극과 제화는 木, 火, 土, 金, 水가 서로 고립적이거나 불변이 아님을 의미한다. 따라서 사물이 끊임없이 조화를 유지하고 있는 것이 오행간 관계의 정상적인 상태이다.

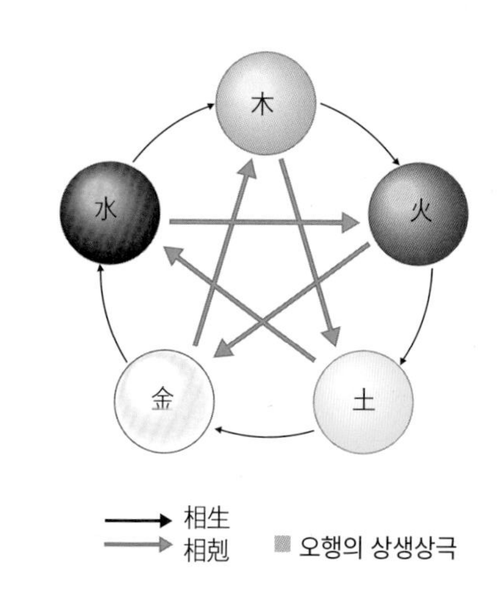

■ 오행의 상생상극

(1) 오행상생(五行相生)

'生'은 자생, 조상, 촉진의 뜻이다. 오행상생은 木, 火, 土, 金, 水가 질서 있게 서로 자생, 조장, 촉진하는 관계가 있는 것이다.

오행 간 번갈아 서로 자생하는 차례는 木生火, 火生土, 土生金, 金生水, 水生木이다. 오행의 상생관계에서 모든 行은 '내가 생하는(我生)'과 '나를 생하는(生我)'의 두 가지 방식의 관계를 가지고 있다. '生我'는 어머니이고, '我生'은 자식으로, 『난경(難經)』에서는 모자관계로 비유하고 있다. 그래서 오행상생관계를 모자 관계라고도 한다. 火를 예로 들면, 木은 火를 生하므로 '生我'하는 것은 木이고, 火에서 土가 生하므로 '我生'하는 것은 土이다. 따라서 木은 火의 '母'이고, 土는 火의 '子'이다. 木과 火는 모자 관계이고 火와 土도 모자관계를 구성한다.

(2) 오행상극(五行相剋)

'剋'에는 극제(剋制)、억제、제약의 의미가 있다. 오행상극은 木、火、土、金、水 사이에 질서 있게 상극、제약하는 관계가 있는 것을 가리킨다.

오행 간에 서로 극제하는 차례는 木剋土、土剋水、水剋火、火剋金、金剋木이다. 상극관계에서도 모든 行이 '나를 극하는(剋我)'와 '내가 극하는(我剋)'의 두 가지 방식의 관계를 가지고 있다. '극아(剋我)'는 내가 이길 수 없는 것(所不勝)이고, 아극(我剋)은 내가 이기는 것(所勝)이다. 그러므로 『내경』에서는 상극관계를 '소승(所勝)'과 '소불승(所不勝)'의 관계라고 하였다. 木을 예로 들면, 木은 土를 극하기 때문에 '아극'하는 것은 土이고, 土는 木의 '소승'이며, 金은 木을 극하기 때문에 '극아'하는 것은 金이고, 金은 木의 '소불승'이다.

(3) 오행제화(五行制化)

'制'는 제약과 극제이며, '化'는 화생과 변화이다. 오행제화는 오행 간에 서로 생화하고 제약하여 평형과 협조의 관계를 유지하는 것을 가리킨다.

오행의 제화관계는 오행 생극관계의 상호 결합이며, 오행의 상생과 상극은 나누어질 수 없는 두 측면으로, '生'이 없으면 사물의 발생과 생장도 없으며, '剋'이 없으면 사물이 지나치게 항성해서 해가 되어 사물 간의 정상적인 협조관계를 유지할 수 없다. 그러므로 반드시 剋과 生이 있어서 상반 상성(相反 相成)하여야 비로소 사물의 평형 협조와 발전 변화를 유지하고 촉진할 수 있다. 그러므로 『유경도익 운기상(類經圖翼 運氣上)』에서 "조화(造化)의 틀에는 生이 없으면 안되고 制가 없어서도 안 된다. 生이 없으면 발육할 수가 없고, 制가 없으면 지나쳐서 害가 생긴다"[144]고 하였다.

이상에서 서술한 상반과 상성의 생극제화에서 오행 간의 협조 평형이 상대적임을 알 수 있다. 따라서 상생과 상극의 과정 역시 사물의 운동변화 과정이며, 이 과정 중에 시시각각 어느 정도 태과나 불급의 현상이 나타나고, 이러한 현상의 출현은 또 한 차례 생극제화의 조절을 일으킨다. 이렇게 다시 협조 평형이 뒤이어 나타난다. 이처럼 불평형 중에 평형을 구하고, 평형 또한 새로운 불평형으로 대체되는 운동은 부단히 사물의 변화와 발전을 일으킨다.

4) 오행의 상승 상모(相乘 相侮)와 모자상급(母子相及)

오행의 상승과 상모는 오행 간의 비정상적인 극제 현상인데, 모자상급은 오행간 상생관계의 비정상적 변화이다.

(1) 오행상승(五行相乘)

'乘'은 능멸한다, 업신여긴다는 뜻이다. 오행상승은 오행 가운데 어떤 하나의 行이 그 勝하는 行에 대해 지나치게 극제하는 것을 가리킨다.

오행상승의 순서는 상극과 같다. 즉, 木乘土、土乘水、水乘火、火乘金、金乘木이다. 오행간 '상승'의 개념은 『내경』에

144) 蓋造化之機, 不可無生, 亦不可無制, 無生則發育無由, 無制則亢而爲害 (類經·五行統論)

처음 나오는데, 『소문 육절장상론(六節藏象論)』에서 "아직 이를 때가 되지 않았는데 이른 것을 태과라고 하는데, 자기가 이기지 못하는 것은 치받고 자기가 이기는 것은 짓밟는다"145)고 하였으며, 『소문 오운행대론(五運行大論)』에서 "불급은 자기가 이기지 못하는 것이 자기를 모욕하고 짓밟는 것이다"146)라고 하여 오행간 상승의 원인이 '태과'와 '불급'에 있음을 설명하였다.

태과로 인한 상승은 오행 가운데 어떤 한 行이 지나치게 항성하여 그 勝하는 行에 대해 정상적인 한도를 벗어난 극제를 하여 그 勝하는 行의 허약을 야기시켜서 오행간 생극제화의 이상이 초래된 것을 가리킨다. 목극토(木剋土)를 예로 들면, 정상적인 상황에서 木이 土를 극하는데, 만약 木氣가 지나치게 항성하여 土에 대한 극제가 지나치면, 土에 본래 부족함이 없더라도 木의 과도한 극제를 견디기 어려워 土의 부족을 초래한다. 이러한 '상승'현상을 '목승토(木乘土)'라고 한다.

불급으로 인한 상승은 오행 가운데 어떤 한 行이 지나치게 허약하여 그 勝하지 못하는 行의 정상적인 극제를 견디기 어려워 그 자체로 하여금 더욱 허약함을 드러내게 하는 것을 가리킨다. 木剋土를 예로 들면, 정상적인 상황에서는 木이 土를 제약하는데, 만약 土氣가 지나치게 부족하면 木이 비록 정상적인 수준에 있더라도 土가 木의 극제를 감당하기 어려워서 木剋土의 역량이 상대적으로 증강되어 土로 하여금 더욱 부족하게 한다. 이러한 '상승'현상을 '토허목승(土虛木乘)'이라고 한다.

'상승'과 '상극'이 순서상으로는 서로 같지만, 이 둘 사이에는 차이가 있는데, 상극은 정상적인 상황에서 오행 간에 순서대로 서로 제약하는 관계이고, 상승은 오행 간의 비정상적인 제약현상이다. 그래서 '剋'이라 하지 않고 '乘'이라고 하는 것이다. 인체에 있어서, 전자는 생리 현상이고, 후자는 병리현상이다.

(2) 오행상모(五行相侮)

'侮'는 우롱하다, '업신여긴다'는 뜻이다. 오행 상모는 오행 가운데 어떤 한 行이 그 勝하는 行에 의해 도리어 극제를 당하는 것으로, 반극(反剋)이며, '반모'라고도 한다.

오행 상모의 순서는 木侮金, 金侮火, 火侮水, 水侮土, 土侮木이다. 오행간 '상모'의 개념 역시 『내경』에 처음 등장하였는데, 『소문 오운행대론』에서 "氣가 유여하면 자기가 이기는 것을 제압하고 이기지 못하는 것을 모욕한다. 氣가 불급하면 자기가 이기지 못하는 것이 자기를 모욕하고 짓밟으며, 자기가 이기는 것이 자기를 가볍게 여겨 모욕한다"147)고 하였다. 오행 간의 상모를 일으키는 원인은 상승(相乘)의 경우와 같이 '태과'와 '불급'으로 발생한다.

태과로 인한 상모는 五行 가운데 한 行이 지나치게 강성하여 원래 그것을 극제하는 다른 行이 그것을 극제할 수 없을 뿐 만 아니라, 거꾸로 그것의 극제를 받는 것을 가리킨다. 예를 들어 木氣가 지나치게 항성하면 원래 그것이 이기지 못하는 行인 金이 木을 剋하지 못할 뿐 만 아니라, 오히려 木에게 우롱을 당하여 '목반금모(木反金侮)'의 역방향 극제 현상이 나타난다. 이러한 현상을 '목모금(木侮金)'이라고 한다.

불급으로 인한 상모는 五行 가운데 한 行이 지나치게 허약하여, 원래 그것이 이기는 行을 제약할 수 없을 뿐 만 아니라 오히려 그것이 이기는 行의 '反剋'을 받는 것을 가리킨다. 정상적인 상황에서는 金이 木을 剋하고 木이 土를 剋하는데, 木이 지나치게 허약해지면 金이 木을 乘할 뿐만 아니라, 土도 木이 쇠약하기 때문에 그것을 '반극(反剋)'할 가

145) 未至而至, 此謂太過, 則薄所不勝而乘所勝也 (類經·五氣之合人萬物之生化)
146) 其不及, 則己所不勝, 侮而乘之 (素問·五運行大論)
147) 氣有餘, 則制己所勝而侮所不勝; 其不及, 則己所不勝侮而乘之, 己所勝者輕而侮之 (素問·五運行大論)

능성이 있다. 이러한 현상을 '토모목(土侮木)'이라고 한다.

오행의 상승과 상모는 오행간의 정상적인 생극제화의 관계가 파괴되고 나서 나타나는 비정상적인 상극현상이고, 양자는 모두 오행 가운데 한 行의 '태과'나 '불급'으로 일어나는 것이며, 양자 사이에는 구별이 있을 뿐 만 아니라 서로 연계도 있다. 그 주요한 구별은, 상승은 오행 간에 차례대로 서로 극제하는 순서에 따라 나타나는 것이고, 상모는 오행 상극의 차례를 거슬러서 나타나는 반극(反剋)현상이라는 것이다. 양자간의 연계는, 상승이 일어날 때에는 상모도 동시에 발생하며, 상모가 일어날 때에는 상승도 동시에 발생할 수 있다는 것이다. 실제로, 상승과 상모는 서로 밀접하게 연관되어 있으며, 한 가지 문제의 두 가지 측면이다. 그래서 양자를 같이 분석한다. 예를 들어, 木氣가 지나치게 강할 때, 그것이 勝하는 土를 지나치게 극제할 수 있을 뿐 만 아니라, 또 자기의 강함을 믿고 자기가 승하지 못하는 金을 역으로 극제할 수도 있다. 그와는 반대로, 木氣가 허약할 때는 金이 木을 승할 뿐 아니라, 또 그것이 승하는 土도 그 허함을 틈타서 도리어 侮하게 된다. 따라서『소문 오운행대론』에서는 "氣가 유여하면 자기가 이기는 것을 제압하고 이기지 못하는 것을 모욕한다. 氣가 불급하면 자기가 이기지 못하는 것이 자기를 모욕하고 짓밟으며, 자기가 이기는 것이 자기를 가볍게 여겨 모욕한다"148)고 하였다.

(3) 오행모자상급(五行母子相及)

'及'은 미친다는 뜻이다. '모자상급'은 母의 병이 子에 미치는 것(母病及子) 과 子의 병이 母에 미치는(子病及母) 두 가지 경우를 포함하는데, 모두 오행간 상생의 비정상적인 변화이다.

모병급자(母病及子)는 오행 가운데 한 行에 이상이 생기면 반드시 그 行의 子에 해당하는 行에 영향을 주어, 결국 母子 모두 이상이 생기는 것을 가리킨다. 예컨대 水는 木을 生하여 水는 母가 되고 木은 子가 되는데, 만약 水가 부족하여 木을 生할 힘이 없으면 木이 마르고 결국 수갈목고(水竭木枯)하여 母子가 모두 쇠한다.

자병급모(子病及母)는 오행 가운데 한 行에 이상이 생기면 반드시 그 行의 母에 해당하는 行에 영향을 주어, 결국 母子 모두 이상이 생기는 것을 가리킨다. 예컨대 木은 火를 生하여 木은 母가 되고 火는 子가 되는데, 만약 火가 지나치게 왕성하면 반드시 木을 지나치게 소모하여 木의 부족을 초래한다. 그리고 木이 부족하면 火를 생하는 힘이 부족해서 火의 기세 역시 쇠한다. 결국 子가 母를 소모하는 것이 지나쳐 母子가 모두 부족하게 된다.

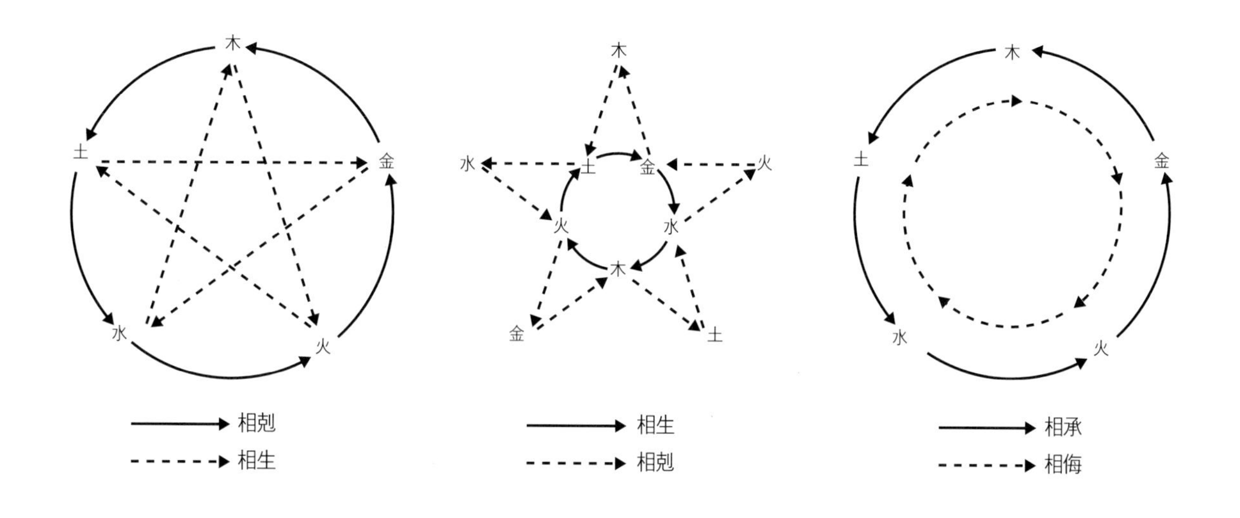

148) 氣有餘, 則制己所勝而侮所不勝; 其不及, 則己所不勝侮而乘之, 己所勝者輕而侮之 (素問·五運行大論)

3. 오행학설의 한의학에서의 응용

주로 오행의 특성으로 인체 장부、경락 등 조직기관의 오행속성을 분석 설명하고, 오행의 생극제화관계로써 장부、경락간과 각종 생리공능간의 상호관계를 분석하며, 오행의 승모(乘侮)와 모자상급(母子相及)으로써 장부 병변의 상호 영향을 설명하는 것이다. 그러므로 오행학설은 한의학이론의 설명도구일 뿐만 아니라, 또한 임상에 대해서도 실질적인 의미를 가진다.

1) 오장의 생리공능과 그 상호관계를 설명한다

(1) 오장의 생리공능을 설명한다

오행학설은 인체의 내장을 오행으로 나뉘어 귀속시키고, 오행의 특성으로 오장의 생리공능을 설명한다.

木은 생장승발(生長升發)하고 서창조달(舒暢條達)하는 특성이 있고, 肝은 조달을 좋아하고 억울을 싫어하며, 기혈을 소통시키고 정서를 조창하는 공능이 있으므로 肝은 木에 속한다. 火에는 온열과 향상(向上)하는 특성이 있고, 心陽은 덥히는 공능이 있으므로 心은 火에 속한다. 土의 성질은 돈후하여 만물을 만드는 특성이 있고, 脾는 음식물을 운화시켜 정미(精微)를 만듦으로써 장부와 형체에 영양을 공급하여 氣血을 만드는 원천이 되므로 脾는 土에 속한다. 金은 성질이 청숙하고 수렴하고, 肺는 청숙한 성질을 갖추고 있으므로 肺는 金에 속한다. 水는 자윤、하행、폐장의 특성이 있고, 腎은 장정(藏精)과 주수(主水)의 공능이 있으므로 腎은 水에 속한다.

오행학설은 오행의 특성으로 오장의 생리공능을 설명하고 오장의 오행 특성을 확정할 뿐만 아니라, 오장을 중심으로 인체의 여러 조직구조와 공능을 연결시키며, 동시에 자연계의 오방、오시、오기、오색、오미 등과 인체의 오장육부、오체、오관 등을 연계시키는데, 이런 방식으로 인체의 내외를 연결하여 하나의 통일체를 이룬다. 肝을 예로 들면, "동쪽에서 風이 생기는데, 風은 木을 生하고 木은 신 맛를 生하며 신 맛은 肝을 生하고 肝은 힘줄을 生하며 … 肝은 눈을 주관한다"149), "동쪽의 푸른 색은 간으로 들어가 눈으로 구멍을 열고, 간에 精을 저장하며, 그 병은 놀라는 병이다. 주관하는 맛은 신 맛이며, 종류는 초목이다. … 이로써 병이 筋에 있음을 알 수 있다"150)고 한 것처럼, 자연계의 동방、봄、청색、바람(風)、신 맛 등을 오행의 木과 인체의 간、힘줄、눈을 연계시켜 천인상응의 통일적인 이론체계를 만들었다.

(2) 오장 사이의 상호관계를 설명한다

오장의 공능활동은 고립적인 것이 아니고 상호 연계된 것이다. 한의학의 오행학설은 오행의 특성을 이용하여 오장의 공능특징을 설명할 뿐만 아니라, 오행 생극제화 이론을 운용하여 장부 생리공능의 내재연계를 설명하는데, 오장간에는 서로 자생하고 또 제약하는 관계가 있다.

오행상생으로 오장 간의 연계를 설명한다. 예컨대 간생심(肝生心)은 木生火로, 肝은 血을 저장하여 心을 돕는다. 심생비(心生脾)는 火生土로, 心陽은 脾土를 덥혀서 脾의 운화를 돕는다. 비생폐(脾生肺)는 土生金으로, 脾氣는 精을 흩어서 肺로 올려 보낸다. 폐생신(肺生腎)은 金生水로, 肺氣는 청숙 하행하여 수도(水道)를 통조함으로써 腎水를 돕는다. 신생간(腎生肝)은 水生木으로, 腎은 精을 저장함으로써 肝血을 자양한다.

149) 東方生風, 風生木, 木生酸, 酸生肝, 肝生筋, … 肝主目 (素問·陰陽應象大論)
150) 東方青色, 入通於肝, 開竅於目, 藏精於肝, 其病發驚駭. 其味酸, 其類草木, … 是以知病之在筋也 (素問·金匱眞言論)

오행상극으로 오장 간의 상호제약 관계를 설명한다.『소문 오장생성론(五藏生成論)』에서 "심은 … 그 주인을 신으로 한다"151), "폐는 … 그 주인을 심으로 한다"152), "간은 … 그 주인을 폐로 한다"153), "비는 … 그 주인을 간으로 한다"154), "신은 … 그 주인을 비로 한다"155)고 하였다. 여기에서 '主'는 '상외(相畏)'나 '제약(制約)'의 의미로, 오장의 생리공능은 모두 그 이기지 못하는 장(臟)의 제약을 받는다는 것인데, 예를 들어『소문집주(素問集註)』에서 "심은 火를 주관하면서 腎水의 극제를 받으므로 신은 심장이 生化하는 주인이 된다"156)고 하였다. 신극심(腎剋心)은 水剋火로, 腎水의 자윤은 상행하여 心火를 제약하여 그 지나치게 항진됨을 방지한다. 심극폐(心剋肺)는 火剋金으로, 心火의 덥히는 역할은 肺氣의 선발을 돕고 肺氣의 지나친 숙강을 제약한다. 폐극간(肺剋肝)은 金剋木으로, 肺氣의 청숙하행은 肝氣의 지나친 승발을 억제할 수 있다. 비극신(脾剋腎)은 土剋水로, 脾는 수습의 운화를 주관하여 腎水의 범람을 방지할 수 있다.

여기에서 오장의 생리공능과 그 상호 자생, 상호 제약의 관계는 오행의 특성과 그 생극의 원리로 논술한 것이다. 그러나 오장의 공능은 다양하고 그 상호관계는 복잡하다. 오행의 특성으로 오장의 모든 공능을 설명할 수 없을 뿐만 아니라, 오행의 생극 관계 역시 오행 간의 복잡한 생리관계를 완전히 해석하기는 어렵다. 그러므로 장부의 생리공능과 그 상호간의 내재 연계를 설명하면서 반드시 오행의 상생상극 이론에만 얽매일 필요는 없다.

2) 오장병변의 상호 영향을 설명한다

오행학설은 장부 간의 생리적인 상호 연계뿐만 아니라, 장부간의 병리적인 상호 영향을 설명하는 데에 이용될 수 있다. 본장(本臟)의 병은 다른 臟으로 전해질 수 있고, 다른 臟의 질병 역시 본장으로 전해질 수 있는데, 이러한 병리적인 상호영향을 전변(傳變)이라고 한다. 장부간의 전변은 상생관계의 전변과 상극관계의 전변으로 나눌 수 있다.

(1) 상생관계의 전변

'모병급자(母病及子)'와 '자병급모(子病及母)'의 두 가지 경우이다.

'모병급자'는 질병의 전변이 모장(母臟)에서 자장(子臟)으로 옮겨진 것을 가리킨다. 예를 들어 腎은 水에 속하고 肝은 木에 속하는데, 水는 木을 生하므로 腎은 모장이 되고, 肝은 자장이 된다. 腎病이 肝에 미치면 '모병급자'이다. 임상적으로 자주 나타나는 수불함목(水不涵木)은 '모병급자'에 속한다. 신수부족(腎水不足)으로 肝木을 함양(涵養)할 수 없으므로 간신음허, 간양상항의 수불함목증을 형성한다.

'자병급모'는 질병의 전변이 子로부터 모장에 전해지는 것을 가리킨다. 예를 들어 肝은 木에 속하고, 心은 火에 속하는데, 木은 火를 生하므로 肝은 모장이 되고, 心은 자장이 된다. 心病이 肝에 미치면 '자병급모'이다. 임상적으로 자주 나타나는 심간혈허(心肝血虛)와 심간화왕(心肝火旺)은 모두 '자병급모'에 속한다. 이는 먼저 심혈부족하고, 계속되면 간혈휴허(肝血虧虛)케 하여 심간혈허에 이르거나, 혹은 먼저 심화왕성하고, 계속되면 肝에 이르러 肝火를 일으켜 심간화왕증을 형성한다.

151) 心 … 其主腎也 (素問·五藏生成論)
152) 肺 … 其主心也 (素問·五藏生成論)
153) 肝 … 其主肺也 (素問·五藏生成論)
154) 脾 … 其主肝也 (素問·五藏生成論)
155) 腎 … 其主脾也 (素問·五藏生成論)
156) 心主火而制于腎水, 是腎乃心臟生化之主 (素問集註·五臟生成篇)

(2) 상극관계의 전변

'상승(相乘)'과 '상모(相侮)'의 두 가지 경우이다.

상승은 상극이 지나쳐서 병이 된 것이다. 오장상승(五臟相乘)을 일으키는 원인에는 두 종류가 있다. 하나는 한 臟이 지나치게 성하면 그 剋을 받는 臟이 지나친 극벌(剋伐)을 받는 것이고, 다른 하나는 한 臟이 지나치게 약하면 그 臟을 극하는 臟의 剋制를 견딜 수 없어서 극벌(剋伐)이 태과한 것으로 나타나는 경우이다. 예컨대 肝木과 脾土사이의 상극관계로 말하자면, 상승전변(相乘傳變)에는 '목왕승토(木旺乘土)'와 '토허목승(土虛木乘)'의 두 가지 경우가 있다. 일반적으로 간왕(肝旺)하면 脾胃의 운화공능에 영향을 미쳐 흉협고만, 완복창통, 범산(泛酸), 설사 등의 증상이 나타날 때 '목왕승토(木旺乘土)'라고 한다. 반대로 먼저 脾胃가 허약하여 肝의 상승(相乘)을 견딜 수 없어 두훈핍력(頭暈乏力), 납매애기(納呆噯氣), 흉협창만, 복통설사 등의 증상이 나타날 때 '토허목승(土虛木乘)'이라고 한다.

상모는 '반모(反侮)'라고도 하는데, 즉 역방향으로 극제(剋制)하여 병이 된 것이다. 오장 상모를 일으키는 원인에도 역시 두 종류가 있는데, 상모가 태과한 경우와 상모가 불급한 경우이다. 예컨대 肺金은 본래 肝木을 극제할 수 있는데, 폭노로 인해 간화가 항성하면 肺金이 肝木을 제약하지 못할 뿐만 아니라, 肝火의 역방향 극제를 당해서 급조이노, 면홍목적, 심하면 해역상기(咳逆上氣), 객혈 등 목모금(木侮金)의 증상이 나타나는데, 이를 '목화형금(木火刑金)'이라고 한다. 상모가 불급한 경우는 한 臟의 허손으로 인해 그 '아극(我剋)'하는 臟으로부터 반극(反剋)하는 현상이 나타난 것은 가리킨다. 예컨대 脾土가 허쇠하여 腎水를 제약하지 못함으로써 나타난 전신 부종은 '토허수모(土虛水侮)'라고 할 수 있다.

총괄하면, 오장병변의 상호 영향은 오행의 승모(乘侮)와 모자상급(母子相及)의 원리로 해석할 수 있다. 상생의 원리로 전변하는 경우, 母病이 子에 이르는 병정은 가볍고, 子病이 母에 이르는 병정은 비교적 중한데, 이에 관해『난경경석(難經經釋)』에서는 "사기가 생기를 떠받들고 오면 사기가 들어오더라도 쉽게 물러간다."157), "나의 기를 받는 자의 힘이 왕성하면 도리어 상극하여 오는 세력이 반드시 심해진다"158)고 하였다. 상극의 원리로 전변하는 경우, 상승전변(相乘傳變)은 비교적 중하고, 상모전변(相侮傳變)의 병정은 비교적 가벼운데, 이에 관해『난경교석(難經校釋)』에서 "내가 이기지 못하는 것은 나를 극하는 것이다. 장의 기운이 이미 제약을 받고 있으니 사기가 그 세력을 끼고 힘을 더하여 오면 손상이 반드시 더욱 심하니, 이를 적사(賊邪)라고 한다."159), "내가 이기는 것은 내가 극하는 것이다. 그 기운이 이미 나에게 제약을 받고 있으므로 사기가 깊이 들어오지 못하는 것을 미사(微邪)라고 한다"160)고 하였다.

이외에 오행학설의 이론을 운용하여 오장의 발병과 계절의 관계를 해석할 수 있다. 오장이 오시(五時), 즉 오계절을 따르기 때문에 오장 발병의 일반적인 원리는 그 주관하는 계절에 邪를 받아서 발병한다. 즉 봄에는 肝病이 다발하고, 여름에는 心病이 다발하며, 늦여름에는 脾病이 다발하고, 가을에는 肺病이 다발하고, 겨울에는 腎病이 다발한다. 그러므로『소문 해론(咳論)』에서 "사기가 가을을 타고 오는 것은 폐가 먼저 사기를 받고, 봄을 타고 오는 것은 간이 먼저 사기를 받으며, 여름을 타고 오는 것은 심이 먼저 사기를 받고, 지음(至陰)을 타고 오는 것은 비가 먼저 사기를 받으며, 겨울을 타고 오는 것은 신이 먼저 사기를 받는다"161)고 하였다.

오행의 생극원리가 오장 간의 복잡한 생리관계를 완전히 해석하지는 못하기 때문에 오장간 병변의 상호 영향 역

157) 邪扶生氣而來, 雖進而易退 (難經經釋·第五十難)
158) 受我之氣者, 其力方旺, 還而相剋, 來勢必甚 (難經經釋·第五十難)
159) 所不勝, 剋我也. 臟氣本已相制, 而邪氣扶氣力而來, 殘削必甚, 故爲賊邪 (難經經釋)
160) 所勝, 我所剋也. 臟氣受制于我, 則邪氣不能深入, 故爲微邪 (難經正義·第五十難)
161) 乘秋則肺先受邪, 乘春則肝先受之, 乘夏則心先受之, 乘至陰則脾先受之, 乘冬則腎先受之 (素問·咳論)

시 오행승모(五行乘侮)와 모자상급(母子相及)의 원리로써 완벽하게 설명하기는 어렵다. 그러므로『소문 옥기진장론(玉機眞藏論)』에서 "그러나 갑자기 발생한 것은, 반드시 이론대로 전이되지 않고, 그 전화(傳化)하는 것이 차례에 따르지 않는 경우도 있다"[162]고 하였는데, 당연히 실제 상황을 근거로 질병의 전변 원리를 파악해야만 한다. 한대의 장중경이『상한론』에서 세운 육경(六經) 전변과 청대의 섭천사(葉天士)가『온열론(溫熱論)』에서 제시한 위기영혈(衛氣營血) 전변은 모두 임상에서 출발해서 대규모의 실제 경험을 통하여 총결한 질병의 전변원리이다.

3) 질병의 진단에 이용된다

인체는 유기적인 통일체이며, "안에 있는 것은 반드시 겉으로 드러난다[163]"고 하기 때문에 내장에 있는 병은 체표로 드러나 "겉으로 나타난 것을 보면 내장을 알 수 있어서 병에 대해 알 수 있다"[164]고 한다. 오행학설은 질병의 진단에 이용되는데, 주로 오행의 귀속으로 四診의 자료를 분석하고 임상에서의 진단에 응용된다. 오행의 생극승모(生剋乘侮)의 원리로 병정을 추단하고 질병의 예후를 판단한다.

(1) 四診에 응용된다

내장에 병이 있을 때의 증상은 매우 다양한데, 내장의 활동과 그 상호관계의 이상변화는 체표의 상응하는 조직과 기관에 반영되어 색、목소리、형태、맥상 등 다양한 이상변화로 나타날 수 있다. 五臟과 오색、오음、오미 등은 모두 특정한 연관관계가 있기 때문에 이러한 오장계통의 분류체계는 질병 진단의 이론적인 기초가 된다. 그러므로 임상에서 질병을 진단할 때는 四診에서 얻은 자료를 종합하고 오행의 귀속 및 그 생극승모의 변화원리에 근거하여 병정을 추단한다. 이에 관해『난경 육십일난』에서 "보고 아는 자는 그 五色을 보고 병을 아는 것이다. 듣고 아는 자는 그 五音을 듣고 병을 변별하는 것이다. 물어보고 아는 자는 五味 중 어느 것이 입맛에 당기는지를 물어 그 병이 어디서 일어나는지를 아는 것이다. 맥을 보고 아는 자는 촌구맥을 보고 허실을 관찰하여 병을 아는 것이니 병이 어느 장부에 있는지 알 수 있다"[165]고 하였는데, 예를 들어 얼굴에 푸른 색이 나타나고 신 음식 먹기를 좋아하며 脈에 현상(弦象)이 보이면 肝病으로 진단할 수 있고, 얼굴에 붉은 색이 나타나고 입이 쓰며 脈이 홍삭(洪數)하면 심화항성(心火亢盛)으로 진단할 수 있으며, 비허(脾虛)한 환자 얼굴에 푸른 색이 나타나면 木이 土를 승(乘)한 것이고, 心臟 환자 얼굴에 검은 색이 나타나면 水가 火를 승(乘)한 것 등이다.

(2) 病情을 추단하는데 이용된다

오행학설은 병정의 추단에 이용되는데, 주로 오색간(五色間) 그리고 색맥간(色脈間)의 생극관계에 근거하여 병정의 경중을 추측하고 질병의 예후를 판단한다. 내장 질병과 그 상호관계의 이상변화는 얼굴 색깔의 변화로 나타날 수 있다. 그러므로 우리들은 '주색(主色)'과 '객색(客色)'의 변화에 근거하고, 오행의 생극관계를 기초로 병정의 순역(順逆)을 추측할 수 있다. '주색'은 오장의 본색을 가리키고, '객색'은 때에 응하는 색이다. '주색'이 '객색'을 승(勝)하면 그 병은 逆에 속하고, 반대로 '객색'이 '주색'을 승하면 그 병은 順에 속하게 된다. 이에 관해『의종금감 사진심법(醫宗金

---

162) 然其卒發者, 不必治於傳; 或其傳化有不以次 (素問·玉機眞藏論)
163) 有諸內者, 必形諸外 (孟子·告子下)
164) 視其外應, 以知其內臟, 則知所病矣 (靈樞·本藏)
165) 望而知之者, 望見其五色, 以知其病. 聞而知之者, 聞其五音, 以別其病. 問而知之者, 問其所欲五味, 以知其病所起所在也. 切脈而知之者, 診其寸口, 視其虛實, 以知其病, 病在何臟腑也 (難經·六十一難)

鑑·四診心法)』에서는 "간은 청색을, 심은 적색을, 비는 황색을, 폐는 백색을, 신은 흑색을 주관한다. 오장은 건강할 때 장색(臟色)이 主가 되고, 시색(時色)이 客이 된다. 봄은 청색을, 여름은 적색을, 가을은 백색을, 겨울은 흑색을, 장하(長夏)와 사계절은 황색을 주관한다. 건강하다는 것은 客이 主를 승(勝)할 때 좋은 것이고, 主가 客을 승할 때 안 좋은 것이다"166)라고 하였다.

질병의 병정에 대한 추단은 색진과 맥진을 결합, 즉 색맥합진(色脈合診)해야 비로소 객관적으로 질병의 상황을 반영할 수 있기 때문에 『소문 오장생성』에서 "색과 맥을 함께 보아야 만전을 기할 수 있다"167)고 하여 색맥합참(色脈合參)으로 병정을 판단하기 위해서는 반드시 오행학설과 긴밀하게 결합하여야 한다고 하였는데, 오행 간의 생극원리로 그것을 설명한다. "만약 색만 보고 맥을 보지 않았는데, 만약 상승(相勝)의 맥이 뛰고 있으면 죽을 것이다"168)라고 하면서 "색과 맥이 서로 부합되는 것은, 청색과 현맥, 적색과 홍맥, 황색과 완맥, 백색과 부맥, 흑색과 침맥이 함께 나타나면 정상 상태이다. 이미 나타난 색에 해당하는 맥이 나타나지 않은 경우에, 剋하는 맥이 나타나면 죽고 生하는 맥이 나타나면 산다"169)고 하였다. 예컨대 肝病에 얼굴이 푸른 색이면서 현맥(弦脈)이 나타나면 색맥이 서로 부합하는 것이고, 만약 현맥이 아니라 반대로 부맥(浮脈)이 나타나면 상승(相勝)의 맥, 즉 색을 극(剋)하는 맥으로, 逆이 되어 예후가 좋지 못하다. 만약 침맥(沈脈)을 얻으면 상생의 맥, 즉 색을 生하는 脈으로, 順이 되어 예후는 비교적 좋다.

그러나 실제 임상에서 질병의 추단과 예후에 대해 가장 중요한 것은 '사진합참(四診合參)'인데, 단순히 색맥합참에 따르는 것도 아니고, 또한 색맥간의 '상생'이나 '상극'에 집착해서도 안된다.

4) 질병의 치료에 이용된다

오행학설은 질병의 치료에도 이용되는데, 약물의 色과 味에 근거하여 오행의 귀속에 따라 어떤 장부에 작용하는지를 확정하고, 오행의 생극승모의 원리에 따라 질병의 전변을 제어하고 그 치법을 확정하는 것이다.

(1) 장부용약(臟腑用藥)에 응용된다

모든 약물은 각기 고유한 色과 味가 있다. 色으로 나누자면, 청, 적, 황, 백, 흑의 '오색(五色)'이 있고, 味로는 산, 고, 감, 신, 함의 '오미(五味)'가 있다. 약물의 오색, 오미와 오장의 관계는 천연의 色味를 기초로 하고, 각자의 성능과 귀경을 근거로 하며, 오행귀속(五行歸屬)에 따라 확정되었는데, 청색과 산미는 肝으로, 적색과 고미는 心으로, 황색과 감미는 脾로, 백색과 신미는 肺로, 흑색과 함미는 腎으로 간다. 예컨대 백작(白芍)과 산수유(山茱萸)는 산미이므로 肝經으로 가서 간을 보하며, 주사(朱砂)는 적색이므로 心經으로 가서 진심안신(鎭心安神)하고, 석고(石膏)는 백색으로 신미이므로 肺經으로 가서 청폐열(淸肺熱)하고, 황련(黃蓮)은 고미이므로 心火를 사하며, 백출(白朮)은 황색 감미이므로 脾氣를 보익하고, 현삼(玄蔘)과 생지황(生地黃)은 흑색 함미이므로 腎經으로 가서 腎陰을 자양하는 등이다. 임상에서의 장부용약은 氣味 이외에도 반드시 약물의 四氣(한열온량)와 승강부침 등 이론을 종합적으로 응용한다.

(2) 질병의 전변을 조절한다

166) 肝青心赤, 脾臟色黃, 肺白腎黑, 五臟之常. 臟色爲主, 時色爲客. 春青夏赤, 秋白冬黑, 長夏四季色黃. 常則客勝主善, 主勝客惡 (醫宗金鑑·四診心法)

167) 能合色脈, 可以萬全 (素問·五藏生成)

168) 若見其色而不得其脈, 反得其相勝之脈, 則死矣. 得其相生之脈, 則病已矣 (靈樞·邪氣臟腑病形)

169) 色脈相合, 青弦赤洪, 黃緩白浮, 黑沉乃平. 已見其色, 不得其脈, 得剋則死, 得生則生 (醫宗金鑑·四診心法)

한 臟에 병이 들면 다른 臟에 파급되어 질병이 전변케 된다. 그러므로 치료 시에는 병든 본 장에 대하여 처리하는 외에도 마땅히 그와 관련된 장부를 고려해야 한다. 오행의 생극승모(生剋乘侮) 원리에 따라 태과와 불급을 조정하여 그의 전변을 조절함으로써 정상적인 공능활동을 회복하도록 한다. 예를 들면, 肝臟이 병든 경우, 생극승모 관계를 통하여 心、脾、肺、腎에 영향을 미치고 또한 心、脾、肺、腎의 질병으로 말미암아 肝에도 영향을 미쳐 병을 얻는다. 만약 肝氣가 태과하면 木이 왕성하여 반드시 土를 剋하는데, 이 때에는 마땅히 먼저 脾氣를 보익하여 그 전변을 막아야 한다. 脾氣가 건강하면 肝病이 脾에 전해지지 않는다. 이에 관해 『난경 칠십칠난』에서 "肝의 병을 보면 간의 병이 脾로 전이될 것을 알아서 먼저 脾氣를 實하게 해야 한다"[170]고 하였는데, '실기비기(實其脾氣)'는 건비(健脾)、조보비장(調補脾臟)의 뜻이다. 목왕극토(木旺剋土)로 肝病이 脾로 전해지면 보비(補脾)하므로써 그 전변을 방지할 수 있는데, 이는 오행 생극승모 원리를 응용하여 질병의 전변 원리를 설명하고, 예방적인 치료조치를 정한 것이다. 질병의 전변 여부는 장부의 생리기능 상태에 따라 결정되는데, 五臟이 虛하면 傳해지고, 實하면 傳해지지 않는다. 그러므로 『금궤요략』에서 "肝의 병을 보면 간의 병이 脾로 전이될 것을 알아서 먼저 비를 實하게 해야 한다. 脾는 사계절에 왕성하여 사기를 받지 않으므로 보하여서는 안 된다"[171]고 하였다.

임상에서 질병의 전변과정 중의 생극승모 관계를 파악하는 것이 필요한데, 이론에 근거하여 미리 치료함으로써 전변을 조절하고 미연에 질환을 예방할 수 있다. 또한 구체적인 병정에 근거하여 변증론치해야 하는데, 판에 박은 듯한 공식에 따라 기계적으로 적용해서는 안 된다.

(3) 치료원칙과 치법(治法)을 정한다

오행학설은 인체 장부의 생리공능과 병리변화를 설명하고, 四診에 응용되며, 병정을 추단하는 데에 이용될 뿐만 아니라 오행간의 상호자생、상호제약의 관계로써 질병의 치료원칙과 구체적인 치료방법을 확립하는 데에 응용된다.

오행상생 원리에 근거하여 치료원칙과 치법을 확정한다. 구체적으로는 아래와 같다.

○ 치료원칙을 확정한다

임상적으로 상생원리를 운용하여 질병을 치료하는데, 그 기본적인 치료원칙은 보모(補母)와 사자(瀉子), 즉 『난경 육십구난』에서 말한 "虛하면 그 어미를 보하고, 實하면 그 자식을 사한다"[172]는 것이다.

'허즉보기모(虛則補其母)'의 경우, 한 臟의 허증에는 그 臟의 허쇠를 보익하여 회복시킬 뿐만 아니라, 동시에 오행 순서에 의한 상호 자생의 순서에 따라 그 '모장(母臟)'을 보익해야 하는데, '상생'작용을 통해 그 모장을 회복시킨다. 예컨대 肝의 陰血부족에 補肝약물을 사용하는 외에도 보신익정(補腎益精)의 방법을 사용하여 '水生木'의 작용을 통해 肝의 회복을 도모할 수 있다.

'실즉사기자(實則瀉其子)'의 경우, 한 臟의 실증에는 그 臟의 실사(實邪)를 사제(瀉除)하는 동시에 오행상생의 순서에 따라 그 '자장(子臟)'을 사하면 "氣는 그를 만드는 곳에 머문다[173]"는 기전을 통해 그 '母臟'의 실사를 사제할 수 있다. 예컨대 肝火가 치성하여 간실증이 나타날 때에는 사간화(瀉肝火)하는 약물을 사용하는 외에도 사심화(瀉心火)

170) 見肝之病, 則知肝當傳之于脾, 故先實其脾氣(難經本義)
171) 見肝之病, 知肝傳脾, 當先實脾. 四季脾旺不受邪, 卽勿補之 (金匱要略·臟腑經絡先後病脈證)
172) 虛則補其母, 實則瀉其子 (難經·六十九難)
173) 氣舍于其所生 (景岳全書)

하는 약물을 사용함으로써 "心은 肝으로부터 기를 받는다", "肝의 氣는 心에 머문다"는 기전을 통해 지나치게 왕성한 肝火를 소제할 수 있다.

ㅇ 치법을 정한다

상생원리에 근거하여 정해진 치료방법으로 상용되는 경우는 다음과 같다.

자수함목법(滋水涵木法): 腎陰을 자양하므로써 肝陰을 자양하는 방법으로, 자신양간법(滋腎養肝法), 자보간신법(滋補肝腎法)이라고도 한다. 腎陰이 휴손되어 肝陰이 부족하고 심하면 肝陽이 상항하는 증에 적용된다.

익화보토법(益火補土法): 腎陽을 溫함으로써 脾陽을 보하는 방법으로, 온신건비법(溫腎健脾法), 온보비신법(溫補脾腎法)이라고도 한다. 腎陽이 쇠미하여 脾陽이 부진한 證에 쓰인다.

오행의 생극 순서에 따르자면, 心은 火에 속하고, 脾는 土에 속하기 때문에 화불생토(火不生土)는 분명히 心火가 脾土를 生하지 못하는 것이고, 익화보토(益火補土)는 心陽을 溫함으로써 脾土를 덥히는 것이다. 다만 명문학설이 제시된 이래로, 대개 命門의 火에 脾土를 덥히는 작용이 있는 것으로 보고 있다. 그러므로 현재 임상에서 '익화보토법'은 腎陽이 쇠미하여 脾가 건운하지 못한 증에 적용되는 것을 의미하며, 心火와 脾陽의 관계를 가리키는 경우는 적다.

배토생금법(培土生金法): 건비보기(健脾補氣)를 통해 肺氣를 보익하는 방법이다. 주로 肺氣가 허약한 證에 쓰이고, 만약 肺氣가 虛하면서 동시에 脾가 건운하지 못하는 경우에도 역시 응용할 수 있다.

금수상생법(金水相生法): 자양폐신법(滋養肺腎法)이라고도 한다. 肺는 金에, 腎은 水에 속하는데, 金이 水를 生할 수 있으므로 肺陰을 보하면 腎陰을 자양할 수 있다. 따라서 임상적으로 肺腎陰虛에 대해서는 대부분 두 장을 같이 보하는데, 금수호생(金水互生)의 기전을 통해 두 장의 陰虛를 치료한다.

오행상극의 원리에 근거하여 치료원칙과 치법을 정한다.

ㅇ 치료원칙을 정한다

임상적으로, 오장 상극원리의 이상으로 나타나는 상승과 상모 등의 병리변화를 일으키는 원인은 '태과'와 '불급'이다. '태과'는 기능 항진으로 표현되고, '불급'은 기능 쇠퇴로 표현된다. 따라서 치료상 억강부약의 치료원칙을 동시에 채용하는 경우, 그 강성함을 제약하는 데에 치중하여 약한 것이 쉽게 회복되도록 해야 한다. 만약 一方이 비록 강성해도 아직 그 태과를 극벌(剋伐)함이 발생하지 않았을 때에는 이 치료원칙을 이용하여 미리 剋을 받는 것의 역량을 강화시켜 병정의 발전을 방지할 수 있다.

억강(抑强)은 주로 태과로 인한 상승과 상모에 이용된다. 예컨대 肝氣가 횡역하여 승비범위(乘脾犯胃)하면 간비부조(肝脾不調)와 간위불화(肝胃不和)의 증이 나타나는데, 이를 목왕승토(木旺乘土)라고 한다. 치료는 마땅히 소간평간(疏肝平肝)을 위주로 해야 한다. 또 木은 본래 土를 剋하는데, 만약 土氣가 태과하여 반대로 木을 剋하면 토반모목(土反侮木)이며, 임상적으로는 비위습열(脾胃濕熱)이나 한습옹체(寒濕壅滯)가 많이 나타난다. 肝氣의 소설 조달에 영향을 미치는 것을 토옹목울(土壅木鬱)이라 하고, 치료는 운비거사(運脾祛邪)를 위주로 한다. 그 강한 것을 억제하면 그 약한 것의 기능은 자연히 쉽게 회복된다.

부약(扶弱)은 주로 불급으로 인한 상승과 상모에 이용된다. 예컨대 脾胃가 허약하여 肝氣가 그 허를 틈타 들어와 간비불화증이 된 것을 토허목승(土虛木乘) 혹은 토허목적(土虛木賊)이라 하며, 치료는 건비익기를 위주로 한다. 다시 예를 들면 土는 본래 水를 제약하는데, 만약 脾氣가 허약하면 水를 억제하지 못하고 오히려 腎水의 반극(反剋)을 받아 비허수범(脾虛水泛)의 증이 나타난 것을 토허수모(土虛水侮)라 하고, 치료는 온신건비(溫腎健脾)를 위주로 한다.

약한 것을 도와 그 역량을 강화시키면 그 장부의 정상적인 공능을 회복할 수 있다.

ㅇ 치법을 정한다

상극원리에 근거하여 확정된 치법 가운데 상용되는 것은 다음의 몇 가지가 있다.

억목부토법(抑木扶土法): 소간과 건비를 결합시켜 간왕비허(肝旺脾虛)를 치료하는 치법인데, 소간건비법(疏肝健脾法), 조리간비법(調理肝脾法), 평간화위법(平肝和胃法)이라고도 한다. 목왕승토(木旺乘土)나 토허목승(土虛木乘)의 증에 적용된다. 임상에서 응용할 때는 구체적인 상황에 근거하여 억목(抑木)과 부토법(扶土法)에 대한 비중을 달리 한다. 예를 들어 목왕승토의 증인 경우, 억목을 主로 하고 부토를 보조로 하며, 토허목승의 증인 경우, 부토를 主로 하고 억목을 보조로 한다.

배토제수법(培土制水法): 건비(健脾)와 이수(利水)로 수습(水濕)이 정취된 병을 치료하는 치법인데, 돈토리수법(敦土利水法)이라고도 한다. 비허불운(脾虛不運)으로 수습이 범람하여 수종 창만케 된 증에 적용된다.

좌금평목법(佐金平木法): 肺는 金에, 肝은 木에 속하는데, 金이 木을 剋할 수 있으므로 肺는 肝을 제약할 수 있다. 만약 폐허(肺虛)하여 肝을 제약하지 못하면 간왕(肝旺)하고, 간왕하면 비위를 승(乘)하여 범산조잡(泛酸嘈雜), 완복창통 등 증상이 나타나는데, 肺金을 보좌하여 肝木을 제약하면 위의 증은 제거될 수 있다. 肝旺이 火를 끼고서 肺金을 모(侮)하면 협륵작통(脇肋灼痛), 기침, 객혈 등 증상이 나타나는데, 肺金을 보좌하여 청간 사화 강기한다. 총괄하자면, 이 치법은 肺虛로 肝을 제약하지 못해서 肝旺한 것을 치료하는 데에 적용된다.

사남보북법(瀉南補北法): 사심화(瀉心火)와 보신수(補腎水)를 결합한 치법인데, 사화보수법(瀉火補水法), 자음강화법(滋陰降火法)이라고도 한다. 腎陰이 부족하여 心火가 편왕함으로써 수화부제(水火不濟)한 심신불교(心腎不交)의 증에 적용된다. 心이 火를 주관하고 火는 南方에 속하며, 腎은 水를 주관하고 水는 北方에 속하기 때문에 사남보북법이라고 한다. 만약 心火가 홀로 위에서 항성하고 아래로 腎과 교제하지 못하는 경우에는 사심화를 위주로 하고, 腎水가 부족하여 위로 心을 봉양하지 못하는 경우에는 자신수(滋腎水)를 위주로 한다. 그러나 腎에는 水火가 모두 있기 때문에 腎陰虛 역시 相火를 偏旺케 하며, 이를 수불제화(水不制火)라고도 하는데, 이는 한 臟 자체의 水火 음양의 편성편쇠에 속하고, 오행생극 중의 수불극화(水不剋火)와는 다르다.

총괄하면, 오행의 상생 상극원리에 따라 유효한 치료원칙과 치법을 확립하고 임상에 적용시킬 수 있다. 그러나 구체적으로 운용할 때에는 주차를 분명히 해야 하고, 쌍방 역량의 비율에 따라 전반적인 고려를 해야 한다. 경우에 따라서는 치모(治母)를 위주로 하면서 겸하여 그 子를 고려하거나, 치자(治子)를 위주로 하면서 겸하여 그 母를 고려하거나, 혹은 억강(抑强)을 위주로 하면서 부약(扶弱)을 보조로 하거나, 부약을 위주로 하면서 억강을 보조로 한다. 이와 같이 하면 임상에서 높은 치료효과를 거둘 수 있다.

오행학설의 치료에서의 응용은 비교적 광범위한데, 약물치료에 적용될 뿐만 아니라, 같은 방식으로 침구치료와 정신요법 등에도 적용된다.

침구요법에서는 수족십이경의 수족말단 가까이에 있는 정, 형, 수, 경, 합(井, 滎, 兪, 經, 合)의 오수혈(五兪穴)을 木, 火, 土, 金, 水의 오행에 분별 배속하고 있다. 장부병증(臟腑病證)을 치료할 때는 각각의 병정에 따라 오행의 생극원리로써 선혈(選穴) 치료를 한다. 예컨대 간허증을 치료할 때에는 '허즉보기모(虛則補其母)'의 원칙에 근거하여 腎經의 合穴(水穴)인 음곡(陰谷)이나 本經의 合穴(水穴)인 곡천(曲泉)을 취하여 치료한다. 간실증을 치료할 때에는 '실즉사기자(實則瀉其子)'의 원칙에 근거하여 心經의 滎穴(火穴)인 소부(少府)나 本經의 滎穴(火穴)인 행간(行間)을 치료하여 보허사실(補虛瀉實)로 장부의 정상적인 공능을 회복한다. 이를 체계적으로 발전시킨 침법이 조선시대의 사암도인에 의해 개발되어 우리나라에서는 활발하게 이용되고 있다.

정신요법은 주로 정서로 인한 질병에 이용된다. 사람의 정서활동은 오장공능의 하나에 속하는데, 감정이 지나치면 상응하는 내장(內臟)을 손상할 수 있다. 오장 간에는 상호 생극(生剋)관계가 있기 때문에 사람의 정서변화에도 상호 억제작용이 있다. 그러므로 임상에서는 감정간의 상호 제약관계를 이용하여 치료할 수 있다. 이에 관련하여『소문 음양응상대론』에서는 "怒는 간을 상하고, 悲는 怒를 이긴다. … 喜는 심을 상하고 恐은 喜를 이긴다. … 思는 비를 상하고 怒는 思를 이긴다. … 憂는 폐를 상하고 喜는 憂를 이긴다. … 恐은 신을 상하고 思는 恐을 이긴다"[174]고 하였다.

悲는 肺의 志로 金에 속하며, 怒는 肝의 志로 木에 속하는데, 金은 木을 극하기 때문에 '비승노(悲勝怒)'한다. 恐은 腎의 志로 水에 속하며, 喜는 心의 志로 火에 속하는데, 水는 火를 극하기 때문에 '공승희(恐勝喜)'한다. 怒는 肝의 志로 木에 속하며, 思는 脾의 志로 土에 속하는데, 木은 土를 극하기 때문에 '노승사(怒勝思)'한다. 喜는 心의 志로, 火에 속하며, 憂는 肺의 志로, 金에 속하는데, 火는 金을 극하기 때문에 '희승우(喜勝憂)'한다. 思는 脾의 志로 土에 속하며, 恐은 腎의 志로 水에 속하는데, 土는 水를 극하기 때문에 '사승공(思勝恐)'한다.

총괄하자면, 임상에서 오행의 생극원리에 따라 치료하는 것은 충분히 가치가 있다. 그러나 모든 질병을 오행의 생극원리에 따라 치료할 수 있는 것은 아니기 때문에 오행의 생극원리를 정확하게 파악하는 것도 중요하지만, 구체적인 병정에 의거하여 변증론치를 하는 것이 필요하다.

제4절 기론、음양학설、오행학설의 상호관계

기론、음양학설 및 오행학설은 고대 중국의 철학사상으로, 한의학에 적용되면서 한의학의 이론체계의 확립과 발전에 절대적인 영향을 미쳤다. 그 중에서 기론은 일종의 자연관으로서 한의학 이론체계의 바탕이 되었으며, 음양학설과 오행학설은 방법론으로서 한의학 이론체계의 기본 틀을 만드는 도구가 되었기 때문에 이들은 한의학 이론체계의 중요한 구성요소이다.

기론、음양학설 및 오행학설은 각기 특징이 있으면서도 상호 관련된다. 기론은 주로 물질세계의 본원을 탐구하는데, 무형의 기의 취(聚)와 산(散)으로 유형의 物과 무형의 '허실(虛實)'사이 내재 연계를 해석하며, 물질세계 구성의 동일성을 인정하고 있다. 본원으로 말하자면, 만물은 氣에서 근원하고, 기는 음양으로 나눌 수 있는데, 氣가 취합하여 만들어진 구체적인 형체는 음양의 상대적인 속성을 가지고 있으며, 성질의 차이에 따라 木火土金水의 다섯으로 나누어지고, 이 다섯 류는 각기 음양으로 다시 나눌 수 있다. 이에 관해『춘추번로(春秋繁露)』에서 "천지의 기는 합하여 하나가 되고, 나뉘어 음양이 되며 또 四時로 나뉘고 오행으로 분류된다"[175]고 하였으며, 朱子도『주자어류(朱子語類)』에서 "양이 변하고 음이 합하여서 水火木金土가 생긴다. 음양은 氣이며 오행의 質을 생성한다."[176], "음양은 氣이며, 오행은 質이다. 이 質이라는 것이 있어 사물을 만들어낼 수 있는 것이다. … 음양 이외에도 오행이라는 것이 있어야 한다"[177]고 하였다. 사람에 대한 인식을 예로 들면, 인체를 조성하는 氣는 음양으로 나눌 수 있으며, 기가 취합하여 형체가 생기는데, 생명과정은 음양의 두 氣가 만나 서로 뒤섞여 갈마들면서 부단히 상호 작용하는 결과이며, 구체적인 형

174) 怒傷肝, 悲勝怒, … 喜傷心, 恐勝喜, … 思傷脾, 怒勝思, … 憂傷肺, 喜勝憂, … 恐傷腎, 思勝恐 (素問·陰陽應象大論)
175) 天地之氣, 合而爲一, 分爲陰陽, 判爲四時, 列爲五行 (春秋繁露)
176) 陽變陰合, 而生水火木金土; 陰陽, 氣也, 生此五行之質 (太極圖說)
177) 陰陽是氣, 五行是質. 有這質, 所以做得事物出來. … 不是陰陽外別有五行 (朱子語類·理氣上)

질(形質)이 형성된 후에 인체의 각 부분은 또 오장、오관、오체、오액、오지 등 오행으로 귀속되고, 이들은 다시 음양으로 나누어질 수 있다. 한의학적으로 보면, 인체는 이처럼 하나의 종합적으로 연계된 복잡한 계통이다. 그러므로 의학의 영역에서 기론、음양학설 및 오행학설은 함께 어우러져 있으며, 종합적으로 운용되고 있다. 그 중에서 氣論은 하나의 자연관이며, 음양학설과 오행학설의 기반이다.

음양학설과 오행학설이 비록 자연관의 특징을 가지고 있다고는 하지만, 양자의 세계 본원에 대한 인식은 氣論에 종속되어 있으며, 방법론적인 성격이 두드러진다. 음양학설은 "하나가 둘로 나뉜다(一分爲二)"는 관점에 입각하여 상관된 사물이나 한 가지 사물의 두 가지 측면에 존재하는 상호 대립제약、호근호용、소장평형과 상호전화의 관계를 설명한다. 물질세계의 조성은 동일하며, 물질세계는 음양의 두 氣가 만나 서로 뒤섞여 갈마든 상호작용의 결과라는 인식의 바탕위에 음양학설로 우주를 해석하고 이 우주는 하나의 음양이 상반상성(相反相成)하고 있는 대립 통일체임을 인정하고 있다. 인체 역시 각종 대립제약과 협조 화해된 조직구조와 공능활동으로 조성된 통일체로 보고 있으며, 사람과 자연과의 관계에 대한 해석에 있어서도, 사람과 자연 역시 상호간에 구별이 있으면서도 대립적으로 연계된 통일체로 보고 있다. 음양학설의 핵심은 '이분법'이며, 음양학설은 이분법으로 자연을 인식하고 자연에 적응하는 방법론이다.

오행학설은 '五'라는 숫자로 사물 사이의 생극제화의 상호관계를 해석하고 있다. 오행학설은 氣의 취합으로 만물이 이루어져 있으며, 그 형질의 특징에 따라 木火土金水의 다섯 부류로 나눌 수 있는 것으로 보고 있다. 그러므로 오행학설에서는 우주를 木火土金水의 다섯 부류 사물의 생극제화로 조성된 통일체로 보고 있으며, 인체는 오행적으로 배속된 오장、오체、오관、오지 등으로 상호간의 생극제화의 관계를 설명하고 있다. 사람과 자연과의 관계에 대해서는, 자연계의 오운、육기、오방、오계(五季)와 오화(五化) 등이 모두 장부조직과 내응하고 있으며, 사람의 생리활동과 자연환경 사이에는 마찬가지로 생극제화 등의 상호연계가 존재하기 때문에 사람과 자연은 하나의 유기적인 통일체가 되는 것으로 해석하고 있다. 오행학설의 핵심은 오행의 생극제화인데, 이러한 인식은 자연계 자체에 존재하는 매우 복잡한 내재연계를 드러내는 데에 도움이 되므로 오행학설 역시 고대로부터 사람들이 자연을 인식하고 자연에 적응하는 방법론에 속한다.

인간의 생명활동과 자연과의 관계는 너무나도 복잡한 것이기 때문에 여전히 엄청나게 많은 문제들이 미지의 상태로 남아 있다. 기론、음양학설 및 오행학설은 철학분야에서의 자연관이자 방법론이며, 나름대로의 경향과 소박한 형식을 띠고 있기 때문에 인체의 생리활동, 병리변화와 천인관계를 완벽하게 해석할 수는 없다. 그러나 그들은 나름대로 인식방법과 사고의 방향성을 제공하고 있기 때문에 실제 응용할 때에는 종합적으로 운용하여야 한다. 이에 관하여 『유경도익』에서는 "오행은 음양의 질(質)이며, 음양은 오행의 기(氣)이다. 기는 질 없이 설 수 없으며, 질은 기 없이 운행할 수 없다. 운행하는 것은 음양의 기 때문이다"[178]라고 하였는데, 이는 실제 운용에서 음양과 오행은 서로 긴밀하게 연계되어야 하며, 양자의 기반은 氣임을 분명히 한 것이다. 이렇게 해야만 비교적 수월하게 사람의 생명과정에 대해 잘 파악할 수 있다.

결론적으로, 기론、음양학설 및 오행학설의 추상적 개념의 소박한 차원에만 머물러서는 안되고, 반드시 실제로부터 출발하여 인체의 생리활동、병리변화 및 천인관계 등 일련의 구체적인 연계를 연구함으로써 한의학의 과학성을 더욱 더 확보해 나가야 한다.

178) 五行卽陰陽之質, 陰陽卽五行之氣. 氣非質不立, 質非氣不行. 行也者, 所以行陰陽之氣也 (類經·陰陽類)

참고문헌

1. 『景岳全書』 張介賓
2. 『困知記』 羅欽順
3. 『公羊傳解詁·隱公元年』 何休
4. 『管子·內業』
5. 『管子·水地』
6. 『管子·乘馬』
7. 『管子·心術下』
8. 『管子·樞言』
9. 『國語·越語』
10. 『國語·幽王三年』
11. 『國語·鄭語』
12. 『國語·周語上』
13. 『金匱要略·臟腑經絡先後病脈證』 張仲景
14. 『難經·四十難』 扁鵲
15. 『難經·六十一難』 扁鵲
16. 『難經·六十九難』 扁鵲
17. 『難經經釋』 徐靈胎
18. 『論衡·論死』 王充
19. 『老子·四十章』
20. 『老子·四十二章』
21. 『東醫寶鑑·土部』 許浚
22. 『類經·五氣之合人萬物生化』 張介賓
23. 『類經·五行統論』 張介賓
24. 『類經·陰陽類』 張介賓
25. 『類經·陰陽虛實寒熱隨而刺之』 張介賓
26. 『類經圖翼·運氣·五行統論』 張介賓
27. 『類經附翼·醫易』 張介賓
28. 『孟子·告子下』
29. 『文子·九守』
30. 『卜辭通纂·天象門』 郭沫若
31. 『尙書·洪範九疇』
32. 『尙書大傳』
33. 『尙書正義』
34. 『說文解字』 許愼
35. 『素問·經脈別論』
36. 『素問·氣交變大論』
37. 『素問·金匱眞言論』
38. 『素問·六微旨犬論』
39. 『素問·寶命全形論』
40. 『素問·四氣調神大論』
41. 『素問·生氣通天論』
42. 『素問·五運行大論』
43. 『素問·五臟別論』
44. 『素問·五藏生成』
45. 『素問·玉機眞藏論』
46. 『素問·六微旨大論』
47. 『素問·六節藏象論』
48. 『素問·陰陽離合論』
49. 『素問·陰陽應象大論』
50. 『素問·藏氣法時論』
51. 『素問·調經論』
52. 『素問·至眞要大論』
53. 『素問·天元紀大論』
54. 『素問·通評虛實論』
55. 『素問·咳論』
56. 『靈樞·脈度』
57. 『靈樞·歲露論』
58. 『靈樞·刺節眞邪』
59. 『靈樞·論疾診尺』
60. 『靈樞·本藏』
61. 『靈樞·邪氣臟腑病形』
62. 『靈樞·陰陽繫日月』
63. 『素問集註·五臟生成篇』 張志聰
64. 『荀子·禮論』 荀況
65. 『詩經·大雅』
66. 『呂氏春秋·應同』 呂不韋
67. 『易·繫辭』
68. 『易傳·繫辭上』
69. 『易傳·繫辭下』
70. 『易傳·說卦』
71. 『易傳·咸』
72. 『禮記正義』
73. 『醫貫·陰陽互根論』 趙獻可
74. 『醫貫砭·陰陽論』 徐大椿
75. 『醫門法律·先哲格言』 喻昌
76. 『醫方集解·大補陰丸』 汪昂
77. 『醫宗金鑑·四診心法』 吳謙
78. 『醫學心悟·寒熱虛實表裏陰陽辨』 程國彭
79. 『莊子·知北游』 莊周
80. 『莊子·則陽』 莊周
81. 『莊子·田子才』 莊周
82. 『正蒙·太和』 張載
83. 『諸子百家大解讀·時代新命題』
84. 『左传·定公元年』
85. 『朱子語類 · 理氣上』 黎靖德 編
86. 『春秋繁露』 董仲舒

87. 『太極圖說』 周敦頤
88. 『太平聖惠方·卷第三十七』 王懷隱 等
89. 『太平御覽·敘人』
90. 『淮南子·精神訓』 劉安
91. 『淮南子·天文訓』 劉安
92. 樊巧玲 主編, 『中醫學概論』, 中國中醫藥出版社, 2010
93. 孫廣仁 主編, 『中醫基礎理論』, 中國中醫藥出版社, 2002
94. 王琦 主編, 『中醫藏象學』, 人民衛生出版社, 1998
95. 何裕民 主編, 『中醫學導論』, 上海中醫學院出版社, 1987
96. Prattichizzo F et al. Inflammageing and metaflammation: The yin and yang of type 2 diabetes., Ageing Res Rev. 2018 Jan;41:1-17.
97. The NASA Astrobiology, Astrobiology Vol.8, No.4, 2008
98. 『Wikipedia』 Rainbow
99. 『Wikipedia』 Water

제 5 장 기、혈、진액

Qi、Blood、Fluid and Humor

기혈진액은 인체를 구성하고 생명활동을 유지하는 기본 물질이다. 기는 끊임없이 운동하는 매우 미세한 물질이고, 혈은 맥 안에서 흐르고 있는 붉은 색의 액체이며, 진액은 체내의 모든 정상적인 수액을 가리킨다. 기혈진액은 장부의 생리활동으로 만들어지고, 또 장부 경락의 생리활동에 필수적인 물질과 에너지이다. 그래서 기혈진액을 장부 경락 공능활동의 물질적 기초라고도 한다.

기혈진액학설은 인체의 기본 생명물질의 생성、이동、분포 및 그 생리공능을 연구하는 학설인데, 정체적인 관점에서 인체를 구성하고 인체의 생명활동을 유지하는 기본 물질을 연구하고, 장부 경락 등의 생리적인 활동과 병리적인 변화의 물질적인 기초를 설명하고 있다.

제1절 기(氣)

한의학은 고대 중국철학의 기론(氣論)을 흡수 발전시키면서 체계화시켜 한의학의 기론을 만들었다. 인체의 생리、병리에서부터 질병의 진단、치료、재활、양생에 이르기까지 기를 언급하지 않고는 설명할 수 없다. 그러므로 기의 개념은 한의학 이론체계에서 매우 중요한 위치를 차지하고 있다.

한의학에서는 기가 우주의 본원이며 만물을 구성하는 원소라는 기본 관점에서 출발하여 기는 인체를 구성하고 생명활동을 유지하는 가장 기본적인 물질로 보았다. 생명의 기본 물질에는 기 외에도 혈、정、진액 등이 있긴 하지만, 혈、정、진액 등은 모두 기로부터 만들어진 것이다. 그래서 기는 인체를 구성하고 인체의 생명활동을 유지하는 가장 기본적인 물질이라고 한다.

1. 기의 기본 개념

1) 기는 인체를 구성하는 가장 기본적인 물질이다

(1) 인간은 천지(天地)의 기가 교감(交感)한 산물이다

인간과 만물은 마찬가지로 모두 천지자연의 산물이다. 인간의 기원과 본질을 탐구하기 위해서는 반드시 먼저 인간이 생존하고 있는 공간과 인간과의 관계가 가장 밀접한 자연환경을 연구해야 한다. 『소문 육미지대론(素問 六微旨

大論)』에서 "사람을 말하는 자는 기교(氣交)에서 구한다."[1], "기교가 무엇인가? … 위 아래로 氣가 교류하는 가운데 사람이 거한다"[2]고 하였는데, '기교'는 인간이 생활하는 공간이며, 내려오는 천기와 올라가는 지기가 서로 만나는 곳이다. 자연계에는 음양의 운동변화로 말미암아 사계절과 한서(寒暑)의 구분이 있고, 하늘 육기(六氣)의 영향뿐만 아니라 땅의 오행 생화(生化)의 작용도 있다. 인간은 바로 이러한 환경에서 생활하고 있다.

사람이 기교에서 생활하는 한, 반드시 우주만물과 마찬가지로 기로 구성된 것이고, 모두 천지의 기가 교감한 산물이며, 물질세계의 규칙적 운동변화의 결과이다. 그래서 "사람은 천지의 기로 인하여 생기고, 사계절의 법칙으로 인하여 이루어진다"[3], "천지가 기를 합하니 사람이라 한다"[4]고 하는 것이다.

기는 지극히 정밀하고 미세한 물질이며, 자연만물을 구성하는 원시 재료이다. 사람은 자연만물의 일원이기 때문에, 기는 인체를 구성하는 가장 기본적인 물질이다. 현대 과학계에서도 "우리 몸을 구성하고 있는 원자들은 45억년 전 지구가 만들어질 때에도 존재했다. 외계의 유성을 타고 온 소수의 것들을 제외하고는. … 그 이전에 원자는 엄청나게 오랜 시간 동안 우주 공간을 떠 다녔다. 일부는 우주가 시작될 즈음부터 있었다. … 우리 몸의 유기분자와 물에 들어 있는 수소의 생성연대는 우주가 시작하던 때까지 거슬러 올라간다. … 우리의 몸 속에 든 모든 원자들은 빅뱅에서 나왔거나 별에서 나왔다"[5]고 하여 인체와 자연계를 구성하는 물질이 동일함을 강조하고 있다.

(2) 정기(精氣)는 생명의 기초이다

전국시대(戰國時代) 직하학파(稷下學派)의 『관자(管子)』에서는 정을 기의 정수(精粹)한 부분으로 보고 "精은 氣의 精한(핵심 성분이 응집된) 것이다"[6]고 하였다. 정은 정미로우면서(정제되고 미세한 성분이면서) 운동 변화할 수 있는 기이며, 천지만물과 인류를 형성하고 있는 정미로운(정제되고 미세한) 물질이다. 『관자』에서 정기(精)로 기를 논한 것은 중국철학에서의 기의 범주에 대한 중대한 발전이다. 한의학은 『관자』의 정기론을 계승 발전시켰으며, 정기학설을 이용하여 생물의 운동원리를 해석하였고, 정기는 천지의 기가 인체에서 형성한 정미로운 물질이라고 인식하였는데, 사람의 생식지정(生殖之精), 즉 남녀의 정뿐만 아니라, 인체의 모든 것과 태어나면서부터 가지고 있는 생명물질, 즉 생명의 기초까지 광범위하게 가리킨다. 정기는 몸보다 먼저 생겨나서 유전적인 특성을 갖추고 있는데, 부모의 정기가 합쳐져서 원시적인 배아 (embryo)를 형성하고, 나아가 배아 자체의 정이 되어 인체의 생장발육과 자손을 번식케 하는 물질 기초가 된다. 부모의 정이 합쳐져서 형체를 이루고, 배아로부터 인체의 뇌수、골격、혈맥、근육、피부、모발、오장육부를 형성한다. 사람의 몸이 형성됨에 따라 인간의 생명공능 역시 생겨난다.

2) 기는 인체의 생명활동을 유지하는 가장 기본적인 물질이다

생명은 육체가 있어야 하고, 육체는 자연계와 물질을 교환해야만 생명활동을 유지할 수 있다. 『소문 육절장상론(六節藏象論)』에서 "하늘은 五氣를 사람에게 먹여주고, 땅은 五味를 사람에게 먹여준다. 五氣는 코로 들어가 心肺에 저장되어 위로는 五色을 밝게 하고 음성이 널리 퍼지게 한다. 오미는 입으로 들어와서 위(胃)와 장(腸)에 저장되는데

---

1) 言人者, 求之氣交 (素問·六微旨大論)
2) 何謂氣交? … 上下之位, 氣交之中, 人之居也 (素問·六微旨大論)
3) 人以天地之氣生, 四時之法成 (素問·寶命全形論)
4) 天地合氣, 命之曰人 (素問·寶命全形論)
5) Brian Clegg, The Universe Inside You (과학을 안다는 것), 2012, pp.58-59, 엑스오 북스
6) 精也者, 氣之精者也 (管子·內業)

오미 각각이 저장되는 곳이 있어 이들이 오장의 기를 배양한다. 이로써 기가 조화되어 (다시) 생산되고 진액이 만들어지며 이윽고 신(神)이 저절로 생겨난다."[7]라고 하였는데, 기와 미(味는 氣로부터 화생되므로 味 역시 氣이다), 즉 공기, 물, 음식물은 입과 코를 통해 인체로 들어온 후 기화(氣化) 과정을 거쳐 신체 각 부분의 생명물질, 즉 오장육부의 정기가 된다. 인체는 한편으로 생명공능에 의해 부단히 자연계의 물질을 섭취하고, 그것을 신체의 조성부분으로 바꿔서 생명활동의 물질적 기초를 구성한다. 다른 한편으로는 생명공능을 발휘하는 과정 중에서 또 부단히 자기를 소모시키고 노폐물을 만들어 땀, 소변, 대변 등의 형태로 체외로 배출한다.

정신활동은 생명공능의 기초 위에 발휘되는 상위의 공능활동이다. 사람의 감각, 사유와 정서 활동은 인체의 생명활동 가운데 하나이다. 『소문 음양응상대론(陰陽應象大論)』에서 "사람은 五臟이 있어 五氣가 나오고, 이는 희노비우공(喜怒悲憂恐)을 만들어낸다"[8]고 하였는데, 장부, 형체, 감각기관과 거기에 채워진 정기는 감각, 사유와 정서활동을 일으키는 물질적 기초임을 알 수 있다. 정기는 사람의 형체를 구성하고, 형체에서 사람의 정신이 만들어지므로 정신은 형체를 부리고 정신 활동을 진행하는 근본이다. 이로써 오장의 정기는 정신과 정서활동의 물질적인 기초임을 알 수 있다.

사람은 자연계의 산물이고, 천지의 기를 받아서 생겨나며, 사계절의 법칙에 따라 살아간다. 인체에 내포된 천지 음양오행의 기는 인체의 기를 구성한다. 인체의 기는 인체의 생명활동을 유지하는 물질적 기초이고, 그 운동변화는 인체생명의 활동이다. 사람과 천지는 상응하는데, 인체와 자연계는 함께 음양오행의 기가 운동하는 원리의 제약을 받을 뿐 아니라, 많은 구체적인 운동원리에서도 상통하고 있다. 천지의 기에는 음양의 구분이 있고, 인체의 기에도 역시 음양의 구분이 있다. 인체의 기와 자연의 기의 운동변화는 통일된 법칙에 따르고 있는데, 이에 관하여 『소문 지진요대론(至眞要大論)』에서는 "자연계의 기본 법칙이고 인체 생명활동과 상응하고 있다"[9]라고 하였다.

이상의 내용을 종합하면, 기는 인체내에 존재하는 지극히 정미로운 생명물질이며, 생명활동의 물질적 기초이다. 기가 모이면 살고, 흩어지면 죽는다. 그러므로 기는 인체를 구성하고 인체의 생명활동을 유지하는 가장 기본적인 물질이다.

2. 기의 생성

1) 기의 주요 내원(來源)

인체를 구성하고 인체의 생명활동을 유지하는 기의 주요한 근원에는 다음의 두 가지가 있다.

(1) 선천의 정기

이 정기는 부모의 생식지정(生殖之精)에서 유래하는데, 배아를 구성하는 원시물질이다. 부모로부터 받은 것이기 때문에 선천의 정기라고 한다.

사람은 부모의 정이 합해져 배아를 형성해 생겨나므로 선천의 정기는 생명 형체를 구성하는 물질 기초이며, 인체 기의 중요한 조성부분이다.

---

7) 天食人以五氣, 地食人以五味. 五氣入鼻, 藏于心肺, 上使五色修明, 音聲能彰. 五味入口, 藏于腸胃, 味有所藏, 以養五氣, 氣和以生, 津液相成, 神乃自生 (素問·六節藏象論)

8) 人有五臟化五氣, 以生喜怒悲憂恐 (素問·陰陽應象大論)

9) 天地之大紀, 人神之通應也 (素問·至眞要大論)

(2) 후천의 정기

후천의 정기는 음식물의 영양물질과 자연계에 존재하는 청기(淸氣)를 말한다. 사람이 출생한 다음 후천적으로 획득한 것이기 때문에 후천의 정기라고 한다.

자연계의 청기는 천기(天氣)라고도 하는데, 폐의 호흡에 의해 인체로 들어와서 체내의 기와 함께 폐에서 부단히 교환되고, '토고납신(吐故納新)'하여 인체의 기를 생성한다.

수곡정기(水穀精氣)는 곡기(穀氣)라고도 하는데, 수곡정미(水穀精微)는 음식물의 영양 물질이고, 사람이 생존하는 데에 필요한 기본 요소이다. 비위(脾胃)는 '수곡의 바다(水穀之海)'인데, 사람이 음식물을 섭취한 후에 위(胃)의 부숙(腐熟)과 비(脾)의 운화(運化)를 거쳐 음식물 중의 영양성분이 만들어진 다음 전신으로 보내져 장부를 자양하고 기혈을 만들어 인체 생명활동의 중요한 물질적인 기초가 된다. 예를 들어 어린 아이는 하루에 두 번 먹지 않으면 배고픔을 느끼고, 7일동안 먹지 않으면 장위(腸胃)가 메말라 죽는 것으로 보아, 인체는 반드시 위장으로 들어온 곡기의 힘을 빌어 오장육부에서 기혈을 만들고, 인간은 그것을 바탕으로 살아간다.

2) 기의 생성과 장부의 관계

인체의 기는, 그 본원으로 말하자면, 선천의 정기, 음식물의 정기와 자연계의 청기, 이 셋이 결합하여 이루어진 것이다. 기의 생성은 전신 각 장부조직의 종합적인 작용에 의존하는데, 그 중에서도 폐, 비위, 신과의 관계가 더욱 밀접하다.

(1) 폐는 기의 주인이다

폐는 체내외의 기가 교환되는 장소이고, 폐의 호흡을 통하여 자연계의 청기를 들이쉬고 체내의 탁기를 내쉬어 체내외의 기를 교환한다. 호탁흡청(呼濁吸淸)을 통해 자연계의 청기는 끊임없이 체내로 진입하여 인체 신진대사의 정상적인 진행에 참여한다.

(2) 비위는 기혈생화(氣血生化)의 원천이다

위는 수납(受納)을 맡고, 비는 운화를 맡는데, 수납하고 운화하여 정기를 만든다. 비는 올리고 위는 내린다. 납운(納運)이 잘 되면 음식물이 변하여 정기가 되고 비의 전수(轉輸)와 산정(散精)작용에 의해 이 정기가 폐로 올라가며, 다시 폐를 거쳐 경맥을 통해 전신으로 흩어지면서 오장육부와 전신을 영양하여 정상적인 생명활동을 유지한다.

(3) 신은 기를 만드는 원천이다

신(腎)에는 정기를 저장하는 작용이 있다. 신이 저장하고 있는 정기는 선천 정기와 후천 정기를 포함한다. 선천 정기는 인체를 구성하는 원시 물질이고, 생명의 기초가 된다. 후천 정기는 자연계의 청기와 음식물에서 내원하여 폐와 비위에서 만들어지고, 오장육부로 보내져서 오장육부의 정기가 된다. 후천 정기는 주로 장부대사에 의해 소모되고, 남은 부분은 신에 저장되어 선천 정기와 함께 신중정기(腎中精氣)라고 불리우는데, 이는 원기(元氣)의 뿌리이다.

신은 선천의 기를 주관하고, 비폐는 후천의 기를 주관한다. 후천이 선천을 얻으면 생생불식(生生不息)하고, 선천이 후천을 얻으면 화원(化源)이 무궁하여 오장육부의 근본이 되고 인체의 기가 만들어지는 원천이 된다.

종합하면, 인체의 기가 생성되는 기본적인 조건은 ① 물질 본원의 충족, 즉 신의 정기, 음식물의 정기와 자연계 청기의 충분한 공급, ② 폐, 비위, 신 등 장부 생리공능의 정상적 발휘이다.

3. 기의 운동

1) 기기(氣機)의 뜻

기의 운동을 기기라고 한다. 인체의 기는 쉬지 않고 운동하는 매우 강한 활력을 가지고 있는 정미로운 물질이다. 인체의 기는 쉬지 않고 운동하는 가운데, 전신의 각 장부와 경락 등 조직기관에 흘러 들어가 없는 곳이 없으며, 시시각각 인체의 각종 생리활동을 추동(推動)하여 작용이 일어나도록 한다.

기의 운동이 일단 정지하게 되면 생명활동의 작용을 유지할 수 없고, 사람의 생명활동 역시 정지하게 된다.

2) 기의 운동형식

(1) 기 운동의 기본 형식

자연계에 존재하는 기 운동의 기본 형식은 승강출입(升降出入)이다. 인체의 기기 역시 이러한 법칙에 따르고 있다. 그러므로 생명과정 중에 승강출입이 없으면 생명활동도 없다. 그런데 기기의 승강출입 과정은 장부의 공능활동을 통해 실현되는 것이기 때문에 장부의 기기 승강이라고도 한다. 따라서 장부 기의 운동은 승과 강, 출과 입으로 요약된다.

(2) 기의 운동과 장부의 관계

인체 장부의 생리공능은 청양(淸陽)을 올리고 탁음(濁陰)을 내리며, 필요한 것을 섭취하고 버려야 할 것을 배설하는 것을 벗어나지 않는다. 인체 장부경락, 기혈진액, 영위(營衛) 등은 모두 기기의 승강출입에 의존하여 상호 연계되며, 정상적인 생리공능을 유지하고 주위 환경과 부단히 신진대사를 진행하고 있다. 승강운동은 장부의 특성이고 물질 운동의 원리이다.

인체의 생명활동이 안으로는 소화시키고 순환하며, 밖으로는 보고, 듣고, 말하고, 움직이는 것인데, 어느 것 하나도 장부 승강출입운동의 표현이 아닌 것이 없다. 오장으로 말하자면, 심폐는 위에 있으면서 내려가는 것이 마땅하고, 간신(肝腎)은 아래에 있으면서 올라가는 것이 마땅하다. 비위(脾胃)는 중심에서 상하와 통하면서 승강의 축이 된다. 육부는 전화(傳化)하고 저장하지 않지만, 통하게(通) 함으로써 내려 보낸다. 그러나 음식물의 전화과정 중에는 음식물의 정미와 진액을 흡수하는 작용이 있다. 이로써 육부의 기기운동은 강(降)하는 가운데 승(升)이 있음을 알 수 있다. 장과 장, 부와 부, 장과 부가 다 함께 협동하여 몸 전체의 승강을 이룰 뿐만 아니라, 개별 장부 자체에도 승과 강의 운동이 있다. 종합하면, 장부의 기기승강운동은 생리상태 하에서 일반적으로 승이 다하면 강하고, 강이 다하면 승하며, 승 중에 강이 있고, 강 중에 승이 있는 특징을 가진다.

인체 각 장부 조직간의 기기승강은 모두 승강과 출입의 되먹임 (feedback) 조절하에, 생명활동의 물질 기초인 기를 끊임없이 갱신하고 있다. 즉 부단히 외부로부터 음식물을 섭취하고, 아울러 이러한 물질들이 기화작용을 거쳐 맑은 것은 올리고 탁한 것은 내리면서 그 정미로운 물질을 섭취하여 자신의 몸을 만들고 기른다(充養). 동시에 대사산물을 체외로 배출함으로써 물질 대사와 에너지전환의 동적 평형 (dynamic equilibrium)을 유지한다. 장부기기 승강운동의 이러한 동적 평형은 정상적인 생명활동을 유지하는 관건이다.

인체 기의 운동과정 중에서, 간의 승발(升發), 폐의 숙강(肅降), 심화(心火)의 하강, 신수(腎水)의 상승, 비기(脾氣)의 상승, 위기(胃氣)의 하강 등 장부의 기기 승강 가운데 폐비신이 중요하고, 그 중에서도 신이 기기승강의 근본이다. 신은 선천의 근본이고 오장의 양(陽)은 신이 아니면 발휘될 수 없고 오장의 음(陰)도 신이 아니면 자양될 수 없다. 오로지 신양(腎陽)의 증등(蒸騰)이 있어야만 비토(脾土)가 비로소 운화하고 부숙하는 능력을 갖게 된다(예컨대, 변온동물인 뱀의 경우 체온 유지에 내부 에너지를 쓰지 않기 때문에 자주 먹지 않아도 된다. 그러나 체온이 너무 저하되면 소화시키지 못하여 먹은 것을 토해낸다). 또한 신의 섭납(攝納)이 있어야만 폐기가 비로소 하강하여 호흡을 하고 수도(水道)를 통조(通調)하여 방광으로 내려 보내며, 대장 또한 이로써 조박(糟粕)을 내려 보낸다. 이에 관해『의관(醫貫)』에서 장부의 승강운동은 "오직 腎이 근본이라"[10]고 하였는데, 장부의 승강운동이 모두 신의 조절을 받음을 알 수 있다. 폐는 치절(治節)을 주관하는데, 폐의 호흡, 즉 폐기의 승강출입은 전신 기기의 승강출입을 직접적으로 조절하고 영향을 미친다. 비위는 기기의 추뉴(樞紐)로, 모두 중앙에 있으면서 토에 속하는데, 비는 음토(陰土)로 양을 올리고, 위는 양토(陽土)로서 음을 내린다. 토는 중앙에 위치하고, 화는 위에 수는 아래에 있으며, 좌는 목이고 우는 금이며, 좌는 올림을 주관하고 우는 내림을 주관하고 있다. 승강의 권한 역시 중기(中氣)에 있으므로 올라감은 비기(脾氣)의 좌선(左旋)에 의존하고, 내려 감은 위(胃)의 우전(右轉)에 의존하고 있다. 중기가 왕성하면 비기가 오르고 위기가 내려가 나머지 목화금수(木火金水) 역시 윤전(輪轉)할 수 있다. 중기가 쇠하면 비기가 울체되고 위기가 역(逆)하여 목화금수가 모두 그 운행을 상실하게 된다.

승강출입은 상대적인 협조평형상태에서 그 생명활동을 유지하는 작용을 발휘할 수 있다. '기기조창(氣機調暢)'은 기의 운동평형 협조의 생리상태를 묘사한 것이다. 기의 운동이 이러한 평형을 상실하면 사람의 생명활동에 이상이 나타나는 병리상태를 이루게 되는데, 즉 '기기실조(氣機失調)'이다. 기의 운동형식이 매우 다양하기 때문에 '기기실조'의 표현 형식 역시 매우 복잡하다. 예를 들어 기의 운동이 저애되어 운동이 불리한 것을 '기기불창(氣機不暢)'이라 하며, 기의 운동이 장애를 비교적 심하게 받아 어떤 부위가 막히면 '기체(氣滯)'라 하고, 기의 상승운동이 지나친 것을 '기역(氣逆)'이라 하며, 하강운동이 모자란 것을 '불강(不降)'이라 하고, 기의 상승이 모자라거나 하강이 지나친 것을 '기함(氣陷)'이라 하며, 기의 외출(外出)이 지나친 것을 '기탈(氣脫)'이라 하고, 출입 운동이 부족하여 내부에서 결취(結聚)된 것을 '기결(氣結)' 혹은 '기울(氣鬱)'이라 하며, 심한 경우는 '기폐(氣閉)'라고 한다.

기기실조는 여러 장부에서 나타나는데, 폐실선강(肺失宣降)、비기하함(脾氣下陷)、위기상역(胃氣上逆)、신불납기(腎不納氣)、간기울결(肝氣鬱結) 등이다.

4. 기의 생리공능

1) 추동(推動) 작용

기는 활동성이 매우 강한 정미로운 물질인데, 인체의 생장발육과 각 조직기관의 생리공능을 일으키고 촉진시킬 수 있으며, 혈액의 생성과 운행 및 진액의 생성、수포와 배설 등을 추동할 수 있다. 예를 들어 원기는 인체의 생장발육을 촉진하고, 각 장부의 생리활동을 일으키고 추동하는데, 기가 행(行)하면 혈이 행하고, 기가 행하면 수액이 행하기 때문에 인체의 혈액순환과 수액대사도 모두 기의 추동작용에 의해 완성된다.

기의 추동작용이 약해지면 인체의 생장이나 발육에 영향을 미치거나, 노화가 촉진되며, 또한 장부 경락 등 조직기관의 생리활동을 감퇴시켜 혈액과 진액의 생성 부족、운행 지체와 수포와 배설장애 등의 병리변화를 일으킬 수 있다.

---

10) 惟腎爲根 (醫貫·內經十二官論)

2) 온후(溫煦) 작용

양기가 기화하여 열을 발생시켜서 인체를 따뜻하게 하는 작용을 가리키는데, 『난경(難經)』에 "기는 온후하는 작용을 한다"11)고 하였다. 기의 이런 공능은 인체 내에서 매우 중요한 생리적 의의를 가지고 있다. 인체의 체온은 기의 온후 작용을 받아서 유지되고, 각 장부 경락 등 조직기관의 생리활동은 기의 온후 작용 아래 진행된다. 혈은 따뜻하면 흐르고 기는 수(水)로 변화할 수 있으며, 혈과 진액 등 액체상태의 물질들은 모두 기의 온후 작용 아래 비로소 정상적인 순행을 할 수 있다. 인체를 덥히는 기는 양기이고, 양기는 기화하여 열을 만든다. 그러므로 양기가 많을수록 열의 생산도 많아지고, 양기가 부족하면 열의 생산도 줄어들기 때문에 "기가 유여하면 火가 된다"12), "기가 부족하면 寒이 된다"13)고도 하였다. 청(淸)의 하몽요(何夢瑤)는 『의편(醫碥)』에서 이에 관해 "陽氣는 따뜻한 氣이다"14) 라고 하였다.

3) 방어 작용

기에는 기부(肌膚)를 보호하고 사기(邪氣 발병인자)를 방어하는 작용이 있다. 기의 방어작용은 사기의 침입을 방어하고, 또 사기를 밖으로 쫓아내는 것이다. 그래서 기의 방어공능이 정상적이면 사기가 쉽게 침입하지 못하고, 혹시 사기가 침입하더라도 쉽게 발병하지 않으며, 설령 발병하더라도 쉽게 치유된다. 기의 방어공능이 약해지면 인체가 사기를 막아내는 능력도 떨어진다. 또 인체가 질병에 쉽게 감염되고, 병에 걸린 다음에도 쉽게 낫지 않는다. 그러므로 기의 방어공능과 질병의 발생, 발전, 예후는 모두 밀접한 관계가 있다.

4) 고섭(固攝) 작용

기는 체내 액체상태의 물질인 혈, 정, 진액 등을 고호(固護) 통섭(統攝)하여 불필요하게 유실되는 것을 방지한다. 기의 고섭작용은 다음의 세 가지로 나타난다.

(1) 혈액을 고섭하여 출혈을 방지하고, 혈액이 맥내에서 정상적으로 순행하도록 한다

(2) 땀, 오줌, 침, 위액(胃液), 장액(腸液) 등을 고섭하여 그 분비량과 배설량을 제어함으로써 체액의 소실을 방지한다

(3) 정액(精液)을 고섭하여 망설(妄泄)되는 것을 방지한다

기의 고섭 작용이 약해지면 체내의 액체상태 물질이 대량으로 손실될 수 있다. 예를 들면, 기가 혈(血)을 고섭하지 못하면 각종 출혈이 발생하며, 기가 진(津)을 고섭하지 못하면 자한(自汗), 다뇨(多尿), 소변실금, 유연(流涎), 범토청수(泛吐淸水), 설하활탈(泄下滑脫) 등을 일으킬 수 있으며, 기가 정(精)을 고섭하지 못하면 유정(遺精), 활정(滑精), 조설(早泄) 등이 나타날 수 있고, 기가 허하여 충맥(衝脈)과 임맥(任脈)이 고섭되지 못하면 유산, 태동불안 등이 나타날 수 있다.

기의 고섭작용과 추동작용은 상호보완적인데, 기는 혈액의 운행, 진액의 수포와 배설을 추동하고, 동시에 체내 액체상태의 물질을 고섭하여 비정상적으로 유실되는 것을 방지한다. 기의 이러한 두 가지 측면에서의 작용은 상호 협조

---

11) 氣主煦之 (難經·二十二難)
12) 氣有餘便是火 (丹溪心法·火)
13) 氣不足便是寒 (景岳全書·新方八陣)
14) 陽氣者, 溫暖之氣也 (醫碥·氣)

하여 체내 액체상태 물질의 정상적인 운행､분포와 배설을 제어하는데, 이는 인체의 정상적인 혈액 순행과 수액대사를 유지시키는 중요한 역할이다.

5) 기화(氣化) 작용

기화는 기의 운동을 통하여 일어나는 각종 변화이다. 즉, 정､기､혈､진액 각자의 신진대사와 그 상호간의 전화(轉化)이다. 실제로 기화과정은 신진대사의 과정이며, 물질전화와 에너지전화의 과정이다.

기는 생명활동을 유지하는 물질적인 기초이며, 항상 끊임없는 자아 갱신과 자아 복제의 신진대사 과정에 있다. 기의 이러한 운동변화와 그에 수반하여 발생하는 물질-에너지 전화의 과정을 '기화'라고 하는데,『소문 음양응상대론』에서 "味가 形으로 돌아가면 形은 氣로 돌아가고, 氣가 精으로 돌아가면 精은 化로 돌아가니, 精이 氣를 먹으면 形은 味를 먹으며, 氣血이 化하여 精을 만들면 氣는 形을 만들고 … 精이 化하여 氣가 된다"[15] 고 한 것은 기화과정에 대한 개괄이다. 기가 변화하여 형(形)이 되고, 형이 변화하여 기가 되는 형기전화(形氣轉化)의 기화 운동은 기､정､혈､진액 등 물질의 생성､전화､이용과 배설 과정을 포함한다. 인체는 반드시 끊임없이 주위 환경에서 생명활동에 필수적인 물질을 섭취해야 하며, 그렇지 않으면 생명이 유지될 수 없다. 사람은 음식물을 먹어야 하는데, 곡기를 얻으면 살고 곡기를 끊으면 죽는다.

장부 경락과 온몸의 조직은 다양한 각도､범위와 수준에서 이러한 기화운동을 하고 있으며, 아울러 그 중에서 필요한 영양물질과 동력을 획득하고, 쓸모 없거나 유해한 대사산물을 배출한다. 인체의 기화운동은 생명이 있는 한 존재하며, 기화가 없으면 생명도 없기 때문에『소문 육미지대론』에서 "만물이 생겨나는 것은 化에 뒤따르는 것이며, 만물이 생을 다하는 것은 變에 뒤따르는 것이다. 變과 化의 상호작용이 성패를 초래한다"[16]고 하였다. 이로써 기화운동은 생명의 가장 기본적인 특징임을 알 수 있다.

만약 기의 기화작용이 정상적이지 못하면 모든 물질대사과정에 영향을 줄 수 있다. 예컨대, 음식물의 소화흡수나, 기､혈､진액의 생성과 수포나, 땀､오줌과 분변의 배설 등에 영향을 주어서 각종 대사 이상의 병변을 형성한다.

6) 영양작용

비위가 음식물을 운화하여 수곡정기를 만들면 수곡정기는 진액과 결합하여 혈액이 되고, 맥관을 거쳐 전신을 운행하면서 영양작용을 발휘하므로 영기(營氣)라고 한다. 이 기는 응축되어 인체의 장부､경락과 각종 기관 등의 형체를 형성할 수 있다. 또한 인체의 생명활동에 필요한 동력을 만들면서 소모된다.

5. 기의 분류

인체의 기는 신의 정기(선천지기)､비위로부터 만들어진 음식물의 정기(후천지기)와 폐가 흡입한 청기로부터 유래한 것인데, 폐､비위､신 등 장부의 종합적인 작용으로 만들어진 것이며, 전신에 퍼져 있다. 그리고 주요한 조성부분､분포 부위와 공능 특징이 다르기 때문에 다양한 명칭이 있다.

『내경』이후, 역대 의가들은 대개 '기본일기(氣本一氣)'라는 학설에 따랐다. 예컨대 유창(喻昌)은『의문법률(醫門法

15) 味歸形, 形歸氣; 氣歸精, 精歸化; 精食氣, 形食味; 化生精, 氣生形 … 精化爲氣 (素問· 陰陽應象大論)
16) 物之生, 從乎化; 物之極, 由乎變. 變化之相搏, 成敗之所由也 (素問·六微旨大論)

律)』에서 "기에는 外氣가 있는데 천지의 기를 말한다. 기에는 內氣도 있는데 사람의 元氣를 말한다. 기가 조화를 잃으면 邪氣가 되고, 조화되면 正氣가 되며 眞氣라고도 한다. 그런데 眞氣가 있는 곳은 세 군데뿐으로 上中下가 그것이다. 上은 하늘로부터 받아 호흡을 통하여 있는 것이요, 中은 음식물로부터 생겨 영위(營衛)를 기르는 것이요, 下는 기가 精으로 바뀌어 명문에 저장되는 것이다. … 사람은 단지 이 기에 기대어 살아갈 뿐이다"[17] 라고 하였는데, 그는 인체의 모든 기는 진기에 의해 통속(統屬)된다고 하였다. 하몽요는『의편』에서 "기는 하나일 따름이니, 맥의 밖으로 흐르면 위기(衛氣)라 하고, 맥 안을 흐르면 영기(營氣)라 하고, 흉중(胸中)에 모여 있으면 종기(宗氣)라 한다. 이름은 세 가지이지만 본래는 하나일 따름이다"[18]라고 하였다. '기본일기'의 견해를 바탕으로 원기(元氣)、종기(宗氣)、위기(衛氣)와 영기(營氣)를 말하자면, 원기는 생명의 처음에 부모의 정(精)에서 근원한 생명계통 가운데 최고의 층차이자 가장 근본적인 기로 인체의 대사와 공능에 대해 추동과 조절작용을 한다. 그리고 종기、영기、위기는 모두 후천의 음식물의 정기와 청기로 된 것이며, 그 주요한 조성 성분、분포 부위와 공능 특징에 따라 불리워지며, 비교적 낮은 층차의 기로, 인체에 영양과 동력을 공급해준다.

1) 원기(元氣)

(1) 기본적인 뜻

元氣는 원기(原氣)라고도 한다. 이른바 원기는 인체 가운데 가장 기본이면서 중요하며, 신에서 근원하는 기이고, 원음(元陰)과 원양(元陽)을 포함하는 기이다.

(2) 생성과 분포

원기는 신정(腎精)에서 만들어지고, 삼초(三焦)에 의존하여 전신을 순행한다.

① 생성: 원기는 신에서 근원하며, 신정(腎精)이 화생한 신기(腎氣)로, 신중정기(腎中精氣)로 통칭되기도 하고, 또 원기(原氣)로도 불리운다. 신중정기가 선천의 정기를 기초로 하지만, 또한 후천 음식물의 기에 힘입어 배양된다. 따라서 원기가 충족되려면 반드시 비위의 기가 상하지 않아야만 원기를 자양할 수 있다. 만약 위기(胃氣)가 본래 약하고 비위의 기가 또 상하면 원기는 충족될 수 없다.

② 분포: 원기는 신에서 일어나고 삼초를 통해 전신을 순행하여 안으로는 오장육부로, 밖으로는 피부와 주리(腠理)로 이르지 않는 곳이 없다. 원기는 순행하는 과정 중에 인체 각 장부、경락 및 체표조직을 지나 그 생리공능을 발휘한다.

(3) 주요 공능

원기에는 인체의 생장발육과 생식을 추동하고 각 장부、경락 등 조직기관의 생리공능을 일으키고 조절하는 작용이 있어서 인체 생명활동의 원동력이 된다.

원기는 인체의 생장과 발육을 추동하는데, 인체의 생장장노이(生長壯老已)의 자연 법칙과 신정의 성쇠는 서로 밀

---

17) 氣有外氣, 天地之氣也; 有內氣, 人身之元氣也. 氣失其和則爲邪氣, 氣得其和則爲正氣, 亦爲眞氣. 但眞氣所在, 其義有三: 曰上中下也; 上者, 所受于天, 以通呼吸者也; 中者, 生于水穀, 以養營衛也; 下者, 氣化于精, 藏于命門; … 人之所賴, 惟此氣耳(醫門法律·先哲格言)

18) 氣一耳, 以其行于脈外, 則曰衛氣; 行于脈中, 則曰營氣; 聚于胸中, 則曰宗氣. 名雖有三, 氣本無二 (醫碥·氣)

접히 관련된다. 사람은 유년에서부터 신정이 점점 충성(充盛)하여 치아를 갈고 모발이 자라는 등의 생리현상이 나타난다. 청장년에 이르면 신정이 한층 더 충실해져서 극점에 도달하고, 신체 또한 발육이 최고조에 이르러 신체가 튼튼해지며 근골이 강건해지고, 아울러 생식능력을 가지게 된다.

노년에 이르면 신정이 쇠퇴하고 몸 또한 점점 노쇠해져 전신 근골의 운동이 영활하지 못하고 치아가 흔들리며 모발이 빠지는 등 노쇠한 현상이 나타나고 생식공능 역시 소실된다. 이로써 신정은 신체의 생장발육과 생식을 결정하여 인체 생장발육의 근원이 됨을 알 수 있다. 만약 신정이 줄어서 적어지면 인체의 생장발육에 영향을 미쳐 생장발육과 생식 공능의 장애가 발생하는데, 예를 들면, 발육이 지연되거나 근골이 약해지며, 성년의 경우에는 아직 늙지 않았는데도 쇠약해지거나 이가 흔들리고 모발이 빠지는 현상이 나타난다.

원기는 각 장부와 경락 등 조직 기관의 생리활동을 추동 조절할 수 있다. 명문(命門, 일반적으로는 腎을 가리킴)은 원기의 뿌리이고 수화(水火)의 거처이며, 원기 중에는 명문의 수화가 포함되어 있기 때문에 오장의 음기는 이것이 아니면 자양될 수 없고, 오장의 양기 역시 이것이 아니면 발휘될 수 없다. 명문의 화(火)가 오장에 이르면 오장의 양기를 발휘시켜 장부의 온후와 추동공능을 촉진하며, 명문의 수(水)가 오장에 이르면 오장의 음기를 자양하여 오장을 자윤(滋潤)하고 안정시키는 등의 공능이 강화된다. 명문의 수화와 음양이 평형이면 기화가 조화롭고 한온(寒溫)이 적절해져서 장부공능이 '음평양비(陰平陽秘)'의 건강상태에 놓이게 된다. 만약 원기 중의 음양이 균형을 상실하면 병변이 일어난다.

2) 종기(宗氣)

(1) 기본적인 뜻

폐에서 흡입한 청기와 비위가 만든 음식물의 정기가 결합하여 된 것으로, 흉중에 모여 있는 것을 종기라고 한다. 종기가 흉중에 쌓여 있는 곳을 '상기해(上氣海)', 혹은 단중(膻中)이라고 한다.

(2) 생성과 분포

종기의 생성은 폐비(肺脾)와 유관하며, 흉중에 쌓여서 심맥(心脈)을 관통한다.

① 생성: 종기는 주로 음식물의 정미와 자연계의 청기로 이루어진다. 음식물은 비위의 수납과 부숙을 거쳐 음식물의 정기로 바뀌며, 음식물의 정기는 비기(脾氣)의 승청(升淸)에 의해 폐로 가서 폐가 자연계로부터 흡입한 청기와 서로 결합하여 종기가 된다[19]. 폐와 비위는 종기의 형성과정 중에 중요한 작용을 하기 때문에 폐의 호흡공능과 비위의 운화공능의 정상 여부는 종기의 성쇠에 직접적인 영향을 미친다.

② 분포: 종기는 흉중에 쌓이고 심폐(心肺)를 관주(貫注)한다. 그것이 위로는 폐로 나와 목구멍을 돌아 기도로 가며, 아래로는 족양명(足陽明)의 기가(氣街, 서혜부에 해당)로 들어가 발로 내려간다. 심(心)으로 들어가는 것은 심장을 거쳐 맥으로 들어가 맥 중에서 혈기(血氣)의 운행을 추동한다.

(3) 주요 공능

종기의 주요 생리공능에는 세 가지가 있다.

---

19) 五穀入於胃也, 其糟粕津液宗氣, 分爲三隧 (靈樞·邪客)

① 기도를 지나면서 호흡을 주관한다

종기는 기도로 가서 호흡을 추동하는데, 폐를 도와 호흡을 주관한다. 그러므로 언어、성음、호흡의 강약은 모두 종기의 성쇠와 유관하다. 폐가 호흡을 주관하는 공능은 종기와 유사하기 때문에 임상적으로 말소리가 낮고 미약하거나 호흡이 미약한 징후를 폐기부족(肺氣不足) 혹은 종기부족(宗氣不足)이라고 한다.

② 심맥(心脈)을 관통하고 기혈을 행한다

종기는 심맥으로 들어가 심장이 혈액의 순행을 추동하는 것을 돕는다. 그러므로 기혈의 운행과 종기의 성쇠는 유관하다.『소문 평인기상론(平人氣象論)』에서 "胃의 대락(大絡)은 허리(虛里)라고 한다. 격(膈)을 통해 肺로 들어가며 왼쪽 젖꼭지 아래로 나와 그 맥동이 옷 위에까지 나타나는데 이는 宗氣가 뛰는 것이다"[20]라고 하였는데, 임상적으로 '허리(虛里)'의 박동상태와 맥상(脈象)으로 종기의 왕성과 쇠약을 측정한다. 종기가 부족하면 심(心)을 도와 혈을 행하게 할 수 없어서 혈행의 어체(瘀滯)를 일으키기 때문에『영추 자절진사(刺節眞邪)』에서는 "宗氣가 아래로 내려가지 않으면 脈 중의 血이 엉겨 흐르지 않는다"[21]고 하였다.

③ 인체의 보고、듣고、말하고、움직이는 등의 공능과 유관하다

예컨대『독의수필(讀醫隨筆)』에서 "宗氣는 움직이는 기다. 호흡、언어、성음과 지체의 운동、근력의 강약은 종기의 공능과 유관하다"[22]고 한 것과 같다.

이상의 내용을 종합하면, 종기는 호흡과 혈액순환 작용에 주로 관여한다. 그러므로『영추 사객(邪客)』에서 "宗氣는 흉중에 쌓여 목구멍을 통해 나온다. 心脈을 통해 호흡하는 것이다"[23]라고 하였다.

3) 영기(營氣)

(1) 기본적인 뜻

영기는 맥중(脈中)을 행하며 영양작용을 가지고 있는 기이다. 영양이 풍부하기 때문에 영기라고 한다. 영기는 맥중을 흐르면서 변하여 혈이 되기 때문에 영기와 혈이 나뉠 수는 있어도 떨어질 수는 없다. 그래서 '영혈(營血)'이라고 한다. 영기와 위기는 상대적으로 말한 것이고, 영기는 맥 안에 있고 위기는 맥 밖에 있는데, 밖에 있는 것은 양에 속하고 안에 있는 것은 음에 속하기 때문에 '영음(營陰)'이라고도 한다.

(2) 생성과 분포

영기는 음식물의 정기로 맥내(脈內)를 운행한다.

- 생성: 영기는 비위가 음식물의 정기를 운화한 것이다. 그래서『소문 비론(痺論)』에서는 "營은 음식물의 정기(精氣)로서 오장에서 조화롭게 되고 육부에서 뿌리듯 고루 펼쳐지므로 능히 맥으로 들어가서 맥을 따라 상하로 퍼져 오장을 꿰고 육부를 엮어준다"[24]고 하였다.
- 분포: 영기는 십이경맥과 임독맥을 통해 전신을 순행하고, 오장을 관(貫)하고 육부에 낙(絡)한다.

---

20) 胃之大絡, 名曰虛里. 貫鬲絡肺, 出於左乳下, 其動應衣, 脈宗氣也 (素問·平人氣象論)
21) 宗氣不下, 脈中之血, 凝而留止 (靈樞·刺節眞邪)
22) 宗氣者, 動氣也. 凡呼吸言語聲音, 以及肢體運動, 筋力强弱者, 宗氣之功用也 (讀醫隨筆·氣血精神論)
23) 宗氣積于胸中, 出于喉嚨, 以貫心脈而行呼吸焉 (靈樞·邪客)
24) 營者水穀之精氣也, 和調於五藏, 灑陳於六府, 乃能入於脈也, 故循脈上下, 貫五藏絡六府也 (素問·痺論)

- 십이경의 순행: 영기는 중초(비위)에서 나와 먼저 수태음폐경으로 가고, 다음에 수양명대장경、족양명위경、족태음비경、수소음심경、수태양소장경、족태양방광경、족소음신경、수궐음심포경、수소양삼초경、족소양담경과 족궐음간경의 순으로 가서 다시 수태음폐경으로 들어감으로써 영기가 십이경맥을 통하여 전신을 유주(流走)하는 통로를 이룬다.
- 임독맥의 순행: 영기가 십이경맥을 순행할 때에 한 분지는 수태음폐경에서 따로 나와 위로 액부(額部)에 이르러 전항(巓項)을 돌고 항(項)과 중간으로 내려가서 척골(脊骨) 아래를 따라 미저부(尾骶部)로 들어가는데, 이는 독맥이 순행하는 경로이다. 독맥에서 임맥으로 가서 음기(陰器)에 낙(絡)하고 위로 모제(毛際)를 지나 제중(臍中)에 들어가고 위로 향하여 복부로 들어가 상행하는데, 이것이 임맥의 순행이다. 다시 결분(缺盆)으로 들어간 다음 폐중(肺中)으로 갔다가 다시 수태음폐경으로 나와서 영기의 임독맥 순행경로를 구성한다.

영기의 십이경맥 순행과 임독의 순행은 영기의 십사경(十四經) 유주를 형성한다. 이처럼 위에서 아래로, 아래에서 위로, 음에서 양으로, 양에서 음으로 유주가 하나의 고리를 이루어 주야를 통해 전신을 오십 번 순행한다. 이에 관하여 『영추 영기(營氣)』에서는 "영기의 경로에서 음식물의 정기를 받는 것이 중요하다. 음식물이 위로 들어와 폐로 전달되어 안(장부)으로 흘러 넘쳐 겉(四肢末端)에까지 퍼지게 된다. 정미로운 부분은 경맥 속에서 항상 쉬지 않고 운행하며 끝나는 대로 다시 시작하는데, 이것이 자연의 법칙이다"[25]라고 하였다.

(3) 주요 공능

영기의 주요 생리공능은 혈액의 화생과 전신 영양의 두 가지이다.

① 혈액의 화생: 영기는 맥으로 들어가 혈액의 조성 성분 가운데 하나가 되기 때문에 『영추 사객』에서 "營氣는 진액을 분비하며 맥으로 들어가 血이 된다"[26]고 하였다.

② 전신 영양: 영기는 경맥을 순행하고 전신을 유주하여 장부、경락 등의 생리활동을 위해 영양물질을 제공한다. 전신 상하내외를 돌고 안으로 흘러 들어가 오장육부를 자양하고 밖으로 흩어져 피모근골을 적셔 준다.

총괄하면, 영기는 비위의 수곡지기로부터 만들어진 것으로 혈맥에 분포되어 있으며, 혈액의 조성 부분이 되고, 전신을 돌아 그 영양작용을 발휘한다.

4) 위기(衛氣)

(1) 기본적인 뜻

위(衛)는 위호(衛護) 보위(保衛)의 뜻으로, 위기는 맥 밖을 흐르는 기이다.

위기는 맥 안을 흐르는 영기와 상대적으로 말하는 것이고, 양에 속하기 때문에 '위양(衛陽)'이라고도 한다. 위기 역시 비위의 운화로 생기는 음식물의 정미인데, 그 성질이 빠르고 매끄러워 활동력이 강하고 유동이 신속하기 때문에 『소문 비론』에서 "위기는 음식물의 날랜 기운이다"[27]라고 하였다.

---

25) 營氣之道, 內穀爲寶. 穀入于胃, 乃傳于肺, 流溢于中, 布散于外. 精專者, 行于經隧, 常營不已, 終而復始, 是謂天地之紀 (靈樞·營氣)

26) 營氣者, 泌其津液, 注之于脈, 化以爲血 (靈樞·營氣)

27) 衛者, 水穀之悍氣也 (素問·痺論)

(2) 생성과 분포

위기는 음식물의 정미로부터 만들어진 것이며 맥 외를 운행한다.

① 생성: 위기는 영기와 같이 수곡정미로부터 만들어진 것이다. 그래서 『영추 영위생회(營衛生會)』에서는 "사람은 음식물로부터 기를 받는데, 음식물이 胃로 들어와 肺로 전달되어 오장육부가 모두 기를 받게 된다. 그 중 맑은 것은 營이 되고 탁한 것은 衛가 되어 營은 맥 안을 행하고 衛는 맥 바깥을 행하는데, 각각 쉬지 않고 운행하여 오십 차례 돈 후에 서로 만나게 된다. 음과 양은 서로 관통하여 끝이 없는 고리처럼 운행하는 것이다"28)라고 하였다.

② 분포: 영기와 위기의 운행 경로와 분포 부위는 일치하지 않는다. 일반적으로 말하자면, 영기는 맥 내를 운행하고 위기는 맥 외를 운행하는 것이다. 위기의 구체적인 순행노선은 한대(漢代) 이후 학자들의 견해가 일치하지 않지만, 귀납하면 대체로 다음과 같은 세 가지이다.

- 영위(營衛)는 서로 따라 함께 돈다: 위기와 영기는 병행(竝行)하고 음양은 서로 따르기 때문에 『영추 영위생회』에서 "陽分에서 25바퀴 돌고 陰分에서 25바퀴 돈다"29)고 한 것처럼 내외로 서로 이어져 고리와 같이 끝이 없다. 그래서 『난경』에서는 "영은 맥 안을 행하고 위는 맥 바깥을 행하는데, 각각 쉬지 않고 운행하여 오십 차례 돈 후에 서로 만나게 된다. 음과 양은 서로 관통하여 끝이 없는 고리처럼 운행하는 것이다. 이로써 영위가 서로 따라 돌고 있음을 알 수 있다" 30)고 하였다.
- 낮에는 양의 부분에서 행하고, 밤에는 음의 부분에서 행한다: 정상적인 상황에서 위기는 낮에 육부와 체표경맥의 밖을 25바퀴 돌고, 밤에는 오장을 따라 25바퀴 돈다. 매일 새벽에 시작하여 눈을 뜨는 무렵에 위기는 목내자(目內眦)를 따라 머리로 올라가고 수족태양경, 수족소양경과 족양명경을 순행하여 사지의 말단에 이르고 다시 사지의 음 부분을 통과하여 눈에 이르는데, 이것이 한번 도는 것(一周)이다. 매일 낮에 위기는 양의 부분을 25바퀴 돈다. 저녁부터 여명까지는 신으로부터 시작하여 신、심、폐、간、비의 오장을 차례대로 돌아 신에 되돌아오고, 하루 밤 중에 위기는 음의 부분을 왕복 순환하여 25바퀴를 돈다. 주야를 합쳐서 50바퀴이다.
- 전신에 산행(散行)한다: 위기는 위에서 서술한 두 가지의 순행 외에 전신으로 흩어져 밖으로는 피부、근、골、분육(分肉)의 사이에 도달하고, 안으로는 가슴、배、장부、황막(肓膜) 등에 이르지 않는 곳이 없는데, 이에 관하여 『소문 비론』에서는 "위기는 음식물의 날랜 기운이다. … 맥 안으로 들어가지 못하고 피부와 분육의 사이로 순행하면서 황막을 훈증하고 가슴과 배로 퍼진다"31)고 하였다.

(3) 주요 공능

위기의 주요 생리공능은 온양(溫養)、조절、방어작용이다.

① 온양작용: 정상적인 상태에서 인체의 일정한 체온은 정상적인 생명활동을 유지하는 중요한 조건 가운데 하나이다. 인체의 체온 유지는 위기의 온후 작용에 의존하고 있다. 그래서 『독의수필』에서는 "衛氣는 뜨거운 기이

28) 人受氣于穀, 穀入于胃, 以傳與肺, 五臟六腑, 皆以受氣. 其淸者爲營, 濁者爲衛, 營在脈中, 衛在脈外, 營周不休, 五十而復大會, 陰陽相貫, 如環無端 (靈樞·營衛生會)
29) 行于陽二十五度, 行于陰二十五度 (靈樞·營衛生會)
30) 榮行脈中, 衛行脈外, 榮周不息, 五十而復大會, 陰陽相貫, 如環無端, 故知榮衛相隨也 (難經·三十難)
31) 衛者, 水穀之悍氣也, … 不能入于脈也, 故循皮膚之中, 分肉之間, 熏于肓膜, 散于胸腹 (素問·痺論)

다. 기육을 따뜻하게 할 수 있는 것도 음식물이 소화될 수 있는 것도 위기의 공능이다"[32]라고 하였다.

② 조절작용: 위기는 땀구멍의 개합을 주관하는데, 땀의 분비량을 조절하여 일정한 체온을 유지할 수 있고, 기혈을 조화시켜 인체 내외 환경의 음양적인 평형을 유지한다. 이에 관해『경악전서』에서 "땀은 陰에서 만들어져 陽으로 나온다. 이는 그 근본이 陰分의 영기에 있으며 주리(腠理)의 여닫음은 陽分의 위기에 있는 것이다"[33]라고 하였다.

③ 방어작용: 기부(肌膚)와 주리는 인체가 외사를 막는 가장 중요한 차단막이다. 위기는 기부와 주리를 온양하고 땀구멍의 개합을 맡아서 피부를 부드럽고 윤택하게 하며, 기육을 장실(壯實)하게 하고, 주리를 치밀하게 하여 외사의 침입을 막는 하나의 방어선을 구성하여 외사로 하여금 인체에 침입할 수 없도록 한다. 그래서『의지서여(醫旨緖餘)』에서는"衛氣는 온 몸을 호위하는 것이다. … 外邪가 침범하지 못하게 한다"[34]고 하였다.

『내경』에서는 위기가 낮에는 양의 부분(陽分)을 행하고 밤에는 음의 부분(陰分)을 행한다고 하였는데, 실제적으로 사람이 깨어 있을 때 위기는 주로 체표에 분포되고, 잠들면 주로 오장에 분포되는 것을 가리킨다. 잠들면 체표의 위기가 희소해져 외사를 막는 힘이 떨어지고 풍한을 견디지 못하기 때문에 바람을 맞고 누워 있으면 안되고, 이불을 덮어서 외사의 침입을 막아야 한다. 이 밖에, 위기의 순행은 사람의 수면과 밀접한 관계가 있다. 위기가 체내를 행할 때에는 사람이 잠들고, 위기가 정명(睛明)에서 체표로 나오면 잠에서 깨어난다. 만약 위기의 순행에 이상이 생기면 수면에 이상이 발생한다. 위기가 양분을 행하는 시간이 길면 잠이 적어지고, 음분을 행하는 시간이 길면 잠이 많아진다.

위기가 부족해지면 인체의 기표(肌表)가 고호(固護)작용을 잃게 되고 방어작용이 저하되어 외사의 침습을 받기 쉽고 또 병에 걸려서도 낫기 어려우며 체온이 떨어지고 땀구멍의 개합이 제대로 제어되지 못하면 쉽게 땀이 난다.

영기와 위기의 관계에 관해 말하자면, 영기와 위기는 모두 장부를 출입하고, 경락에 유포되어 있으며, 모두 비위가 만든 수곡정기가 그 주요한 물질적인 내원이다. 다만 성질, 분포와 공능상으로 다른데, 영기는 그 성질이 정미롭고 순전하여 음에 속하며 맥 중을 행하고 온 몸을 영양하며 혈액을 만드는 공능을 가지고 있다. 위기는 그 성질이 빠르고 매끄러워서 양에 속하며 맥 외를 행하고 장부를 온양하며 기표를 호위하는 공능을 갖추고 있다.

영기는 안에서 영양하여 음이 되고, 위기는 밖에서 호위하여 양이 되는데, 하나는 음이고 하나는 양이므로 서로 그 뿌리가 된다. 그러므로 영위는 상호협조가 필수적이고, 그래야만 정상적으로 활동할 수 있다.

일반적으로, 영기는 맥 안에서, 위기는 맥 밖에서 흐른다고 한다. 다만, 영위의 운행은 음양이 서로 따르고 내외가 서로 이어지는 것이다. 그 왕래와 이어짐은 병행하면서 어그러지지 않아 영기 중에 위기가 있고 위기 중에 영기가 있다. 영위를 구분하여 말하면 그 다니는 길이 같지 않고, 합쳐서 말하면 영위는 같은 기이다.

5) 장부의 기와 경락의 기

기는 사람을 구성하고 있다. 생명물질인 기와 그것이 구성하는 형체는 함께 생명활동의 물질적 기초를 이룬다. 자체의 운동변화로 말하자면, 한의학에서는 사람의 기를 원기, 종기, 영기, 위기 등으로 구분한다. 원기, 종기, 영기, 위기 등은 인체의 생명물질인 기 계통을 구성하고 있다.

또 인체의 기는 장부의 기와 경락의 기로 나눌 수 있다. 장부의 기와 경락의 기는 사람의 기가 장부 경락 등의 형체

32) 衛氣者, 熱氣也, 肌肉之所以能溫, 水穀之所以能化者, 衛氣之功用也 (讀醫隨筆·氣血精神論)
33) 汗發于陰而出于陽, 此其根本則由陰中之營氣, 而其啓閉則由陽中之衛氣 (景岳全書·汗證)
34) 衛氣者, 爲言護衛周身 … 不使外邪侵犯也 (醫旨緖餘·宗氣營氣衛氣)

를 만든 다음 그 안에 저장되어 각 장부와 경락의 기로 변화된다. 그 주요 조성성분과 운동방식이 같지 않기 때문에 각 장부 경락의 구조와 공능은 각자의 특이성을 가지고 있다. 장부 경락의 기는 장부 경락을 구성하는 가장 기본적인 물질이며, 또한 장부 경락의 생리활동을 유지하는 물질적 기초이다.

장부의 기와 경락의 기는 인체의 다른 기와 마찬가지로 폐가 흡입한 청기, 비위가 만든 수곡정기와 신중정기에서 비롯된 것이다. 그 중에 폐가 흡입한 청기와 수곡의 정기는 기화하면서 에너지와 열을 내어 인체 생명활동의 수요를 공급한다. 신중의 진정(眞精)은 원기로 바뀌면서 오장에 분포되어 오장의 진정이 된다. 예를 들어 서영태(徐靈胎)가 『의학원류론(醫學源流論)』에서 "오장에는 오장의 진정(眞精)이 있는데, 이것이 元氣의 분체(分體)이다"[35]라고 하였는데, 오장의 진정은 신중정기에서 내원하였고, 그 기 역시 음기와 양기의 구분이 있다. 그 음기는 오장의 음이고, 오장의 진액과 혈액의 화생을 촉진할 수 있으며, 자윤과 안정을 촉진한다. 그 양기는 오장의 양으로, 장부의 기 생산과 대사의 속도를 촉진하고, 오장의 활동, 흥분과 온후를 촉진한다. 총괄하면, 장부의 기 가운데 후천에서 내원한 것은 주로 장부활동의 에너지가 되고, 신중정기에서 내원한 것은 장부의 대사와 공능에 대해 중요한 조절작용을 한다.

한의학에서 '기'는 다양한 의미를 가지고 있다. 예컨대 병을 일으키는 육음(六淫)은 '사기(邪氣)'라 하고, 인체의 생리공능과 질병 저항능력을 '정기(正氣)'라 하며, 한약의 한열온량(寒, 熱, 溫, 凉)을 '사기(四氣)'라고 하는 등이다. 이러한 '기'는 기후, 공능, 성질 등의 다양한 뜻을 가지고 있다. 본 장에서의 기는 오로지 인체를 구성하고 인체의 생리활동을 추동하는 가장 기본적인 물질을 가리켜 말한 것이므로, 위에서 서술한 각종 '기'와는 구별하여야 한다.

제2절 혈(血)

1. 혈의 기본 개념

혈은 맥 안을 운행하고 전신을 순행 유주하는 영양물질과 자윤작용이 풍부한 붉은 색의 액체이고, 인체를 구성하면서 인체 생명활동을 유지하는 기본 물질의 하나이다. 맥은 혈액운행의 도관이며, '혈부(血府)'라고도 한다. 맥은 혈액을 운행하는 작용을 가지고 있으며, 혈액은 맥 중에 있으면서 전신을 순환하여 안으로는 장부에, 밖으로는 사지관절에 이르러 생명활동을 위해 영양물질을 제공하고 영양과 자윤작용을 한다. 혈액이 맥내에서 순행할 수 없어서 맥외로 넘쳐나는 것을 출혈 혹은 '이경지혈(離經之血)'이라고 한다. 경맥을 벗어난 혈은 맥도를 벗어나 그 작용을 발휘하는 조건을 잃게 되기 때문에 혈의 생리공능을 상실한다.

2. 혈의 생성

1) 혈액이 만들어지는 물질적인 기초

음식물은 혈액을 만드는 가장 기본적인 재료이다. 그러므로 『영추 결기(決氣)』에서 "중초에서 기를 받아 정미로운

35) 五臟有五臟之眞精, 此元氣之分體者也 (醫學源流論·元氣存亡論)

즙을 취하여 변화하여 붉게 된 것을 血이라 한다"[36]고 하였다. 여기에서의 '기'는 주로 음식물로부터 만들어진 정기(精氣)를 가리키므로 영기이고, 또 즙은 진액을 가리킨다. 둘 다 모두 음식물의 정미로, 맥 중에 들어가서 붉은 색의 액체로 변화하여 혈액이 된다. 비위가 만든 음식물의 정미는 혈액이 되는 가장 기본적인 물질이기 때문에 비위는 '기혈생화지원(氣血生化之源)'이라고도 한다. 음식물과 비위의 강약은 혈액의 화생에 직접 영향을 준다. 이로 인하여 장기간 영양 섭취가 좋지 못하거나 혹 비위의 운화공능이 장기간 실조되면 모두 혈액의 생성이 부족해져 혈허(血虛)를 형성할 수 있다.

2) 혈액의 생성과 장부와의 관계

(1) 간

『소문 육절장상론(六節藏象論)』에서 "肝은 … 그 충실함이 筋에 나타나고, 혈기를 만든다" 고 하였다. 이는 간이 오행으로는 목에 속하여 봄날의 생발하는 기운에 응하기 때문이고, 바로 이러한 생생불식하는 봄의 기운이 비와 심이 혈을 생성하는 공능을 돕는다.

(2) 심

심은 혈맥을 주관한다. 첫째로 혈을 움직여 영양물질을 수송하고 전신의 각 장부에 충분한 영양을 공급하여 정상적인 공능활동을 유지하게 하며 혈액의 생성을 촉진시킨다. 둘째로 음식물의 정미는 비의 승청(升淸)작용을 통해 심폐로 수송되고 폐가 토고납신(吐古納新)한 후에 다시 심맥으로 가서 붉게 바뀌어 신선한 혈액이 된다. 따라서『여산당유변(侶山堂類辯)』에서 "血은 중초의 즙이다. 안으로 넘치면 精이 되고, 心을 받들어 붉게 되면 血이 되는 것이다"[37]라고 하였는데, 이는 심도 혈액의 생성에 참여함을 말한 것이다. 그러므로『소문 음양응상대론』에 '심생혈(心生血)'이라는 표현이 나온다.

(3) 비위

비위는 후천의 근본이고 기혈을 만드는 근원이다. 비위가 만든 음식물의 정미는 혈액이 되는 기본 재료이다. 만약 비위가 허약하면 음식물의 정미를 운화할 수 없게 되고 원천이 부족하여 종종 혈허에 이르게 된다.

(4) 폐

『영추 영위생회』에서 "中焦는 胃와 같은 부위에 있는데, 上焦로 나온 다음에, 정기(精氣)를 받아서 조박(糟粕)을 분비하고 진액을 쪄서정미를 만들어 위로 肺脈에 보내면 더 변하여 血이 된다"[38] 고 하여 폐에서 血이 만들어진다고 하였다. 이는 최근 루니 (Looney) 교수 연구진이 "생쥐의 폐에서 체내 절반 이상의 혈소판이 만들어진다[39]"는 내용과도 상통한다. 혈과 밀접한 관계를 가지는 기를 주관하는 폐는 당연히 혈의 생성에 관여한다.

---

36) 中焦受氣, 取汁變化而赤, 是謂血 (靈樞·決氣)
37) 血乃中焦之汁, 流溢於中以爲精, 奉心化赤而爲血 (侶山堂類辨·卷上·辨血)
38) 中焦亦並胃中，出上焦之後，此所受氣者，泌糟粕，蒸津液，化其精微，上注于肺脈乃化而為血 (靈樞·營衛生會)
39) Looney et al, The lung is a site of platelet biogenesis and a reservoir for haematopoietic progenitors, Nature, vol. 544, pp. 105-109, Mar 2017

(5) 신

신은 혈의 생성에 있어서 두 가지 중요한 작용을 한다. 첫째, 신의 정기는 원기를 만들어 비위가 음식물의 정미를 만들고 이어 심을 받들어 붉게 변해 혈이 되는 것을 촉진한다. 둘째, 신은 정을 저장하는데 정과 혈은 서로 바뀔 수 있다. 즉 혈은 정을 기를 수 있고, 정은 혈로 바뀔 수 있기 때문에 '정혈동원(精血同源)'이라고도 하였다.

이상의 내용을 종합하면, 혈액은 수곡정미의 영기와 진액이 주요한 물질적 기초이고, 비위를 위주로 오장의 공동 작용으로 만들어진 것이다.

3. 혈의 순행

1) 혈액 순행의 방식

맥은 혈이 머무르는 곳(府)이다. 맥관은 하나의 밀폐된 도관계통이다. 혈액은 맥관 안에서 쉬지 않고 운행한다. 체내를 쉬지 않고 돌아서 인체의 전신, 내외, 상하를 영양한다. 영기와 진액이 결합하여 혈이 되고 맥 안을 쉬지 않고 운행한다.

2) 혈액 순행과 장부와의 관계

혈액의 정상적인 순환은 반드시 세 가지 조건을 구비하여야 한다. 첫째, 혈액이 충분하여야 한다. 둘째, 맥관계통이 온전하면서 흐름이 좋아야 한다. 셋째, 전신 각 장부가 정상적인 생리공능을 발휘하여야 한다. 특별히 심, 폐, 간, 비의 관계가 더욱 밀접하다.

(1) 심주혈맥(心主血脈)

심은 혈액 순행의 동력이고, 맥은 혈액 순행의 통로이다. 혈은 심기(心氣)의 추동으로 맥관을 순행한다. 심장과 맥관과 혈액은 하나의 계통을 구성한다. 전신의 혈액은 심기의 추동에 의존하여 경맥을 통과하고 전신에 수송되어 그 유양작용을 발휘한다. 심기 추동의 정상 여부는 혈액 순환에서 매우 중요한 작용을 한다.

(2) 폐조백맥(肺朝百脈)

심기의 추동은 혈액운행의 기본 동력이다. 혈은 기가 아니면 운행할 수 없고 기의 추동에 의존하며 기의 승강을 따라서 운행하여 전신에 이른다. 폐는 몸 전체의 기를 주관하고 호흡을 관장하며 전신의 기기를 조절하고 심장을 보조하여 혈액의 운행을 추동하고 조절한다.

(3) 비주통혈(脾主統血)

오장육부의 혈은 전적으로 비기(脾氣)의 통섭과 건강함(健旺)에 의존하는데, 비기가 정상적이면 혈액이 맥 외로 벗어나 출혈을 일으키지 않게 한다.

(4) 간주장혈(肝主藏血)

간은 혈액을 저장하고 혈액량을 조절하는 공능을 가지고 있다. 인체 동정(動靜)의 정황에 근거하여 맥관 중의 혈류량을 조절하여 일정 수준으로 유지시킨다. 이 밖에 간의 소설(疏泄)공능은 기기를 조창(調暢)함으로써 혈액의 순행을 보장해 준다. 동시에 간에 혈을 저장함으로써 출혈을 방지하는 작용을 한다.

혈액의 정상적인 순행은 두 종류의 역량, 즉 추동력과 고섭력을 필요로 한다. 추동력은 혈액 순행의 동력인데, 구체적으로 심폐 및 간의 소설공능으로 나타난다. 또 고섭력은 혈액이 밖으로 넘치지 않게 하는 요인인데, 구체적으로 '비통혈'과 '간장혈'의 공능으로 나타난다. 이러한 두 가지 역량의 협조와 균형은 혈액의 정상적인 순행을 유지시킨다. 만약에 추동하는 역량이 부족하면 혈액의 흐름이 완만해져서 체삽(滯澁)、혈어(血瘀) 등의 병변이 나타난다. 만약에 고섭하는 역량이 부족하면 혈액이 밖으로 넘쳐서 출혈케 된다. 이상의 내용을 종합하면, 혈액의 순행은 심、폐、간、비 등 장부의 상호 배합으로 진행되는 것이다. 이로 인하여 그 중에 어느 한 장부의 생리공능이 실조되면 혈행에 이상이 생긴다.

4. 혈의 생리공능

혈의 공능은 영양(영기를 함유)과 자윤(진액을 함유)으로 정리될 수 있다.

1) 전신의 장부조직을 유양(濡養)하고 자윤한다

혈이 생기면 형(形)이 생기고, 혈이 쇠하면 형도 위축되며, 혈이 망가지면 형도 붕괴된다. 혈은 맥관을 따라 전신을 순행하여 전신의 각 장부조직기관의 공능 활동을 위해 영양을 제공한다. 『난경』에서는 혈의 이러한 작용을 "血은 적시는 것을 주로 한다"[40]고 표현하였다. 전신의 각 부분은 모두 혈의 유양작용으로 그 생리공능을 발휘한다. 예를 들어 코가 냄새를 맡고、눈이 보며、귀가 듣고、후두가 발음을 하고、손이 물건을 잡는 등은 모두 혈의 작용으로 완성되는 것이다. 이와 관련하여 『소문 오장생성(五藏生成)』에서는 "肝이 血을 받으면 볼 수 있으며、발이 혈을 받으면 걸을 수 있고、손바닥이 혈을 받으면 쥘 수 있으며、손가락이 혈을 받으면 집을 수 있다"[41]고 하였다.

혈의 유양작용은 안색、기육、피부、모발 등에 반영되어 안색의 적당한 붉은 기와 윤기(紅潤), 근육량과 근력의 정도, 피부와 모발의 윤기 등으로 나타난다. 혈의 유양작용이 약해지면 인체는 장부의 공능이 저하되는 외에 얼굴에 화색(華色)이 없거나 혹은 누렇게 되고、피부가 건조해지며、팔다리나 손발가락에 감각이 없어지고、운동이 영활하지 못하는 등 증상이 나타난다. 그러므로 『경악전서』에서는 "무릇 七竅의 신령한 작용、팔다리의 쓰임、근골의 조화와 부드러움、肌肉의 풍성함、나아가 장부의 자양、정신적인 안정、안색의 윤택、영위의 충만、진액의 운행과 二陰의 조창(調暢) 등, 형질(形質)이 있는 곳에 血의 작용이 없는 곳이 없다"[42] 고 하였다.

2) 신지(神志) 활동의 중요한 물질적 기초이다

혈의 이러한 작용은 장기간에 걸친 방대한 규모의 임상 관찰을 통해 알려진 것이다. 혈어(血瘀)나 운행의 실상은 모두 정신적인 증상을 나타낼 수 있다. 심혈어(心血瘀)와 간혈어(肝血瘀)에는 항상 경계(驚悸)、불면、다몽(多夢) 등의 불안한 표현이 있고, 실혈(失血)이 심하면 번조、황홀、혼미 등의 정신적인 변화가 나타날 수 있는 등 혈액과 신지활동이 밀접한 관계가 있음을 알 수 있다. 따라서 『영추 영위생회(營衛生會)』에서는 "血은 신기(神氣)이다"[43]라고 하였으

---

40) 血主濡之 (難經·二十二難)

41) 肝受血而能視, 足受血而能步, 掌受血而能握, 指受血而能攝 (素問·五藏生成)

42) 故凡爲七竅之靈, 爲四肢之用, 爲筋骨之和柔, 爲肌肉之豊盛, 以至滋臟腑, 安神魂, 潤顔色, 充營衛, 津液得以通行, 二陰得以調暢. 凡形質所在, 無非血之用也 (景岳全書·卷三十·雜證謨·血證)

43) 血者神氣也 (靈樞·營衛生會)

며, 『영추 평인절곡(平人絕穀)』에서도 "혈맥이 조화롭고 원활하면 정신이 이에 거한다"44)고 하여 혈액의 공급이 충족되면 정신적인 활동도 정상이라고 하였다.

제3절 진액(津液)

1. 진액의 기본 개념

진액은 체내 모든 정상적인 수액(水液)의 총칭이며, 각 장부조직내의 체액과 위액(胃液)、장액(腸液)、콧물、눈물、침 등과 같은 정상적인 분비물을 포함한다. 체내에 있으면서 혈액을 제외한 부분, 기타 정상적인 액체 모두가 진액의 범주에 속한다.

진액은 장부、형체、감각기관 등 기관의 조직내와 조직사이에 광범위하게 존재하면서 자윤과 유양작용을 한다. 동시에 진액은 능히 기를 싣고, 전신의 기는 진액에 실려 전신을 운행하게 함과 아울러 그 생리작용을 발휘하게 한다. 진액은 또한 혈액을 만드는 기초 물질의 하나이며, 혈액의 생성과 운행에 밀접한 관계가 있다.

진액은 성상、공능 및 그 분포 부위 등에 의해 구별되는데, 일반적으로 성질이 묽고 유동성이 크며, 주로 체표피부、기육과 주요 감각기관 등에 분포하고 혈맥에 스며 들어 자윤작용을 하는 것을 진(津)이라 하고, 그 성질이 비교적 끈적이면서 유동성이 비교적 적고, 골절、장부、뇌수 등 조직에 흘러 유양작용을 하는 것을 액(液)이라 한다.

진과 액은 본래 하나로, 음식물에서 같이 기원하여 비위의 운화에 의해서 생성된다. 진과 액은 운행과 대사과정 중에 서로 보충하고 서로 바뀌면서 병변 과정 중에도 서로 영향을 미치므로 진과 액을 엄격하게 구별하지는 않는다. 다만 '상진(傷津)'과 '탈액(脫液)'의 병리 변화와 변증논치에서는 이 둘을 구분하여 쓴다.

2. 진액의 생성、수포와 배설(진액의 대사)

진액의 생성、수포와 배설은 여러 장부가 관련된 복잡한 생리과정이다. 『소문 경맥별론(經脈別論)』에 "水飮이 胃에 들어오면 정기를 넘치게 하여 脾로 올려 보내고, 脾氣가 정을 퍼뜨려 肺로 올리면 물길을 틔워서 조절하여 방광으로 내려 보내니, 진액이 사방으로 퍼지면서 오장의 경맥과 함께 행한다"45)고 하여 진액대사 과정에 대해 설명하였다.

1) 진액의 생성

진액은 음식물에서 내원하며 비위를 통과하여 소장과 대장이 음식물의 수분과 영양을 흡수하여 만든 것이다. 그 구체적 과정은 다음과 같다.

(1) 비위운화(脾胃運化)

44) 血脈和利, 精神乃居 (靈樞·平人絶穀)
45) 飮入于胃, 游溢精氣, 上輸於脾. 脾氣散精, 上歸于肺, 通調水道, 下輸膀胱. 水精四布, 五經幷行 (素問·經脈別論)

위는 주로 수납부숙(受納腐熟)하고 음식물의 정미로운 부분을 흡수한다. 비는 주로 운화하는데 비기의 승청작용에 의해 위장(胃腸)에서 흡수한 곡기와 진액을 폐로 보낸 다음 전신으로 운반한다.

(2) 소장주액(小腸主液)

소장은 비별청탁(泌別淸濁)작용을 하는데, 음식물로부터 대부분의 영양물질과 수분을 흡수하여 비로 올려 보내어 전신에 퍼지게 하며 동시에 수액대사 산물은 신을 거쳐 방광으로 보내지고 조박은 대장으로 내려 보낸다.

(3) 대장주진(大腸主津)

대장은 소장에서 내려간 음식물의 찌꺼기와 나머지 수분을 받아들여 그 중 수액의 신선한 부분은 흡수하고 남은 찌꺼기는 분변으로 만들어 체외로 배출시킨다. 위、소장、대장에서 흡수한 음식물의 정미(진액)는 위로 비(脾)에 전해지고 '비기산정(脾氣散精)'작용을 통해 전신에 퍼진다.

2) 진액의 수포

진액의 수포는 비、폐、신、간과 삼초 등 장부 생리공능의 종합적인 작용에 의하여 완성된다.

(1) 비기산정(脾氣散精)

비는 음식물의 정미를 운화하고 그 전수(轉輸)작용에 의하여 ① 진액이 위로 폐에 전해져 폐의 선발(宣發)과 숙강(肅降)작용에 의해 전신에 퍼져서 장부、형체와 기관으로 흐른다. ② 직접 진액을 사방으로 퍼지게 하여 전신에 이르게 하는데, 이는 비의 '관개사방(灌漑四旁)' 공능, 즉『소문 태음양명론(太陰陽明論)』에서 말한 "脾는 胃에서 진액을 운행하는 것을 주관한다"[46] 는 작용을 말한다.

(2) 폐주행수(肺主行水)

폐는 수(水)를 행하고 수도(水道)를 통조(通調)하므로 수(水)의 상원(上源)이 된다. 폐는 비에서 운반된 진액을 받은 다음, 선발작용에 의해 진액을 인체 상부와 체표로 보내고, 또 숙강작용에 의해 진액을 신과 방광 및 인체의 하부로 보낸다.

(3) 신주진액(腎主津液)

『소문 역조론(逆調論)』에서 "腎은 水의 臟으로, 진액을 주관한다"[47]고 하였다. 신은 진액의 수포(輸布)를 주재한다. 주요 표현으로 두 가지가 있는데, 하나는 신중정기(腎中精氣)의 증등기화(蒸騰氣化)작용은 위(胃)의 '유일정기(游溢精氣)'、비의 산정、폐의 '통조수도' 및 소장의 '분별청탁' 작용의 동력이며 진액의 수포를 추동한다. 또 하나는 폐에서 아래로 전해져 신에 도달한 진액은 신의 기화작용으로 맑은 것은 삼초를 지나 위로 폐에 보내져 전신에 퍼지고, 탁한 것은 오줌이 되어 방광으로 흘러 들어간다.

---

46) 脾主爲胃行其津液者也 (素問·厥論)
47) 腎爲水臟, 主津液 (素問·逆調論)

(4) 간주소설(肝主疏泄)

간은 소설을 주관하여 전신의 기기를 조창하고 삼초의 기를 다스리는데, 기가 행하면 진도 행하고 진액의 수포와 환류를 촉진한다.

(5) 삼초결독(三焦決瀆)

삼초는 '결독지관(決瀆之官)'이라 하며, 진액이 체내에서 돌아다니고 퍼지는 통로이다.

3) 진액의 배설

진액의 배설과 수포는 동일한 방식이며, 폐, 비, 신의 종합적인 작용에 의한다. 그 구체적인 배설 경로는 다음과 같다.

(1) 땀과 입김

폐기의 선발작용에 의해 진액이 체표 피모에 퍼지면 양기가 작용하여 땀이 만들어지고 땀샘을 통해 체외로 배출된다. 폐는 호흡을 주관하는데, 호흡할 때 진액도 함께 흩어진다.

(2) 오줌

오줌은 진액대사의 최종 산물이며, 폐, 비, 신 등 장부의 작용에 의해 만들어지는데, 신과의 관계가 가장 밀접하다. 신과 방광의 기화작용이 함께 작용하여 오줌을 만들고 이어 체외로 배출한다. 신은 인체 진액대사의 평형을 유지하는 데 중요한 작용을 하는데, 수(水)가 지음(至陰)이 되고 그 근본은 신에 있다.

(3) 대변

대장에서 배출된 음식물 찌꺼기가 형성한 분변 중에도 역시 약간의 진액이 섞여 나간다. 설사를 하면 대변 속에 많은 수분과 진액이 함께 빠져나가 쉽게 체내의 진액을 잃게 된다. 이상의 내용을 종합하면, 진액대사의 과정은 여러 장부의 종합적인 조절이 필요하고 그 중에서도 폐, 비, 신이 중심이 되는데, 『경악전서』에서 "무릇 水는 至陰이므로 그 근본은 腎에 있다. 水는 氣로 말미암아 바뀌므로 그 표(標)는 肺에 있다. 水는 유일하게 土를 무서워하므로 그 조절은 脾가 한다"48) 고 하였다. 만약 폐, 비, 신의 공능이 실조되면 진액의 생성, 수포와 배설 등의 과정에 영향을 미치고 진액대사의 평형이 파괴되면서 진액의 생성이 부족해져 순환장애, 수액정체나 진액의 대량 소실 등 병리변화가 일어난다.

3. 진액의 공능

1) 자윤 유양한다

진액은 풍부한 영양물질을 함유하고 있으며, 액체이기 때문에 자윤과 유양작용을 한다. 일반적으로 진은 묽어서 자윤작용을 주로 하고, 액은 비교적 끈적하여 영양작용을 주로 한다.

진액이 기표(肌表)에 퍼져 피부와 모발을 자양하고, 눈코입 등 감각기관을 자양 보호하고, 장부에 흘러 들어 내장을 자양하고, 골수에 스며들어 골수, 뇌수와 척수 등을 충양(充養)하고, 관절에 들어가 윤활작용을 한다.

---

48) 蓋水爲至陰, 故其本在腎; 水化于氣, 故其標在肺; 水惟畏土, 故其制在脾 (景岳全書·腫脹)

2) 혈액을 만든다

진액은 손락(孫絡)에서 혈맥 중에 스며 들어 혈액을 만드는 기본 성분의 하나이고, 혈맥을 유양하고 매끄럽게 하는 작용을 한다.『영추 옹저(癰疽)』에서 "中焦에서는 이슬과 같이 영기(營氣)가 나와 기육이 만나는 계곡으로 들어가 손맥에 스며들고, 진액이 조화된 후에 변화하여 붉게 되어 血이 된다"[49]고 하였다.

3) 인체의 음양평형을 조절한다

진액대사는 인체의 음양평형을 조절하는 데에 중요한 역할을 한다.『영추 오륭진액별(五癃津液別)』에 "음식물이 입으로 들어가 腸胃로 운반되는데, 음식물 중의 진액은 다섯 가지로 나뉜다. 날씨가 추운데 옷을 얇게 입으면 오줌과 김으로 변하고, 날이 더운데 옷을 두껍게 입으면 땀으로 변한다"[50]고 하였다. 진액대사는 항상 인체내의 생리상황과 외계 환경의 변화에 따르고, 이같은 변화를 거쳐 음양 간의 동적 평형을 조절한다.

4) 대사산물을 배설한다

진액은 대사 과정 중에 인체의 대사산물을 땀이나 오줌 등을 통해 부단히 체외로 배출하여 각 장부의 기화활동을 정상적으로 유지시킨다. 만약 이같은 작용이 정상적으로 이루어지지 않으면 대사산물이 체내에 저류되어 각종 병리 변화가 생기게 된다.

5) 전신의 기를 실어 나른다

진액은 기를 실어 나르고, 기는 진액속에서 운동 변화하기 때문에 대량으로 한토하(汗、吐、下)를 하는 경우 기가 진액을 따라 빠져나간다. 땀을 대량으로 흘리면 망양(亡陽)이 생기며, "吐下하고 나면 반드시 완기(完氣)가 사라진다[51]"고 하였다.

제4절 기혈진액의 관계

기혈진액은 모두 인체를 구성하고 인체의 생명활동을 유지하는 기본 물질이며, 비위가 만든 음식물의 정미에 의해 끊임없이 보충되고 장부조직의 공능 활동과 정신활동을 위해 상호의존、상호제약과 상호작용하는 밀접한 관계가 있다.

1. 기와 혈의 관계

기는 양에 속하여 동(動)과 온후를 주관하고, 혈은 음에 속하여 정(靜)과 유윤(濡潤)을 주관한다. 그러나 기혈 모두 비위가 만든 음식물의 정미와 신중정기에 뿌리를 두고 있으며. 생성과 운행 등에서도 밀접한 관계가 있다. 그러므로

49) 中焦出氣如露, 上注溪谷, 而滲孫脈, 津液和調, 變化而赤爲血 (靈樞·癰疽)
50) 水穀入于口, 輸于腸胃, 其液別爲五. 天寒衣薄, 則爲溺爲氣; 天熱衣厚則爲汗 (靈樞·五癃津液別)
51) 吐下之餘, 定無完氣 (金匱要略心典·痰飮)

기와 혈은 서로 떨어질 수 없고 서로 뿌리가 되는 관계이다. 이는 "氣가 血을 거느린다"[52], "血은 氣의 어미다(血爲氣之母)"로 표현된 바 있다.

1) 혈에 대한 기의 관계

"기가 혈을 거느린다"는 것으로, 생혈(生血)、행혈(行血)、섭혈(攝血)의 세 가지 의미를 가진다.

(1) 생혈(生血)

첫째는 기화가 혈액 생성의 동력임을 가리킨다. 섭취한 음식이 수곡정미가 되고, 수곡정미가 바뀌어 영기와 진액이 만들어지고, 영기와 진액이 바뀌어 혈이 생성되는데, 매 과정마다 기화와는 떨어질 수 없는 관계이고, 기화 또한 장부의 공능활동을 통하여 표현된다. 즉 장부의 공능활동이 왕성하면 혈액을 만드는 공능도 강해지고, 기화의 힘이 약하면 장부의 공능활동이 쇠약하여 혈액을 만드는 공능 또한 약해진다. 둘째는 기가 혈액을 만드는 원료임을 의미하는데, 주로 영기를 가리킨다. 그러므로 기가 왕성하면 혈이 충만하고 기가 허하면 혈도 적어진다. 임상에서 혈허질환을 치료할 때, 항상 보기약을 배합하는 것은 기를 보하여 혈을 만든다는 의미이다.

(2) 행혈(行血)

기의 추동작용이 혈액 순환의 동력임을 의미한다. 기는 종기와 같이 직접 혈행을 추동할 수 있고, 또 한편으로는 장부의 공능활동을 촉진하여 혈액 순환을 추동한다. 기의 정상적인 운동이 혈액의 운행을 보증하는 데 중요한 의의를 가진다. 총괄하면, 기가 나아가면 혈이 나아가고, 기가 멈추면 혈도 멈추며, 기가 잠시 멈추면 혈도 잠시 멈춘다. 그러므로 임상에서 혈행의 실상을 치료하려면 항상 조기(調氣)를 먼저 하고 나서 조혈(調血)을 한다. 기가 허하여 혈을 움직이지 못하면 안색이 창백한데, 기를 보하여 혈이 행하면 안색이 좋아지고, 기체하면 혈어가 생겨 여성의 경우 월경이 멈추고 행기활혈(行氣活血)시키면 월경이 다시 통한다.

(3) 섭혈(攝血)

혈이 맥관 속에서 정상적으로 순환하고 맥 외로 빠져나가지 못하게 하는 것이다. 이는 실제적으로 비(脾)의 통혈작용이다. 만약 비가 허하여 혈을 통섭하지 못하면 혈이 망행(妄行)한다. 기가 혈을 통섭하지 못하면 출혈케 되므로 치료시에는 반드시 보기섭혈(補氣攝血)해야 지혈의 목적을 이룰 수 있다. 임상적으로 혈탈(血脫)의 위급한 징후에 독삼탕(獨蔘湯)같은 대제(大劑)를 사용하여 보기섭혈하는 것이 그런 예이다.

2) 기에 대한 혈의 관계

일반적으로 혈은 기의 어미라고 하는데, 이는 기의 생성과 운행이 시종 혈과 관계됨을 가리킨다. 첫째로, 혈은 기를 만들 수 있다. 기는 혈 속에 존재하고, 혈은 부단히 기의 생성과 공능활동에 음식물의 정미를 제공한다. 음식물의 정미는 각 장부와 경락의 기가 생성되고 그 공능을 유지하는 중요한 물질적 기초이다. 그리고 음식물의 정미 또한 혈에 의해 움직여져 장부의 공능활동에 끊임없이 영양을 공급하고 기의 생성과 운행이 정상적으로 진행되게 한다. 그러므로 혈이 왕성하면 기도 왕성하고 혈이 쇠하면 기도 적어진다. 둘째로 혈은 기를 실어 나를 수 있다. 기는 혈 속에 존

52) 氣者血之帥也 (仁齋直指方論·卷之一·總論·血營氣衛論)

재하고 혈에 실려 전신에 도달한다. 혈은 기를 거두기 때문에 기는 반드시 혈에 의해서 고밀(固密)해진다. 그렇지 않으면 혈이 기를 싣지 못하여 기가 쉽게 흩어지고 돌아갈 곳이 없어진다. 혈이 기를 싣는데 기가 혈을 얻지 못하면 흩어져 합쳐지지 못한다. 그러므로 임상적으로 대량 출혈하면 기 역시 혈을 따라 흩어져서 혈탈(血脫)의 상태가 바로 기탈(氣脫)이 된다.

2. 기와 진액의 관계

기는 양에 속하고 진액은 음에 속하여 기와 진액이 속성상 구별되지만, 이들은 비위의 운화에 의한 음식물의 정미에 근원을 두고 그 생성과 수포과정에 있어서 밀접한 관계가 있다.

1) 진액에 대한 기의 관계

생진(生津)、행진(行津)、섭진(攝津)의 세 가지로 표현된다.

(1) 생진(生津)

기는 진액 생성의 물질적 기초와 동력이며, 진액은 음식물의 정미에 근원을 두고 있다. 음식물의 정미는 비위의 운화에 의해서 생성되며, 기가 비위의 공능활동을 추동해서 중초의 기가 왕성하고 정상적인 운화를 하면 진액이 더욱 충족된다. 그러므로 진액의 생성은 기의 작용과 불가분의 관계이다.

(2) 행진(行津)

기의 운동변화는 진액이 수포 배설되는 동력이다. 기의 승강출입(升降出入)은 장부에 작용하여 장부의 승강출입 운동으로 표현되고, 비、폐、신、간 등 장부의 승강출입은 체내 진액의 수포와 배설과정을 완성한다. 그러므로 기가 나아가면 수(水) 역시 나아간다. 기의 승강출입이 비정상이면 진액의 수포와 배설과정도 따라서 장애를 받게 된다. 기허와 기체가 일어나면 진액이 정체되고 수가 움직이지 못한다. 이는 임상적으로 행기(行氣)와 이수(利水)의 치법이 항상 같이 사용되는 이론적 근거가 된다.

(3) 섭진(攝津)

기의 고섭작용이 진액의 배설을 통제한다. 체내의 진액은 기의 고섭작용으로 일정량이 유지된다. 만약 기의 고섭작용이 약해지면 체내의 진액 배설이 과다하게 늘어나서 땀과 오줌 등을 통해 체외로 배출된다. 다한、누한(漏汗)、다뇨、유뇨의 증상이 나타나면 마땅히 보기고진(補氣固津)에 주의해야 한다.

2) 기에 대한 진액의 관계

음식물로부터 만들어진 진액은 비기의 승청과 산정작용을 거쳐 폐로 보내지고, 다시 폐의 숙강과 수도를 통조하는 작용으로 아래로 신과 방광에 수송되고, 원양지기(元陽之氣)의 증등작용에 의해 기가 되어 장부에 널리 퍼져 그 자양작용을 발휘하여 장부조직의 정상적인 생리활동을 한다.

이외에도 진액은 기를 실어 나르며 기는 진액에 간직된다. 그러므로 진액의 손실은 반드시 기의 모손(耗損)을 일으킨다. 서병(暑病)에 진을 상하고 액이 소모되면 구갈이 발생하고 기도 진액을 따라 외부로 빠져 나가 기 역시 부족하게 되어 소기라언(少氣懶言)、권태무력 등 기허증상이 나타난다. 만약 한토하(汗吐下)로 인해 진액이 대량으로 소실되면 기 역시 진액을 따라 빠져나가 '기수액탈(氣隨液脫)'의 위급한 상태가 된다. 그러므로『금궤요략심전(金匱要略心典)』에서는 "吐하거나 瀉下하고 나면 氣가 온전치 못하게 된다"[53]고 하였다.

3. 혈과 진액의 관계

혈과 진액은 모두 액체로 자윤과 유양작용이 있고, 기와는 상대적으로, 둘 다 음에 속하는데, 생리적으로 서로 보충하고 병리적으로는 서로 영향을 미친다.

1) 진액에 대한 혈의 관계

맥 중을 운행하는 혈액은 맥 외로 스며 나가 유윤(濡潤)작용을 하는 진액이 된다. 혈액이 부족하면 진액의 병변이 일어날 수 있다. 혈액이 어결(瘀結)되어 피부와 기육을 영양하는 진액이 맥 외로 스며들지 못하면 피부가 건조하고 심하면 거칠게 된다. 실혈이 지나치면 맥 외의 진액이 맥 중으로 스며들어 혈의 부족을 보충하고, 이로 인해 맥 외의 진액이 부족하게 되어 구갈, 요소(尿少), 피부건조 등 증상이 나타난다. 그러므로 "血이 빠져나가면 땀이 나지 않는다"[54], "코피가 나면 발한시켜서는 안된다"[55], "대량으로 失血한 경우 발한시키면 안된다"[56]고 하였다.

2) 혈에 대한 진액의 관계

진액과 혈액은 음식물의 정미를 같은 재료로 하며, 또 진액은 부단히 손락에 스며들어 혈액의 조성 성분을 이루게 되므로 '진혈동원(津血同源)'이라고도 한다. 진액이 변하여 땀이 되는데, 땀이 과다하면 진이 소모되고 진이 소모되면 혈이 적어지므로 '혈한동원(血汗同源)'이라고도 한다. 진액이 대량으로 손실되면 심지어 맥 안의 진액이 맥 외로 스며 나오게 되어 혈맥이 공허해지고 진과 혈이 모두 마르는 병변이 형성된다. 이런 이유로 다한탈진(多汗奪津)하거나 진액을 대량으로 소실한 환자에게 또 사혈(瀉血) 등의 방법을 쓸 수 없어서『영추 영위생회』에서는 "강제로 땀을 내면 血이 없다"[57]고 하였다.

53) 吐下之餘, 定無完氣 (金匱要略心典·痰飮)
54) 奪血者無汗 (靈樞·營衛生會)
55) 衄家不可發汗 (傷寒論·卷三·辨太陽病脈證幷治中)
56) 亡血家不可發汗 (傷寒論·卷三·辨太陽病脈證幷治中)
57) 奪汗者無血 (靈樞·營衛生會)

참고문헌

1. 『景岳全書·卷三十·雜證謨·血證』 張介賓
2. 『景岳全書·新方八陣』 張介賓
3. 『景岳全書·腫脹』 張介賓
4. 『景岳全書·汗證』 張介賓
5. 『管子·內業』
6. 『金匱要略心典·痰飮』 尤怡
7. 『難經·二十二難』 扁鵲
8. 『難經·三十難』 扁鵲
9. 『丹溪心法·火』 朱震亨
10. 『讀醫隨筆·氣血精神論』 周學海
11. 『侶山堂類辯·卷上·辯血』 張志聰
12. 『傷寒論·卷三·辨太陽病脈證幷治中』 張仲景
13. 『素問·經脈別論』
14. 『素問·寶命全形論』
15. 『素問·痺論』
16. 『素問·逆調論』
17. 『素問·五藏生成』
18. 『素問·六微旨大論』
19. 『素問·六節藏象論』
20. 『素問·陰陽應象大論』
21. 『素問·太陰陽明論』
22. 『素問·平人氣象論』
23. 『靈樞·決氣』
24. 『靈樞·邪客』
25. 『靈樞·營氣』
26. 『靈樞·營衛生會』
27. 『靈樞·五癃津液別』
28. 『靈樞·癰疽』
29. 『靈樞·刺節眞邪』
30. 『靈樞·平人絶穀』
31. 『醫貫·內經十二官論』 趙獻可
32. 『醫門法律·先哲格言』 喩昌
33. 『醫旨緒餘·宗氣營氣衛氣』 孫一奎
34. 『醫碥·氣』 何夢瑤
35. 『醫學源流論·元氣存亡論』 徐大椿
36. 『仁齋直指方論·卷之一·總論·血營氣衛論』 楊士瀛
37. 전국한의과대학 생리학교수, 동의생리학, 2008, 집문당
38. 高思華 等, 中醫基礎理論, 2012, 人民衛生出版社
39. 樊巧玲 主編, 中醫學概論, 2010, 中國中醫藥出版社
40. 何建成 等, 中醫學基礎, 2012, 人民衛生出版社
41. Brian Clegg, The Universe Inside You (과학을 안다는 것), 2012 엑스오 북스
42. Looney et al, The lung is a site of platelet biogenesis and a reservoir for haematopoietic progenitors, Nature, vol. 544, pp. 105–109, Mar 2017

제 6 장 장상

Visceral Manifestation

제1절 장상학설(藏象學說)

장상학설은 한의학 이론체계의 핵심이며, 인체의 생리와 병리현상에 대한 오랜 관찰을 통해 내부 장기의 구조、생리、병리와 장부간의 관계, 장부와 외부 환경과의 상관 관계를 설명하는 한의학의 기본이론이다.

1. 장상(藏象)

장상은 몸 속의 내장이 체외로 나타내는 여러 현상, 즉 생리、병리、징상(徵象 sign) 및 그와 서로 상응하는 자연계의 사물과 현상을 가리킨다. 근래에는 '장상(臟象)'이라고도 한다.

'장상(藏象)'이라는 단어는『소문 육절장상론(素問 六節藏象論)』의 "황제가 묻기를, 藏象이란 무엇인가? 기백(岐伯)이 대답하기를, 心은 생명의 근본이고, 神이 변화하는 곳이다. 그 華는 얼굴에 나타나고, 그 充은 血脈에 있으며, 陽 가운데 太陽이고, 夏氣와 통한다"[1]고 하면서 처음으로 등장하였다.『내경(內經)』에서의 장상에 대한 설명은 신체의 구조와 생명활동 원리의 주요 내용을 포함하고 있으며, 장부의 생리활동과 그에 관계되는 심리활동、형체、기관、자연 환경인자 등을 다루고 있다.

■ 동의보감(東醫寶鑑)의 신형장부도(身形臟腑圖)

'장(藏)'은 체내에 있는 내장으로 오장(五臟 간、심、비、폐、신)、육부(六腑 담、위、소장、대장、방광、삼초)와 기항지부(奇恒之腑 뇌、수、골、맥、담、여자포) 를 포함한다. 오장은 모든 내부 장기의 중심이기 때문에 '장(藏)'의 의미는 실제적으로 오장을 중심으로 하는 생리병리체계이다.

'상(象)'은 이 다섯 가지 생리병리체계가 겉으로 드러난 현상으로, 두 가지 의미가 있다. 첫째는 밖으로 드러난 생리 병리현상으로, 예컨대 "肝에 병이 들면 양 옆구리에서 아랫배까지 땅기고 아프며, 자주 화를 낸다"[2] 등이며, 둘째는

1) 帝曰, 藏象何如 岐伯曰: 心者, 生之本, 神之變也. 其華在面, 其充在血脈, 爲陽中之太陽, 通于夏氣 (素問·六節藏象論)
2) 肝病者, 兩脇下通引少腹, 令人善怒 (素問·藏氣法時論)

내재하는 오장 중심의 생리병리체계와 외재하는 자연환경의 사물과 현상을 유비하여 획득한 비상(比象)을 가리키는데, 예컨대 심기(心氣)는 여름과 통하며, "南方은 적색이며, 안으로는 心에 통한다"3) 등이다.

한의학은 외재하는 현상을 관찰하여 내장의 활동 원리를 연구하며, 내장의 실질을 이해한다. 이를 『영추 본장(靈樞 本藏)』에서는 "겉으로 드러난 것을 보면 그 내장(內臟)의 상태를 알 수 있다"4)고 하였다. 일반적으로 겉으로 드러나는 모든 현상은 반드시 내재하는 구조적인 실질이 있으며, 자연계의 각종 변화와 내장의 공능활동 역시 반드시 상응하는 관계에 있다. '장상(藏象)'은 형(形)과 상(象)이 유기적으로 결합된 것이며, 비교적 분명하게 한의학의 인체 생리병리에 대한 인식방법을 보여주고 있다.

2. 장상학설의 형성

장상학설의 형성 과정은 대체로 다음 몇 가지로 정리할 수 있다.

1) 고대의 해부학적 인식

장상이론 형성의 근원을 거슬러 올라가면, 고대의 해부학적 인식이 장상학설의 형성에 형태학적 기초를 닦는 역할을 하였을 뿐 아니라, 당시 의사들은 형태학적 기초 위에서 내장의 공능을 유추했음을 알 수 있다.

춘추전국시대에 이미 장부의 형태에 대해 초보적인 지식이 있었고, 이를 임상에도 활용했음을 알 수 있다. 『사기 편작창공열전(史記 扁鵲倉公列傳)』에는 상고(上古) 시대의 명의인 유부(俞跗)가 배를 갈라 병을 치료한 기록이 나오는데, "피부를 갈라 기육을 헤쳐 맥을 자르고 근육을 묶으며 수뇌(髓腦)를 누르고 고황을 주무르며 손톱으로 병증을 풀어주고 장위와 오장을 씻었다"5)고 하였다. 이는 당시에 이미 초보적인 수준의 해부학 지식과 경험이 있었음을 가리킨다. 『내경』에는 인체를 해부하여 장부를 관찰한 내용을 담고 있는데, 『영추 경수(經水)』에 "그가 죽으면 해부하여 볼 수 있다. 그 臟의 견실함과 취약함, 腑의 크기, 음식물의 양, 脈의 길이, 血의 맑고 탁함, … 대체적으로 일정하다"6)고 하였다. 또 『영추 장위(腸胃)』에서 "인문(咽門)은 … 胃까지 (즉 식도의 길이는) 일척 육촌(一尺 六寸)이다. 胃는 구부려져 있으므로 이를 펴면 길이가 이척 육촌(二尺 六寸)이고, 주위가 일척 오촌(一尺 五寸)이며, 지름이 오촌이고, 용적은 삼두 오승(三斗 五升) 이며 … 腸胃로 들어가고 나가는, 즉 입에서부터 항문까지의 총 길이는 육장 사촌 사분(六丈 四寸 四分)"7)이라고 하였다. 『난경(難經)』에는 더 상세히 장부의 형태와 중량, 용량, 색깔 등을 소개하고 있는데, "腸胃는 대개 길이가 오장 팔척 사촌(五丈 八尺 四寸)이다. … 腎은 두 개가 있다. … 膽은 肝의 단엽(短葉) 사이에 있고, 무게는 삼냥 삼수(三兩 三銖)이며, 저장하고 있는 精汁은 삼합(三合)"8)이라고 하였으며, 또한 '칠충문(七衝門 입술에서 항문까지의 소화관에 있는 7개의 관문)'도 언급하고 있다. "심은 혈맥을 주관함(心主血脈)", "폐는 호흡을 주관함(肺主呼吸)", "위는 음식물의 바다임(胃爲水穀之海)", "대장은 음식물의 찌꺼기를 만듦(大腸主傳化糟粕)" 등 비교적 간단한

---

3) 南方赤色, 入通于心 (素問·金匱眞言論)
4) 視其外應, 以知其內藏 (靈樞·本藏)
5) 割皮解肌, 訣脈結筋, 搦髓腦, 揲荒爪幕, 湔浣腸胃, 漱滌五藏 (史記·扁鵲倉公列傳)
6) 其死, 可解剖而視之. 其臟之堅脆, 腑之大小, 穀之多少, 脈之長短, 血之淸濁 … 皆有大數 (靈樞·經水)
7) 咽門 … 至胃長一尺六寸. 胃紆曲屈, 伸之長而二尺六寸, 大一尺五寸, 徑五寸, 大容三斗五升 … 腸胃所入之所出, 長六丈四寸四分 (靈樞·腸胃)
8) 腸胃凡長五丈八尺四寸. … 腎有兩枚 … 膽在肝之短葉間, 重三兩三銖, 盛精汁三合 (難經·四十二難)

인체의 장부 생리 및 공능에 대한 한의학적 인식은 대부분 형태학적 관찰의 기초 위에서 만들어진 것이다.

2) 장기간의 실제 관찰

고대의 해부학은 비교적 단순하고 조잡하기 때문에 인체의 복잡한 생리와 병리 현상을 명확히 해석하기에는 한계가 있다. 그러므로 당시의 의사들은 "안에 있는 것은 반드시 바깥으로 드러난다"[9], "밖으로 드러난 반응을 보면 그 내장의 상태를 알 수 있다"[10]와 '취상유비(取象類比, analogy)'의 방법을 활용하여 장부의 공능을 이해하려고 노력했다. 인체의 생명현상에 대한 정체적 (holistic)인 관찰을 통해 다양한 환경 조건과 외부 자극에 대한 인체의 반응을 분석함으로써 인체의 생리 병리를 인식하였는데, 이것이 장상학설을 형성하는 중요한 근거가 된다. "폐주호흡(肺主呼吸)"을 이미 알고 있는 바탕 위에서 인체의 체표가 추위에 노출되면 코가 막히고 재채기를 하며 기침을 하는 등의 증상이 나타난다는 것을 발견하게 된 것이며, 이로부터 "폐는 피모를 주관함(肺主皮毛)", "코로 구멍이 열려 있음(開竅于鼻)" 등의 추리가 나온 것이다. 또한 비위가 음식물을 운화한다는 사실을 이미 알고 있는 바탕 위에서 며칠 굶거나 매일 식사량이 부족하게 되면 마르고 사지에 힘이 없게 되는 현상을 관찰함으로써 비가 사지와 기육을 주관함을 추리해낼 수 있었던 것이다. 또한 사람이 슬플 때에는 훌쩍거리게 되고, 기쁠 때는 가슴이 상쾌해지며, 화가 나면 얼굴과 눈이 벌겋게 되고 옆구리가 결린다던가, 생각을 지나치게 많이 하면 명치 부위가 답답하면서 식욕이 없어지는 것 등을 관찰함으로써 오지(五志)가 오장에 배속된다는 이론을 추리해냈다.

3) 고대 철학사상의 유입

정기(精氣)、음양、오행학설로 대표되는 고대 철학사상이 한의학에 유입되면서 장상이론의 형성과 체계화에 중요한 역할을 하였다.

정기학설은 한의학의 장부와 정기이론 형성에 중요한 영향을 미쳤다. 정(精)이 우주만물의 근원이 된다는 생각은 한의학에서 정이 장부、형체와 주요 기관을 생성하는 근원이라는 이론을 만들어내도록 하였으며, 기는 형체가 없으면서 쉬지 않고 운행한다는 개념으로부터 한의학에서 장부의 기가 끊임없이 운동하여 그 생리공능을 유지하고 조절하며 각 장부 사이의 협력과 조화를 유지한다는 이론이 나왔다.

음양학설은 한의학에 유입되어 인체의 부위와 공능 등을 설명하는 데에 쓰이게 되었다. 장상학설에서는 장부를 음양으로 나누고 기혈을 음양으로 나누며 정기를 음양으로 나눈다. 나아가 정이 기로 바뀌고, 기는 음양으로 나누어진다는 것으로부터 '장부정기음양(臟腑精氣陰陽)' 이론이 만들어졌는데, 이는 장상이론을 풍부하게 하였으며 임상에도 중요한 영향을 미쳤다.

오행학설이 한의학에 미친 가장 큰 영향은 오장중심의 오행 장상체계를 만들었다는 것이다. 오행 장상체계는 고대 의학자들이 오행학설을 응용하여 취상비류 및 추리연역의 방법으로 오장을 중심으로 하는 정체적이면서도 거시적인 모델을 만든 것이다. 이는 복잡한 인체 조직을 다섯 계통으로 나누고, 각 계통은 오장을 핵심으로 하여 육부(六腑)、오관(五官)、구규(九竅)、오체(五體)、오지(五志)가 각각 연계되며, 인체의 전체적인 공능과 형신(形神)의 통일을 드러낸다. 또한 인체 내부의 다섯 계통과 외부 자연계의 오방(五方)、오기(五氣)、오화(五化)、오색(五色)、오미(五味) 등은 서로 연계되어 사람과 자연환경의 통일성을 드러낸다. 오행 장상체계는 한의학의 장부 개념이 형태적인 실체에서 공

9) 有諸內, 必形諸外 (孟子·告子, 丹溪心法·能合脈色可以萬全)
10) 視其外應, 以知其內藏 (靈樞·本藏)

능적인 모형으로 옮겨가도록 하였다. 만약에 한의학이 이론체계의 형성기에 오행이 아닌 사행이나 육행 등의 다원구조를 받아들였다면 사장이나 육장 등의 장부체계를 가지게 되었을 것이다.

4) 임상 경험의 축적

임상 경험이 대량으로 축적되면서 이론을 형성하였다. 임상 관찰을 통해 장부의 생리와 병리를 탐구하여 검증하면서 장상이론이 더욱 풍부하고 완전하게 만들어질 수 있었다. 예를 들어 동물의 간을 먹으면 야맹증을 치료한다는 것으로부터 "臟으로써 臟을 보한다(以臟補臟)"는 원칙을 만들어냈으며, 아울러 "肝은 눈으로 구멍이 열려 있다"는 이론을 입증할 수 있었다. "血氣는 사람의 神이다"[11]라는 원리에 근거하여 양혈안신(養血安神)의 방법으로 심계, 불면 등 심신이 불안정한 증상을 치료함으로써 "心은 신지(神志)를 주관한다"는 내용을 입증하였다. 마찬가지로, 임상적으로 부합되지 않는 이론은 도태되거나 수정되었다. 예를 들어 장과 장의 관계에서 오행의 상생 순서에 따른 '화생토(火生土)'는 심화(心火)가 비토(脾土)를 온후케 한다는 것이지만, 명문학설이 널리 받아들여짐에 따라 명문(命門)의 화가 비토를 온후하는 작용이 있다는 것을 알게 되면서 임상에서는 심양(心陽)이 아닌 신양(腎陽)을 따뜻하게 하여 건비(健脾)시키는 치료가 널리 운용되었다.

종합하자면, 장상학설은 고대 의학자들이 오랜 임상에서 고대의 해부학 지식을 기초로 내장의 일부 공능을 인식하고, 이를 바탕으로 찰외지내(察外知內), 취상유비(取象類比), 정체관찰(整體觀察) 등의 방법을 통해 장부의 공능이 겉으로 드러나는 현상을 관찰하고 이를 개괄, 추상, 추리, 귀납하여 만들어낸 것이다. 장상이론은 객관적으로 얻은 형태적인 측면과 주관적으로 추리하여 획득한 인식적인 측면이 하나로 결합되어 만들어진 이론체계이다.

3. 장상학설의 특징

장상학설의 주요 특징은 오장을 중심으로 하는 정체관(整體觀)이며, 오장을 중심으로 하는 인체 자체의 정체성과 오장과 자연환경과의 통일성의 두 가지 측면으로 나타난다.

1) 오장을 중심으로 하는 인체의 정체성

장상학설에서는 인체를 매우 복잡한 유기적인 통일체로 본다. 인체 각 부분은 구조, 공능, 대사 및 병리적으로 서로 분리될 수 없으며 서로 영향을 미친다. 장상학설은 오장을 중심으로 하며 경락계통의 "안으로는 장부에 속하고, 밖으로는 지절(肢節)에 연락된다"[12]는 이론을 통해 육부, 오체, 오관, 구규, 사지백해 등 전신 각 부위와 연결되어 유기적인 통일체를 형성한다. 오장은 체내의 다섯 생리계통을 대표하며, 인체의 모든 조직 기관은 이 다섯 계통에 포괄된다. 구체적으로, 간계통(肝系統, 간-담-근-목-조 肝-膽-筋-目-爪), 심계통(心系統, 심-소장-맥-설-면 心-小腸-脈-舌-面), 비계통(脾系統, 비-위-육-구-순 脾-胃-肉-口-脣), 폐계통(肺系統, 폐-대장-피-비-모 肺-大腸-皮-鼻-毛), 신계통(腎系統, 신-방광-골수-이-발 腎-膀胱-骨髓-耳-髮)과 같다. 이 다섯 계통은 서로 경맥을 통해 속락(屬絡)되어 있으며 기혈이 흘러 서로 연결되어 있는 관계이다. 오장의 공능은 서로 협조하여 인체 생리의 평형을 유지하는 데에 중요한 역할을 한다.

한의학에서는 음양학설로써 오장의 음양 사이의 상호제약과 호근호용(互根互用)의 동적 평형 관계를 설명하고,

11) 血氣者, 人之神 (素問·八正神明論)
12) 內屬於臟腑, 外絡於肢節 (靈樞·海論)

오행학설로써 오장 공능 사이의 상호 협조 및 제약의 통일 관계를 설명한다. 오장에서는 심(心)이 주도적인 역할을 하고 중심이 된다. 명대(明代) 이후에는 명문학설이 발전하면서 신정(腎精)、신기(腎氣)와 신음(腎陰)、신양(腎陽)의 공능에 대하여 비교적 깊은 이해를 함으로써 신은 선천지본(先天之本)으로 장부음양의 근본이라는 학설이 나오게 되었다.

이 외에도 오장의 생리 활동과 정신 감정활동은 밀접한 관계가 있다. 장상학설에서는 사람의 정신활동이 오장 생리공능의 정상 여부와 밀접히 관련되어 있는 것으로 보고 있다. 사람의 정신활동은 오장의 정기(精氣)로부터 비롯하는데, 『영추 본신(本神)』에서 "肝은 血을 저장하고, 혈에는 혼(魂)이 깃들어 있으며, … 脾는 영(營)을 저장하고, 영에는 의(意)가 깃들어 있으며, … 心은 脈을 저장하고, 맥에는 신(神)이 깃들어 있으며, … 폐는 氣를 저장하고 있으며, 기에는 백(魄)이 깃들어 있으며, … 腎에는 精이 저장되어 있고, 정에는 지(志)가 깃들어 있다"[13]고 하였다. 그래서 『소문 선명오기(宣明五氣)』는 정신활동을 오장에 배속하여 "心은 신을 저장하고, 폐는 백을 저장하고, 肝은 혼을 저장하고, 脾는 의를 저장하고, 腎은 지를 저장하고 있다"[14]고 하였다. 감정활동은 오장의 정기에서 비롯하는데, 『소문 음양응상대론(陰陽應象大論)』에서 "사람의 오장은 五氣를 일으켜, 기쁨、화냄、슬픔、근심、무서움 등을 일으킨다"[15]고 하였다. 따라서 감정활동을 "심에 있는 감정은 기쁨"[16]、"간에 있는 감정은 화냄"[17]、"비에 있는 감정은 생각"[18]、"폐에 있는 감정은 근심"[19]、"신에 있는 감정은 무서움"[20]과 같이 오장에 배속하였으며, 감정이 지나치게 되면 오장의 정기를 상하는데, 이를 '노상간(怒傷肝)'、'희상심(喜傷心)'、사상비(思傷脾)'、'우상폐(憂傷肺)'、'공상신(恐傷腎)'이라고 하였다.

2) 오장과 자연환경의 통일성

인체는 그 자체가 하나의 유기적인 통일체이며, 동시에 자연환경과의 통일성을 가지고 있다. 사람은 자연환경에 의존하여 살아가기 때문에 반드시 자연환경의 제약과 영향을 받는다. 또한 인체는 자연환경과 상응하는 반응을 나타낸다. 이와 관련하여 『영추 세로론(歲露論)』에서는 "사람은 천지와 서로 간여하고, 해와 달과도 상응하고 있다"[21]고 하였다. 인체와 자연을 동일한 체계로 간주하고 내외환경의 통일성을 강조하는데, 이것이 장상학설의 두 번째 특징이다.

장상학설은 오행학설을 응용하여 자연계의 오시(五時)、오방(五方)、오기(五氣)、오화(五化) 등과 인체의 다섯 공능 계통을 밀접하게 연계시킴으로써 인체 내외 환경이 상응하는 체계를 구성하였다. 계절 기후에 대하여는 "五臟은 사계절에 따라 각기 주고 받는 것이 있다"[22]고 하였으며, 오장과 계절의 기운은 서로 상응한다고 하여 "心은 하기(夏氣)와 통하고, 폐는 추기(秋氣)와 통하며, 腎은 동기(冬氣)와 통하고, 肝은 춘기(春氣)와 통하며, 脾는 토기(土氣)와 통한

13) 肝藏血, 血舍魂 … 脾藏營, 營舍意 … 心藏脈, 脈舍神 … 肺藏氣, 氣舍魄 … 腎藏精, 精舍志 (靈樞·本神)
14) 心藏神, 肺藏魄, 肝藏魂, 脾藏意, 腎藏志 (素問·宣明五氣)
15) 人有五臟化五氣, 以生喜怒悲憂恐 (素問·陰陽應象大論)
16) 心在志爲喜 (素問·陰陽應象大論)
17) 肝在志爲怒 (素問·陰陽應象大論)
18) 脾在志爲思 (素問·陰陽應象大論)
19) 肺在志爲憂 (素問·陰陽應象大論)
20) 腎在志爲恐 (素問·陰陽應象大論)
21) 人與天地相參也, 與日月相應也 (靈樞·歲露論)
22) 五臟應四時, 各有收受 (素問·金匱眞言論)

다"23)고 하였다. 그래서 "… 이것이 봄의 기운에 맞게 양생하는 원칙이다. 이를 어기면 간을 상한다. … 여름의 기운에 맞게 양생하는 원칙이다. 이를 어기면 심을 상한다. … 가을의 기운에 맞게 양생하는 원리이다. 이를 어기면 폐를 상한다. … 겨울의 기운에 맞게 양생하는 원리이다. 이를 어기면 신을 상한다"24)는 양생 원칙이 있다.

오장의 기의 허실강약과 사계절 기후의 변화는 밀접한 관계가 있다. 예컨대 봄에는 간기(肝氣)가 왕성하고 겨울에는 신기(腎氣)가 왕성하다. 따라서 봄에는 간병(肝病)이 많이 나타나고 겨울에는 신병(腎病)이 많이 나타난다. 양생의 측면에서 말하자면, 사계절에 따라 봄에는 간기(肝氣)를 소설시키는 것이 좋으며 겨울에는 신정(腎精)을 폐장(閉藏)하는 것이 좋다. 한편 오행학설에 따르자면, 장 사이에는 생극제화(生剋制化)의 관계가 있다. 예를 들어 폐기(肺氣)는 봄에 비교적 왕성하며 여름에 비교적 약하고 장하(長夏)에 비교적 강하며 겨울에도 비교적 왕성하기 때문에 병정의 예후와 결과 역시 달라진다. 이에 대해『소문 장시법시론(藏氣法時論)』에서는 "병이 肺에 있으면 겨울에 낫는데, 겨울에 낫지 않으면 여름에 심해지며, 여름에 죽지 않으면 장하까지 유지된다"25)고 하였다.

지리적으로, 장상학설은 오행의 특성에 따라 오방(五方)과 오장을 유비(類比)하였는데, 동쪽은 목에 속하며 생발(生發)을 주관하고 간기(肝氣)와 상통하며, 남쪽은 화에 속하며 생장을 주관하고 심기(心氣)와 상통하는 등이다. 지역이 다르면 기후와 풍토、음식、거주、양식 및 생활 습관에 큰 차이가 있기 때문에 장부의 강약이 다르며 발병의 경향성 역시 다르다.

정체적 관찰과 유비의 사유방법을 응용하여 장상학설은 여전히 거시적이고 공능 위주이면서 외부로 드러난 현상으로부터 장부의 특징을 파악한다. 그러므로 과학적으로 장상이론의 의미를 이해하기 위해서는 실제 임상과의 결합이 반드시 필요하다.

4. 오장、육부와 기항지부의 생리 특징

장부는 장(臟)、부(腑)、기항지부(奇恒之腑)로 나뉘어진다. 장은 심(心)、폐(肺)、비(脾)、간(肝)、신(腎)으로 오장이라고 한다(경락학설에서는 心包도 장으로 간주하여 '六臟'이라고 한다). 부는 담(膽)、위(胃)、소장(小腸)、대장(大腸)、방광(膀胱)、삼초(三焦)로 육부라고 한다. 기항지부에도 여섯이 있는데, 뇌(腦)、수(髓)、골(骨)、맥(脈)、담(膽)、여자포(女子胞)이다.

한의학에서 장과 부를 구분하는 근거는 생리공능의 특징에 있다. 오장의 공통적인 생리공능은 정기를 만들고 저장하는 것이며, 육부의 공통적인 생리공능은 음식물을 섭취하여 소화、흡수、배설하는 것이다. 따라서『소문 오장별론(五臟別論)』에서는 "이른바 五臟은 정기를 저장하고 사(瀉)하지는 않는다. 그래서 가득 차지만 실(實)하지는 않다. 六腑는 음식물을 전화(傳化)하고 장(藏)하지는 않는다. 그래서 실하지만 가득 차지는 않는다"26)고 하여 오장과 육부의 생리공능을 간략하게 구별하였으며 둘 사이의 차이를 명확하게 제시하였다. "가득 차지만 실하지는 않다", "실하지만 만하지는 않는다"고 한 것은 오장의 정기는 마땅히 충만하게 유지되어야 하면서도 유통되고 퍼져서 막히면 안 되고, 육부는 수곡, 즉 음식물이 끊임없이 전달되어 잠시도 막혀서 가득 차 있는 상태가 되지 않아야 함을 강조하는 것이다. 당(唐)의 왕빙(王冰)은 "정기는 가득 차고, 음식물은 실하다. (五臟은) 오로지 정기를 저장하기 때문에 가득 차지

23) 心通于夏氣, 肺通于秋氣, 腎通于冬氣, 肝通于春氣, 脾通十土氣 (素問·六節藏象論)
24) 此春氣之應養生之道也. 逆之則傷肝, … 此夏氣之應養長之道也. 逆之則傷心, … 此秋氣之應養收之道也. 逆之則傷肺, … 此冬氣之應養藏之道也. 逆之則傷腎 (素問·四氣調神大論)
25) 病在肺, 愈在冬, 冬不愈, 甚于夏, 夏不死, 持于長夏 (素問·藏氣法時論)
26) 所謂五臟者, 藏精氣而不瀉也, 故滿而不能實; 六腑者, 傳化物而不藏, 故實而不能滿也 (素問·五臟別論)

만 실하지는 않다. … (六腑는) 정기를 저장하지 않고 음식물을 받아들이기만 하기 때문에 (실하지만 가득 차지는 않는다)"[27]고 주석하였다.

기항지부가 형태적으로는 육부와 유사하지만, 공능적으로는 정기를 저장하는 오장과 유사하여 오장육부와는 확연히 구분된다. 『소문 오장별론』에 "뇌、수、골、맥、담、여자포, 이 여섯은 지기(地氣)로부터 생긴 것이다. 모두 陰에 저장되어 있고 地를 닮았다. 그래서 장하지만 사하지는 않기 때문에 이름하여 기항지부라 한다"[28]고 하였다.

오장육부의 생리는 변증론치에서 중요한데, 병리적으로 "장병(臟病)은 대개 허(虛)"하고 "부병(腑病)은 대개 실(實)"하며, 치료에서는 "오장은 보(補)"하고, "육부는 사(瀉)"한다.

5. 장부 정기 음양의 개념과 작용

오장육부와 기항지부 생리공능의 일부는 해부를 통해서, 일부는 정체적 관찰로부터 얻어진 것이다. 즉, 해부를 통해 알게 된 생리공능으로는 '심주혈맥'、'폐주호흡' 등이 있는데, 이들을 실제 임상에 적용하여 확인한 것이다. 따라서 장부의 정기음양(精氣陰陽)은 장부 생리공능의 해석 모형이다.

장부의 정(精)은 우리 몸의 정이 장부에 나뉘어 저장된 것이다. 정은 장부에 저장되어 있으면서 장부를 유양하기 때문에 장부 생리공능의 물질적 지지를 하는 것이라고 볼 수 있다.

장부의 기는 장부의 정으로부터 만들어지며 쉬지 않고 운행하는 매우 미세한 물질로 몸의 기가 장부에 나뉘어 퍼져 있는 것이라고 할 수 있다. 장부의 기는 장부의 정상적인 공능이 발휘될 수 있도록 추동하고 조절하기 때문에 장부 생리공능을 발휘하게 하는 원동력이라고 볼 수 있다.

장부의 음기(陰氣)는 장부의 기 가운데 양윤(凉潤)、억제、안정 등의 작용이 있으며, 장부의 공능을 억제 안정시키고 신진대사를 감소시킨다. 장부의 양기(陽氣)는 장부의 기 가운데 온후、흥분、추동 등의 작용이 있어서 장부 공능을 흥분 추동시키고 신진대사를 촉진한다. 장부의 음기와 양기가 서로 협력되어 어우러지면 장부의 기가 조화롭고 두루 퍼져서 장부의 공능이 안정되고 질서있게 유지된다.

제2절 오장(五臟)

1. 간(肝)

간은 복강내 오른쪽 횡격막의 아래에 있다. 간의 형태에 대해 『난경』에서 "간은 … 왼쪽에 세 개의 葉이 있고 오른쪽에 네 개의 葉이 있어 모두 일곱 개의 葉이 있다. … 담은 간의 단엽 사이에 있다"[29]고 하였는데 역대 의가들도 모두 동일하게 묘사하고 있다. 간의 부위나 우엽이 크고 좌엽은 작으며 담낭이 그 아래에 붙어 있다는 등은 현대 해부학에서 서술하는 바와 기본적으로 일치하고 있다.

---

27) 精氣爲滿, 水穀爲實. 但藏精氣, 故滿而不能實. … 以不藏精氣, 但受水穀也 (黃帝內經素問·卷三·五藏別論·王冰注)
28) 腦髓骨脈膽女子胞, 此六者, 地氣之所生也, 皆藏于陰而象于地, 故藏而不瀉, 名曰奇恒之腑 (素問·五藏別論)
29) 肝 … 左三葉, 右四葉, 凡七葉. … 膽在肝之短葉間 (難經·四十二難)

간의 주요 공능은 혈을 저장하고, 소설(疏泄)하게 하며, 몸에서는 근육에 합하고, 그 영화(榮華)는 손톱에 있다. 눈으로 개규하며 오지(五志)로는 노(怒)에 해당하고, 오액(五液)에 있어서는 눈물이다. 간과 담의 관계는 족궐음간경과 족소양담경으로 서로 연결되어 간과 담이 서로 표리가 될 뿐만 아니라, 직접 서로 연결되어 있다. 간은 오행 가운데 목이고, 음양으로는 음중지양(陰中之陽)이다.

1) 간의 주요 생리공능

(1) 간장혈(肝藏血)

'간장혈'은 간이 혈액을 저장하여 혈액량을 조절하고 출혈을 방지하는 공능을 말한다. 혈액을 저장한다는 것은 간이 일정량의 혈액을 간에 저장하여 인체 각 조직에서 활동시에 소요되는 바를 공급하는 것으로, 간은 '혈지부고(血之府庫)'라고도 한다. 혈의 양을 조절한다는 것은 인체 각 부분의 혈액량의 분배를 간이 조절한다는 의미이며, 특별히 몸의 바깥을 돌고 있는 혈액량을 조절하는 데 중요한 의미가 있다. 정상적인 생리상황에서는 인체 각 부분의 혈액량이 상대적으로 항상 일정량을 유지하고 있다. 그러나 활동량의 증감이나 정서의 변화, 기후변화에 따라 인체 각 부분의 혈액량은 변화를 일으키게 된다. 당연히 인체의 활동이 활발해지거나 감정이 격동하면 간은 저장된 혈액을 보내 활동에 필요한 공급을 하고, 또 인체가 안정을 취하거나 휴식 상태에 있거나 정서적으로 평안할 때는 체내에서 혈액에 대한 수요가 감소하므로 이때는 남게 된 혈액이 간으로 돌아가 저장된다. 『소문 오장생성』에 "사람이 누우면 血이 간으로 돌아간다"[30]고 하였는데, 이에 대해 왕빙(王冰)이 "肝은 血을 저장하고 心은 血을 운행시킨다. 사람이 활동을 하면 血이 경락으로 운행하고, 안정을 하면 血이 肝으로 돌아온다. 왜 그러한가? 肝은 혈해(血海)이기 때문이다"[31]라고 주석하였다. 이는 간이 혈액량을 조절하는 필수 조건으로서 혈액을 저장한다는 것을 전제로 한다는 의미이다. 그러므로 간에서 혈액의 축적이 충분할 때만이 유효한 조절작용을 할 수가 있다.

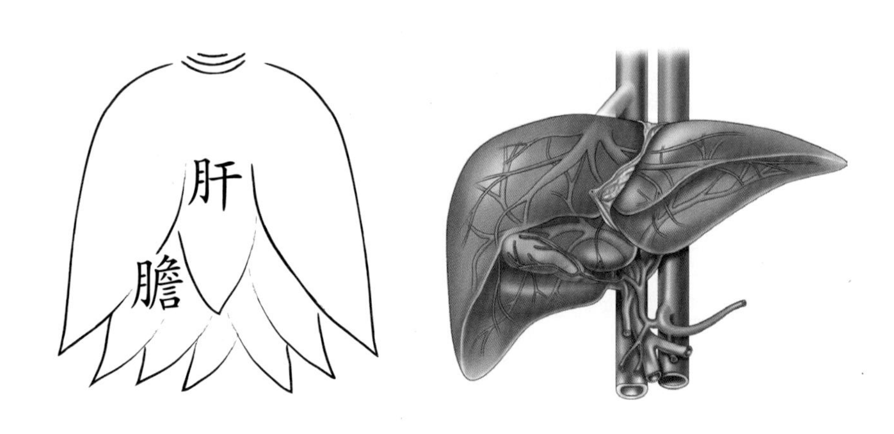

'간장혈'의 또 다른 의미는 혈액을 수섭(收攝)한다는 것이다. 즉 간이 혈액을 맥 안으로 거둬어 출혈을 방지하는 작

30) 故人臥, 血歸于肝 (素問·五臟生成)
31) 肝藏血, 心行之. 人動則血運於諸經, 人靜則血歸於肝藏. 何者? 肝主血海故也 (素問·五臟生成·王冰註)

용이다. '간장혈'의 공능을 하지 못하면 각종 출혈 증상이 쉽게 나타난다. 그 원인은 대체로 두 가지인데, 하나는 간기가 허약하여 거두는 공능이 무력한 것이다. 『단계심법(丹溪心法)』에서는 "토혈(吐血)、육혈(衄血)、붕루(崩漏)는 肝이 영기(營氣)를 거두지 못하여 모든 血이 제 길 밖으로 함부로 흩어져 다니기 때문이다"32)라고 했다. 또 하나는 간화(肝火)가 치성(熾盛)하여 맥락(脈絡)을 작상(灼傷)하고 박혈망행(迫血妄行)하기 때문이다. 임상적으로 대부분의 토혈、육혈、객혈、붕루 혹 월경과다 등은 이 경우에 해당한다. 출혈량、출혈 양상과 겸증(兼症)으로 '간장혈' 공능의 이상에 의한 출혈을 감별할 수 있다. 그 중에 기허(氣虛)하면 간기(肝氣)를 보(補)하고, 화왕(火旺)하면 간화(肝火)를 사(瀉)한다. 임상적으로 지혈약은 귀경(歸經)이 간경(肝經)으로 된 것이 많은데, 이 이론이 적용된 것이다.

(2) 간주소설(肝主疏泄)

'소(疏)'는 소통(疏通)이고, '설(泄)'은 발산(發散)의 의미이다. 이른바 '간주소설'은 간이 전신의 기의 흐름을 소통창달(疏通暢達)、통이불체(通而不滯)、산이불울(散而不鬱)케 하는 작용이 있음을 말한다. '간주소설'의 공능은 간이 주승(主升)、주동(主動)、주산(主散)의 생리적 특징을 가지고 있음을 뜻하는데, 전신의 기의 흐름을 조절하고 잘 통하게 하며 혈액과 진액을 추동하고 운행케 하는 중요한 공능이다.

간의 소설이 체내에서 미치는 영향은 다음과 같다.

① 기의 운행에 대한 영향

간의 소설공능이 정상이면 기의 운행이 잘 소통되어 혈의 운행과 진액의 수포가 방해를 받지 않아 경락이 잘 통하고 장부기관의 활동이 정상적이고 조화롭게 된다. 간이 소설을 못하면 간기(肝氣)의 승발(升發)이 부족하여 기기의 소통과 발산이 무력해지고 따라서 기의 운행이 울체되고 기기가 불창하여 흉협(胸脇)이나 소복(少腹) 등이 창통(脹痛)하고 불편해지는데, 이를 통칭하여 '간기울결(肝氣鬱結)'이라고 한다. 기의 운행이 울체되어 혈액의 운행이 방해받게 되면 혈어를 형성하여 흉협자통(胸脇刺痛)、징가적취(癥瘕積聚)가 생긴다. 기의 운행이 울체되면 진액의 수포와 대사에도 장애를 받아 담이 되는데, 담기(痰氣)가 인후를 막으면 매핵기(梅核氣)를 형성하고, 혹은 수습이 정체되어 고창(鼓脹)이 된다. 치료는 모두 소간이기(疏肝理氣)를 위주로 해야 한다.

② 비위 운화공능에 대한 영향

비위는 수곡정미를 흡수 운송하고, 조박을 체외로 배출하는데, 이는 비(脾)의 승청(升淸)과 위(胃)의 강탁(降濁) 작용에 의한다. 비위의 기가 잘 통하면 비승(脾升) 위강(胃降)의 협조가 잘 되어 음식물의 소화 흡수가 정상적으로 이뤄지므로 비위의 승강은 전신의 기의 순행 가운데서도 매우 중요하다. 간의 소설공능은 비위를 도와 비승위강의 주요 요건이 된다. 그러므로 『소문 보명전형론(寶命全形論)』에서 "土는 木을 얻어 널리 뻗는다"33)고 하였다. 만약 간의 소설공능에 이상이 생기면 비에 영향을 주는데, 그로 인해 비기가 상승하지 못하면 손설(飧泄)이 되고, 비기가 통하지 못하면 복통이 나서 이른바 '통사(痛瀉)'의 병증이 생긴다. 그 영향이 위(胃)에 미치면 위기가 하강하지 못하고 오히려 상역(上逆)하여 애기(噯氣)、애역(呃逆)、오심、구토가 생기고, 위기가 통하지 못하면 완복창통(脘腹脹痛)이 생긴다. 전자를 '간비불화(肝脾不和)'라 하고, 후자를 '간위불화(肝胃不和)'라고 한다. 임상에서는 통칭하여 '목불소토(木不疏

32) 吐衄漏崩, 肝家不能收攝榮氣, 使諸血失道妄行 (丹溪心法·頭眩)
33) 土得木而達 (素問·寶命全形論)

土)'라고 한다.『혈증론(血證論)』에 "木의 성질은 주로 소설인데, 음식이 胃에 들어가면 전적으로 肝氣에 의존하여 소설되며, 이에 음식물이 소화된다. 만약 肝의 청양이 올라가지 못하면 음식물을 소설하지 못하여 설사와 창만의 증상을 피할 수 없다"34)고 했다.

③ 정서에 대한 영향

정서는 주로 심신(心神)의 지배를 받지만 간의 소설공능과도 밀접하다. 이는 정서가 기혈의 운행에 의존하기 때문이다. 그러므로 간의 소설공능이 사람의 정서활동에 영향을 미칠 수 있는 것은 실제적으로 간이 소설을 주관하여 기기를 조창시켜서 혈액순환을 촉진하는 생리 공능에서 파생되는 것이다. 간의 소설이 정상이고 기운이 잘 통해서 기혈이 조화를 이루면 기분도 역시 명랑하게 된다. 간이 소설을 못해서 기운이 잘 통하지 않으면 기분이 우울해져 정서가 억압을 받으므로 '인병치울(因病致鬱)'이라 하고, 반대로 정서에 이상이 생겨 기의 운행이 조화를 잃으면 간의 소설공능에도 역시 영향을 준다. 감정 가운데 간의 소설공능에 가장 큰 영향을 주는 것은 노(怒)인데, 이를 '노상간(怒傷肝)'이라고 한다. 노(怒)는 폭노(暴怒)와 울노(鬱怒)의 두 가지로 나눌 수 있다. 폭노는『소문 거통론』에 "화나면 氣가 위로 올라간다"35)고 하였는데, 폭노는 간기를 상역시켜 심하면 간풍내동(肝風內動)이 되는 등 일련의 병증이 발생한다. 이를 '인노치병 (因怒致病)'이라고 한다. 울노는 참고 화를 내지 못하여 기울(氣鬱) 기체(氣滯)가 됨으로써 간이 소설하지 못하여 간기울결로 나타날 뿐만 아니라 나아가 간기범비(肝氣犯脾)나 간기범위(肝氣犯胃)로 발전하는데, 이를 '인울치병(因鬱致病)'이라고 한다. 이상에서 설명한 것은 모두 간병(肝病)으로, 간의 소설 이상을 말한다.

④ 담(膽)에 대한 영향

담은 간의 단엽(短葉) 사이에 있으며, 간과 서로 연결되어 있다. 담낭 안에는 담즙이 저장되어 있으며 장으로 담즙을 흘려 보내서 소장의 화물(化物)하는 작용을 돕는다. 담즙은 간에서 생기는데, 간의 남은 기운이 변하여 담즙이 되고 소장으로 흘러 들어가 기운의 순환에 의존한다. 담의 활동은 주로 담즙의 저장과 배설인데, 실제적으로는 간의 소설공능에 따른다. 간의 소설공능이 정상이면 담즙의 배설도 잘 되어 음식물의 소화흡수를 돕고, 간이 소설을 못하면 담즙의 배설에 영향을 주어 담즙량이 적고 끈적하며 배설이 잘 안 되어 협하창통(脇下脹痛)·구고(口苦)·소화불량·황달 등이 나타난다. 임상적으로 담의 질병, 즉 담석증 같은 병은 정서의 안정을 취해야 하는데, 그렇지 못하면 간이 소설하지 못하여 병을 가중시킨다.

⑤ 남자의 사정(射精)과 여자의 월경과의 관계

남자의 사정과 여자의 월경은 간의 소설공능과 밀접한 관계가 있다. 남자의 사정에 관해 주진형은『격치여론(格致餘論)』에서 "폐장(閉藏)을 주관하는 것은 腎이고, 소설케 하는 것은 肝이다"36) 라고 하여 정액의 정상적인 배설은 간신(肝腎)의 협조결과라고 하였다. 간의 소설공능이 정상이면 정액의 배출이 정상적으로 이루어지고, 간이 소설을 하지 못하면 사정이 원활하지 못하게 된다. 여자의 경우 월경혈(月經血)의 배출여부에 작용하여 이 역시 '간주소설'의 영향을 받는다. 간의 소설이 정상이면 월경의 주기도 정상적으로 진행되고, 월경혈의 배출도 원활해진다. 반면에 간

34) 木之性主於疏泄. 食氣入胃, 全賴肝木之氣以疏泄之, 而水穀乃化. 設肝之淸陽不升, 則不能疏泄水穀, 滲瀉中滿之證在所不免 (血證論·臟腑病機論)
35) 怒則氣上 (素問·擧痛論)
36) 主閉藏者腎也, 司疏泄者肝也 (格致餘論·陽有餘陰不足論)

의 소설공능이 부족하면 월경주기가 불규칙해지고 월경혈의 배출이 잘 안 되어 월경통(月經痛)이 생긴다.

'간주소설'의 공능을 종합적으로 보면, 전신의 기의 흐름에 미치는 영향이 가장 근본적이며 기타 다른 작용은 모두 여기에서 파생되어 나타나는 것이다.

간기(肝氣)는 간장의 기운이며, 간이 생리공능활동을 진행하는 물질적 기초와 동력이 된다. 간기가 충분히 포산되면 간의 각종 공능활동이 정상적으로 진행되어 간이 혈액을 저장하여 혈량을 조절하고, 아울러 출혈을 방지하며, 또한 전신의 기의 흐름을 소통시켜 막히지 않고 펴지게 한다. 만약 간기가 부족하면 간의 각종 공능활동이 감퇴하는데, 장혈공능이 감퇴하면 혈액을 거두는 작용이 약해져서 각종 출혈이 생긴다. 이를 임상에서는 '간불장혈(肝不藏血)'이라고 한다. 만약 기허하여 소설이 무력하면 '간실소설(肝失疏泄)'의 각종 병증 즉 피핍(疲乏)、맥허무력(脈虛無力)의 기허 증상이 나타난다. 이때는 소간(疏肝)하는 약만 사용해서는 효과를 볼 수가 없고, 보기(補氣)하는 약을 같이 써야 좋은 효과를 볼 수 있다. 기체(氣滯)도 간기허(肝氣虛)로 인하여 소설작용이 무력하기 때문에 발생한다. 명청대(明淸代)의 의가들 중에는 간기울체증(肝氣鬱滯證)을 줄여 '간기(肝氣)'라고도 했는데, 간의 장부지기(臟腑之氣)와 혼동하기 쉬우므로 잘 구별하여야 한다. 간혈(肝血)은 간장이 저장하고 있는 혈액과 간을 영양하는 혈액이므로 간담(肝膽)、눈、근(筋)、손발톱 등에 영양을 공급하고 자윤케 하는 작용이 있다. 만약 간혈이 부족하면 간이 허약해지는 것 외에 눈이 침침하고 사물이 뚜렷하게 보이지 않거나 근육이 구련(拘攣)을 일으켜 지체를 굴신하기가 곤란해지고, 손발톱이 얇고 약해져서 잘 부러진다.

간음(肝陰)과 간양(肝陽)은 그 뿌리를 신음(腎陰)과 신양(腎陽)에 두고 있으면서 간의 대사와 공능에 대해 조절과 억제의 작용을 한다. 간의 생리공능은 전신의 기의 흐름을 소설 통창하는 역할을 하며 간음과 간양의 작용도 역시 전신 기기(氣機)의 승강과 동정을 조절하는 중요한 공능이 있다. 그 중에서 간양(肝陽)은 상승과 활동을 촉진하고 간음(肝陰)은 진정과 하강을 촉진하므로 서로 작용이 상반되고, 상호제약하여 전신 기기의 승강에 부합하며 동정도 적당히 이루어지도록 한다. 만약에 간의 음기가 부족하면 간의 양기가 편항(偏亢)하여 양의 승발과 활동이 과도하고 기가 상역하여 혈이 솟아 올라오며 기의 운행도 역시 빨라져서 면홍(面紅)、목적(目赤)、두창(頭脹)、두통、맥현삭(脈弦數)、심번이노(心煩易怒)、양퇴무력(兩腿無力) 등 상성하허(上盛下虛)한 증이 나타나는데, 이를 '간양상항(肝陽上亢)'이라고 한다. 간음(肝陰)이 더 허해지면 간의 양기가 더욱 더 항성하여 기혈이 위로 쏠리는 외에도 기의 움직임이 더욱 빨라져 생풍(生風)하여 현훈、진전(震顫)、동요(動搖)커나 혹은 심하면 졸도하는 증상이 나타난다.『소문 지진요대론』에 "風으로 흔들리고 어지러운 모든 증상은 간에 속한다"[37]고 하였는데, 이와 같은 종류의 풍(風)은 밖으로부터 오는 외사(外邪)가 아니라 간의 양기가 편항(偏亢)하여 발생하는 것으로 안에서 비롯된 까닭에 '내풍(內風)'이라고 한다. 섭계(葉桂)의『임증지남의안(臨證指南醫案)』에서 "내풍은 몸안의 양기의 변동이다"[38]라고 하였는데, 간양상항과 간풍내동(肝風內動)의 치료는 모두 "肝腎의 陰을 자보(滋補)함으로써 陽을 제압하여 항성된 陽을 잠재움으로써 風을 잠재워야 한다"고 했다. 반대로 간양이 부족하여 간음이 편성(偏盛)하면 내려가는 기운은 많고 상승하는 기운이 적어 기의 운행이 느리고 점점 울체(鬱滯)가 발생하게 된다. 그러나 간의 생리적 특징이 주승(主升)、주동(主動)、주산(主散)하며, 간은 오행에서는 목기에 해당하고, 목의 성질은 승발하여 나뭇가지처럼 잘 뻗어나가며, 봄 햇살처럼 생장의 기운이 강한 소양(少陽)의 기운이므로 간병에는 음허양항(陰虛陽亢)으로 인한 것이 많고, 양허음성(陽虛陰盛)한 경우는 비교적 적다.

37) 諸風掉眩, 皆屬于肝 (素問·至眞要大論)
38) 內風, 乃身中陽氣之動變 (臨證指南醫案·中風)

2) 간과 형체、공규、정서、오액과의 관계

(1) 재체합근(在體合筋), 기화재조(其華在爪)

제 8장 형체와 주요 기관의 筋을 참고하시오.

(2) 재규위목(在竅爲目)

제 8장 형체와 주요 기관의 눈을 참고하시오.

(3) 재지위노(在志爲怒)

노(怒)는 간의 정지이다.『소문 음양응상대론』에 "臟으로는 肝에 속하고 … 정지로는 怒에 속한다"[39]고 하였는데, 분노는 감정이 격동하여 일어난다. 분노는 인체에 좋지 않은 영향을 주는데, "화나면 기가 위로 올라간다"[40], "화나면 氣가 逆하여 심하면 피를 토하고 소화되지 않은 음식물을 설사한다"[41]고 하였다. 이로 보아 분노가 주로 미치는 영향은 '기상역(氣上逆)'이므로 간양상항을 일으키고, 심지어 간풍내동을 일으키는데, 이른바 "화를 내면 肝을 상한다"[42]고 하였다. 반대로 간기상역(肝氣上逆)하거나 간화상염(肝火上炎)하면 조급하고 화를 잘 내게 한다. 이와 관련해서『소문 장기법시론(藏氣法時論)』에서 "양 옆구리가 아프고 아랫배까지 당기며, 자주 화를 내게 한다"[43]고 했다. 이에 대한 치료는 평간(平肝)을 위주로 해야 하며, 심금오(沈金鰲)는 "노하는 성정을 다스리기는 참으로 어렵다. 오직 평간(平肝)함으로써 노를 다스리는데, 이것이 의사가 노를 다스리는 방법이다"[44]라고 했다.

(4) 재액위루(在液爲淚)

간은 눈에 개규하고 있으며 눈물은 눈에서 나오기 때문에 눈물은 간의 액(液)이라고 하며,『소문 선명오기』에서 "肝은 눈물이라"[45]고 했다. 눈물은 안구를 습윤하고 보호한다. 평상시에 눈물은 촉촉히 적실 정도이지 흐르지는 않는다. 그러나 이물질이 눈에 들어가면 눈물의 분비가 많아져서 안구를 청결하게 하고 이물질을 배출한다. 간의 병변이 때로 눈물의 분비 변화로 나타나기도 하는데, 간음이 부족하면 눈이 껄끄럽게되므로 실제로 눈물의 분비가 적은 것이다. 또 간경(肝經)에 풍열(風熱)이 있으면 눈꼽이 끼고 눈물의 분비가 증가한다.

---

39) 在臟爲肝, … 在志爲怒 (素問·陰陽應象大論)
40) 怒則氣上 (素問 擧痛論)
41) 怒則氣逆, 甚則嘔血及飧泄 (素問·擧痛論)
42) 怒傷肝 (素問·陰陽應象大論)
43) 兩脇下痛引小腹, 令人善怒 (素問·臟氣法時論)
44) 治怒爲難, 惟平肝可以治怒, 此醫家治怒之法 (沈氏尊生書·卷六·驚悸悲恐喜怒憂思源流)
45) 肝爲淚 (素問·宣明五氣)

2. 심(心)

심장은 흉강내 양쪽 폐의 중간, 횡격막의 위에 위치하며, 모양은 아직 피지 않은 연꽃이 거꾸로 늘어진 모양이고, 바깥은 심포(心包)로 둘러싸여 있다. 심장은 정신(精神)이 깃드는 곳이고, 혈(血)을 주관하며, 맥(脈)이 모두 모이는 곳이다. 오행으로는 화(火)에 속하고, 양중지양(陽中之陽)이며 인체의 생명활동을 주재하고 있어 『소문 영란비전론』에서는"君主의 관직에 해당한다"[46]고 했다. 심장의 주요 생리공능은 두 가지인데, 하나는 혈맥(血脈)을 주관하는 것이고, 또 하나는 정신을 저장하는 것이다. 심장은 혀로 개규하고, 몸에서는 맥에 부합하며, 그 영화는 얼굴에 나타나고, 오지(五志) 중에는 희(喜)이며, 오액(五液) 중에는 땀에 해당한다. 수소음심경과 수태양소장경이 서로 연결되어 있어 심과 소장은 서로 표리가 된다. 전통적으로 심은 오장 가운데 가장 중요하게 여겨져 왔다.

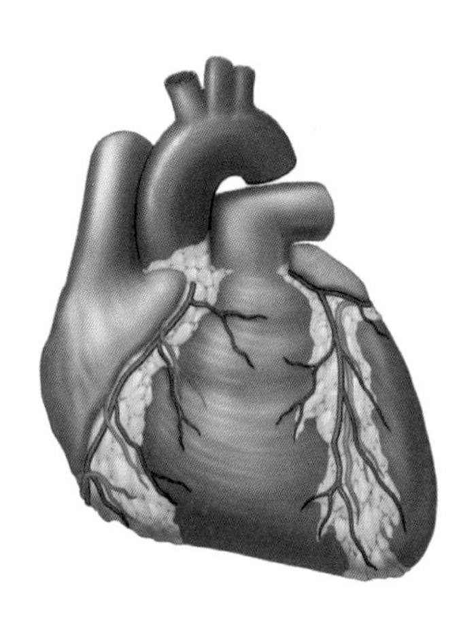

1) 심의 주요 생리공능

(1) 심주혈맥(心主血脈)

심이 혈맥을 주관한다는 것은 심기(心氣)가 맥관에서 혈액을 추동하여 전신을 돌게 하고 영양과 자윤작용을 발휘하는 것을 의미한다. 심-맥-혈의 순환계통 중에서 심이 주도적인 역할을 한다. 심기는 혈액을 흐르게 하고 맥관이 박동하게 하며 전신의 오장육부와 육체, 이목구비가 모두 혈액의 영양을 공급받아 생명활동을 유지하게 한다. 만약 심기가 고갈되면 혈행이 멈추고 심장과 맥관의 박동도 역시 소실되어 사망하게 된다. 『영추 경맥』에서 "手少陰의 氣가 끊어지면 脈이 통하지 않는다. 脈이 통하지 않으면 血이 흐르지 않고, 血이 흐르지 않으면 모발과 피부색이 윤택하지 않게 되어 얼굴이 옻칠한 것처럼 검게 되는데, 血이 먼저 손상되어 죽는다"[47], 『소문 위론(痿論)』에서 "心은 인체의 血脈을 주관한다"[48]고 했다.

혈액이 맥관에서 정상적으로 운행하기 위해서는 반드시 세 가지 조건을 갖추어야 한다. 먼저, 맥관이 반드시 잘 통해야 하고, 다음으로 혈액이 충만해야 하며, 셋째는 심기가 충만해야 한다. 이 세 가지 조건이 구비되면 혈액은 전신을

46) 心者, 君主之官 (素問·靈蘭秘典論)
47) 手少陰氣絶則脈不通, 脈不通則血不流, 血不流則毛色不澤, 故面黑如漆柴者, 血先死 (靈樞·經脈)
48) 心主身之血脈 (素問·痿論)

정상적으로 운행하지만 세 가지 조건중 하나라도 부족하면 병변을 일으킬 수 있다.

'심주혈맥'의 정상 여부는 네 가지로 관찰할 수 있는데, 1) 안색 2) 설색(舌色) 3) 맥 4) 가슴의 감각이다. '심주혈맥'의 공능이 정상일 때는 안색이 홍윤(紅潤)하고 설색이 담홍(淡紅)하면서 윤기가 있고 광택이 나며, 맥은 완화(緩和)하면서 힘이 있고 가슴은 편안하다. 만약에 심화(心火)가 왕성하면 면적설홍(面赤舌紅)하고 설첨(舌尖)이 매우 붉으면서 혓바늘이 돋고 갈라지면서 아프며 맥삭(脈數)하고, 심흉의 번열로 잠이 쉽게 들지 않는다. 만약 심혈허(心血虛)하면 안색과 설색이 모두 담백무화(淡白無華)하며 맥세무력(脈細無力)하고 항상 심계(心悸)를 느끼게 된다. 만약에 심맥이 어혈로 막히면 안색과 설색이 비교적 어둡거나 청자(靑紫)하고 혀에 자색(紫色)의 어반(瘀斑)이 나타나고 맥은 삽(澁)하면서 유리(流利)하지 못하여 때로 결대맥(結代脈)이 나타난다. 가슴에는 항상 민통(悶痛)이 있어 가벼운 경우에는 잠시후 사라지나 심하면 면청(面靑)하고 순설(脣舌)이 모두 자색(紫色)이 되며 구슬 같은 땀을 많이 흘리고 심지어 사망에 이를 수도 있다.

(2) 심장신(心藏神)

'심장신'의 요지는 심이 오장육부와 형체 기관의 모든 생리활동뿐 아니라 정신의식 사유활동을 주재한다는 것이다. 예를 들면, 장개빈(張介賓)은 『유경(類經)』에서 "心은 군주의 관으로, 신명이 여기에서 나온다. 心은 몸의 군주로, 신령스러운 기운을 받고 조화를 품어 하나의 이치를 보고 무한한 변화를 부릴 수 있으므로 장부와 백해(百骸)가 이 명을 듣는다. 총명하고 지혜로운 것이 모두 이로 말미암은 것이기 때문에 신명이 여기에서 나온다고 하는 것이다"[49]라고 하였다.

신(神)이 심에 저장되어 있어서 『영추 대혹론(大惑論)』에는 "心은 神이 깃드는 곳이다"[50], 『소문 선명오기』에는 "心은 神을 저장하고 있다"[51]고 하였다. 심에 신이 있음으로 말미암아 심이 인체의 모든 생리활동과 심리활동을 주재할 수 있는 것이다.

심은 오장육부、형체、기관의 생리활동을 주재한다. 심의 행혈(行血)、폐의 호흡、비의 운화、간의 소설、신의 봉장、위의 수납、소장의 화물(化物)、대장의 전도、삼초가 진액과 원기를 운화(運化)하고、방광이 저뇨와 배뇨를 하고、담이 담즙을 저장하고 배설하는 것 뿐 아니라 팔다리와 체간의 굴신、눈으로 보고、귀로 듣고、입으로 먹고、혀로 맛보고 … 등 인체의 생리활동은 하나도 예외 없이 모두 심의 주재 하에 이루어진다. 『소문 영란비전론』에서 "心은 君主의 관직에 해당하고, 신명이 이에서 나온다"[52]고 하였다. 심신(心神)은 인체의 생리활동을 주재하고 협조한다. 만약 심신이 정상이면 인체 각 부분의 공능이 서로 협조하여 전신이 편안해진다. 그러나 심신이 비정상이면 인체 각 부분의 협조와 조절이 되지 않아 문란해지고 이로 인하여 질병이 생기며 심지어 생명이 위태롭게 된다. 『소문 영란비전론』에서 "군주가 밝으면 아래가 안정되는데, 이 상태로 양생하면 천수를 누려 죽을 때까지 몸이 위태롭지 아니하고, 이로써 천하를 다스리면 크게 번창할 것이다. 군주가 밝지 못하면 十二官이 위태로워지고 관리가 안되어 형체가 크게 손상될 것이므로, (군주가 밝지 못한 채로) 양생하면 요절하고, (군주가 밝지 못한 채로) 천하를 다스리면 종묘사직이 크게 위태로울 것

49) 心者君主之官, 神明出焉. 心爲一身之君主, 禀虛靈而含造化, 見一理而應萬機, 臟腑百骸, 惟所是命, 聰明智慧, 莫不由之, 故曰神明出焉 (類經·臟象類)

50) 心者, 神之舍也 (靈樞·大惑論)

51) 心藏神 (素問·宣明五氣)

52) 心者君主之官, 神明出焉 (素問·靈蘭秘典論)

이므로 삼가고 또 삼가야 한다"[53]라고 한 것은 심신의 정상 여부가 직접 전신 장부의 치란(治亂)에 연관되어 생명의 존망을 결정함을 말하는 것이다. 그러므로 『소문 육절장상론(六節藏象論)』에서 특히 강조하여 "心은 生의 근본이며, 神의 변화이다"[54]라고 하였다.

심은 인체의 생리활동을 주재한다. 우선 심은 정신 의식 사유활동을 진행하는 중요 장기이다. 예를 들면 『맹자 고자상(孟子 告子上)』의 "心의 공능은 생각하는 것이다"[55]는 심이 사유활동의 중심임을 설명하고 있다. 그러나 사람의 정신 의식 사유활동은 오장이 공동으로 완성한다. 『소문 선명오기』에서 "心은 神을 저장하며, 肺는 魄을 저장하고, 肝은 魂을 저장하며, 脾는 意를 저장하고, 腎은 志를 저장한다"[56]고 하였다. 오장 가운데 심은 정신활동의 주재자이므로 『영추 사객(邪客)』에 "心은 오장육부의 큰 군주로, 정신이 깃드는 곳이다"[57]라고 하였다. 사유활동 외에도 심은 정서활동이 시작되는 곳이며 주재자이다. 예를 들면 장개빈이 『유경』에서 "心은 장부의 군주로, 혼백을 모두 통솔하며, 의지가 여기에 있으므로 心에서 근심이 일어나면 肺가 이에 응하고, 사려를 하면 脾가 이에 응하고, 노하면 肝이 이에 응하고, 공포가 생기면 腎이 이에 응하므로 五志가 모두 心의 부림을 받는 것이다"[58]라고 한 것은 심이 사람의 심리와 정서를 주재함을 설명하는 것이다.

몸과 마음의 생리활동에는 오장육부가 모두 관여하지만 이 가운데 심이 주재작용을 하므로 역대 의가들은 모두 심을 우리 몸의 군주이고 오장육부의 대주(大主)라고 하였으며, 심의 이런 주재작용은 심신이 하는 바이므로 '신명출언(神明出焉)'이라고 하였다.

'심주혈맥'과 '심장신'의 두 공능은 서로 영향을 미친다. 우선 '심주혈맥'은 심신(心神)의 주재를 받는다. 예를 들면, 사람이 달리기를 준비할 때 달리기 전인데도 혈류와 심박동이 빨라지는 것은 운동의 결과가 아니라 심신이 '심주혈맥'의 공능을 지배하는 증거이다. 동시에 심신 또한 심혈(心血)의 유양을 받아야 정상적인 활동을 하게 된다. 예를 들어 심혈이 부족하여 심신을 유양하지 못하면 정신이 멍하고 집중력이 떨어지며 기억력이 감퇴되고 밤에는 잠이 들기 어렵거나 초조불안 등 심신의 불안정과 허약의 증상이 나타난다.

明 이전의 의가들은 모두 가슴 속의 심이 '주혈맥'과 '장신'의 두 공능을 갖추고 있는 것으로 믿었다. 그러나 명나라가 시작되면서 이러한 인식에 변화가 생겼는데, 가장 먼저 이러한 견해를 제시한 의가는 이천(李梴)으로 추정된다. 그는 『의학입문(醫學入門)』에서 "心은 우리 몸의 주인이며 君主의 官이다. 血肉으로서의 心은 아직 피지 않은 연꽃과 같으며 肺 아래 肝 위에 위치한다. 神明으로서의 心이 있는데, 神은 기혈이 생기는 근본이다. 만물이 이로 말미암아 성장하지만 색이나 형상을 드러내지 않기 때문에 있는 것 같아도 어디에 있느냐 하게 되고, 없는듯 해도 다시금 있는 것 같다고 하게 된다. 만사와 만물을 주재하면서 형체는 없으나 그 작용이 밝고 환하다고 하는 것이 이것이다. 그러나 형체와 정신은 항상 서로 근거하고 있다"[59]고 하였다. 그는 명확하게 사람의 심(心)에 둘이 있음을 밝혔다. 하나는 가슴

---

53) 故主明則下安, 以此養生則壽, 歿世不殆, 以爲天下則大昌. 主不明則十二官危, 使道閉塞而不通, 形乃大傷. 以此養生則殃, 以爲天下者其宗大危, 戒之戒之 (素問·靈蘭秘典論)
54) 心者, 生之本, 神之變也 (素問·六節藏象論)
55) 心之官則思 (孟子·告子上)
56) 心藏神, 肺藏魄, 肝藏魂, 脾藏意, 腎藏志 (素問·宣明五氣)
57) 心者五臟六腑之大主也, 精神之所舍也 (靈樞·邪客)
58) 心爲五臟六腑之大主, 而總統魂魄, 兼該志意. 故憂動於心則肺應, 思動於心則脾應, 怒動於心則肝應, 恐動於心則腎應, 此所以五志唯心所使也 (類經·疾病類)
59) 心者, 一身之主, 君主之官. 有血肉之心, 形如未開蓮花, 居肺下肝上也; 有神明之心 神者, 氣血所化生之本也, 萬物由之盛長, 不著色象, 謂有何有, 謂無復存, 主宰萬事萬物, 虛靈不昧是也. 然形神亦恒相因 (醫學入門·心)

에서 혈행을 추동하는 '혈육지심(血肉之心)'이고, 또 하나는 형태가 없이 인체 생명활동을 주재하는 '신명지심(神明之心)'이라고 하였다. 그는 가슴 속의 심이 생명활동을 주재하는 공능이 있다는 견해를 부정하고 그 심은 단지 혈행을 추동하는 작용이 있다고 하여 이를 '혈육지심'이라고 하였다. 그러나 '신명지심'에 대해서는 궁극적으로 어떻게 생겼으며 또 어디에 있는지에 대한 답은 제시하지 못하였다.

明의 이시진(李時珍)은『본초강목(本草綱目)』에서 "뇌는 원신(元神)의 부(府)이다"60)라고 하였으며, 清에 이르러서는 신(神)이 뇌에 간직되어 있다고 하였는데, 왕앙(王昻)과 왕청임(王清任) 등이 이 견해에 따랐다. 현대 해부학과 생리학의 관점에서 보면, '혈육지심'은 가슴의 심장으로, '신명지심'은 뇌로 간주할 수 있다.

심의 기혈은 심이 생리활동을 행하는 물질적인 기초이며, 주로 비위가 만든 수곡정미에서 근원한다. 기는 무형으로 동적이며 주로 심의 '주혈맥'과 '장신'하는 공능을 추동하는 작용을 한다. 심기(心氣)가 혈액의 운행을 추동하는 것은 심신(心神) 활동의 동력이다. 심기가 왕성하면 힘 있게 혈행을 추동시켜 정신 또한 왕성해지고, 심기가 부족하면 혈행이 무력해져 혈어가 나타남과 동시에 정신 또한 약해지고 쉽게 피로해진다. 혈은 영기와 진액을 함유하며 주로 심신(心神)을 자양하는 작용을 한다. 심혈(心血)이 충족되면 심신(心神)이 충분한 자양을 얻어 정신이 편안하고 사유가 영민하며, 심혈이 부족하여 심신(心神)이 자양되지 못하면 신(神)이 허약해져서 생각의 집중이 어렵고 건망증과 더불어 피로해지며 사고능력이 저하되고 쉽게 잠이 들지 않으며 잠이 깊이 들지 않는다.

총괄하자면, 기혈이 충만하면 심의 각종 공능이 모두 왕성하지만, 기혈이 부족하면 심의 각종 공능은 모두 허약 무력해진다.

심의 음양은 신(腎)에 뿌리를 두고 있으며, 심의 대사와 생리공능활동을 조절하는 작용을 한다. 그러한 조절은 심음(心陰)과 심양(心陽)의 평형을 통해 진행된다. 심양은 심의 활동을 촉진시키고 승산(升散)、흥분、온후작용을 하며, 심음은 심의 저정(貯精)、내수(內守)、억제、양열(陽熱)을 제약하는 작용을 한다. 심음과 심양은 상호 제약하면서 음양의 동적 평형을 이룬다. 이때 혈행이 정상이면 안색과 설색이 담홍(淡紅)하면서 윤택하고 맥은 완(緩)하면서 유력하고 정신은 왕성하면서 안정되어 수면 또한 좋아진다. 만약 심양이 편성(偏盛)커나, 심음이 부족해지면 심양이 편승(偏勝)케 되어 안색과 설색이 편홍(偏紅)하고 맥삭(脈數)、정신흥분、번조이노(煩躁易怒)와 야면불안(夜眠不安) 등 증상이 나타난다. 그 가운데 심양편성(心陽偏盛)은 유여한 증(證)이므로 맥이 빠르면서 힘이 있고, 심음부족(心陰不足)은 허증(虛證)이므로 설홍(舌紅)과 정신흥분이 나타나지만 맥이 대부분 세삭(細數)하며 음(陰)의 내수(內守)가 무력하여 도한(盜汗)이 나타난다. 만약 심양이 부족하거나 심음이 편성(偏盛)하면 음승(陰勝)의 변화가 출현하여 안색과 설색이 편담(偏淡)하고 맥지(脈遲)、정신위미(精神萎靡)、권태로우며 자고 싶어하는 등 심신억제(心神抑制)와 혈행지완(血行遲緩)의 증상이 나타나고 온후가 무력함으로 말미암아 지랭(肢冷) 외한(畏寒)의 증상이 나타난다.

총괄하면, 심이 생리활동을 진행하는 동력과 영양은 심 자체의 기혈에서 오므로 기혈은 충만할수록 좋고, 생리활동의 조절은 심의 음양에 의존하므로 음양은 평형을 이루어야 한다.

2) 심과 형체、공규、정서、오액과의 관계

(1) 재체합맥(在體合脈), 기화재면(其華在面)

'맥(脈)'은 혈관을 가리키고, '화(華)'는 광채라는 뜻이다. '기화재면'은 심의 생리공능 상태가 얼굴의 색과 윤기、광택

60) 腦爲元神之府 (本草綱目·辛夷)

의 변화로 드러난다는 의미이다. 얼굴은 혈맥이 매우 풍부한 곳인데, 『영추 사기장부병형(邪氣臟腑病形)』에서 "십이 경맥과 삼백육십오락은 모두 그 혈기가 얼굴로 올라가 공규(空竅)를 주관한다"61)고 하였다. 심기가 충만하여 혈맥이 가득 차면 얼굴이 붉으면서 윤택이 있고, 반대로 심의 기혈이 부족하면 얼굴색이 담백하고 혈어하면 얼굴색이 청자(靑紫)하므로 『소문 오장생성』에 "心은 脈에 合하여 그 상태가 얼굴색으로 나타난다"62)고 하였다.

(2) 재규위설(在竅爲舌)

제 8장 형체와 주요 기관의 입、치아、혀를 참고하시오.

(3) 재지위희(在志爲喜)

'심재지위희'는 심이 희(喜)와 유관하다는 것이다. 『소문 음양응상대론』에서 "臟으로는 心에 속하고 … 정지로는 喜에 속한다"63)고 한 것은 오지(五志) 가운데 희가 심의 감정임을 설명하고 있다. 희는 일반적으로 외부에 대한 긍정적 반응인데, '심주혈맥' 등의 생리공능에 유익하다. 그러므로 『소문 거통론』에 "기쁘면 氣가 조화롭고 뜻이 멀리 뻗어 영위가 원활하게 통한다"64)고 하였다. 그러나 희락(喜樂)이 지나치면 심신(心神)이 흩어져서 거두지 못하므로 주의력이 떨어져 집중이 어렵게 된다. 『영추 본신』에 "기쁘고 즐거우면 神이 흩어져 저장되지 않는다"65)고 하였다. 『소문 음양응상대론』에도 '희상심(喜傷心)'에 대한 설명이 있다. 따라서 일반적으로 희는 심신(心神)을 이롭게 하고 '심주혈맥'도 이롭게 하지만 희락이 지나치면 오히려 심신(心神)을 상한다.

놀람(驚)도 심신(心神)에 해로운데, 『소문 거통론』에서 "놀라면 心이 의지할 곳이 없어 神이 돌아갈 곳이 없고, 사려가 안정되지 않아 기가 어지럽게 된다"66)고 하여 '경즉기란(驚則氣亂)'이라고 하였다.

(4) 재액위한(在液爲汗)

'심재액위한(心在液爲汗)'이라 함은 심과 땀이 밀접한 관계가 있음을 말한다. 땀이 나는 것은 두 가지 경우가 있다. 하나는 열을 발산하는 땀이고, 또 하나는 정신적인 원인으로 나는 땀이다. 전자는 인체내의 열기를 발산하기 위한 땀이다. 예를 들면 날씨가 덥거나 옷이 두껍거나 운동으로 열이 생기면 이때 체내의 열은 진액을 따라 나감으로써 체온을 내리는 목적을 이룬다. 몸에 열이 날 때 발한약(發汗藥)을 쓰면 열은 땀이 나면서 풀리게 되는데, 『소문 생기통천론』의 "몸이 만약 불타는 숯처럼 뜨거우면 땀이 나면서 풀린다"67)는 내용은 이와 같은 땀을 설명한 것이다. 진액은 음에 속하고 열은 양에 속하므로 열이 진액과 더불어 같이 인체에서 빠져나가는 이런 땀은 『소문 음양별론』에 "陽이 陰에 더하여지면 땀이 된다"68)고 한 것이므로 심과의 관계가 그리 크지 않다. 후자는 사람이 정신적으로 긴장할 때나 놀랄 때 나는 땀으로 『소문 경맥별론』에 "놀라면 精을 빼앗기고, 心에서 땀이 난다"69)는 것이 이런 땀이다. 심이 오장

---

61) 十二經脈, 三百六十五絡, 其血氣皆上于面而主空竅 (靈樞·邪氣臟腑病形)
62) 心之合, 脈也. 其榮, 色也 (素問·五臟生成)
63) 在臟爲心, … 在志爲喜 (素問·陰陽應象大論)
64) 喜則氣和志達, 營衛通利 (素問·擧痛論)
65) 喜樂者, 神憚散而不藏 (靈樞·本神)
66) 驚則心無所依, 神無所歸, 慮無所定, 故氣亂矣 (素問·擧痛論)
67) 體若燔炭, 汗出而解 (素問·生氣通天論)
68) 陽加于陰爲之汗 (素問·陰陽別論)
69) 驚而奪精, 汗出于心 (素問·經脈別論)

육부의 대주(大主)이며 인간의 정서활동을 주재함으로 말미암아 정신적인 원인으로 나는 땀은 모두 심과 직접 관계되므로 땀을 '심지액(心之液)'이라 한 것이다.

「附」 심포락(心包絡)

심포락은 줄여서 심포라고도 하고 '전중(膻中)'이라고도 한다. '포(包)'는 심장의 외면을 싸고 있는 막으로 심장을 보호하는 작용을 가지고 있다. 『의학정전(醫學正傳)』에서 "심포는 실질적으로 심을 싸는 막이다. 심의 바깥에서 싸고 있어 심포락이라고 한다"[70]고 하였으며 『유경도익(類經圖翼)』에서는 "심 바깥에 적황색의 지방이 있는데 이것이 심포락이다"[71]라고 하였다. 심은 포락의 가운데에 있고 포락은 심의 바깥에 있으니 『영추 창론(脹論)』에 "전중은 심의 성곽이다"[72]라고 한 것처럼 『내경』의 '심지궁성(心之宮城)'에 비유할 수 있다.

경락적으로는 수궐음심포경과 수소양삼초경이 서로 표리가 되므로 심포락도 장(臟)이라고 할 수 있다. 심포락은 심의 외위(外圍)로서 심장을 보호하는 작용이 있으므로 외사(外邪)가 심장을 침범할 때는 먼저 심포락이 병을 받게 된다. 『영추 사객』에 "心은 오장육부의 큰 주인으로 정신이 깃드는 곳이다. 臟이 견고하면 邪氣가 침입하지 못하는데, 만약 침입하여 心을 상하면 神이 떠나고, 神이 떠나면 죽는다. 따라서 사기가 心에 있는 것은 모두 심포락에 있는 것이다"[73]라고 하였다. 그래서 온병학설에서는 외감열병 중에 나타나는 신혼(神昏)、섬어(譫語) 등 증상을 '열입심포(熱入心包)' 또는 '몽폐심포(蒙蔽心包)'라고 한다.

---

70) 其心胞絡實乃裹心之膜, 包於心外, 故曰心胞絡 (醫學正傳·醫學或問)
71) 心外有赤黃裹脂, 是爲心包絡 (類經·類經圖翼·卷三)
72) 膻中者, 心主之宮城也 (靈樞·脹論)
73) 心者, 五藏六府之大主, 精神之所舍也, 其藏堅固, 邪不能容也. 容之則傷心, 心傷則神去, 神去則死矣. 故諸邪之在于心者, 皆在于心之包絡 (靈樞·邪客)

3. 비(脾)

비는 중초에 위치하고 횡격막 아래에 있다.『의관』에서 "횡격막의 아래에는 胃가 있어서 음식물을 받아들여 부숙시킨다. 그 왼편에 脾가 있으므로 脾는 胃와 막을 공유하며 그 위에 붙어 있다"74)고 하였는데, 이는 위와 비가 모두 복강에 위치하고, 비는 위의 좌측에 있음을 설명하는 것이다. 비의 주요 생리공능은 운화, 승청과 혈액의 통섭이다. 족태음비경과 족양명위경은 서로 속락(屬絡) 관계로 연결되어 비와 위가 서로 표리가 된다. 비와 위는 유기적으로 음식의 소화를 진행하고, 그 정미로운 것을 흡수하고 나르는 주요 장기이므로 사람이 태어난 후에 생명활동을 유지하고 기혈진액을 생산하는 것은 모두 비위가 운화하는 수곡정미에 의존한다. 그러므로 비위는 기혈이 만들어지는 근본이어서 '후천지본 (後天之本)'이라고 한다. 비가 몸에서는 육(肉)에 부합하여 사지를 주관하고, 입에 개규(開竅)하므로 그 영화(榮華)는 입술에 나타난다. 액(液)으로는 침이고, 의지(意志)로는 생각이며, 오행으로는 토에 속하고, 음양으로는 음 중의 지음(陰中之至陰)에 해당한다.

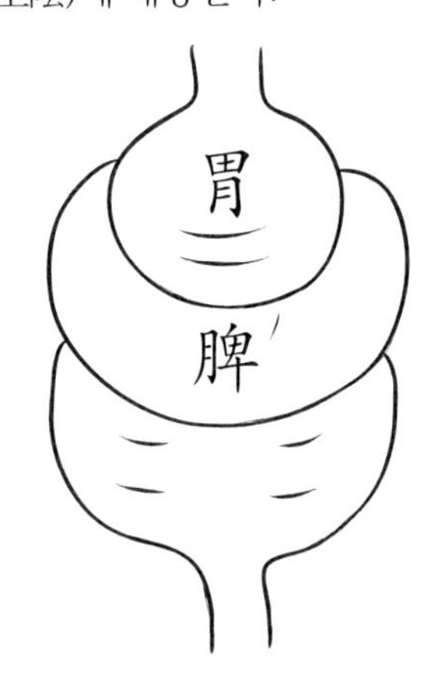

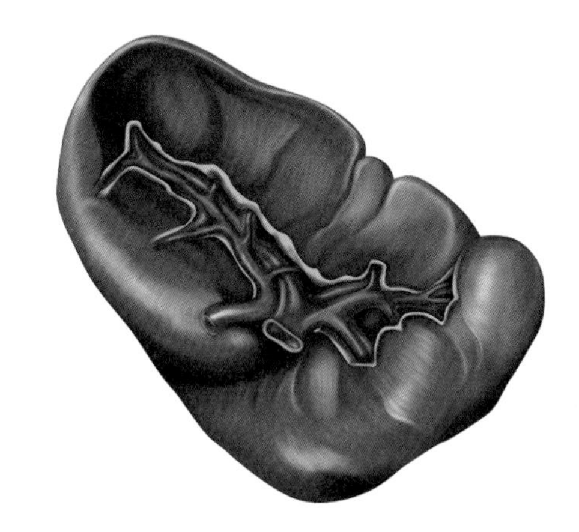

1) 비의 주요 생리공능

(1) 주운화(主運化)

'운(運)'은 옮기고 운반하여 수송하는 것이고, '화(化)'는 소화흡수다. '비주운화(脾主運化)'는 비가 음식물을 소화해서 만든 정미로운 물질을 전신에 보내 흡수되도록 하는 생리공능을 갖추고 있다는 의미이다. 비의 운화공능은 음식물과 수액 두 가지의 운화를 포괄한다.

① 운화수곡(運化水穀)

'운화수곡'은 음식물의 소화 및 정미로운 물질의 흡수와 수포작용을 말한다. 비의 음식물 운화과정을 세 단계로 나누면 다음과 같다.

- 위장이 음식물을 분해하여 정미로운 물질과 조박(糟粕)으로 분리하는 과정을 도와준다.
  음식물이 위로 들어간 이후에는 위와 소장에서 진행하는 소화가 중요한데, 위의 부숙(腐熟)과 소장의 화물(化物)을 거치면서 음식물은 정미로운 물질과 조박으로 분리된다. 이때에 반드시 비기(脾氣)의 도움을 받아야만

74) 膈膜之下, 有胃, 盛受飮食, 而腐熟之. 其左有脾, 與胃同膜而附其上 (醫貫·內經十二官論)

음식물의 소화를 온전히 완성할 수가 있다. 옛사람들은 소화과정을 잘게 부수어 갈아내는 것으로 비유하였는데, "脾는 坤土이다. 脾는 胃氣를 도와 음식물을 소화시키는데, 脾氣가 불완전하면 胃 안의 음식물이 소화되지 못한다"75)고 하여 비의 음식물 소화에 대한 역할을 강조하고 있다.

- 비는 위장(胃腸)이 음식물의 정미로운 물질을 흡수하는 것을 도와준다.
  음식물이 소화 과정을 거쳐 정미로운 물질이 되면 위장의 흡수과정을 통과한 다음 비로소 전신으로 보내질 수 있다. 이런 일련의 흡수과정은 비기의 협조 아래 완성되기 때문에 『소문 기병론(奇病論)』에서 "五味는 입으로 들어와 胃에 저장되고, 脾는 그 精氣를 행한다"76)고 하였다.
- 흡수한 음식물의 정미로운 물질을 전신으로 나른다.
  흡수된 후의 정미로운 물질은 비기의 작용 아래 전신으로 보내지는데, 여기에는 두 가지 중요한 전달 경로가 있다. 그 하나는 비의 '산정(散精)'작용을 통해 음식물의 정미가 폐로 수송된 다음, 폐의 선발작용을 통해 위쪽과 바깥으로 퍼지고, 폐의 숙강작용을 통해 아래로 퍼지는데, 이로써 음식물의 정미를 전신으로 퍼지게 하는 것이다. 다른 하나는 비기 자신의 작용으로 음식물의 정미를 전신으로 전달하는데, 『소문 궐론(厥論)』에 "脾는 胃가 진액을 행하는 것을 주관한다"77)고 하였다. 비장은 음식을 소화해서 수곡정미를 만들고 이를 흡수 운반하는 것이 생리적 공능이고, 수곡정미는 사람이 생명활동을 유지하는 데 필요한 영양물질의 주요한 원천이 되고 기혈 생성의 주요 물질적 기초가 되므로 비가 후천의 근본이며 기혈이 생기는 근원이라고 한다. 『의종필독(醫宗必讀)』에서 "우리 몸은 곡기의 자양이 필요하다. 곡식이 위로 들어와 육부에 퍼지면 기가 이르고, 오장에서 조화롭게 되면 血이 생기며, 사람이 자양을 받아 살아가게 된다. 그러므로 後天之本이 脾에 있다고 하는 것이다"78)라고 했다. 만약 비가 음식물을 운화하는 공능이 정상이면 정、기、혈、진액을 만들기 위한 영양재료가 충분히 공급되어 장부、경락、사지백해에서 근육、피모 등에 이르기까지 충분한 영양이 도달해서 정상적인 생리공능을 진행할 수 있다. 만약 비가 음식물을 운화시키는 공능이 감퇴되면 음식물의 소화가 잘 되지 않을 것이며, 음식물의 정미도 역시 제대로 흡수 분포되지 못하므로 복창(腹脹)、변당(便溏) 혹은 완곡불화(完穀不化)、식욕부진、피로권태、소수(消瘦) 등 증상이 생긴다.

② 수액운화(水液運化)

비는 수액의 운화를 주관하는데, 이는 비가 수분을 흡수 수포할 뿐만아니라, 수액이 체내에 정체되는 것을 막는 작용도 가리킨다. 비가 수액을 운화한다는 것은 수습(水濕)을 운화하는 것이라고도 할 수 있다. 섭취된 수액은 비의 흡수와 전화(轉化)과정을 거쳐 전신으로 퍼져서 인체를 자양 유윤하게 하는 작용을 발휘하게 된다. 동시에 비는 각 조직기관에서 이용되고 나서 불필요해진 수액을 거두어 제 때에 폐와 신으로 이송하여 폐와 신의 기화작용을 통해 땀이나 소변으로 바꿔 체외로 배출한다. 비가 수액의 운화를 주관한다는 것은 실제로 비가 인체 수액 대사과정에 대해 추동하고 조절하는 작용이 있음을 의미한다. 이로써 비가 수액의 운화를 주관하는 공능이 잘 되면 전신의 각 조직기관이 수액의 충분한 자양도 받을 수 있을 뿐만 아니라 수액이 체내에 비정상적으로 머무르는 것도 방지하게 되므로 체내

75) 脾, 坤也. 坤助胃氣消磨水穀, 脾氣不轉, 則胃中水穀不得消磨 (傷寒論注釋·辨脈法)
76) 夫五味入口, 藏于胃, 脾爲之行其精氣 (素問·奇病論)
77) 脾主爲胃行其津液者也 (素問·厥論)
78) 一有此身, 必資穀氣, 穀入于胃, 洒陳于六腑而氣至, 和調于五臟而血生, 而人資之以爲生者也, 故曰後天之本在脾 (醫宗必讀·腎爲先天之本脾爲後天之本論)

수액대사의 상대적인 평형을 유지하게 된다. 그러나 비가 정상적인 수액을 운화시키는 공능을 하지 못하면 수액은 퍼지지 못하고 체내에 정체하여 습(濕)、담(痰)、음(飮) 등 병리적 산물이 되거나 부종이 발생하게 된다. 이와 관련하여 『소문 지진요대론』에서 "각종 습、종、만(濕腫滿)의 병은 모두 脾에 속한다"[79]고 하였다.

비가 수액이나 수곡을 운화하는데, 이 두 작용은 상호 밀접한 연계가 있어서 한 쪽의 공능이 안 되면 다른 쪽의 공능도 정상을 잃게 되므로 병리적으로는 항상 동시에 나타난다.

(2) 주승청(主升淸)

'승(升)'은 상승(上升)의 의미이다. 비기의 운동은 상승을 위주로 한다. '청(淸)'은 음식물의 정미로운 것을 가리킨다. '비주승청(脾主升淸)'은 비기가 상승하는 것을 가리키며, 비가 운화하는 수곡정미가 위로 보내져서 심、폐、두목(頭目)에 이르면 심폐의 작용을 통하여 기혈로 바뀌고 전신을 영양하므로 "脾는 그 기가 상승해야만 건강하다"[80]고 하는 것이다. 비의 '승청'이란 위(胃)의 '강탁(降濁)'에 대해 상대적으로 말하는 것이기 때문에, 장상학설에서 '비승(脾升)'、'위강(胃降)'이라고 하는 것은 소화계통의 생리공능 전반을 개괄해서 하는 말이다. 비가 승청을 잘 해야만 수곡정미가 비로소 정상적인 흡수와 수포를 할 수 있고, 기혈이 만들어지는 근원이 되며, 인체조직의 생명활동이 왕성해진다. 만약 비가 승청을 하지 못하면 기혈이 만들어지는 근원이 없어져서 신피핍력(身疲乏力)、두훈목현(頭暈目眩)、복창(腹脹)、설사 등의 증상이 나타난다. 이고(李杲)가 『비위론(脾胃論)』에서 "上氣가 부족하면 뇌가 충만하지 못하고 귀에서는 이명이 생기며 머리가 기울어지고 눈 앞이 깜깜해진다. … 이는 모두 脾胃가 먼저 허한 때문이다"[81]라고 하였는데, 비가 승청을 못하면 상기(上氣)가 부족하게 되어 머리와 눈이 기혈을 충분하게 영양 받지 못하는 증상들이 생긴다. 그리고 『소문 음양응상대론』에서 "淸氣가 아래 있으면 손설(飱泄)이 나타난다"[82]고 한 것은 비가 승청을 못하면 음식물의 정미와 조박의 탁한 것이 혼잡하여 아래로 쏟아져서 소화가 안된 설사가 된다는 것이다. 이 밖에 장부는 각기 승강을 함으로써 서로 협조하고 평형을 이루고 있는데, 이는 인체 내장의 위치를 항상 일정하게 유지하는 주요한 관건이 된다. 비기가 승거(升擧)를 하지 못하면 중기하함(中氣下陷, 또는 脾氣下陷)으로 구설(久泄)、탈항(脫肛)、심하면 내장하수 등의 증상이 생기며, 치료는 비기를 보하여 청양(淸陽)을 올리는 방식으로 진행한다.

(3) 주통혈(主統血)

'통(統)'은 통괄(統括) 제어(制御)의 뜻으로, '통혈(統血)'은 비가 혈액을 맥 안에서 잘 거느려 맥 밖으로 빠져나가지 못하도록 한다는 의미이다. 『난경』에서 "脾는 … 血을 둘러싼다"[83]고 하였는데, 비가 혈액을 싸서 맥 안으로 순환 운행케 하여 맥 밖으로 나가지 않도록 한다는 의미로, 이른바 '비통혈(脾統血)'이다. '비통혈'은 기의 섭혈을 통해 실현되는데, 이와 관련하여 심목남(沈目南)이 『금궤요략주(金匱要略注)』에서 "사람 오장육부의 血은 모두 脾氣에 의해 통섭된다"[84]고 하였다. 비가 혈액을 통섭함으로써 비는 기혈이 화생하는 근원이 된다. 비기가 온전히 잘 운행되어 기혈을 화생하는 원천이 풍부하면 기의 혈액에 대한 고섭공능도 정상적으로 발휘되어 출혈이 일어나지 않는다. 그러나 비기

79) 諸濕腫滿, 皆屬于脾 (素問·至眞要大論)
80) 脾宜升則健 (臨證指南醫案·脾胃)
81) 上氣不足, 腦爲之不滿, 耳爲之苦鳴, 頭爲之傾, 目爲之眩, … 皆由脾胃先虛 (脾胃論·三焦元氣衰旺)
82) 淸氣在下, 則生飱泄 (素問·陰陽應象大論)
83) 脾 … 主裹血 (難經·四十二難)
84) 夫人五臟六腑之血, 全賴脾氣統攝 (沈注金匱要略·卷十六·下血)

가 제대로 운행되지 못하면 수곡의 정미를 충분히 흡수하지 못할 뿐 아니라 기혈의 화생도 부족하고 기가 혈액을 고섭하는 공능도 감퇴되어 각종 출혈 증상이 생긴다. 비가 기육을 주관하고 비기는 승(升)을 주로 하기 때문에 기허로 인해 섭혈하지 못해 생기는 육혈(衄血)뿐만 아니라 변혈、요혈、붕루(崩漏) 등과 같은 하부의 출혈도 '비불통혈(脾不統血)' 이라고 한다.

비의 기혈음양에 대해 살펴보면, 비의 기혈은 비가 생리적인 공능활동을 진행하는 물질적 기초가 되는 것으로, 주요 근원은 음식물의 정미다. 비의 기혈이 왕성하면 비의 운화、승청、통혈의 작용이 잘 이루어져 생기왕성하게 된다. 그러나 비의 기혈이 부족하면 비의 공능이 전면적으로 약화되어 운화가 무력하여 식욕이 감퇴되고 대변이 무르게 된다. 승청(升淸)하는 기가 부족하면 두훈、목현、이명 혹은 중기(中氣)가 하함(下陷)하여 내장이 하수(下垂)되기도 하며, 통혈하지 못하면 출혈증이 나타난다. 비기(脾氣)와 비혈(脾血)은 상호 자생(資生)하는 관계로 나누기가 곤란하여 혈허하면서 기가 왕성한 경우가 없고, 마찬가지로 기허하면서 혈이 충만한 경우도 없다. 한편 비의 공능은 운화、승청、통혈을 위주로 하는데, 음식물의 정미를 추동하여 전신으로 퍼지게 하여 위로 올려 보내거나 혹은 혈액을 맥 중에 고섭시키는 것은 모두 기의 능력에 의한 것이다. 그러므로 전통적으로 비기의 작용을 강조하였고, 비혈에 대한 내용은 적다.

비음(脾陰)과 비양(脾陽)은 신음과 신양을 근본으로 하며 비의 대사와 생리활동에 대해 조절작용을 한다. 비양은 비기의 추동과 상승、사지로의 산포(散布)와 온후작용을 촉진하며, 비음은 비의 안정과 유양、통섭과 양열(陽熱)을 제약하는 공능을 가지고 있다. 비음과 비양은 서로 제약하는 관계로 비장 음양의 상대적인 평형을 유지할 뿐만 아니라 비의 운화、승청、통혈하는 공능이 정상적으로 진행하도록 한다. 만약 비양허(脾陽虛)로 운화가 무력하면 설사와 식욕부진 등이 나타나고, 심하면 하리청곡(下利淸穀) 혹은 부종、사지궐냉(四肢厥冷)한 증상이 나타난다. 비음이 허하면 구건(口乾)、순조(脣燥)、형체소수(形體消瘦)、또는 수족심열(手足心熱)이 나타난다. 비의 주요 공능은 소화、흡수、음식물의 정미를 위로 올려 보내 심、폐、두목에 도달하게 하여 전신 사방으로 퍼지게 하고 사지말단에 이르게 하므로 그 공능의 요점을 승(升)、동(動)、산(散)의 세 글자로 귀납할 수 있으며, 이는 모두 양(陽)의 작용이다. 그러므로 역대 의가들이 비양에 대해 주로 언급하였고, 비음에 대해 논한 경우는 드물다.

비음과 비양은 서로 상대적이지만 서로를 강화시켜 주기도 한다. 그러므로 비양은 비기가 수곡정미를 전신으로 승산 산포시키도록 촉진하고, 비음은 전신에 도달한 수곡정미로 하여금 영양과 자윤작용을 충분히 발휘하게 한다. 또한 음은 형태를 이루기 때문에 진액과 혈의 생성이 비음의 주도하에 이루어진다. 그러나 비양의 소화와 흡수를 추동하는 작용이 없다면 수곡정미가 체내로 들어갈 수가 없고 기혈의 형성도 역시 곤란해진다. 총괄하면 비음과 비양은 상호협조의 관계를 가지므로 임상에서 비음이나 비양의 편항(偏亢)이 나타나는 경우는 극히 드물고, 오히려 상대방을 편허(偏虛)케 한다.

2) 비와 형체、공규、정서、오액과의 관계

(1) 비주사지(脾主四肢)

사지는 체간(體幹)에 비해 몸의 말단에 해당하므로 '사말(四末)'이라고도 한다. "脾는 四肢를 주관한다"[85]는 비기의 승청과 산정작용을 통하여 운화된 음식물의 정미를 팔다리에까지 운반하여 팔다리의 정상적인 생리활동을 유지한다는 의미이다. 비기가 제대로 운행하여 수곡정미를 사지로 잘 퍼지게 하면 팔다리의 영양이 충족하게 되어 활동력

85) 脾主四肢 (醫學綱目·脾胃部)

이 충만하게 된다. 그러나 비기가 제대로 운행하지 못하면 청양이 퍼지지 못하고 팔다리에 영양이 부족하게 되어 권태와 핍력(乏力)이 나타나거나, 심하면 위약불용(萎弱不用)하게 된다. 『소문 태음양명론(太陰陽明論)』에서 "四肢는 모두 胃로부터 氣를 받지만, 직접 사지 경맥에 이르지는 못하기 때문에 반드시 脾로 인해서만 氣를 공급받을 수 있다. 脾가 병들어 胃를 위해 진액을 운행하지 못하면 사지가 음식물의 氣를 받을 수 없어서 氣가 날로 쇠약해지므로 脈道가 원활하지 못하여 筋骨과 肌肉에 모두 氣가 없어서 팔다리를 쓰지 못한다"[86]고 하였는데, 이는 팔다리 공능의 정상 여부와 비의 수곡정미를 운화하고 승청하는 공능의 정상 여부와는 밀접한 관계가 있다는 것이다.

(2) 비주기육(脾主肌肉)

제 8장 형체와 주요 기관에서 肉을 참고하시오.

(3) 비개규우구(脾開竅于口), 기화재순(其華在脣)

제 8장 형체와 주요 기관에서 口齒舌을 참고하시오.

(4) 비재지위사(脾在志爲思)

'사(思)'는 사고(思考), 사려(思慮)로 오지(五志)의 하나인데, 정신 의식 사유활동을 가리킨다. 『영추 본신』에서 "의지가 정해졌지만 계속해서 변하는 것을 思라고 한다"[87]고 하였다. '사(思)'가 비록 비의 정서이지만 '심주신명(心主神明)'과 유관하여 "思는 脾에서 나와 心에서 이루어진다"[88]는 말도 있다. 정상적인 사고활동은 생리활동에 나쁜 영향을 주지 않지만 생각을 지나치게 많이 하거나 생각하는 바를 이루지 못하는 등의 상황에서는 기의 정상적인 활동에 영향을 끼쳐 기결(氣結)케 하므로 『소문 거통론』에서 이와 관련하여 "思를 하면 마음에 두는 바가 있고 神이 돌아와 正氣가 머물러 운행하지 않으므로 기가 맺히는 것이다"[89]라고 하였다. 비위는 인체 기기승강의 중심축인데, 기결하면 비기가 운행하지 못하여 비의 운화 승청공능에 이상을 야기하여 식욕부진、완복창민、현훈、건망 등 증상이 발생한다. 그러므로 비가 '재지위사(在志爲思)'라는 것은 생각을 지나치게 하면 비를 상한다는 의미이다.

(5) 비재액위연(脾在液爲涎)

침은 입의 진액인데, 침 가운데 끈적하면서 조금 거품이 있는 부분을 '연(涎)'이라고 한다. 이는 구강을 습윤하게 하고 구강점막을 보호하는 작용을 갖추고 있다. 음식물이 입에 들어가면 분비가 증가되어 음식물 삼키는 것과 소화를 도와준다. 『소문 선명오기』에서 "脾의 진액은 涎이다"[90]라고 하였는데, 비의 운화공능이 정상적이면 진액이 위로 입에 흘러 들어 침이 되어 비위의 소화공능을 보조하고 입 밖으로 흘러 넘치지 않게 해준다. 만약 비위가 조화를 상실하면 때때로 침의 분비가 급격히 증가하여 침이 입 밖으로 흘러나오는 경우도 있어서 비는 오액(五液)에 있어서 연(涎)을 주관한다.

---

86) 四支皆稟氣於胃, 而不得至經, 必因於脾, 乃得稟也. 今脾病不能爲胃行其津液, 四支不得稟水穀氣, 氣日以衰, 脈道不利, 筋骨肌肉皆無氣以生, 故不用焉 (素問·太陰陽明論)
87) 因志而存變謂之思 (靈樞·本神)
88) 思發于脾, 而成于心 (鍼灸甲乙經·精神五臟論)
89) 思則心有所存, 神有所歸, 正氣留而不行, 故氣結矣 (素問·擧痛論) (新校正云: 按甲乙經, 歸正二字, 作止字)
90) 脾爲涎 (素問·宣明五氣)

4. 폐(肺)

폐는 흉강에 위치하면서 좌우에 각각 1개씩 있고, 장부 가운데 가장 높은 위치에 있으므로 폐를 화개(華蓋, 덮개)라고도 한다. 『영추 구침론(九鍼論)』에 "폐는 오장육부의 덮개다"[91]라고 하였으며, 『의관』에서는 "인후 아래가 肺인데, 양쪽에 두 개의 엽은 백옥같이 빛나므로 華蓋라 하고, 나머지 장부를 덮고 있으며, 벌집처럼 속이 비어 있고 아래로는 통하는 구멍이 없으므로 공기를 들이 마시면 가득 차고, 내뿜으면 텅 비게 된다"[92]고 한 것으로 보아 옛날 사람도 이미 폐의 위치와 형태구조에 대해 비교적 정확한 이해를 하고 있음을 알 수 있다. 폐의 생리공능은 주기(主氣)、사호흡(司呼吸)、통조수도(通調水道)、선산위기(宣散衛氣)、조백맥(朝百脈)、주치절(主治節)이다. 폐는 오체(五體)로는 피부에 부합하고, 그 영화(榮華)는 터럭에 나타난다. 코로 구멍이 열리고, 오지(五志)로는 비(悲)에, 오액(五液)에 있어서는 눈물에 해당한다. 수태음폐경과 수양명대장경은 서로 연결되어 있어 폐와 대장은 서로 표리가 된다. 폐는 오행 가운데 금에 속하고 음양으로는 양중의 음(陽中之陰)이며 인체의 기와 진액의 대사에 있어서 매우 중요한 장기이다.

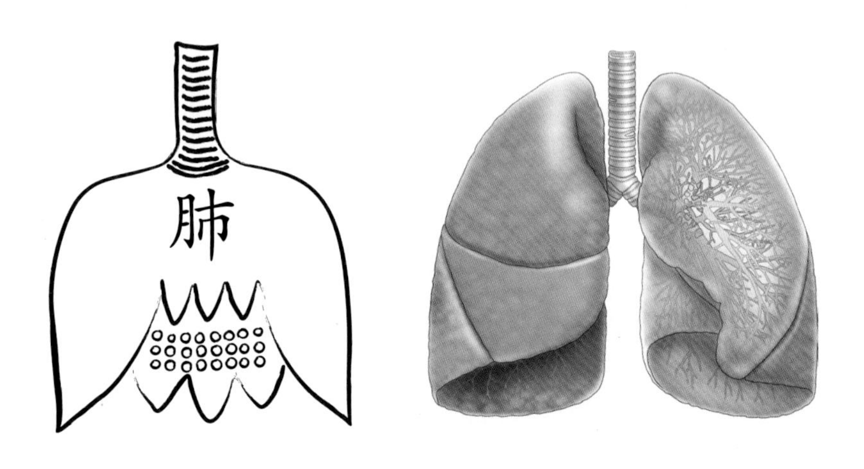

1) 폐의 주요 생리공능

폐기(肺氣)의 운동은 주로 선(宣)과 강(降)의 두 가지 방식이다. '선(宣)'은 선발(宣發)의 의미인데, 폐기가 위와 바깥을 향하여 운동하는 것으로 승(升)、산(散)의 의미이다. '강(降)'은 숙강(肅降)을 뜻하는데, 폐기가 아래와 안쪽을 향하여 운동하는 것이다. 폐의 이런 두 가지 운동방식은 매우 중요하여 폐의 생리공능은 모두 이 두 가지 운동방식을 통하여 완성된다. 폐가 호흡을 하고 수도(水道)를 조절하며 백맥(百脈)을 모으고 위기(衛氣)를 선산(宣散)시키는 등의 공능은 모두 폐의 선강을 통하여 완성된다. 폐는 선발을 통하여 체내의 탁기를 밖으로 배출하고, 진액을 전신에 퍼뜨려 밖으로는 피모에까지 보내고, 위기를 선산하며 아울러 대사과정 중에 생긴 진액이 변하여 땀으로 된 것을 체외로 배출하며 폐로 몰린 혈액을 다시 전신으로 나른다. 폐는 숙강작용을 통해 자연계의 청기를 흡입하며, 진액을 아래로 안으로 포산시켜 소변이 만들어진다. 아울러 전신의 혈액을 폐로 몰리게 한다. 폐의 선발과 숙강은 두 종류이 서로 상

91) 肺者, 五臟六腑之蓋也 (靈樞·九鍼論)
92) 喉下爲肺, 兩葉, 白瑩, 謂之華蓋. 以覆諸臟, 虛如蜂窠, 下無透竅, 故吸之則滿, 呼之則虛 (醫貫·內經十二官論)

반된 운동에 해당한다. 생리적인 상황에서는 상호 제약、배합、협조하여 부단히 운동하면서 상대적인 평형을 유지하고 있다. 또한 병리적 상황에서도 종종 상호 영향을 미친다. 선발과 숙강이 정상이면 폐의 각종 생리공능이 정상적으로 발휘된다. 그러나 만약 이런 양 방향의 운동이 평형과 협조를 상실하면 '폐기실선(肺氣失宣)'、'폐기불강(肺氣不降)'의 병변이 발생하여 해천(咳喘)、흉민(胸悶) 등 증상이 나타난다. 이와 관련하여 『소문 지진요대론』에서 "氣가 막히고 답답한 모든 증상은 肺에 속한다"[93]고 하였다.

폐의 생리적 특성은 '청숙(淸肅)'인데, 이는 청결(淸潔)과 숙청(肅淸)의 의미이다. 폐는 몸과 기도 내의 이물을 숙청하는 작용을 함으로써 기도를 청결하게 유지하고 통창(通暢)케 하는 특징이 있다. 폐엽은 아주 부드럽고, 구비를 통하여 외계와 직접 통하고 있으며, 피모와 부합하여 사기의 침습을 잘 받고 한열의 변화에 민감하기 때문에 '교장(嬌臟)'이라고 한다. 폐의 성질은 청숙하여 미세한 먼지도 용납하지 않으므로 '청허지장(淸虛之臟)'이라고도 한다. 폐기의 청숙한 성질은 폐기의 선강에서 중요한 조건이 된다. 만약 외사가 침범하거나 담탁이 막히거나 어혈이 정체하거나 혹은 폐기가 부족하여 폐가 청숙하지 못하면 폐의 선강운동에도 바로 영향을 미쳐 폐의 생리공능에 이상을 일으켜서 해역기천(咳逆氣喘)、호흡불리 등 병증이 생긴다. 폐가 청숙공능을 잘 유지하는 것이 폐의 선강운동과 각종 생리공능을 발휘하기 위한 전제가 된다.

(1) 주기(主氣)、사호흡(司呼吸)

인체의 신진대사 과정은 끊임없이 자연계의 청기를 섭취하고 체내의 탁기를 배출하는 것이다. 이와 같이 인체와 자연계의 기체 교환을 호흡이라고 한다. 『소문 음양응상대론』에 "天氣는 肺로 통한다"[94]고 하였으며, 『의관』에서는 "폐는 청탁이 교환되는 곳이므로 인체의 풀무와 같다"[95]라고 하였는데, 폐는 인체 내에서 기체가 교환되는 장소라는 뜻이다. 폐는 호흡작용을 통해 끊임없이 탁기를 내보내고 청기를 흡입하여 토고납신(吐故納新)하므로써 인체와 외계 환경 사이의 기체 교환을 통해 인체의 생명활동을 유지한다.

폐의 호흡은 폐의 선강(宣降)운동이 기체교환 과정 중에 나타나는 구체적인 표현이다. '호(呼)'는 선발(宣發)이고, '흡(吸)'은 숙강(肅降)、납입(納入)이다. 선강이 정상적이면 산납(散納)도 제대로 이뤄지고, 호흡도 정상적으로 고르게 된다. 그리고 호흡과정 중에 폐와 기도는 청숙하게 유지되어야 기도가 잘 통해서 호흡이 자연스러워진다. 만약 청숙을 지키지 못하면 호흡공능에 영향을 미쳐 호흡이 고르지 못하고 해수、기천(氣喘) 등 증상이 발생한다.

폐는 기(氣)를 주관한다. 『소문 오장생성론』에 "모든 氣는 肺에 속한다"[96]고 하였는데, 이는 오장 가운데 기와 가장 밀접한 장기가 폐임을 뜻한다. 이는 폐가 호흡을 관장하여 청기를 흡입하는데 이것이 인체 기의 주요 원천 중에 하나가 되어 폐호흡의 정상 여부는 기의 생성에 직접 영향을 준다. 호흡이 고르게 조화를 이루면 탁기는 잘 배출되고 청기는 잘 흡입되어 기의 생성이 부족하지 않다. 그러나 폐의 공능이 약해져서 청기를 흡입하는 것이 부족해지면 기의 생성에 영향을 미쳐 기허를 일으킨다. 만약 호흡이 일단 정지되면 청기를 흡입할 수 없고 탁기를 배출하지 못하여 인체 내외의 기가 교환되지 못하면 곧 죽게 된다. 『소문 육절장상론(六節藏象論)』에서 "폐는 氣의 근본이다"[97] 라고 한 것은 폐가 기를 주관하여 전신에 대한 조절작용을 한다는 것이다. 폐의 선강과 호흡은 기의 승강출입이 폐 속에서 구

---

93) 諸氣膹鬱, 皆屬於肺 (素問·至眞要大論)
94) 天氣通于肺 (素問·陰陽應象大論)
95) 乃淸濁之交運, 人身之橐籥 (醫貫·內經十二貫論)
96) 諸氣者皆屬于肺 (素問·五臟生成論)
97) 肺者, 氣之本 (素問·六節藏象論)

체적으로 체현되는 것이다. 폐기의 승강출입으로써 전신의 승강출입이 동시에 이루어지므로 폐는 전신의 승강출입 조절 작용에 중요한 역할을 한다. 이와 동시에 폐는 호흡을 하여 청기가 폐로 들어가서 폐 속에 쌓이고 폐는 가슴에 있는 까닭에『영추 오미』에 "大氣(宗氣)가 모여 운행하지 않고 가슴에 쌓이는데 이를 기해(氣海)라고 한다"[98]고 한 것으로 보아 폐에 기가 가장 많음을 알 수 있다.

위의 내용을 종합해 보면, '폐주기(肺主氣)'는 폐가 호흡공능을 주관하고 있으며, 폐의 호흡공능은 폐의 선강운동에 의지하고 있음을 말하는 것이다. 폐의 선강이 정상이면 폐의 호흡도 조화를 이뤄 호탁흡청(呼濁吸淸)을 부단히 하는데, 이것이 기의 생성과 조절을 위한 기본적인 조건이다. 그러나 기허하여 승강출입에 이상이 생기면 폐의 선강운동에도 영향을 미쳐 호흡이상이 나타난다.

(2) 통조수도(通調水道)

'통(通)'은 소통, '조(調)'는 조절, '수도(水道)'는 수액이 움직이는 도로를 의미한다. '폐주통조수도(肺主通調水道)'는 폐의 선발､숙강운동이 체내 진액의 수포､운행과 배설을 조절한다는 것이다.『소문 경맥별론(經脈別論)』에 "水飮이 胃에 들어오면 정기를 넘치게 하여 위로 脾로 보내고, 脾氣가 정을 퍼뜨려 위로 肺로 돌리면 물길을 틔워서 조절하여 아래로 膀胱으로 보내므로 수정(水精)이 사방으로 퍼지고 오장의 경맥과 함께 행한다"[99]고 하였듯이 체내의 수액은 비록 비위에서 왔지만 수액의 수포와 운행 및 배설은 폐의 소통과 조절에 의지하여서 동적 평형을 유지한다. 폐의 선발작용을 통하여 위와 밖으로 펴져 전신의 피부에까지 도달하므로 땀의 배출도 폐기의 선발작용에 의한 것이다. 폐의 숙강공능으로 수액이 내부와 아래로 수송되어 소변 생성의 근원이 되고 신의 기화 작용을 거치면서 대사후의 수액은 방광에 저장되었다가 체외로 배출된다. 이상과 같이 폐기의 선발과 숙강작용은 수액운행의 도로를 통하게 할 뿐만 아니라 수액대사가 평형을 유지하도록 조절한다. 그래서 "폐는 水의 운행을 주관한다(肺主行水)", "폐는 水의 상원(上源)이다(肺爲水之上源)"이라고 한다.

폐가 선강공능을 하지 못하면 수도를 통조하는 공능도 영향을 받게 된다. 선산하는 작용을 잃게 되면 수액이 피모에 도달하지 못하거나 주리(腠理)가 막혀서 땀이 나지 않거나 심지어 수종(水腫) 등의 증상이 생기기도 한다. 숙강공능을 상실하면 수액이 방광으로 수송되지 못하여 소변불리와 수종 등 증상이 생긴다. 폐의 수도를 통조하는 공능은 폐의 선강운동에 의지하는 것 외에 청숙하는 공능에도 기초를 두고 있다. 폐가 청숙을 하지 못하면 담탁(痰濁) 등이 저체되어 폐와 기도가 청결하고 통창된 상태로 유지될 수 없고 동시에 수도를 소통하는 데에도 영향을 미치게 된다. 수도가 통하지 않으면 수액의 상하내외로의 수포와 운행 배설이 안 되어 소변불리､수종 등 증상이 생긴다. 폐가 선강과 청숙의 공능을 상실하여 생기는 수종이 나타날 때는 폐를 치료하여 이수(利水)케 하는 것인데, '제호게개법(提壺揭蓋法, 물주전자를 잡고서 뚜껑을 연다. 즉 위의 공기 구멍을 열어야 아래로 물이 잘 나온다)'이라고도 한다.

인체 수액의 내원(來源)은 비(脾)이지만 폐로 들어가 선강운동을 통하여 수도가 통조되므로써 체내 수액대사의 평형이 유지된다. 폐가 선발 숙강과 수도를 통조하는 작용을 하지 못하면 위에서 서술한 증상이 나타날 뿐만 아니라 수액이 운행되지 못하여 담(痰)이 발생하여 폐에 머무르거나 신체 기타 부위로 흘러 들어가 각종 담음(痰飮)의 증상을 나타낸다. 이것이 이른바 폐가 담(痰)을 만든다는 의미이다.

---

98) 其大氣之搏而不行者, 積于胸中, 名曰氣海 (靈樞·五味)
99) 飮入於胃, 游溢精氣, 上輸於脾, 脾氣散精, 上歸於肺, 通調水道, 下輸膀胱, 水精四布, 五經幷行 (素問·經脈別論)

(3) 선산위기(宣散衛氣)

폐가 위기를 선산한다는 것은 폐의 선발공능을 통해 전신에 위기를 퍼뜨리는 것을 말한다. 위기는 비위의 수곡정미로부터 만들어지지만 위기가 전신으로 퍼져 체표를 보호하고 장부, 기육, 피모를 온양(溫養)하며 주리(腠理)의 개합(開闔)을 조절하는 작용을 발휘하는 것은 폐기의 선발작용에 의한다. 『영추 결기(決氣)』에 "上焦가 열리면 오곡의 味가 퍼져 나가 피부를 덥히고 몸을 채우며 모발을 윤택하게 한다. 이처럼 안개나 이슬같이 적시는 것이 바로 氣다"100) 라고 한 것이 바로 이를 가리킨다.

폐기가 선발하지 못하면 위기가 전신에 도달하지 못하여 오한(惡寒), 무한(無汗) 등 병증이 생기므로 치료로서 폐기를 선발시켜야 한다. 만약에 폐기가 허약하여 선발이 안 되면 체표 위기의 부족을 초래하여 임상적으로 외한(畏寒), 한출, 감기에 쉽게 걸리는 등의 병증이 생기므로 위기를 충족시키려면 보폐익기법(補肺益氣法)을 써야 한다. 그러므로 "폐는 氣를 주관하고, 衛에 속한다"101)고 하는 것은 폐의 선발이 위기 포산의 원동력이라는 것이다. 폐기가 선발치 못하거나 폐기가 약하면 위기의 포산에 이상이 생겨 생리공능의 발휘에 영향을 주므로 병증이 비록 위기에 있다고 하더라도 치법은 폐에 있다.

(4) 조백맥(朝百脈), 주치절(主治節)

'조(朝)'의 해석에 대해서는 역대 의가들 사이에 많은 논란이 있었다. "모여든다"는 견해와 "한 방향으로 향한다"는 견해가 있는데, 둘 다 뜻이 통한다. '폐조백맥(肺調百脈)'은 전신의 혈액이 맥을 통해 모두 폐로 모인 다음, 폐의 호흡을 통해 폐 내외의 청탁 교환이 진행되고 나서 청기를 풍부하게 함유한 혈액을 맥을 통해 전신에 수송하는 것이다. 폐의 선산과 숙강은 전신의 혈액을 맥을 통해 폐로 모이게 하므로써 내부로 향하는 것이고, 폐가 혈액을 맥을 통해 전신에 수송하는 것은 외부로 향하는 것이다. 즉 '폐조백맥'의 공능은 폐기의 운동으로 혈액순환이 됨을 의미한다. 전신 혈액에 대한 통솔은 심(心)이 하지만 심기(心氣)는 혈액이 맥중에서 순환하는 기본 동력이 되고 이를 위해 폐의 협조를 필요로 하는 것이다. 폐는 기를 주관하고 호흡을 관장한다. 폐로 흡입된 청기와 비위에서 운화되어온 수곡정미가 결합하여 생성된 것이 종기(宗氣)인데, 종기에는 '관심맥(貫心脈)' 하여 혈액을 추동케 하는 작용이 있다. 동시에 혈액은 기를 따라 승강 출입을 하면서 전신을 순환하는데, 혈액의 순행은 폐기의 부포(敷布)와 조절에 의지한다. 『의학진전(醫學眞傳)』에 "사람의 몸에는 氣血이 순환하고 있는데, 氣는 血이 아니면 조화롭지 못하고 血은 氣가 아니면 움직이질 못한다"102)고 하여 병리적으로 폐기가 막히면 심(心)의 혈액운행이 안 좋아져서 팔다리에 혈액이 어체(瘀滯)되므로 심계, 흉민, 순청(脣靑), 설자(舌紫) 등이 생긴다. 이로써 '폐조백맥'의 작용을 결론적으로 말하자면, 심(心)을 도와 피를 순행하는 것이다. 임상적으로 혈행(血行)이 안좋은 병을 다스릴때는 활혈(活血), 행혈(行血)시키는 것 외에 항상 행기(行氣), 익기(益氣)하는 약물을 같이 써야 한다.

'치절(治節)'은 다스려 조절한다는 뜻이다. '폐주치절(肺主治節)'이란 말은 『소문 영란비전론(靈蘭秘典論)』에 "心은 군주지관(君主之官)이며, 신명(神明)이 여기에서 나온다. 폐는 상부지관(相傅之官)으로 치절(治節)이 여기에서 나온다"103)에서 나왔다. '부(傅)'는 '보(輔)'와 같이 협조의 뜻이다. 이는 심(心)을 군주에, 폐(肺)를 수상(首相)에 비유한 것으로 이 둘이 함께 하는 전신 조절작용을 의미한다. 폐는 어떻게 이런 작용이 있는가? 기혈진액이 인체를 구성하는

---

100) 上焦開發, 宣五穀味, 熏膚, 充身, 澤毛, 若霧露之漑, 是謂氣 (靈樞·決氣)
101) 肺主氣, 屬衛 (溫熱論·溫病大綱)
102) 人之一身, 皆氣血之所循行. 氣非血不和, 血非氣不運 (醫學眞傳·氣血)
103) 心者君主之官也, 神明出焉. 肺者相傅之官, 治節出焉 (素問·靈蘭秘典論)

기본 물질로서 장부경락의 기관조직이 활동하는 기초 물질이 되므로 인체의 어떤 부위도 기혈진액을 떠날 수가 없다. 폐는 기혈진액을 조절함으로써 전신의 작용을 조절하며, 그 중에서도 기에 대한 조절이 가장 중요하다. '폐주기(肺主氣)'와 '사호흡(司呼吸)'을 통해 기의 생성에 관여하고 폐기의 선강과 호흡운동에 따라서 전신의 기에 대한 조절 작용이 나타나는데, 이것이 바로 기의 승강출입이다. 기는 혈과 진액의 운동 원동력으로 기에 대한 조절은 곧 혈과 진액의 운동을 조절한다는 뜻이다. '폐조백맥'은 전신의 혈액이 부단히 폐로 몰려왔다가 전신으로 수송되므로 심의 혈액운동에 대한 추동과 조절을 보조한다. '폐주통조수도(肺主通調水道)'는 진액의 수포와 운행 및 배설에 대한 조절작용이 있다는 것이다. 이런 조절은 실제로 기기(氣機)의 조절에 대한 구체적 실현으로 '폐주치절'은 '폐주기'의 결과이다. 심은 정신(精神)을 간직하여 전신을 주재하고, 폐는 심을 도와 전신을 조절하므로 상부지관(相傅之官)이라고 한다.

폐의 기혈은 폐가 생리적 공능을 발휘하는 물질적 기초와 원동력이 된다. 폐의 기혈이 충분하면 각종 공능활동이 정상적으로 이루어져 호흡이 고르고 위기가 충족되며 수도가 조절되어 혈행이 유창해져 전신이 잘 다스려진다. 만약 폐기가 부족하면 호흡이 무력하여 음성이 약하고 위기(衛氣)부족으로 자한(自汗)、감기에 잘 걸리며, 수도에 물이 없어 진액이 정체되어 담음이 생기거나 부종이 되고, 심의 행혈이 무력하여 기단(氣短)이 되는 동시에 어혈(瘀血)로 인해 청자색을 띠는 등 증상이 나타난다.

총괄하자면, 기혈이 부족하면 폐의 각종 공능이 모두 허약해진다. 폐의 주요 공능은 호흡을 하게 하고 위기(衛氣)를 포산(布散)하며 수도(水道)를 통조(通調)하고 심(心)을 도와 혈(血)을 순행시키는 것인데, 이는 모두 기의 작용에 의지하는 것이다. 그러므로 폐기(肺氣)에 대한 논술은 매우 많지만 폐혈(肺血)에 대해서는 거의 언급하지 않고 있다. 그러나 실제로 기와 혈은 이름만 다를 뿐 동류이기 때문에 혈허하면 기가 충족될 수 없고 또 기허하면 혈이 충만해질 수가 없는 것이므로 일반적으로 세분하지 않는다.

폐의 음양은 반드시 명확히 구분되어야 하는데, 이는 그 작용이 물과 불 만큼이나 차이가 나기 때문이다. 폐양(肺陽)은 폐의 온후와 승산(升散)을 촉진하고, 폐음(肺陰)은 양열(陽熱)을 제약하고 아울러 폐의 자윤과 안으로 저장하여 간직되는 것을 촉진한다. 바로 이런 폐의 상반된 상호제약의 작용이 폐의 동적 평형을 유지하여 폐가 한(寒)과 열(熱)、동(動)과 정(靜)、산(散)과 수(收)、그리고 윤(潤)과 조(燥)를 적당히 유지하므로써 폐의 각종 활동을 정상적으로 진행할 수 있는 것이다. 만약 폐음(肺陰)이 부족하면 폐음허(肺陰虛)가 되어 음이 양을 제압하지 못하므로 양이 상대적으로 편향되어 열이 발생한다. 이를 폐의 음허내열(陰虛內熱)이라고 한다. 증상으로는 관홍(顴紅)、상열(上熱)、오심번열(五心煩熱)로 나타난다. 음이 허하면 진액이 부족하여 자윤이 안되므로 비건(鼻乾)、인조(咽燥)、건해(乾咳)、소담(少痰)이 나타나고, 이에 더하여 내열(內熱)이 낙맥(絡脈)을 작상(灼傷)하면 건해(乾咳)하다가 객혈(喀血)하는 경우도 있다. 한편 폐의 음기가 부족하면 내수(內守)하는 힘이 부족하여 도한(盜汗)이 잘 생긴다. 안정을 잃게 되면 번조(煩躁)하면서 기천(氣喘)한다.

총괄하면, 음(陰)이 부족하여 양열(陽熱)이 태과하면 열(熱)、조(燥)、산(散)、동(動) 등이 지나친 병증이 생긴다. 이와는 반대로 만약 폐양(肺陽)이 부족하면 온후가 무력하여 피부가 차가워지고 외한(畏寒)케 된다. 추동력이 떨어져 진액이 폐에 축적되면 담음(痰飮)이 생긴다. 심이 혈을 운행하지 못하면 혈어(血瘀)가 잘 발생한다. 폐의 승산(升散)이 무력하면 위기(衛氣)가 두루 퍼지지 못하여 표위(表衛)가 고섭되지 못해 자한(自汗)이 증가하며, 외감에 잘 걸린다. 폐양(肺陽)이 부족하면 담음、어혈、폐중한(肺中寒)과 위양부족(衛陽不足) 등의 병증이 잘 생긴다.

이상을 정리해보면, 폐음(肺陰)과 폐양(肺陽)은 폐의 대사공능에 조절작용을 하며, 폐의 음기와 양기는 신(腎)에 근원을 두고 있다. 폐의 음기는 신음(腎陰)이 아니면 자양될 수가 없고, 폐의 양기는 신양(腎陽)이 아니면 발산할 수가 없다. 그러므로 폐의 음양이 오래도록 허약하면 그 손상이 신에까지 미친다. 폐는 오행 중에 금(金)에 속하고, 금은 화(火)를 두려워하는데 화는 양(陽)의 징조이다. 이런 이유로 역대 의가들이 폐를 논할 때에 폐양(肺陽)이라는 표현을 쓰지 않았고, 폐양허(肺陽虛)가 명확한 상황에서도 '허한(虛寒)'이라는 말로 대신했다.

2) 폐와 형체、공규、정서、오액과의 관계

(1) 재체합피(在體合皮), 기화재모(其華在毛)

제 8장 형체와 주요 기관의 皮를 참고하시오.

(2) 재규위비(在竅爲鼻)

제 8장 형체와 주요 기관의 코를 참고하시오.

(3) 재지위우(在志爲憂)

폐의 지(志)에 대해 『내경』에는 두 가지로 설명하였는데, 하나는 폐의 지(志)가 비(悲)라는 것이고, 다른 하나는 우(憂)라는 것이다. 『소문 음양응상대론』에 "臟으로는 肺에 속하며 … 志로는 憂에 속한다"[104]고 하였고, 오지(五志)의 상승(相勝)을 논할 때는 '비승노(悲勝怒)'라 하여 『소문 선명오기』에 "精氣가 … 肺에 아우르면 괜스레 슬퍼한다"[105]고 하였다. 이로 보아 비(悲)와 우(憂)는 정서 변화에 있어서 다소간의 차이는 있으나 인체 생리활동에 끼치는 영향에 있어서는 서로 비슷하므로 비(悲)와 우(憂)는 모두 폐의 지(志)에 속한다. 이 둘은 모두 좋지 않은 자극에 대한 정서반응으로 이들의 인체에 대한 주요 영향은 폐(肺)의 정기(精氣)를 손상하고 폐의 선강운동을 실조시켜 기의 운행을 불리하게 하여 심해지면 폐기(肺氣)가 손상되는 것이다. 『소문 거통론』에 "슬프면 氣가 사그라든다 … 슬프면 심계(心系)가 당겨 폐엽이 들리면서 上焦의 기가 통하지 않고 영위가 흩어지지 않아서 열기가 쌓이기 때문에 기가 사그라든다"[106]고 하였으며, 『영추 본신』에 "슬프고 우울하면 기가 막혀서 통하지 않는다"[107]고 하여 감정이 과격해지면 심(心)이 정기(精氣)를 손상하고 또 폐의 각종 생리활동은 모두 그 선강운동에 의존하고 있으므로 비애(悲哀)와 우울(憂鬱)은 폐를 쉽게 손상한다. 만약 비(悲)에 의한 손상이 지나치면 호흡이 단축(短促)해지는 등 폐기부족(肺氣不足)한 증상이 생긴다. 반대로 폐허하거나 폐의 선강운동이 실조된 경우에 인체는 밖에서 오는 불량한 자극에 대한 내성(耐性)이 저하하여 비(悲)나 우(憂) 등의 정서적 변화가 쉽게 생겨난다.

(4) 재액위체(在液爲涕)

콧물은 비점막의 분비액으로 콧구멍을 윤택하게 하는 작용이 있다. 코는 폐가 개규하는 곳으로 그 분비물도 역시 폐에 속한다. 『소문 선명오기』에 "오장이 각각 液을 만들어내는데 … 폐의 液은 콧물이다"[108]라고 하였는데, 폐의 정상 여부는 항상 콧물의 변화로 반영되므로 정상적인 상황에서 콧물은 비강을 윤택하게 할 정도이지 밖으로 흘러나오지는 않는다. 만약 폐한(肺寒)하면 맑은 콧물이 흐르고, 폐열(肺熱)이 있으면 콧물은 황탁(黃濁)해지고, 폐조(肺燥)하면 코가 마른다.

---

104) 在臟爲肺, … 在志爲憂 (素問·陰陽應象大論)
105) 精氣 … 幷于肺則悲 (素問·宣明五氣)
106) 悲則氣消. … 悲則心系急, 肺布葉擧, 而上焦不通, 營衛不散, 熱氣在中, 故氣消矣 (素問·擧痛論)
107) 愁憂者, 氣閉塞而不通 (靈樞·本神)
108) 五臟化液, … 肺爲涕 (素問·宣明五氣)

5. 신(腎)

신은 허리 척추의 양쪽에 각각 하나씩 있으므로『소문 맥요정미론(脈要精微論)』에서 "허리는 腎의 府"109)라 하였고, 명(明)의 조헌가(趙獻可)는『의관(醫貫)』에서 "신은 둘이 있는데 精이 저장되는 곳이다. 열네 번째 척추 아래 양쪽으로 일촌 반 옆에 있다. 모양이 콩과 닮았으며 둘이 서로 나란히, 굽은 형태로 척추에 붙어 있다"110)고 하였는데, 그 모양과 위치가 해부학적인 신장과 일치한다.

신의 주요 생리공능은 장정(藏精)、주수(主水)와 납기(納氣)이다. 인체의 생장 발육과 생식에 있어서 중요한 작용을 하는 동시에 전신 음양의 근본이 된다. 신은 몸(五體)에서는 뼈에 부합하고 귀와 이음(二陰)에 개규(開竅)하고, 그 영화(榮華)는 머리털(髮)에 나타난다. 오지(五志) 중에서는 공(恐)이고, 오액(五液) 중에서는 침(唾)에 해당한다. 족소음신경(足少陰腎經)과 족태양방광경(足太陽膀胱經)은 서로 표리(表裏)가 된다. 신은 오장 가운데 음중지음(陰中之陰)에 속하고 오행으로는 수(水)에 속한다.

1) 신의 주요 생리공능

(1) 신장정(腎藏精)

'장(藏)'은 폐장(閉藏)의 의미로, 신이 정기(精氣)를 저장 보존하고 있음을 의미한다. 그래서『소문 육절장상론(六節藏象論)』에 "腎은 칩거하는 것을 주관하여 봉장(封藏)의 근본이며, 精이 머무는 곳이다"111)라고 하였다.

'신주폐장(腎主閉藏)'의 주요한 생리작용은 정기를 신에 저장하고 아울러 끊임없이 가득차게 하고 정기가 체내에서 줄어들거나 없어지는 것을 방지하는 것이며, 이를 통해 정기가 체내에서 그 생리작용을 충분히 발휘할 수 있게 된다.

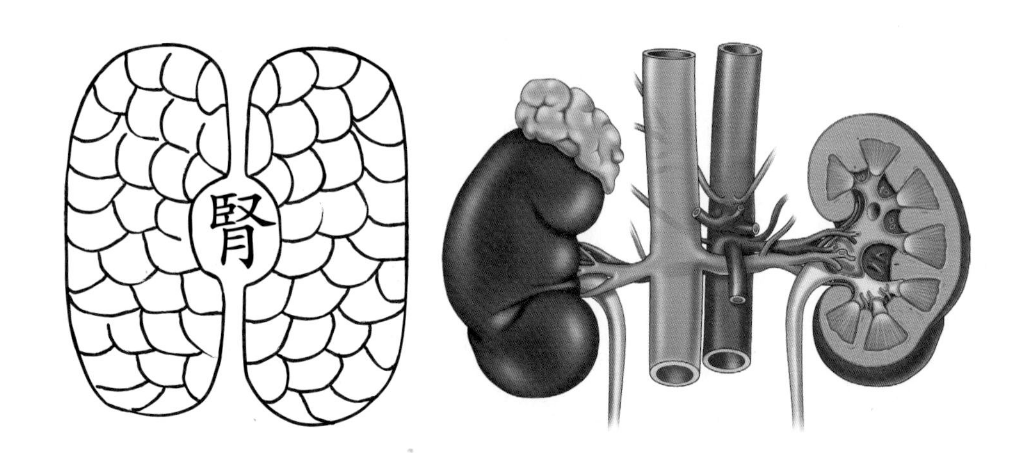

정(精)은 인체를 구성하고 생명활동을 추동하는 기본 물질이기 때문에『소문 금궤진언론(金匱眞言論)』에서 "무릇 精은 生의 근본이다"112)라고 하였다. 인체의 정은 광의와 협의가 있는데, 광의의 정은 모든 정미(精微)와 중요한 작용

109) 腰者, 腎之府也 (素問·脈要精微論)
110) 腎有二, 精所舍也. 生于脊膂十四椎下兩傍各一寸五分. 形如豇豆, 相幷而曲附于脊 (醫貫·內經十二官論)
111) 腎者主蟄, 封藏之本, 精之處也 (素問·六節藏象論)
112) 夫精者, 生之本也 (素問·金匱眞言論)

을 하는 물질을 통틀어 말하는데, 체내의 기、혈、진액 및 음식물에서 흡수한 '수곡정미' 등이 모두 '정(精)'의 범주에 속하고 통칭하여 '정기(精氣)'라 한다. 협의의 정은 생식에 관련되는 정을 가리키는 것으로, 부모로부터 물려받아 배아를 형성하여 생명의 기초가 되므로 '선천지정(先天之精)'이라고 한다. 『영추 결기(決氣)』에서의 "남녀의 두 神이 만나 형체를 이루고 항상 몸보다 먼저 생성되는 것을 精이라고 한다"[113]와 『영추 본신(本神)』에서 "生의 내원을 精이라고 한다"[114]는 것은 모두 선천지정을 가리킨다. 또한 신체가 발육해서 성숙한 다음에 후천적으로 길러지는 생식의 정도 포괄하는데, 『소문 상고천진론(上古天眞論)』에서 말한 "남자 나이 16세에는 신기가 성하여 천계(天癸)가 이르고 정기가 넘쳐 흐르므로 음양이 조화되어 자식을 가질 수 있게 된다"[115]는 이를 가리키는 것이다.

신이 저장하고 있는 정에는 두 가지 기원이 있는데, 하나는 부모의 생식지정(生殖之精) 즉 선천지정에서 온 것이고, 또 하나는 태어난 다음 음식물에서 섭취한 영양성분과 장부대사로 만들어진 정미물질인 후천지정(後天之精)에서 온 것이다. 선천지정과 후천지정은 서로 의존한다.

선천지정은 후천지정의 부단한 배육(培育)과 충양(充養)으로 날로 채워져서 그 생리공능을 발휘하고, 후천지정 또한 선천지정의 도움으로 끊임없이 음식물을 섭취하여 혈과 진액을 생성할 수 있다.

여기에서 반드시 강조되어야 할 두 가지 사항이 있는데, 하나는 신의 선천지정과 후천지정은 화합하여 하나가 되고 나누어지는 법이 없다는 것이다. 사람이 출생한 초기에는 후천지정이 아직 만들어지지 않았기 때문에 신에 저장된 정은 순전히 선천에 속한다. 인체가 생장 발육함에 따라 음식물의 영양성분과 장부의 대사산물인 후천정기는 끊임없이 선천지정을 자양하고 선천지정이 충만되게 한다. 이때 신에 간직되어 있는 정기는 그 성상과 공능이 처음 생기기 전과 같으므로 선천지정이라고 한다. 그러나 그 함유된 성분으로 말하자면, 거기에는 이미 선천의 성분뿐만 아니라 후천의 성분도 적지 않게 있기 때문에 선천적 혹은 후천적이라고 간단히 설명할 수 없어서 통칭하여 '신중정기(腎中精氣)'라고 하는데, 그것은 선천과 후천의 융합체이다. 강조되어야 할 또 하나는, 신정(腎精)과 신기(腎氣)는 같은 물질이라는 것이다. 일반적으로, 신정은 유형적이고 신기는 무형적이라고 한다. 신정은 흩어져서 신기가 되고, 신기는 모여서 신정이 되는데, 정과 기는 끊임없이 서로 바뀐다. 마치 물과 수증기처럼 신정과 신기의 관계는 같은 물질이며, 단지 존재하고 있는 상태가 다를 뿐이다.

신은 정을 저장하고 정은 기로 변하며 삼초를 통해 전신으로 퍼진다. 신기의 주요 생리공능은 인체의 생장、발육과 생식을 촉진하여 체내 대사와 생리공능 활동을 조절한다.

③ 신체의 생장、발육과 생식을 촉진한다

『소문 상고천진론』에 "여자가 7세에는 신기(腎氣)가 성하여 치아가 새로 나고 머리털이 길게 된다. 14세에는 천계(天癸)가 이르러 임맥(任脈)이 통하고 태충맥(太衝脈)이 성하게 되므로 월경이 시작되어 자식을 가질 수 있게 된다. 21세에는 신기가 평균해져 사랑니가 나고 성장이 최대에 이르게 된다. 28세에는 근골이 견고하고 머리털이 가장 길어지며 신체가 건장하게 된다. 35세에는 양명맥(陽明脈)이 쇠하여 얼굴이 거칠어지기 시작하고 머리털이 빠지기 시작한다. 42세에는 삼양맥(三陽脈)이 위에서부터 쇠하여 얼굴이 모두 거칠어지고 머리털이 희어지기 시작한다. 49세에는 임맥이 허하고 태충맥이 쇠하게 되어 천계가 다하고 지도(地道)가 통하지 않아 형체가 쇠하고 아이를 가질 수 없

113) 兩神相搏, 合而成形, 常先身生, 是謂精 (靈樞·決氣)
114) 生之來, 謂之精 (靈樞·本神)
115) 男子二八, 腎氣盛, 天癸至, 精氣溢瀉, 陰陽和, 故能有子 (素問·上古天眞論)

게 된다. 남자가 8세에는 신기가 실하여 머리털이 자라고 치아가 새로 나게 된다. 16세에는 신기가 성하여 천계가 이르고 정기가 흘러 넘쳐 음양이 화합하여 자식을 가질 수 있게 된다. 24세에는 신기가 평균해져 근골이 견고하고 강해지며 사랑니가 나고 성장이 최대에 달한다. 32세에는 근골이 융성하고 기육이 건장하게 된다. 40세에는 신기가 쇠하여 머리털이 빠지고 치아가 마르기 시작한다. 48세에는 양기가 위에서부터 쇠갈하여 얼굴이 거칠어지고 머리털이 많이 희어진다. 56세에는 간기(肝氣)가 쇠하여 근육을 움직이지 못하게 되고 천계가 다하게 된다. 64세에는 치아와 머리카락이 다 없어지게 된다"[116]고 하였다. 이 내용에서 사람이 유년으로부터 신중(腎中)의 정기가 점점 가득차 '치경(齒更)'과 '발장(髮長)' 등 생장의 현상이 나타나고, 계속해서 신중정기가 끊임없이 가득차 천계를 생산한다. 이른바 '천계'는 인체의 신중정기가 충만하여 일정 정도에 이르면 생산되는 정미물질이며, 이 물질은 인체 생식기관의 발육과 성숙을 촉진하고 생식공능의 작용을 유지케 한다. 이때 여자는 배란이 시작되어 월경이 통하고 남자는 사정이 가능해져서 남녀 모두 생식능력을 갖추게 됨을 설명한 것이다. 이후 신중정기가 가득 차서 끊임없이 천계가 생산되고 생식공능이 유지된다. 중년 이후에는 신중정기가 점점 쇠약하고 적어지며 천계 역시 따라서 쇠퇴하고 감소하여 생산이 되지 않는다. 그럼으로써 생식공능이 점점 쇠퇴되고 생식기관도 날로 위축되어 최후에는 생식 공능이 상실되면서 노년기로 진입한다. 『소문 상고천진론』의 내용은 신중정기의 성쇠가 인체의 생(生)、장(長)、장(壯)、노(老)、이(已)의 근본임을 분명히 하였고, 인체의 치아、뼈、터럭의 생장 상태를 신중정기의 외후(外候)로 관찰하여 인체의 생장발육상태와 노쇠의 정도를 판단하는 객관적 지표로 보았다. 신중정기의 공능이 부족하면 소아의 생장 발육이 느려지고, 청년기에는 생식기관의 발육 불량과 성(性)의 성숙이 느려지며, 중년에는 성공능의 감퇴나 쇠약이 나타나며, 노년에선 노화가 더욱 빨라진다. 임상적으로 이러한 병리변화를 '신정휴허(腎精虧虛)'라고 하며, 치료로써는 주로 보익신정(補益腎精)한다.

④ 신체의 대사와 생리공능활동을 조절한다

신기(腎氣)의 이 공능은 신중정기가 가진 두 가지 요소인 신음(腎陰)과 신양(腎陽)으로 설명된다. 신음과 신양은 전신의 음과 양을 촉진하고 조절한다. 신음과 신양이 평형을 이루면 전신의 음양도 평형을 이루고, 만약 신음과 신양에 편성(偏盛)과 편쇠(偏衰)가 발생하면 전신의 음양이 평형을 잃어 질병이 생긴다.

- 신양(腎陽): 신양은 인체의 온후、운동、흥분과 기화(氣化)를 촉진하는 공능이 있다. 기는 청기와 음식물의 정기에서 만들어지고 동시에 인체의 형질전화(形質轉化)에 의해서 생긴다. 그러므로 신양은 기의 생산을 촉진할 뿐만 아니라 폐의 호흡과 비위의 소화 흡수공능을 더욱 강화함과 동시에 체내 유형의 형체가 변하여 무형의 기가 되게 하는 '화기(化氣)' 작용을 촉진한다. 기의 운동과 추동은 혈과 진액의 운행과 인체의 각종 운동으로 나타난다. 기의 운동이 빨라지면 혈과 진액의 운행、수포와 배설이 모두 빨라지고, 인체의 각종 생리활동의 진행 과정도 점차 가속되며 기화(氣化)가 빨라지면 열의 생산이 증가하고 온후작용이 더욱 강화된다. 동시에 신양은 심양(心陽)의 뿌리가 되어 신양이 왕성하면 심양 역시 왕성하고 심신은 흥분작용을 한다.

  신양이 전신의 장부、경락、형체、기관에 이르면 변화하여 해당 장부、경락、형체、기관의 양(陽)이 된다. 그러므로

116) 女子七歲, 腎氣盛, 齒更髮長. 二七而天癸至, 任脈通, 太衝脈盛, 月事以時下, 故有子. 三七, 腎氣平均, 故眞牙生而長極. 四七, 筋骨堅, 髮長極, 身體盛壯. 五七, 陽明脈衰, 面始焦, 髮始墮. 六七, 三陽脈衰于上, 面皆焦, 髮始白. 七七, 任脈虛, 太衝脈衰少, 天癸竭, 地道不通, 故形壞而無子也. 丈夫八歲, 腎氣實, 髮長齒更. 二八, 腎氣盛, 天癸至, 精氣溢瀉, 陰陽和, 故能有子. 三八, 腎氣平均, 筋骨勁强, 故眞牙生而長極. 四八, 筋骨隆盛, 肌肉滿壯. 五八, 腎氣衰, 髮墮齒枯. 六八, 陽氣衰竭于上, 面焦, 髮鬢頒白. 七八, 肝氣衰, 筋不能動, 天癸竭, 精少, 腎藏衰, 形體皆極. 八八, 則齒髮去 (素問·上古天眞論)

신양이 왕성하면 전신의 양이 모두 왕성하고 신양이 쇠하면 전신의 양이 모두 쇠하고 신양이 망하면 전신의 양이 모두 망하여 사망하기 때문에 신양은 사람의 생명과 밀접하게 관련된다. 신양의 중요성을 강조하여 고대 의가들은 '진양(眞陽)'·'원양(元陽)' 혹은 '진화(眞火)'라고 하였다. 또 태양으로 신양을 비유하기도 했는데, 명대(明代) 장개빈(張介賓)의 『유경부익 대보론(類經附翼 大寶論)』에서는 특별히 "하늘의 가장 큰 보배는 오로지 이처럼 둥글고 붉은 태양이며, 사람의 가장 큰 보배는 오로지 이런 한 호흡의 진양(眞陽)이다"[117]라고 하였다. 신양이 부족해지면 반드시 전신의 신진대사가 저조해지고 열의 생산이 줄어들어 생산할 수 있는 양(陽)이 감소되며 각 장부·경락·형체·기관의 생리공능 활동도 모두 약해져서 안면창백·외한지냉(畏寒肢冷)·맥무력이지완(脈無力而遲緩)·부종·정신위미(精神萎靡)·반응지둔 등 일반적인 양허증상이 나타난다. 또한 신장의 위치는 하초에 해당되고 형체 중에서 뼈에 해당하며 생식을 주관하기 때문에 신양허(腎陽虛)하면 요산(腰酸)·퇴연(腿軟)·음부청냉(陰部淸冷)·생식공능 감퇴 등 신양허 특유의 증상이 나타난다. 치료로는 보신온양(補腎溫陽)한다.

- 신음(腎陰): 신음의 주요 생리작용은 인체의 자윤(滋潤)·영정(寧靜)·성형(成形)과 양열(陽熱)을 제약하는 등이다. 신음은 삼초를 통하여 전신에 이르고 진액의 분비와 혈액의 생성을 촉진하며, 진과 혈에는 자윤과 유양작용이 있기 때문에 신음은 자윤과 유양작용을 촉진한다. 진액과 혈은 신음의 촉진작용으로 생산되기 때문에 음(陰)이 왕성하면 진혈(津血)이 충족하고 음이 줄어들면 진이 마르고 혈이 적어진다. 진과 혈의 생성은 음기와 떨어질 수 없는 관계이므로 많은 의가들이 음과 진혈을 함께 일컬어 '음진(陰津)'·'음혈 (陰血)'이라고 하였다. 또한 이와 관련하여 하몽요(何夢瑤)의 『의편(醫碥)』에서 "陰氣는 윤택하게 하는 기운이다"[118]라고 한 것처럼 음기는 자윤과 유양작용을 한다. 신음은 신양의 작용과는 상반되게 화기(火氣)를 억제하고 성형(成形)을 촉진하며 기화(氣化)를 감소시켜 더디게 하고 열의 생산을 줄여서 몸을 식혀주며 아울러 체내의 각종 운동을 완만하게 하여 심신을 안정케 한다.

신음은 전신의 장부·경락·형체·기관에 이르면 변하여 해당 장부·경락·형체와 기관의 음(陰)이 된다. 그러므로 신음이 왕성하면 전신의 음이 모두 왕성해지고, 신음이 쇠하면 전신의 음이 모두 쇠해지며, 신음이 망하면 전신의 음이 모두 망하여 사망하기 때문에 신음 역시 사람의 생명과 밀접하게 관련된다. 신음의 중요성과 관련하여 고대 의가들은 신음을 '진음(眞陰)'·'원음(元陰)' 혹은 '진수(眞水)'라고 하였다. 원대(元代) 주진형(朱震亨)의 『격치여론(格致餘論)』에서 "상화(相火)가 진음을 졸여 음이 虛해지면 병들고 음이 끊어지면 죽는다"[119]고 하였으며, 다른 의가들도 역시 신음을 중시하였다. 만약 신음이 부족하면 진액의 분비가 줄어들어 건조해지고 안정을 잃게 되어 심번의란(心煩意亂)하며, 혈의 운행이 더욱 빨라져서 음이 양을 제약하지 못해 양이 편항되면 신진대사가 상대적으로 항진되어 열 생산이 증가함으로써 열상(熱象)이 나타나며, 대사의 항진으로 말미암아 기의 소모가 많아지면 기의 부족을 보충하기 위하여 유형의 형체가 무형의 기로 바뀌고 화기(化氣)가 증강하여 조열(潮熱)·오심번열(五心煩熱)·심번불안(心煩不安)·구건인조(口乾咽燥)·맥세삭(脈細數)·설건홍(舌乾紅) 등 일반적인 음허내열(陰虛內熱)의 증상이 나타난다. 동시에 요산(腰酸)·퇴연(腿軟)·양사이흥(陽事易興)과 유정(遺精)·조설(早泄) 등 신음허 특유의 증상들이 나타난다. 치료로는 보신자음(補腎滋陰)한다.

신음과 신양의 작용은 상반되고 서로 제약하면서 인체의 대사와 공능을 조절한다. 정상적인 상황에서는 신음과

---

117) 天之大寶, 只此一丸紅日; 人之大寶, 只此一息眞陽 (類經附翼·大寶論)
118) 陰氣者, 潤澤之氣也 (醫碥·氣)
119) 相火煎熬眞陰, 陰虛則病, 陰絶則死 (格致餘論·相火論)

신양이 서로 평형을 이루어 인체의 정상적인 생리활동을 유지한다. 만약 어느 한 쪽으로 편성(偏盛) 혹은 편쇠(偏衰)하게 되면 음양은 평형을 잃어 질병을 일으킨다. 신음과 신양은 오장 음양의 근본이기 때문에 신음과 신양의 성쇠는 오장 음양의 성쇠를 일으키며, 이와는 반대로 장부음양의 성쇠가 오래되면 신음이나 신양이 부족하게 되는데, 이를 "病이 오래 되면 腎에 미친다(久病及腎)"고 하는 것이다. 치료로서 신의 음양을 보하는 것을 치본(治本)의 대법(大法)으로 삼는다.

신의 주요 생리공능은 신정을 봉장하는 것이며, 봉장공능은 또한 신중정기의 촉진에 의해서 이루어진다. 신중정기가 부족하면 신의 봉장 능력이 줄어들어 유정(遺精)、조설(早泄)、대하청희이다(帶下淸稀而多)、유뇨(遺尿)、심하면 소변실금(小便失禁) 등 증상이 생긴다. 임상에서는 이를 '신기불고(腎氣不固)'라고 하며, 치료로는 보신고섭(補腎固攝)한다.

(2) 신주수(腎主水)

'신주수'는 신이 체내 진액대사를 주관하고 조절하는 것을 의미한다. 신을 '수장(水臟)'이라고도 하였는데, 이는『소문 역조론(逆調論)』에서 "腎은 水의 臟으로 진액을 주관한다"[120]고 한 것과 같다.

'신주수'의 작용은 두 가지로 볼 수 있는데, 첫째는 신음과 신양이 진액대사의 과정에 관련되는 모든 기관에 대해 조절작용을 한다는 것이다. 진액대사의 과정은 비의 협조 아래 위、소장、대장이 섭취한 음식물로부터 진액을 만들고, 진액은 비、폐、신과 삼초를 거쳐 전신으로 보내져서 자윤과 유양작용을 하며, 마지막으로 대사과정에서 생긴 배출물은 오줌、땀、대변과 입김 등을 통해 체외로 배출된다. 진액대사의 모든 단계, 즉 위、소장、대장、비、폐、삼초、방광에서부터 피부의 대사에 이르는 과정은 모두 신음과 신양의 조절아래 진행된다. 신양은 진액의 생산、수포와 배설을 빠르게 하고 신음은 이를 완만하게 한다. 그러므로 양이 성하고 음이 허하면 구갈인음(口渴引飮)、소변통창(小便通暢)케 되고, 음이 성하고 양이 허하면 구불건(口不乾)하면서 진액이 많고、소변량은 적으며、심하면 수액의 정체로 인해 부종이 발생하므로 반드시 음양평형이 유지되어야 진액대사가 비로소 정상적으로 진행된다. 신음과 신양은 전신 음양의 근본이며 진액대사의 전 과정을 주지하고 조절하는 작용을 하는데, 이것이 '신주수액(腎主水液)'의 중요한 작용 가운데 하나이다.

'신주수'가 가지는 두번째 의미는 신장 자체가 진액의 수포와 배설에 있어서 반드시 거쳐야 하는 관문의 역할을 한다는 것이다. 신양은 개(開), 신음은 합(闔)의 작용을 하므로 양이 성하고 음이 허하면 수액의 배출이 과다해지고 음이 성하고 양이 허하면 수액의 배출이 감소하며 신음과 신양이 평형을 이루면 수액은 정상적으로 적당한 양이 배출된다. 그러므로『소문 수열혈론(水熱穴論)』에서 "腎은 胃의 관문이다. 관문이 닫혀서 여닫음이 순조롭지 않으면 물이 모여 그 類를 따르게 된다. 위아래로 피부에 넘쳐 부종이 되니, 부종은 물이 모여서 병이 된 것"[121]이라고 하였다.

또한 '신주수'를 다시 구체적으로 표현하면, 신양은 수액에 대해 기화 증등(氣化 蒸騰)작용을 한다. 즉 수액이 신장을 통과할 때 신양은 수액중의 유용한 성분을 기화하여 다시 새롭게 돌려서 전신에 이르게 하고, 대사의 결과로 나온 소량의 오줌은 아래로 방광에 들어간 후 체외로 배출된다. 만약 신양이 부족하여 기화작용이 무력해지면 수액 가운데 대량의 유용한 성분도 오줌을 따라서 방광으로 흘러 들어가 배출되어 오줌이 맑고 양이 많아진다. 이른바 "소수청장(小溲淸長)"은 신양허(腎陽虛)의 중요한 표현이다. 그리고 이런 현상은 신양허가 일으키는 부종에 비하여 오히려 많은 편이다. 그러므로 나이를 먹으면서 신중정기가 날로 쇠하고 신양이 부족해짐으로 인해 소변량이 많아지고 나아가

120) 腎者水藏, 主津液 (素問·逆調論)
121) 腎者胃之關也, 關閉不利, 故聚水而從其類也. 上下溢于皮膚, 故爲胕腫. 胕腫者, 聚水而生病也 (素問·水熱穴論)

야뇨청장(夜尿淸長)의 징후가 나타난다.

이와 같이 신장은 수액대사를 주재하고 조절하는 중요한 작용을 한다.

(3) 신주납기(腎主納氣)

'납(納)'에는 수납(受納)과 섭납(攝納)의 뜻이 있는데, '납기(納氣)'는 흡기(吸氣)이다. '신주납기'는 신이 폐를 도와 깊은 흡기를 유지하는 작용이 있음을 가리킨다.

『난경』에 "心과 肺로부터 호기가 나가고, 腎과 肝으로 흡기가 들어온다"122)고 하였다. 청(淸)의 임패금(林佩琴)은 『유증치재(類症治裁)』에서 "폐는 氣의 주인이고, 腎은 氣의 뿌리이다. 폐는 氣를 내보내는 것을 주관하고 腎은 氣를 받아들이는 것을 주관한다. 음양이 서로 交通하면 호흡은 조화롭게 된다. 내보내고 받아들임과 오르내림이 정상상태를 벗어나면 천(喘)이 된다"123)고 하였다. 호흡은 본래부터 폐의 공능이고, 그 중에서 호기(呼氣)는 폐의 선발작용에 의존하고 흡기는 폐의 강납(降納)작용에 의존하는데, 흡기의 강납은 반드시 신의 섭납작용의 도움을 받아야만 하며, 그래야 비로소 호흡이 완성될 수 있다. 그러므로 폐의 흡기는 반드시 신의 섭납작용에 힘입어 그 깊이를 유지한다. 하몽요는 『의편』에서 "기는 腎에 뿌리를 두고 腎으로 돌아가기 때문에 腎이 기를 받아들인다고 한 것이며, 신으로 들어가는 氣는 깊고도 깊다"124)고 하였다. '신주납기'는 신의 봉장을 주관하는 공능이 호흡으로 표현된 것이다. 그 물질적 기초는 신중정기(腎中精氣)이다. 만약 신중정기가 부족해서 섭납이 무력해지며 폐를 도와 흡기의 깊이를 유지할 수 없게 되어 얕은 호흡 혹은 호다흡소(呼多吸少), 움직이면 기단(氣短)하는 등의 증상이 나타나는 것을 '신불납기(腎不納氣)'라고 한다.

신에 대해 상술한 공능 가운데 '신장정'이 가장 중요하며, '신주수'와 '신주납기'의 두 공능은 모두 '신장정'에서 비롯된 것이다. '신장정'으로 인해 전신 음양의 근본을 이루고, 신음과 신양은 전신의 수액대사를 조절하므로 '신주수'라 하며, '신장정'은 봉장과 섭납을 주관하여 '신주납기'라고 하는데, 이 섭납작용은 호흡운동에서 구체적으로 드러난다. 그러므로 신의 각종 공능활동을 파악하려면 반드시 가장 근본이 되는 '신장정'의 공능을 이해해야 한다.

2) 신과 형체、공규、정서、오액과의 관계

(1) 신생수(腎生髓)、주골(主骨)、기화재발(其華在髮)

제 8장 형체와 주요 기관 가운데 뼈의 내용을 참고하시오.

(2) 신개규우이(腎開竅于耳)와 이음(二陰)

제 8장 형체와 주요 기관 가운데 귀、前陰과 항문의 내용을 참고하시오.

(3) 신재지위공(腎在志爲恐)

『소문 음양응상대론』에 "그 해당하는 臟은 腎이고, … 정지(情志)는 공(恐)이다"125)라고 했는데, 공(恐)은 두려워

122) 呼出心與肺, 吸入腎與肝 (難經·四難)
123) 肺爲氣之主, 腎爲氣之根. 肺主出氣, 腎主納氣. 陰陽相交, 呼吸乃和. 若出納升降失常, 斯喘作矣 (類症治裁·喘症)
124) 氣根于腎, 亦歸于腎, 故曰腎納氣, 其息深深 (醫碥·卷之一·雜症·氣)
125) 在藏爲腎 … 在志爲恐 (素問·陰陽應象大論)

하거나 무서워하는 감정으로 신과 형체, 공규, 정서, 오액과의 관계가 있다. 『소문 거통론(擧痛論)』에 "두려우면 精이 물러나고, 精이 물러나면 上焦가 닫히고, 上焦가 닫히면 氣가 돌아오고, 氣가 돌아오면 下焦가 창만하게 되어 氣가 아래로 행한다"126)고 하였다. 신은 정을 저장하고 하초에 위치하고 있기 때문에 신정이 신기로 바뀐 다음 중상초를 통해 전신으로 보내진다. 공(恐)은 정기로 하여금 위로 가지 못하게 하며 반대로 기를 아래로 보내 신기가 정상적으로 흩어지지 못하게 하기 때문에 "恐은 腎을 상한다"127), "恐하면 氣가 下한다"128)고 하였다.

(4) 신재액위타(腎在液爲唾)

『소문 선명오기(宣明五氣)』에 "오장이 液을 만드는데, … 腎은 타(唾)를 만든다"129)고 하였으며, 청대(淸代) 장지총(張志聰)은 "腎絡은 위로 횡격막을 관통하여 肺로 들어가고, 다시 위로 후롱을 돌아 舌本을 낀다. 혀밑의 염천(廉泉)과 옥영(玉英)은 상액(上液)의 길이다"130)라고 하였다. 이것은 신장의 액(液)을 가리키는 것으로, 족소음신경을 통해 신은 위로 향하여 간, 격, 폐, 기관을 지나 혀밑의 금진(金津)과 옥액(玉液)으로 바로 가서 타액이 된다. 타(唾)는 침 가운데 점조도가 매우 낮고 거품이 많은 액체를 가리키는 것으로, 타말(唾沫)이라고 한다. 대부분 음식물을 먹지 않을 때 구강내에 존재하여 구설(口舌)을 적시는 작용을 한다. 타는 신에서 나오기 때문에 고대의 도인가(導引家)들은 혀를 윗턱의 잇몸에 붙여 설하의 타액이 느리게 스며나오게 하여 입안에 진(津)이 가득 차는 것을 기다린 다음 삼키면 신정을 보양(保養)하는 작용을 한다고 주장하였다.

[附] 명문(命門)

명문은 『내경』에 처음으로 등장하는데, 『내경』의 명문은 눈을 가리키는 것으로, 지금 일반적으로 쓰이는 의미와는 다르다. 즉 『영추 근결(根結)』에 "太陽은 至陰에 근본하며, 命門에 맺혀 있다. 命門은 눈이다"131)라고 하였는데, 현재 이 의미로는 쓰이지 않는다. 명문이 내장의 하나라는 것은 『난경』에서 최초로 주장하였는데 "두 腎이 모두 腎은 아니다. 왼쪽은 腎이고 오른쪽은 命門이다"132)라고 하였다. 『난경』 이후 한(漢), 진(晋), 수(隋), 당(唐)의 의가들은 명문에 대해 거의 언급하지 않았고, 송(宋), 금(金), 원대(元代)의 의가는 명문에 대해 언급하기는 하였지만, 깊은 이해는 없었다. 명, 청대에 이르러 많은 의가들이 비로소 명문에 대해 비교적 깊이 있게 논술하였다. 주요한 견해들을 정리하면 아래와 같다.

(1) 오른쪽 腎이 명문이라는 견해

신은 두 개로, 왼쪽은 신이고, 오른쪽은 명문이라는 학설은 『난경』에서 시작된다. 『난경 삼십구난』에 "腎은 두 장으로 되어 있다. 왼쪽은 腎이고 오른쪽은 命門이다. 命門은 정신(精神)이 머무는 곳이다. 남자가 精을 저장하고 여자의 자궁이 달려있는 것은 命門의 氣가 腎과 통하는 것이다"133)라고 하였다. 『난경』에서 명문의 생리공능은 세 가지로 귀

---

126) 恐則精却, 却則上焦閉, 閉則氣還, 還則下焦脹, 故氣下行矣 (素問·擧痛論)
127) 恐傷腎 (素問·陰陽應象大論)
128) 恐則氣下 (素問·擧痛論)
129) 五臟化液 … 腎爲唾 (素問·宣明五氣)
130) 腎絡上貫膈入肺, 上循喉嚨, 夾舌本. 舌下廉泉玉英, 上液之道也 (黃帝內經素問集注·卷四· 宣明五氣)
131) 太陽根于至陰, 結于命門. 命門者, 目也 (靈樞·根結)
132) 腎兩者, 非皆腎也, 其左者爲腎, 右者爲命門 (難經·三十六難)
133) 腎有兩臟也. 其左爲腎, 右爲命門. 命門者, 精神之所舍也. 男子以藏精, 女子以系胞, 其氣與腎通 (難經·三十九難)

납될 수 있는데, 첫째로 명문은 인체 생명의 원동력이 있는 곳이어서 "정신이 머물러 있는 곳"이라 하여 생명활동 유지에 있어서의 중요성을 강조하였으며, 둘째는 명문과 인체의 생식공능과는 서로 밀접한 관계가 있다는 견해로, "男子는 精을 저장하고 있으며 女子의 경우에는 포(胞)에 연계되어 있다"고 하였으며, 인체 생식공능의 근본이 이 명문에 있음을 강조하였다. 셋째는 신과 명문은 생리공능상 긴밀하여 서로 분리될 수 없는 것으로 "그 氣는 腎과 通한다"고 하였다. 이 학설은 후세에 미친 영향이 매우 커서 진대(晋代)의 왕숙화(王叔和), 원대(元代)의 활백인(滑伯仁) 등 많은 의학자들이 대부분 이 주장을 지지한다. 또한 이 견해는 촌구진맥(寸口診脈)의 부위 구분에 관여하면서 왼쪽의 척맥(尺脈)에서 신의 상태를 보고 오른쪽의 척맥에서 명문의 상태를 관찰하는 것으로 발전하였다.

(2) 두 腎이 모두 명문이라는 견해

두 개의 신이 모두 명문이라고 한 것은 명대의 우단(虞摶)인데 "무릇 兩腎이 본래 眞元의 근본이 되며, 성명(性命)의 관문이 된다. 비록 水의 臟이지만 실은 相火가 그 가운데에 머물러 있으며, 이는 물 속에 용화(龍火)가 있는 象과 같아 그 움직임을 일으키게 된다. 내 생각에는 兩腎을 함께 일러 命門이라고 해야 한다"[134]고 하였다.

(3) 명문이 腎 사이에 있다는 견해

명문은 신장의 밖, 즉 두 신장의 사이에 위치해 있다는 견해로, 명(明)의 조헌가(趙獻可)는『의관(醫貫)』에서 "命門은 몸속 배꼽 맞은 편 척추 옆에 있는데, 위에서부터 세어 내려오면 열네번째 척추 옆에 있고 밑에서부터 세어 올라가면 일곱번째 척추 옆이다.『내경』에 이르기를 '七節의 옆으로 가운데에 小心이 있다'고 하였다. 이는 兩腎이 붙어있는 위치이며, 왼쪽의 腎은 陰水에 속하고 오른쪽의 腎은 陽水에 속한다. 각기 일촌 반 옆에 있으며 그 중간에 命門이 위치하고 있는데, 그 오른쪽은 相火가 되고, 왼쪽은 天一의 眞水이다. 이 一水一火는 無形의 氣에 속하므로 상화가 右命門을 품고 眞水도 相火를 따라 인시(寅時)에서 신시(申時)까지 陽分을 25회 운행하고, 유시(酉時)에서 축시(丑時)까지 陰分을 25회 운행한다. 이처럼 밤낮으로 五臟六腑의 사이를 흐르는데 막히면 병이 되고 멈추면 죽게 된다"[135]고 하였다. 또 같은 편에서 "나는 인체의 主가 따로 있다고 생각하는데, 心이 아니라, … 命門이 十二經의 主라고 생각한다. 신은 명문이 없으면 작강(作强)을 할 수 없어 기교(技巧)가 나오지 못한다. 방광은 명문이 없으면 삼초의 기가 化하지 못하여 水道가 행하지 않는다. 비위는 명문이 없으면 음식물을 부숙시키지 못하여 五味가 나오지 못한다. 간담은 명문이 없으면 장군의 결단을 할 수 없고 모려(謀慮)가 나오지 못한다. 대소장은 명문이 없으면 변화가 이루어지지 않아 소변과 대변이 막히게 된다. 심은 명문이 없으면 신명이 어지러워져 만사를 행할 수 없게 된다. 이것이 바로 '주인이 밝지 못하면 十二官이 위태로워진다'고 하는 것이다"[136]라고도 하였다. 아울러 또 명문을 주마등(走馬燈)의 불빛에 비유하며 "火가 왕성

134) 夫兩腎固爲眞元之根本, 性命之所關. 雖爲水臟, 而實有相火寓乎其中, 象水中之龍火因其動而發也. 愚意當以兩腎總號爲命門 (醫學正傳·醫學或問)

135) 命門在人身之中對臍附脊骨, 自上數下則爲十四椎, 自下數上則爲七椎. 內經曰: '七節之傍, 中有小心' 此處兩腎所寄, 左邊一腎屬陰水, 右邊一腎屬陽水, 各開一寸五分, 中間爲命門所居之宮. 其右旁卽相火也, 其左旁卽天一之眞水也. 此一水一火具屬無形之氣, 相火稟命右命門, 眞水又隨相火, 自寅至申, 行陽二十五度, 自酉至丑, 行陰二十五度. 日夜周流于五臟六腑之間, 滯則病, 停則死矣 (醫貫·內經十二官論)

136) 愚謂人身別有一主, 非心也. … 命門爲十二經之主. 腎無此, 則無以作强而技巧不出矣; 膀胱無此, 則三焦之氣不化, 而水道不行矣; 脾胃無此, 則無能蒸腐水穀, 而五味不出矣; 肝膽無此, 則將軍無決斷, 而謀慮不出矣; 大小腸無此, 則變化不行, 而二便閉矣; 心無此, 則神明昏, 而萬事不能應矣. 正所謂 '主不明則十二官危'也 (醫貫·內經十二官論)

하면 움직임이 빠르고 火가 미약하면 움직임이 완만하며, 火가 다 타버리면 고요히 움직임이 없다"[137]고 하였다.

조헌가의 이론에는 두 가지 특징이 있는데, 첫째는 명문이 신장의 밖에 독립하여 두 신장의 중간에 있다는 것을 인정하며, 둘째는 명문의 공능에서 중요한 것은 진화(眞火)의 작용을 하고 몸 전체의 양기를 주재한다는 것이다. 이 이론은 명나라 때에 성행하였고 후세에 적지 않은 영향을 미쳤으며, 명대의 장개빈, 청대의 진수원(陳修園), 장석순(張錫純) 등과 같은 저명한 의가 모두 이 학설을 지지했다.

(4) 명문이 腎 사이의 동기(動氣)라는 견해

이 학설은 명문이 유형의 기관이 아니라, 두 신장 사이에 존재하면서 전신에 대하여 생명활동을 일으키는 일종의 원기(原氣)라고 보는 것이다.

이는 명대의 손일규(孫一奎)에 의해 제기되었다. 그는 『의지서여(醫旨緖餘)』에서 "『영추』와 『소문』을 자세히 보아도 兩腎을 구분해서 이야기한 곳이 없다. 그런데 이를 분리한 것은 진월인(秦越人)부터이다. 진월인이 명문을 정신이 깃드는 곳이며 원기가 매달린 곳이고, 남자가 정을 저장하는 곳이며, 여자의 자궁이 매달려 있는 곳이라고 하였는데, 어찌 가벼이 한 말이겠는가? 이는 신보다 더 귀중한 것으로, 신간원기는 곧 사람의 생명이니 매우 중요함을 말하는 것이다. … 진월인이 또 말하기를 '신간동기(腎間動氣)는 사람의 생명이며 오장육부의 근본이고 십이경맥의 뿌리이며 호흡의 문호이고 삼초의 근원이라'고 하였다. 명문의 뜻이 본래 이것이다. … 동인도(銅人圖)의 명문혈을 보아도 右腎이 아니라 兩 신수(腎俞)의 가운데에 있음을 볼 수 있다. … 명문은 兩腎 사이의 動氣이며, 水나 火가 아니라, 조화의 관건이자 음양의 근본이라고 할 수 있다. 즉 선천의 태극으로서, 오행이 이로부터 말미암는다고 할 수 있으며 장부가 이에 이어서 형성된다. 만약 명문이 水나 火에 해당된다고 하거나 臟이나 腑에 해당된다고 한다면 이는 형체를 지닌 것이니 체표에 경락의 맥동처가 있어서 진단할 수 있어야 할 것이고 『영추』와 『소문』에서도 경문에 반드시 이를 기록하였을 것이다"[138]라고 하였다.

이상과 같이 손일규는 명문의 특징에 대하여 세 가지로 정리하였는데, 첫째, 위치로 볼 때, 명문은 두 신장의 중간에 있다. 둘째, 형질론(形質論)으로 볼 때, 명문은 형질이 있는 장기가 아니라, 신장 사이에 존재하는 일종의 '동기(動氣)'이다. 셋째, 이와 같은 '동기'는 곧 생생불식의 기운으로서 인체에서 선천의 태극이 되고, 음양의 근본이며 장부의 바탕이고 생명의 근원이기 때문에 이를 단지 '화(火)'로만 이해해서는 안 된다고 하였다.

명문의 수화(水火)에 대한 견해들을 살펴보면, 쟁론이 분분하여 많은 사람들이 명문에는 진수(眞水)가 있을 뿐만 아니라, 진화(眞火)도 있다고 하였다. 수화에 대한 의견이 통일되지는 못했다고 하더라도 두 가지의 견해에는 일치하는 것이 있는데, 그중 하나는 명문이 인체 생명의 근본이라는 것과, 또 하나는 명문과 신은 관계가 밀접하여 분리할 수 없다는 것이다.

이상으로 고대 의가들의 명문에 대한 인식을 요약하면, 명문의 화(火)는 신양(腎陽)에, 명문의 수(水)는 신음(腎陰)에 상당하며, 신음과 신양은 곧 진음과 진양이며, 원음과 원양이다.

137) 火旺則動速, 火微則動緩, 火熄則寂然不動 (醫貫·內經十二官論)

138) 細考靈素, 兩腎未嘗有分言者, 然則分立者, 自秦越人始也. 追越人兩呼命門爲精神之舍, 原氣之系, 男子藏精, 女子系胞者, 豈漫語哉! 是極歸重于腎爲言, 謂腎間原氣, 人之生命, 故不可不重也. … 越人亦曰: '腎間動氣者, 人之生命, 五臟六腑之本, 十二經脈之根, 呼吸之門, 三焦之原.' 命門之意, 該本于此. … 觀銅人圖命門穴, 不在右腎, 而在兩腎俞之中可見也. … 命門乃兩腎中間之動氣, 非水非火, 乃造化之樞紐, 陰陽之根蒂, 則先天之太極, 五行由此而生, 臟腑以繼而成, 若謂屬水, 屬火, 屬臟, 屬腑, 乃是有形之物, 則外當有經絡動脈而形于診, 靈素亦必著之于經也 (醫旨緖餘·命門圖說)

고대 의가들이 특별히 '명문'이라는 개념을 도입한 요지는 신중정기(腎中精氣)가 인체 생명의 근원이며, 신음과 신양은 인체 전체의 음양을 조절하는 관건이라는 것을 강조하기 위한 것이라고 할 수 있다.

제3절 육부(六腑)

육부는 담(膽)、위(胃)、대장(大腸)、소장(小腸)、방광(膀胱)、삼초(三焦)의 총칭이다. 육부는 대부분 내부가 비어 있는 장기이다. 공통적인 생리공능은 음식물을 소화하고 운반하는 것이다. 그래서 『소문 오장별론』에서는 "六腑는 음식물을 전달하고 소화시키되 저장하지 않으므로 實하지만 가득 차지 않는다"[139]고 하였다. 『소문 육절장상론』에 "비、위、대장、소장、삼초、방광은 가두어 담아놓는 근본이요, 영혈이 머무는 곳이므로 이름하여 기(器)라 하고, 조박을 변화시키며, 味가 변하여 드나드는 곳이다"[140]라고 하였듯이 음식이 위(胃)에 들어가면 위의 부숙과 소화를 거쳐 아래로 소장에 전해지고 소장에서 청탁을 분별하면 그 청하고 정미로운 영양은 비장을 거쳐 전신으로 보내지고 탁한 찌꺼기인 조박은 아래로 대장에 전달되어 대장의 전화(傳化)를 거쳐 항문을 통하여 배설된다. 이 과정을 거치면서 생긴 불필요한 수분은 하초를 통하여 방광으로 삼입(滲入)되고 방광의 기화를 거쳐서 오줌이 되어 때가 되면 체외로 배출된다. 소화과정에서 담즙이 소장으로 유입되어 음식의 소화를 돕는다. 삼초는 진액이 유통하는 통로이므로 진액은 삼초를 통하여 전신으로 퍼지고 자윤과 영양작용을 한다. 육부는 서로 연결되어 있고, 각 부(腑)는 모두 "사이부장(瀉而不藏)"의 특성을 가지고 있는데, 때 맞춰 소화물을 내보낼 때는 통창(通暢)을 유지하는 공능이 있다. 『소문 오장별론』에서 "이는 오래 머무르게 할 수 없으며 운반시켜 내보내는 것이다"[141]라고 하였다. 육부는 서로 직접적으로 연결되어 있어서 어느 하나의 부에 병변이 출현하면 나머지 다른 부로 옮아 음식물의 수납、소화、흡수와 배설에 영향을 미치게 된다. 만약에 육부가 사하지만 저장하지 않는 공능을 달성하지 못하면 음식물이 조박으로 정체되거나 적취(積聚)가 되므로 육부의 병에는 실증(實證)이 많다.

1. 담(膽)

담은 육부의 우두머리이고, 기항지부에 속한다. 담과 간은 서로 연관되고, 간의 단엽 사이에 담이 붙어 있다. 간과 담은 경맥상 낙속(絡屬) 관계가 있어서 표리가 된다.

담의 주요 생리공능은 다음과 같다.

1) 담즙 저장

『영추 본수(本輸)』에 "膽은 중정(中正)의 부"[142]라고 하였는데, 안에 담즙을 저장한다. 담즙은 맛이 쓰고 황록색을 띠며 간의 남은 기운이 변하여 된 것으로, 담에 모였다가 소장으로 배설되어 음식물의 소화에 참여한다. 이는 비위의

139) 六府者專化物而不藏, 故實而不能滿也 (素問·五藏別論)
140) 脾, 胃, 大腸, 小腸, 三焦, 膀胱者, 倉廩之本, 營之居也, 名曰器, 能化糟粕, 轉味而入出者也 (素問·六節藏象論)
141) 此不能久留, 輸瀉者也 (素問·五藏別論)
142) 膽者, 中精之府 (靈樞·本輸)

운화공능이 정상적으로 진행하기 위해 중요한 조건이다. 『소문 보명전형론』에서 "土는 木을 얻으면 널리 뻗는다"143)고 하였는데, 오행적으로 간담과 비위는 "상극하는 가운데 작용이 있고(剋中有用)", "억제하면 生化한다(制卽生化)"라는 내용을 개괄하고 있다.

2) 담즙 배설

간의 소설공능은 담즙의 배설에 직접적인 조절작용을 한다. 간의 소설이 정상적일 때 담즙 배설이 잘 되고, 비위의 운화공능도 왕성하게 된다. 반대로 간의 소설공능이 실조되면 담즙의 배설이 불리해져 담즙이 울결(鬱結)되고, 간담의 공능활동도 불리하게 되며 비위의 운화공능도 영향을 받아서 협하창만동통(脇下脹滿疼痛)、식욕감퇴、복창、변당 등 증상이 나타난다. 한편 담즙이 상역(上逆)하여 넘치면 구고(口苦)하면서 황녹색의 쓴 물을 토하고 황달 등 증상이 나타난다.

3) 결단출언(決斷出焉)

담은 중정지관(中正之官)으로 결단을 주관한다. 『소문 영란비전론』에 "膽은 중정지관으로 결단이 여기에서 나온다"144), 『소문 육절장상론』에 "무릇 열한 개의 장부는 膽에서 결정을 얻는다"145)고 했는데, 만약 담기(膽氣)가 약하면 겁을 내고 한숨을 자주 쉬며 궁리는 계속하지만 결론을 내리지 못하게 된다.

이상을 총괄하면, 담의 주요 생리공능은 담즙을 저장하고 배설하는 것이다. 담즙은 음식물의 소화에 직접적으로 도움을 주는 육부 중의 하나이지만, 담 자체는 음식물을 통과시키거나 소화시키는 생리적 공능은 없고, 또 담즙을 저장하는 것이 위나 대소장 등의 부(腑)와는 다르기 때문에 기항지부에도 포함된다.

2. 위(胃)

위는 위완(胃脘)이라고도 하는데, 상중하의 세 부분으로 나눈다. 위의 상부는 상완(上脘)이라 하여 분문(噴門)을 포함하고, 위의 중간 부분을 중완(中脘)이라 하고 위의 체부(體部)이며, 위의 하부는 하완(下脘)이라 하여 유문(幽門)을 포함한다. 위는 음식물의 소화를 진행시키고 흡수를 하는 중요 장기다. 비와 위는 서로 표리를 이루는데, 위의 주요 생리공능은 다음과 같다.

1) 주수납(主受納)、부숙수곡(腐熟水穀)

'수납'은 접수(接受)、용납(容納)의 뜻이다. '부숙'은 음식물이 위에서 초보적인 소화단계를 거치면서 죽처럼 되는 것을 말한다. 음식은 입과 식도를 거쳐 위에 들어가 머물기 때문에 위를 '태창(太倉)' 혹은 '수곡지해(水穀之海)'라고 한다. 체내의 기혈진액이 만들어지는 것은 모두 음식물의 영양에 의지하기 때문에 위를 '수곡기혈지해(水穀氣血之海)'라고 한다. 『영추 옥판(玉板)』에서 "사람은 음식물로부터 기를 얻는다. 음식물이 모이는 곳이 胃이다. 胃는 음식물과 기혈의 바다다"146)라고 하였는데, 위에 들어간 음식물은 부숙과정을 거쳐 소장으로 전달되고 그 정미는 비의 운화

143) 土得木而達 (素問·寶命全形論)
144) 膽者, 中正之官, 決斷出焉 (素問·靈蘭秘典論)
145) 凡十一藏, 取決于膽也 (素問·六節藏象論)
146) 人之所受氣者, 穀也; 穀之所注者, 胃也. 胃者, 水穀氣血之海也 (靈樞·玉板)

를 통하여 전신을 영양한다. 비위의 운화공능은 매우 중요하므로 『소문 평인기상론(平人氣象論)』에 "사람은 음식물을 근본으로 하기 때문에 사람이 음식물을 끊으면 죽는다"147)라고 하였으며, 『소문 옥기진장론(玉機眞藏論)』에 "오장은 모두 胃로부터 氣를 받으므로 胃가 오장의 근본이다"148)라고 하였는데, 위기(胃氣)의 성쇠 유무가 인체의 생명 유지와 그 생사 존망에 직접적으로 관련됨을 설명하고 있다. 이고는 『비위론(脾胃論)』에서 "元氣의 충족은 脾胃의 기가 상하지 않은 것에서 비롯하며, 그래야 이후에 元氣를 영양할 수 있는 것이다. 만약 胃氣의 근본이 약한데 음식을 지나치게 많이 먹으면 장위의 기가 상하여 元氣가 부족해지고 모든 병이 이로부터 생긴다"149)고 하였다. 임상에서 위기(胃氣)를 중요시 여겨 항상 '보위기(補胃氣)'함을 중요한 치료원칙으로 삼아야 한다.

2) 주통강(主通降)、이강위화(以降爲和)

위는 '수곡지해'로서 음식물이 위로 들어와 부숙작용을 거친 다음 소장으로 내려가야만 보다 완전한 소화가 가능해져 기혈진액으로 바뀌고 전신으로 운반되기 때문에 위는 통강을 주관하고, 통강해야 조화된다고150),151)하였다. 장상학설에서는 소화기계통의 공능활동을 비승위강(脾升胃降)으로 설명하기 때문에 위의 통강작용은 소장이 음식물 찌꺼기를 대장으로 보내는 것과 대장이 조박을 내려보내는 공능까지도 포괄하는 개념이다. 또, 위의 통강이란 비의 승청(升淸)에 대비되는 개념으로, 강탁(降濁)을 의미한다. 위의 통강이란 계속적인 수납을 전제조건으로 하는 것인데 만약 위가 이 통강공능을 상실하면 식욕에 영향을 미칠 뿐만 아니라 '탁기재상(濁氣在上)'의 상태가 되어 구취、완복창민(脘腹脹悶)이나 동통 심지어 변비가 되기도 한다. 『소문 음양응상대론』에서 "탁기가 위에 있으면 붓고 그득한 병이 생긴다"152)고 하여 만약 위기가 통강하지 못하고 위기가 상역하게 되면 애기산부(噯氣酸腐)、오심、구토、구역 등 증상이 발생한다고 하였다.

3. 소장(小腸)

소장은 제법 긴 관 형태의 기관이다. 복강에 있으며 몇 구비로 중첩되어 있는데, 위로는 위(胃)의 유문(幽門)에 접하고, 아래로는 대장의 난문(闌門)과 접한다. 소장과 심은 경락상 속락 관계에 있어 서로 표리를 이룬다. 소장은 음식물을 소화 흡수하여 그 정미로운 기운을 수포하고 조박을 대장으로 내려 보낸다.

1) 주수성화물(主受盛化物)

'수성(受盛)'은 받아들여 가득 채운다는 뜻이다. 즉 소장은 위에서 1차로 소화된 음식물을 받아들이는 그릇이라는 뜻이다. '화물(化物)'이란 소화를 보다 철저하게 해서 정미(精微)와 조박(糟粕)으로 분리한다는 뜻으로, 『소문 영란비전론』에서 "소장은 수성지관(受盛之官)으로 화물이 여기에서 나온다"153)고 하였다.

---

147) 人以水穀爲本, 故人絶水穀則死 (素問·平人氣象論)
148) 五藏者皆稟氣於胃, 胃者五藏之本也 (素問·玉機眞藏論)
149) 元氣之充足, 皆由脾胃之氣無所傷, 而後能營養元氣. 若胃氣之本弱, 飮食自倍, 卽腸胃之氣旣傷, 而元氣亦不能充, 而諸病之所由生也 (脾胃論·脾胃虛實傳變論)
150) 胃司納食, 主乎通降, … 胃宜降則和 (臨證指南醫案·脾胃)
151) 胃氣以下行爲順 (類證治裁·卷三·飮食症論治)
152) 濁氣在上, 卽生䐜脹 (素問·陰陽應象大論)
153) 小腸者, 受盛之官, 化物出焉 (素問·靈蘭秘典論)

2) 비별청탁(泌別淸濁)

'비(泌)'는 분비(分泌), '별(別)'은 분별(分別), '청(淸)'은 수곡의 정미(精微), '탁(濁)'은 조박(糟粕)을 말한다. 소장에서 소화과정을 거친 음식물은 정미와 조박으로 나뉘어져 정미는 흡수되고 조박은 대장으로 내려간다. 소장은 또 다량의 수분을 흡수하므로 '소장주액(小腸主液)'이라고 한다. 소장의 비별(泌別) 공능은 소변량과 관계가 있는데 만약 소장의 공능이 정상적이면 대소변도 정상이 되고, 만약 이상이 생기면 대변이 묽어지고 소변량이 적어지는 증상이 나타난다. 설사의 치료시에 "소변량을 늘려 대변을 굳게(利小便, 實大便)"하는 치법은 이런 원리를 응용한 것이다.

소장의 '수성화물', '비별청탁' 공능은 승청강탁하는 비위 공능의 연장선, 즉 소화기계 공능의 일부이다. 그러므로 소장의 공능이 실조되면 탁기재상(濁氣在上)한 증상, 즉 복창, 복통, 구토, 변비 등과 또 청기재하(淸氣在下)한 변당, 설사 등 증상이 나타난다.

4. 대장(大腸)

육부의 하나이며, 관 형태로 복강에 있다. 위로는 난문(闌門)을 통해 소장과 접해 있고 아래는 항문이다. 대장과 폐는 경맥상 서로 연결되어 표리를 이룬다. 대장은 음식물과 조박 중에 남아있는 나머지 수분을 흡수하고 아울러 조박을 배출한다.

대장의 주요 공능은 조박을 내려보내는 것이다. 소장을 거쳐온 음식물 찌꺼기와 수분 중에서 나머지 수분을 재흡수하여 분변을 만들고 대장 말단으로 보내 항문을 통해 배출한다. 이를 『소문 영란비전론』에서 "대장은 전도지관(傳導之官)으로 변화가 여기에서 나온다"[154]고 하였다. 여기서 '전도(傳導)'란 위에서 받아 아래로 보낸다(接上傳下)는 뜻이며, '변화출언(變化出焉)'이란 조박이 분변으로 바뀌는 것이다. 만약 대장의 공능에 이상이 생기면 변당, 설사, 변농혈, 변비 등 배변이상 증상이 나타난다. 대장의 공능은 위(胃)의 강탁(降濁) 공능의 연장선상에 있으며, 폐의 숙강작용과도 관계된다. 당종해(唐宗海)는 『중서회통의경정의(中西匯通醫經精義)』에서 대장의 전도작용을 설명하였는데, "大腸이 능히 전도하는 까닭은 폐의 腑이기 때문이다. 肺氣는 하달하므로 대장에서 전도가 일어날 수 있다"[155]고 하였다. 이외에도 대장의 전도작용은 신(腎)의 기화작용과도 관계되는데, 만약 신음(腎陰)이 부족하면 장액(腸液)이 말라서 변비가 되고, 신양(腎陽)이 허손되면 기화가 안되어 양허변비(陽虛便秘)나 양허설사(陽虛泄瀉)를 하게 되며, 신의 봉장공능이 상실되면 구설(久泄)이나 활탈(滑脫) 등이 나타난다. 그래서 신이 대소변을 주관한다(腎主二便)고도 한다.

5. 방광(膀胱)

육부의 하나로 하복부 중앙에 위치하고 있다. 신과 경맥상 서로 속락되어 표리를 이룬다.

방광의 주요 공능은 저뇨와 배뇨이다. 오줌은 진액이 변화된 것으로 신의 기화작용으로 생성되어 방광에서 일정 시간 저류한 다음 체외로 배출된다. 이를 『소문 영란비전론』에서 "膀胱은 주도(州都)의 官으로 진액을 저장하는데 기화하면 나온다"[156]고 하였다. 방광의 저뇨공능은 신기(腎氣)의 고섭공능에 힘입는 바가 큰데, 만약 기화가 안되어 방

154) 大腸者, 傳道之官, 變化出焉 (素問·靈蘭秘典論)
155) 大腸之所以能傳導者, 以其爲肺之腑. 肺氣下達, 故能傳導 (中西匯通醫經精義·臟腑之官)
156) 膀胱者, 州都之官, 津液藏焉 氣化則能出焉 (素問·靈蘭秘典論)

광이 불리(不利)해지면 배뇨통(排尿痛)、요림(尿淋)、배뇨불창、심하면 요폐(尿閉) 등이 나타난다. 그래서 『소문 선명오기』에 "膀胱이 불리한 것을 융(癃)이라 하고, 불약(不約)한 것을 유뇨(遺溺)라 한다"157)고 하였다.

6. 삼초(三焦)

삼초는 상초、중초、하초를 합한 이름이다. 삼초의 개념에는 두 가지가 있는데, 하나는 육부의 하나로서 장부 사이와 각 장부 내부 틈새의 통로이다. 이 통로를 통해서 진액과 원기가 운행되므로 기의 승강출입과 진액의 수포 배설은 모두 이 삼초의 통창(通暢)공능에 의한 것이다. 또 하나는 단순한 부위 개념인데, 즉 횡격막 이상은 상초、횡격막에서 배꼽까지는 중초、배꼽 아래는 하초이다.

삼초는 육부의 하나로서 주요 공능은 두 가지가 있다.

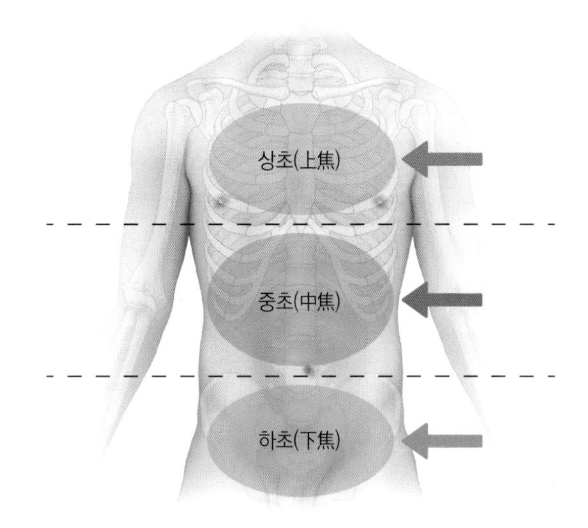

1) 통행원기(通行元氣)

'원기'는 인체의 가장 근원적인 기이다. 신(腎)에서 나와 삼초를 통해 전신을 운행한다. 『난경 육십육난』에 "삼초는 원기의 별사(別使)이다"158)라고 하여 인체의 원기가 삼초를 지나 오장육부에 퍼지고 전신을 채우는 것으로 이해하였다.

2) 운행수액(運行水液)

『소문 영란비전론』에 "三焦는 결독지관(決瀆之官)으로 수도(水道)가 나온다"159)고 하였다. '결독'은 물길이 트이는 것이다. 즉 삼초는 물길을 소통 운행시키는 공능이 있다. 전신의 수액대사는 주로 폐、비、신에 의존하는데 이때 반드시 삼초의 공능이 있어야만 정상적인 승강출입을 하게 된다. 만약 삼초의 공능에 장애가 발생하면 폐、비、신의 조절 공능이 곤란해진다. 이처럼 삼초가 수액대사에 참여하기 때문에 '삼초기화(三焦氣化)'라고 하였다. 이는 『유경』에서 "상초가 다스려지지 않으면 높은 곳에서 물이 넘치게 되고, 중초가 다스려지지 않으면 물이 중완에 있게 되고, 하초가

157) 膀胱不利爲癃, 不約爲遺溺 (素問·宣明五氣)
158) 三焦者, 元氣之別使也 (難經·六十六難)
159) 三焦者, 決瀆之官, 水道出焉 (素問·靈蘭秘典論)

다스려지지 않으면 물이 대소변을 어지럽게 한다"160), "三焦의 기가 다스려지면 맥락이 통하고 수도가 원활하게 되는 까닭에 결독지관이라고 한다"161)고 한 것과 같다.

삼초의 원기를 통행시키고 수액을 운행하는 공능은 서로 연관되어 있기 때문에 수액의 운행은 전적으로 기의 승강출입에 의하고, 또 기 역시 혈과 진액에 의존하고 있다. 이로써 기가 승강출입하는 도로는 필연적으로 진액의 통로가 되며, 진액의 승강출입하는 통로 역시 기의 통로가 된다. 실제적으로 이는 한 가지 공능의 두 가지 측면이다.

◎ 상중하 삼초 부위의 구분과 그 생리공능상의 특징

만약 삼초를 하나의 장기로 보지 않고 체간부를 세 부위로 나누는 것으로 파악한다면, 횡격막 이상은 상초로 폐와 심을, 횡격막에서 배꼽 사이는 중초로 비、위、간、담을, 배꼽 아래는 하초로서 신、방광、소장、대장을 포괄하는데, 이 세 부위의 생리공능은 각기 특징이 있다.

1) 상초(上焦)

흉부에 있는 심폐 두 장과 머리를 포괄하는 부위다. 상지(上肢)를 상초에 귀속시키는 견해도 있다.

주요 공능은 기의 승발(升發)과 선산(宣散)이다. 즉 위기를 선발하고 음식물의 정미를 포산(布散)하여 전신을 영양한다. 『영추 결기』에서 "上焦가 열리면 오곡의 味가 퍼져서 피부를 데우고 몸에 채워지며 모발을 윤택하게 하는데, 안개나 이슬과 같이 적시는 것이 바로 기이다"162)라고 한 것과 같다. 상초의 선산(宣散)이란 승(升)만 있고 강(降)은 없는 것이 아니라 올라가면서 또 내려가는 '승이이강(升已而降)'에 해당한다. 그래서 '약무로지개(若霧露之漑)'라고 하였다. 『영추 영위생회(營衛生會)』에서는 또 "上焦는 이슬과 같다"163)고 하였는데 상초가 심폐의 기혈을 수포하는 것을 말한다. 상초에 작용하는 약물은 중초에 작용하는 약물보다 가벼워야 상초에 이를 수 있으므로 『온병조변(溫病條辨)』에서는 "上焦를 다스리는 것은 깃털처럼 가볍게 약을 쓴다(가볍지 않으면 기운이 오르지 않는다)"164)고 하였다.

2) 중초(中焦)

횡격막에서 배꼽까지의의 상복부를 중초라고 한다. 그 소속 장부는 비、위、간、담이다. 중초는 소화기계의 공능을 담아 승강의 추(樞)가 되고 기혈이 생기는 근원이 되므로 『영추 영위생회』에서 "中焦가 음식물을 받아들이면 조박을 내려 보내고 진액을 쪄서 그 정미로운 것으로 바꾸어 위로 폐의 경맥으로 보내면 血이 만들어져 온 몸을 유양하므로 이보다 귀한 것이 없다"165)고 하였으며, 또 '중초여구(中焦如漚)'라고 한 것은 위(胃)에 수곡이 모여 그 수곡이 소화될 때의 상황을 묘사한 것이다. 또 중초에 작용하는 약물은 그 약성이 불승불강(不升不降)해야만 중초에서 그 작용하므로 『온병조변(溫病條辨)』에서 "中焦를 다스리는 것은 저울대처럼 화평하게 약을 쓴다(화평하게 하지 않으면 안정되지 않는다)"166)는 용약원칙을 제시하였다.

---

160) 上焦不治, 則水泛高原; 中焦不治, 則水有中脘; 下焦不治, 則水亂二便 (類經·臟象類)
161) 三焦氣治, 則脈絡通而水道利, 故曰決瀆之官 (類經·臟象類)
162) 上焦開發, 宣五穀味, 熏膚, 充身, 澤毛, 若霧露之漑, 是謂氣 (靈樞·決氣)
163) 上焦如霧 (靈樞·營衛生會)
164) 治上焦如羽(非輕不擧) (溫病條辨·卷四·雜說·治病法論)
165) 此所受者, 泌糟粕, 蒸津液, 化其精微, 上注于肺脈, 乃化而爲血, 以奉生身, 莫貴于此 (靈樞· 營衛生會)
166) 治中焦如衡(非平不安) (溫病條辨·卷四·雜說·治病法論)

중초에 비、위、간、담 등 장부를 배속한 것은 다분히 해부학적인 관점이 반영된 것이며, 이 장부 배속이 비록『내경』에 나오지는 않지만『내경』의 맥법(脈法)과 왕희(王熙)의『맥경』에서 모두 간(肝)을 좌관(左關)이라는 중초 부위에 배속시켜 놓았다. 후세의 온병학설에서는 외감열병의 후기에 나타나는 일련의 병증을 간의 병증으로 보았고 이를 하초의 범주로 간주하였다. 현대에는 대체로 이를 따르는데, 그렇다고 해서 간의 공능이 하초에 있다는 것이지 위치가 하초에 있는 것은 아니다.

3) 하초(下焦)

배꼽 아래의 부위를 말하는데, 소장、대장、신、방광을 포괄한다. 하초의 주요 공능은 대소변을 배설하는 것이며, 이는 소장、대장、신、방광의 작용을 가리킨다.『영추 영위생회』에서 "下焦는 도랑과 같다"167)고 한 것은 하초가 수도(水道)가 됨을 가리키는 것이며, 상술한 하초의 공능을 잘 묘사한 것이라고 할 수 있다. 복용한 약물의 성질이 침중(沈重)해야만 하초로 들어갈 수 있으므로『온병조변』에서는 이를 "下焦를 다스리려면 저울추와 같이 써야 한다(무겁지 않으면 가라앉지 않는다)"168)고 하였다.

제4절 기항지부(奇恒之腑)

기항지부는 뇌(腦)、수(髓)、골(骨)、맥(脈)、담(膽)、여자포(女子胞)를 말한다. 그 중에서 담은 육부에도 속하는데, 이는 담이 담즙을 분비하여 음식물의 소화작용에도 직접적인 관련이 있으므로 육부에 소속시킨 것이다. 그러나 담 자체는 수곡을 전화(傳化)시키는 공능이 없으면서도 정즙(精汁)을 저장하는 '장(藏)'의 공능도 있어서 기항지부에 배속하였다. 담을 제외한 나머지 다섯 개는 모두 표리관계도 아니고 오행배속도 되어 있지 않은 점이 오장육부와는 구별되는 큰 특징이다.

앞에서 설명한 것을 제외하고 여기에서는 뇌와 여자포에 관한 것만 살펴보기로 한다.

1. 뇌(腦)

뇌는 두개골 안에 있으며 수(髓)가 모인 것으로 수해(髓海)라고 하며, 기항지부 가운데 하나이다.『영추 해론(海論)』에서 "뇌는 수의 바다로, 그 수혈(輸穴)은 상부의 두개골에 있고, 하부의 풍부(風府)에 있다"169),『소문 오장생성』에서 "모든 수는 뇌에 속한다"170)고 하였다.

1) 뇌와 정신활동과의 관계

뇌는 정수(精髓)가 모인 곳으로 원신(元神)이 거하는 곳이다.『소문 맥요정미론(脈要精微論)』에 "머리는 정명(精

167) 下焦如瀆 (靈樞·營衛生會)
168) 治下焦如權(非重不沈) (溫病條辨·卷四·雜說·治病法論)
169) 腦爲髓之海, 其輸上在于蓋, 下在風府 (靈樞·海論)
170) 諸髓者皆屬于腦 (素問·五藏生成)

明)의 府다"[171]라고 하였으며,『본초강목』에서는 "뇌는 원신의 府다"[172]라고 하였다.

2) 청각、시각、후각과 사유、기억、언어 등의 공능은 모두 뇌에 귀속되어 있다

『영추 해론』에 "수해(髓海)가 부족하면 뇌전(腦轉)、이명、경산(脛酸)、현훈、목무소견(目無所見)、해태(懈怠)、기와(嗜臥)한다"[173]고 하였으며,『영추 구문(口問)』에도 "上氣가 부족하면 뇌가 충만하지 못하고, 귀에는 이명이 생기며, 머리는 비뚤어지고, 눈은 어지럽게 된다"[174]고 하여 시각、청각과 정신상태의 병리변화와 뇌와의 관계를 설명하였는데, 뇌、눈과 귀는 모두 머리에 있어서 뇌가 '불만(不滿)'하면 이명、목현(目眩)、정신위둔케 된다. 청의 왕앙(汪昂)은『본초비요(本草備要)』에서 "사람의 기억은 모두 뇌 중에 있다"[175]고 하였으며, 그 후에 왕청임(王淸任)은 왕앙의 견해를 기초로 하여 뇌의 공능에 대해 보다 자세한 논술을 하였는데, 그의 저서인『의림개착(醫林改錯)』에서 "정신작용과 기억능력이 뇌에서 나온다는 것은 다음과 같은 이유 때문이다. 음식에서 기혈이 만들어지고 기육이 자라며, 정즙의 맑은 것이 변하여 수(髓)가 되어 척추를 경유하여 위로 올라가 뇌로 들어가니 이를 뇌수라고 한다. … 양쪽 귀는 뇌에 연결되어 소리가 뇌에 전달된다. … 양쪽 눈은 뇌에 선과 같이 연결되어 사물을 본 것이 뇌에 전달된다. … 코는 뇌와 연결되어 냄새가 뇌에 전달된다. … 소아는 일년이 지나면 뇌가 점점 자라서 한두 마디를 말할 수 있다"[176]고 하여 보고、듣고、냄새 맡고、말하는 등 공능이 모두 뇌에 귀속되는 것으로 인식하였는데, 이는 양의학에서의 뇌에 대한 내용에 근접한 것이다.

뇌는 매우 중요한 기관이며 생명과 직접적으로 연관된 부분이라서 조금이라도 손상을 입어서는 안되기 때문에 침구치료를 하면서도 주의하여야 한다. 예를 들어 풍부혈(風府穴)을 자침할 때 만약 너무 깊이 찔러 뇌를 손상하면 즉사하는 경우가 있으므로『소문 자금론(刺禁論)』에 "머리를 찔러서 뇌 안으로 들어가면 바로 죽는다"[177]고 하였으며,『유경 침자류(鍼刺類)』에도 "뇌호(腦戶)는 독맥의 경혈로 침골 위에서 뇌 안으로 통해 있는데, 뇌는 수해이므로 원양(元陽) 정기가 모여 있는 곳이다. 침으로 찌르면 진기가 새어 나와 바로 죽는다"[178]고 하여 뇌의 중요성을 강조하였다.

2. 여자포(女子胞)

'포궁(胞宮)'이라고도 하는 자궁을 말하며, 여성의 월경을 주관하고 태아를 임신하는 기관이다. 소복(小腹) 한가운데, 방광의 뒤, 직장의 앞에 위치하고, 아래로 질과 연결되어 있다. 임신하지 않았을 때는 배를 거꾸로 매달아 놓은 형상이다.

여자포의 생리공능은 일련의 복잡한 생리과정을 거치지만, 중요한 것으로는 천계(天癸)、충임이맥(衝任二脈)、심、

171) 頭者精明之府 (素問·脈要精微論)
172) 腦爲元神之府 (本草綱目·辛夷)
173) 髓海不足, 則腦轉耳鳴, 脛酸眩冒, 目無所見, 懈怠安臥 (靈樞·海論)
174) 上氣不足, 腦爲之不滿, 耳爲之苦鳴, 頭爲之苦傾, 目爲之眩 (靈樞·口問)
175) 人之記性, 皆在腦中 (本草備要·辛夷)
176) 靈機記性在腦者, 因飮食生氣血, 長肌肉, 精汁之淸者, 化而爲髓, 由脊骨上行入腦, 名曰腦髓, … 兩耳通腦, 所聽之聲歸於腦, … 兩目系如線, 長于腦, 所見之物歸於腦, … 鼻通于腦, 所聞香臭歸於腦, … 小兒, … 至周世, 腦漸生, … 舌能言一二字 (醫林改錯·腦髓說)
177) 刺頭, 中腦顱, 入腦, 立死 (素問·刺禁論)
178) 腦戶, 督脈穴, 在枕骨上, 通于腦中. 腦爲髓海, 爲元陽精氣之所聚. 針入腦, 則眞氣泄, 故立死 (類經·鍼刺類)

간, 비 등과 밀접한 관계가 있다.

1) 천계(天癸)의 작용

천계는 신중정기(腎中精氣)가 충만하여 일정 정도에 이르면 생성된다. 천계는 남녀 성기관의 발육과 성숙을 촉진하고 생식과 생리공능을 유지하게 한다. 그러므로 천계의 작용으로 여자포가 발육 성숙하고 월경이 나오며 임신할 수 있다. 노년에 신중정기가 쇠약해지면 천계도 점차 따라서 감소하다가 고갈되면 폐경이 되어 임신을 할 수 없게 된다. 이는『소문 상고천진론』에 "14세에는 천계가 이르러 임맥이 통하고 태충맥이 성하게 되므로 월경이 시작되어 자식을 가질 수 있게 된다. … 49세에는 임맥이 허하고 태충맥이 쇠소하게 되어 천계가 다하고 지도(地道)가 통하지 않아 형체가 쇠하고 아이를 가질 수 없게 된다"[179]고 한 것과 같다. 천계의 지(至)와 갈(渴)은 충임맥(衝任脈)에 상응하는 변화를 일으킨다.

2) 충임맥(衝任脈)의 작용

충임맥은 모두 포(胞) 중에서 시작한다. 충맥은 신경(腎經)과 병행하고 양명맥(陽明脈)과 상통하며 십이경맥의 기혈을 조절하므로 '십이경지해(十二經之海)'라고 한다. 임맥은 포태(胞胎)를 주관하는데, 소복(小腹)에서는 족삼음경(足三陰經)과 만나고 전신의 음경(陰經)을 조절하므로 '음맥지해(陰脈之海)'라고 한다. 십이경맥의 기혈이 충만하면 충맥과 임맥으로 흘러 들어가고 충임맥의 조절을 거쳐서 포궁으로 주입되어 월경이 발생한다. 충임맥의 성쇠는 천계의 조절을 받는데, 유년기에는 천계가 이르지 않아서 자궁은 미숙하고 임맥은 통하지 않으며 충맥 역시 성(盛)하지 않아서 월경도 없고 생식능력도 없는 것이다. 사춘기가 되면 천계가 이르고 임맥이 통하고 태충맥도 성(盛)하여 비로소 월경이 있게 되고 생식능력을 갖추게 된다. 50세 전후에 이르면 신중정기가 점차 쇠하고 천계도 고갈되어 충임맥의 기혈도 점차 적어져서 폐경에 이르게 된다. 만약 충임맥이 실조되면 월경부조와 붕루, 경폐, 불임 등 병증이 나타나게 된다.

3) 심, 간, 비의 작용

월경의 중요 성분은 혈이다. '심주혈', '간장혈', '비통혈'하여 심, 간, 비는 전신 혈액의 생화와 운행의 조절작용을 하고 있다. 월경과 임신은 모두 기혈이 충분하고 정상적일 때 가능한 것이며, 특히 월경은 심, 간, 비와 밀접한 관계가 있다.『제음강목(濟陰綱目)』에서 "血은 음식물의 정미로운 기운이다. 오장을 조화롭게 하고 육부를 적시며 남자는 精으로 바뀌고 여자는 위로 올라가 젖이 되며 아래로 내려가 생리혈이 된다"[180]고 한 것은 이를 말함이다. 만약 심신(心神)이 불안하게 되면 월경이 문란해지고, '간장혈'과 '비통혈'의 공능이 감퇴되면 월경과다나 주기 단축, 주기 연장, 붕루 등이 나타나게 된다. 이와 반대로 만약 비(脾)의 기혈을 만드는 공능이 부족하거나 간혈(肝血)이 허하게 되면 월경량소색담(月經量少色淡) 심지어는 경폐(經閉)와 불임에 이르게 된다. 월경과 임신의 생리과정은 어떤 한 가지 요소에 의존하는 것이라기보다는 보다 복잡하고 다양한 과정을 가지며, 나아가 전신적인 상황과 정신상태와도 유관하다. 그 중에서도 간, 심, 비, 신과 충임맥 등과 관계가 밀접하다.

---

179) 二七而天癸至, 任脈通, 太衝脈盛, 月事以時下, 故有子. … 七七, 任脈虛, 太衝脈衰少, 天癸渴, 地道不通, 故形壞而無子也(素問·上古天眞論)

180) 血者, 水穀之精氣也, 和調五臟, 灑陳六腑. 在男子則化爲精, 婦人卽上爲乳汁, 下爲血水 (濟陰綱目·卷一·調經門·論脾胃生血)

제5절 장부간의 관계

인체는 하나의 통일된 유기체로서 장부 경락과 다양한 기관으로 구성되어 있다. 각 장부、조직、기관의 공능 활동 역시 고립된 것이 아니라 유기적으로 연계된 하나의 구성부분으로서 서로 제약하고 의존하며 상호작용하는 관계에 있다. 경락이 장부간의 통로가 되어 기혈진액이 전신을 끊임없이 순환하며 각 장부 기관들로 하여금 협조적이고 통일된 유기체를 이루게 한다.

1. 오장 간의 관계

장과 장 사이의 관계에 대해 고대에는 주로 오행의 생극승모(生剋乘侮)의 관계로 설명하였지만 오랜 세월에 걸친 관찰과 연구를 거치면서 단순한 오행 생극승모의 관계에 제한되지 않고 각 장부의 생리공능을 설명하고 그들간의 상호관계를 밝혀내는 단계에 이르렀다. 각 장부간의 관계 중에서도 다음의 세 가지가 오장간에 공통된 것이다. 첫째로, 신음(腎陰) 신양(腎陽)은 오장 음양의 근본으로서 신중정기(腎中精氣)의 성쇠가 오장 음양의 성쇠를 결정한다는 것이며, 둘째로 비위(脾胃)는 오장의 기혈이 생기는 원천이기 때문에 비위의 왕쇠(旺衰)는 오장의 기혈다소(氣血多少)를 결정하고, 셋째로 심(心)은 오장의 대주(大主)로서 오장의 각종 생명활동은 모두 심의 주재하에 진행된다는 것이다.

각 장부간의 특수한 관계는 다음과 같다.

1) 심과 폐

심과 폐의 관계에서 가장 중요한 내용은 '심주혈(心主血)'과 '폐주기(肺主氣)'이다. 즉 심은 혈을 행하고 폐는 호흡을 주관하며, "모든 血은 心에 속하고, 모든 氣는 肺에 속한다"[181]고 하였듯이 서로 의존하고 상호작용하는 관계이다.

폐는 선발과 숙강을 주관함과 동시에 백맥(百脈)을 맞아들여 심의 행혈(行血)을 돕는데, 이는 정상적인 혈액순환의 필요조건이며 '기위혈수(氣爲血帥)'와도 부합한다. 또 정상적인 혈액순환 상태에서만이 폐의 정상적인 호흡공능이 가능하므로 '호출심여폐(呼出心與肺)'라는 견해가 있다. 심폐의 중간에서 흉중의 종기(宗氣)가 혈액순환과 호흡에 작용한다.

따라서 폐기허(肺氣虛)와 폐실선강(肺失宣降) 등 폐공능의 이상은 심의 행혈(行血)에 영향을 미쳐 흉민(胸悶)、부정맥 등이 나타나고 심지어 순청(脣靑)、설자(舌紫) 등 어혈이 나타날 수 있다. 마찬가지로 만약 심기(心氣)가 부족하거나 심양부진(心陽不振)、어조심맥(瘀阻心脈) 등 혈행에 이상이 있으면 폐의 선발과 숙강공능에 영향을 미쳐 해수、기촉(氣促) 등 폐기상역(肺氣上逆)한 증상이 나타난다.

2) 심과 비

'심주혈(心主血)'、'비통혈(脾統血)'하고 또 비는 생화의 원천이므로 심과 비의 관계는 매우 밀접하다. 비의 운화공능이 정상적으로 진행되면 혈액을 만드는 공능이 왕성해져서 심장에 혈액이 충만해진다. 비기(脾氣)가 건왕(健旺)하여 비의 통혈공능이 정상적으로 유지되면 혈액이 맥 안으로 운행하여 맥 밖으로 빠져나가지 않는다. 이처럼 심과 비의 관계는 혈액의 생성과 운행에서 주로 나타난다. 병리적으로도 심과 비는 서로 영향을 미치는데, 만약 사려가 지

181) 諸血者, 皆屬于心; 諸氣者, 皆屬于肺 (素問·五藏生成)

나치면 심혈(心血)이 모손(耗損)될 뿐만 아니라 비의 운화공능에도 영향을 미친다. 또 비기가 허약하여 운화를 못하면 기혈이 만들어지지 않아 혈허하게 되고 심이 주관할 바가 없어지게 된다. 만약 비가 통혈하지 못하여 혈액이 망행하게 되면 심혈이 부족케 된다. 심비양허(心脾兩虛, 즉 心血虛-脾氣虛)하면 심계, 실면, 다몽, 복창, 식소(食少), 체권(體倦), 면색무화(面色無華) 등이 나타난다.

3) 심과 간

'심행혈(心行血)'하고 '간장혈(肝藏血)'한다. 혈액은 비에서 만들어지고 간에 저장되며 심을 통하여 전신을 운행한다. 심의 행혈공능이 정상적이어야 혈액운행이 정상적으로 되고 이어 간의 장혈하는 공능도 정상적으로 된다. 또 간이 장혈공능을 하지 못하면 심이 주관하는 바가 없어져 혈액의 운행이 반드시 실상(失常)케 된다. 혈액순환에 있어서 심과 간은 이처럼 상호 밀접한 관계에 있기 때문에 임상에서 심간혈허증(心肝血虛證)이 자주 나타나는 것을 보게 된다.

'심주신지(心主神志)'하고 '간주소설(肝主疏泄)'한다. 정신 의식과 사유활동은 심이 주관하는 바이지만 간의 소설과도 밀접한 관련이 있다. 정서적인 손상은 화(火)가 음(陰)을 상한 것이 주된 원인인데, 임상에서 심간음허(心肝陰虛)와 심간화왕증(心肝火旺證)이 서로 영향을 미치거나 동시에 나타나는 것을 자주 볼 수 있다.

4) 심과 신

심(心)은 화(火)이고 상부에 위치하여 양(陽)에 속한다. 신(腎)은 수(水)이고 하부에 위치하여 음(陰)에 속한다. 음양수화(陰陽水火)의 승강이론에 따르면, 아래에 있는 것이 상승하는 것을 '순(順)'이라 하고, 위에 있으면서 아래로 하강하는 것을 '화(和)'라고 한다. 『소문 음양응상대론』에 "위로 올라가는 것이 다하면 내려오는데, 내려오는 것은 天이다. 내려가는 것이 다하면 올라가는데, 올라가는 것은 地이다. 天氣가 아래로 내려오면 그 기는 땅에서 흐르고, 地氣가 상승하면 그 기는 하늘로 오른다"[182]고 한 것은 우주적 관점에서 음양수화의 승강을 설명한 것이다. 그래서 심화(心火)는 반드시 신(腎)으로 하강해야 하고 신수(腎水)는 심(心)으로 상제(相濟)해야 하는 것이다. 이처럼 심과 신의 생리공능은 서로 협조관계를 이루는데, 이를 '심신상교(心腎相交)' 혹은 '수화기제(水火旣濟)'라고 한다. 만약 심화가 신으로 하강하지 못하고 오히려 상항(上亢)하고, 신수가 위로 심을 상제하지 못하고 하설하면 심과 신의 생리공능이 협조관계를 상실하여 '심신불교(心腎不交)'나 '화수미제(火水未濟)'라는 병리상태를 초래하게 된다. 예컨대 임상에서 불면을 주증으로 하는 정충(怔忡), 심계, 심번, 요슬산연(腰膝痠軟), 혹 남자유정, 여자몽교 등은 대부분 심신불교에 속한다.

이 외에도 심신(心腎)의 음양 간에는 서로 밀접한 관계가 있어서 한쪽에 병변이 있으면 서로 영향을 미친다. 예로 신양허(腎陽虛)로 양허수범(陽虛水泛)하여 위로 심(心)을 능멸하면 부종, 경계(驚悸) 등 '수기능심(水氣凌心)'의 병증이 나타나고, 심음허(心陰虛)하면 신음(腎陰)에 영향을 미쳐 음허화왕증(陰虛火旺證)이 종종 나타난다.

5) 폐와 비

폐와 비의 관계는 기의 생성과 진액의 수포와 대사라는 두 가지 측면에서 주로 나타난다. 기의 생성은 주로 폐의 호흡공능과 비의 운화공능으로 이루어지므로 비폐의 건왕여부는 기의 성쇠와 밀접한 관계가 있다.

진액의 수포와 대사는 폐의 선발, 숙강, 수도를 통조하는 공능과 비의 수액을 운화하는 공능을 중심으로 이루어진

182) 升已而降, 降者爲天; 降已而升, 升者爲地. 天氣下降, 氣流于地; 地氣上升, 氣騰天 (素問·陰陽應象大論)

다. 폐의 선발, 숙강, 수도를 통조하는 공능은 비의 수액을 운화하는 공능을 도와 내습(內濕)이 생기는 것을 방지한다. 또 비가 진액을 운송하여 폐로 산정(散精)하는 것은 폐가 수도를 통조한다는 전제하에 가능하며 동시에 폐가 생리활동을 하는 데 필요한 영양소를 제공하는 것이기도 하다. 따라서 비와 폐는 진액의 수포와 대사에 관해서 서로 매우 밀접한 관계에 있다.

비폐 사이의 병리 역시 주로 기의 생성 부족과 수액대사의 실상으로 나타난다. 예컨대 비기가 허하면 폐기부족(肺氣不足)을 초래하는데 이를 '토불생금(土不生金)'이라 하고, '배토생금(培土生金)'의 치법으로 치료한다. 비가 제대로 운행되지 못해서 진액대사에 장애가 생기면 수액(水液)이 정취(停聚)되어 담(痰)과 음(飮)을 생성하고 이것이 폐의 선발 숙강공능에 영향을 미쳐 해수(咳嗽), 담다(痰多) 등이 나타난다. 이른바 "비위는 痰이 생기는 근원이고, 폐는 담을 저장하는 그릇이다"183)는 이를 말하는 것이다. 마찬가지로 폐병이 오래 되면 비의 운화공능이 실상하여 비기허(脾氣虛)가 되고 소화불량, 복창, 변당 심지어 부종 등이 나타나는데, 이를 '상병급중(上病及中)'이라 하고 배토생금(培土生金)으로 치료한다.

6) 폐와 간

폐와 간의 관계는 주로 기의 승강방면에서 나타나는데, 폐는 강(降)을 주관하고 간은 승(升)을 주관하며 전신 기의 순환과 조절을 이룬다. 만약 간의 승발이 태과하거나 폐의 숙강이 부족하면 기운이 상역(上逆)하여 해역상기(咳逆上氣)나 객혈 등이 나타나는데, 이를 '간화범폐(肝火犯肺)'라고 한다. 반대로 폐가 청숙(淸肅)작용을 못하여 조열(燥熱)이 폐 안에서 성하면 간에 영향을 미치게 되고 간은 소설과 조달(條達)작용을 못해 해수가 나타나는 동시에 흉협인통(胸脇引痛), 창만(脹滿), 두통, 두훈, 면홍(面紅), 목적(目赤) 등이 나타난다.

7) 폐와 신

폐와 신은 수액대사와 호흡에서 서로 영향을 주고 받는다. 신은 수(水)를 주관하고, 폐는 '수지상원(水之上源)'으로 폐의 선발, 숙강 및 수도를 통조하는 신양(腎陽)의 추동력에 의지하며, 또 신의 수(水)를 주관하는 공능 역시 폐의 선발, 숙강 및 수도를 통조하는 공능에 의존한다. 그래서 폐가 제 공능을 하지 못하면 반드시 신에 영향을 미쳐서 요소(尿少), 부종 등이 나타난다. 또 신양이 부족하면 소변의 배출이 나빠지므로 부종이 되거나 심하면 천호(喘呼), 해역(咳逆), 의식부득와(倚息不得臥) 등이 나타난다. 『소문 수열혈론(水熱穴論)』에 "그 本은 腎에 있고 그 末은 肺에 있는데, 모두 적수(積水)이다"184)라고 한 것과 같다.

폐는 호기(呼氣)를 주관하고 신은 납기(納氣)를 주관하는데, 호흡의 깊이는 신의 납기에 달려 있다. 신기(腎氣)가 충분하면 흡입한 기가 폐의 숙강작용으로 아래로 신으로 납입한다. 그래서 "폐는 氣의 主이고, 신은 氣의 뿌리"185)이라는 견해가 있다. 만약 신의 정기가 부족하여 섭납을 못하면 기가 위에서 뜨게 되고, 혹 폐기가 오래도록 허하면 오랜 병이 신에까지 미쳐 호흡천표(呼吸淺表), 기천(氣喘) 등이 나타난다.

이 외에도 폐와 신의 음액(陰液)은 서로 자생(資生)하는 관계에 있는데, 신음(腎陰)은 전신 음액(陰液)의 근본으로서 폐음허(肺陰虛)하면 신음(腎陰)을 손상케 되고, 반대로 신음허(腎陰虛)하면 위로 폐음(肺陰)을 자윤할 수 없게 된

183) 脾爲生痰之源, 肺爲貯痰之器 (本草綱目·半夏)
184) 其本在腎, 其末在肺, 皆積水也 (素問·水熱穴論)
185) 肺爲氣之主, 腎爲氣之根 (景岳全書·卷十九·雜證謨·喘促)

다. 그러므로 폐신음허(肺腎陰虛)는 항상 동시에 나타나 관홍(顴紅)、골증조열(骨蒸潮熱)、도한(盜汗)、건해음아(乾咳瘖瘂)、요슬산연(腰膝酸軟) 등이 나타난다.

8) 간과 비

간은 장혈하고 소설을 주관하며, 비는 통혈하며 운화를 주관하고 기혈이 만들어지는 원천이 된다. 간과 비의 관계에서는 먼저 간의 소설공능과 비의 운화공능이 상호영향을 미치는 것이 가장 중요하다. 비의 운화는 간의 소설공능에 의지하기 때문에 간의 소설공능이 정상적이면 비의 운화공능도 왕성하게 된다. 만약 간이 소설공능을 제대로 행하지 못하면 간기(肝氣)가 횡역(橫逆)하여 비를 범해 '간목범비(肝木犯脾)'의 상황이 되어 '간비불화(肝脾不和)'의 병리로 진행되어 정신억울、흉협창만、복창복통、설사、변당 등이 나타난다.

이 외에도 비위의 습열이 간담을 훈증(熏蒸)하면 담열(膽熱)하여 담즙을 외설(外泄)하여 황달이 되고, 또 병리상 간병(肝病)이 비(脾)로 전하고 비병(脾病)도 간(肝)으로 파급되는 등 간비(肝脾)의 병변이 상호 영향을 미친다.

9) 간과 신

간신의 관계는 특히 밀접하여 '간신동원(肝腎同源)'이라고도 한다. 간은 혈을 저장하고 신은 정을 저장하는 장정(藏精)과 장혈(藏血)의 관계에 있지만, 실제상으로도 정과 혈의 사이에는 상호자생(相互資生)과 상호전화(相互傳化)의 관계에 있다. 혈의 화생(化生)은 신중정기(腎中精氣)의 기화작용에 의하고, 신중정기의 충만 여부도 역시 혈액의 자양에 의지한다. 이런 까닭에 '정능생혈(精能生血)'、'혈능화정(血能化精)'의 견해가 있고 이를 '정혈동원(精血同源)'이라고 한다. 병리적으로도 정과 혈의 병변은 서로 영향을 미치는데, 신정(腎精)이 휴손(虧損)되면 간혈의 부족을 초래하고, 간혈이 부족하면 또한 신정이 휴손됨을 볼 수 있다.

이외에도 간이 소설을 주관하고 신의 봉장하는 관계는 상호제약의 관계로서 이런 상반상성(相反相成)의 관계는 여자의 월경과 남자의 사정의 생리공능에 잘 나타나 있다. 만약 간신(肝腎)이 실조되면 월경주기의 이상이나 월경량과다、혹은 경폐、남자의 유정、활설(滑泄)、양강불설(陽强不泄) 등이 나타나는 것을 볼 수 있다.

간신동원이기 때문에 간신의 음양간의 관계는 매우 밀접하여 매번 서로 통하고 상호제약하는 협조평형의 관계에 있어서 병리적으로도 서로 영향을 미친다. 예컨대 신음(腎陰)이 부족하면 간음부족(肝陰不足)을 초래하고 음이 양을 제어하지 못해서 간양상항(肝陽上亢)을 일으켜 '수불함목(水不涵木)'이라는 상황이 된다. 또 간음이 부족하면 신음이 휴손되어 상화(相火)가 편항(偏亢)되며, 간화(肝火)가 매우 심해도 아래로 신음을 손상하여 신음부족의 병리를 초래한다.

10) 비와 신

비는 후천의 근본이고 신은 선천의 근본이다. 비의 운화 공능과 정미를 화생하는 작용은 신양의 추동작용에 의존하기 때문에 "脾陽은 腎陽에 뿌리를 두고 있다(脾陽根于腎陽)"고 한다. 신중정기(腎中精氣) 역시 수곡정미의 끊임없는 자생을 필요로 한다. 그래서 비와 신은 선후천의 관계로서 서로 돕고, 서로 뿌리가 되는 관계이다. 병리적으로도 서로 영향을 미쳐 서로의 원인과 결과가 되기도 하는데, 예컨대 신양이 부족하면 비양(脾陽)이 허해져서 복부냉통(腹部冷痛)、하리청곡(下利淸穀)、혹 오경설사(五更泄瀉)、부종 등이 나타나고, 비양이 오래도록 허하면 신양까지 휴손하게 되어 비신양허(脾腎陽虛)의 병증이 나타난다.

2. 육부 간의 관계

육부는 모두 '전화물(傳化物)'의 생리적 특징이 있기 때문에 육부간의 관계는 주로 음식물의 소화､흡수､배설 과정 중에 나타난다. 음식물이 위(胃)로 들어와서 위의 부숙과 초기 소화단계를 거쳐 소장으로 전하면 소장을 통과하는 과정에서 보다 많은 소화가 이루어지고 청탁이 비별된다. 그 중 맑은 것은 정미가 되어 비의 운화작용으로 전신을 영양하고, 남은 수액은 흡수 후 방광으로 들어가 오줌의 원료가 된다. 그 탁한 것은 조박이 되어 대장으로 내려간다. 방광으로 들어간 오줌은 기화작용을 거쳐 수시로 배출된다. 대장의 조박은 전도와 변화과정을 거쳐 항문을 통하여 배출된다.

음식물의 소화､흡수､배설 과정 중에, 간담은 소설작용으로 음식물의 소화를 돕고, 삼초는 원기와 진액의 통로가 될 뿐만 아니라 기화작용으로 원기와 진액의 정상적인 운행을 가능케 하는 추진력이 된다. 그래서 『영추 본장』에 "육부는 음식물을 변화시켜 진액을 운행한다"[186]고 하였다. 육부가 음식물을 전화(傳化)하는 것은 계속적인 과정이며, 이는 육부 상호간의 허실이 교체되는 양상을 가지면서 동시에 통(通)해야 하고 체(滯)해서는 안되기 때문에 『소문 오장별론』에 "胃가 실하면 腸이 허하고, 腸이 실하면 胃가 허하다"[187]고 하였다. 이는 음식물이 위장(胃腸)에서 소화되면서 이동해야지 한 곳에 오래 머물러서는 안된다는 것을 설명하는 것이며, 이를 후세 의가들이 "육부는 통하는 것이 그 작용이다(六腑以通爲用)", "腑의 병은 통하게 하는 것이 보하는 것이다"[188]라고 하였다.

육부는 병리적으로도 끊임없이 서로 영향을 미치는데, 위(胃)에 실열(實熱)이 있어 진액을 소작(燒灼)하면 대장의 전도가 불리해지고 대변이 굳어진다. 마찬가지로 대장이 조결(燥結)하여 변폐불통(便閉不通)하면 역시 위(胃)의 화강(和降)에 영향을 미쳐 위기상역(胃氣上逆)하여 오심､구토 등이 나타난다. 또 간담의 화가 치성하면 위(胃)를 범하여 쓴 물을 토하기도 한다. 비위의 습열은 간담을 훈증하여 담즙으로 하여금 피부로 외설(外泄)하여 황달과 같은 병증을 일으키기도 한다.

육부가 비록 통(通)함을 위주로 하지만 역시 태과와 불급의 차이가 있기 때문에 진행되는 병증을 잘 구별하여야만 한다.

3. 오장과 육부의 관계

장(臟)과 부(腑)는 음양표리의 관계이다. 장은 음에 속하고 부는 양에 속하며, 장은 이(裏)이고 부는 표(表)이며, 경맥으로 서로 속락(屬絡)되어 있어 밀접한 관계를 형성한다.

1) 심과 소장

심의 경맥은 심에 속(屬)하면서 소장에 낙(絡)하고, 소장의 경맥은 소장에 속하면서 심에 낙하여 속락에 따라 서로 표리관계가 된다. 병리적으로도 마찬가지로 나타나는데, 심장에 화열(火熱)이 있으면 소장으로 이전되어 요소(尿少)､요적열(尿赤熱)､요통(尿痛) 등이 나타나고, 반대로 소장에 열(熱)이 있으면 심장으로 상염(上炎)하여 심번(心煩)､설적

186) 六府者, 所以化水穀而行津液者也 (靈樞·本藏)
187) 胃實而腸虛, 腸實而胃虛 (素問·五臟別論)
188) 腑病以通爲補 (臨證指南醫案·脾胃)

(舌赤)、구설생창(口舌生瘡) 등이 나타난다.

2) 폐와 대장

폐와 대장도 경락상 서로 속락으로 연결되어 표리관계를 구성한다. 폐기의 숙강은 대장의 전도를 보조하고, 대장의 전도는 폐의 숙강에 도움을 준다. 만약 대장에 실열(實熱)이 있어 부기(腑氣)가 통하지 않게 되면 폐의 숙강에도 영향을 미쳐 흉만(胸滿)、천해(喘咳) 등이 나타나고, 폐기가 숙강하지 못해 진액이 하달하지 못하면 대변이 건조비결한다. 또 폐기가 허약하여 추동이 약해지면 대변이 비삽불행(秘澁不行)해져서 기허변비(氣虛便秘)가 되며, 또 기허하여 고삽하지 못하면 청탁이 섞여 나가므로 대변당설(大便溏泄)이 되기도 한다.

3) 비와 위

비와 위도 경락상 서로 표리관계를 이루고 있다. 위는 수납을 주관하고 비는 운화를 주관하여 음식물의 소화 흡수, 그리고 정미를 수포하여 전신을 자양하므로 '후천지본'이라고 한다.

'비주승(脾主升)', '위주강(胃主降)': 비기는 승(升)하여 음식물의 정미를 수포하고, 위기는 강(降)하여 음식물과 조박을 내려보낸다. 이를 『임증지남의안』에서 "脾氣는 위로 올라가야 건강하고, 胃氣는 아래로 내려가야 조화롭다"189) 고 하였다.

'위오조(胃惡燥)', '비오습(脾惡濕)': 위는 윤(潤)을 좋아하고 조(燥)를 싫어하며, 비는 조(燥)를 좋아하고 윤(潤)을 싫어한다. 비위의 조습(燥濕)이 서로 돕고 음양이 서로 맞아야 음식물의 전화(傳化)과정이 완성된다. 그러므로 『임증지남의안』에서 "태음습토(太陰濕土)는 陽을 얻어 비로소 운행하고, 양명조금(陽明燥金)은 陰을 얻어 스스로 편안해진다"190)고 하였다.

비위는 병리적으로도 서로 영향을 미친다. 만약 비가 습(濕)으로 장애를 받으면 운화가 무력해져 청기(淸氣)는 불승(不升)하고 위(胃)의 수납과 화강에도 영향을 미쳐서 식소、구토、오심、완복창만 등이 나타나고, 반대로 음식실절(飮食失節)、식체위완(食滯胃脘)하여 위가 화강하지 못하면 비의 승청과 운화작용에 영향을 미쳐 복창(腹脹)、설사 등이 나타난다. 『소문 음양응상대론』에 "청기가 아래 있으면 소화되지 않은 음식물을 설사하고, 탁기가 위에 있으면 붓고 그득한 병이 생긴다"191)고 한 것은 비위의 승강이 실조되었을 때 나타나는 병리와 증상을 개괄한 것이다.

4) 간과 담

담은 간에 붙어 있고 경맥상으로도 서로 속락되어 있어 표리를 이룬다. 담즙의 내원은 간의 여기(餘氣)로서 담즙의 정상적인 배설과 그 작용을 발휘하기 위해서는 간의 소설공능의 도움을 받아야 한다. 만약 간의 소설공능이 비정상이면 담즙의 분비와 배설에 영향을 미치고, 또 담즙의 배설이 잘 안되면 간의 소설작용에도 영향을 미친다. 그래서 간과 담은 생리병리적으로 상호 밀접한 관계에 있어 간병은 담에 영향을 주고, 담병도 간에 파급되어 결국에는 간담동병(肝膽同病)이 된다. 간담화왕(肝膽火旺)이나 간담습열(肝膽濕熱)이 좋은 예이다.

189) 脾宜升則健, 胃宜降則和 (臨證指南醫案·脾胃)
190) 太陰濕土, 得陽始運; 陽明燥金, 得陰自安 (臨證指南醫案·脾胃)
191) 淸氣在下, 則生飧泄, 濁氣在上, 則生䐜脹 (素問·陰陽應象大論)

5) 신과 방광

신과 방광의 경맥도 속락이 되어 서로 표리관계를 형성하고 있다. 방광의 저뇨와 배뇨공능은 신의 기화작용 여부에 좌우되므로 신기가 충족되고 고삽하면 방광의 개합작용도 절도가 있게 되고 따라서 수액의 정상적인 대사가 유지된다. 만약 신기가 부족하여 기화실상(氣化失常)으로 고삽하지 못하면 방광의 개합작용이 조절되지 않아 소변불리나 실금、유뇨、빈뇨 등이 나타난다. 예컨대 노인에게 자주 보이는 요실금、다뇨 등은 신기쇠약(腎氣衰弱)으로 인한 경우가 대부분이다.

참고문헌

1. 『格致餘論·相火論』 朱震亨
2. 『格致餘論·陽有餘陰不足論』 朱震亨
3. 『景岳全書·卷十九·雜證謨·喘促』 張介賓
4. 『難經·四難』 扁鵲
5. 『難經·三十六難』 扁鵲
6. 『難經·三十九難』 扁鵲
7. 『難經·四十二難』 扁鵲
8. 『難經·六十六難』 扁鵲
9. 『丹溪心法·能合脈色可以萬全』 朱震亨
10. 『丹溪心法·頭眩』 朱震亨
11. 『類經·臟象類』 張介賓
12. 『類經·疾病類』 張介賓
13. 『類經·鍼刺類』 張介賓
14. 『類經·類經圖翼·卷三』 張介賓
15. 『類經附翼·大寶論』 張介賓
16. 『類症治裁·喘症』 林佩琴
17. 『孟子·告子上』
18. 『本草綱目·半夏』 李時珍
19. 『本草綱目·辛夷』 李時珍
20. 『脾胃論·三焦元氣衰旺』 李東垣
21. 『史記·扁鵲倉公列傳』 司馬遷
22. 『素問·擧痛論』
23. 『素問·經脈別論』
24. 『素問·厥論』
25. 『素問·金匱眞言論』
26. 『素問·奇病論』
27. 『素問·靈蘭秘典論』
28. 『素問·脈要精微論』
29. 『素問·寶命全形論』
30. 『素問·四氣調神大論』
31. 『素問·上古天眞論』
32. 『素問·生氣通天論』
33. 『素問·宣明五氣』
34. 『素問·水熱穴論』
35. 『素問·逆調論』
36. 『素問·靈蘭秘典論』
37. 『素問·五臟別論』
38. 『素問·五臟生成』
39. 『素問·痿論』
40. 『素問·六節藏象論』
41. 『素問·陰陽別論』
42. 『素問·陰陽應象大論』
43. 『素問·刺禁論』
44. 『素問·臟氣法時論』
45. 『素問·至眞要大論』
46. 『素問·太陰陽明論』
47. 『素問·八正神明論』
48. 『靈樞·決氣』
49. 『靈樞·經脈』
50. 『靈樞·經水』
51. 『靈樞·口問』
52. 『靈樞·九鍼論』
53. 『靈樞·根結』
54. 『靈樞·大惑論』
55. 『靈樞·本輸』
56. 『靈樞·本神』
57. 『靈樞·本藏』
58. 『靈樞·邪客』
59. 『靈樞·邪氣臟腑病形』
60. 『靈樞·歲露論』
61. 『靈樞·營衛生會』
62. 『靈樞·五味』
63. 『靈樞·玉板』
64. 『靈樞·腸胃』
65. 『靈樞·脹論』
66. 『靈樞·海論』
67. 『溫病條辨·卷四·雜說·治病法論』 吳鞠通
68. 『溫熱論·溫病大綱』 葉桂
69. 『醫貫·內經十二官論』 趙獻可
70. 『醫林改錯·腦髓說』 王清任
71. 『醫宗必讀·腎爲先天之本脾爲後天之本論』 李中梓
72. 『醫旨緖餘·命門圖說』 孫一奎
73. 『醫碥·卷之一·雜症·氣』 何夢瑤
74. 『醫學綱目·脾胃部』 樓英
75. 『醫學入門·心』 李梴
76. 『醫學正傳·醫學或問』 虞傳
77. 『醫學眞傳·氣血』 高士宗
78. 『臨證指南醫案·脾胃』 葉桂
79. 『臨證指南醫案·中風』 葉桂
80. 『濟陰綱目·卷一·調經門·論脾胃生血』 武之望
81. 『中西匯通醫經精義·臟腑之官』 唐宗海
82. 『鍼灸甲乙經·精神五臟論』 皇甫謐
83. 『沈氏尊生書·卷六·驚悸悲恐喜怒憂思源流』 沈金鰲
84. 『沈注金匱要略·卷十六·下血』 沈明宗
85. 『血證論·臟腑病機論』 唐宗海
86. 전국한의과대학 생리학교수, 동의생리학, 2008, 집문당

87. 高思華 等, 中醫基礎理論, 2012, 人民衛生出版社
88. 樊巧玲 主編, 中醫學概論, 2010, 中國中醫藥出版社
89. 何建成 等, 中醫學基礎, 2012, 人民衛生出版社

제7장 경락

Meridian

한의학에서는 전통적으로 경락이 체내에서 기가 흐르는 통로라고 설명하여 왔다.

경락학설(經絡學說)은 경락 계통의 개념, 구성, 순행분포, 생리 공능, 병리 변화 및 그와 장부(臟腑), 형체, 주요 기관, 정기신혈진액(精氣神血津液)과의 상호관계를 연구하는 기초 이론이며, 침구, 추나, 안마, 기공 등 임상에서 유효한 결과를 얻게 해줌으로써 한의학 이론체계에서 중요한 위치를 차지하고 있다.

일찍이 『영추 경맥(靈樞 經脈)』에서 "경맥은 생사를 결정하고 다양한 질병을 치료하며 허실(虛實)을 조화시키므로 통달하지 않으면 안 된다[1]"고 하였으며, 『영추 경별(經別)』에서는 "무릇 십이경맥(十二經脈)은 그로 말미암아 사람이 살고, 병이 생겨나며, 치료하고, 병이 일어나며, 이론이 시작하고, 기술이 마치는 바이다[2]"라고 하였다. 또 송(宋)의 두재(竇材)는 『편작심서(扁鵲心書)』에서 "의학을 공부하면서 경락을 모른 채 말을 하거나 손을 놀리면 바로 잘못된다. 무릇 경락에 밝지 않으면 병증의 근원을 알거나 음양의 전변을 알 수가 없다[3]"고 하였다.

경락의 실체에 대해서 아직까지 과학적으로 명확히 확인된 바 없으며, 현재 전 세계적으로 그 실체를 규명하고자 하는 연구가 활발히 진행되고 있다. 그 가운데 경락이 해부학적으로 인체의 근막(fascia)에 위치한다는 최근의 연구 보고[4]는 주목할 만하다.

본 장에서는 한의학에서 전통적으로 설명하고 있는 경락에 관한 내용을 소개하고자 한다.

제1절 경락의 개념과 경락계통

1. 경락의 개념

경락은 경맥(經脈)과 낙맥(絡脈)을 의미한다. 전신으로 기혈을 나르며, 장부, 형체, 주요 기관을 연결하고, 상하내외

1) 經脈者, 所以能決死生, 處百病, 調虛實, 不可不通 (靈樞·經脈)
2) 夫十二經脈者, 人之所以生, 病之所以成, 人之所以治, 病之所以起, 學之所始, 工之所止也 (靈樞·經別)
3) 學醫不知經絡, 開口動手便錯. 盖經絡不明, 无以識病證之根源, 究陰陽之傳變(扁鵲心書)
4) Yu Bai et al, Review of Evidence Suggesting That the Fascia Network Could Be the Anatomical Basis for Acupoints and Meridians in the Human Body, Evidence-Based Complementary and Alternative Medicine, Vol. 2011, pp. 1-6, 2011

를 소통시키며, 체내의 정보를 감응하고 전도하는 통로계통으로, 인체 구조의 중요한 조성 부분이다.

경락은 체내 조직 구조로, 그 명칭이 『내경(內經)』에 처음으로 나타난다. 『영추 본장(本藏)』에서 "경맥은 혈기를 나름으로써 음양을 영양하고, 근골을 적시며, 관절을 이롭게 한다[5]"고 한 것과 『영추 해론(海論)』에 "무릇 십이경맥은 안으로는 장부에 속하고, 밖으로는 사지관절과 연결된다[6]"고 한 것은 모두 경락이 기혈을 나르고 장부, 사지, 골절과 상하내외를 연락 소통시키는 통로임을 의미한다.

경락은 경맥과 낙맥으로 나뉘는데, 경맥의 '경'은 길이나 경로라는 뜻이다. 『석명(釋名)』에서 "경은 지름길이다, 마치 지름길이 통하지 않는 바가 없는 것과 같다[7]"고 하였으며, 『의학입문(醫學入門)』에서 "경맥 가운데 곧은 것을 경이라고 한다[8]"고 하였다. 이로 보아 경맥은 경락계통의 주요 간선이라고 할 수 있다. 낙맥의 '낙'은 연락 혹은 그물망이라는 뜻이며, 『설문(說文)』에서 "낙은 실과 같다[9]"고 한 것은 그 가늘고 번다함을 말하는 것이다. 『영추 맥도(脈度)』에서 "가지를 쳐서 옆으로 가는 것을 낙이라 한다[10]"고 한 것은 낙맥이 경맥의 가지로 복잡하게 연락되어 전신에 퍼져 있는 것이라고 할 수 있다.

『영추 경맥(經脈)』에서 "십이경맥은 분육의 사이를 잠복 운행하므로 심부(深部)에 있어 볼 수 없으며, … 체표로 떠 있어 볼 수 있는 맥은 낙맥이다"[11]라고 하였다. 또 『의학입문』에서는 "경은 지름길이라는 뜻이다. 경의 옆으로 가지를 내서 나온 것이 낙이다"[12]라고 하여 경맥과 낙맥의 구별을 두었다. 경맥은 기본 줄기로 대부분 심부를 순행하고 고정된 길로 종행(縱行)한다. 또 낙은 연락망이라는 뜻이다. 낙맥은 분지가 심부와 천부(淺部)에 모두 있고 전신에 연락망처럼 종횡교착(縱橫交錯)되어 있다.

경맥과 낙맥은 서로 연계되어 인체의 장부, 형체, 주요 기관 등을 긴밀하게 연결하여 하나의 통일된 유기체를 형성한다.

2. 경락계통

경락계통은 경맥, 낙맥, 경근(經筋), 피부(皮部), 장부 등 다섯 부분으로 이루어진다. 그 중에 경맥과 낙맥이 주가 되어 안에서는 장부에 이어지고 밖으로는 근육과 피부에 연결된다. 마치 『영추 해론』에서 "안으로는 장부에 속하고 밖으로는 사지관절과 연결된다"[13]고 한 것과 같이 경락계통의 조성은 표 7-1와 같다. 경맥과 낙맥은 장부, 형체, 기관 등 모든 조직을 관통하며 또한 전신 각 부분의 경락계통에 퍼져 있다.

1) 경맥과 낙맥

정경(正經)에는 수족삼음경(手足三陰經)과 수족삼양경(手足三陽經)의 12가닥이 있으며, 합하여 '십이경맥'이라

5) 經脈者, 所以行血氣而營陰陽, 濡筋骨, 利關節也 (靈樞·本藏)
6) 夫十二經脈者, 內屬于腑臟, 外絡于肢節 (靈樞·海論)
7) 經, 徑也, 如徑路无所不通 (釋名)
8) 脈之直者爲經 (醫學入門)
9) 絡, 絮也 (說文)
10) 支而横者爲絡 (靈樞·脈度)
11) 經脈十二者, 伏行分肉之間, 深而不見; … 諸脈之浮而常見者, 皆絡脈也.(靈樞·經脈)
12) 經者, 徑也; 經之支脈旁出者爲絡 (醫學入門)
13) 內屬于臟腑, 外絡于肢節 (靈樞·海論)

고 한다. 십이경맥에는 시작과 끝이 있고 순행부위와 교접순서가 있으며, 일정한 원칙에 따라 지체에 분포하고 주행하며, 체내의 장부와 직접 낙속관계(絡屬關係)를 맺는다.

기경(奇經)에는 독맥(督脈)、임맥(任脈)、충맥(衝脈)、대맥(帶脈)、음교맥(陰蹻脈)、양교맥(陽蹻脈)、음유맥(陰維脈)、양유맥(陽維脈)이 있으며, 합하여 '기경팔맥(奇經八脈)'이라고 한다. 정경과 기경의 구별에 관하여『성제총록(聖濟總錄)』에서 "맥에는 기(奇)와 상(常)이 있다. 십이경맥은 상맥이고, 기경팔맥은 상에 구속되지 않으므로 기경이라고 한다. 대개 사람들이 말하는 기혈은 항상 십이경맥으로 다니고, 십이경맥에 기혈이 가득하여 넘치면 기경으로 흘러 들어간다[14]"고 하였다. 기경은 주로 십이경맥의 작용을 통솔、연락 및 조절하는 작용을 한다.

십이경별(十二經別)은 십이경맥에서 나뉘어 나온 비교적 큰 분지이며, 사지에서 시작하여 체간부의 깊숙한 곳을 순행하여 위로 두항부의 천부로 나온다. 그 가운데 음경의 경별은 본경에서 따로 나와 체내를 순행한 다음, 표리를 이루는 두 경의 연결을 강화하며, 일부 정경이 순행하지 않는 기관과 부위까지 순행함으로써 정경의 부족함을 보충하는 작용을 한다.

낙맥은 경맥의 분지이며, 대부분 일정한 순행경로가 없다. 낙맥에는 별락(別絡)、부락(浮絡)、손락(孫絡)이 있다.

별락 또한 비교적 큰 낙맥이다. 십이경맥과 독맥、임맥의 별락、비(脾)의 대락(大絡)을 합하여 '십오별락(十五別絡)'이라고 한다. 별락의 주요 기능은 체표에서 표리를 이루는 두 경맥의 연결을 강화하는 것이다.

부락은 인체의 천부(피부표면)를 순행하는데 항상 체표면에 떠있는 낙맥이다.

손락은 매우 가늘고 작은 낙맥으로『소문 기혈론(氣穴論)』에서는 "기사(奇邪)를 넘치게 한다[15]", "영위(營衛)를 통하게 한다[16]"고 하였다.

2) 경근과 피부

경근과 피부는 십이경맥이 근육과 체표에 연속되는 부분이다. 경락학설에서 경근은 근육、관절에 십이경맥의 기가 '결(結)、취(聚)、산(散)、낙(絡)'된 체계로 십이경맥의 연속부분이다. 따라서 '십이경근'이라 하고, 모두 사지백해(四肢百骸)에 얽혀 관절운동을 주관하는 작용을 한다. 전신의 피부는 십이경맥의 기능활동이 체표로 반영되는 부위이며, 경락의 기가 있는 곳이고, '십이피부'는 전신의 피부를 12개 부분으로 나누어 십이경맥에 분속시킨 것이다.

3) 내속 장부 부분(內屬 臟腑 部分)

경맥은 전신의 조직과 기관을 연결하고, 체표에 고루 분포하는 동시에 체내로 깊이 들어가서 모든 장부에 속한다. 정경、경별、기경、낙맥 등은 모두 장부와 연결되어 있다. 그 가운데, 십이경맥은 주요하고 직접적인 연속작용을 한다.

십이경맥은 각각 자신의 장부와 직접 이어지는데 이를 '속(屬)'이라고 한다. 수삼음경은 흉부로 이어지며 안으로 폐、심포、심에 속하고, 족삼음경은 복부로 이어지며 안으로 비、간、신에 속한다. 족삼양경은 안으로 위、담、방광에 속하고, 수삼양경은 안으로 대장、삼초、소장에 속한다.

십이경맥은 각기 표리를 이루는 장부와 이어지는데, 이를 '낙(絡)'이라고 한다. 양경은 모두 부에 속하고 장에 낙한다. 음경은 모두 장에 속하고 부에 낙한다. 예를 들면, 수태음폐경(手太陰肺經)은 폐에 속하고, 대장에 낙하며, 수양명

14) 論曰脈有奇常 十二經者常脈也 奇經八脈則不拘於常故謂之奇經. 蓋言人之氣血 常行於十二經脈 其諸經滿溢則流入奇經焉 (聖濟總錄)
15) 溢奇邪 (素問·氣穴論)
16) 通營衛 (素問·氣穴論)

대장경(手陽明大腸經)은 대장에 속하고 폐에 낙한다. 나머지도 이와 동일하게 유추할 수 있다.

십이경맥의 음경과 양경은 상응하는 장부에 나뉘어 낙속하여 음양경맥과 장부의 표리상합관계를 구성한다. 즉 양명과 태음、소양과 궐음、태양과 소양은 모두 표리가 된다. 이외에도 경락의 순행、교차 등에 의한 기타 장부와의 연접, 그리고 경별과 낙맥 등 분지의 연결이 더해짐으로써 경락과 장부 간에는 복잡한 연계가 성립된다.

표 7-1 인체의 경락계통

경락									
연계된 경락							내외의 연속		
경맥			낙맥				내속	외연	
십이경맥 – 안으로 장부에 속하고, 밖으로는 사지로 연결됨	십이경별 – 경맥에서 나와 경맥에로 다시 합쳐짐	기경팔맥 – 다른 길로 분기하는 경맥의 분지	십오낙맥 – 주요한 낙맥 (대락)	낙맥 – 경맥에서 나와 횡사하는 분지	손락 – 경락의 가늘고 작은 분지	부락 – 체표에 떠 있는 낙맥	장부 – 같은 경락과 서로 연속됨	십이경근 – 체표에 분포됨	십이피부 – 피부의 경락

제2절 경락의 기본 생리 공능

경락의 생리 공능은 전신에 기혈을 운행하여 장부조직을 영양하고, 장부와 기관을 연결하여 상하내외를 소통하며, 감응반응을 전달하고, 인체 각 부분의 기능을 조절하여 협조와 평형 등을 담당한다.

1. 전신의 기혈을 운행시키며 장부조직에 영양을 공급한다

기혈은 생명 활동에 필요한 동력이며 기초이다.『영추 본장』에서 "경맥은 혈기를 운행하여 음양을 영양하며, 근골을 유양하고, 관절을 원활하게 한다"[17]고 했는데, 인체의 기혈은 반드시 경락의 흐름을 통과해야만 전신 각처에 퍼져서 "안으로는 장부를 적시고 밖으로는 주리(腠理)를 유양한다"[18]고 한 것처럼 인체의 생명활동을 유지한다.

십이경맥은 경락계통의 핵심이며 기혈운행의 주요한 통로이다.『영추 영기』에서는 인체 기혈이 주로 십이경맥을 따라 유주하고 또한 임맥 독맥과 연결되어 수미상관(首尾相關)을 이루면서 끊임없이 순환한다고 하였다. 십이경맥은 안으로는 장부와 연결되고, 밖으로는 오관、구규、사지、백해에 이어지며, 기혈은 십이경맥을 중심으로 전신 상하내외로 퍼져 있는 경락계통을 통과하여 쉬지 않고 각 조직과 기관으로 흘러 들어가서 충분한 영양과 에너지를 제공하여 정상적인 생리활동을 유지하고 발휘한다. 그와 동시에 기혈은 또한 경락의 흐름에 의지하여 다양한 순행방식과 경로

17) 經脈者, 所以行血氣而營陰陽, 濡筋骨, 利關節者也 (靈樞·本藏)
18) 內溉臟腑, 外濡腠理 (靈樞·脈度)

를 통해 전신으로 가서 몸에 영양을 공급하고 외부의 사기를 방어하는 등의 중요한 작용을 발휘한다.

경락의 기능과 활동이 정상적이고 기혈운행이 잘 되면 각 장부의 기능이 건전해져서 외사의 침습을 방어할 수 있고 질병을 예방할 수 있다. 반대로 경락이 정상적으로 기능하지 못하고 경락의 기가 불리하면 외사를 방어하는 힘이 부족하여 외사가 바로 기회를 타서 침입하여 병을 일으킬 수 있다.

2. 장부와 기관을 연결하고, 상하내외를 소통시킨다

인체는 장부、오관 구규、사지 백해 등으로 구성된 복잡한 유기체이다. 각 부분은 서로 다른 생리 공능을 수행하고 있으며, 동시에 여러 기관이 함께 유기적인 활동을 한다. 이러한 상호 연계와 서로 간의 배합 및 유기적인 협조는 경락계통의 연락과 소통작용에 의한 것이다. 십이경맥과 그 分支의 종횡교차와 안으로 들어가고 밖으로 나오며 상하로 도달하는 것에 의하여 장부를 서로 낙속시키며 사지를 연결시키고 기경팔맥은 십이경맥에 연결되어 조정된다.

경락은 전신의 장부와 조직기관을 연락 소통시키는데, 주로 다음의 네 가지로 정리된다.

1) 장부와 사지의 관계

장부와 외부 사지의 연계는 주로 십이경맥을 통하여 이루어진다.『영추 해론』에 "무릇 십이경맥은 안으로는 장부에 속하고 밖으로는 사지 관절과 연결된다"[19]고 하였다. 십이경맥은 체내에서 순행하며 서로 대응되는 장부와 함께 고정된 낙속관계를 이루고 그 경맥의 기는 또한 낙맥에 흩어져 경근(經筋)에서 모이며 피부에 흩어진다. 그런 식으로 체표의 근육과 피부 등 조직과 장부 사이에서 십이경맥을 통하여 내속외연의 연관성을 이루고 상호 소통한다. 이런 연계성은 체표 외를 유주하는 사지의 일정 부위와 서로 다른 장기 사이의 대응적인 특수관계를 포함하며 또한 체표의 사지와 체내 장부 간의 광범위한 유기적 연계를 포함한다.

2) 장부와 주요 기관의 관계

체표에 있는 눈、혀、입、코、귀、전음(前陰)、후음(後陰)의 위치는 모두 경맥의 순행 경로 부위이며 경락은 또한 장부에 내속되어 있다. 장부와 주요 기관은 경맥의 흐름을 통해 상호 연계를 이룬다. 마치 수소음심경(手少陰心經)이 심에 속하고 소장에 낙하며 목계(目系)에 계(系)하고 '계설본(系舌本)'에 별락(別絡)하며; 족궐음간경(足厥陰肝經)이 간에 속하고 담에 낙하며 음기를 돌아 목계에 계하고; 족양명위경(足陽明胃經)이 위에 속하고, 비에 낙하며, 입술을 돌아 코를 끼고; 수태양소장경(手太陽小腸經)과 수소양삼초경(手少陽三焦經)과 족소양담경(足少陽膽經)은 모두 귀로 들어가고; 족태양방광경별(足太陽膀胱經別)은 "간(肝)으로 들어가는" 등과 같다. 이런 연계는 대개 서로 다른 주요 기관이 서로 다른 장부의 '묘규(苗竅)'가 되는 특수 관계, 또한 주요 기관과 장부의 광범위한 유기적인 연계도 포함한다.

3) 장부 사이의 관계

십이경맥은 각자 나뉘어 하나의 장과 부에 낙속하여 서로 표리가 되는 1장1부 사이의 연계를 이루었다. 동시에 어떤 경맥은 여러 장부와도 연계되고, 또 어떤 장부는 여러 경맥과 접하기도 한다. 예컨대 족궐음간경은 간에 속하고, 담에 낙하며, 위(胃)를 끼고, 폐 속으로 가고; 족소음신경(足少陰腎經)은 신에 속하고, 방광에 낙하며, 간을 관통하고, 폐

---

19) 夫十二經脈者, 內屬于臟腑, 外絡于肢節 (靈樞·海論)

에 들어가 심에 낙한다. 폐로 연결된 경맥으로, 수태음폐경은 폐에 속하고 수양명대장경은 폐에 낙하며, 족궐음간경、족소음신경、수소음심경이 연결된다. 이외에 경별은 또한 정경의 부족한 경을 보충한다. 마치 위경의 경별이 뒤로는 심에 통하고, 담경의 경별이 심을 관통하는 등과 같다. 이런 방식으로 경맥을 통과하는 낙속 등의 연계는 바로 장부의 통일적인 유기체를 구성한다.

4) 경맥 사이의 관계

십이경맥 사이의 표리와 음양의 상접(相接)은 일정하게 이어지고 유주하는 순서가 있으며, 임독맥과 더불어 수미상연(首尾相連)의 유기적인 순행계통을 이룬다. 십이경맥 사이는 또한 여러 곳에서 서로 교차하고 만나며 그에 더하여 경별과 별락의 연결관계가 있어 서로 간의 연계성을 더욱 강화시킨다. 십이경맥은 기경팔맥과 더불어 종횡으로 교차하며 또한 기경팔맥 사이에도 상호 연계성이 있다. 십이경맥의 수삼양경과 족삼양경은 모두 독맥의 대추혈(大椎穴)에서 만나고,양교맥은 독맥과 풍부혈(風府穴)에서 만난다. 그래서 독맥을 '양맥지해(陽脈之海)'라고 한다. 십이경맥의 족삼음경은 기경팔맥 가운데 음유맥과 충맥과 함께 모두 임맥과 만난다. 족삼음경은 또한 위로 수삼음경에 접하므로 임맥을 '음맥지해(陰脈之海)'라고 한다. 충맥은 앞에서 임맥과 흉중에서 만나고 뒤로 독맥에 통하며 임독맥은 십이경맥에 통하며 충맥의 "위에 있는 것은 목구멍으로 나와서 모든 양을 적시고, … 아래에 있는 것은 소음경을 따라 삼음을 적신다"[20](『영추 역순비수(逆順肥瘦)』)고 한 것처럼 십이경맥의 기혈(氣血)을 받아들이므로 충맥은 '십이경맥지해(十二經脈之海)'라고 한다. 독、임、충 삼맥은 모두 포(胞)에서 시작한다. 이처럼 경맥과 경맥간의 다양한 연계로 경락은 하나의 완성된 조절계통을 이룬다.

경락은 인체의 좌우와 체표의 형체와 주요 기관을 연락하는 연결체이다. 장부의 병변은 경락을 통하여 밖으로 전달되어 그 상응하는 주요 기관이나 부위에 나타난다. 예를 들어 간화가 상염하면 목적종통(目赤腫痛)을 관찰할 수 있고, 심화(心火)가 상염(上炎)하면 혀끝이 홍적색(紅赤色)을 띠고 쇄통(碎痛)을 느낀다. 위열(胃熱)이 치성하면 치은의 종통(腫痛)을 느낀다. 『소문 장기법시론(藏氣法時論)』에서 "간병은 양 옆구리에서 소복(少腹)까지 당기는 통증이 나타나고, … 심병은 … 양쪽 팔 내측이 아프고, … 비병은 … 배가 그득하고 꾸루룩 하는 소리가 나며, … 폐병은 … 어깨와 등이 아프고, … 신병은 … 윗배와 아랫배가 아프다"[21]고 하여 장부 병변이 경락을 통해 체표의 상응하는 기관이나 부위에 반영되어 나타나는 각종 증상과 징후는 질병 진단과 치료의 근거가 된다.

장부 사이에 경락을 통하여 한 장부의 병변이 다른 장부로 전해진다. 예컨대 족궐음간경은 위(胃)를 끼고 폐중을 유주하므로 간병이 위나 폐를 침범하며, 족소음신경은 폐로 들어가 심에 낙하므로 신수(腎水)가 위로 범한 것이어서 '능심(凌心)'、'사폐(射肺)'하고, 족태음비경(足太陰脾經)은 위에 낙하면서 심중을 유주하며 위경의 경별 또한 심에 상통하여 이른바 중초실열(中焦實熱)이 심에서 훈증되어 신지혼미(神志昏迷)하는 등이다. 서로 표리를 이루는 음양 양경은 번갈아 가며 상통하는 장부에 낙하거나 속하며, 이것으로 인해 서로 표리가 되는 장부는 병리적으로 항상 서로 영향을 미쳐 전변한다. 예컨대 심과 소장은 서로 표리여서 심화가 소장으로 이동하여 소변이 황적하거나 요혈을 볼 수 있으며, 폐와 대장은 서로 표리여서 폐기가 통하지 않으면 왕왕 대장부기(大腸腑氣)를 불통케 하여 복창 복통、대변불통이 나타난다. 이와는 반대로 대장실열(大腸實熱)은 폐기불리(肺氣不利)를 일으켜 흉민천해(胸悶喘咳) 등을 일으

20) 其上者, 出于頏顙, 滲諸陽 … 其下者, 幷于少陰之經, 滲三陰 (靈樞·逆順肥瘦)
21) 肝病者, 兩脇下痛引少腹, … 心病者 … 兩臂內痛 … 脾病者 … 腹滿腸鳴 … 肺病者 … 肩背痛 … 腎病者 … 大腹少腹痛 … (素問·藏氣法時論)

킬 수 있다. 이와 같이 경락학설을 운용하여 임상에서 나타나는 장부 간의 서로 전변하는 복잡한 상황을 능히 대처하고 합리적인 설명을 할 수 있다.

3. 정보를 감응 전도하며, 기능의 평형을 조절한다

인체는 자율적으로 조절 통제되는 기능을 가진 하나의 시스템이며, 매 순간마다 체내에서 엄청난 양의 정보 변환 과정이 발생한다. 그리고 이러한 과정은 주로 경락계통과 전신을 운행하는 기혈에 의해 실현된다. 경락계통은 체내 정보 전도의 그물망이 되어 체 내외 환경의 각종 정보를 감수하며 아울러 그 성질、특징、규모 등을 파악하여 상응하는 장부조직、오관구규、사지백해에 전달하여 그 기능상태를 반영하거나 필요한 조치를 취한다.

경락계통은 상하내외、사통팔달을 기반으로 하는 정보전도망이므로 국소의 정보를 전신에 감전(感傳)하며 또 전신의 정보를 특정 부위에 전도하기 때문에 질병 진단의 중요한 근거를 제공하게 된다.

임상에서 경맥의 순행부위와 소속된 장부의 원리에 근거하여 증상과 징후가 나타난 구체적인 부위를 분석하여 추측할 수 있다. 예컨대 양협동통(兩脇疼痛)은 흔히 간담질병(肝膽疾病)이고, 결분중통(缺盆中痛)은 대개 폐장의 병변이다. 또 두통의 경우, 통증이 앞 이마에 있으면 흔히 양명경, 통증이 양 옆에 있으면 소양경, 통증이 후두연(後頭緣)과 항부(項部)에 있으면 태양경, 통증이 전정(巓頂)에 있으면 궐음경과 관계가 있다. 또 수혈변증(腧穴辨證)의 방법으로, 즉 경락에 속해 있는 혈위(穴位)에 나타난 이상 반응을 관찰 분석하여 병위(病位)를 확정하는데, 예를 들면, 위장병 환자는 항상 족삼리(足三里)、지기(地機) 등 혈에 압통이 있고, 폐질환(肺疾患) 환자는 대개 폐수(肺俞)、중부(中府) 등 혈에 압통、과민 혹은 피하결절이 있다. 최근에는 다양한 기기를 이용하여 인체의 수혈(腧穴)을 진단하여 경락、장부、조직기관의 병변을 파악하여 진단에 도움을 주는 증거를 제공한다. 경락학설은 임상에서 볼 수 있는 증상에 대해 정보를 줄 뿐만 아니라, 징후 등을 분석 귀납하는 변증진단에서도 설진、맥진、소아지문진법의 중요한 이론근거가 된다.

경락계통은 각종 정보의 접수、전달、변환 등의 과정을 통해 스스로 기혈운행을 조절하고, 장부의 관계를 조정하며 인체 내외환경의 상대적인 평형을 유지하여 건강을 지켜준다. 만약 인체의 기혈음양이 실조되어 협조와 평형을 이루지 못하면 경락계통을 통한 자율적인 조절이 안되어 질병이 발생한다. 질병이 발생하면 침으로 기혈의 실조와 음양성쇠를 치료하고 침구、추나、도인 등의 방법을 운용하여 최적의 혈위를 찾아 적정한 자극을 시행하는 방법으로 경락의 자율조절작용을 도와준다. 『영추 자절진사(刺節眞邪)』에서 "남으면 사(瀉)하고 모자라면 보(補)하여 음양이 평형을 회복하도록 해야 한다"[22]고 하였다. 실험과 임상으로 증명된 '순경취혈(循經取穴)'의 원칙에 따라 건강인과 환자의 유관한 혈위에 침자하여 '득기(得氣)'와 '행기(行氣)' 등의 경락감전(經絡感傳) 반응을 일으키면 모두 각 유관 장부 기능의 조정작용을 일으켜서 흥분한 경우는 억제하고 억제된 경우에는 흥분케 한다. 경락학설로 침구와 추나 등 요법을 운용하면 실제 임상에서 확실한 치료 효과를 거둘 수 있다.

이 외에 약물로 질병을 치료할 때에도 경락이 적용되는데, 경락의 전도를 통해 약이 병소에 이르게 하여 치료작용을 하게 한다. 오랜 기간에 걸친 임상을 바탕으로 이러한 약물들이 장부와 경락에 대해 특수한 선택적 작용이 있어서 '약물귀경(藥物歸經)'과 '인경보사(引經報使)' 등 이론을 형성하였다. 예를 들어 행인(杏仁)과 길경(桔梗)은 폐경으로 들어가 속하여 흉민(胸悶)과 천해(喘咳)를 치료하고, 주사(朱砂)와 조인(棗仁)은 심경으로 들어가 속하여 심계와 불면을 치료하며, 태양경에 속하는 두통은 강활(姜活)을 쓰고, 양명경에 속하는 경우에는 백지(白芷)를 사용하는 등이

---

22) 瀉其有餘, 補其不足, 陰陽平復 (靈樞·刺節眞邪)

다. 이처럼 경락이론을 이용하면 침구와 약물치료의 효과를 더욱 높일 수 있다.

제3절 십이경맥

십이경맥은 경락계통의 중요한 구성 부분이다. 경락계통 가운데 기경, 경별, 낙맥 등은 모두 십이경맥을 주체로 하여 서로 연계하고 배합함으로써 기능을 발휘한다.

1. 명칭

십이경맥이 인체의 좌우 양측으로 대칭을 이루면서 분포하고 상지, 하지의 안쪽과 바깥쪽으로 각기 순행하며, 각각의 경맥이 장이나 부에 속하므로 십이경맥의 명칭은 음양, 수족, 장부의 세 가지 요소를 조합하여 정해졌다. 인체는 음양으로 나뉘어지는데, 장은 음이 되고, 부는 양이 되며, 안쪽은 음이 되고, 바깥쪽은 양이 된다. 음은 태음, 궐음, 소음으로, 양은 양명, 소양, 태양으로 나뉜다. 각 경맥이 속한 장부와 사지에서 순행하는 부위를 결합하여 각 경의 명칭을 정하였다.

수경은 상지를, 족경은 하지를 순행한다. 음경은 사지 안쪽을 순행하여 장에 속하며, 양경은 사지 바깥쪽을 순행하여 부에 속한다. 음경 가운데 사지의 안쪽 앞에 분포하는 것을 태음경이라 하고, 사지의 안쪽 뒤에 분포하는 것을 소음경이라 하며, 사지의 안쪽 중간에 분포하는 것을 궐음경이라고 한다. 양경 가운데 사지의 바깥쪽 앞에 분포하는 것을 양명경이라 하고, 사지의 바깥쪽 뒤에 분포하는 것을 태양경이라 하며, 사지의 바깥쪽 중간에 분포하는 것을 소양경이라고 한다. 십이경맥을 이러한 원리에 따라 수태음폐경, 수궐음심포경, 수소음심경, 수양명대장경, 수소양삼초경, 수태양소장경, 족태음비경, 족궐음간경, 족소음신경, 족양명위경, 족소양담경, 족태양방광경으로 각각 명명하였다.

표 7-2 십이경맥의 명칭과 순행 부위

	음경 (속장)	양경 (속부)	순행 부위 (음경은 안쪽, 양경은 바깥쪽)	
수	태음폐경	양명대장경	상지	앞
	궐음심포경	소양삼초경		중간
	소음심경	태양소장경		뒤
족	태음비경	양명위경	하지	앞
	궐음간경	소양담경		중간
	소음신경	태양방광경		뒤

2. 순행부위

1) 수태음폐경

중초에서 시작하여 내려가서 대장에 낙하고 방향을 틀어 위로 올라가 분문을 따라 횡격막을 지나서, 폐에 직속하여 목부위까지 올라갔다가 흉부 바깥 위쪽(중부혈)으로 횡행한 다음 겨드랑이 아래로 나와 상지 안쪽 앞을 따라 내려가 주와를 지나 촌구상 어제(魚際)로 진입한 다음, 엄지 손가락의 끝(소상혈)으로 바로 나간다.

- 분지: 손목의 뒤(열결혈)에서 나뉘어져 나온 다음 손등을 따라 앞으로 가고 다시 식지 요측단의 상양혈로 가서 수양명대장경과 만난다.

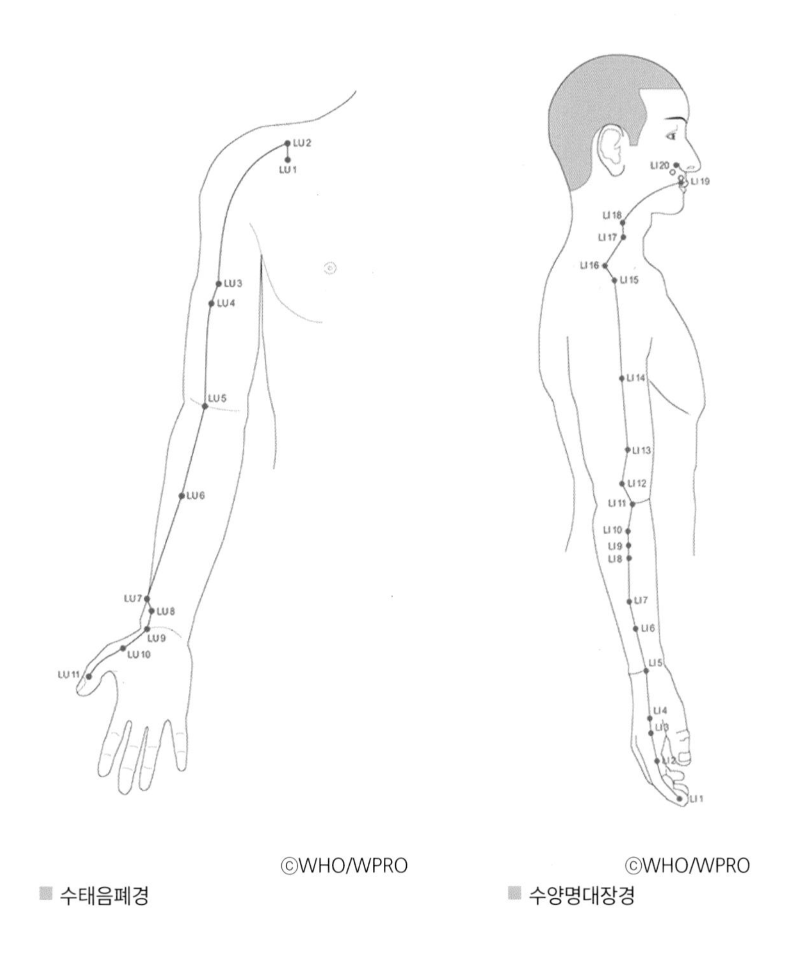

©WHO/WPRO ©WHO/WPRO

■ 수태음폐경 ■ 수양명대장경

2) 수양명대장경

둘째 손가락 요측단(상양혈)에서 시작하여, 둘째 손가락 요측을 따라 올라가 합곡혈을 지나서, 상지 신측 앞을 순행하며 어깨 관절 앞쪽에 이른 다음, 어깨 뒤를 지나 목 뒷덜미 제7경추 극돌아래(대추혈)에 이르고 다시 아래로 내려가 쇄골상와(결분혈)로 들어간 다음 흉강으로 진입하여 폐에 낙한 다음 횡격막을 지나 배꼽 옆의 천추혈로 내려가 대장에 속한다.

- 분지: 쇄골상와(결분혈)에서 올라가 목을 지나 뺨에 이른 다음, 대영혈을 지나 하치(下齒)로 들어간 뒤, 다시 방향을 틀어 구각 양쪽과 지창혈(地倉穴)을 지나 입술 위 중앙의 인중(수구혈)으로 돌아간다. 인중에서 좌우로 교차한 다음 양측 콧날개(영향혈)에 이르러 족양명위경과 만난다.

3) 족양명위경

콧날개 옆(영향혈)에서 시작해서, 코의 양쪽을 순행하여 비근부에 이르러 옆으로 목내자(정명혈)로 들어가 태양경과 만난 다음, 밑으로 방향을 돌려 콧마루 바깥쪽 따라 가서 승읍, 거료를 지나 상치은내로 진입한 다음 다시 나와서 입을 양쪽으로 끼고 입술을 돌아 이순구(승장혈)에서 좌우가 만난다. 다시 뒤로 향해서 하악골 뒤 아래쪽을 순행하여 대영혈에 이르고 위로 올라가 귀 앞을 지난 다음 하관혈을 지나 전발제를 따라 가서 액전(두유혈)에 이른다.

- 분지: 대영혈에서 나뉘어 나와서 인영혈로 내려간 다음 후 목구멍을 따라 뒤 아래쪽으로 가서 대추에 이르고 방향을 틀어 앞으로 가서 결분으로 들어간 다음, 흉강으로 침입한 후 내려가 횡격막을 뚫고 지나, 위에 직속하고 비에 낙한다.
- 직행하는 경맥: 결분에서 체표로 나와 유중선을 따라 내려가 배꼽 양쪽 (옆으로 2촌 떨어진 곳)을 순행해서, 복고구의 기가혈(기충혈)로 내려간다.
- 분지: 유문에서 나뉘어 나와 복강내를 따라 내려가 기가혈에 이른 다음, 결분에서부터 직행하는 맥과 만난 후, 대퇴 전외측으로 내려가 다시 슬개골을 지나, 하지 경골 앞을 따라 내려가 발등에 이르러 둘째 발가락 바깥 끝(여태혈)으로 들어간다.
- 분지: 무릎 아래 3촌 되는 족삼리혈에서 나와, 셋째 발가락 바깥쪽 끝으로 내려간다.
- 분지: 발등의 충양혈에서 나와, 앞으로 가서 엄지 발가락 안쪽 끝(은백혈)으로 들어간 다음 족태음비경과 만난다.

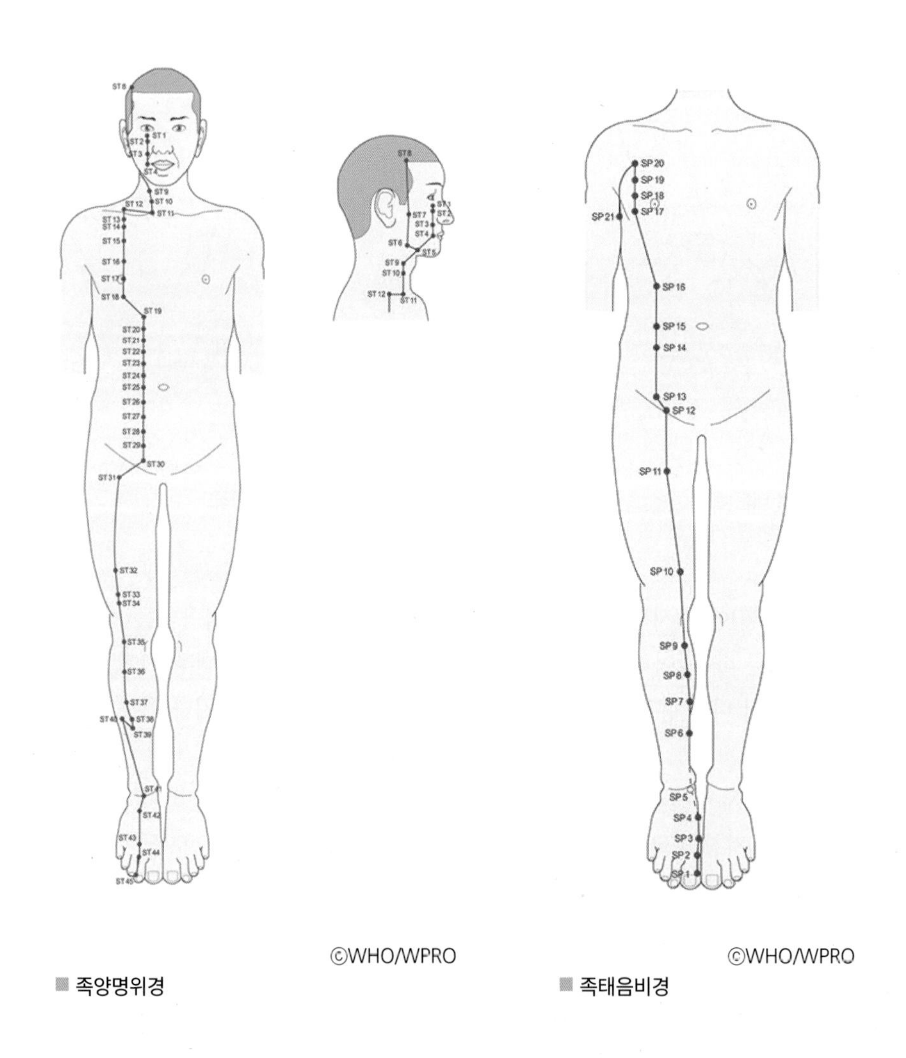

©WHO/WPRO ©WHO/WPRO

■ 족양명위경 ■ 족태음비경

4) 족태음비경

엄지 발가락 안쪽(은백혈)에서 시작하여 발등 안쪽의 적백육제를 따라 올라가 내과 앞의 상구혈을 지나며 하퇴 안쪽의 정중선을 따라 올라가 내과 위 8촌에서 족궐음간경과 교차한 다음 앞으로 행한다. 대퇴 안쪽 앞을 따라 올라가 충문혈에 이른 다음, 복부로 들어가 비에 속하고 위에 낙한 다음 복애혈에서 올라가 횡격막을 지나서 식도의 양쪽을 따라가서 목의 양쪽을 순행하다가 설근에 이어지며, 혀의 아래에 분포한다.

- 분지: 위부에서 나와 횡격막을 지나, 단중혈에서 심중으로 들어간 다음 수소음심경과 만난다.

5) 수소음심경

심중에서 시작한 다음 심계에 부속하여 밑으로 횡격막을 지나 하완혈에 이르러서 소장에 낙한다.

분지: 심계에서 나와 식도의 양쪽을 따라 올라가 목과 얼굴의 깊은 곳을 지나 목계에 이어진다.

- 직행하는 경맥: 심계에서 분출해서 폐로 올라갔다가 다시 내려가 겨드랑이 아래(극천혈)로 나온 다음, 상지 안쪽 뒤를 따라가서 팔꿈치와 손목을 지나 손바닥 뒤의 예골단으로 들어간 다음, 장후 안쪽에서 새끼 손가락 요측단(소충혈)으로 직행하여 수태음소장경과 만난다.

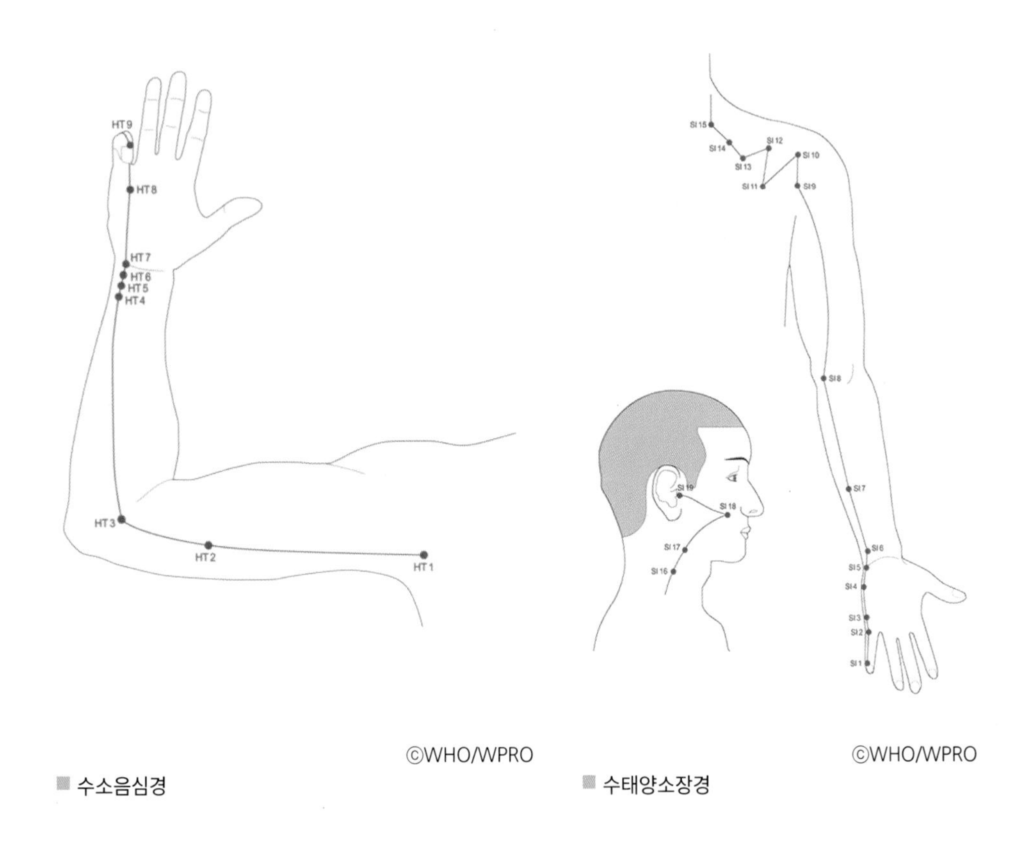

■ 수소음심경 ©WHO/WPRO

■ 수태양소장경 ©WHO/WPRO

6) 수태양소장경

새끼 손가락 바깥 끝(소택혈)에서 시작해서 곧장 올라가 완부 바깥쪽의 양곡혈을 지나 상지 바깥쪽 뒤를 따라 올라가 팔꿈치를 지나 어깨 관절 뒤의 견정혈(肩貞穴)로 나와 견갑부의 견중수를 돌아서 어깨 위의 대추혈에서 만난 다음, 앞으로 가서 결분을 지나 흉강으로 들어가고 단중혈로 내려가 심에 낙한다. 다시 식도를 따라 가서 횡격막을 지나 위부에 이른 다음, 내려가 소장에 직속한다.

분지: 결분에서 나와 경부를 따라 올라가 뺨에 이른다. 외안각 뒤에 이른 다음, 방향을 꺾어 이중으로 들어간다.

분지: 뺨에서 나와 안와 아래쪽으로 비스듬히 간 다음, 비근부로 직행한 후 내안각에 이르러서 족태양방광경과 만난다.

7) 족태양방광경

내안각(정명혈)에서 시작하여, 올라가서 액부를 지나 전정으로 직행한 다음, 두정부의 백회혈에서 좌우가 만난다.

분지: 두정부(백회혈)에서 나와 귀 위쪽에 이른다.

직행하는 경맥: 두정부에서 나와 뒤로 가서 후두골로 내려가 두개강 (cranial cavity)으로 들어가서 뇌에 낙하고 되돌아 나와 목덜미(천주혈)로 내려가 대추혈에서 교회한 다음, 좌우로 나뉘어 견갑 안쪽과 척주 양측(1.5촌)을 따라가서 허리(신수혈)에 이른 다음, 척주 양측의 근육으로 들어갔다가 복강으로 들어가서 신에 낙하고 방광에 속한다.

분지: 허리에서 나와 척주 양쪽을 따라 내려가서 둔부를 관통한 다음 대퇴 뒤쪽 바깥을 따라 내려가 오금(위중혈)에 이른다.

분지: 목덜미에서 나와 내려간 다음, 견갑 안쪽을 지난다. 부분혈에서 척주의 양쪽으로 간 다음 배중선에서 옆으로 3촌 떨어진 곳을 따라 내려가서 비추(髀樞)로 직행한다. 대퇴 뒤쪽을 지나 오금에 이르러서 앞의 지맥과 만난 다음, 내려가서 비복근을 관통한 다음 바깥쪽 복사뼈 뒤쪽의 곤륜혈을 지나 족근부에서 꺾여 앞쪽으로 가서, 발등 바깥쪽을 지나 새끼 발가락 바깥 끝(지음혈)에 이르러 족소음신경과 만난다.

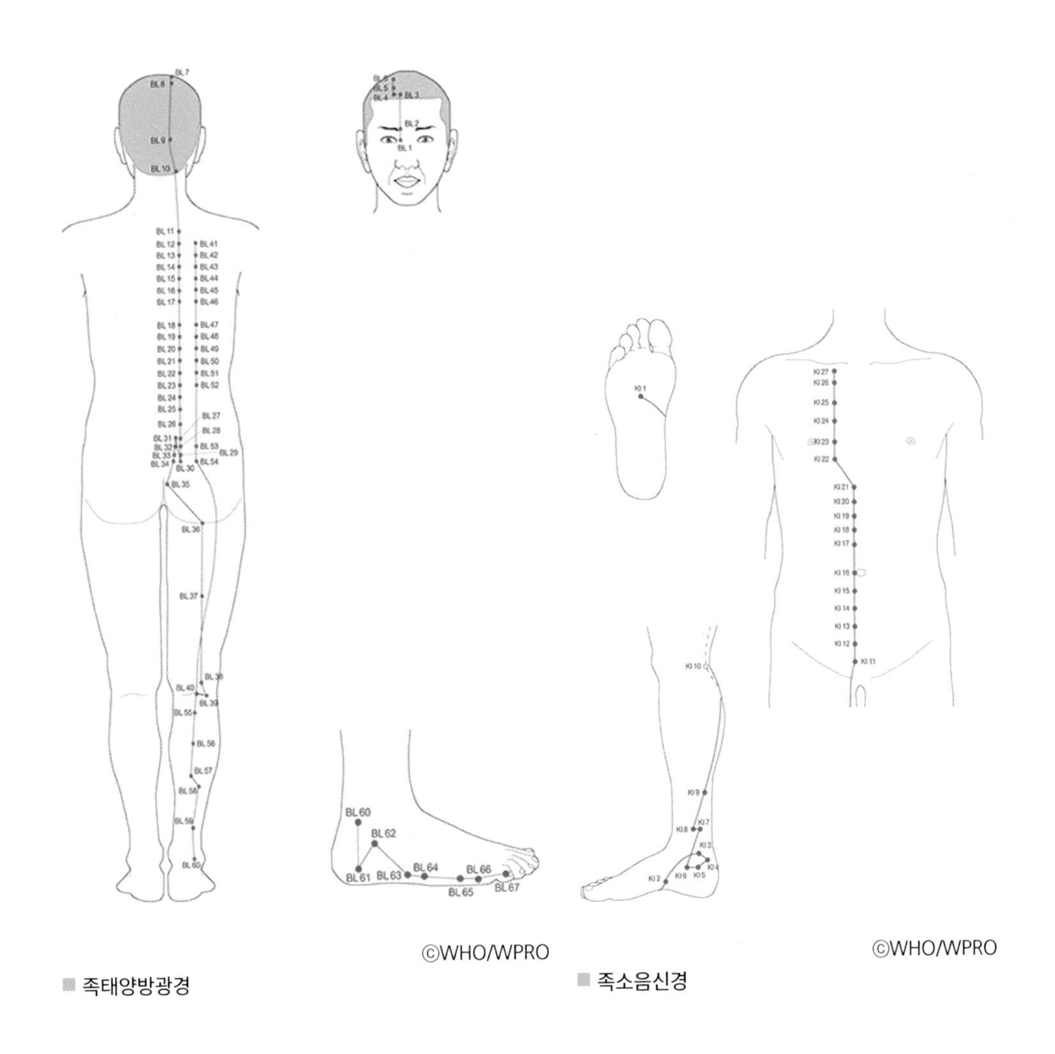

■ 족태양방광경

■ 족소음신경

8) 족소음신경

새끼 발가락 끝 아래에서 시작하여, 족심(용천혈)으로 비스듬히 가서 주상골(舟狀骨) 조면 밑의 연곡혈로 나와 내과의 뒤를 따라가다 나뉘어 나와 족근으로 들어간 다음 올라가서 종아리 안쪽 뒤를 따라가서 오금 안쪽에 이른 다음, 대퇴 안쪽 뒤로 곧장 올라간다. 척주를 관통하여 미골부(장강혈)에 이른다. 다시 척주를 관통해서 신에 속하고, 방광에 낙한다.

- 직행하는 경맥: 신에서 상행해서 간과 횡격막을 관통하여 폐중으로 들어가 수부혈에 이른 다음, 후롱(喉嚨, 목구멍)을 따라 올라가 설근의 양쪽에 이른다.
- 분지: 폐중에서 나와 심에 낙한다. 흉중(단중혈)으로 들어가서 수궐음심포경과 만난다.

9) 수궐음심포경

흉중에서 시작하여 나와서 심포락에 속한 다음, 단중혈에서 내려가 횡격막을 관통하여 순서대로 상､중､하 삼초에 낙한다.

- 분지: 흉중에서 옆구리쪽으로 얕게 나와 겨드랑이 아래 3촌(천지혈)에서 겨드랑이 아래로 올라 온 다음, 상지 안쪽 중선을 따라 가서 팔꿈치로 들어갔다가 내관혈을 지나, 손목을 거쳐서 손바닥(노궁혈)으로 들어가며, 가

운데 손가락 요측을 따라 가서 가운데 손가락 요측단(중충혈)으로 나온다.

- 분지: 손바닥(노궁혈)에서 나와 무명지 척측을 따라 무명지 끝의 관충혈로 직행하여 수소양삼초경과 만난다.

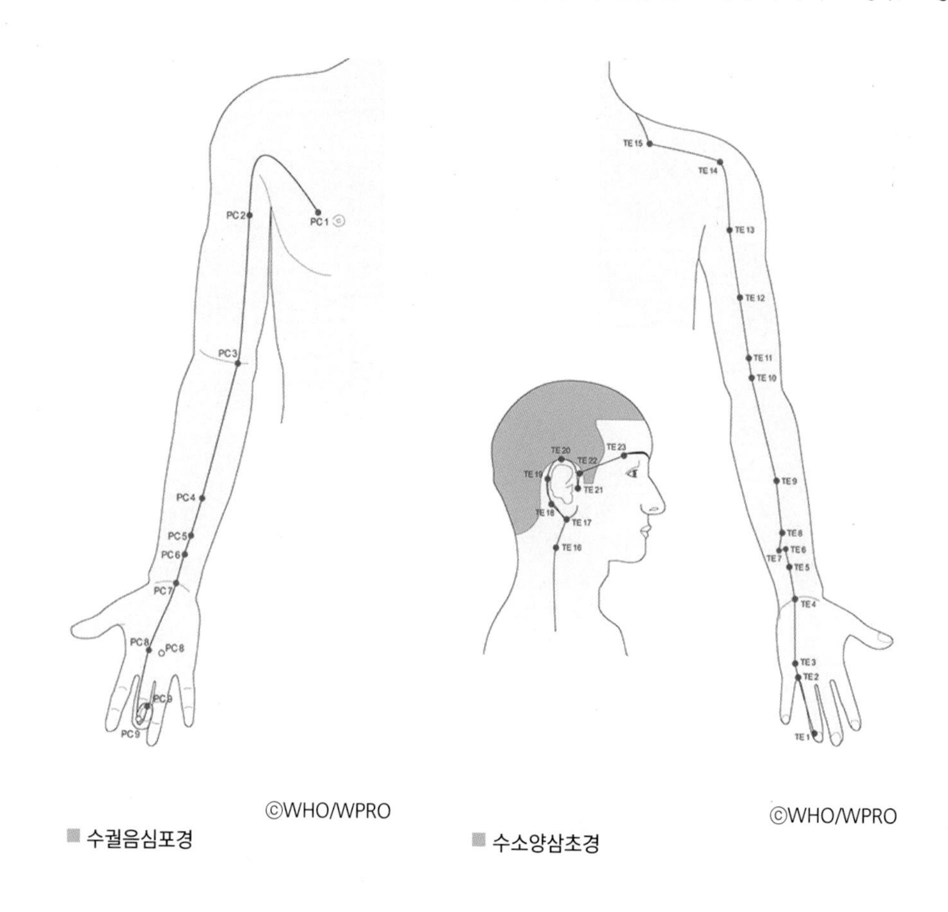

©WHO/WPRO ©WHO/WPRO

■ 수궐음심포경 ■ 수소양삼초경

10) 수소양삼초경

무명지 척측단(관충혈)에서 시작하여, 올라가서 무명지 척측을 따라 손목 등쪽 바깥(양지혈)으로 갔다가 다시 상지 바깥 척골과 요골 사이로 올라가 주첨을 지나 상완 바깥을 따라 어깨(견정혈)로 간 다음 앞으로 가 결분으로 들어가서 가슴(단중혈)에 분포하며, 심포에 흩어진 다음, 내려가서 횡격막을 관통하고 나서 상､중､하 삼초에 차례로 속한다.

- 분지: 단중혈에서 나와 올라가서 결분을 지나 어깨와 목덜미 뒤에 이른다. 대추혈에서 좌우가 만난 다음, 목덜미로 올라가 귀 뒤(예풍혈)를 따라 이상각으로 곧장 올라간 다음, 굽어져 내려가서 뺨을 지나 안와 밑에 이른다.
- 분지: 귀 뒤 예풍혈에서 나와 귀로 들어간 다음, 귀 앞으로 나온다. 상관혈의 앞을 지나, 뺨에서 앞의 분지와 만난 다음, 눈꼬리(동자료혈)에 이르러 족소양담경과 만난다.

11) 족소양담경

눈꼬리(동자료혈)에서 시작하며, 올라가 액각부 함염혈에 이른 다음 다시 내려가 귀 뒤(완골혈)에서 꺾어져 액부로 올라가서 눈썹 위(양백혈)에서 꺾어져서 귀 뒤의 풍지혈에 이른 다음 다시 경부 측면을 따라 내려가 목덜미 뒤에 있는 대추혈에서 좌우가 만난다. 어깨(견정혈)에 이르러서 앞으로 가 결분으로 들어간다.

- 분지: 귀 뒤 완골혈에서 나와 예풍혈을 지나 이중으로 들어간다. 다시 귀 앞으로 가서 청궁혈을 지나 눈꼬리 뒤에 이른다.
- 분지: 눈꼬리에서 나와 내려가서 하악부의 대영혈 부위에 이른 다음, 뺨에 분포하는 수소양경의 지맥과 서로 만나고 나서 다시 안와 밑에 이르렀다가 내려가서 하악각 부위(협거혈)를 지나 경부로 내려가 목 앞의 인영혈을 지나 앞의 맥과 결분 뒤에서 만나 함께 흉강으로 들어간다. 횡격막을 지나 간에 낙하고, 담에 직속한다. 옆구리를 따라 가서 기가로 나오며, 모제를 돌아 옆으로 가 관관절(髖關節)의 환도혈부에 이른다.
- 직행하는 경맥: 결분에서 분출하여 겨드랑이에 이른 다음 연액혈을 지나 흉측부를 따라 가서, 계륵을 지나 환도혈부로 내려가 앞의 맥과 만난다. 다시 내려가서 대퇴 바깥 쪽, 무릎 바깥을 따라 비골 앞으로 간 다음, 비골 아래 끝으로 바로 내려간다. 바깥 복사뼈의 앞으로 나와 발등을 따라 가서 넷째 발가락 바깥쪽 끝 규음혈로 나온다.
- 분지: 발등(임읍혈)에서 나와 앞으로 가서 엄지 발가락 바깥쪽 끝으로 나온 다음, 꺾어져서 발톱을 관통한다. 엄지 발톱 뒤의 총모부(叢毛部)에 분포하며 족궐음간경과 만난다.

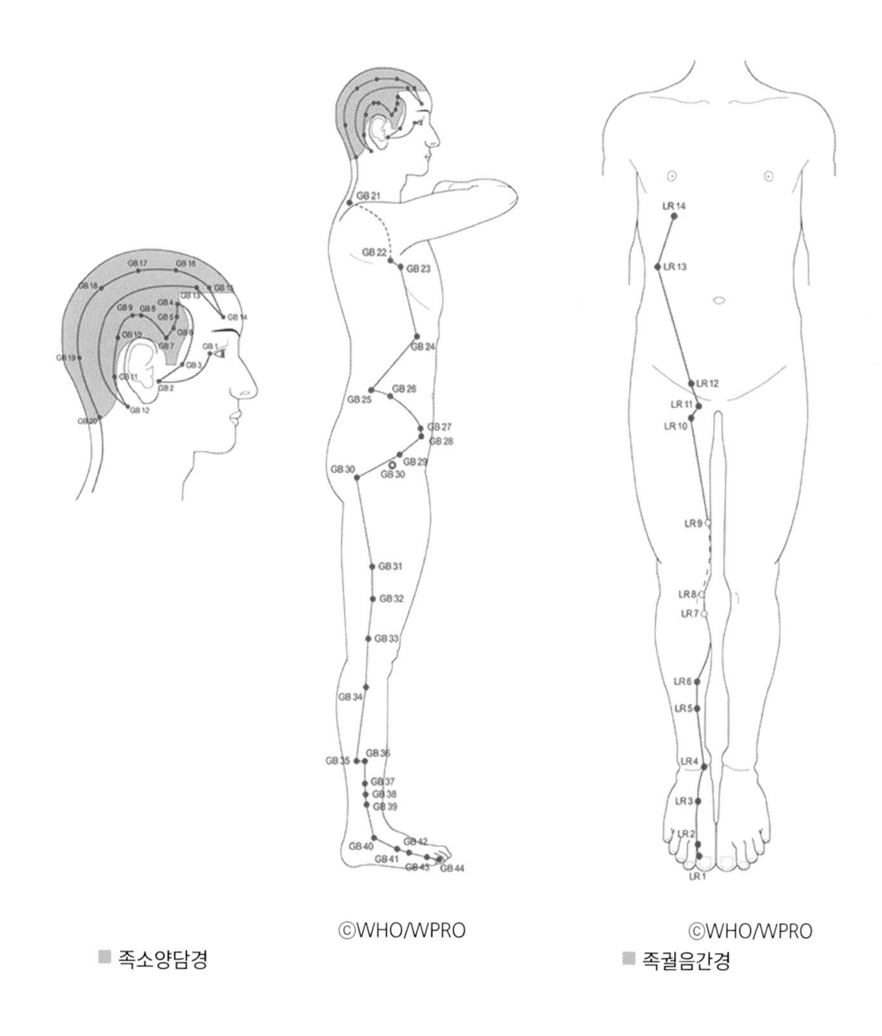

■ 족소양담경

■ 족궐음간경

12) 족궐음간경

엄지 발톱 뒤의 총모부에서 시작하여 내려가 엄지 발가락 바깥 끝(대돈혈)에 이른 다음, 발등을 따라 올라가 안쪽 복사뼈 앞 1촌에 있는 중봉혈에 이른 다음 올라가 경골 안쪽을 따라 가서, 안쪽 복사뼈 위 8촌에서 족태음비경과 만나서 나온 다음, 올라가서 무릎 안쪽을 지나 대퇴 안쪽 중선을 따라 음모 부위로 진입한 다음 음기를 돌아가서 좌우가 관통한다. 곡골혈에서 소복에 진입하여 상행해서 중극과 관원 두 혈을 지나, 위 양쪽을 지나 간에 속하고 담에 낙한 다음 올라가 횡격막을 지나 옆구리에 분포한 다음, 목구멍의 뒤를 따라 위로 올라가 비인부로 들어갔다가 다시 올라가 목계에 이어지며 이마로 나와 정수리로 직행하여 독맥과 머리 꼭대기의 백회혈에서 만난다.

- 분지: 목계에서 나와 뺨 안으로 내려가 구순의 내부를 돈다.
- 분지: 간에서 나와 횡격막을 관통하여 올라가 폐중으로 들어가서 수태음폐경과 만난다.

3. 순행원칙

십이경맥의 순행 노선과 부위를 보면 그 주향、교접、분포、표리관계 그리고 유주 순서 등에는 일정한 원칙이 있다.

1) 주향과 교접원칙

『영추 역순비수(逆順肥瘦)』에서 "수삼음경은 장에서 손으로 가고, 수삼양경은 손에서 머리로 가며, 족삼양경은 머리에서 발로 가고, 족삼음경은 발에서 배로 간다"[23]고 하였다. 즉, 수삼음경은 가슴에서 시작하여 손으로 가며, 손가락에서 각각 표리를 이루는 수삼양경과 만난다. 수삼양경은 손가락에서 시작하여 머리로 가며, 머리에서 족삼양경과 만난다. 족삼양경은 머리에서 시작하여 발로 가며, 발가락에서 각각 표리를 이루는 족삼음경과 만난다. 족삼음경은 발가락에서 시작하여 흉복으로 가며 (머리까지 계속 뻗어 나간다), 흉부에서 각각 수삼음경과 만난다. 이와 같이 십이경맥의 구성은『영추 영위생회(營衛生會)』에서 "음양이 서로 연결되어 고리와 같이 끝이 없다"[24]고 한 순환경로와 같다.

(1) 서로 표리를 이루는 음경과 양경은 사지에서 이어진다.

예를 들면, 수태음폐경은 둘째 손가락 끝에서 수양명대장경과, 수소음심경은 새끼 손가락 끝에서 수태양소장경과, 수궐음심포경은 넷째 손가락 끝에서 수소양삼초경과, 족양명위경은 엄지 발가락에서 족태음비경과, 족태양방광경은 새끼 발가락에서 족소음신경과, 족소양담경은 엄지 발톱 뒤의 총모에서 족궐음간경과 만난다.

(2) 동일한 명칭의 수족양경은 두면부에서 서로 만난다.

예를 들면, 수양명대장경과 족양명위경은 코 옆에서, 수태양소장경과 족태양방광경은 내안각에서, 수소양삼초경과 족소양담경은 눈꼬리에서 서로 만난다.

23) 手之三陰, 從臟走手; 手之三陽, 從手走頭; 足之三陽, 從頭走足; 足之三陰, 從足走腹 (靈樞·逆順肥瘦)
24) 陰陽相貫, 如環无端 (靈樞·營衛生會)

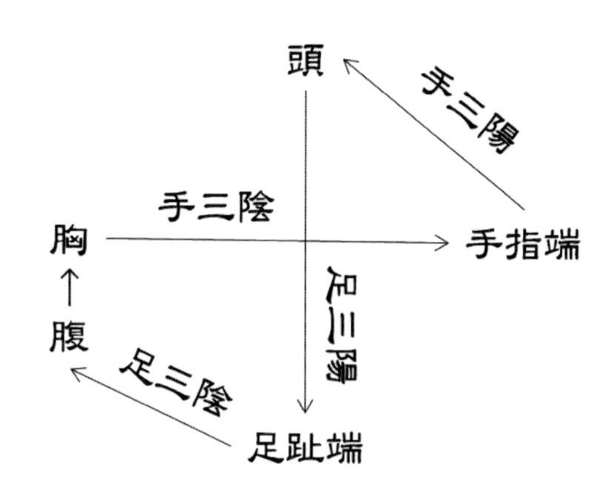

■ 십이경맥의 순행 방향과 상호 연접

2) 분포 원칙

십이경맥은 전신적으로 내행노선과 외행노선의 두 부류로 나뉜다.

(1) 사지부

음경은 안쪽에 분포하고 양경은 바깥쪽에 분포한다. 안쪽은 삼음으로 나뉘고, 바깥쪽은 삼양으로 나뉜다. 대체로 태음과 양명은 앞쪽에 있고, 소음과 태양은 뒤쪽에 있으며, 궐음과 소양은 중간에 있다. 상지 안쪽에서 태음은 앞쪽에, 궐음은 중간에, 소음은 뒤쪽에 분포한다. 상지 바깥쪽에서 양명은 앞쪽에, 소양은 중간에, 태양은 뒤쪽에 분포한다. 하지 안쪽의 내과상 8촌 아래에서 궐음은 앞쪽에, 태음은 중간에, 소음은 뒤쪽에 분포한다. 내과상 8촌 위에서 태음은 앞쪽에, 궐음은 중간에, 소음은 뒤쪽에 분포한다. 하지 바깥쪽에서 양명은 앞쪽에, 소양은 중간에, 태양은 뒤쪽에 분포한다.

(2) 두면부

양명경은 면부와 액부로, 태양경은 면협, 두정 및 후두부로, 소양경은 측두부로 운행한다.

(3) 구간부

수삼양경은 어깨부위로 운행하며, 수삼음경은 겨드랑이 아래에서 나온다. 족삼양경의 양명경은 전면(흉、복면)으로, 태양경은 후면으로, 소양경은 측면으로 운행한다. 족삼음경은 모두 복부 쪽으로 운행한다.

복부 쪽에서 경맥의 순행은 안에서 밖으로 향하는데, 순서는 족소음, 족양명, 족태음, 족궐음이다.

십이경맥은 인체에서 좌우대칭으로 분포하므로 경맥은 모두 24개이다.

3) 표리관계

수족삼음경과 삼양경은 경별과 별락의 소통에 의해서 여섯 쌍의 '표리 상합'관계를 형성한다. 『소문 혈기형지(血氣形志)』에서 "족태양과 소음이 표리가 되고, 소양과 궐음이 표리가 되며, 양명과 태음이 표리가 되는데, 이것이 족경의 음양이다. 수태양과 소음이 표리가 되고 소양과 궐음이 표리가 되며, 양명과 태음이 표리가 되는데, 이것이 수경의 음양이다25)"라고 하였다.

표 7-3 십이경맥의 표리관계

표	수양명경	수소양경	수태양경	족양명경	족소양경	족태양경
리	수태음경	수궐음경	수소음경	족태음경	족궐음경	족소음경

사지 말단에서 만나, 각기 사지 내외측 양면의 대응하는 위치에서 순행한다(족궐음간경과 족태음비경은 하지 안쪽 복사뼈 위 8촌에서 교차한 후, 앞뒤로 위치를 바꾸며 족태음은 앞쪽에 있고 족궐음은 중간에 있다). 이외에도 상호 연락되는 낙맥이 체내에서 각기 표리를 이루는 장부에 낙속된다. (예를 들면 족태양경은 방광에 속하고 신에 낙하며, 족소음경은 신에 속하며 방광에 낙한다). 경맥의 경별은 모두 낙속되는 장부를 통과할 뿐만 아니라, 육음경맥의 경별은 체내에서 체표로 주행한 후, 표리를 이루는 육양경맥의 경별에 합해져 들어간다. 이와 같이 경락의 분포는 표리를 이루는 경맥의 소통관계를 형성한다.

십이경맥의 표리관계는 표리를 이루는 두 경맥의 연접을 통한 연결의 강화일 뿐만 아니라, 동일한 장부에 낙속됨으로써 표리를 이루는 개개의 장부가 생리공능상 서로 배합되고 병리상 서로 영향을 미친다. 예를 들면, 비는 운화와 청기의 상승을 주관하고 胃는 수납과 탁기의 하강을 주관하며, 심화가 소장으로 전이되는 등이다. 치료 시에 서로 표리를 이루는 두 경맥의 수혈을 사용한다. 예를 들면, 폐경의 혈위로 대장 혹은 대장경의 질병을 치료할 수 있다.

4) 유주 순서

기혈은 중초의 수곡정기로 만들어진 것이다. 십이경맥은 기혈이 운행하는 중요한 통로이다. 즉, 경맥이 중초에서 기를 받아 위로 보내 폐에 분포시키면 수태음폐경에서 시작하여 경을 따라 순차적으로 족궐음간경으로 이어진 다음, 다시 수태음폐경으로 흘러 들어 감으로써 끝이 없는 고리처럼 수미상관하는 12경의 순환을 이룬다. 그 유주 순서는 아래의 그림과 같다.

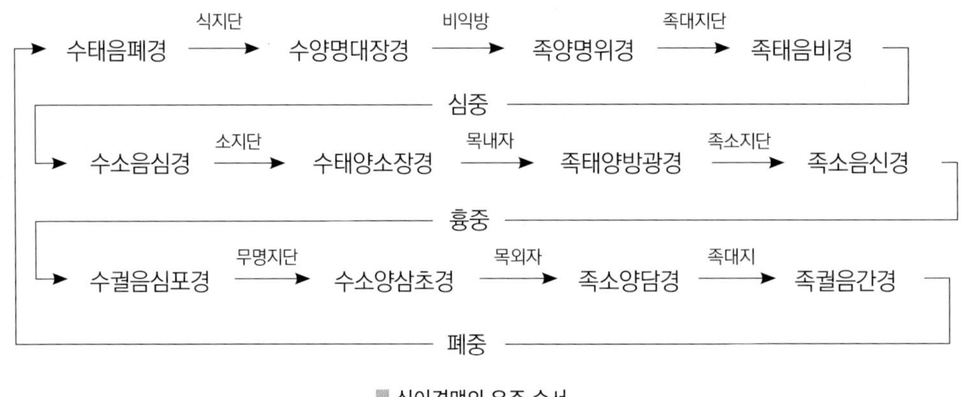

■ 십이경맥의 유주 순서

25) 足太陽與少陰爲表裏, 少陽與厥陰爲表裏, 陽明與太陰爲表裏, 是爲足陰陽也. 手太陽與少陰爲表裏, 少陽與心主爲表裏, 陽明與太陰爲表裏, 是爲手之陰陽也 (素問·血氣形志)

첫째로, 체내에서 이루어지는 장과 부의 '속'·'낙'관계에 의해서 맥기는 통한다. 둘째로, 체표에서 지맥 혹은 낙맥에 의해 다음 경과 만난다. 예를 들면, 수태음폐경은 체내에서 폐에 속하며 대장에 낙하고, 체외에서 "그 지맥은 손목에서 둘째 손가락 안쪽으로 직행하여 그 끝으로 나온다."[26)]

상술한 십이경맥의 유주 순서는 일반적인 원칙이며, 기혈이 오로지 이러한 방식에 의해서만 순행하는 것은 아니다. 기혈은 체내에서 다양한 경로와 순행방식에 따라 운행된다. 예를 들면, 영기는 맥에서 운행하며 십이경맥을 따라 주행하나 때때로 경을 따라 운행한다. 위기는 맥 외를 운행하며 낮에는 양에서 밤에는 음에서 순환 운행하고, 경별은 주로 표리를 이루는 경의 내부를 순행하며 낙맥은 주로 체표에 널리 확산되고, 또한 기경의 일축조절식(溢蓄調節式)에 의한 경기의 운행이 있다. 경기의 순행방식은 십이경맥을 주체로 하는 완정한 경기 순환 유주계통이다.

제4절 기경팔맥(奇經八脈)

기경팔맥은 경락계통의 중요 구성부분인 독맥、임맥、충맥、대맥、음교맥、양교맥、음유맥、양유맥의 총칭이다.

'기(奇)'는 다르다는 뜻이다. 기경팔맥은 십이경맥이 전신에 고루 분포하는 것과는 달리 상지에는 분포하지 않고, 팔맥 가운데 요복부를 횡으로 도는 대맥과 하나의 분지가 내려가는 충맥을 제외하고는 모두 하지 또는 소복부에서 상행하는데, 십이경맥이 상하、내외、순역의 음양표리원칙을 따르는 것과는 다르다. 기경팔맥(독맥 제외)은 장부에 직접 낙속되지 않으며 표리 상배의 관계가 없고, 다만 부분적으로 경맥과 장부와 이어진다. 예를 들면 독맥은 뇌에 입속하며 신에 낙하고 심을 관통한다. 충、임、독의 세 맥은 모두 포궁에 연결된다. 이들이 십이경맥과는 다르므로 '기경'이라고 하였다.

기경팔맥은 십이경맥의 사이사이에 종횡으로 교차하며, 그 주요 작용은 다음과 같다.

○ 십이경맥간의 연결을 밀접하게 한다

기경팔맥은 순행과정에서 다른 경들과 교차 상접하여 경맥 사이의 상호관계를 강화한다. 예를 들면, 양유맥은 십이경맥의 양경들을 엮고[27)] 음유맥은 십이경맥의 음경들을 엮으며[28)], 독맥은 '총독제양(總督諸陽)'하고 임맥은 '제음지해(諸陰之海)'가 되며, 충맥은 상하를 통행하면서 삼음삼양에 스며들고, 대맥은 '약속제경(約束諸經)'하며, 음교맥과 양교맥은 모두 복사뼈에서 시작하여 하지 안팎의 음경과 양경을 돕는 작용을 한다.

○ 십이경맥의 기혈을 조절한다

기경팔맥은 종횡으로 뒤섞여 분포하고 십이경맥 사이로 운행하므로 십이경맥의 기혈이 왕성하여 남으면 기경팔맥으로 흘러 들어가 비축되고, 활동하면서 이를 필요로 하거나 십이경맥의 기혈이 부족할 때는 기경에서 흘러나와 전신의 조직에 공급하여 보충한다.

---

26) 其支者從腕後直出次指內廉出其端 (靈樞·經脈)
27) 陽維維于陽 (難經·二十九難)
28) 陰維維于陰(難經·二十九難)

○ **일부 장부와 밀접한 관계가 있다**

기경과 간、신 등 장과 여자포、뇌、수 등 기항지부의 관계는 비교적 밀접하다. 예를 들면 여자포와 뇌수는 기경과 직접 연계되어 있다. 충、임、독의 세 맥은 하나의 원류에서 갈라진 세 개의 분지인데, 대맥이 허리를 횡으로 순행하여 세 맥을 소통하게 함으로써 하나의 완정된 계통을 구성하게 되며, 간경과도 상통하므로 산기(疝氣) 및 여성의 경、대、태、산 등과 밀접한 관계가 있다. 또한 기경 상호간에도 생리 병리적으로 영향을 미친다.

1. 독맥(督脈)

1) 순행 부위

포중(胞中)에서 시작하여 회음으로 빠져나간 다음 척주 뒤를 따라 위로 올라가서 뒷덜미의 풍부혈에 이르러 두개내(頭蓋內)로 진입하여 뇌에 낙한다. 동시에 목덜미에서 머리 정중선을 따라 두정、액부、코, 윗입술을 경유하여 윗입술의 계대(은교)에 이른다.

- 분지: 척주 후면으로부터 갈라져 나와 신에 속한다.

2) 기본 기능

'독'에는 총관과 통솔의 의미가 있다.

(1) 양경의 기혈을 조절한다

독맥은 배부 정중에 순행하면서 여러 차례 수족삼양경 및 양유맥과 교회하여 양맥의 독강(督綱)이 되며, 전신의 양경을 조절한다. 그러므로 '양맥지해'라고 한다.

(2) 뇌、수 및 신의 기능을 반영한다

독맥은 척주 뒤에서 순행하며, 상행하여 두개(頭蓋)로 들어가서 뇌에 낙하는 동시에 척주 뒤로부터 갈라져 나와 신에 속한다. 신은 수(髓)를 만들고, 뇌는 수해(髓海)이다. 독맥은 뇌、수 및 신의 기능과 밀접한 관계가 있다.

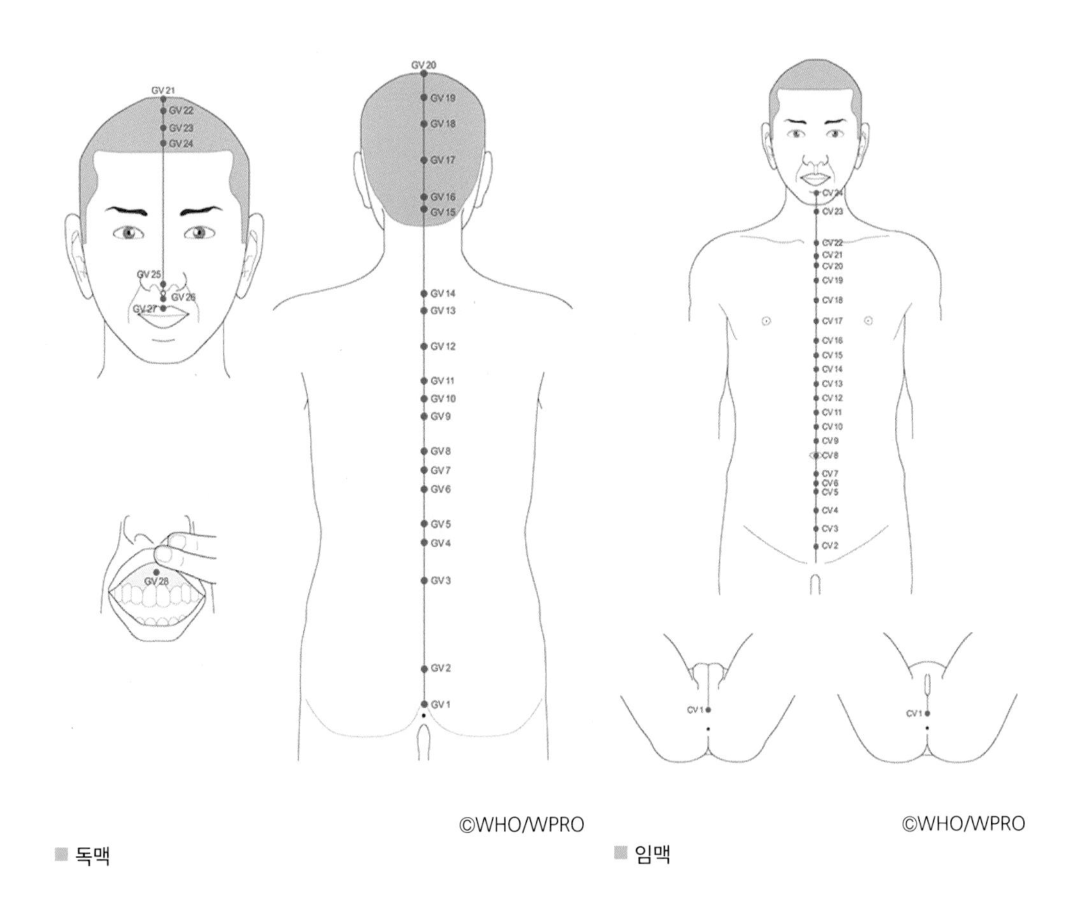

■ 독맥

■ 임맥

2. 임맥(任脈)

1) 순행 부위

포중에서 시작하여 회음으로 내려가 빠져 나와 음부를 경유하여 복부와 흉부 정중선을 따라 위로 올라가 인후에 이른다. 다시 위로 올라가 하악부에 이르며, 구순을 돌아서 뺨을 따라 나뉘어 안와 밑에 이른다.

분지: 포중에서 나와 뒤로 가서 충맥과 함께 척주 앞으로 간다.

2) 기본 기능

'임(任)'은 맡다, 임신하고 기른다는 의미를 가지고 있다.

(1) 음경의 기혈을 조절한다

임맥은 복면 정중선을 순행하면서 여러 차례 족삼음경 및 음유맥과 만나 음맥들 사이의 상호관계를 총임(總任)하고, 음경의 기혈을 조절하므로 '음맥지해'라고 한다.

(2) '임주포태(任主胞胎)'

임맥은 포중에서 시작하는데, 월경을 조절하고 여성 생식기능을 촉진하여 여성의 임신과 관계가 있고 생양(生養)의 근본이 되므로 '임주포태(任主胞胎)'라고 한다.

3. 충맥(衝脈)

1) 순행 부위

포중에서 시작하여 회음 뒤로 내려가 나온다. 기가부(氣街部)에서 족소음경과 함께 배꼽의 양쪽을 따라 위로 올라가 흉중에 흩어진 다음 다시 위로 올라가 인후를 지나 구순을 돌아서 안와 밑에 이른다.

- 분지: 기가부에서 갈라져 나와 대퇴 안쪽을 따라 오금으로 들어가며, 아래로 내려가 발바닥에 이른다. 또한 내과 뒤에서 갈라져 나와 앞쪽으로 비스듬히 발등으로 가서 엄지발가락으로 들어가는 분지도 있다.
- 분지: 포중에서 나와 척주 앞으로 올라가다가 뒤로 가서 독맥과 통한다.

2) 기본 기능

'충(衝)'은 요충의 의미를 가지고 있다.

(1) 십이경의 기혈을 조절한다

충맥은 위로는 머리, 아래로는 발까지 전신을 관통하면서 12경의 기혈을 모두 받아서 모든 경의 기혈을 총령하는 요충이다. 장부경락의 기혈이 남거나 부족할 때 충맥이 저장하고 또 공급 보충하여 십이경맥의 기혈을 조절하므로 '십이경맥지해(十二經脈之海)'라고 한다.

(2) '충위혈해(衝爲血海)'

충맥은 포중에서 시작하는데, '혈해'라고도 하는 것은 생식기능을 촉진하고 여성의 월경과 밀접한 관계가 있기 때문이다.

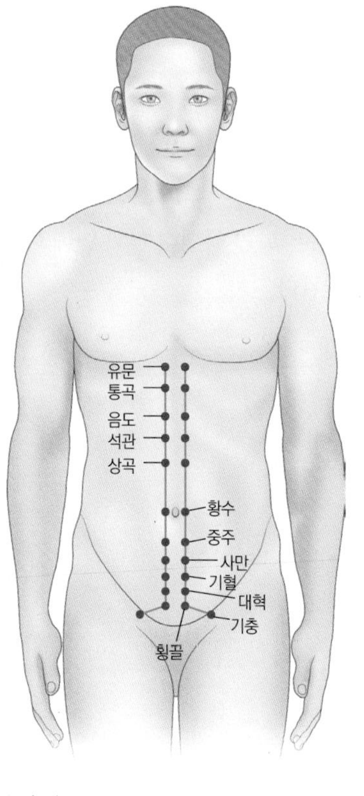

■ 충맥

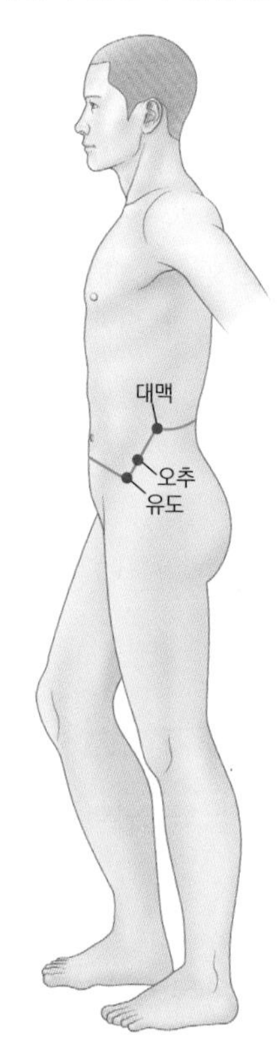

■ 대맥

4. 대맥(帶脈)

1) 순행 부위

옆구리에서 시작하여 비스듬히 아래로 내려가 대맥혈에 이른 다음 허리를 횡으로 돈다. 복부의 대맥은 아래로 소복까지 이어진다.

2) 기본 기능

대맥은 허리를 횡으로 한 바퀴 허리띠처럼 감아 돌아서, 종으로 순행하는 모든 맥을 약속하고 맥기를 조절하며, 종행하는 모든 맥의 맥기가 하함하지 않도록 한다. 또한 여성의 대하를 주관한다.

5. 음양교맥(陰陽蹻脈)

1) 순행 부위

교맥은 좌우대칭을 이루는데, 음교맥과 양교맥은 모두 복사뼈 아래에서 시작한다.

음교맥은 안쪽 복사뼈 아래로부터 조해혈에서 갈라져 나와, 안쪽 복사뼈 뒤를 따라 똑바로 하지 안쪽으로 올라가서 전음을 지나 배와 가슴을 따라 결분으로 들어간다. 인영혈의 앞으로 나와 코 옆을 지나서 목내자에 이르러, 수족태양경 및 양교맥과 회합한다.

양교맥은 바깥쪽 복사뼈 아래로부터 신맥혈에서 갈라져 나와, 바깥 복사뼈 뒤를 따라 위로 올라가서 복부를 지나 흉부 바깥쪽을 따라 순행하여 어깨와 목 바깥쪽을 지나 구각을 끼고 목내자에 이르러 수족태양경 및 음교맥과 회합한 후, 다시 위로 올라가 발제로 들어갔다가 아래로 귀 뒤에 이르며, 족소양담경과 목 뒤에서 만난다.

2) 기본 기능

'교(蹻)'는 교첩경건(蹺捷輕健)의 의미를 가지고 있다.

(1) 사지 관절의 운동을 주관한다

교맥은 하지 안팎으로부터 나뉘어 얼굴로 올라가며, 전신 음양의 기를 교통하고 근육의 운동을 조절하는 기능을 가지고 있다. 주로 하지 운동이 원활하고 민첩하도록 한다.

(2) 안검의 개합을 주관한다

음양교맥이 목내자에서 교회하므로 교맥은 눈을 유양하고 안검의 개합을 주관하는 것으로 알려져 있다.

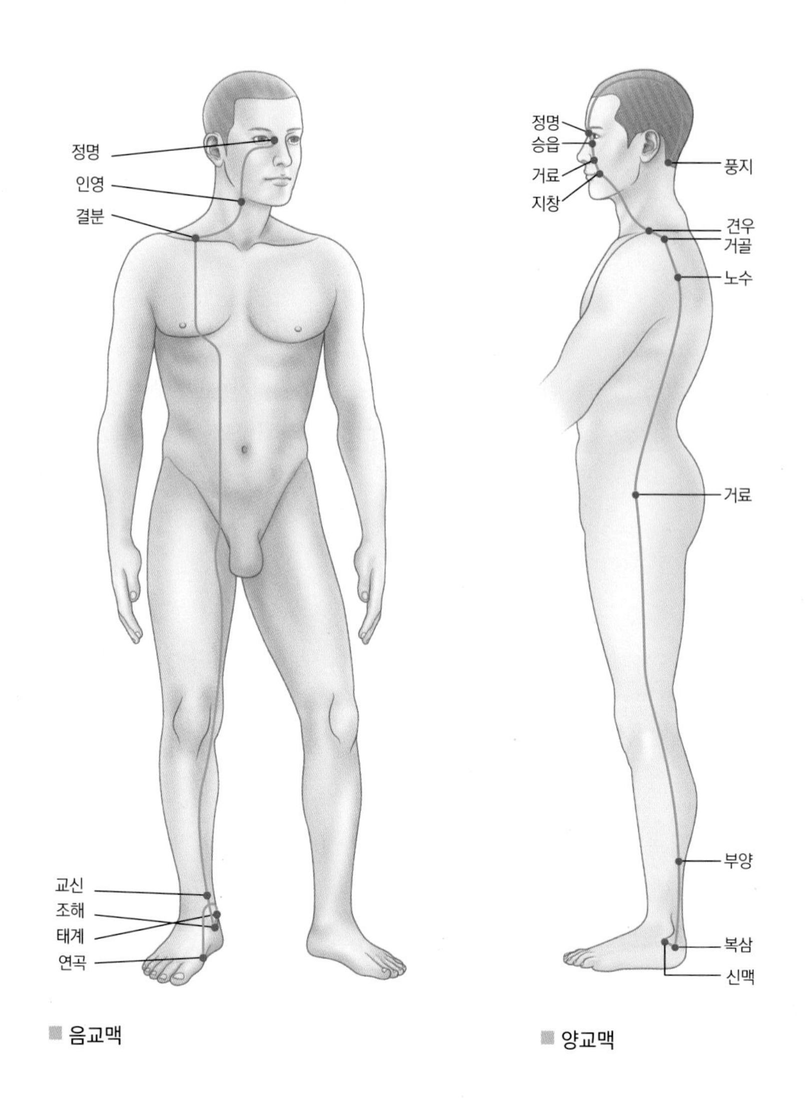

■ 음교맥 ■ 양교맥

6. 음양유맥(陰陽維脈)

1) 순행 부위

음유맥은 종아리 안쪽의 족삼음경이 만나는 곳에서 시작하여 하지 안쪽을 따라서 위로 올라가 복부에 이른다. 족태음비경과 함께 협부로 가서 족궐음간경과 만난 다음 위로 올라가 인후에 이르러 임맥과 만난다.

양유맥은 바깥 복사뼈 아래에서 시작하여, 족소양담경과 함께 하지 바깥쪽을 따라 위로 올라가서 구간부 뒤 바깥쪽을 지나며, 겨드랑이 뒤로부터 어깨로 올라가서 경부를 지나 귀 뒤로 간다. 다시 앞으로 가서 액부에 이르러 측두 및 뒷덜미에 분포하며 독맥과 만난다.

2) 기본 기능

'유(維)'는 유계와 유락의 의미를 가지고 있다.

『난경 이십팔난(難經 二十八難)』에 "양유맥과 음유맥은 전신에 그물과 같이 연결되어 있어서, 십이정경으로 다시 흘러 들어가지 못하는 기혈을 저장한다"[29] 고 하였다. 양유와 음유맥은 모두 전신의 양경이나 음경을 연계하고 연락하는 작용을 한다. 정상적인 상태에서 음양유맥은 서로 유계하며 기혈의 성쇠에 대하여 일축(溢蓄)을 조절하는 작용이 있으며 순환에는 참여하지 않는다.

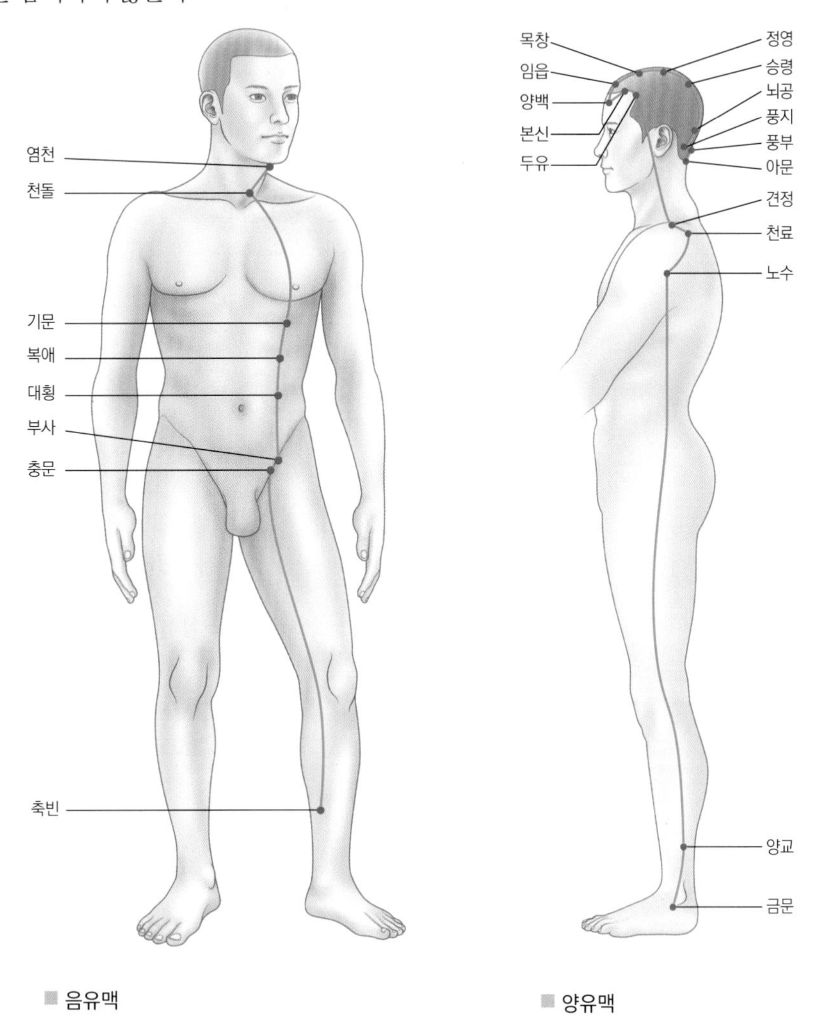

■ 음유맥 ■ 양유맥

제 5절 경별、별락、경근、피부

1. 경별(經別)

경별은 십이경맥에서 나와 몸통의 깊은 부위로 들어가 흉、복 및 두부에서 순행하는 지맥이다.

십이경별의 순행은 모두 같은 이름의 사지부분(대부분 무릎과 팔꿈치 이상)의 경에서 따로 나와 체강 장부의 심부

29) 陽維, 陰維者, 維絡于身, 溢蓄不能還流灌溉諸經者也 (難經·二十八難)

(深部)로 들어가며, 그리고 나서 체표로 나와 두부로 올라간다. 음경의 경별은 서로 표리관계에 있는 양경의 경별과 합쳐진 후에 육음경맥으로 흘러 들어간다. 그러므로 십이경별의 순행특징은 "이(離)、합(合)、출(出)、입(入)"으로 개괄될 수 있다. 각기 경별이 표리를 이루는 경별과 하나를 이루는 것이 '합(合)'이고, 십이경별의 수족삼음삼양(手足三陰三陽)이 형성하는 여섯 쌍의 합을 '육합(六合)'이라고 한다.

1) 생리 공능

십이경별은 십이경맥과는 별도로 다니는 분지이며, 그 지맥의 순행과 분포에는 특징이 있다. 맥기의 분포범위가 비교적 광범위하여 십이경맥이 미치지 못하는 곳까지 연계되어 치료 등 작용을 하고 있다. 주로 다음과 같은 작용을 한다.

(1) 십이경맥 가운데 표리를 이루는 경맥의 연결을 강화한다

십이경별은 체간부에 나눠어 들어가 표리를 이루는 두 경과 서로 병행하며, 경별과 표리를 이루는 장부로 가서 함께 체표로 얕게 나오는데, 음경의 경별은 양경의 경별에 합입되어 함께 체표의 양경으로 흘러 들어간다. 이처럼 십이경맥 가운데 표리를 이루는 경맥의 연결을 강화하는데, 장과 그와 연관되는 부가 이루는 내재적인 연결이다.

(2) 체표와 체내, 사지와 구간의 구심성 연결을 강화한다

십이경별은 모두 십이경맥의 사지에서 나눠어 나오는데, 체내로 들어가 구심성 순행을 하므로 경락의 연결을 확대시키고, 밖에서 안으로 정보를 전달하는 중요한 작용을 한다.

(3) 십이경맥의 두면부에서의 연결을 강화시킨다

십이경맥 가운데 두면부에서 순행하는 것은 주로 여섯 양경인데, 십이경별은 여섯 양경뿐만 아니라 여섯 음경 역시 두부까지 상행한다. 족삼음경의 경별은 음경 경별에 합입된 후 머리까지 올라가며, 수삼음경의 경별은 목구멍을 지나서 두면부에 합해진다. 이는『영추 사기장부병형(邪氣藏府病形)』의 "십이경맥, 삼백육십오락의 기혈은 모두 얼굴로 올라가 공규로 간다"[30]는 내용의 이론적 근거가 된다.

(4) 십이경맥의 분포범위를 확대시킨다

십이경별은 십이경맥이 분포하지 않은 곳에도 분포하며, 이에 상응하여 경락혈위의 주치 범위를 확대한다. 예컨대 족태양경맥은 항문까지 순행하지 않으나, 이 경의 경별이 "따로 들어가 항문에 이른다[31]"고 하므로, 족태양경의 승산과 승근 등 혈을 이용하여 항문병을 치료할 수 있다.

(5) 족삼음, 족삼양경맥과 심장의 연결을 강화시킨다

족삼음과 족삼양의 경별은 상행하여 배와 가슴을 지나면서 복강에 있는 장부의 표리관계를 강화할 뿐만 아니라, 흉강에 있는 심장에 연결된다. 그러므로 십이경별은 복강내의 장부와 심장과의 연계를 분석할 때 중요한 의미를 갖는다.

30) 十二經脈, 三百六十五絡, 其血氣皆上于面而走空竅 (靈樞·邪氣藏府病形)
31) 別入于肛 (靈樞·經別)

2) 순행 부위

(1) 족태양과 족소음경별(1합)

- 족태양경별: 오금부의 족태양경맥에서 나뉘어져 나오며, 그 중의 한 지맥은 천골 아래 5촌에서 따로 항문으로 들어간 다음, 위로 올라가 방광에 속하고 확산되어 신장에 낙하며 척주 양쪽의 근육을 따라 심장으로 올라간 다음 심장 안으로 퍼진다. 직행하는 지맥은 척주 양쪽의 근육을 따라 계속 위로 올라가 목덜미로 나오며, 맥기는 족태양경 본경으로 흘러 들어간다.
- 족소음경별: 오금부의 족소음경맥에서 나뉘어져 나와 족태양의 경별과 함께 신에 이른다. 14추(제2요추)에서 나뉘어져 나와 대맥에 귀속한다. 직행하는 지맥은 계속 위로 올라가서 설근에 이어지며, 다시 목덜미로 나오고 맥기는 족태양경의 경별로 흘러 들어간다.

(2) 족소양과 족궐음경별(2합)

- 족소양경별: 대퇴 바깥 부위의 족소양경맥에서 나뉘어져 나와 대퇴 앞쪽을 돌아서 모제로 들어가 족궐음의 경별과 만나 합쳐진다. 위로 올라가 계협의 사이로 들어가며, 흉강의 안쪽을 따라 가서 담에 귀속되고 간장까지 올라간다. 심장을 지나서 식도 양측으로 올라가, 하악의 입옆으로 나와서 얼굴로 확산되며 목계에 이어져 외안각부에서 맥기는 족소양경으로 흘러 들어간다.
- 족궐음경별: 발등 위의 족궐음경맥에서 나뉘어져 나와 모제로 올라가서 족소양의 경별과 만난 다음 병행한다.

(3) 족양명과 족태음경별(3합)

- 족양명경별: 대퇴 앞쪽의 족양명경맥에서 나뉘어져 나와 복강 안으로 들어가 위에 귀속되며 비장에 분포한다. 위로 올라가 심장을 지나서 식도를 따라 구강으로 얕게 나와 비근과 안와 밑으로 올라 갔다가 다시 안으로 목계에 이어지는데, 맥기는 족양명본경으로 흘러 들어간다.
- 족태음경별: 대퇴 안쪽의 족태음경맥에서 나뉘어져 나와 대퇴 앞에 이르며, 족양명의 경별과 같이 만난 다음 위로 올라가 인후에 이어지며 설중을 관통한다.

(4) 수태양과 수소음경별(4합)

- 수태양경별: 견갑골 부위에서 수태양소장경으로부터 갈라져 나와 심장으로 갔다가 소장에 가서 연계된다.
- 수소음경별: 겨드랑이에 있는 수소음경맥에서 나뉘어져 나와 흉강으로 들어간 다음 심장에 귀속한다. 위로 올라가 목구멍을 지나 얼굴로 얕게 나오며, 내안각에서 수태양경과 합친다.

(5) 수소양과 수궐음경별(5합)

- 수소양경별: 두항부의 수소양경맥에서 나뉘어져 나와 아래로 내려가서 결분으로 들어가며, 상중하 삼초를 지나서 흉중에 분포한다.
- 수궐음경별: 겨드랑이 아래 삼촌에 있는 수궐음경맥에서 나뉘어져 나와 흉강으로 들어간 다음 각기 상중하 삼초에 귀속된다. 위로 올라가 목구멍을 돌아 귀 뒤로 얕게 나오며, 유돌하부에서 수소양경과 만난다.

(6) 수양명과 수태음경별(6합)

- 수양명경별: 견우혈의 수양명경맥에서 나뉘어져 나와 뒷덜미 주골(柱骨)로 들어간 다음, 아래로 내려가는 지맥은 대장을 향해 가고 폐에 귀속되며, 위로 올라가는 지맥은 목구멍을 돌아 쇄골상와로 얕게 나오며, 맥기는 수양명본경에 귀속된다.
- 수태음경별: 연액부의 수태음경맥에서 나뉘어져 나와 수소음경별의 앞을 지나 흉강으로 들어간다. 폐장으로 가고 대장에 분포하며, 위로 올라가 쇄골상와로 나온 다음 목구멍을 돌아 수양명경맥과 합친다.

2. 별락(別洛)

별락 역시 경맥에서 나뉘어져 나온 지맥으로 대부분 체표에 분포한다. 별락은 15개로 이루어지는데, 즉 십이경맥 각기 1개가 있고, 위로는 임맥 독맥의 낙맥 그리고 비의 대락이 있다. 다시 위의 대락을 포함하여 16별락이라고도 한다.

별락은 낙맥 가운데 비교적 중요한 부분으로 전신에 무수히 분포되어 있는 가늘고 작은 낙맥과 관련된다. 별락에서 나뉘어져 나온 가늘고 작은 낙맥을 '손락'이라고 하는데, 『영추 맥도(脈度)』에서 "낙맥에서 가지로 나온 것이 손맥이다"[32]라고 하였다. 피부 표면에 분포되어 있는 낙맥을 '부락'이라고 하는데, 『영추 경맥』에서 "대개 맥이 위로 떠서 잘 보이는 것"[33]이라고 하였다.

1) 생리 공능

(1) 십이경맥 가운데 표리를 이루는 두 경맥 사이의 연결을 강화한다

주요 통로로서 음경 별락은 양경으로 가고, 양경 별락은 음경으로 가게 한다.

(2) 별락은 다른 낙맥을 통솔하여 인체의 전､후､측면의 통일적인 관계를 강화시킨다

임맥의 별락은 복부에 퍼져 있고, 독맥의 별락은 등에 퍼져 있으며, 비의 대락은 흉협부에 퍼져 있는데, 이로 인해 인체 전､후､측면의 통일적인 관계를 강화시킨다.

(3) 기혈의 운행을 도와 전신을 유양한다

별락으로부터 나뉘어져 나온 손락과 부락은 두루 전신에 퍼져 있는데, 그물모양으로 넓게 퍼져 있으면서 함께 신체 조직의 접촉면을 넓게 한다. 이로써 경맥을 순행하는 기혈로 하여금 별락과 손락을 지나게 하고 점차 확산시켜서 인체 전반에 영양 작용을 충분히 발휘케 한다.

2) 순행 부위

십오별락은 일정하게 분포되어 있다. 그 가운데 십이경맥의 별락은 사지의 팔꿈치, 무릎 이하에서 나뉘어져 나오며, 표리를 이루는 두 경의 별락은 서로 연결된다. 임맥의 낙은 복부에 분포하며, 독맥의 낙은 등(배부)에 분포하고 비

---

32) 絡之別者爲孫 (靈樞·脈度)
33) 諸脈之浮而常見者 (靈樞·經脈)

의 대락은 신체의 측부에 분포한다. 구체적인 분포부위는 다음과 같다.

(1) 수태음의 별락

열결혈에서 나뉘어져 나오며, 손목관절의 상부에서 시작하고, 손목관절 뒤 0.5촌에서 수양명경으로 주행한다. 지맥은 수태음경과 병행하여 손바닥으로 바로 들어가며, 어제부에 분포한다.

(2) 수소음의 별락

통리혈에서 나뉘어져 나오며 손목관절 뒤 1촌에서 수태양경으로 주행하고 지맥은 손목관절 뒤 1.5촌에서 따로 가는데, 본경을 따라 심중으로 들어간 다음 위로 올라가 설근에 이어지고 목계에 연속된다.

(3) 수궐음의 별락

내관혈에서 나뉘어져 나오며 손목관절 뒤 2촌에서 양근의 사이로 얕게 나오고, 본경을 따라 위로 올라가 심포와 심계에 이어진다.

(4) 수태양의 별락

지정혈에서 나뉘어져 나오며 손목관절 뒤 5촌에서 내행하여 수소음경으로 흘러 들어간다. 지맥은 위로 올라가 팔꿈치를 지나서 견우부에 그물처럼 이어진다.

(5) 수양명의 별락

편력혈에서 나뉘어져 나오며 손목관절 뒤 삼촌에서 수태음경으로 주행한다. 지맥은 위로 올라가 비박(臂膊)을 순행해서 견우를 지나 하악각으로 올라가 치아에 분포한다.

(6) 수소양의 별락

외관혈에서 나뉘어져 나오며 손목관절 뒤 2촌에서 비박 2촌에서 바깥으로 돌아 흉중으로 들어가 수궐음경과 합친다.

(7) 족태양의 별락

비양혈에서 나뉘어져 나오며 바깥쪽 복사뼈 위 7촌에서 족소음경으로 주행한다.

(8) 족소양의 별락

광명혈에서 나뉘어져 나오며 바깥쪽 복사뼈 위 5촌에서 족궐음경으로 가고, 아래로 내려가 발등으로 이어진다.

(9) 족양명의 별락

광명혈에서 나뉘어져 나오며 바깥쪽 복사뼈 위 8촌에서 족태음경으로 주행한다. 지맥은 경골 바깥을 따라 두항에 이어지며, 각 경의 맥기와 합친 다음 내려가 인후부에 이어진다.

(10) 족태음의 별락

공손혈에서 나뉘어져 나오며 제1중족지관절 뒤 1촌에서 족양명경으로 간다. 지맥은 복강으로 들어가 장위에 이어진다.

(11) 족소음의 별락

대종혈에서 나뉘어져 나오며 안쪽 복사뼈 뒤에서 족근을 돌아 족태양경으로 간다. 지맥은 본경과 병행하며 심포 하부로 가며, 밖으로 가서 요척을 관통한다.

(12) 족궐음의 별락

여구혈에서 나뉘어져 나오며 안쪽 복사뼈 위 5촌에서 족소양경으로 간다. 지맥은 경골을 지나서 고환으로 올라간 다음 음경에 모인다.

(13) 임맥의 별락

구미혈에서 나뉘어져 나오며 흉골 검상돌기에서 내려가 복부에 분포한다.

(14) 독맥의 별락

장강혈에서 나뉘어져 나오며 척주 양쪽을 따라 위로 올라가 목덜미에 이르고 머리에 분포한다. 내려가는 낙맥은 견갑부에서 시작하여 좌우로 족태양경을 향해 간 다음 척주 양측의 근육으로 들어간다.

(15) 비의 대락

대포혈에서 나뉘어져 나오며 연액혈 아래 3촌에서 얕게 나와 흉협부에 분포한다.

3. 경근(經筋)

경근은 십이경맥에 연결된 근육체계이므로 그 기능활동이 경락을 운행하는 기혈의 영양이 의존하며 또 십이경맥의 조절을 받는다. 열두 계통으로 이루어져 있어 '십이경근'이라고 한다.

1) 생리 공능

경근의 주요 작용은 골격을 약속하고 관절의 굴신운동을 원활하게 하는 작용을 하는데,『소문 위론(痿論)』에서 "종근(宗筋)은 뼈를 묶고 관절의 운동을 원활하게 한다"[34]고 한 것과 같다.

2) 순행 부위

경근은 일반적으로 얕은 부위에 분포하며, 사지말단서부터 두신(頭身)으로 가고, 대부분 관절과 골격부근에 있다. 일부는 흉복강으로 들어가지만 장부에 낙속되지는 않는다. 경근의 분포는 십이경맥의 체표 순행부위와 기본적으로

34) 宗筋主束骨而利機關也 (素問·痿論)

일치되지만, 그 순행방향이 완전히 일치하지는 않는다. 수족삼양의 경근은 지체의 바깥쪽에 분포하며, 일부는 흉곽과 복강으로 들어간다. 구체적으로 다음과 같이 분포한다.

(1) 족태양경근

새끼 발가락에서 시작하여 위로 올라가 바깥 복사뼈에서 이어지며, 비스듬히 올라 가 무릎에 이어지고, 하행하는 분지는 바깥 복사뼈를 돌아 족근에 이어지며, 올라가서 아킬레스건을 돌아 오금부에 이어진다. 분지는 종아리에 이어지고 오금 안쪽으로 올라가 오금부의 다른 분지와 합병해서 둔부로 올라간 다음, 다시 척주의 양쪽을 따라 올라가 목덜미에 이른다. 분지는 설근으로 이어지며 직행하는 분지는 후두골에 이어지고, 두정으로 올라간 다음 액부에서 내려가 코에 이어진다. 분지는 '목상강'(상안검)을 형성한 다음, 내려가 코 옆에 이어진다. 등(배부)의 분지는 겨드랑이 뒤 바깥에 견우로 이어지며, 또 다른 分支는 겨드랑이 아래로 결분으로 올라가서 위 쪽으로 귀 뒤(완골)에 이어진다. 다른 분지는 결분에서 나와 비스듬히 올라가 코의 양쪽에 이어진다.

(2) 족소양경근

넷째 발가락에서 시작하여 위로 올라가 바깥 복사뼈에 이어지며, 다시 위로 올라가 종아리 바깥쪽을 순행해서 무릎 바깥으로 이어진다. 그 분지는 별도로 비골부에서 시작하여 대퇴 바깥쪽으로 올라가 앞에서는 '복토'에 이어지고 뒤에서는 천골 부위에 이어진다. 직행하는 분지는 계협을 지나 겨드랑이 앞쪽으로 올라가 흉측, 유부 및 결분에 이어진다. 직행하는 분지는 겨드랑이로 올라가 결분을 지나 다시 태양경근의 앞을 지나며 귀 뒤를 순행하여 액각으로 올라간 다음, 두정에서 교회하며 하악으로 내려갔다가 다시 올라가 코의 양측에 이어진다. 분지는 눈꼬리에 이어져서 '외유(外維)'를 형성한다.

(3) 족양명경근

둘째 셋째 넷째 발가락에서 시작하여 발등으로 이어졌다가 약간 바깥쪽으로 치우쳐 올라가 비골을 덮고, 다시 올라가 무릎 바깥에 이어지며 곧장 올라가 비추(대전자부)에 이어지고, 다시 올라가 협륵을 돌아서 척주에 이어진다. 직행하는 분지는 올라가서 경골을 돌아 무릎으로 이어진다. 분지는 비골부에 이어지며 족소양경근과 결합한다. 직행하는 분지는 복토를 따라 올라가 대퇴골 앞으로 이어지며, 음부에 모인 다음 다시 위로 복부에 분포하고, 결분에 모이며 경부를 지나서 입의 양측을 돌아 코 양쪽에서 만나고, 아래로는 코에 이어지며 위로는 족태양경근 - 태양은 '목상강'(상안검)을 형성하고, 양명은 '목하강'(하안검)을 형성한다 - 에 결합되고, 그 분지는 뺨에서 귀 앞으로 이어진다.

(4) 족태음경근

엄지 발가락 안쪽 끝에서 시작하여 올라가 안쪽 복사뼈에 이어지며, 직행하는 분지는 슬내보골(膝內輔骨, 경골내과)에 이어진 다음 올라가 대퇴 안쪽을 돌아 대퇴골 앞에 이어지며 음부에 모인 다음, 다시 복부로 올라가서 배꼽으로 이어지고 복내를 돌아 늑골에 이어지며 흉중에 분포한다. 안쪽의 분지는 척추에 부착된다.

(5) 족소음경근

새끼 발가락 아래에서 시작하여 족태음경근과 함께 안쪽 복사뼈 아래로 비스듬히 가며, 족근에 이어져서 족태양경근과 회합하고 위로 올라가 경골 안쪽 복사뼈 아래로 이어지며, 족태음경근과 함께 올라가 대퇴 안쪽을 돌아 음부에 이어지고, 척주의 안쪽에서 등의 양측을 돌아 목덜미로 올라가서 후두골에 이어지며 족태양경근과 합쳐진다.

(6) 족궐음경근

엄지 발가락 위에서 시작하여 올라가 안쪽 복사뼈 앞으로 이어지며, 경골을 따라 올라가 경골 안쪽 복사뼈 아래로 이어지고 다시 대퇴 안쪽을 따라 올라가서 음부에 이어지며, 각 경근에 이어진다.

(7) 수태양경근

새끼 손가락 위에서 시작하여 손등으로 이어지며, 팔뚝 안쪽을 따라 올라가 주내예골(肘內銳骨)의 뒤로 이어지고, 겨드랑이 아래로 들어간다. 분지는 겨드랑이 뒤로 가서, 위로 올라가 견갑을 돌아, 목의 측면을 따라 족태양경근의 전면으로 가서 귀 뒤에 이어진다. 분지는 귀로 들어간다. 직행하는 분지는 귀 위로 나왔다가 내려가 하악에 이어지며, 위쪽으로는 눈꼬리에 이어진다. 다른 지근은 턱 부위에서 나뉘어져 나와, 하악각 부위로 올라가서 귀 앞을 돌아 눈꼬리로 이어지고, 다시 이마로 올라가서 옆머리로 이어진다.

(8) 수소양경근

무명지의 끝에서 시작하여 손등에 이어지며 팔뚝을 따라 올라가 팔꿈치에 이어진 다음, 상완 바깥을 돌아 어깨로 올라가서 경부로 가며 수태양경근에 결합된다. 분지는 하악각으로 들어가서 설근에 이어진다. 다른 분지는 하악각에서 올라가 귀 앞을 돌아 눈꼬리에 이어지며, 이마로 올라가서 옆머리에 이어진다.

(9) 수양명경근

식지 끝에서 시작하여 손등에 이어지며, 팔뚝을 따라 올라가서 팔꿈치 바깥에 이어지고, 다시 상완 바깥을 따라 올라가 견우에 이어진다. 분지는 견갑을 돌아 척추 양측으로 간다. 직행하는 분지는 견우부에서 목으로 올라간다. 분지는 뺨으로 올라가서 코의 양쪽에 이어진다. 직행하는 분지는 수태양경근의 앞으로 올라가며 다시 액각으로 올라가 두부에 이어지고 양측 하악으로 내려간다.

(10) 수태음경근

엄지 손가락의 상단에서 시작하여 엄지를 따라 올라가서 어제 뒤로 이어지며, 촌구동맥 바깥을 지나 팔뚝을 따라 올라가 팔꿈치에 이어진다. 다시 상완 안쪽을 따라 올라가서 겨드랑이 아래로 들어가 결분으로 나오며, 견우의 앞으로 이어지고 위쪽으로 결분에 이어지며, 아래로는 가슴 속으로 이어진 다음, 흩어져 격부(膈部)를 지나서 횡격막의 아래에서 합쳐진 다음, 계협(季脇)에 이어진다.

(11) 수궐음경근

가운데 손가락에서 시작하여 수태음경근과 병행해서 팔꿈치 안쪽으로 이어지며, 상완 안쪽을 지나 겨드랑이 아래에 이어지고, 내려가서 협륵(脇肋)의 앞뒤에 분포한다. 분지는 겨드랑이 안으로 들어가서 흉중에 분포하며 횡격막에 이어진다.

(12) 수소음경근

새끼 손가락 안쪽에서 시작하여 완후예골(腕後銳骨)에 이어지며 올라가서 팔꿈치 안쪽에 이어지고, 다시 올라가 겨드랑이 안으로 들어가서 수태음경근과 만난 다음 흉중에 이어지며, 횡격막을 따라 내려가서 배꼽에 이어진다.

4. 피부(皮部)

피부는 경락 분포부위에 따른 체표의 피부구역이다. 『소문 피부론(皮部論)』에서 "피부도 구역이 나뉘어진다."35), "피부는 경맥의 외부이다"36)라고 하였다. 십이경맥과 그에 낙속하는 맥은 체표에 일정한 분포범위가 있는데, 서로 상응하며, 전신의 피부를 열두 부분으로 나누어 십이피부라고 한다. 『소문 피부론』에서 "피부를 알고자 하면 경맥으로써 벼리를 삼아야 한다"37), "무릇 십이경맥과 낙맥은 피부의 부위로 구별된다"38)고 하였다. 그러므로 피부는 십이경맥과 그에 낙속하는 맥의 체표에 있는 부분이며, 십이경맥의 기가 흩어져 분포되어 있는 곳이다.

피부는 십이경맥의 체표 분구(分區)이며, 이것이 경맥이나 낙맥과 다른 점은 다음과 같다. 경맥은 선상으로 분포하고 낙맥은 망상으로 분포하며, 피부는 '면'의 분할로, 그 분포범위는 대체로 해당 경락의 순행 부위에 속할 뿐만 아니라, 경락에 비해 더 광범위하다.

피부는 주로 외사를 방어하고 병변을 전도하는 기능을 한다. 인체의 표층에 분포하기 때문에 외사가 침범하면 피부와 피부에 분포되어 흐르는 위기가 방어 작용을 한다. 피부가 또 "안으로는 오장육부에 속한다39)"는 십이경맥에 분속되므로 장부와 경락의 병변은 상응하는 피부에 반영된다. 피부의 색깔과 형태 변화 등을 관찰하여 장부와 경락의 병리변화를 진단하고, 피부의 일정 부위를 문지르거나 붙이거나 바르거나 혹은 뜸을 뜨는 치료법으로 내장의 병변을 치료하는 등은 진단과 치료에 피부이론을 적용한 것이다.

35) 皮有分部 (素問·皮部論)
36) 皮者, 脈之部也 (素問·皮部論)
37) 欲知皮部, 以經脈爲紀 (素問·皮部論)
38) 凡十二經絡脈者, 皮之部也 (素問·皮部論)
39) 十二經脈者, 內屬於府藏 (靈樞·海論)

참고문헌

1. 『難經·二十八難』 扁鵲
2. 『難經·二十九難』 扁鵲
3. 『釋名』 劉熙
4. 『說文』 許慎
5. 『聖濟總錄』 宋 太醫院编
6. 『素問·氣穴論』
7. 『素問·痿論』
8. 『素問·藏氣法時論』
9. 『素問·皮部論』
10. 『靈樞·經脈』
11. 『靈樞·經別』
12. 『靈樞·脈度』
13. 『靈樞·本藏』
14. 『靈樞·邪氣藏府病形』
15. 『靈樞·逆順肥瘦』
16. 『靈樞·刺節眞邪』
17. 『靈樞·海論』
18. 『醫學入門』 李梴
19. 『扁鵲心書』 竇材
20. 전국한의과대학 한의학전문대학원 교재편찬회 저, 대학경락경혈학총론, 2012, 종려나무
21. 대한침구의학회 교재편찬위원회, 침구의학, 2012, 집문당
22. 高思華 等, 中醫基礎理論, 2012, 人民衛生出版社
23. 樊巧玲 主編, 中醫學概論, 2010, 中國中醫藥出版社
24. 王泓午, 預防醫學, 2012, 人民衛生出版社
25. 何建成 等, 中醫學基礎, 2012, 人民衛生出版社
26. Yu Bai et al, Review of Evidence Suggesting That the Fascia Network Could Be the Anatomical Basis for Acupoints and Meridians in the Human Body, Evidence-Based Complementary and Alternative Medicine, Volume 2011, pp. 1-6, 2011
27. WHO Standard Acupuncture Point Locations in the Western Pacific Region, WHO/WPRO, 2008, Manila

제 8 장 형체와 주요 기관

Body Structure and Sensory-Excretory Organs

'형체'는 몸을 이루고 있는 조직이며, 구체적으로 근(筋, 힘줄)、맥(脈, 혈관)、육(肉, 살)、피(皮, 피부)、골(骨, 뼈)의 다섯 가지 조직을 가리킨다. 전통적으로 이들 다섯 가지 조직을 '오체(五體)'라고 하였다. 한의학에서는 체표로 열린 구멍 또는 그 구멍의 부속기관들을 '관규(官竅)'라고 하여 감각기관을 포함하는 주요 기관을 설명하고 있는데, 구체적으로는 눈、귀、입、코와 혀 그리고 전음(前陰=요도구)과 후음(後陰=항문)의 일곱 기관, 즉 '칠규(七竅)'를 가리킨다. 이러한 형체와 주요 기관은 경락을 통해 안으로는 장부와 서로 밀접한 관계를 가진다.

제1절 형체

'형체'의 의미는 광의와 협의로 나눌 수 있는데, 광의의 형체는 머리、몸통、손발、오장、육부 등 눈으로 보이는 모든 기관이다. 협의의 형체는 몸을 구성하고 있는 조직을 말하며 근、맥、육、피、골의 '오체'를 가리킨다. 본 장에서의 형체는 후자, 즉 오체를 의미한다. 오체는 오행 상생의 순서에 따라 근、맥、육、피、골의 순서로 서술되기도 하며, 체표에서부터 안으로 들어가는 피、육、맥、근、골의 순서로 서술되기도 한다. 본 장에서는 후자의 순서에 따라 서술하기로 한다.

형체는 바깥쪽으로는 주위 환경과 접촉하고 안쪽으로는 장부를 싸고 있으며, 경락은 형체와 장부 사이를 흐르고, 기혈진액은 형체와 장부 안에서 운행한다. 그 중에서 영혈(營血)은 맥 안으로 흐르며, 위기(衛氣)와 진액(津液)은 맥 바깥으로 운행하면서 피육근골의 사이와 장부의 안을 흘러서 이르지 않는 곳이 없다.

장부가 만들어낸 정、기、혈、진액은 형체에 전달되어 자양、추동、온후(溫煦)와 기화 등의 작용을 함으로써 형체가 정상적인 생리 기능을 할 수 있도록 한다.

일반적으로 오장이 만들어낸 정기가 기혈진액의 운행을 통해 형체를 유양하는 것 외에도, 오장과 오체 사이에는 특정한 대응 관계가 있다. 『소문 평인기상론(素問 平人氣象論)』에서 "오장의 진기가 간으로 흩어지므로 간은 근막의 기운을 저장한다"[1], "오장의 진기가 심에 통하므로 심은 혈맥의 기운을 저장한다"[2], "오장의 진기가 비를 자양하므로 비는 기육의 기운을 저장한다"[3], "오장의 진기가 신으로 내려가니 신은 골수의 기운을 저장한다"[4]고 하였으며, 『소문

1) 藏眞散於肝, 肝藏筋膜之氣也 (素問·平人氣象論)
2) 藏眞通於心, 心藏血脈之氣也 (素問·平人氣象論)
3) 藏眞濡於脾, 脾藏肌肉之氣也 (素問·平人氣象論)
4) 藏眞下於腎, 腎藏骨髓之氣也 (素問·平人氣象論)

경맥별론(經脈別論)』에서는 "폐가 모든 맥을 조회하고 정을 피모로 운송한다"[5]고 하였는데, 이로써 형체와 오장 사이에는 서로 밀접하게 대응하는 관계가 있음을 알 수 있다.

1. 피(皮, Skin)

'피'는 피부를 가리키며 체표를 덮고 있다. 피부 표면에는 모발과 땀구멍 등 부속물이 있다. 피부는 외사의 침입을 방지하고, 인체의 진액 대사와 체온을 조절하며, 호흡을 보조하는 작용을 한다. 피부는 폐와 밀접한 관계를 가지며, 십이경맥과도 광범위하게 연계되어 있다.

1) 피부의 구조와 기능

피부는 체표면을 덮고 있으며, 손발바닥을 제외한 대부분의 피부에는 모발이 나 있다. 피부의 결을 주리(腠理)라고 한다. 피부에는 많은 땀구멍이 있는데, 기문(氣門) 혹은 현부(玄府)라고 한다. 피부의 생리 기능은 주로 다음과 같다.

(1) 외사를 방어한다

피부는 인체 표면의 최대 보호기관으로, 외부의 발병인자들을 방어하는 주요 보호벽이다. 만약 주리가 치밀하면 사기가 침입하지 못하지만, 위기가 부족하여 주리가 치밀하지 못하면 사기가 이를 틈타 침입하여 질병을 일으킬 수 있다.『영추 백병시생(靈樞 百病始生)』에서는 "그러므로 허사의 침입은 피부에서 시작하는데 피부가 느슨해지면 주리가 열리고, 주리가 열리면 사기가 모발을 따라 들어와 속으로 침투한다"[6]고 하였다.

(2) 진액대사를 조절한다

피부를 통하여 배출되는 땀은 진액이 배설되는 방식 가운데 하나이다. 주리가 치밀하지 못하면 땀구멍이 열려서 땀이 많이 나오며, 그와 반대의 경우에는 땀이 적게 나온다. 그러므로 피부의 이완과 치밀함은 진액의 배설을 조절한다. 만약 조절이 안 되면 땀이 지나치게 많이 나와 심할 경우에는 진액이 부족해질 수 있다.

(3) 체온을 조절한다

한의학에서는 위기가 체표를 순환하면서 기육을 덥히는 작용을 함으로써 체온을 조절한다고 보았다. 현대에는 체표 혈관의 확장과 수축이 열의 손실과 보존을 담당하며, 땀 배출을 통한 기화열 손실, 모근을 통한 단열 기능 조절 등, 피부가 체온 조절 기능을 하고 있음이 잘 알려져 있다. 만약 외사를 받으면 땀구멍이 닫혀서 땀이 나오지 않고 위기가 울체되어 열이 나게 된다. 이 때에 해표발한약(解表發汗藥)을 쓰면 땀과 함께 양기가 밖으로 흩어져 열이 식게 된다. 그래서『소문 생기통천론(生氣通天論)』에 "만약 몸이 탄 숯처럼 뜨거우면 땀을 내서 흩어내야 한다"[7]고 하였다. 그러나 땀을 너무 많이 내서는 안 되는데, 양기가 진액을 따라 탈진되어 양허의 한증(寒證)에 이르고, 심하면 대한(大汗)으로 인한 망양(亡陽) 상태가 올 수 있기 때문이다.

---

5) 肺朝百脈, 輸精於皮毛 (素問·經脈別論)

6) 是故虛邪之中人也, 始於皮膚, 皮膚緩則腠理開, 開則邪從毛髮入, 入則抵深 (靈樞·百病始生)

7) 體若燔炭, 汗出而散 (素問·生氣通天論)

(4) 호흡을 보조한다

위기는 주로 피부를 순행하는데, 위기의 순행이 순조로우면 폐기의 선발숙강(宣發肅降)이 잘 이루어진다고 생각해왔다. 한편, 현대에는 호흡은 주로 폐가 담당하지만 피부 역시 일정 정도의 호흡 기능을 하고 있는 것으로 알려져 있으며, 한의학에서는 이를 피부를 통해 기가 출입한다고 표현하였다.

2) 피부와 폐의 관계

피부와 폐의 관계는 매우 밀접하여『소문 음양응상대론(陰陽應象大論)』에서 "폐는 피모(皮毛)를 관장한다"[8]고 하였다. 피부와 폐 사이의 관계는 주로 다음과 같다.

(1) 폐는 정기를 나르고, 피부를 충양(充養)한다

폐는 음식물로부터 섭취한 정미로운 성분을 피모에 전달하여 피부를 자윤하고 털이 윤기 나게 하는데,『소문 경맥별론』에서 "음식이 위로 들어가면 탁한 기운은 심으로 돌아가고 정을 맥으로 퍼뜨려 맥기가 경맥을 따라 흐르면, 이 경기는 폐로 돌아가 폐에서 모든 맥을 조회하고 정을 피모로 보낸다"[9]고 하였다. 만약 폐기가 허해지면 피모가 초췌해지기 때문에『영추 경맥(經脈)』에서 "수태음의 기가 끊어지면 피부가 탄다"[10]고 하였다.

(2) 폐가 위기(衛氣)를 겉으로 퍼지게 하여 피부에 이르게 한다

위기는 피부에서 주로 세 가지 작용을 한다. 첫째, 피부를 덥히고, 둘째, 피부가 외사에 저항하는 것을 도우며, 셋째, 땀구멍의 개폐를 조절한다. 만약 폐가 허하여 위기가 충실하지 못하면 환자의 피부가 차가워져 추위를 타며, 땀이 비교적 많이 나오면 저항력이 떨어져 쉽게 외사를 받아 병이 생기게 된다. 만약 외사가 폐에 침범하면 폐가 선발(宣發)하지 못하여 피부의 위기 역시 밖으로 도달하지 못함으로써 땀구멍이 막혀 땀이 나오지 않게 된다. 이 때에는 폐기를 선발시키는 약으로 발한시키기도 한다.

(3) 피부는 사기를 받아 폐로 전달한다

피부가 한에 상하면 쉽게 재채기、콧물、기침 등 폐와 관련된 증상이 나타난다.『소문 비론(痺論)』에서 "피부의 저림이 낫지 않은 채 다시 사기에 감수되면 사기가 폐에 머물게 된다"[11]고 하였는데, 피부와 폐의 밀접한 관계를 알 수 있다.

3) 피부와 경락의 관계

십이경맥은 체표에 분포되어 있으며 그 가운데 피부를 열 두 부분으로 나누어 십이피부(十二皮部)라고 한다. 만약 어떤 한 경락에 병변이 발생하면 연관된 피부에도 반응이 나타난다.『소문 피부론』에서 "피부는 경맥의 외부이다. 사기가 피부로 들어오면 주리가 열리고, 주리가 열리면 사기가 낙맥으로 들어오게 된다. 낙맥이 가득 차면 경맥으로 흘러 들어오고, 경맥이 가득 차면 장부로 들어온다"[12]고 하였다.

---

8) 肺主皮毛 (素問·陰陽應象大論)
9) 食氣入胃, 濁氣歸心, 淫精於脈, 脈氣流經, 經氣歸於肺, 肺朝百脈, 輸精於皮毛 (素問·經脈別論)
10) 手太陰氣絶, 則皮毛焦 (靈樞·經脈)
11) 皮痺不已, 復感於邪, 內舍於肺 (素問·痺論)
12) 皮者脈之部也, 邪客於皮則腠理開, 開則邪入客於絡脈, 絡脈滿則注於經脈, 經脈滿則入舍於臟腑也 (素問·皮部論)

4) 주리(腠理)

'주리'는 피부의 결, 즉 피부에 형성된 그물 모양의 무늬를 말한다. 왕빙(王冰)은 "주리는 피부의 빈 곳과 결을 말한다"[13]고 하였다.

주리와 삼초는 서로 통하여, 삼초의 원기와 진액은 외부에 있는 주리로 흘러 들어가 피부를 유양하고 인체 내외로 기와 진액이 끊임없이 교류하도록 한다. 이를 가리켜 『금궤요략 장부경락선후병맥증(金匱要略 藏府經絡先後并脈證)』에서는 "주리는 삼초가 원진(元眞)과 만나는 곳이며, 혈기가 모이는 곳이다"[14]라고 하였다.

땀구멍이 피부에 있기 때문에 주리의 치밀 여부는 땀구멍의 개폐와 땀의 배설에 영향을 줄 수 있다. 만약 주리가 치밀하면 땀구멍이 막히고 땀이 안 나며, 주리가 성글면 땀구멍이 열려 땀이 난다. 이러한 땀의 조절을 통하여 수액대사와 체온을 조절한다. 정상적인 상황에서는 위기가 주리 안에 충분하여 주리의 개폐를 조절한다. 『영추 본장(本藏)』에서 "위기는 기육을 따뜻하게 하고 피부를 채우며 주리를 살찌우고 개폐를 담당한다"[15]고 하였다.

주리는 외사가 인체를 침입하는 문호이다. 따라서 위기가 주리를 잘 조절하면 외사에 저항할 수 있다. 『영추 본장』에서는 "위기가 조화로우면 기육이 뭉치지 않아 매끄럽고, 피부가 조화롭고 부드럽게 되며, 주리가 치밀해진다"[16]고 하였으며, 손일규(孫一奎)는 "위기는 온 몸을 호위하는 것이다. … 외부의 사기가 몸으로 침범하지 못하게 한다"[17]고 하였다.

2. 육(肉, Flesh)

'육'은 기육(肌肉)인데, 근육조직、지방、피하조직을 포괄하고 있다. 현대적 의미의 근육을 한의학 고전에서는 '분육(分肉)'이라고 하였다. 기육은 내장을 보호하고 외사에 저항하며 운동을 수행하는 기능이 있다. 기육은 장부 가운데 비(脾)와 가장 밀접한 관계를 가지고 있다.

1) 기육의 구조와 기능

기육은 피하에 있고 골격과 관절에 붙어 있다. 살의 팽대부위를 '군(䐃)'이라고 하며, 근육과 근육 사이의 들어간 곳을 '계곡(溪谷)'이라고 한다. 계곡에는 대부분 경락의 혈위가 있고 혈위는 인체의 기가 모이는 곳이기 때문에 『소문 기혈론(氣穴論)』에서 "기육이 크게 모이는 곳을 '곡'이라 하며, 기육이 작게 모이는 곳을 '계'라고 한다. 기육의 사이, 계곡이 만나는 곳에서 영위가 순환하고 대기와 만나게 된다"[18]고 하였다. 기육의 기능은 주로 다음과 같다.

(1) 내장을 보호한다

기육은 내장과 근골의 바깥에서 보호작용을 한다. 특히 흉복부에는 인체의 중요한 장부가 있는데, 이러한 장부를

---

13) 腠理, 皆謂皮空及紋理也 (素問·皮部論)
14) 腠者, 三焦通會元眞之處, 爲血氣所注 (金匱要略·藏府經絡先後并脈證)
15) 衛氣者, 所以溫分肉, 充皮膚, 肥腠理, 司開合者也 (靈樞·本藏)
16) 衛氣和則分肉解利, 皮膚調柔, 腠理致密矣 (靈樞·本藏)
17) 衛氣者, 爲言護衛周身, … 不使外邪侵犯也 (醫旨緖餘·宗氣營氣衛氣)
18) 肉之大會爲谷, 肉之小會爲谿. 肉分之間, 谿谷之會, 以行榮衛, 以會大氣 (素問·氣穴論)

보호하는 주요한 조직은 해당 부위의 기육이다. 그래서『영추 경맥』에서 "기육은 담장과 같다"[19]고 비유하였다.

(2) 운동을 수행한다

운동 시에 근골과 기육의 작용은 중요하다.『영추 천년(天年)』에서 "이십세에는 혈기가 성하기 시작하여 기육이 발달하므로 뛰어다니기를 좋아한다. 삼십세에는 오장이 크게 안정되고 기육이 견고해지며 혈맥이 가득 차게 되니 걷기를 좋아한다"[20]고 하였는데, 나이가 많아짐에 따라 기육이 점차로 실해지고 운동능력도 증강되는 것을 설명하고 있다. 반대로 기혈이 부족하면 근골과 기육이 영양을 잃어 운동에 힘이 없어지며 심하면 기육이 위축되고 연약해져 사지를 쓰지 못하게 된다.『소문 태음양명론(太陰陽明論)』에서 "비가 병들어 위가 진액을 운행하지 못하게 됨으로써 사지가 음식물의 정기를 받지 못하면, 기가 날로 쇠하고 맥도가 원활하지 못하게 되며 근골과 기육에 모두 기가 없어지므로 움직일 수 없게 된다"[21]고 하였다.

2) 기육과 비(脾)의 관계

기육과 비의 관계는 매우 밀접한데,『소문 위론(痿論)』에서 "비는 몸의 기육을 주관한다"[22]고 하였다. 육과 비의 관계는 주로 다음과 같다.

(1) 비는 정기를 만들어서 기육을 자양한다

장지총(張志聰)은『소문 오장생성(五藏生成)』을 주석하면서, "비는 음식물의 정을 운화하는 기능을 통해 기육을 생성하고 기른다. 그래서 기육을 관장한다고 하는 것이다"[23]라고 하였으며, 이동원은『비위론(脾胃論)』에서 "비위가 모두 왕성하면 잘 먹어 살이 찌며, 비위가 모두 허하면 잘 먹지 못하여 마르게 된다. … 비가 허하면 기육이 줄어들게 된다"[24]고 하였다.

(2) 육(肉)의 병이 오래 되면 비로 전해진다

기육의 병변이 오래동안 치유되지 않은 상태에서 다시 사기에 감염되면 안으로 비에 전해져 비의 병변을 일으키게 된다고 하였다.『소문 비론』에서 "기육의 비증이 낫지 않으면 다시 사기에 감수되어 사기가 비에 머물게 된다"[25]고 하였다.

3. 맥(脈, Blood vessel)

맥은 기혈이 흐르는 도관으로,『소문 맥요정미론(脈要精微論)』에서 "무릇 맥은 혈이 모이는 곳이다"[26]라고 하였다.

---

19) 肉爲墻 (靈樞·經脈)
20) 二十歲, 血氣始盛, 肌肉方長, 故好趨, 三十歲, 五臟大定, 肌肉堅固, 血脈盛滿, 故好步 (靈樞·天年)
21) 今脾病不能爲胃行其津液, 四肢不得稟水谷氣, 氣日以衰, 脈道不利, 筋骨肌肉, 皆無氣以生, 故不用焉 (素問·太陰陽明論)
22) 脾主身之肌肉 (素問·痿論)
23) 脾主運化水穀之精, 以生養肌肉, 故主肉 (素問·五藏生成 張志聰註釋)
24) 脾胃俱旺, 則能食而肥, 脾胃俱虛, 則不能食而瘦, … 脾虛則肌肉削 (脾胃論·脾胃勝衰論)
25) 肌痹不已, 復感於邪, 內舍於脾 (素問·痺論)
26) 夫脈者, 血之府也 (素問·脈要精微論)

1) 맥의 구조와 기능

『영추 결기(決氣)』에서는 맥의 개념에 대하여, "영기를 잘 막아서 빠져나가지 못하도록 하는 것을 일러 '맥'이라 한다"[27]고 하였다. 맥은 인체의 중요한 조성 부분이며, 기혈이 흐르는 길이기 때문에 전통적으로 '혈맥'이라고도 불렸다.

2) 맥과 심(心)의 관계

맥은 심과 관계가 매우 밀접하여『소문 오장생성』에 "심은 맥에 합한다"[28],『소문 육절장상론(六節臟象論)』에 "심은 … 혈맥에 채워져 있다"[29],『소문 평인기상론』에 "심은 혈맥의 기를 저장하고 있다"[30]고 하였다.『내경』에서는 맥의 혈액순환과의 관련뿐만 아니라 동맥혈과 정맥혈의 차이에 대해서도 언급하였다.『영추 경수』의 "혈의 청탁"[31]과『영추 결기』의 "혈맥의 청탁"[32]에서, 대체적으로 혈의 '청(淸)'은 동맥혈을 가리키고, 혈의 '탁(濁)'은 정맥혈을 가리킨다.

정상적인 상황에서 심기가 충족되면 혈이 맥 중에서 호흡에 따라 규칙적으로 일정한 방향을 따라 쉬지 않고 흐른다.『소문 평인기상론』에 "사람이 한번 숨을 내쉬면 맥이 두 번 뛰고, 한번 숨을 들이쉬면 맥이 또 두 번 뛰며, 내쉬고 들이쉬면서 멈추면 맥이 다섯 차례 뛴다"[33]고 하였다. 병리적인 상황에서 심이나 기타 장부 기혈에 병이 있으면 맥박동의 크기、형태、폭、긴장도나 빈도、리듬 등으로 표현되며, 이는 한의학에서 맥진을 하는 이유가 된다.『맥요정미론』에 "무릇 맥은 혈이 모이는 곳이다. 맥이 길면 기가 고루 다스려지고, 짧으면 기병이며, 빠르면 번심(煩心)하고, 크면 병이 진행되며, 상성(上盛)하면 기고(氣高)하고, 하성(下盛)하면 기창(氣脹)하며, 일정하지 않으면 기쇠(氣衰)하고, 가늘면 기소(氣少)하며, 삽(澁)하면 심통"[34]이라고 하였다.

4. 근(筋)

'근'은 힘줄 (tendon)、인대 (ligament)、근막 (fascia)에 해당한다. 근은 운동을 관장하고 관절을 연결하여 묶어주며 내장을 보호하는 기능이 있다. 근은 오장 가운데 간과 가장 밀접한 관계를 가지며, 십이경맥과도 광범위하게 연계되어 있다.

1) 근의 구조와 기능

근은 골에 부착되어 있고 관절에 모여 있는데,『소문 오장생성』에서 "모든 근은 관절에 접속한다"[35]고 하였고,『소

27) 壅遏營氣, 令無所避, 是謂脈 (靈樞·決氣)
28) 心之合脈也 (素問·五臟生成)
29) 心者 … 其充在血脈 (素問·六節臟象論)
30) 心藏血脈之氣也 (素問·平人氣象論)
31) 血之淸濁 (靈樞·經水)
32) 血脈之淸濁 (靈樞·決氣)
33) 人一呼脈再動, 一吸脈亦再動, 呼吸定息脈五動 (素問·平人氣象論)
34) 夫脈者, 血之府也, 長則氣治, 短則氣病, 數則煩心, 大則病進, 上盛則氣高, 下盛則氣脹, 代則氣衰, 細則氣少, 澁則心痛 (素問·脈要精微論)
35) 諸筋者, 皆屬於節 (素問·五藏生成)

문 맥요정미론』에서는 "무릎은 근의 부(府, 저장소)다"[36]라고 하였다. 전신의 근은 소속된 경맥에 따라 수족 삼음삼양으로 나뉘어져 있으며, 이를 십이경근(十二經筋)이라고 한다. 근의 주요 기능은 다음과 같다.

(1) 관절을 연결하여 묶어준다

근은 골격 위에 붙어 있어서 골격을 연결하고 있다. 뼈가 서로 맞닿는 곳을 근이 감싸면서 묶어 관절을 형성하며 관절의 운동을 가능하게 한다.

(2) 운동을 관장한다

근의 이완과 수축에 의해 관절을 구부리거나 펼 수 있다. 『소문 위론』에서 "종근(宗筋)은 뼈를 묶고 관절을 원활히 하는 작용을 관장한다"[37]고 하였다.

(3) 내장을 보호한다

근과 육、피는 공동으로 몸의 바깥 부분을 이루며, 근、육、피와 함께 골은 체내 기관이 손상되는 것을 막아 보호하는 작용을 한다.

2) 근과 간(肝)의 관계

근과 간의 관계는 매우 밀접하여 『소문 선명오기(宣明五氣)』에 "간은 근(근막)을 관장한다"[38]고 하였다. 근과 간의 관계는 다음과 같다.

(1) 간의 기혈은 근을 자양한다

『소문 경맥별론』에서 "음식물이 위로 들어오면 그 정은 간에 흩어지고 그 기는 근으로 뻗어간다"[39]고 하였고 『소문 평인기상론』에서는 "오장의 진기(眞氣)가 간으로 퍼지므로 간은 근막의 기운을 저장한다"[40]고 하였는데 간에서 얻은 정기는 모두 근으로 흩어져 유양작용을 한다. 만약 간의 기혈이 부족하면 근이 충분한 자양을 얻지 못하여 병변이 발생하는데, 『소문 상고천진론(上古天眞論)』에서 "남자는 … 56세에 간기가 쇠하여 근을 움직이지 못한다"[41]고 하였다.

(2) 간병은 근에 영향을 미쳐 각종 근의 병변을 일으킨다

『소문 기궐론(氣厥論)』에서 "비가 한사를 간으로 옮기면 옹종이 생기고 경련이 발생한다"[42]고 하였고, 『소문 위론』에서는 "간기가 뜨거워지면 담즙이 나와 입이 쓰고 근막이 마른다. 근막이 마르면 근이 당기면서 경련하게 되고 근위

36) 膝爲筋之府 (素問·脈要精微論)
37) 宗筋主束骨而利機關也 (素問·痿論)
38) 肝主筋 (素問·宣明五氣)
39) 食氣入胃, 散精於肝, 淫氣於筋 (素問·經脈別論)
40) 藏眞散於肝, 肝藏筋膜之氣也 (素問·平人氣象論)
41) 丈夫 … 七八, 肝氣衰, 筋不能動 (素問·上古天眞論)
42) 脾移寒於肝, 癰腫筋攣 (素問·氣厥論)

가 생긴다"43)고 하여 간병이 오래되면 근에 전달되어 근의 각종 병변이 일어나는 것을 설명하고 있다.

(3) 근병은 간에 영향을 미친다

근병이 오래되면 안으로 간에 전달되어 간병을 일으킨다. 『소문 비론』에서 "근의 비증(痺症)이 그치지 않는 것은 사기에 다시 감수되어 사기가 간에 머무르기 때문이다"44)라고 하였다.

3) 근과 경락의 관계

전신의 근은 십이경맥의 분포에 따라 열 두 부분으로 나누어지며, 각 부분은 특정 경맥의 기혈의 자양을 받고, 그 경맥의 기가 해당하는 근에 '결(結)、취(聚)、산(散)、낙(絡)'하는 가운데, 그 부위의 근은 해당하는 경맥의 '경근(經筋)'이 된다. 예컨대, 수태음폐경의 기혈이 자양하는 근은 수태음지근(手太陰之筋)이고, 족양명위경이 자양하는 근은 족양명지근(足陽明之筋)이라고 하는 등이다. 십이경맥의 기혈이 자양하는 근을 십이경근(十二經筋)이라고 한다. 경근은 실제 근(힘줄、인대、근막)만을 지칭하는 것이 아니라 근육을 포괄하는 개념이다.

5. 뼈(骨, Bone)

뼈는 인체를 구성하는 지지대 역할을 하는데, 인체는 많은 연골(軟骨)과 경골(硬骨)에 근육이 연결되어 골격을 이루고 있다. 연골은 비교적 골질이 연한 것이며, 경골은 골질이 단단하고 지지력이 강한 것이다. 뼈는 인체를 지지하며 내장을 보호하고 근육의 활동을 지탱하는 기능이 있다. 뼈는 장부 가운데 신과의 관계가 가장 밀접하다.

1) 뼈의 구조와 기능

뼈 안에는 골수가 있기 때문에 "뼈는 수의 부(府, 저장소)"45)라고 하였다. 두 개 이상의 뼈가 연접하여 활동과 기능을 유지케 하는 기관을 관절이라고 한다. 골격은 관절이 서로 연접되어 있으며, 골격계통을 이룬다. 『영추 골도』에 인체 골격의 명칭、크기、형태、 길이、수량 등에 대해 비교적 상세하게 기록되어 있다. 뼈의 기능은 주로 다음과 같다.

(1) 인체를 지지한다

인체의 배면 정중앙의 항골(項骨, 경추)、배골(背骨, 흉추)、요골(腰骨, 요추)、고골(尻骨, 천골과 미골)이 척추 근육으로부터 연접되어 있고 인체를 지지하는 대들보를 형성하고 있다.

(2) 내장을 보호한다

머리의 천령개(天靈蓋, 두정골)、산각골(山角骨, 측두골)、능운골(凌雲骨, 전두골)과 후산골(後山骨, 후두골)은 서로 연접되어 껍데기를 이루면서 뇌를 보호하고 있다. 또 흉부의 갈우골(髑骬骨, 흉골)과 늑골은 서로 연결되어 있어 함께 흉곽을 형성하고 심과 폐를 보호한다.

---

43) 肝氣熱則膽泄口苦, 筋膜乾, 筋膜乾則筋急而攣, 發爲筋痿 (素問·痿論)
44) 筋痹不已, 復感於邪, 內舍於肝 (素問·痺論)
45) 骨者髓之府 (素聞·脈要精微論)

(3) 운동을 수행한다

뼈와 뼈의 연접부위는 근이 감싸면서 관절낭을 이루고 있다. 거기에다 골격에 붙어 있는 건과 근육이 수축 이완함으로써 관절이 굴신이나 회전 등 운동을 하게 한다. 상지는 상완골、하완골(척골과 요골)、완골과 수지골이 근으로 연접되어 있으며, 하지는 대퇴골、슬개골、경골、비골、족근골과 족지골이 연접되어 있다. 뼈와 뼈는 모두 관절로 서로 연결되며, 건과 근육의 신축에 의해 사지가 다양한 운동을 하게 된다.

2) 뼈과 신(腎)의 관계

뼈와 신의 관계는 매우 밀접한데,『소문 선명오기』에서 "신은 뼈를 관장한다"46)고 하였다. 신과 뼈 사이의 관계는 주로 다음과 같다.

(1) 골격의 생장과 발육은 신정의 자양에 의존한다

골격의 생장、발육、회복은 모두 신정(腎精)의 자양에 의존하고 있으며, 신정의 자양이 잘 이루어지게 되면 골수가 가득 차게 된다. 만약 신정이 충족되면 골수가 가득 차고 골격도 충실 건장하며, 손발의 움직임 역시 가볍고 힘이 있다. 반대로 신정이 부족하면 골수가 공허하여 골격의 발육이 불량해져 소아의 천문(泉門, fontanel)이 늦게 닫히며 뼈가 연하고 힘이 없게 된다. 노인이 되면 신기가 점차 쇠퇴되어 뼈가 자양을 받지 못하기 때문에 골질이 취약해져 쉽게 골절이 되고, 뼈가 상한 후에도 쉽게 치유되지 않는다.『소문 위론』에 "신기가 뜨거워지면 허리를 펼 수 없고 뼈가 마르며 골수가 감소하여 골위(骨痿)가 생긴다"47)고 하였으며,『소문 생기통천론』에는 "성생활을 과도하게 하면 신기가 상하여 고골48)이 망가지게 된다"49)고 하였는데, 모두 먼저 신이 상하고 난 다음 뼈에 영향을 미친 경우이다.

(2) 치아는 신의 표(標)이다

"치아는 뼈의 여분이다"50)라고 한 것처럼, 치아와 골격의 영양은 근원이 동일하며, 모두 신정(腎精)의 자양에 의해 생장하기 때문에『잡병원류서촉(雜病源流犀燭)』에서 "치아는 신의 표이자 뼈의 근본이다"51)라고 하였다. 임상적으로 소아의 치아 생장이 느리거나 성인의 치아가 흔들거리고 일찍 빠지는 경우는 모두 신정부족과 밀접한 관계가 있다. 이 경우 '신주골'의 이론에 근거하여 보신법으로써 골격과 치아의 병변을 치료하면 좋은 효과를 거둘 수 있다.

제2절 주요 기관(관규, 官竅)

인체의 주요 기관에 해당하는 '관규'는 인체와 외부를 연계하는데, 밖으로는 주위 환경과 통하고, 안으로는 경락을 통해 장부와 연결되어 오장 중심의 계통과도 관계가 밀접하다.『영추 오열오사(五閱五使)』에서 "코는 폐의 관이다. 눈

46) 腎主骨 (素問·宣明五氣)
47) 腎氣熱則腰脊不擧骨枯而髓減, 發爲骨痿 (素問·痿論)
48) 고골(高骨) : 왕빙(王冰)은 "腰高之骨", 즉 장골(腸骨)로 보았고 주학해(周學海)는 치골(恥骨)로 보았다 (讀醫隨筆)
49) 因而强力, 腎氣乃傷, 高骨乃壞 (素問·生氣通天論)
50) 齒爲骨之餘 (温熱論)
51) 齒者, 腎之標, 骨之本 (雜病源流犀燭·口齒脣舌病源流)

은 간의 관이다. 입과 입술은 비의 관이다. 혀는 심의 관이다. 이는 신의 관이다"52)라고 한 것처럼, 관규와 장은 특정한 연계가 있다. 『소문 금궤진언론(金匱眞言論)』에서 "북방은 검은 색에 해당하므로 신에 연결되고 전음과 후음에 구멍을 낸다"53)고 하였는데, 외부 환경의 변화는 주요 기관(관규)를 통해 내장에 영향을 미치고, 내장 활동의 정상여부도 관규에 반영된다. 『영추 맥도』에서 "오장의 상태는 항상 얼굴의 칠규에서 관찰된다. 그러므로 폐기는 코로 통하는데, 폐기가 조화로우면 코가 냄새를 맡을 수 있다. 심기는 혀로 통하는데, 심기가 조화로우면 혀가 오미를 구별할 수 있다. 간기는 눈으로 통하는데, 간기가 조화로우면 눈이 오색을 변별할 수 있다. 비기는 입으로 통하는데, 비기가 조화로우면 입이 오곡을 알 수 있다. 신기는 귀로 통하는데, 신기가 조화로우면 귀가 오음을 들을 수 있다. 오장의 기가 조화롭지 않으면 칠규가 소통되지 않는다"54)고 하였다. 관규는 또 인체와 자연환경이 물질 교환을 하는 문호이다. 예를 들어 인체가 필요로 하는 공기, 물, 음식물 등은 구비를 통해 체내로 들어오고, 인체의 생리활동 과정 중에 생성된 노폐물은 전음과 후음을 통해 밖으로 배출된다.

1. 눈

눈은 시각을 담당하고, 오장육부와 모두 관련되지만, 간과의 관계가 가장 밀접하다. 눈은 경락과도 광범위한 연계를 가지고 있다.

1) 눈의 구조와 기능

눈은 얼굴 앞쪽에 있으며, 좌우에 하나씩 있다. 눈의 흰자위 부분을 백안이라 하고, 검은자위 부분을 흑안이라 하며, 검은자위 중앙의 둥근 부분을 동자 혹은 동신(瞳神)이라 하고, 눈의 안쪽 눈구석을 목내자(目內眥), 바깥 눈꼬리를 목외자(目外眥)라 하고, 안구가 안으로 뇌에 연결된 끈 모양의 구조물, 즉 시신경을 목계(目系)라고 한다.

눈은 시각을 주관하고, 『소문 맥요정미론』에서 "무릇 정명(精明)은 만물을 보고 흑백을 가리고 장단을 관찰하게 한다"55)고 하였는데, '정명'은 눈을 말한다.

2) 눈과 장부의 관계

(1) 간은 눈으로 열려 있다

『소문 금궤진언론』에서 "간은 눈으로 구멍을 낸다"56)고 하였다. 간은 혈을 저장하고 있는데, 눈은 간혈의 자양을 받아야 비로소 시각작용을 한다. 그래서 『소문 오장생성론』에 "간이 혈을 받으면 능히 볼 수 있다"57)고 하였으며, 『영추 맥도』에서는 "간기는 눈으로 통하는데, 간기가 조화로우면 눈이 오색을 변별할 수 있다"58)고 하였다. 간병은 대개

---

52) 鼻者, 肺之官也. 目者, 肝之官也. 口脣者, 脾之官也. 舌者, 心之官也. 耳者, 腎之官也 (靈樞·五閱五使)
53) 北方黑色, 入通於腎, 開竅於二陰 (素問·金匱眞言論)
54) 五藏常內閱於上七竅也, 故肺氣通於鼻, 肺和則鼻能知臭香矣. 心氣通於舌, 心和則舌能知五味矣. 肝氣通於目, 肝和則目能辨五色矣. 脾氣通於口, 脾和則口能知五穀矣. 腎氣通於耳, 腎和則耳能聞五音矣. 五藏不和則七竅不通 (靈樞·脈度)
55) 夫精明者, 所以視萬物, 別黑白, 審長短 (素問·脈要精微論)
56) 肝開竅於目 (素問·金匱眞言論)
57) 肝受血而能視 (素問·五藏生成論)
58) 肝氣通於目, 肝和則目能辨五色矣 (靈樞·脈度)

눈에 반영되는데, 만약 간음이 부족하면 두 눈이 건조하고 빽빽하며, 간혈이 부족하면 밤 눈이 어둡거나 사물이 명료하게 보이지 않고, 간경에 풍열이 발생하면 눈이 붉어지고 통증이 있고 가렵다. 간화가 상염(上炎)하면 눈이 붉어지고 부으며 통증이 생기고, 간양이 상항(上亢)하면 어지러운 증상이 나타나며, 간풍이 내동하면 양목사시(兩目斜視) 등 증상이 나타난다. 이로써 눈과 간은 밀접한 관계가 있음을 알 수 있다.

(2) 눈은 오장이나 뇌와 관계가 있다

눈은 간과 관계가 밀접할 뿐만 아니라, 오장육부와도 유관하다. 『영추 대혹론(大惑論)』에서 "오장육부의 정기는 모두 위로 눈으로 올라가 정기가 된다. 정기의 집이 눈이 되고, 골(骨)의 정기는 눈동자를 이루며 근의 정기는 검은자위를 이루고 혈의 정기는 눈의 혈관을 이루며 기의 정기가 모여 흰자위를 이룬다. 기육의 정기가 결속되어 근、골、혈、기의 정기를 둘러싼 채 혈관과 함께 목계(目系)를 형성하는데 목계는 위로 뇌에 이어진다"59)고 하였는데, 여기서 골、근、혈、기、기육은 실제적으로 신、간、심、폐、비를 말한다. 이로써 눈이 오장과 뇌 모두와 매우 밀접한 관계가 있음을 알 수 있다.

(3) 눈과 경락의 관계

눈과 장부 사이에는 유기적인 연계가 있는데, 주로 경락을 통해 이루어진다. 장부의 정기가 눈으로 가서 눈에 영양을 공급하며, 이렇게 되면 눈과 전신의 활동이 잘 협조되어 정상적인 작용을 한다. 『영추 사기장부병형(邪氣藏府病形)』에서 "십이경맥과 삼백육십오락의 혈기가 모두 얼굴로 올라가 얼굴의 구멍으로 간다. 그 가운데 순정한 양기는 눈으로 가서 눈동자가 된다"60)고 하였다. 경락 중에서 직접 눈으로 가는 경락은 다음과 같다. 족태양방광경은 목내자인 정명혈(睛明穴)에서 시작하며, 족소양담경은 바깥 눈구석 동자료혈(瞳子髎穴)에서 시작하고, 수소음심경은 지맥이 목계에 연결되어 있으며, 족궐음간경은 목계에 연결되어 있고, 수소양삼초경은 지맥이 바깥 눈구석에 이르며, 수태양소장경은 안쪽 눈구석에서 마친다. 기경팔맥 가운데 독맥의 한 가지는 족태양과 목내자에서 합하며, 임맥은 얼굴을 돌고 안와 아래로 들어가며, 음교맥은 안쪽 눈구석의 정명혈로 연결되고, 양교맥도 안쪽 눈구석에 이른다. 이처럼 직접 눈에 분포되어 있는 경맥이 열 개도 넘기 때문에 『소문 오장생성론』에서 "모든 맥은 눈에 속한다"61)고 하였다.

2. 혀

혀는 음식의 맛을 판별하고 발음을 보조하는 기관으로, 오장 가운데 심과의 관계가 밀접하다.

1) 혀의 구조와 기능

혀는 구강내에서 수의적인 운동을 하는 기관인데, 구강저 (basis cavum oris)에 위치하며, 미각을 느끼고 저작을 도

---

59) 五藏六腑之精氣, 皆上注於目而爲之精. 精之窠爲眼, 骨之精爲童子, 筋之精爲黑眼, 血之精爲絡, 其窠氣之精爲白眼, 肌肉之精爲約束, 裹擷筋骨血氣之精, 而與脈幷爲系, 上屬於腦 (靈樞·大惑論) ※ 장개빈(張介賓)의 『유경(類經)·권18』의 주석에 "約束, 眼胞也"라고 하였다. 이에 따라 오늘날 원문의 '약속(約束)'을 눈꺼풀로 해석하는 경우가 많으나 본문에서는 이어지는 뒤의 문장에 붙여 해석하였다.

60) 十二經脈, 三百六十五絡, 其血氣皆上於面而走空竅, 其精陽氣上走與目而爲睛 (靈樞·邪氣藏府病形)

61) 諸脈者, 皆屬於目 (素問·五藏生成論)

와주며 음식물을 삼키고 발음을 도와주는 역할을 한다.

2) 혀와 심(心)의 관계

혀는 심의 싹이라고 한다.『소문 음양응상대론』에서 "심은 혀를 관장한다. … 그 구멍은 혀에 있다"62),『영추 맥도』에서 "심기는 혀로 통하는데, 심기가 조화로우면 혀가 오미를 알 수 있다"63)고 한 것처럼, 혀의 생리적 기능은 심과 밀접한 관계를 가지고 있다. 또한 심의 질병 역시 혀에 영향을 주는데,『외대비요(外臺秘要)』에서 "혀는 심을 관장하는데, 장에 열이 있으면 혀에 창양이 생기고 갈라진다"64)고 하였다. 그러나 혀를 심이 주관하지만, 사장과도 연관이 있다.『세의득효방 설지병능(世醫得效方 舌之病能)』에서 "심의 본맥이 설근에 이어져 있으며 비의 낙맥이 혀의 옆에 이어져 있고 간의 경맥이 음기를 돌아 설근부에 연결되며 신의 진액이 혀의 끝에서 나온다. 이처럼 혀는 오장에 각각 연결되는데 실제로는 심이 이를 관장한다"65)고 한 것처럼, 장부의 병은 모두 혀로 드러나는데, 이는 설진 이론의 기초가 된다.

3. 입

입은 음식을 먹고 타액을 분비하는 기관으로, 오장 가운데 비와의 관계가 비교적 밀접하다.

1) 입의 구조와 기능

『난경 사십사난(難經 四十四難)』에서는 입술을 '비문(飛門)'이라고 하였다. 입과 입술은 소화기관이 시작하는 곳이며, 음식이 이곳을 통해 소화기관으로 간다. 입과 입술은 발음을 보조하기 때문에『영추 우에무언(憂恚無言)』에서는 "입술은 음성이 나오는 문이다"66)라고 하였다.

2) 입과 비(脾)의 관계

입은 비의 규이다.『소문 음양응상대론』에서 "비는 입을 관장한다. … 그 구멍은 입에 있다"67)고 하였다. 비는 운화(運化)를 관장하는데, 비가 튼튼하면 기혈이 충만하여 입과 입술이 붉고 윤기가 돌며, 진액이 위로 올라가 침이 분비됨으로써 소화하는 데 도움을 준다. 입은 비위와 더불어 음식물의 성분을 소화、흡수、수포(輸布)하는 작용을 완성하며, 비위의 병변도 입으로 전해지는데, 예를 들어 비위에 열이 있으면 구창(口瘡)이 잘 생기며, 비가 습으로 병들면 입안이 담담하고 무미하거나 단 맛이 느껴지거나 입 안이 끈적거림을 느낀다.

3) 입、치아、혀와 경락의 관계

---

62) 心主舌 … 在竅於舌 (素問·陰陽應象大論)
63) 心氣通於舌, 心和則舌能知五味矣 (靈樞·脈度)
64) 舌主心, 臟熱卽應舌生瘡裂破 (外臺秘要)
65) 心之本脈繫於舌根, 脾之絡脈系於舌旁, 肝脈循陰器絡於舌本, 腎之津液出於舌端, 分布五臟, 心實主之 (世醫得效方·舌之病能)
66) 口脣者, 音聲之扇也 (靈樞·憂恚無言)
67) 脾主口 … 在竅爲口 (素問·陰陽應象大論)

입、치아、혀를 순행하는 경맥은 8개인데, 입을 끼고 상악으로 들어가는 것은 족양명위경이고, 입을 끼고 하악으로 들어가는 것은 수양명대장경이며, 설근부에 도달하는 것은 족소음신경과 족태음비경이고, 은교(齦交)에 도달하는 것은 독맥이며, 구순을 도는 것은 족궐음간경, 임맥 그리고 충맥이다. 이들 경맥의 병변은 모두 입、치아、혀에 영향을 미치며, 동시에 이러한 경락의 혈위 역시 입、치아、혀의 질병을 치료한다.

[부] 치아

1) 치아의 구조와 기능

치아는 인체에서 가장 단단한 기관이며, 상악골과 하악골 (upper and lower mandible)의 치조(齒槽, alveolus dentalis gullet)에 박혀 있고, 상치열궁 (upper dental arch)과 하치열궁 (lower dental arch)으로 나뉘어 배열되어 있다. 음식물을 자르고 부수고 갈며, 아울러 발음에 대하여 보조작용을 한다. 그래서『난경 사십사난』에서는 '호문(戶門)'이라고 하였다.

2) 치아와 신(腎)의 관계

신은 뼈를 주관하며, 치아는 뼈의 여분이다. 치아는 신정의 성쇠와 밀접한 상관관계를 가지고 있다.『소문 상고천진론』에서 "남자는 8세에 신기가 실해져 머리가 자라고 치아가 새로 난다"68), "24세에 신기가 균형이 잡혀 근골이 단단해지고 사랑니가 나며 성장이 정점에 달한다"69), "40세에는 신기가 쇠하여 머리가 빠지고 치아가 마른다"70)고 하였는데, 신이 간직한 정기의 성쇠는 치아의 생장발육과 탈락에 영향을 준다. 또한 신의 질병이 치아에 미치는 영향 역시 큰데,『소문 위론』에서 "신에 열이 있으면 치아가 검은 색이 돌며 마른다"71)고 하였다.

4. 코

코는 호흡하는 기가 출입하는 문호이며, 후각을 주관하고, 발음을 보조하며, 폐의 구멍이 된다. 코와 폐의 관계가 가장 밀접하고, 비、간、담 역시 관련이 있다. 코와 경락의 관계는 광범위하다.

1) 코의 구조와 기능

코는 얼굴 중앙에 위치한다. 코의 상단은 좁고 양쪽 안와 사이에 돌출되어 있어 '산근(山根)' 혹은 '왕궁(王宮)'이라고 한다. 전하단의 뾰족하고 높은 곳을 '비준(鼻準, 콧망울)' 혹은 '준두(準頭)'、'면왕(面王)'이라 하고, 비준 양쪽의 둥글게 융기된 부분을 '비익(鼻翼)'이라 한다. 코의 아래 부분에는 두 개의 콧구멍이 있다. 코의 안쪽에 비골이 솟아 있는데, 이를 '비량(鼻梁)' 혹은 '천주(天柱)'라고 한다. 콧구멍 안에는 코털이 있다. 코의 주요 기능은 다음과 같다.

(1) 코는 호흡의 문호이다

---

68) 丈夫八歲腎氣實, 髮長齒更 (素問·上古天眞論)
69) 三八腎氣平均, 筋骨勁强, 故眞牙生而長極 (素問·上古天眞論)
70) 五八腎氣衰, 髮墮齒槁 (素問·上古天眞論)
71) 腎熱者, 色黑而齒槁 (素問·痿論)

폐는 호흡을 주관하고, 호흡하는 숨은 주로 콧구멍을 통해 자연계와 통하기 때문에 『의학입문(醫學入門)』에서 "코는 청기(淸氣)가 출입하는 통로다"[72]라고 하였다. 코는 청양지기(淸陽之氣)가 통하는 청규(淸竅)에 속한다.

(2) 후각을 관장한다

『영추 맥도』에서 "폐기는 코로 통하는데, 폐기가 조화로우면 코가 능히 냄새를 맡을 수 있다"[73]고 하였는데, 이는 코에 후각작용이 있음을 말한다.

(3) 발음을 보조한다

소리는 후두부에서 나오고, 코는 발음에 대해 공명을 일으키므로 코가 막히면 발음의 청탁과 음질에 큰 영향을 미친다.

2) 코와 장부의 관계

(1) 폐는 코로 열려 있다

폐와 콧구멍은 관계가 밀접하다. 콧구멍은 청기와 탁기가 출입하는 통로이며, 폐와 직접 연결되어 있기 때문에 코를 폐의 구멍이라고 한다. 코의 통기와 후각은 폐기의 작용에 의존하고 있다. 만약 폐기가 잘 퍼져 나가 호흡이 순조로우면 콧구멍이 잘 소통되어 냄새를 맡을 수 있고, 만약 폐기가 잘 퍼져 나가지 못하면 코가 막히고 호흡이 어려워지며 후각 역시 나빠진다. 이외에도 폐 부위의 질병은 종종 코와 입으로 들어온 외사로 인해 발생한다.

(2) 콧망울은 비(脾)에 속한다

비위와 콧망울은 관계가 밀접하다. 비위는 토에 속하고 중앙에 위치하며, 코 역시 얼굴의 중앙에 있기 때문에 비위의 외후(外候)가 되는데, 이 때문에 『소문 자열(刺熱)』에서는 "비에 열이 있으면 코가 먼저 붉어진다"[74]고 하였다.

(3) 간담의 화는 항상 코를 범한다

간은 승발(升發)을 주관하여 풍목(風木)의 장이 되며, 쉽게 기울화화(氣鬱化火)한다. 간에서 발생한 풍과 화가 위로 올라가 폐를 건조하게 하면 콧구멍이 건조하고 코피가 나게 된다. 담(膽)은 '중정지부(中正之腑)'로, 그 기가 위로는 뇌에 통하고 그 아래로는 코뿌리에 통하며 그 아래로는 콧구멍으로 통한다. 그러므로 담에 열이 생겨 뇌로 이전되면 그 열은 항상 코뿌리를 통해 코를 범하여 콧물이 나온다.

3) 코와 경락의 관계

족양명위경은 비익(鼻翼) 옆의 영향혈(迎香穴)에서 시작하여 코를 끼고 올라가 코뿌리에서 교차되고, 아래쪽으로 코의 바깥쪽을 따라 상악으로 들어가며, 수양명대장경은 콧날개 옆의 영향혈에서 종지되고, 그 지맥은 인중에서 좌우

---

72) 鼻乃淸氣出入之道 (醫學入門)
73) 肺氣通於鼻, 肺和則鼻能知臭香矣 (靈樞·脈度)
74) 脾熱病者, 鼻先赤 (素問·刺熱)

로 교차하여 콧구멍의 양측에 분포되며, 수태양소장경은 코뿌리 양측의 정명혈(睛明穴)에서 끝나며, 족태양방광경은 정명혈에서 시작하고, 독맥은 정중선을 따라 아래로 내려가 콧마루와 코 끝에 이르러 인중에서 종지한다. 코의 생리 병리변화는 상술한 경맥과 밀접한 연계를 가지고 있다.

5. 귀

귀의 주요 기능은 듣는 것으로, 청양지기가 위로 통하는 청규 가운데 하나이다. 귀는 신、심과 밀접한 관계에 있으며, 수소양삼초경、족소양담경과 수태양소장경과도 서로 연계된다.

1) 귀와 장부의 관계

(1) 신은 귀에 개규(開竅)한다

귀는 신의 외규(外竅)인데,『소문 음양응상대론』에서 "신은 귀를 관장한다. … 그 구멍은 귀에 있다"[75]고 하였다. 신은 정(精)을 저장하는 장으로, 오장육부의 정을 받아 저장한다. 만약 신정이 충만하면 위로 이규를 자양하여 귀가 밝고 반응이 민첩해진다. 만약 신정이 줄어들면 수해(髓海)가 부족하여 이명、이롱(耳聾)、어지러움 증상이 나타나고 신체 반응이 느리게 된다.『영추 해론(海論)』에서 "수해가 부족하면 뇌가 도는 것 같고 이명이 생긴다"[76]고 하였는데, 노인은 신의 정기가 점차 쇠퇴하여 청력이 감퇴된다.

(2) 심은 귀로 열려 있다

귀는 심과 생리적으로 관계된다.『소문 금궤진언론』에 "남방은 적색에 해당하여 심으로 들어가 통하고 귀로 구멍을 낸다"[77]고 하였으며,『증치준승(證治準繩)』에서도 "심의 규는 혀에 있다. 혀는 빈 구멍이 아니어서 대신 귀에 그 구멍을 맡기고 있기 때문에 신이 귀의 주인이 되고 심은 귀의 손님이 된다"[78]고 하였다. 신은 귀에 개규(開竅)하고 심은 귀에 기규(寄竅)하며, 심은 화에 속하고 신은 수에 속하는데, 심화와 신수가 서로 조화를 이루면 "청정하고 정명한 기운이 위로 공규에 가서 귀가 이를 받아 소리를 잘 듣게 된다"[79]고 하였다. 만약 심과 신이 조화를 이루지 못하여 체내의 수기와 화기가 서로 협조하지 못하면 청력이 떨어진다. 임상적으로 심화항성(心火亢盛)하거나 신음부족(腎陰不足)한 환자는 항상 귀가 붓거나 이명이 생기고 청력이 약해지기도 한다. 돌발성 난청 역시 심신(心神)의 긴장으로 인해 일어난다.

(3) 귀와 간、담、비의 관계

귀와 간、담、비는 일정한 관계가 있다. 간은 소설(疏泄)을 관장하며, 그 본성이 승발(升發)하는 장기인데, 소설이 적절하면 청양(淸陽)이 위로 올라가 귀가 영양을 공급받는다. 만약 승발이 지나치면 기의 흐름이 어지러워져 귀가 막힌

75) 腎主耳 … 在竅爲耳 (素問·陰陽應象大論)
76) 髓海不足則腦轉耳鳴 (靈樞·海論)
77) 南方赤色, 入通於心, 開竅於耳 (素問·金匱眞言論)
78) 心在竅爲舌, 以舌非孔竅, 因寄竅於耳, 則是腎爲耳竅之主, 心爲耳竅之客 (證治準繩)
79) 故清淨精明之氣上走空竅. 耳受之而聽斯聰矣 (張氏醫通)

다. 담과 간은 서로 표리가 되는데, 족소양담경은 귀의 앞뒤를 돌아 귀 안으로 들어간다. 임상적으로 간담의 기가 역상하면 귀에 영향을 미치기 쉬운데, 『소문 장기법시론(藏氣法時論)』에 "궐음과 소양의 기가 역상하면 두통이 나타나고 귀가 먹어 들리지 않게 된다"[80]고 하였다. 비는 운화(運化)와 승청(升淸)을 관장하는데, 만약 비가 허하여 청양이 상승하지 못하면 수곡의 정기가 귀를 자양하지 못하여 청각에 지장을 준다. 『소문 옥기진장론(玉機眞藏論)』에서 "비는 짝이 없는 장부이다. … 비의 기가 모자라면 사람의 구규(九竅)가 막히게 되는데, 이를 '중강(重强)'이라고 한다"[81]고 하였다.

2) 귀와 경락의 관계

귀는 종맥이 모여 있는 곳이다. 『영추 사기장부병형』에서 "십이경맥과 삼백육십오락은 그 혈기가 모두 얼굴로 올라가 얼굴의 구멍으로 간다 … 그 일부는 귀로 가서 들을 수 있게 한다"[82]고 하였는데, 그 중에 귀로 들어가는 경락인 족소양담경과 수소양삼초경은 귀의 뒤쪽에서 귀 안으로 들어가 앞쪽으로 가고, 수태양소장경은 외측 눈구석에서 귀로 들어간다. 앞의 세 경맥이 풍열이나 습의 침범을 받으면 사기가 모두 귀로 들어가 이통(耳痛)、홍종(紅腫)、유농(流膿) 등이 나타나고, 청력에 영향을 미친다. 수족소양경이 모두 귀로 들어가기 때문에 소양병이 발생하면 매번 이명과 이롱이 나타난다. 또한 귀는 경맥을 통해 장부 및 전신과 광범위한 연계를 가지는데, 이는 이침을 이용하여 질병을 진단 치료하는 근거가 되기도 한다.

[부] 인후

인후로 입、코와 폐、위가 통하고 있다. 인후의 주요 기능은 호흡을 하고 음성을 내며 음식을 섭취하는 것이다. 인후와 폐、위、비、신、간의 관계는 비교적 밀접하며, 경락 역시 두루 연계되어 있다.

1) 인후의 기능

인후의 주요 기능은 호흡을 하고 음성을 내며 음식을 섭취하는 것이다.

인(咽)의 前上方은 코로 통하고, 바로 앞쪽은 혀뿌리에 이어지며, 그 아래로 회염(會厭, 후두개)과는 구분된다. 앞쪽으로 기도와 연결되면서 성문에 합쳐지는 것을 후롱(喉嚨, 후두, 목구멍)이라고 하는데, 폐와 통하여 폐계에 속하며, 뒤쪽으로 식도와 연결되면서 위로 직접 관통하는 것을 위완(胃脘)이라고 하며, 계통적으로는 위에 속한다. 목구멍에 위치한 목젖 (palatine uvula)은 음성과 관련이 있다.

(1) 호흡을 하고, 소리를 낸다

『영추 우에무언』에서 "후롱은 기가 상하로 오르내리는 곳이다. 회염은 음성이 처음 나오는 문이다. 입술은 음성이 마지막으로 거치는 문(扇)이다. 혀는 음성의 중추다. 목젖은 음성의 관문이다. 항상(頏顙, 後鼻道, nasopharynx의 시작 부분)은 호흡의 기가 분출되는 곳이다"[83]라고 하였는데, 여기에서 말하였듯이 발성은 후롱、회염、입술、혀、목젖 등

80) 厥陰與少陽氣逆, 則頭痛, 耳聾不聽 (素問·藏氣法時論)
81) 脾爲孤臟 … 其不及, 則令人九竅不通, 名曰重强 (素問·玉機眞藏論)
82) 十二經脈, 三百六十五絡, 其血氣皆上於面而走空竅, … 其別氣走於耳爲聽 (靈樞·邪氣藏府病形)
83) 喉嚨者, 氣之所以上下者也. 會厭者, 音聲之戶也. 口脣者, 音聲之扇也. 舌者, 音聲之機也. 懸雍垂者, 音聲之關也. 頏顙者, 分

여러 기관의 종합적인 작용이다.

(2) 음식을 삼킨다

인(咽)은 수곡이 통하는 길로, 위의 계열인데, 음식물이 입으로 들어오면 혀 아래의 금진(金津)과 옥액(玉液)에서 분비하는 타액의 습윤 작용을 거쳐 인이 삼킨 다음, 식도를 따라 내려가고 위로 바로 들어간다.『유문사친(儒門事親)』에서 "인과 후(喉), 회염과 혀 이 네 가지는 같은 곳에 있으나 그 쓰임이 다르다. 후는 기를 살피어 기가 하늘에 통하게 하고, 인은 음식을 삼키어 기가 땅에 통하게 한다. 회염과 후두는 음식물과 숨이 오르내릴 때 그 개폐를 조절하는데, 음식물이 내려오면 회염을 오므려 닫고, 날숨이 올라오면 내보낸다. 이 네 가지는 서로 보완하는 작용을 하며, 하나라도 빠지면 음식을 먹지 못하여 죽게 된다"[84]고 하였다.

2) 인후와 장부의 관계

(1) 인후와 폐、비、위의 관계

후(喉)는 폐의 계통에 속하고, 기체가 출입하는 주요한 통로이며, 폐의 정상여부는 후에 대해 매우 많은 영향을 미친다. 만약 폐가 외사를 받거나 담화(痰火)가 뭉치고 후에 영향을 미치면 목소리가 잘 안 나오는데, 임상에서는 '금실불명(金實不鳴)'이라고 한다. 또 만약 폐가 허해도 후에 영양을 미쳐 목소리가 잘 안 나오게 되는데, 이를 '금파불명(金破不鳴)'이라고 한다.

인(咽)은 위의 계통에 속한다.『중루옥약 후과총론(重樓玉鑰 喉科總論)』에서 "인은 삼켜서 음식물을 통과시키는 것을 주관하므로 위의 계통이며 위기의 통로가 된다"[85]고 하였는데, 위와 인의 관계는 밀접하다. 그러므로 당종해(唐宗海)는『혈증론 인후(血證論 咽喉)』에서 "인이 아프고 음식이 원활하게 내려가지 않는 것은 위화(胃火) 때문이다"[86]라고 하였다. 비와 위는 서로 표리가 되는데, 족태음비경은 위에 낙(絡, 분지로 연결됨)하며 인을 끼고 주행하여 설근부에 연결되기 때문에 비위의 질병은 대부분 인에 반영된다.

(2) 인후와 신의 관계

신은 정을 저장하는 장으로, 전신 음양의 근본이며, 그 경맥은 폐를 따라 위로 가 기관을 돌아 설근부에 이른다. 신의 정기는 경락을 따라 위로 올라가 후롱을 영양한다. 만약 신음(腎陰)이 부족하면 허화(虛火)가 경맥을 타고 타올라 인후가 건조하고 아프게 된다.

(3) 인후와 간의 관계

간은 소설(疏泄)을 주관하며, 그 경맥은 기관의 후방을 돌아 위로 목구멍으로 들어간다. 만약 간이 소설하지 못하면 기기(氣機)가 원활하지 못하게 되며, 기체(氣滯)하면 진액도 역시 정체 응축되어 담이 생긴다. 감정적으로 편하지

氣之所泄也 (靈樞·憂恚無言)

84) 咽與喉, 會厭與舌, 此四者同在一門, 而其用各異. 喉以候氣, 故喉氣通於天. 咽以咽物, 故咽氣通於地. 會厭與喉上下以司開闔, 食下則吸而掩, 氣上則呼而出. 四者相交爲用, 缺一則飮食廢而死矣 (儒門事親)

85) 咽者咽也, 主通利水谷, 爲胃之系, 乃胃氣之通道也 (重樓玉鑰·喉科總論)

86) 凡咽痛而飮食不利者, 胃火也 (血證論·咽喉)

않으면 담과 기가 인후에 막혀 매핵기(梅核氣)가 발생한다.

3) 인후와 경락의 관계

인후는 경맥 순행의 요충으로, 인후를 순행하는 경락은 다음과 같다. 수태음과 수양명의 경별(經別)은 후롱을 돌아 지나가고, 족양명의 가지는 인영(人迎)으로 내려가 후롱을 돌며, 족태음경은 인(咽)을 끼고 혀뿌리에 연결되며, 수소음경의 가지는 위로 가 인을 끼고 주행하며, 수태양경은 인을 돌아 횡격막으로 내려가며, 족소음경의 직행 노선은 후롱을 돌아 주행하며, 수궐음의 경별은 위로 후롱을 돌아 지나가고, 족소양경은 위로 올라가 인을 끼고 주행하며, 족궐음경은 후롱을 돌아 목구멍으로 주행한다. 기경팔맥 가운데서 독맥은 소복에서 직상하여 인후로 들어가고, 임맥은 인후에 이르며, 충맥에서 위로 올라가는 한 가지는 인후의 상부와 코로 나오고, 음교맥은 인후에 이르러 충맥을 관통한다. 그러므로 이러한 경맥에 일단 병이 들면 항상 인후에 미쳐 인후가 사기를 받게 되며, 치료할 때도 이러한 경맥의 혈위를 통해 인후의 질병을 치료한다.

6. 전음(前陰)

전음은 남녀의 외생식기와 요도를 총칭하며, 배뇨와 남자의 사정, 여자의 월경, 태아의 분만이 이루어지는 기관이다. 전음과 오장육부는 모두 연계가 있는데, 그 중에서 신, 방광, 간, 비와의 관계가 비교적 밀접하다. 전음과 족궐음간경 및 임맥은 밀접한 연계가 있다.

1) 전음의 구조와 기능

남성의 전음은 음경, 음낭과 음낭속의 고환을 포괄하여 예로부터 "종근이 모여 있는 바(宗筋之所聚)"라고 하였으며, 배뇨와 생식 기능이 있고, 남자의 2차 성징과 밀접한 관계가 있다. 『영추 오음오미』에서 "환관은 생식기를 제거하여 충맥이 손상되고 그 혈이 빠져나가 회복되지 않은 채 피부가 안으로 유합되어 있으므로 입술 부위를 혈이 영양하지 못하여 수염이 자라지 않는다"[87], "선천적인 성불구자는 … 이는 선천적으로 부족한 것이다. 그들은 충임맥이 충만하지 않고 종근의 발육이 완전치 못하며 기는 있으나 혈이 부족하여 입술부위를 영양하지 못하므로 수염이 자라지 않는다"[88]고 하였다. 여자의 전음은 요도구와 질구를 포괄하는데, 배뇨, 월경혈의 배출과 태아 분만의 기능이 있다.

2) 전음과 장부의 관계

(1) 전음은 신의 구멍이다

신은 전음에 개규하며, 생식과 배뇨에 대한 작용을 한다. 신은 생식을 관장하는데, 신정이 어느 정도 충만케 되면 천계(天癸)가 이르러 성적인 성숙이 촉진되며 생식능력을 유지한다. 만약 신정(腎精)이 부족하거나 손실되면, 청년의 경우 전음의 발육이 불량하고 생식기능이 온전치 못하며, 중년의 경우 성기능이 감퇴되거나 양위(陽萎)가 발생하고 심하면 조루가 나타난다. 신기는 신정을 가두고 저장하는 작용이 있는데, 만약 신기가 허하면 고섭이 무력해져 유정

87) 宦者, 去其宗筋, 傷其衝脈, 血瀉不復, 皮膚內結, 脣口不營, 故須不生 (靈樞·五音五味)
88) 其有天宦者 … 此天之所不足也, 其任衝不盛, 宗筋不成, 有氣無血, 脣口不營, 故須不生 (靈樞·五音五味)

(遺精)이나 조루가 발생한다. 신은 수(水)를 관장하는데, 배뇨에 대한 영향이 비교적 크다. 신기가 부족하면 고섭이 무력해지는데, 소아의 경우 신기가 부족하면 유뇨가 나타나고, 노인의 경우 신기가 쇠하면 소변을 조절하는 능력이 약해지고 심하면 소변실금이 보인다. 신양허하여 신기의 증등(蒸騰)과 기화가 무력해지면 소변이 청장하게 되며, 신양허하여 진액을 수포하고 배설하는 작용이 불완전해지면 소변이 줄어들거나 부종이 나타난다. 요도는 위로 방광과 통하기 때문에 방광과 요도는 기능적으로 반드시 서로 협조하며, 병변이 발생해도 서로 영향을 준다. 만약 방광이 습열의 침범을 받으면 배뇨장애를 일으켜 소변빈삭, 요급(尿急) 및 요도작통 등의 증상이 나타난다.

(2) 전음과 간의 관계

간은 소설을 주관하고 혈을 간직하는데, 이러한 두 가지 기능은 남녀의 생식기능에 모두 뚜렷한 영향을 준다. 간이 소설(疏泄)을 주관하고 신이 봉장(封藏)을 주관하는 기능이 반드시 협조되어야 전음이 정상적으로 생식활동을 유지할 수 있다. 남자가 사정하는 것에 대해서 원(元)의 주진형(朱震亨)은 『격치여론 양유여음부족론(格致餘論 陽有餘陰不足論)』에서 "못 나가도록 갈무리하는 것(閉藏)은 신이요, 내보내는 것(疏泄)은 간이다"[89]라고 하였다. 만약 간이 소설하지 못하면 사정을 제대로 못하고, 여자의 경우에는 월경불순하거나 월경통이 나타난다. 만약 간의 소설이 지나치면 상화가 편항하여 신의 폐장이 모자라 남자는 조루와 유정이 나타나고, 여자는 월경과다 등 증상이 나타난다.

(3) 전음과 비의 관계

비는 운화와 승청(升淸)을 관장하는데, 이런 작용은 전음에 모두 영향을 준다. 비가 수액을 제대로 운화하지 못하면 수액은 정체되어 습이 되는데, 습은 아래로 내려가는 성질이 있기 때문에 항상 전음으로 간다. 여자의 경우, 물과 같이 많은 양의 백대하가 나타나며, 남자의 경우에는 음낭으로 흘러 수산(水疝)이 발생한다. 비가 승청의 작용을 발휘하지 못하면 여자의 경우에는 자궁하수가 나타나거나 심하면 자궁이 음호로 빠져 나오며, 남자의 경우에는 소장이 음낭으로 빠져 들어가면서 산기(疝氣, 탈장)가 발생하고, 또한 중기하함(中氣下陷)으로 인하여 소변실금이 발생한다.

3) 전음과 경락의 관계

(1) 전음과 족궐음간경의 관계

『영추 경맥』에 "간은 족궐음맥인데, 엄지발가락의 털이 난 곳에서 시작하여 위로 발등을 따라 올라가 … 종아리 내측을 따라 허벅지까지 올라가고 음모로 들어가 성기를 돌아 아랫배에 이른다"[90]고 하였다. 간경이 생식기를 지나기 때문에 간경에 사기가 침범하면 전음에 병변이 나타나게 된다. 만약 간경으로 습열이 아래로 내려가면 남자의 음낭이 발적, 소양, 혹은 홍종열통하거나 고환이 붓고 아프게 된다. 여자는 음부가 가렵거나 누렇고 진한 대하가 나오기도 하고 대하가 쌀뜨물같이 흐르기도 하며 악취가 나고 음창(陰瘡)이 생긴다.

(2) 전음과 임맥

임맥은 전음을 지나기 때문에 임맥에 병이 있으면 항상 전음에 미치는데, 『소문 골공론(骨空論)』에서 "임맥이 병들

89) 主閉藏者, 腎也. 主疏泄者, 肝也 (格致餘論·陽有餘陰不足論)
90) 肝, 足厥陰之脈, 起於大趾叢毛之際, 上循足跗上廉 … 上膕內廉, 循股陰, 入毛中, 過陰器, 抵小腹 (靈樞·經脈)

면 남자는 안에서 맺혀 칠산(七疝)이 되고, 여자는 대하와 가취(瘕聚)가 나타난다"[91]고 하였다.

7. 항문(후음, 後陰)

항문은 대변을 내보내는 기관이다. 음식물의 찌꺼기 즉 조박(糟粕)을 배출하기 때문에 '박문(粕門)'이라고도 하며, 또한 항문은 대장의 말단에 있는데 대장과 폐가 서로 표리관계에 있고 폐는 백(魄)을 저장하고 있기 때문에 '백문(魄門)'이라고도 한다. 항문은 대장、폐、신、비 등 네 장부와 서로 밀접한 관계에 있으며, 항문과 족태양방광경의 경별은 특별한 관계가 있다.

1) 항문의 주요 기능

항문의 주요 기능은 대변을 배출하는 것이다.

2) 항문과 장부의 관계

(1) 항문과 대장은 폐와 관계가 있다

항문은 대장의 하구(下口)로, 둘은 직접적으로 서로 연관되고 상호 협조함으로써 배변임무를 완수한다. 대장과 항문의 병변은 서로 영향을 줄 뿐 만 아니라, 서로 매우 쉽게 옮겨진다. 폐와 대장은 서로 표리가 되는데, 폐기가 내려가면 대장을 도와 조박이 아래로 전달되도록 하고 이에 힘입어 대장은 항문으로 대변을 배출한다.

(2) 항문은 신(腎)의 구멍이다

항문은 신이 개규하는 곳인데, 『소문 금궤진언론』에서 "북방은 검은 색에 해당하고, 체내에 들어와서는 신에 통하며, 전후 이음(二陰)에 개규한다"[92]고 하였다. 신은 정(精)을 저장하는 근본이며, 신기의 고장(固藏) 기능은 항문의 괄약을 조절하여 배변을 정상적으로 유지케 한다. 동시에, 신은 몸 전체 음양의 근본이기 때문에 신음의 성쇠는 장부의 윤조(潤燥)를 결정한다. 신음허(腎陰虛)가 생기면 대변이 건조하고 단단하게 되며 항문이 건조해져 균열이 잘 생긴다.

(3) 항문과 비의 관계

비는 음식물의 운화와 승청을 주관한다. 운화 기능은 대변의 습윤도에 직접 영향을 주고 항문과 유관하며, 승청 기능이 정상이면 항문의 원래 위치가 유지되며, 만약 비허기함(脾虛氣陷)하면 직장하수를 일으켜 탈항이 생기게 된다.

3) 항문과 경락의 관계

후음을 순행하는 경락에는 족태양경별(足太陽經別)이 있어서 "엉덩이 아래 오촌에서 따로 항문으로 들어간다"[93] 고 하였는데, 족태양방광경의 수혈을 사용하여 항문의 질병을 치료한다.

---

91) 任脈爲病, 男子內結七疝, 女子帶下瘕聚 (素問·骨空論)
92) 北方黑色, 入通於腎, 開竅於二陰 (素問·金匱眞言論)
93) 下尻五寸, 別入肛 (靈樞·經別)

참고문헌

1. 『格致餘論·陽有餘陰不足論』 朱震亨
2. 『世醫得效方·舌之病能』 危亦林
3. 『素問·骨空論』
4. 『素問·氣厥論』
5. 『素問·金匱眞言論』
6. 『素問·脈要精微論』
7. 『素問·痺論』
8. 『素問·上古天眞論』
9. 『素問·生氣通天論』
10. 『素問·宣明五氣』
11. 『素問·五藏生成論』
12. 『素問·玉機眞藏論』
13. 『素問·痿論』
14. 『素問·陰陽應象大論』
15. 『素問·刺熱』
16. 『素問·藏氣法時論』
17. 『素問·平人氣象論』
18. 『靈樞·經別』
19. 『難經』 扁鵲
20. 『靈樞·大惑論』
21. 『靈樞·脈度』
22. 『靈樞·邪氣藏府病形』
23. 『靈樞·五閱五使』
24. 『靈樞·憂恚無言』
25. 『靈樞·海論』
26. 『外臺秘要』 王燾
27. 『儒門事親』 張從正
28. 『醫學入門』 李梴
29. 『雜病源流犀燭·口齒脣舌病源流』 沈金鰲
30. 『張氏醫通』 張璐
31. 『重樓玉鑰·喉科總論』 鄭梅澗
32. 『證治準繩』 王肯堂
33. 『血證論·咽喉』 唐宗海
34. 전국한의과대학 생리학교수, 동의생리학, 2008, 집문당
35. 高思華 等, 中醫基礎理論, 2012, 人民衛生出版社
36. 樊巧玲 主編, 中醫學概論, 2010, 中國中醫藥出版社
37. 中國醫學百科全書編輯委員會, 中國中醫百科全書 中醫基礎理論, 1987, 上海科學技術出版社
38. 何建成 等, 中醫學基礎, 2012, 人民衛生出版社

韓醫學

제 9 장 병인

Etiology

병인은 질병을 일으키는 원인으로, 『의학원류론(醫學源流論)』에서 "사람의 괴로움을 病이라 하고, 이 병에 이르게 한 것을 因이라 한다"[1]고 하였다. 병인은 발병인자라고도 하며, 육음(六淫)、여기(癘氣)、칠정(七情)、음식、노일(勞逸)、외상、기생충、약화(藥禍)、의료 과실 및 선천성 인자 등을 포함한다.

병인학은 병인의 성질과 그 발병 특징을 연구하는 학문이다. 한의 병인학은 정체관 (holism)을 배경으로 하고 있으며, 육음 병인학설에서는 유비(類比, analogy)의 방법을 광범위하게 응용하고 있다. 이는 병인을 탐구하는 방법에서 비롯된 것으로, 한의학에서 병인을 탐구하는 방법에는 두 종류가 있다. 하나는 발병의 경과와 그 상황에 관하여 정밀하게 조사하여 그 병인을 추단하는 것이다. 전염성 인자、정신적 인자와 외상 등이 이에 속하는데, 그러한 방법이 간편하기는 하지만, 실제적으로 응용하는 데에는 한계가 있다. 또 하나는 증상을 근거로 종합 분석하여 병인을 유추하는 것으로, '변증구인(辨證求因)'이라고 한다. 임상적으로 전신의 관절을 돌아다니는 통증의 경우에는, 자연계의 바람이 선행(善行)하고 주동(主動)하는 특성으로부터 유추하여, 이 통증의 병인을 풍사(風邪)로 파악한다. 병인이 명확해지면 치료도 근거를 가지게 되어 '변증구인'은 '심인논치(審因論治)'로 이어진다. '변증구인'은 실제 병인이 인체에 작용한 후에 나타난 증상을 근거로 하기 때문에 '변증구인'의 인(因)이 실제적으로 받은 병인과 반드시 일치하는 것은 아니다. '변증구인'은 정체관의 관점에서 병인을 탐구하기 때문에 전자의 방법보다는 비교적 널리 응용되는 중요한 방법이다.

질병의 진행과정에서 원인과 결과는 상호 작용한다. 경우에 따라서 어떤 원인으로 인해 결과된 병리산물이 또 다른 질병을 일으키는 발병인자가 되기도 한다. 예컨대 담음(痰飮)、어혈(瘀血)、결석(結石) 등은 각종 발병인자가 장부기혈의 공능 실조를 일으켜 만든 병리산물로, 이러한 병리산물이 체내에 머물면 새로운 병인이 되어 다른 병증을 일으킨다.

한의학의 병인과 비(非)병인은 마치 동전의 양면과 같다. 예를 들면, 병인에는 풍한서습조화(風寒暑濕燥火)의 육음과 희노우사비경공(喜怒憂思悲驚恐)의 칠정이 있는데, 정상적인 상황에서는 자연계의 정상적인 기후이고 정상적인 감정 반응으로, 병을 일으키지도 않고 병인에 속하지도 않는다. 그러나, 비정상적인 상황에서는 발병인자가 되어 사람에게 병을 일으킨다. 음식과 노일 등 인자가 모두 이와 같은데, "물이 배를 띄우기도 하지만, 배를 뒤집을 수도 있다[2]"는 이치와 비슷하다.

병인에 대해 역대 의가들은 다양한 분류방법을 제시하였다. 『내경(內經)』에서는 복잡한 병인을 음양의 두 부류로

1) 凡人之所苦, 謂之病. 所以致此病者, 謂之因 (醫學源流論·病同因別論)
2) 水則載舟, 水則覆舟 (荀子·哀公)

보았는데,『소문 조경론(素問 調經論)』에서 "무릇 邪氣는 陰에서 생기거나 陽에서 생긴다. 陽에서 생기는 것은 풍우한서(風雨寒暑)에서 얻고, 陰에서 생기는 것은 음식거처(飮食居處)와 음양희노(陰陽喜怒)에서 얻는다"[3]고 하였다.『금궤요략(金匱要略)』에서 병인을 그 전변(傳變)에 근거하여 세 가지로 나누었는데, "모든 병은 세 가지를 넘지 않는다. 첫째는 경락이 邪氣를 받아 장부로 들어가 안에서 원인이 된 것이다. 둘째는 사지(四肢)、구규(九竅)、혈맥(血脈)이 서로 부딪혀 막혀서 통하지 아니하여 밖으로 피부에서 원인이 된 것이다. 셋째는 방로(房勞)、칼 등으로 인한 외상、벌레나 짐승에게 물린 외상 등으로 설명할 수 있는데, 이로써 병인을 헤아리면 질병의 원인을 모두 개괄할 수 있다"[4]고 하였다. 송(宋)의 진언(陳言)은 장중경의 분류방법을 기초로 병인과 발병과정을 결합하여 '삼인학설(三因學說)'을 제시하였는데, "육음은 자연계의 일상적인 기운인데, 잘못되면 먼저 경락으로 들어와 안에서 장부에 합하게 되므로 外因이라고 한다. 칠정은 사람들의 일상적인 감정인데, 이것이 잘못 드러나면 먼저 장부에서부터 기운이 울결되고 이어 지체에 미치게 되므로 內因이라고 한다. 또 음식 섭취가 부적절하거나、울부짖거나、소리를 질러 氣가 상하거나、칼에 맞거나、다리가 부러지고 전염성이 있으면서 잘 낫지 않거나、(禮記에 조문하지 않는 세 가지 사례로 소개된 바 있는) 겁에 질려 자살하였거나、압사하였거나、물에 빠져 죽는 등은 흔히 발생하지 않는 것으로 不內外因이라 한다"[5]고 하였다. 육음이 침범한 것은 외인이고, 칠정에 상한 것은 내인이며, 음식노권(飮食勞倦)、질부금인(跌仆金刃) 및 충수(蟲獸)에 상하는 것은 불내외인이다. 이처럼 발병인자와 발병과정을 결합시킨 분류방법은 비교적 합리적이어서 후대에도 널리 활용되었다.

이 장에서는 병인의 발병경로와 형성과정에 근거하여 외감병인(外感病因)、내상병인(內傷病因)、병리산물(病理産物)이 형성한 병인과 기타 병인의 네 가지로 나누었다.

『삼인극일병증방론(三因極一病證方論)』에서 "무릇 병을 치료하려면 먼저 원인을 알아야 한다. 그 원인을 모르면 병의 근원을 볼 수 없다"[6]고 한 것처럼, 병인을 밝히기 위해서는 먼저 병인의 발병특징을 이해해야 한다. 따라서 각종 병인의 성질과 발병특징을 파악하는 것은 매우 중요하다.

제1절 외감 병인(外感 病因)

외감 병인은 자연계에서 비롯된 것으로, 대개 기표(肌表)와 구비(口鼻)를 통해 인체에 침입하여 발병시키는 병인이다. 외감 병인에는 육음과 여기 등이 포함된다.

1. 육음(六淫)

육음은 풍한서습조화(風寒暑濕燥火)의 여섯 가지 외감 병사(外感病邪)를 가리킨다. 육음의 의미를 이해하기 의해

---

3) 夫邪之生也, 或生於陰, 或生於陽, 其生於陽者, 得之風雨寒暑, 其生於陰者, 得之飮食居處, 陰陽喜怒 (素問·調經論)
4) 千般疢難, 不越三條, 一者, 經絡受邪入臟腑, 爲內所因也. 二者, 四肢九竅, 血脈相傳, 壅塞不通, 爲外皮膚所中也. 三者, 房室, 金刃, 蟲獸所傷. 以此詳之, 病由都盡 (金匱要略·臟腑經絡先後病脈證)
5) 六淫, 天之常氣, 冒之則先自經絡流入, 內合於臟腑, 爲外所因. 七情, 人之常性, 動之則先自臟腑鬱發, 外形於肢體, 爲內所因. 其如飮食飢飽, 叫呼傷氣, 金瘡踒折, 疰忤附着, 畏壓溺等, 有背常理, 爲不內外因 (三因極一病證方論·卷之二·三因論)
6) 凡治病, 先須識因. 不知其因, 病源無目 (三因極一病證方論·卷之二·五科凡例)

서는 먼저 육기(六氣)의 의미와 육음과의 차이를 분명히 해야 한다. 이른바 육기는 풍한서습조화의 여섯 가지 정상적인 기후를 가리킨다. 이러한 기후는 만물이 생장하는 조건이며, 인체에도 무해하다.『소문 보명전형론(寶命全形論)』에서 "사람은 자연의 氣로써 생기고, 사계절의 법으로써 이루어진다"[7]고 하였는데, 사람은 자연의 대기와 수곡의 기에 의존하여 살아가고, 사계절의 기후와 생장수장의 변화에 따라 생장 발육하는 것이다. 동시에, 인간이 살아가면서 육기의 변화특징을 인식하는 한편, 자신의 조절기전을 통해 일정한 조절능력을 만들어 인체의 생리활동을 육기의 변화에 적응케 하기 때문에 정상적인 육기는 일반적으로 질병을 일으키지 않는다. 그러나 경우에 따라서 기후 변화에 이상이 생기게 된다. 육기의 태과나 불급, 혹은 제 계절에 적절치 않은 기후(마치 봄에 따뜻해야 하는데 오히려 춥거나, 가을에 서늘해야 하는데 오히려 덥거나), 기후 변화가 급격하거나 지나치면 (혹한, 폭염 등) 인체가 적응하지 못해서 병에 걸린다. 이러한 상황에서의 육기를 육음이라고 한다. 육음은 우리 몸의 적응 한계를 초과한 육기이며, 음(淫)은 태과(太過)나 침음(浸淫)의 뜻으로, 비정상임을 의미한다. 그 다음으로, 육음임을 확정하는 것은 인체의 발병 여부이다. 기후의 이상 변화는 사람에게 병을 일으켜 육음이 되는데, 기후변화가 정상적이라도 사람의 적응능력이 저하되어 병을 얻게 되면 그 사람, 즉 환자의 입장에서는 정상적인 육기변화도 육음이 된다.

육음 발병에는 다음과 같은 공통적인 특징이 있다.

- 외감성(外感性): 육음은 기표와 구비로 인체를 침입하여 발병한다. 예컨대 풍습(風濕)은 피부와 주리를 상하고, 온사(溫邪)는 구비를 통해 들어오기 때문에 육음으로 인한 병을 외감병이라고도 한다. 육음으로 발병한 초기단계에는 오한발열、설태박백(舌苔薄白)、맥부(脈浮)가 주요한 증상이며, 표증(表證)이라고 한다. 표증은 대부분 표에서 이로(由表及裏)、천부에서 심부로(由淺入深) 전변한다.
- 계절성(季節性): 육음은 대개 뚜렷한 계절적 특성을 갖는다. 예컨대 봄에는 주로 풍병(風病)이, 여름에는 주로 서병(暑病)이, 장하(長夏)에는 주로 습병(濕病)이, 가을에는 주로 조병(燥病)이, 겨울에는 한병(寒病)이 주로 발생하는 등이다.
- 지역성(地域性): 육음 발병은 항상 주거지역이나 환경과 밀접한 상관관계가 있다. 예컨대 고원지대는 대개 한병(寒病)과 조병(燥病)이, 바닷가 연안에는 습병(濕病)이 많다. 습한 환경에서 오래 지내면 습병이 많이 발생하고, 고온의 환경에서 작업하면 화열조병(火熱燥病)이 잘 생긴다.
- 상겸성(相兼性): 육음은 단독으로 침범하기도 하기만, 두 가지 이상의 사기가 동시에 인체를 침범하여 발병하기도 한다. 예컨대 풍열감모(風熱感冒)、풍한습비(風寒濕痺)、풍습곤비(風濕困脾) 등과 같이 육음의 사기가 풍(風)에 붙어서, 혹은 비슷한 사기가 한데 어울리는 방식으로 발병한다.
- 전화성(轉化性): 육음으로 발병한 경우, 일정한 조건에서 그 증후는 바뀔 수 있다. 예를 들면, 풍한(風寒)의 사기로 인한 표한증(表寒證)은 이열증(裏熱證)으로 전화하거나 바로 풍열표증(風熱表證)으로 표현되는데, 이러한 한(寒)이나 열(熱)의 생산은 모두 인체의 조건과 밀접하게 관계된다.『의종금감(醫宗金鑑)』에서 "六氣의 사기는 사람이 감수할 때는 같더라도 사람이 감수된 후에 병이 생기는 것은 각각 다른데 왜 그러한가? 무릇 사람의 形에는 후박(厚薄)이 있고 氣에는 성쇠(盛衰)가 있고 臟에는 한열(寒熱)이 있어, 감수한 사기가 이러한 사람의 성한 기운을 따라 변화하여 병을 일으키므로, 그 병이 각각 다른 것이다"[8]라고 하였는데, 이외에 치료가 적

7) 人以天地之氣生, 四時之法成 (素問·寶命全形論)
8) 六氣之邪, 感人雖同, 人受之而生病各異者, 何也? 盖人之形有厚薄, 氣有盛衰, 臟有寒熱, 所受之邪, 每從其人之臟氣而化, 故生病各異也 (醫宗金鑑·卷六·辨太陰病脈證幷治)

절하지 않아도 육음으로 인한 증후에 전화가 일어난다. 이 전화는 육음 가운데 사기가 다른 사기로 변하는 것이 아니라, 육음의 사기가 일으킨 증후가 바뀌는 것을 가리킨다.

육음 발병은 기후인자 외에도 미생물(세균, 바이러스 등), 물리, 화학 등 각종 발병인자가 인체에 작용하여 일으킨 병리적인 반응을 포함하고 있다.

이외에도, 임상에서 육음으로 인한 것이 아니라 장부기혈 공능의 실조로 만들어진 내풍(內風), 내한(內寒), 내습(內濕), 내조(內燥), 내화(內火) 등 병리반응이 있는데, 이러한 다섯 가지 병리반응의 증상이 풍한습조화의 발병과 비슷하지만, 그 원인을 살펴보면 외래 사기가 아니라 안에서 생겨난 것으로, 이를 '내생오사(內生五邪)'라고 한다.

1) 풍사(風邪)

(1) 풍사의 개념

바람은 보이지 않으면서 유동적이기 때문에 바람같이 경양개설(輕揚開泄)하고 잘 움직이는 특성을 가진 외사를 풍사라고 하며, 풍사로 인한 병을 외풍병(外風病)이라고 한다. 풍은 봄의 주된 기운이면서 사계절에 모두 있기 때문에 풍사로 인한 병은 봄에 가장 많고 다른 계절에도 발생할 수 있다. 풍사는 주로 피모, 기육, 주리로부터 침범하여 외풍병을 일으킨다. 『소문 풍론(風論)』에서 "風氣는 피부 사이에 저장되고 … 腠理가 열리면 으슬으슬 춥고, 닫히면 덥고 답답하다"[9]고 하였는데, 풍사는 외감 병인 가운데 발병이 광범위하고 비교적 중요한 발병인자이다.

(2) 풍사의 성질과 발병 특징

① 쉽게 양위(陽位, 인체의 上部와 表部)를 침범한다
② 잘 움직이고 자주 변한다
③ 움직임을 일으킨다
④ 만병을 일으킨다

2) 한사(寒邪)

(1) 한사의 개념

자연계에서 한냉하고 응결시키는 특징이 있는 외사(外邪)를 가리켜 한사라 하고, 한사로 인한 병을 외한병(外寒病)이라고 한다.

한은 겨울의 기(氣)이기 때문에 기온이 비교적 낮은 겨울에 보온을 잘 하지 않으면 쉽게 한사를 받게 된다. 이외에도 비에 젖거나, 물에 빠지거나, 땀이 난 후에 바람을 맞거나, 서늘한 곳에서 노숙을 하거나, 찬 것을 지나치게 많이 마시면 한사를 받아들이게 된다.

외한병은 한사가 침범한 부위의 깊이에 따라 상한(傷寒)과 중한(中寒)의 구별이 있다. 한사가 기표를 상하면 위양(衛陽)을 저해하는데, 이를 '상한'이라 하고, 한사가 이(裏)로 직중하면 장부의 양기를 손상하는데, '중한'이라고 한다.

---

9) 風氣藏於皮膚之間 … 腠理開則洒然寒, 閉則熱而悶 (素問·風論)

한사가 침입하여 생긴 외한병이나 체내의 양기가 허하여 일어난 내한병(內寒病)이 원인은 서로 다르지만, 상호 연계되어 영향을 미친다. 외한병은 양기를 손상하여 내한병을 일으키며, 내한병은 양기 부족으로 유래하고 또 외한병의 발생을 쉽게 초래한다.

(2) 한사의 성질과 발병 특징

① 음사(陰邪)이며 양기를 쉽게 상한다
② 응체케 한다
③ 수인(收引)케 한다

3) 습사(濕邪)

(1) 습사의 개념

자연계에서 수습(水濕)의 중탁(重濁)、점체(粘滯)、추하(趨下)하는 특징을 가진 외사를 습사라고 한다. 습사로 인한 병을 가리켜 외습병(外濕病)이라고 한다. 습은 장하의 기(氣)인데, 장하 혹은 장마 계절에는 양열(陽熱)이 내려오고 수기(水氣)가 올라가면서 습기가 가득 차서 일년 가운데 습기가 가장 만연하는 계절이기 때문에 장하에는 습병이 많다. 이외에도 거처가 습하거나、물 일을 하거나、비를 맞거나 물을 건너거나 하면 모두 습사로 인해 발병한다.

습사로 인한 외습병과 '비허생습(脾虛生濕)'으로 인한 내습병이 서로 원인은 다르지만, 발병 중에 서로 영향을 미친다. 습사의 침입은 비의 운화에 영향을 미쳐 습이 안에서 생기게 하며, 반대로 비허(脾虛)하여 수습을 운화하지 못하면 습이 생겨나 항상 쉽게 습사의 침입을 초래한다.

(2) 습사의 성질과 발병 특징

① 음사이며 쉽게 막히게 하고 양기를 손상한다
② 중탁(重濁)하다
③ 점체(粘滯)하다
④ 추하(趨下)하여 쉽게 음위(陰位, 인체의 下部)를 침범한다

4) 조사(燥邪)

(1) 조사의 개념

조는 가을 기운인데, 가을에는 기후가 건조하고 공기 중에 수분이 모자라서 자연계는 숙살(肅殺)의 분위기를 띠고 있다. 자연계 가운데 건조하고 수렴 청숙(淸肅)한 특성이 있는 외사를 조사라고 한다. 사람이 조사에 감염되면 일련의 건조한 증상이 나타나는데, 그 병을 조병(燥病)이라고 한다.

조는 습과 상대적이어서 대개 진액을 쉽게 상한다. 조사는 구비로 들어와 폐위(肺衛)를 침범하여 발병케 한다. 조사로 병이 되는 경우, 겸한 한열의 사기에 따라 온조(溫燥)와 양조(凉燥)로 나뉘어진다. 초가을에는 여름의 열기가 남아 있고, 오래도록 비가 내리지 않으며 가을볕이 따가우면 조와 열이 함께 인체를 침범하여 온조가 많이 발생한다. 늦가을과 초겨울에는 서풍이 숙살하며 조와 한이 함께 인체를 침범하면 양조가 많이 발생한다. 그래서 청의 비백웅(費伯雄)은 『의순잉의(醫醇剩義)』에서 "초가을에 아직 더운 것은 건조하면서 더운 것이며, 늦가을에 서늘한 것은 건조하

면서 서늘한 것이다"[10]라고 하였다.

(2) 조사의 성질과 발병 특징

① 건삽(乾澁)하며 진액을 쉽게 상한다

② 폐를 쉽게 상한다

5) 열사(熱邪) 또는 화사(火邪)

(1) 열(화)사의 개념

열은 여름에 왕성하며, 자연계 가운데 화의 염열(炎熱)한 특성을 가진 외사를 가리켜 열사라고 한다. 열사로 된 병을 외열병(外熱病)이라고 한다.

한의학적으로 열사와 서로 가까운 명칭에는 온사(溫邪)와 화사 등이 있다. 그들은 모두 열사의 한 종류이며, 일반적으로 온(溫)은 열이 덜한 것이고, 화는 열이 극성한 것이기 때문에 통칭해서 온열지사(溫熱之邪) 혹은 화열지사(火熱之邪)라고 하였다. 물론, 광의의 열과 화는 서로 다르다. 일반적으로, 열은 사기(邪氣)에 속하고, 화는 온후와 생화의 작용을 가진 양기, 즉 '소화(少火)'를 가리킬 뿐만 아니라, 화열지사, 즉 '장화(壯火)'를 가리키기도 한다. 발병의 관점에서, 열사는 풍열, 서열(暑熱), 습열과 같이 대개 외감이며, 화는 심화상염, 간화항성(肝火亢盛) 등과 같이 항상 내생(內生)한다. 그래서 진언(陳言)은 『삼인극일병증방론(三因極一病症方論)』에서 육음에 대해 화 대신 열을 언급하였다[11].

열사로 인한 외감병과 음허양항으로 인한 내열허증(內熱虛證)이 비록 원인은 다르지만, 서로 영향을 준다. 양성(陽盛)하면 음병(陰病)이 되는데, 외열병은 인체의 음을 손상시켜 내열허증을 일으키고, 반대로 내열허증 역시 체내의 음허로 인하여 열사를 쉽게 침입케 한다. 열사가 침입하거나 음허내열로 된 화열병증 외에도, 風, 寒, 濕, 燥, 暑의 외사를 받거나 정신적인 자극, 혹은 기기가 울조(鬱阻)하면 일정 조건하에서 화열증후(火熱證候)가 나타나기 때문에 유완소(劉完素)의 '육기화화(六氣化火)', '오지화화(五志化火)[12]', 주진형(朱震亨)의 "氣가 有餘하면 곧 火이다[13]"라는 이론이 있다.

(2) 열(화)의 성질 및 발병 특징

① 양사(陽邪)이며 진액을 상하고 기를 소모시킨다

② 염상(炎上)한다

③ 풍(風)을 일으키고 혈(血)을 움직인다

④ 심신(心神)을 동요케 한다

⑤ 창옹(瘡癰)을 일으킨다

6) 서사(暑邪)

---

10) 初秋尙熱則燥而熱, 深秋旣凉則燥而凉 (醫醇剩義·秋燥)

11) 六淫者, 寒暑燥濕風熱是也 (三因極一病症方論·卷之二·三因論)

12) 凡五志所傷皆熱也 (素問玄機原病式·熱類)

13) 氣有餘便是火 (丹溪心法·卷一·火六)

(1) 서사의 개념

서는 여름의 화열지사(火熱之邪)이다. 대개 하지부터 입추 전까지의 자연계 화열의 외사를 서사라고 하며, 서사로 된 병을 서병(暑病)이라고 한다.

서사의 발병에는 뚜렷한 계절성이 있다.『소문 열론』에서는 "夏至 이전에 발생한 것은 溫病이라 하고, 夏至 이후에 발생한 것은 暑病이라 한다"[14]고 하였는데, 서와 온은 동일한 병사이지만, 하지 이전에 발생한 것은 온병이라 하고, 서병은 주로 하지 이후 입추 이전에 발생한다. 서병은 오직 외감만 있고 내생하는 경우는 없다. 이는 육음 가운데 특이한 것이다.

(2) 서사의 특징과 발병 특징

① 양사(陽邪)이며, 그 성질이 염열(炎熱)하다
② 승산(升散)하며, 가장 쉽게 진기(津氣)를 상한다
③ 대개 습(濕)을 동반한다

이상으로 육음의 성질과 발병의 특징에 대해 서술하였는데, 육음 가운데 풍습조(風、濕、燥)의 음양한열 속성에 대한 학자들의 견해가 다양하다. 일반적으로 풍의 성질은 쉽게 움직이고 한 곳에 머무르지 않으며, 조사(燥邪)는 음액을 상하기 때문에 양사(陽邪)에 속하며, 습은 수(水)와 유사하기 때문에 음사(陰邪)에 속한다. 그러나 장개빈은 "風이 비록 陽邪이기는 하지만, 그 기운은 차고 매섭다"[15]고 하였으며, 조(燥)에 대해 심자남(沈目南)은 "燥病은 凉에 속하므로 寒 다음이라 할 수 있다"[16]고 하였다. 습에 대해서도 일부 학자들이 비록 "濕邪가 왕성하면 陽이 적어진다[17]" 고는 하였지만, 습이 양(陽)을 상하는 방식과 정도가 반드시 한(寒)과 같지는 않다. 그러므로 오늘날 한(寒)을 음사(陰邪), 열(熱)은 양사(陽邪)로 귀류하는 점에 근거하여 풍(風)과 조(燥)는 양(陽)중의 음사(陰邪)이고, 습(濕)은 음(陰)중의 양사(陽邪)이며, 서(暑)는 열(熱)과 같이 역시 양사(陽邪)라고 하였는데, 이러한 귀류방법을 참고할 만하다.

2. 여기(癘氣)

1) 여기의 기본 개념

여기는 공기를 통하여 전염되고, 구비로 들어와 발병하며, 음식을 따라 들어오거나 모기나 벌레들에 의해서도 매개된다. 여기로 인한 발병은 유행성 이하선염(볼거리, 大頭瘟, mumps)、디프테리아(白喉, diphtheria)、성홍열(爛喉丹痧, scarlet fever)、천연두(天花, smallpox)、콜레라(癨亂, cholera)、페스트(鼠疫, pest) 등 매우 다양하며, 실제로 현대의 허다한 전염병과 열성 전염병을 포함하고 있다.

2) 여기의 발병 특징

---

14) 先夏至日者爲病溫, 後夏至日者爲病暑 (素問·熱論)
15) 蓋風雖陽邪, 氣則寒肅 (類經·卷十五·疾病類·風證)
16) 燥病屬涼, 謂之次寒 (溫病條辨·上焦篇·補秋燥勝氣論)
17) 濕盛則陽微也 (溫熱論·論濕)

(1) 전염성이 강하다

여기는 공기나 음식물을 통해 대규모로 전염되는 강렬한 전염성과 유행성을 가지고 있다. 『온역론(溫疫論)』에서 "이 氣는 老少나 체력의 강약에 관계없이 접촉하는 자는 모두 병에 걸린다"18)고 하였다. 여기의 발병은 광범위하게 유행하기도 하고 산발적으로 발생하기도 한다.

(2) 발병이 급하고, 병정(病情)이 위독하다

일반적으로 육음의 발병은 내상 잡병에 비해 급하며, 여기는 육음에 비하여 더욱 급하다. 『온역론』에서는 "과양온(瓜瓤瘟)、흘탑온(疙瘩瘟)에 걸리면 병세가 완만한 자는 아침에 발생하여 저녁에 죽고, 병세가 중한 자는 눈 깜짝할 사이에 죽는다"19)고 하였다. 여기로 인한 발병이 급박하고 위중하여 병정(病情)이 위독함을 알 수 있다.

(3) 일기(一氣)가 일병(一病)을 일으키고, 증상이 서로 비슷하다

한 종류의 여기가 한 가지의 역병을 일으키기 때문에 여기가 유행할 때에는 그 임상증상이 서로 비슷한데, 『소문유편 자법론(素問遺篇 刺法論)』에서 "연령과 무관하게 증상이 유사하다"20)고 하였다. 예를 들면, 유행성 이하선염(痄腮, mumps)의 경우, 남녀를 막론하고 대개 이하선 부위에 종창이 생기는데, 이는 어떤 종류의 여기가 특이적으로 어느 한 장부와 경락이나 부위에 침범하여 발병하는 것을 설명하고, 그래서 "많은 사람들의 병이 서로 같다21)"고 한 것이다.

3) 여기의 형성과 역병 유행의 원인

(1) 비정상적인 기후

가뭄、이상 고온、홍수、장기(瘴氣, miasma) 등과 같은 비정상적인 기후는 여기를 자생시켜 질병을 발생하는데, 『증치준승(證治準繩)』에서 "時氣는 천역폭려(天疫暴癘)의 氣가 유행하는 것인데, 사계절의 기후변화가 적절치 않으면 이 氣가 유행한다"22)고 하였다.

(2) 환경 오염과 불결한 음식

상수원이나 공기의 오염 등 환경위생이 좋지 않아도 여기가 자생하는데, 『의학입문(醫學入門)』에서 "동남의 광동 광서지역은 산이 험준하고 물이 안 좋으며 땅이 습하고 무덥다. 만약 봄가을에 외감이나 서리의 독기가 들어 오한발열、흉만(胸滿)、불식(不食)의 증상이 나타나면, 이는 毒이 코와 입으로부터 들어온 것이다"23)라고 하였다. 마찬가지로, 오염된 음식물을 먹어도 역병이 발생한다. 임상에서 볼 수 있는 세균성 이질(疫痢)나 급성 전염성 간염(疫黃)은 여기가 직접 음식물을 따라 인체 내에 들어와서 발병한 것이다.

---

18) 此氣之來. 無論老少强弱, 觸之者卽病 (溫疫論·原病)
19) 瓜瓤瘟, 疙瘩瘟, 緩者朝發夕死, 重者頃刻而亡 (溫疫論·雜氣論)
20) 無問大小, 症狀相似 (素問遺篇·刺法論)
21) 衆人之病相同 (溫疫論·雜氣論)
22) 時氣者, 乃天疫暴厲之氣流行, 凡四時之令不正者, 乃有此氣行也 (證治準繩·傷寒·卷七· 一歲長幼疾狀相似爲疫)
23) 東南兩廣, 山峻水惡, 地濕漚熱, 如春秋時月, 外感霜毒, 寒熱胸滿不食, 此毒從口鼻而入也 (醫學入門·卷五·內傷類·蠱瘴)

(3) 예방격리를 잘못하였을 때

예방격리를 잘못해도 역병이 발생하거나 유행할 수 있는데, 이는 여기가 강렬한 전염성을 가지고 있어서 사람들이 그에 접촉되면 모두 병에 걸리게 된다. 그러므로 『역증집설(疫證集說)』에서는 "무릇 역병에 걸린 집은 옷, 음식, 그릇을 역병에 걸리지 않은 집에 주어서는 안 되며, 역병에 걸리지 않은 집 역시 역병에 걸린 집의 옷, 음식, 그릇을 받아서는 안 된다. 무릇 역병 환자가 있는 집에서는 옷과 그릇을 매일 유황으로 훈증하여 온 집안 사람이 전염되는 것을 막아야 한다"24)고 하였다.

(4) 사회적 요인

사회적 요인은 여기의 발생과 역병의 유행에 대해 일정한 영향을 준다. 만약 전란이 끊이질 않거나, 사회적으로 불안하거나, 작업 환경이 열악하거나, 생활이 극도로 빈곤하면 역병이 계속 생긴다. 만약 사회가 안정되고 위생활동에 관심을 기울여 적극적으로 효과적인 방역사업과 적절한 치료조치를 취하면 전염병을 효율적으로 통제할 수 있다.

제2절 내상 병인(內傷 病因)

내상 병인은 사람의 감정이나 행위가 정상 범위를 벗어나서 직접적으로 장부를 상하여 질병을 일으키는 발병인자를 가리킨다. 내상 병인은 외감 병인에 대해 상대적이며, 칠정, 과로, 과일(過逸), 음식 실조 등을 포함한다.

1. 칠정(七情)

1) 칠정의 기본 개념

칠정은 희노우사비공경(喜怒憂思悲恐驚)의 일곱 가지 감정변화를 가리키는데, 이 칠정을 오장에 배속하면 희노사비공(喜怒思悲恐)이 대표가 되고, 심간비폐신(心肝脾肺腎)으로 나뉘어서 오지(五志)가 된다. 정상적인 상황에서 칠정은 인체가 외부 자극에 대해 일으키는 일곱 가지 감정 반응이며, 일반적으로는 병을 일으키지 않는다. 갑작스럽거나 강렬하거나 장기간 지속되는 정신적인 자극은 인체 생리활동 조절범위를 초과하여 장부기혈의 공능 문란을 일으킴으로써 질병이 발생한다. 이때에 칠정이 비로소 발병인자가 되는 것이다. 예를 들어 바람직하지 않은 생활, 작업 환경, 자연 재해와 인재, 사회의 불안, 경제 상황 변화 등이 모두 칠정에 의해 질병을 일으킨다.

칠정의 발병 여부는 칠정의 강약 외에도, 인체의 내성 (tolerance) 및 조절 능력과 관련이 있다. 칠정으로 인한 발병은 육음과 다른데, 육음은 기표와 구비를 통해 밖에서부터 들어와 인체에 침범하기 때문에 '외감육음(外感六淫)'이라 하며, 칠정은 유관한 내장에 직접 영향을 미쳐 발병하는데, 병이 안으로부터 발생하기 때문에 '내상칠정(內傷七情)'이라고 한다.

2) 칠정과 장부 기혈의 관계

---

24) 凡有疫之家, 不得以衣服飮食器皿送於無疫之家, 而無疫之家, 亦不得受有疫之家之衣服飮食器皿. 凡有疫人家之衣服器皿, 每日須以硫黃熏洗, 以免闔家傳染 (疫證集說·防疫芻言)

인간의 정신적인 활동과 장부 기혈은 밀접한 관계가 있다. 『소문 음양응상대론』에서 "사람의 五臟은 五氣를 변화시켜 喜,怒,悲,憂,恐을 만든다"[25]고 하였는데, 정신적인 활동의 물질적인 기초는 오장의 정기혈(精氣血)이다. 그러므로 정신적인 활동은 오장과 서로 대응하게 된다. 예컨대 심(心)의 지(志)는 희,간은 노,비는 사,폐는 우,신은 공이다. 따라서 장부 기혈의 변화 역시 정신적인 변화에 영향을 미치는데, 『영추 본신(本神)』에서 "肝氣가 虛하면 두려워하고, 實하면 화를 낸다. 心氣가 虛하면 슬퍼지고, 實하면 웃음이 그치지 않는다"[26]고 하였다. 반대로, 칠정이 지나치면 상응하는 내장을 손상시켜 칠정에 의한 병을 일으킨다.

3) 칠정의 발병 특징

칠정은 직접적으로 내장에 영향을 주어 장부 기혈을 실조케 하여 각종 질병을 일으킨다.

개괄하자면, 칠정의 발병에는 다음과 같은 네가지 특징이 있다.

(1) 칠정은 모두 심(心)을 따라 일어난다

심은 생명 활동의 주재자로서, 인체의 생리활동뿐만 아니라, 정신 및 심리 활동을 주재하고 있다. 칠정은 외부 자극이 감각기관을 통해 심으로 전달되고 나서 심으로부터 반응이 나가기 때문에 칠정은 모두 심에서 나오는 것이라고 할 수 있다. 칠정이 심에서 발생한 다음, 각기 상응하는 내장에 영향을 미치게 되는데, 장개빈은 『유경(類經)』에서 "心은 臟腑의 군주로서 혼백(魂魄)을 총괄 지휘하고 아울러 意志를 담당한다. 따라서 憂가 心에서 動하면 肺가 이에 應하고, 思가 心에서 動하면 脾가 이에 應하고, 怒가 心에서 動하면 肝이 이에 應하고, 恐이 心에서 動하면 腎이 이에 應하므로, 五志는 오직 心이 부리는 것이다"[27]라고 하였으며, 또 "情志에 상하면 비록 오장이 각각 배속된 바가 있지만, 그 원인을 따지면 心으로부터 나오지 않은 것이 없다"[28]고 하였다.

(2) 내장을 상한다

오장과 정신적인 활동은 서로 상응하기 때문에 칠정이 지나치면 상응하는 장부를 손상할 수 있다. 예컨대 심은 희와 관련되므로 지나치게 기뻐하면 심을 상하고, 간은 노와 관련되므로 지나치게 화를 내면 간을 상하며, 비는 사와 관련되므로 지나치게 생각하면 비를 상하고, 폐는 우와 관련되므로 지나치게 근심하면 폐를 상하며, 신은 공과 관련되므로 지나치게 무서워하면 신을 상한다. 그러나 실제 임상에서 항상 그대로 적용되지는 않는다. 『영추 구문(口問)』에서 "슬프고 우울하면 心을 움직이게 하고, 심이 움직이면 五臟六腑가 모두 흔들린다"[29]고 하였는데, 이는 심(心)이 오장육부의 대주(大主)로서 정신이 깃들어 있고, 칠정이 일어나는 곳이기 때문에 칠정이 지나치면 먼저 심신(心神)을 상하고 나서 다른 장부에 영향을 미쳐 질병을 일으킨다. 그러므로 심은 칠정으로 인한 발병에 있어서 주도적인 작용을 한다.

심은 혈을 주관하고 신(神)을 저장하고 있으며, 간은 혈을 저장하고 소설을 주관하며, 비는 운화를 주관하고 기혈

25) 人有五臟化五氣, 以生喜怒悲憂恐 (素問·陰陽應象大論)
26) 肝氣虛則恐, 實則怒, 心氣虛則悲, 實則笑不休 (靈樞·本神)
27) 心爲五臟六腑之大主, 而總統魂魄, 兼該志意, 故憂動於心則肺應, 思動於心則脾應, 怒動於心則肝應, 恐動於心則腎應, 此所以五志唯心所使也 (類經·十五卷·疾病類·情志九氣)
28) 情志之傷, 雖五臟各有所屬, 然求其所由, 則無不從心而發 (類經·十五卷·疾病類·情志九氣)
29) 故悲哀愁憂則心動, 心動則五臟六腑皆搖 (靈樞·口問)

이 생기는 원천이 된다. 임상적으로, 칠정으로 인한 발병은 심간비(心､肝脾) 세 장에서 주로 많이 나타난다. 예컨대 크게 놀라면 심신(心神)이 불안정해져서 심계､불면､건망이 나타나고 심하면 정신 실상 등 증상이 일어난다. 울노(鬱怒)하면 간을 상하는데, 간기(肝氣)가 울결되면 양협창통(兩脇脹痛)､선태식(善太息)､인중(咽中)에 이물감이 있는 증상이 나타나거나, 기체혈어(氣滯血瘀)하면 협통､부녀경통(婦女經痛)､경폐(經閉)､징가(癥瘕) 등 증상이 나타난다. 노하면 기가 위로 올라가고 혈도 따라 상역하여 구혈(嘔血)､훈궐(暈厥) 등 증상이 나타난다. 사려가 지나치면 비를 상하는데, 비가 제대로 운행되지 못하면 식욕부진､완복창만､대변당설 등 증상이 나타난다. 감정과 인체구조와의 상관관계에 관한 최근 연구보고[30]는 참고할 만하다.

(3) 장부의 기기(氣機)에 영향을 준다

칠정은 장부기기에 영향을 미쳐 기혈 운행을 문란케 함으로써 병을 만든다.

① 화를 내면 기가 위로 올라간다(怒則氣上)

② 기쁘면 기가 느슨해진다(喜則氣緩)

③ 슬퍼하면 기가 소모된다(悲則氣消)

④ 두려워하면 기가 내려간다(恐則氣下)

⑤ 놀라면 기가 혼란해진다(驚則氣亂)

⑥ 생각을 하면 기가 맺힌다(思則氣結)

칠정은 대부분 장부기기에 영향을 미쳐서 발병케 한다. 칠정 역시 혈(血)에 영향을 미치는데, 이는 기가 혈의 수(帥)이고 혈은 기의 모(母)이어서 기혈 사이에는 밀접한 관계가 있기 때문이다. 그러므로 노하여 기가 상역하면 두창(頭脹)과 두통이 있을 뿐만 아니라 토혈､구혈(嘔血) 등 증상이 나타난다. 그리고 칠정이 일으킨 기역(氣逆)과 기하(氣下) 등 기기실조의 방식은 절대적인 것이 아닌데, 예를 들면 경(驚)은 기란(氣亂)케 하지만 때로는 기하(氣下)케도 한다. 이외에도 칠정으로 인한 증후로서 면적구고(面赤口苦)､심번이노(心煩易怒)､불면 및 토혈､육혈이 나타나는데, 이를 '오지화화(五志化火)'라고 한다. '오지화화'는 대개 기울(氣鬱)이 지나치게 오래되어 열로 바뀐 것이기 때문에 『임증지남의안』에서 화수운(華岫云)은 "鬱하면 氣가 체하고, 氣가 체한 것이 오래되면 熱로 바뀐다"[31]고 하였다. 기가 울체되면 화로 바뀔 뿐만 아니라 담울､습울､식울､혈울 등을 일으킬 수 있다.

(4) 대부분 정신질환을 일으킨다

칠정으로 병이 되면 위증(痿證)과 나력(瘰癧) 등 신체질환의 심신(心､身) 질병뿐만 아니라, 전광(癲狂)과 경계(驚悸) 등 정신 실상(精神失常) 위주의 정신병으로도 나타난다. 임상적으로, 각종 발병인자가 모두 정신적인 질환을 일으킬 수 있지만, 칠정으로 인한 경우가 많다. 이는 칠정이 비록 각기 유관 장부에 영향을 미칠 수 있지만, 주로 인체의 정신의식과 사유활동을 주관하는 심(心)에 영향을 미치기 때문에 칠정으로 발병하는 경우에는 대개 정신적인 질환이 된다.

(5) 병세의 변화와 정서(情緖)의 관계는 밀접하다

30) Lauri Nummenmaa et al, Bodily maps of emotions, PNAS 111(2) pp.646-651, Jan 2014

31) 鬱則氣滯, 氣滯久則必化熱 (臨證指南醫案·鬱)

칠정으로 인한 병증의 경우, 그 병세 변화와 칠정과의 관계가 매우 밀접하다. 예컨대, 칠정 내상에 의한 간기실조(肝氣失調)로 매핵기、위완통、설사 등 병증이 나타나는 경우, 정신적인 자극으로 인해 병세가 뚜렷이 가중된다. 이 역시 칠정으로 인한 병의 특징 가운데 하나라고 할 수 있다.

2. 노일(勞逸)

정상적인 노동은 기혈의 유통과 체력의 증강을 도와주며, 적절한 휴식은 피로를 풀어주고 체력과 정신력을 회복시켜 정상적인 생리활동을 유지시킴으로써 발병을 막아준다. 그러나 장기간에 걸친 과도한 노동이나 지나친 안일은 발병인자가 되어 발병케 한다. 그러므로 발병인자가 되는 노일은 과로(過勞)와 과일(過逸)을 가리킨다.

1) 과로(過勞)

과로는 노력과도(勞力過度)、노신과도(勞神過度)、방로과도(房勞過度)로 나뉘어진다.

(1) 노력과도(勞力過度)

장기간에 걸친 육체 노동으로 체력을 소모하고 피로가 누적됨으로써 병이 발생한 것을 가리킨다. 이에 관해『소문 거통론』에서 "피로하면 기가 모손된다"[32]고 하였는데, 일반적으로 소기나언(少氣懶言)、사지곤권(四肢困倦)、정신피로(精神疲勞)、형체소수(形體消瘦) 등 증상이 나타난다. 손상 받은 장부의 기에 따라 그 임상 표현도 달라진다.

(2) 노신과도(勞神過度)

생각 등 정신 노동이 너무 지나친 것을 가리킨다. 비(脾)의 지(志)는 사(思)이고, 심(心)은 혈맥을 주관하고 장신(藏神)하는데, 생각이 너무 많아지면 서서히 심혈(心血)을 소모시키고 비기(脾氣)를 손상하여 심계、건망、불면、다몽(多夢)이나 식욕부진、복창(腹脹)、변당(便溏) 등 증을 일으킨다.

(3) 방로과도(房勞過度)

주로 성생활이 부절제하여 방사(房事)가 지나친 것을 가리킨다. 신(腎)은 장정(藏精)하고 봉장(封藏)을 주관하는데, 성욕을 조절하지 못하여 성교 등 성생활이 지나치게 빈번하면 신정(腎精)을 손상시켜 요슬산연、현훈、이명、정신위미(精神萎靡)、유정(遺精)、조루、양위(陽萎)、혹은 월경부조、불임 등 병증이 나타난다. 이외에도 조혼(早婚)、과다 분만이나 자위 등으로 신정을 손상한 것도 이 범위에 속한다.

2) 과일(過逸)

과일은 지나치게 편안하게 지내는 것을 가리키는데, 노동이나 체력단련을 오랫동안 하지 않은 것이다. 지나친 안일은 게을러서 일하기를 싫어하는 것과, 또한 생활의 기거가 불규칙한 것과, 요양(療養)에 대한 정확한 인식이 부족해서 휴식이 지나친 것을 의미한다. 지나치게 안일하면 주로 인체 기혈의 운행이 잘 안되고 전신이 허약해진다. 운동이 너무 적으면 전신 기혈의 운행이 느려지고 유통이 잘 안되기 때문에 기체혈어(氣滯血瘀)를 일으켜 다른 병이 생긴다.

---

32) 勞則氣耗 (素問·擧痛論)

비(脾)는 사지(四肢)를 주관하는데, 손발을 적게 움직이면 비의 운화가 약해져서 기혈의 생성이 감소되고 날로 허약해져 정신부진(精神不振)、식소핍력(食少乏力)、지체연약(肢體軟弱)、심하면 몸이 뚱뚱해지거나、움직이면 심계、기침、한출(汗出) 등 증상이 나타나거나, 다른 병이 계속 발생한다.『소문 선명오기(宣明五氣)』에서 "오래 누워있으면 기를 상한다"33)고 하였는데, 바로 이를 가리킨다.

3. 음식(飮食)

음식은 사람이 생명활동을 유지하는 가장 기본적인 조건이다. 그러나 음식이 잘못되면 발병인자가 된다. 음식이 잘못된 경우는 주로 기포실상(飢飽失常)、음식불결(飮食不潔) 및 음식편기(飮食偏嗜)의 세 가지이다.

1) 기포 실상(飢飽 失常)

음식량은 적절해야 하는데, 매 개인에게 적절한 음식량은 연령、성별、체질 및 업무의 종류에 따라 일정하지 않다. 이른바 음식부절(飮食不節)은 자신에게 적절한 음식량에 현저히 못 미치거나 지나친 것을 가리키는데, 전자를 '과기(過飢)'라 하고, 후자는 '과포(過飽)' 라고 한다.

'과기'는 음식의 섭취가 부족하여 기혈을 제대로 만들지 못해서 부족하거나 쇠약한 것으로,『영추 오미』에서 "음식을 먹지 못한지 반나절이면 기가 쇠하여지고, 하루면 기가 적어진다"34)고 하였다. 임상적으로, 안색창백、심계기단(心悸氣短)、전신무력 등 증상이 나타나며, 동시에 정기(正氣)가 허약해지고 저항력이 떨어져서 다른 병증이 나타난다.

'과포'는 폭음 폭식하여 비위의 소화능력을 초과하면 음식이 저체되고 비위가 손상을 받아 완복창만、애부탄산(噯腐呑酸)、염식(饜食)、토사(吐瀉) 등 증상이 나타나는데,『소문 비론(痺論)』에서 "과식하면 脾胃가 상한다"35)고 하였다. 소아는 비위가 비교적 연약하고 또 스스로 식사량을 조절하지 못하기 때문에 항상 식상비위(食傷脾胃)의 병증이 쉽게 발생한다. 식적(食積)이 오래 되면 울체되어 열로 바뀌거나 습이 모여 담이 생기는데, 더 오래 되면 감적(疳積)이 되어 면황기수(面黃肌瘦)、완복창만、수족심열(手足心熱)、심번이곡(心煩易哭) 등 증상이 나타난다. 또 음식량이 지나치게 많으면 소화불량을 일으킬 뿐만 아니라, 기혈의 유통에 영향을 주어 근맥을 울체시켜 이질이나 치창(痔瘡)을 일으키는데,『소문 생기통천론』에서 "이로 인하여 포식하면 筋脈이 제멋대로 풀어져 장벽(腸澼)으로 치질을 앓을 수도 있다"36)고 하였다. 또 질병이 나으려고 하는 단계에서 비위가 아직 허한데 음식량이 너무 많거나 쉽게 소화되지 않는 음식을 먹으면 병이 재발하는데, 이를 '식복(食復)' 이라고 한다. 이에 관해『소문 열론』에서는 "열병을 앓다가 조금 나아졌을 때, 고기를 먹으면 재발하고, 많이 먹으면 열이 그대로 남는다"37)고 하였다.

2) 음식 불결(飮食 不潔)

음식 불결은 더럽고 비위생적이거나 오래 되어 부패했거나 유독한 음식을 먹은 것을 말한다. 음식이 더럽고 비위생적이면 복통、구토 설사、이질 등 다양한 위장관 계통의 질환이 발생하거나, 회충、요충、촌백충 등 기생충병을 일으켜

33) 久臥傷氣 (素問·宣明五氣)
34) 穀不入, 半日則氣衰, 一日則氣少矣 (靈樞·五味)
35) 飮食自倍, 脾胃乃傷 (素問·痺論)
36) 因而飽食, 筋脈橫解, 腸澼爲痔 (素問·生氣通天論)
37) 病熱少愈, 食肉則復, 多食則遺 (素問·熱論)

서 복통、토사와 중한 경우 혼미(昏迷)하거나 사망케 된다.『금궤요략』에서 "더러운 밥、썩은 고기와 상한 생선을 먹으면 사람을 상한다. … 스스로 병들어 죽은 동물은 역기(疫氣)가 있어 죽은 것이므로 독이 있어 먹지 못한다"[38]고 하였다.

3) 음식 편기(飮食 偏嗜)

음식은 적당히 조절해야 하고, 고른 섭취가 필수적이다. 그래야만 비로소 인체가 필요로 하는 각종 영양성분을 충족시킬 수 있다. 가령 지나치게 한 종류의 음식만을 섭취하거나 좋아하지 않으면 인체 영양성분의 과잉이나 부족을 초래하여 발병케 한다. 이른바 음식편기는 지나치게 어떤 음식을 좋아하는 것으로, 음식의 오미편기(五味偏嗜)、음식의 편한편열(偏寒偏熱) 및 편기음주(偏嗜飮酒)로 나뉘어진다.

(1) 음식의 오미 편기(五味 偏嗜)

인체의 정신기혈은 모두 음식의 오미에서 생겨나는데, 오미와 오장은 각기 친화적인 관계가 있다.『소문 지진요대론』에서 "무릇 五味가 胃로 들어가면 각자 좋아하는 곳으로 돌아간다. 따라서 酸味는 먼저 肝으로 들어가고、苦味는 心으로、甘味는 脾로、辛味는 肺로、鹹味는 腎으로 들어간다"[39]고 하였는데, 만약 장기적으로 어떤 음식물을 섭취하면 상응하는 내장의 기능이 편성(偏盛)되고, 오래 되면 다른 장부도 손상되어 오장의 평형이 파괴되고 질병이 발생한다.『소문 생기통천론』과『소문 오장생성』에서는 신 맛을 가진 음식물을 과식하면 간(肝)이 성(盛)하여 비(脾)를 승(乘)해서 살이 두꺼워지고 주름지며 입술이 말라 갈라지고 뒤집어지며, 짠 맛을 가진 음식물을 과식하면 신(腎)이 성하여 심(心)을 승해서 혈맥이 엉기고 막혀서 피부색이 변하며, 단 맛을 과식하면 비(脾)가 성하여 신(腎)을 승하므로 뼈가 아프고 머리털이 빠지고, 쓴 맛을 과식하면 심(心)이 성하여 폐(肺)를 승하므로 피부가 말라서 털이 빠지고, 매운 맛을 과식하면 폐(肺)가 성하여 간(肝)을 승하므로 손발톱이 마르고, 힘줄이 땅긴다고 하였다. 실제 임상에서, 기름지고 단 음식을 편식하면 체내에서 담열(痰熱)이 생기고 기혈을 저체하여 만든 병증이 비교적 많이 나타나는데, 예컨대 흉비(胸痺)、비만、옹저창양(癰疽瘡瘍) 등이다.『소문 생기통천론』에서 "기름진 음식을 많이 먹으면 발에 큰 疔이 생긴다"[40]고 하였다.

(2) 음식의 편한 편열(偏寒 偏熱)

음식은 산고감신함(酸苦甘辛鹹)의 오미(五味)와 한열온량(寒熱溫凉)의 사기(四氣)로 나뉘어진다. 찬 음식이나 뜨거운 음식을 지나치게 좋아하면 오미를 편기하는 것과 마찬가지로 질병을 일으킨다. 만약 날 것이나 차가운 음식을 과식하면 비위의 양기를 손상하고 안에서 한습(寒濕)을 만들어 복통 설사 등 증상이 발생하고, 신온조열(辛溫燥熱)한 음식을 편기하면 위장의 적열(積熱)을 일으켜 구갈、구취、복만(腹滿)、복창통、변비나 치창(痔瘡) 등 증을 일으키는데, 중하면 맥락을 손상시켜 형체소수(形體消瘦)、하혈 등이 나타난다.

(3) 편기 음주(偏嗜 飮酒)

38) 穢飯, 餒肉, 臭魚, 食之皆傷人, … 六畜自死, 皆疫死, 則有毒, 不可食之 (金匱要略·禽獸魚蟲禁忌幷治·第二十四)
39) 夫五味入胃, 各歸所喜, 故酸先入肝, 苦先入心, 甘先入脾, 辛先入肺, 鹹先入腎 (素問·至眞要大論)
40) 高粱之變, 足生大丁 (素問·生氣通天論)

적당량의 음주는 혈맥을 통하게 하고 서근활락(舒筋活絡)하지만, 음주가 무절제해지면 병에 걸리게 되는데, 편기음주는 장기간에 걸친 과음을 가리킨다. 술의 성질은 습열(濕熱)인데, 음주를 너무 좋아하면 비위를 손상시켜서 습열이 안으로 생겨 일련의 병증이 나타나는데, 완복창만、소화불량、구고구니(口苦口膩)、설태후니(舌苔厚膩) 등이다. 소원방(巢元方)의 『제병원후론 음주중독후(諸病源候論 飮酒中毒候)』와 유창(喩昌)의 『의문법률(醫門法律)』에서도 "술을 과음하면 횡격에 병이 많이 생긴다"[41]고 하여 편기음주나 잘못된 음주가 다양한 질병을 일으키는 것으로 보고 있다.

제3절 속발성 병인(續發性 病因 Secondary pathogens)

발병인자 가운데에는 외감 병인이나 내상 병인 외에도 질병 과정에서 생긴 병리적 산물로서 다른 질병을 일으키는 발병인자가 있다. 이처럼 질병의 과정 중에 형성된 병리산물이면서 동시에 새로운 질병의 병인이 되는 것을 병리산물이 형성한 병인이라 하고, 또 속발성 병인이라고 한다. 병리산물이 형성한 병인에는 '수습담음(水濕痰飮)'、'어혈(瘀血)'、'결석(結石)'이 대표적이다.

1. 수습담음(水濕痰飮)

1) 수습담음의 기본 개념

수습담음은 인체의 수액대사 장애로 인해 형성된 병리산물이다. 수습담음이 만들어지면 다시 새로운 발병인자로 작용하여 장부공능의 실조를 일으켜 여러 가지 복잡한 병리변화를 일으킨다.

일반적으로 습(濕)이 모여 수(水)가 되고, 수가 쌓여 음(飮)이 되며, 음이 응축되어 담(痰)이 되는 것으로 보기 때문에, 형질로 말하자면, 끈적이면서 탁한 것은 담(痰)이고, 묽은 것은 음(飮)이며, 더욱 맑은 것은 수(水)이고, 습(濕)은 수액이 인체 조직에 퍼져 머물러 있는 상태인데, 그 형질이 담음이나 수처럼 뚜렷하지 않다. 수습담음은 모두 진액이 체내에 정체되어 생긴 것이기 때문에 대개의 경우 수습담음이 뚜렷하게 구분되지 않아서 '수습(水濕)'、'수음(水飮)'、'담습(痰濕)'、'담음(痰飮)' 등으로 통칭된다.

담음으로 인한 병증 가운데에는, 실제 임상에서 기침할 때 나오는 객담이나 천식의 담명(痰鳴) 등처럼 직접 보고 만지거나 소리를 들을 수 있는 것들이 있으며, 또한 두훈(頭暈)、목현(目眩)、심계、신혼(神昏) 등처럼 증상만으로는 담음의 존재를 직접 인지할 수 없는 것들이 있다. 그러나 변증구인(辨證求因)의 방법을 통해 담음을 확정할 수 있는데, 이러한 두 가지 상황은 주로 담음이 머물러 있는 부위 등의 원인에 따른 것으로, 전자는 쉽게 드러나 있고, 후자는 숨겨져서 보이지 않는 것이다. 그러나 둘 다 진액이 정체되어 이루어진 것이기 때문에 모두 유형지사(有形之邪)에 속한다.

수습담음은 함께 어울린 병사(病邪)와 인체의 음양성쇠가 같지 않은 등 원인으로 말미암아 임상적으로 나타나는 증후가 한증(寒證)이 될 수도 있고, 열증(熱證)이 될 수도 있다. 그러나 수습 담음의 형질로 말하자면 당연히 음사(陰邪)에 속한다.

---

41) 過飮滾酒, 多成膈症 (醫門法律·卷三·飮滾酒過多成膈)

2) 수습 담음의 형성

수습 담음은 질병 과정중에 형성된 병리산물이며, 육음、역려、칠정、음식노일은 모두 수습 담음을 형성할 수 있다. 예컨대『경악전서(景岳全書)』의 경우, “風寒의 痰은 邪氣가 皮毛로부터 들어와 肺에 침습하여 肺氣가 맑지 못해 痰이 생긴 것이다”[42]라고 하여 육음의 경우이며,『유문사친(儒門事親)』의 경우, “무릇 가슴에 맺힌 것이 있어 풀지 못하면 肝氣가 脾를 타서 脾氣가 不化하여 留飮이 된다”[43]고 한 칠정의 경우가 있다.『임증지남의안(臨證指南醫案)』의 경우는 “안에서 생기는 濕은 대개 茶나 湯이나 生冷한 음식을 많이 먹은 경우이며, 寒濕의 증상을 앓게 된다”[44]고 한 음식소상(飮食所傷)이며, 또 다시『유문사친』의 경우, “사람이 勞役을 하거나 먼 길을 와서 피곤한데다 물을 많이 마시면, 脾胃가 쇠하여 눕고 싶어서, 이를 脈으로 퍼뜨릴 수 없으니 역시 留飮이 된다”[45]고 하였는데, 이는 주로 과로로 인한 것을 가리킨다. 이외에도, 일부 약물의 복용 역시 수습 담음을 일으키는데, 실제로 외감 육음、내상 칠정、음식 노일이 각기 따로 수습 담음을 만드는 것은 아니다.『의학입문(醫學入門)』에서 “痰飮은 … 모두 물이나 차와 술을 마시고 정체되어 흩어지지 않은 것일 따름이다. 여기에 外邪나 生冷한 음식、七情의 변화가 합쳐져서 痰이 형성된다”[46]고 하였는데, 수습 담음은 여러 병인이 종합적으로 작용하여 형성된 것임을 설명한다.

물론 육음、칠정、음식、노일 등이 수습 담음을 일으키는 병인에 속하지만, 체내에서 수습 담음의 형성 여부는 여전히 장부와 직접적으로 관련된다. 장부 가운데 폐、비、신、간、삼초、방광은 수액대사와의 관계가 가장 밀접하다. 폐는 수(水)의 상원(上源)으로 선강(宣降)을 주관하고 진액을 퍼뜨리고 수도를 통조하며, 비는 수습의 운화를 주관하고, 신양(腎陽)은 수액의 증화(蒸化)를 주관하며, 간기는 소설하여 수액의 수포를 유리하게 하고, 삼초는 수액이 운행하는 도로이며, 방광은 소변의 저장과 배설을 주관한다. 그러므로 폐、비、신、간、삼초 및 방광의 공능이 실조되면 습(濕)이 몰려서 수음담(水飮痰)이 생성된다. 그러므로 수습 담음은 대개 육음、칠정이나 음식 노일 등의 원인에 의해 폐、비、간、삼초 및 방광 등 장부의 기화가 실상되어 수액대사의 장애를 일으켜서 수액이 정체되어 만들어진 것이다. 수습 담음이 형성되고 난 후에, 습(濕)은 주로 비위를 곤조(困阻)하며, 수(水)와 음(飮)은 주로 장(腸)、위(胃)、흉협(胸脇)、복강(腹腔) 및 기부(肌膚)에 쌓이고, 담(痰)은 기를 따라 흘러서 안으로는 장부와 밖으로는 근골피육에 미치지 않는 곳이 없으며, 나아가 각종 복잡한 병리변화를 일으킨다.

3) 수습 담음의 발병 특징

(1) 기기(氣機)를 조체(阻滯)하고, 기혈을 조애(阻碍)한다

수습 담음은 유형의 병리산물로서, 일단 형성되면 기기를 조체하여 장부기기의 승강에 영향을 미치고, 또 경락을 따라 흐르면서 기혈의 운행에 장애를 준다. 예컨대 담음이 폐에 머물면 폐로 하여금 선숙을 못하게 하여 흉민(胸悶)、기침、천촉(喘促) 등 증이 나타나고, 수습이 중초비위를 곤조(困阻)하면 완복창만、오심구토、대변당설 등이 나타난다. 담음이 만약 경락을 따라 흐르면 쉽게 경락을 조체하고 기혈의 운행을 불창케 하여 지체마목、굴신불리、심한 경우 반신불수 등이 나타난다. 만약 국부에 뭉쳐 있게 되면 담핵(痰核)、나력(瘰癧)이나 음저(陰疽)、유주(流注) 등을 형성한다.

---

42) 風寒之痰, 以邪自皮毛內襲於肺, 肺氣不淸, 乃致生痰 (景岳全書·雜證謨·痰飮)
43) 夫憤鬱而不得伸, 則肝氣乘脾, 脾氣不化, 故爲留飮 (儒門事親·卷三·飮當去水溫補轉劇論)
44) 若內生之濕, 多因茶湯生冷太過, 必患寒濕之症 (臨證指南醫案·卷五·濕)
45) 人因勞役遠來, 乘困飮水, 脾胃力衰, 因而嗜臥, 不能布散於脈, 亦爲留飮 (儒門事親·卷三· 飮當去水溫補轉劇論)
46) 痰飮…皆因飮水及茶酒停蓄不散, 再加外邪生冷七情相搏成痰(醫學入門·卷四·雜病提綱· 內傷)

(2) 발병이 광범하고, 변화가 다양하다

수습 담음이 체내에 머물면 많은 병증들이 나타난다. 예를 들어 음(飮)이 위로 역상하면 현훈이 나타나고, 수(水)가 아래로 유주하면 족종(足腫)케 되며, 습(濕)이 기표(肌表)에 있으면 신중(身重)이 나타나고, 중초에 머물면 비위의 운화에 영향을 준다. 또한 담(痰)이 일으키는 병증은 매우 광범위한데, 그 예로 담이 인후에 맺혀 있으면 이물감이 느껴지는 매핵기가 나타나고, 痰이 위(胃)에 있으면 오심구토하는 등이다.『의술(醫述)』에서 왕은군(王隱君)은 痰이 조성하는 각종 병증을 상세하게 열거하였다. 이러한 병증들이 위로는 머리에, 아래로는 다리에 이르고, 안으로는 臟腑에, 밖으로는 肌膚에 이르러서 미치지 않는 곳이 없기 때문에 "많은 病이 대부분 痰이 만든 것이다[47]"라고 하였다. 담음이 일으키는 병증은 광범위할 뿐만 아니라, 변화가 많다. 예를 들면, 전간(癲癎)은 담으로 인한 병증인데, 평상시에는 환자의 증상이 뚜렷하지 않다가, 일단 발작하면 담탁(痰濁)이 내동(內動)하여 갑자기 쓰러지거나, 사지추축, 아관긴급(牙關緊急), 구토백말(嘔吐白沫) 등이 나타나기 때문에 "괴상하고 고약한 병은 대개 痰으로 인한 것이다[48]"라고도 하였다. 담음으로 인한 병은 왜 그렇게 광범위하고 또 변화가 많은가? 이는 주로 담음이 기(氣)를 따라 승강하여 안으로는 장부, 밖으로는 근골피육에까지 가지 않는 곳이 없기 때문이다. 또한 담음이 머물러 있는 부위가 다양한 것은 때로 나타났다가 사라지는 것과 연관되어 있다.

(3) 병이 잘 낫지 않고 병정(病程)이 비교적 길다

수습 담음은 체내의 진액이 쌓여서 된 것이기 때문에 중탁점체(重濁粘滯)한 특성을 가지고 있다. 그러므로 수습 담음으로 병이 되면 잘 낫지 않으면서 병정이 비교적 길어진다. 임상적으로 수습 담음에 의한 기침, 현훈, 흉비(胸痺), 전간(癲癎), 중풍, 담핵(痰核), 나력(瘰癧), 유주(流注), 음저(陰疽) 등은 대개 반복적으로 발작하며, 잘 낫지 않고 치료하기가 어렵다. 특히 완담(頑痰)과 복음(伏飮)은 병정이 더욱 길다.

(4) 쉽게 신명(神明)을 요란케 한다

심(心)은 신명을 주관하는데, 심의 기혈이 충분하고 기능이 정상적이면 신지(神志)가 맑고 사고가 민첩해진다. 만약 수습 담음이 안에 있으면 심에 영향을 미쳐 신명이 혼란스러워져서 일련의 신지실상(神志失常)한 병증이 나타난다. 만약 담습(痰濕)이 위로 청규(淸竅)를 막으면 두혼(頭昏), 두중(頭重)과 정신부진(精神不振)이 나타나고, 담미심규(痰迷心竅)하면 흉민(胸悶), 심계나 치매나 전증(癲證) 등이 나타난다. 또 담화요심(痰火擾心)하면 불면, 이노(易怒), 희소불휴(喜笑不休)하고, 심하면 발광 등 증상이 나타난다.

(5) 대부분 활니(滑膩)한 설태(舌苔)가 나타난다

수습 담음이 안에 있으면 변화가 많아 다양한 증상이 나타나지만, 설태의 경우에는 대부분 일정하게 니태와 활태가 많이 나타난다. 이 역시 수습 담음에 의한 발병의 특징 가운데 하나이다.

---

47) 百病多因痰作祟 (湯頭歌訣·滾痰丸)

48) 怪病多屬痰 (質疑錄·論怪病多屬痰)

2. 어혈(瘀血)

1) 어혈의 기본 개념

『설문해자(說文解字)』에서 "瘀는 積血이다"49)라고 한 것처럼, 어혈은 혈액이 정체되어 정상적으로 순행하지 않는 것이다. 그러므로 어혈을 축혈(蓄血)이라고도 한다. 또 어혈은 정상적인 혈액의 공능을 상실한 것이기 때문에 악혈(惡血)、패혈(敗血)、배혈(衃血) 등으로도 불리운다. 즉 어혈은 체내 혈액이 정체되어 정상적인 순행이 불가능한 것과 출혈된 혈액이 조직내에 쌓여 있는 이경지혈(離經之血) 등 체내 혈액과 혈행의 모든 비정상적인 병리상태를 의미한다.

어혈은 질병 과정 중에 형성된 병리 산물이고, 또 다른 질병을 만드는 발병인자이기도 하다.

2) 어혈의 형성

어혈을 형성하는 원인은 외사의 침입、정신적인 문제、음식、노일 및 외상 등이다. 『경악전서(景岳全書)』에서 풍사를 받으면 혈기(血氣)가 막혀 울체되고, 한사(寒邪)를 받으면 혈기가 응삽하며, 열사(熱邪)를 받으면 혈기가 마르고, 습사(濕邪)를 받으면 혈기가 옹체된다고 하였는데, 이는 모두 외사가 침입하여 어혈이 된 것을 가리킨다. 『영추 백병시생(百病始生)』에서 우노(憂怒)하면 "혈이 속에 막히고 쌓여 흩어지지 않는다"50)고 하였는데, 이는 정신적인 문제로 어혈이 된 것을 말한다. 왕긍당(王肯堂)은 『증치준승(證治準繩)』에서 "무릇 음식과 기거가 한번 잘못되면 血이 울체하여 행하지 않게 된다"51)고 하였다. 두들겨 맞았거나、삐었거나、높은 데서 떨어진 외상에 의해서、혹은 기부나 장부가 상하여 혈액이 경맥을 빠져나왔는데, 제 때에 흩어져 사라지거나 체외로 배출시키지 않으면 체내에 머물러 혈액의 운행이 안되어 어혈을 형성한다.

상술한 다섯 가지 병인 가운데, 외상은 직접 어혈을 형성하지만, 나머지 병인들은 직접적으로 어혈을 형성하지는 않는다. 각종 병인이 인체에 작용한 후에 기혈공능의 실조를 일으켜서 기혈의 운행이 불리해지면 비로소 어혈이 형성된다. 일반적으로 기혈공능의 실조로 어혈이 형성되는 과정에는 다음의 네 경우가 있다.

(1) 기허혈어(氣虛血瘀)

기는 혈의 수(帥)이고, 혈은 기의 모(母)이며, 혈액의 정상적인 순행은 기의 추동과 고섭에 의존하고 있다. 기허하면 혈액의 운행을 추동하지 못하기 때문에 혈행이 지체되어 어혈을 형성한다. 또 기허하면 혈액을 통섭하지 못하여 혈이 맥 외로 넘쳐 어혈을 형성한다.

(2) 기체혈어(氣滯血瘀)

기가 가면 혈도 따라 가고, 기가 멈추면 혈도 역시 따라 멈추기 때문에 기체하면 항상 혈어케 된다. 『심씨존생서(沈氏尊生書)』에서 "氣가 血을 운행하고, 혈이 기를 따라 몸을 돌기 때문에 氣가 엉기면 血도 엉긴다. 氣가 어딘 가에 엉기면 血도 어딘 가에 엉기게 된다"52)고 하였다.

49) 瘀, 積血也 (說文解字)
50) 凝血蘊裏而不散 (靈樞·百病始生)
51) 夫人飮食起居, 一失其宜, 皆能使血瘀滯不行 (證治準繩·卷七·畜血)
52) 氣運於血, 血本隨氣以周流, 氣凝則血亦凝矣. 氣凝在何處, 則血亦凝在何處矣 (沈氏尊生書·卷三十·跌倒閃挫源流)

(3) 혈한치어(血寒致瘀)

혈은 따뜻하면 흐르고, 추우면 굳어지는데, 외한(外寒)을 받거나 양허내한(陽虛內寒)하면 혈액의 운행이 불리해져 어혈을 형성한다.

(4) 혈열성어(血熱成瘀)

열이 영혈에 들어가거나, 혈과 열이 서로 결합하거나, 혈액이 열을 받아 끓어서 점체(粘滯)되면 운행이 잘 안되거나, 또는 열사가 맥락을 작상하면 혈이 맥 외로 넘쳐 흘러 체내에 머무르면서 어혈을 형성하게 된다.

또, '구병종어(久病從瘀)'라는 말이 있는데, 이는 각종 병증이 오랫동안 낫지 않으면 반드시 혈액순환에 영향을 주어 어혈이 발생하는 것을 의미하며, 섭계가 "병의 처음에는 氣가 經에서 뭉치고, 오래되면 血이 상하여 絡으로 들어간다"[53]고 한 것은 이에 해당한다.

3) 어혈의 발병 특징

어혈이 형성되면 정상적인 혈액의 유양작용을 못할 뿐만 아니라, 전신이나 국부 혈액의 운행에 영향을 미쳐 동통과 출혈이 발생하고, 경맥은 어색 불통(瘀塞 不通)하여 내장에 징괴(癥塊)가 생기며, "瘀血이 제거되지 않으면 새로운 血이 만들어지지 않는다[54]"는 등 결과가 발생한다. 어혈의 병증이 허다하게 많지만, 그 공통적인 특징은 다음의 여섯 가지로 귀납할 수 있다.

(1) 동통(疼痛): 대부분 자통(刺痛)으로 표현되며, 통처(痛處)가 고정되어 이동하지 않고, 거안(拒按)하며, 대개 야간에 더욱 심하다.

(2) 종괴(腫塊): 종괴는 고정되어 이동하지 않는데, 체표에 국소적으로 청자색(青紫色)의 종창(腫脹)이 있으며, 체내에서는 대개 징괴의 형태로 단단하고 위치가 고정되어 이동하지 않는다.

(3) 출혈(出血): 혈색이 자암색(紫暗色)이면서 덩어리가 있기도 하다.

(4) 자감(紫紺): 면색이 자암색이며, 구순과 조갑은 청자색이다.

(5) 설질자암(舌質紫暗): 설질은 자암색이며, 어점(瘀點)이나 어반(瘀斑)이 있고, 혹은 설하정맥(舌下靜脈)이 곡장(曲張)되어 있다.

(6) 맥삽(脈澁) 혹 결대(結代): 어혈병증에는 침삽(沈澁)、세삽(細澁)、현삽(弦澁) 등 맥상이 나타난다.

이외에도, 어혈병증에는 선망(善忘)、갈불욕음(渴不欲飮)、기부갑착(肌膚甲錯) 등 증상이 나타난다.

임상에서 어혈의 존재여부를 판단하기 위해서는 상술한 증상 외에, 발병하기 전의 외상、출혈、분만의 경력과 오래되었지만 치료가 잘 안 되는 경우도 모두 어혈의 존재를 염두에 두어야 한다.

53) 初爲氣結在經, 久則血傷入絡 (臨證指南醫案·積聚)

54) 舊血不去, 則新血斷然不生 (血證論·吐血)

제4절 기타 병인(其他 病因)

1. 외상(外傷)

외상은 총칼에 의한 손상、질타(跌打)손상、화상、동상、익수(溺水)、충수상(蟲獸傷)과 감전 등을 포함한다.

1) 총칼에 의한 손상、질타(跌打) 손상

이러한 외상은 모두 인체의 피부、기육、근맥、골격 및 내장에 손상을 주고, 가벼우면 피부기육의 어혈종통(瘀血腫痛)、출혈이나 근상골절(筋傷骨折)、탈구(脫臼)하며, 중하면 내장을 손상하거나 출혈과다、혼미、추축(抽搐)、망양(亡陽) 등 엄중한 병변이 된다. 이러한 외상은 출혈증상이 나타나는 외에도 종종 혈액이 맥 외로 나와 조직에 흡수되지 않아서 어혈이 된다.『의종금감(醫宗金鑑)』에서 "무릇 두들겨 맞거나 높은 곳에서 떨어져 생긴 병증은 惡血이 안에 머무르게 되는데, 이 경우 經絡을 막론하고 肝을 위주로 다스려야 한다"[55]고 하였다.

2) 화상(火傷)

화상은 끓는 물이나 기름、뜨거운 물건、불、고압 전류 등이 인체에 작용하여 일어난 것이다. 화상은 화독(火毒)에 속하는 질환인데, 인체가 화독의 침해를 받으면 손상 받은 부위에 바로 각종 증상이 출현한다. 가벼운 경우에는 기부를 손상하여 창상이 생긴 부위에 홍종열통(紅腫熱痛)이나 물집이 생긴다. 중한 경우에는 기육근골을 상하여 손상된 면이 가죽모양이나 밀랍처럼, 혹은 누렇게 타거나 탄화(炭化)되지만 통증은 도리어 소실된다. 더 심해져 장부에 화독이 침입하면 번조불안、발열、구갈、요소요폐(尿少尿閉) 등 증이 나타나고, 심하면 망음(亡陰)、망양(亡陽)으로 사망하게 된다.『동천오지(洞天奧旨)』에서 "화상은 … 병세가 가벼우면 피부만을 상하나 심하면 肌肉까지 상한다. 더욱 심하면 장부까지 상할 수 있다"[56]고 하였다.

3) 동상(凍傷)

동상은 인체가 저온으로 인해 생긴 전신성 혹은 국부성 손상을 가리킨다. 예컨대 폭풍설(暴風雪)에서 작업을 하거나 다니는 경우, 혹은 저온 환경에서 얇은 복장을 하거나、방한설비가 좋지 않거나、장시간 움직이지 않으면 동상이 발생한다. 그래서 동상은 북쪽 지방에서 겨울철에 가장 많이 발생한다. 일반적으로, 온도가 낮을수록 그리고 차가운 기운에 오랫동안 노출될수록 동상의 정도가 더욱 심해진다. 동상은 전신성 동상과 국부성 동상으로 나뉜다.

(1) 전신성 동상(全身性 凍傷)

저온의 침습은 음한(陰寒)에 속한다. 한은 응체수인(凝滯收引)하며, 양기를 쉽게 손상하고, 음한이 지나치게 성하면 양기를 손상하여 인체가 양기의 온후와 혈행을 추동하는 작용을 잃어서 처음에는 추위로 떨고, 계속되면 체온이 점차 하강하여 안색이 창백하고, 순설지갑(脣舌指甲)이 청자색으로 변하며, 감각이 마비되고 점점 혼미해져 호흡이 약해지고 맥이 세약(細弱)하다. 바로 치료하지 않으면 사망한다.

---

55) 凡跌打損傷, 墜墮之證, 惡血留內, 則不分何經, 皆以肝爲主 (醫宗金鑑·卷九十·外科卷下· 內治雜證法·傷損內證)
56) 湯燙瘡 … 輕則害在皮膚, 重則害在肌肉, 尤甚者害在臟腑 (洞天奧旨·卷十二·湯燙瘡)

(2) 국부성 동상(局部性 凍傷)

손、발、귓바퀴、코끝과 얼굴의 볼에 주로 생긴다. 동상에 걸린 부위는 한의 성질이 수인하기 때문에 경맥이 당겨서 결혈(缺血)케 되고, 계속되면 한의 성질이 응체하기 때문에 기체혈어(氣滯血瘀)한다. 처음에는 국소적으로 피부가 창백하고 냉마(冷麻)하며, 계속되면 종창청자(腫脹青紫)하고 양통작열(痒痛灼熱)하거나 크고 작은 수포가 나타난다. 수포가 터진 다음에는 궤양이 된다. 그래서『제병원후론』에 "추운 겨울에 바람과 눈、추운 기운에 노출되면 肌膚를 상하여 血氣가 응체되고 껄끄러워진다. 따라서 얼어붙게 되는데 붉으면서 아프고 부어 동상이 된다"[57]고 하였다.

4) 익수(溺水)

수영이나 물놀이하다가 물에 빠지면 질식상태에 이르고, 계속되면 사망한다. 사람이 물에 빠지면 물이 폐위(肺胃)로 들어가 기도가 막히고 호흡을 못하게 된다. 가벼운 경우에는 응급조치로 소생시킬 수 있지만, 심한 경우에는 사망한다.

5) 뇌격상(雷擊傷)

뇌격상은 벼락이나 감전으로 인체가 손상을 받은 경우이다. 뇌격상은 뇌격상과 전작상(電灼傷)을 포함하며, 실제로는 모두 전류에 당한 것이다. 가벼운 경우에는 피부가 타거나 감각이 없으며, 중한 경우에는 장부와 조직기관에 손상을 주어 정신불청(精神不淸)、혼미추축(昏迷抽搐)、지체초작(肢體焦灼)하고, 심하면 사망한다.

6) 충수상(蟲獸傷)

(1) 충석상(蟲螫傷)

일부 곤충류는 독침이나 독모(毒毛)로 사람을 찌르거나 물어 병을 일으키는데, 충석상을 자주 일으키는 벌레로는 말벌、지네、전갈이나 애벌레 등이다. 이러한 충석상이 가볍게는 국부의 홍종동통(紅腫疼痛)을 일으키고, 심한 경우에는 고열、한전(寒戰) 등 전신 중독증상이 나타난다.

(2) 수교상(獸咬傷)

수교상은 고대 문헌에 호랑이、사자、여우 등에 물린 것으로 나타나 있지만, 최근에는 매우 드물다. 그 중에는 풍구교상(風狗咬傷)이 소개되어 있는데, 풍구교상의 발병을 현대의학에서는 '광견병'이라고 한다. 이는 광견의 침 속에 독이 있기 때문에 사람이 광견에 물리면 그 독이 인체에 들어가 체내에 잠복해 있다가 나중에 발병하는 것이다. 광견에게 물리면 처음에는 국부에 홍종동통과 출혈이 있고, 치료를 받으면 상처가 아문다. 발병하면 두통、번조불안、공수、공풍(恐風)、공성(恐聲)、아관긴급(牙關緊急)、추축(抽搐) 등이 일어나며, 심하면 사망한다.

(3) 독사교상(毒蛇咬傷)

독사가 사람을 물면 그 독액이 독 이빨을 통해 인체에 침입하여 발병케 한다. 독사의 종류에 따라 그 독에 의한 손상이 다르고 그 증상 역시 다양해진다. 독사교상에 의해 나타나는 증상에 근거하여 대개 풍독(風毒)、화독(火毒)과 풍

---

57) 嚴冬之月, 觸冒風雪寒毒之氣, 傷於肌膚, 血氣壅澁, 因卽瘃凍, 赤疼腫, 便成凍瘡 (諸病源候論· 卷三十五·瘡病諸候)

화독(風火毒)의 세 종류로 나눈다.

① **풍독**(風毒)(신경독)

은환사(銀環蛇, Bungarus multicinctus)、금환사(金環蛇, Bungarus fasciatus)와 해사(海蛇, Hydrophiidae) 교상에서 주로 나타난다. 상처부위에 마비감이 주로 나타나고, 뚜렷하지 않은 홍종열통이 나타난다. 전신증상으로서, 가벼운 경우에는 어지러움 두통、출한흉민(出汗胸悶)、사지무력이 나타나고, 중한 경우에는 혼미、동공산대、시물모호(視物模糊)、언어불청(言語不清)、유연(流涎)、아관긴급(牙關緊急)、탄인곤난(呑咽困難)、호흡감약(呼吸減弱)하거나 정지한다.

② **화독**(火毒) (출혈독)

규사(蝰蛇, Viperinae)、첨문복사(尖吻腹蛇, Deinagkistrodon acutus)、청죽사(青竹蛇, Green bamboo snake)와 낙철두사(烙鐵頭蛇, Ermia mangshanensis)에 물린 경우이다. 물린 부위가 홍종작열동통하고, 물집이 일어나며, 심하면 흑색으로 변하고 오래 되면 궤양이 생긴다. 전신적으로 한전발열(寒戰發熱)、기육통(肌肉痛)、피하나 내장출혈로 요혈、변혈、토혈、육혈이 나타나고, 계속되면 황달과 빈혈 등 증상이 발생한다. 엄중한 경우에는 중독 사망케 된다.

③ **풍화독**(風火毒)

살모사(蝮蛇, Gloydius blomhoffi)、코브라(眼鏡蛇, Naja atra; cobra) 교상의 경우이다. 풍독과 화독의 증상이 나타난다.

한국 뱀 중에 알려진 독사는 4종인데, 살모사, 쇠살모사(불독사, Gloydius ussuriensis), 까치살모사(칠점사, Gloydius saxatilis), 유혈목이(화사, Rhabdophis tigrinus)로 다 화독이고, 까치살모사는 풍독을 함께 가지는데 독성이 가장 강하다.

7) 기생충(寄生蟲)

흔한 기생충으로 회충、구충、요충、조충、혈흡충 등이 있고, 한의학에서의 이와 같은 기생충의 명칭이 현대의학과는 같지 않을 수 있지만, 기생충으로 말미암아 생긴 증상 등에 대한 설명에서는 대체적으로 일치한다. 많이 발생하는 기생충의 형성과 발병특징에 대해 설명하면 다음과 같다.

(1) 회충(蛔蟲, Ascaris lumbricoides)

회충병은 음식이 불결한 경우 충란이 음식물을 따라 입으로 들어가 발생하며, 동시에 회충병은 장부가 허약하여 충란을 소화시키지 못한 것과 유관하다. 회충병의 경우 대개 배꼽주변의 복통이 나타났다가 없어졌다가 하며、면색위황(面色萎黃)、잠잘 때 어금니를 갈고、혹은 대변에 회충이 나오거나、혹은 복부에서 회충의 덩어리가 만져지기도 한다. 어쩌다가 회충이 담부(膽腑)에 들어가면 완복극통(脘腹劇痛)、토회(吐蛔)、사지궐역 등 증상이 나타난다.

(2) 구충(鉤蟲, 십이지장충, hookworm)

『제병원후론』에서 말한 복충(伏蟲)[58]과 구충은 서로 비슷한데, 구충은 대개 손발이 인분이 섞인 흙을 직접 만져서

58) 九蟲者，一曰伏蟲，長四分 … 伏蟲，群蟲之主也 (諸病源候論·卷十八·九蟲病諸候)

탁사(濁邪)가 피부를 통해 인체에 침입하여 장부에 모여서 생긴 것이다. 구충병은 초기에 손발 피부소양, 후양(喉痒), 흉민(胸悶), 기침 등 증상이 나타나고, 계속해서 복창, 변당과 함께 생 쌀, 진흙이나 숯 먹기를 좋아하게 된다. 나중에는 기혈이 허해져서 면색위황이나 허부(虛浮), 권태무력, 심계기단, 순갑색담(脣甲色淡)하고, 심하면 전신부종 등이 나타난다.

(3) 요충(蟯蟲, Enterobius vermicularis)

요충병은 음식이 불결하고 비위가 허약해져 형성되며, 요충은 장도(腸道)에 기생한다. 『제병원후론』에서 "소화기에 충이 있는 것은 胃가 약하고 腸이 허한 까닭인데, 요충이 아래를 틈타는 것이다"59)라고 하였다. 요충병은 대개 아동에게서 많이 발생한다. 임상적으로 대개 항문이 가렵고, 야간에 심하며, 그래서 수면불안한 특징이 있다. 때로는 야간에 전등불 아래에서 항문주위에서 꾸물거리며 다니는 가느다랗고 작은 백색 벌레를 관찰할 수 있다. 오래되면 식욕부진과 신체소수(身體消瘦) 등 증상이 나타난다.

(4) 조충(條蟲, Taenia)

조충을 옛날에는 촌백충(寸白蟲)이라고 하였는데, 대개 날로 혹은 덜 익은 돼지고기와 소고기를 먹으면 이 기생충이 장으로 들어가 머무르게 된다. 『금궤요략』에서 "날고기를 먹거나 젖을 많이 먹으면 白蟲이 된다"60)고 하였다. 조충병의 증상은 복통 설사, 식욕항진, 면색위황, 형체소수(形體消瘦)이며, 또한 배변시에 하얀 색의 납작한 충체의 절편이 나오기도 하고, 이외에도 기생하는 부위에 따라 다양한 병증이 나오는데, 예컨대 조충이 습열담탁(濕熱痰濁)과 함께 뇌를 침범하면 전간(癲癎)이 되고, 조충과 담탁이 기육근맥에 쌓이면 피하결절(皮下結節)이 보인다.

(5) 혈흡충(血吸蟲, Schistosome)

고대의 문헌에 혈흡충이라는 명칭은 없지만, 혈흡충병의 증상에 대한 논술이 비교적 많은데, 예를 들어 『제병원후론』에서 "이는 水毒의 기가 안에서 뭉친 것이니 배가 점점 불러온다. … 이름하여 水蠱라고 한다"61)고 하였다. 혈흡충의 유충은 더러운 물 속에 있는데, 이러한 물에 피부가 접촉되면 혈흡충의 유충이 피부에 직접 침투하여 발병한다. 혈흡충의 발병 초기에는 폐위(肺衛)에 머물러 오한발열, 권태감, 발진(發疹), 해수흉통(咳嗽胸痛)이 나타나고, 계속되면 설사, 하리농혈(下痢膿血)이 있으며, 오래되면 간이 소설하지 못하고 비는 건운하지 못하여 기혈이 울조됨으로써 복창, 협하징괴(脇下癥塊)가 생기고, 만성적으로 진행되면 간울비옹(肝鬱脾壅)하고 신(腎)의 기화가 안되어 수액이 내정하여 복대여기(腹大如箕), 면색위황(面色萎黃), 지체소수(肢體消瘦), 정신위돈(精神萎頓) 등이 나타나고, 심해지면 기혈이 울조(鬱阻)하여 혈액이 순경(循經)하지 못하여 밖으로 넘쳐서 토혈, 변혈 등이 나타난다.

이상의 각종 기생충의 발병과정을 보면, 체내 기생충은 음식이 불결하여 생기고, 또 한편으로는 장부실조로 습열이 안에 쌓여도 충이 기생하는 조건이 된다. 물론 구충과 혈흡충은 직접적으로 피부를 통하여 인체에 침입한다.

8) 약사(藥邪)

약사는 약을 잘못 써서 질병을 일으킨 발병인자이다. 약물은 본래 질병을 치료하기 위한 것이지만, 만약 의사가 약

59) 穀道蟲者, 由胃弱腸虛, 而蟯蟲下乘之也 (諸病源候論·卷十七·穀道蟲候)
60) 食生肉, 飽飮乳, 變成白蟲 (金匱要略·禽獸魚蟲禁忌幷治)
61) 此由水毒氣結聚於內, 令腹漸大 … 名水蠱也 (諸病源候論·卷二十一·水蠱候)

물의 성미, 공효, 약의 제량, 부작용, 배오금기(配伍禁忌)를 잘 알지 못하고서 사용하는 경우에는 질병을 치료하기는 커녕 오히려 다른 질병을 일으키게 된다. 마찬가지로 환자가 의사의 지시 없이 자기 멋대로 약을 복용해도 새로운 병증을 형성한다. 이러한 것들을 모두 약사(藥邪)로 인한 발병이라고 한다.

(1) 약사의 형성

① 용약(用藥)의 과량

용약의 과량은 특별히 독성이 있는 약물에 해당하며, 과량으로 복용하면 쉽게 중독된다. 예를 들면 생천오(生川烏), 생초오(生草烏), 마전자(馬錢子), 세신(細辛), 파두(巴豆), 생반하(生半夏), 웅황(雄黃) 등 독성을 함유한 것인데, 임상적으로 상용량(常用量)의 규정이 있는데, 용량이 지나치면 쉽게 중독을 일으킨다.

② 포제(炮制)의 부당

독성을 함유한 약물은 적절히 포제함으로써 독성이 경감되는데, 예를 들어 오두화포(烏頭火炮), 밀제(蜜劑), 반하강제(半夏薑制), 부자침표(附子浸漂), 수자(水煮) 등은 독성을 경감한다. 만약 이러한 약물류에 대한 포제가 적절하지 않으면 중독을 일으킨다.

③ 배오(配伍)의 부당

일부 약물들을 함께 사용하면 독성이 증가하는 경우가 있는데, 예를 들어 여로(藜蘆)와 인삼, 수은과 비상(砒霜) 등이다. 과거에 '십팔반(十八反)'이나 '십구외(十九畏)'로 표현하였는데, 배오가 잘못되면 중독을 일으키게 된다.

④ 용법(用法)의 부당

예컨대 임신한 경우, 금기해야 할 약물을 복용하면 다른 병이 발생하고, 아울러 태아에 영향을 미친다. 이외에도 일부 약물들은 먼저 끓여야 독성을 줄어드는데, 당연히 먼저 끓여야 하고, 미리 끓이지 않으면 인체 중독을 일으킨다.

(2) 약사발병의 특징

① 대개 중독증상으로 나타난다

독성 약물을 잘못 복용하거나 혹은 많이 복용하면 임상적으로 대개 중독증상이 나타나고, 그 중독증상과 독성약물의 성분, 제량은 서로 관계가 있다. 가벼운 경우에는 두훈(頭暈), 심계, 오심, 구토, 복통, 설사, 설마(舌麻) 등 증상이 나타나고, 심한 경우에는 전신기육전동(全身肌肉顫動), 번조, 황달, 자감(紫紺), 출혈, 혼미 및 사망에 이르게 된다.

② 발병이 급하고, 병세가 쉽게 위중한 상태로 간다

독성이 큰 약물을 복용하면 종종 급성 중독을 일으키는데 발병이 급작스럽다. 만약 제 때에 제대로 해독하지 않으면 병정(病情)이 신속히 악화되고 인체 장부를 크게 손상시켜 심한 경우 사망한다.

③ 병정(病情)을 가중시켜 다른 질환이 생긴다

약물의 사용이 적당치 않으면 사(邪)를 도와 정(正)을 상하는데, 원래의 병정이 가중되거나, 또 한편으로는 새로운 질병을 일으킨다. 예를 들어 임신기에 약을 잘못 복용하면 유산하거나, 기형아 혹은 사산 등이 발생한다.

9) 의사의 과실(醫過)

의사의 과실은 병정을 가중시키거나 다른 질병을 만들기 때문에 의사의 과실은 질병을 일으키는 원인의 하나이다.『소문』에는 의사의 과실에 대해 전문적으로 논술한 내용이 나오는데,『소오과론(疏五過論)』이 그것이다. 의사의 과실은 매우 많은데, 여기에서는 부적절한 언어、명확하지 않은 글자、오치(誤治)、조작부당(操作不當)에 대해서 요약하여 소개코자 한다.

(1) 의사 과실의 형성

① 부적절한 언어의 사용

의사가 자상하고도 건전한 언어를 사용하면 환자가 투병에 대한 신념과 의지력을 증강하는 데에 유리하고, 치료에 도움이 될 수 있다. 반대로 부적절한 표현이나 언어가 조잡하면 환자들에게 부담을 주어 병을 악화시키고 심하면 새로운 질병을 일으킨다. 예를 들어 환자의 비밀을 별 생각 없이 퍼뜨리거나 확산시키면 환자로 하여금 더 심한 고통과 함께 가정적으로도 불행하게 만들 수 있다. 또한 직접 환자에게 말해서는 안 되는 경우임에도 불구하고 환자에게 병증을 말함으로써 환자에게 부담을 주어 병을 악화시키고, 심하면 정신이상 등 다른 증상이 나타난다. 이외에 의사가 행동을 거칠거나 함부로 하게 되면 환자에게 좋지 않은 자극을 주어 환자가 치료를 거부하게 되거나 병을 악화시킨다. 그래서『소아위생총미논방(小兒衛生總微論方)』에서는 의사에게 "의사는 성품을 따뜻하고 곧게 해야 하며 마음을 겸손하고 공손하게 가져야 하고, 행동이 예의와 절도에 맞게 해야 하며 부드럽고 조화롭게 하고, 스스로를 망령되이 존경해서는 안되며 사치를 부려서는 안 된다. … 질병이 작은 것을 크다고 말해서는 안되며 일이 쉬운 것을 어렵다고 말해서는 안 되고, 가난한 이나 부자를 한결같은 마음으로 대해야 하며, 귀천을 따지지 말고 약을 써야 할 것이다"[62]라고 권고한 바 있다.

② 알아볼 수 없는 글자

의사는 처방을 하면서 약명을 쉽게 이해할 수 있도록 사용하고 글자도 잘 알아볼 수 있도록 써야 한다. 그렇지 않고 고의로 별명이나 가명을 사용하면 약사들이 조제하면서 이해하기 어려워 위급한 환자의 경우에 잘못된 치료를 할 수 있다. 명확하지 않은 처방전은 경우에 따라서 다른 병을 일으키기도 하기 때문에 발병인자가 되는 것이다. 청의 당대열(唐大烈)은『오의회강(吳醫滙講)』에서 "책과 처방은 깨끗하게 써서 그 약을 모두가 알 수 있게 해야 한다"[63]고 하였다.

③ 오치(誤治)

의사의 변증이 정확하지 않으면 치법(治法)과 용약(用藥)을 잘못하게 된다. 예를 들어 분명히 실증인데 허증으로

62) 凡爲醫者, 性存溫雅, 志必謙恭, 動須禮節, 擧乃和柔, 無自妄尊, 不可矯飾 … 疾小不可言大, 事易不可云難, 貧富用心皆一, 貴賤使藥無別 (小兒衛生總微論方·醫工論)
63) 凡書方案, 字期淸爽, 藥期共曉 (吳醫滙講·書方宜人共識說)

판단하여 보약을 사용하거나, 실제로는 허증인데 실증으로 판단하여 사약(瀉藥)을 잘못 사용하면 병을 치료하기 어려울 뿐만 아니라, 오히려 새로운 질병을 더하게 된다. 장종정(張從正)은 『유문사친』에서 "飮이 정체된 환자는 補하면 안 되는데 補하면 비민(痞悶)이 더욱 심해진다. 다리가 무거운 이는 補하면 안 되는데 補하면 종아리와 무릎이 더욱 무거워진다"64)고 하였는데, 이는 실증을 잘못 보(補)한 것이다. 오우가(吳又可)는 『온역론(溫疫論)』에서 "胃에 원래 병이 없는데 찬 약을 잘못 써서 生氣를 상한다"65)고 하였는데, 이는 잘못 공격해서 병을 일으킨 것이다. 이러한 것들은 모두 의사가 잘못 치료하여 병이 생긴 것이다.

④ 조작의 부당

환자의 진단과 치료는 정확하고 세밀하여 한 치의 오차가 있어서도 안 된다. 『소문 보명전형론(寶命全形論)』에서는 침자득기(鍼刺得氣)를 논하면서 정신의 집중에 대해 비유하기를 "깊은 연못을 만난 것처럼 하고, 손은 호랑이를 움켜쥔 듯이 해야 한다"66)고 하였는데, 이래야 비로소 진정한 의사라고 할 수 있는 것이다. 반대로 환자를 진료하면서 엉뚱한 생각을 하거나 동작이 잘못되면 의료사고를 일으킬 수 있다. 예를 들어 흉배부(胸背部)에 침을 잘못 놓으면 기흉을 일으키고, 침의 조작을 잘못하면 침이 부러지거나, 추나하면서 힘을 지나치게 주다 보면 골절을 일으킨다. 이러한 예들은 모두 환자를 진료하는 과정에서 조작이 잘못된 경우이며, 원래의 병을 제대로 치료하지 못할 뿐만 아니라, 오히려 또 다른 병을 일으킨다. 그러므로 환자를 진료하는 과정에서 잘못된 조작 역시 발병인자의 하나가 된다.

(2) 의사의 과실로 인한 발병의 특징

다양한 의사의 과실로 인하여 여러 가지 병증이 생긴다. 언어가 부당한 경우는 칠정(七情)의 발병특징과 유사하고, 명확하지 않은 글자나 오치(誤治)한 경우는 약사(藥邪)로 인한 발병과 비슷하며, 조작이 부당한 경우는 외상으로 인한 발병특징은 서로 비슷하다. 이러한 것들은 일반적인 상황에 대한 설명일 뿐이며, 특수한 경우에는 더욱 전문적으로 논할 필요가 있다.

10) 선천인자(先天因子)

선천인자는 사람이 출생하기 전에 부모로부터 받은 체질이나 태아의 발육과정에서 형성된 병인으로, 선천성 발병인자이다. 예를 들어 부모가 연로하고 체력이 쇠약하며 병을 앓고 정혈(精血)이 허한 경우에 태어나는 자녀는 체력이 약하여 쉽게 요절한다. 『의원아과론(醫原兒科論)』에서 "先天이 부족한 자는 반드시 총문(囟門)이 닫히기 어렵거나, 치아가 나는 것이 늦거나, 말이 늦거나, 걸음이 늦거나, 목을 가누지 못하고 이삭처럼 떨구거나, 푸른 혈관이 드러나 보이는 등의 증상이 나타난다"67)고 하였다. 가령 임신했을 때에 조섭(調攝)이 좋지 않고 음주가 잦거나, 분노하거나, 놀래면 반드시 태아의 발육에 영향을 준다. 『소문 기병론(奇病論)』에서 "사람이 태어나 전질(癲疾)을 앓는 경우가 있는데 이 병의 이름은 무엇이며 어떻게 얻는 것인가? 岐伯이 말하기를 병명은 胎病이다. 이는 산모의 배속에서 얻은 것인데 그 산모가 크게 놀란 바가 있어 氣가 위로 올라가 아래로 다시 내려오지 않으니 精氣도 아울러 위에 머무르게 된 것

64) 停飮之人不可補, 補則痞悶轉增. 脚重之人不可補, 補則脛膝轉重 (儒門事親·卷二·推原補法利害非輕說)
65) 胃本無病, 誤用寒凉, 妄伐生氣 (溫疫論·上卷·妄投寒涼藥論)
66) 如臨深淵, 手如握虎 (素問·寶命全形論)
67) 先天虧者, 必囟門難合, 或齒遲, 語遲, 行遲, 或項軟發穗, 青絡常露之類是也 (醫原· 兒科論)

이다. 따라서 그 자식이 癲疾을 앓게 된다."[68]고 하였는데, 이는 태아기에 형성된 전간(癲癎)을 가리킨다. 또 예를 들어『유유집성 태병론(幼幼集成 胎病論)』에 열거된 태약(胎弱)、태독、태한、태열、태축(胎搐)、태황(胎黃)、태비(胎肥)、태겁(胎怯) 등은 모두 선천적인 병인으로 인한 것이다. 이외에,『유유집성』에서는 매창(梅瘡)에 대해 "부모의 태독으로부터 전염된 것이다"[69]라고 하였다. 이러한 선천적인 병인은 실제적으로 유전적 발병인자를 포함하고 있다.

68) 人生而有病巓疾者, 病名曰何? 安所得之? 岐伯曰, 病名爲胎病, 此得之在母腹中時, 其母有所大驚, 氣上而不下, 精氣幷居, 故令子發爲癲疾也 (素問·奇病論)
69) 由於父母胎毒傳染所致 (幼幼集成·胎病論)

참고문헌

1. 『景岳全書·雜證謨·痰飮』 張介賓
2. 『金匱要略·禽獸魚蟲禁忌幷治』 張仲景
3. 『金匱要略·臟腑經絡先後病脈證』 張仲景
4. 『丹溪心法·卷一·火六』 朱震亨
5. 『洞天奧旨·卷十二·湯燙瘡』 陳士鐸
6. 『三因極一病症方論·卷之二·三因論』 陳言
7. 『三因極一病證方論·卷之二·五科凡例』 陳言
8. 『傷寒全生集·辨正傷寒溫病熱證』 陶華
9. 『說文解字』 許慎
10. 『素問·擧痛論』
11. 『素問·奇病論』
12. 『素問·寶命全形論』
13. 『素問·痹論』
14. 『素問·生氣通天論』
15. 『素問·宣明五氣』
16. 『素問·熱論』
17. 『素問·陰陽應象大論』
18. 『素問·調經論』
19. 『素問·至眞要大論』
20. 『素問·風論』
21. 『素問遺篇·刺法論』
22. 『素問玄機原病式·熱類』 劉完素
23. 『小兒衛生總微論方·醫工論』
24. 『荀子·哀公』 荀況
25. 『沈氏尊生書·卷三十·跌倒閃挫源流』 沈金鰲
26. 『疫證集說·防疫芻言』 余伯陶
27. 『靈樞·口問』
28. 『靈樞·百病始生』
29. 『靈樞·本神』
30. 『靈樞·五味』
31. 『吳醫滙講·書方宜人共識說』 唐笠山
32. 『溫病條辨·上焦篇·補秋燥勝氣論』 吳鞠通
33. 『溫疫論·上卷·妄投寒涼藥論』 吳有性
34. 『溫疫論·原病』 吳有性
35. 『溫疫論·自敍』 吳有性
36. 『溫疫論·雜氣論』 吳有性
37. 『溫熱論·論濕』 葉桂
38. 『類經·十五卷·疾病類·情志九氣』 張介賓
39. 『類經·卷十五·疾病類·風證』 張介賓
40. 『儒門事親·卷三·飮當去水溫補轉劇論』 張從正
41. 『儒門事親·卷二·推原補法利害非輕說』 張從正
42. 『幼幼集成·胎病論』 陳復正
43. 『醫門法律·卷三·飮滚酒過多成膈』 喻昌
44. 『醫醇賸義·秋燥』 費伯雄
45. 『醫原·兒科論』 石壽棠
46. 『醫宗金鑑·卷九十·外科卷下·內治雜證法·傷損內證』 吳謙
47. 『醫宗金鑑·卷六·辨太陰病脈證幷治』 吳謙
48. 『醫學源流論·病同因別論』 徐大椿
49. 『醫學入門·卷四·雜病提綱·內傷』 李梴
50. 『醫學入門·卷五·內傷類·蠱瘴』 李梴
51. 『臨證指南醫案·卷五·濕』 葉桂
52. 『臨證指南醫案·鬱』 葉桂
53. 『臨證指南醫案·積聚』 葉桂
54. 『諸病源候論·卷十七·穀道蟲候』 巢元方
55. 『諸病源候論·卷十八·九蟲病諸候』 巢元方
56. 『諸病源候論·卷二十一·水蠱候』 巢元方
57. 『諸病源候論·卷三十五·瘡病諸候』 巢元方
58. 『證治準繩·卷七·畜血』 王肯堂
59. 『證治準繩·傷寒·卷七·一歲長幼疾狀相似爲疫』 王肯堂
60. 『質疑錄·論怪病多屬痰』 張介賓
61. 『湯頭歌訣·滚痰丸』 汪昂
62. 『血證論·吐血』 唐容川
63. 전국한의과대학 병리학교실, 한방병리학, 2002, 일중사
64. 高思華 等, 中醫基礎理論, 2012, 人民衛生出版社
65. 樊巧玲 主編, 中醫學槪論, 2010, 中國中醫藥出版社
66. 成戰鷹, 診斷學基礎, 2012, 人民衛生出版社
67. 何建成 等, 中醫學基礎, 2012, 人民衛生出版社
68. Lauri Nummenmaa et al, Bodily maps of emotions, PNAS 111(2) pp.646-651, Jan 2014

제10장 병기

Pathogenesis

병기는 질병이 발생, 발전, 변화하는 기전으로, 진단과 치료의 내재적 근거이다.

병기 이론은『내경(內經)』에서 기원하는데,『소문 지진요대론(素問 至眞要大論)』에서 "氣宜를 잘 살피고 병기를 놓치면 안된다"[1], "병기를 잘 살펴서 각각 어디에 속하는지 보아야 한다[2]"고 하였고, 이어 언급한 '병기십구조(病機十九條)'는 장부병기(臟腑病機)와 육기병기(六氣病機)의 이론적인 기초를 확립한 것이다.『소문 조경론(調經論)』의 "血氣가 조화롭지 않으면 모든 병이 이로부터 변화하여 생긴다"[3]고 한 것은 기혈병기(氣血病機)를 개괄한 것이고,『소문 열론(熱論)』에서 열병의 증후와 삼음삼양 경맥과의 관계를 논한 것은 경락병기(經絡病機)와 육경병기(六經病機)이론의 기원을 연 것이다.

한(漢)의『상한잡병론(傷寒雜病論)』에서는 외감상한병의 육경병기의 변화와 그 전변, 예후의 원리에 대하여 임상적으로 정밀하게 설명하여『소문』의 육경병을 혁신적으로 보완하였다. 아울러 장부, 경락, 기혈, 담음 등의 병기에 대한 이론을 전개하였으며, 병기학설을 실제 임상과 결부시키는 데에 결정적인 역할을 하였다. 수(隋)의『제병원후론(諸病源候論)』은 최초의 병인병기학 전문서적인데, 이 책에서는 외사의 침입경로, 발병의 조건 및 병기의 과정과 예후에 대해 자세히 설명하였다. 당(唐)의 왕빙(王冰)이『내경』을 주석하면서 제시한 "차게 하였는데도 차지지 않으면 물이 없음을 책망하고, 덥혔는데도 데워지지 않으면 불이 없음을 탓한다. … 火의 근원을 튼튼히 하여 陰의 그늘을 없애고, 水의 근원을 튼튼히 하여 陽의 빛을 억제한다"[4] 등은 음양과 수화(水火)의 허실에 따라 병증을 분석하는 병기이론이며, 후세에 많은 영향을 끼쳤다. 송(宋)의『소아약증직결(小兒藥證直訣)』에서 소아는 "臟腑가 유약하고 쉽게 虛해지거나 實해지며 쉽게 차가워지거나 열이 난다"[5]는 병기를 밝혔는데, 이는 실제로 소아병기학의 시조라고 할 수 있다. 금원시대에 이르러 병기이론이 더욱 발전하였는데, 예를 들어『소문현기원병식(素問玄機原病式)』에서 "六氣는 모두 火로 바뀐다(六氣皆從火化)"는 논점을 제시하여 실화(實火)에 대한 병기를 밝혔으며,『비위론(脾胃論)』에서는 '음화(陰火)'의 개념을 제시하면서 "火와 元氣는 兩立할 수 없다[6]"고 함으로써 내상과 음화의 병기를 밝혔다.『격치여론

---

1) 謹候氣宜, 無失病機 (素問·至眞要大論)
2) 謹守病機, 各司其屬 (素問·至眞要大論)
3) 血氣不和, 百病乃變化而生 (素問·調經論)
4) 寒之不寒, 責其無水, 熱之不熱, 責其不火. … 益火之源, 以消陰翳, 壯水之主, 以制陽光 (黃帝內經素問·至眞要大論·王冰注)
5) 臟腑柔弱, 易虛易實, 易寒易熱 (小兒藥證直訣·原序)
6) 火與元氣不兩立 (脾胃論·脾胃虛實傳變論)

(格致餘論)』에서는 "陽은 항상 有餘하고, 陰은 항상 不足하다[7]"는 이론을 제시함으로써 음허상화(陰虛相火)의 병기를 밝혔으며, 『단계심법(丹溪心法)』에서는 '육울(六鬱)'의 병기에 대해서 독창적인 견해를 밝혔다. 명(明)의 『내과촬요(內科撮要)』는 장부의 병기를 비위와 신, 명문 위주로 밝혔고, 『의관(醫貫)』에서는 신수(腎水)와 명문을 더욱 중시하였다. 『경악전서(景岳全書)』에서는 "陽이 有餘한 것이 아니라, 陰이 항상 不足하다(陽非有餘, 陰常不足)"는 이론을 제창하였으며[8], 『이허원감(理虛元鑒)』에서는 허증의 병기가 폐, 비, 신에 근본을 두고 있다는 관점을 제시하였다. 명(明)의 『온역론(溫疫論)』에서는 온역병의 병기 전변에 대해 독창적인 견해를 제시하였는데, 예컨데 "邪氣는 口鼻를 통해 들어온다 … 傳染되어 받은 것이다[9]" 라고 하여 사기의 침입경로와 '사복막원(邪伏膜原)' 등 병기를 제시하였고, 외감열병의 병기이론을 더욱 발전시켰다. 청(淸)에 이르러 『외감온열편(外感溫熱篇)』에서는 온열병에서의 위기영혈 병기변화와 그 전변을, 『온병조변(溫病條辨)』에서는 온열병에서의 삼초 전변을, 『습열병편(濕熱病篇)』에서는 습열병의 병기변화 등을 설명함으로써 외감 열병의 병기학설 이론체계가 견고하게 확립되었다. 이외에도 『의림개착(醫林改錯)』에서는 혈어(血瘀)의 병기를 밝혔고, 또한 기허로 인해 혈어가 발생된다고 하였는데, 이는 그의 독창적인 견해이다. 또한 『혈증론(血證論)』에서는 음양, 기혈, 수화에 근거하여 출혈의 병기를 밝힘으로써 기혈병기이론을 더욱 발전시켰다.

질병의 발생, 발전 및 변화는 환자의 체질과 질병을 일으킨 사기의 성질과 밀접한 관계를 갖고 있다. 사기가 인체에 들어오면 정기는 이에 대응하여 저항을 하고, 정기와 사기가 서로 싸우면 체내 음양의 균형이 파괴되어 장부, 경락의 공능이 실조되거나 또는 기혈진액의 공능이 문란해져서 전신이나 국소에 다양한 병리적 변화가 발생된다. 질병의 종류가 많고, 증상이 아무리 다양하고 복잡하더라도 결국에는 정사투쟁의 성쇠, 병위병세(病位病勢)의 표리출입(表裏出入), 음양기혈의 실조, 진액대사의 실상 및 장부 경락 공능의 문란 등 병기 변화의 일반적인 원리를 벗어나지 못한다.

발병 부위, 병인의 성질, 기혈진액의 영휴(盈虧) 등 여러 가지 원인으로 말미암아 병리 변화 역시 다양하게 나타난다. 예컨대 화(火)가 심에 있으면 심신불안(心神不安)이 일어나고, 피부에 있으면 홍종열통(紅腫熱痛)이 일어나며, 눈에 있으면 목적수명(目赤羞明) 등이 나타난다. 따라서 각 계통의 병기를 분석할 때는 반드시 장부, 경락, 형체, 감각기관 등 다양한 상황을 연계하고, 음양, 기혈, 진액 및 사정(邪正)의 변화를 결부시켜 구체적인 분석을 실시해야만 정확한 병기의 결론을 내릴 수 있다. 또한 병기변화에 영향을 미치는 인자들은 위에서 말한 사정, 음양, 기혈진액 및 병변 부위 외에도 기후, 지역, 환경 및 사람의 성별, 연령, 체질 등 역시 질병의 발생과 발전에 뚜렷한 영향을 미친다. 또한 질병 자체 역시 하나의 끊임없는 변동의 과정이므로 반드시 환자의 여러 가지 상황을 종합하고, 그 병증에 대해 구체적이면서도 자세하게 분석해야만 병기의 본질을 파악할 수 있다.

병기학설의 특징은 오장을 중심으로 하는 장상이론에 근거하고 있으며, 일반적으로는 국소의 병리변화를 전신의 상황과 연계하여 장부, 조직, 경락간의 상호연계와 상호제약의 관계를 통해 질병의 발전 및 전변 원리를 연구함으로써 정체관념에 입각한 병리관을 형성하였다. 예를 들어, 간화상염(肝火上炎)하면 두통, 목적종통(目赤腫痛) 등이 나타나는데, 두통과 목적종통이 서로 무관한 증상으로 보이지만, 장부 경락의 표리관계에서 간담을 함께 연계시킬 수 있으며, 그 병기는 바로 간담의 화가 두목(頭目)을 작상한 경우이다. 그러므로 병기학에서는 질병이 국소와 전신의 종합적

7) 人受天地之氣以生, 天之陽氣爲氣, 地之陰氣爲血. 故氣常有餘, 血常不足 (格致餘論·陽有餘陰不足論)

8) 難得而易失者, 惟此陽氣, 旣失而難復者, 亦惟此陽氣, 又何以見陽之有餘也? 觀天年篇曰: 人生百歲, 五臟皆虛, 神氣皆去, 形骸獨居而終矣. 夫形, 陰也. 神氣, 陽也, 神氣去而形猶存. 此正陽常不足之結局也, 而可謂陽常有餘乎? (景岳全書·傳忠錄·陽不足再辯)

9) 邪自口鼻而入. … 邪之所着, …有傳染 (溫疫論·原病)

인 병리 과정으로 보고 있다. 실제적으로 국소 병변은 전신에 영향을 미치고, 전신성 질환 역시 국소 병변을 통해 나타나기 때문에 한의학의 병기학설은 정체적 병리관을 바탕으로 질병의 현상을 연구하고 있다. 병기학에서는 질병의 전변을 설명할 때 대부분 오행의 생극과 승모로써 장부 간의 병리적인 영향과 전변의 원리를 설명하고, 동시에 "상생이나 상극의 순서에 따라 전변하지 않는(不以次相傳)" 특수한 상황에 대해서도 주의하고 있다. 이는 국소와 전체의 관계뿐만 아니라, 질병의 발전 변화하는 원리에도 주의하고, 병리 전변의 일반적인 원리뿐만 아니라, 질병이 돌변하는 특수 상황 등을 중시하는 정체적인 연계와 운동변화의 관점을 나타내고 있는 것이며, 병기학설의 정체관 (holism)과 변증관(辨證觀)을 충실히 반영하고 있는 것이다.

이 장은 발병、기본 병기 및 질병의 전변(傳變)에 대해 다루고 있다.

제1절 발병

인간이 환경에 적응하고 살아가면서 정상적인 생리와 심리활동을 하면 인체는 건강상태에 있는 것이며, 이러한 상태를 한의학에서는 '음평양비(陰平陽秘)'라고 하였다. 그러나 발병인자가 작용하면 장부 조직 기관 등의 기능、대사、형태구조상의 병리변화가 발생하고, 이어 일련의 증상과 징후가 나타나면서 질병이 발생하게 된다. 발병은 질병의 발생과정을 의미하는데, 이는 인체가 병사(病邪)와 정기(正氣) 사이의 투쟁 과정 중에 있는 것이다. '정사상박(正邪相搏)'은 질병의 발생、발전、결말에 이르는 병리과정에서 가장 기본적이면서 보편적인 의미를 지닌 원리로 설명하고 있다.

1. 발병의 기본 원리

1) 사기(邪氣)는 발병의 중요한 조건이다

사기는 각종 발병인자를 가리키며, '사(邪)'라고도 한다. 일반적으로 말하자면, 사기는 육음、역려、음식、칠정、노일、외상、기생충、충수상 등을 포함하며, 때로는 인체 내부에서 이차적으로 만들어진 병리대사 산물인 수습 담음、어혈、결석 등을 포함하고 있다. 사기와 발병의 관계는 매우 밀접하며, 다음과 같이 정리될 수 있다.

(1) 사기는 발병의 성질、유형과 특징에 영향을 미친다

다양한 사기가 인체에 작용하면 질병이 발생하면서 그에 연관된 발병 특징、병증 성질이나 증후 유형이 나타난다. 예를 들면, 육음 발병은 대개 외감을 받아 발생하고 발병이 급속하며 대부분 위표(衛表)의 증후로부터 시작한다. 예컨대 한사(寒邪)로 병이 되면 대개 표한증(表寒證)이 생기고, 서사(暑邪)로 병이 되면 상서(傷暑)나 중서(中暑)가 쉽게 발생하며, 조사(燥邪)로 병이 되면 온조(溫燥) 혹은 양조(凉燥) 등이 나타난다. 또한 사기의 성질과 발병증후의 유형은 일치할 수 있는데, 예를 들어 풍(風)、서(暑)、화열(火熱)의 사기는 양사(陽邪)로서 쉽게 인체의 양편성(陽偏盛)을 일으키고 실열병증(實熱病證)이 나타난다. 한(寒)、습(濕)의 사기는 음사(陰邪)로서 쉽게 인체의 음편성(陰偏盛)을 일으키고 한실병증(寒實病證)이 나타난다. 이외에도, 질부(跌仆)、금인(金刃)、충수상(蟲獸傷) 등으로 인한 발병은 매우 신속하다. 질부나 금인과 같은 병인은 질병의 시작부터 병정(病情)이 진행되는 전 과정에서 발병작용에 관여한다. 회충、촌백충、요충 등과 같은 병인은 생명체이기 때문에 처음 인체에 침입하여 증상이 출현할 때까지는 일정한 시간이 경과해야 하며, 인체내에서 생장 번식하면서 발병작용이 나타나고, 또 다시 타인에게 전염되거나 질병을 전파할 수 있다.

(2) 사기는 병정(病情)과 병위(病位)에 영향을 미친다

사기의 천심(淺深)과 병정의 경중은 대체로 비례한다. 예컨대 동일한 병사가 침범해도 사기가 심하고 병위가 깊으면 그 병이 중하고, 사기가 가볍고 병위가 얕으면 병이 가볍다. 육음 발병의 시작은 가벼우며, 역려로 발병하는 경우에는 처음부터 병정이 매우 중할 수 있다. 그러므로 병정의 경중은 인체의 정기상태뿐만 아니라 받아들인 사기의 경중, 사기의 종류나 성질과도 유관하다.

질병의 병위 역시 사기의 종류, 성질 및 그 발병작용과 관계가 있다. 예를 들면, 풍(風)은 양사(陽邪)로서 그 성질이 경양(輕揚)하고 쉽게 양위(陽位)를 침습하기 때문에 인체의 기표(肌表), 두면(頭面) 및 폐계(肺系)에 침범하여 오한발열, 두항강통, 해수객담(咳嗽喀痰) 등 증상이 나타난다. 또한 역려지기(疫癘之氣)에 대해 『온역론』에서 "그 때에 이르러 어떤 氣가 들어오면, 그 氣에 특이적으로 연관되는 장부와 경락으로 들어가 특이적인 병증을 일으킨다[10)]" 고 하였는데, 이는 사기와 그에 상응하는 장부조직 사이에 특이적인 정위(定位) 연계가 있음을 설명하는 것이다.

2) 정기 부족(正氣 不足)은 발병의 내부 인자이다

정기는 인체의 생리기능 활동이며, 외부 환경에 대한 적응능력, 질병에 대한 예방, 저항, 회복능력을 가리키는 것으로, '정(正)'이라고도 한다. 정기가 포괄하는 범위가 매우 넓은데, 예를 들면, 비위가 전신을 자양하는 공능, 신의 정기가 전신의 음양을 조절하는 능력, 위기(衛氣)가 기표를 보호하고 사기를 밖으로 몰아내는 능력, 경락계통이 기능의 평형을 조절하는 생리공능 등이 모두 정기의 범주에 포함된다.

『소문 평열병론(評熱病論)』에서 "邪氣가 틈을 타서 침입하는 것은 정기가 반드시 虛한 것이다[11)]" 라고 하였는데, 이는 발병에 대한 한의학의 중요한 관점으로, 사기가 인체에 침습하여 발병하기 위해서는 필연적으로 정기가 먼저 허약해져 있어야 한다는 것이다. 정기 부족은 발병의 전제이자 근거이다.

인체의 정기가 허약하여 방어능력이 저하되면 외사(外邪)가 허를 틈타 침습하여 발병케 한다. 정기가 허하면 질병에 대한 저항 및 회복능력이 약해져 제 때에 사기의 발병작용을 저지하지 못하고 사기를 밖으로 몰아내지 못하면 병리 상황이 계속적으로 진전 악화되어 사망에 이르게 되거나, 만성병으로 잘 치유되지 않고 오래 가거나, 후유증이 남게 된다. 그러므로 정기부족은 발병의 내부 인자이며, 정기의 상태는 질병의 전 과정에 걸쳐 영향을 준다.

3) 정사가 상박하여 사승정부(邪勝正負)하면 발병한다

'정사상박'을 과거에는 '진사상박(眞邪相搏)', '진사상공(眞邪相攻)', '정사분쟁(正邪分爭)' 이라고도 하였는데, 이는 질병의 발생, 발전, 변화 과정에서 정기가 사기에 저항하고 사기가 정기에 손상을 주는 상호 투쟁관계를 반영하는 것이다.

(1) 사기는 정기를 손상시킨다

사기가 인체의 정기를 손상하는 것은 세 가지 경우로 나타나는데, 그 하나는 공능의 실상을 초래하는 것이다. 사기로 말미암아 병이 들면 우선 장부 경락의 기기에 영향을 주어서 생리공능의 이상을 일으킨다. 둘째로는 형질(形質)의 손상을 일으킨다. 사기의 발병작용은 인체의 피육맥근골, 장부 기관이나 정기혈진액 등을 손상하거나 소모시킨다. 예

10) 當其時, 適有某氣, 專入某臟腑經絡, 專發爲某病 (溫疫論·雜氣論)
11) 邪之所湊, 其氣必虛 (素問·評熱病論)

컨대 외력(外力)에 의한 손상이나 화상 충수상 등은 직접적으로 인체를 상해하여 형질을 손상시킨다. 육음 가운데 서열(暑熱) 사기가 진액을 손상하거나 화열(火熱) 사기가 맥락을 작상하여 출혈을 일으키는 것은 모두 형질의 손상을 말하는 것이다. 셋째로, 중병이나 오랫동안 병에 고생하면 반드시 체력이 약해진다.

홍역이나 천연두 등과 같은 질환에 걸렸던 환자들은 그 질환에 대해 평생 면역을 가지게 되는데, 이는 또한 일부 사기가 인체에 작용한 다음에는 그 개체가 그러한 질환에 대한 재감수성의 변화를 일으킬 수 있음을 설명하는 것이다.

(2) 정기는 사기에 저항한다

『소문유편 자법론(素問遺篇 刺法論)』에서 "正氣가 안에 있으면 邪氣가 침범하지 못한다[12]" 고 하여 정기의 사기에 대한 방어 작용을 설명하였다. 이는 주로 세가지 측면으로 볼 수 있다.

첫째로 외사의 침입을 막는 것이다. 사기가 인체를 침범하면 정기는 강약을 막론하고 저항하게 된다. 만약 정기가 강성하면 사기에 저항하는 힘이 있어서 사기가 침입하기 어려워져 발병하지 않는다. 장중경이『금궤요략(金匱要略)』에서 "형체가 쇠약하지 않도록 하면 병이 주리로 들어오지 못한다[13]"고 하였다. 둘째로는 발병의 증후유형에 영향을 준다. 증후의 발생은 정사 상박의 표현으로, 인체가 발병인자에 대해 일으키는 반응이다. 정기가 사기에 대항하는 힘이 있어 정성사실(正盛邪實)하면 표증(表證)、열증(熱證)、실증(實證)으로 표현된다. 표、열、실증은 모두 양증(陽證)에 속하기 때문에 양증은 정기가 사기에 저항하면서 나타나는 증상들에 대한 분류의 개괄이다. 셋째는, 정기가 사기에 저항하는 작용은 약을 복용하지 않고도 질병이 저절로 치유되는 것으로 표현된다. 장중경이 "무릇 병에 걸려 땀을 내거나, 토를 시키거나, 설사를 시키거나 혈이나 진액을 잃었는데도 음양만 스스로 조화되면 반드시 저절로 낫는다[14]" 고 하였는데, 이는 사기의 발병작용으로 말미암아 인체의 음양 실조가 생기면 병태(病態)에 처하게 되고, 만약 그 실조의 정도가 아직 정기의 '자화(自和)' 능력 한도 안에 있는 경우에는 약을 복용하지 않아도 저절로 치유된다고 하는 것이다.

정사가 상박하여 소장변화(消長變化)하는 측면에서 말하자면, 정사상박의 승부는 발병 여부를 결정한다. 만약 정기가 왕성하면 사기에 저항하는 힘이 강해서 사기의 침입을 어렵게 하고, 침입하더라도 정기는 사기를 밖으로 몰아내거나 제거시켜 병리적인 상태에 이르지 않게 하기 때문에 정승사부(正勝邪負)하여 발병하지 않는다. 그러나 정사투쟁의 과정에서 정기가 허하고 위외불고(衛外不固)하면 사기가 허를 틈타 침습하여 병을 일으킨다. 만약 감염된 사기가 특별히 강하면 발병작용이 매우 강하여 정기가 상대적으로 부족하게 되므로 사승정부(邪勝正負)하여 발병하게 된다.

4) 정(正)과 사(邪)의 주도 양상은 다양하다

(1) 정기의 주도 작용

동일한 조건에서 어떤 사람은 병에 걸리고 또 어떤 사람은 병에 걸리지 않는다는 사실은 발병 여부가 인체 정기의 왕쇠(旺衰)에 따라 결정되는 것임을 설명하는 것이다. 예를 들어『영추 백병시생(百病始生)』에서 "風、雨、寒、熱은 몸이 虛한 경우가 아니고서는 邪氣 단독으로 인체를 손상시킬 수 없다. 갑자기 疾風이나 暴雨를 만나도 발병하지 않는 것

---

12) 正氣存內, 邪不可干 (素問遺篇·刺法論)
13) 不遺形體有衰, 病則無由入其腠理 (金匱要略·藏府經絡先後病脈證第一)
14) 凡病, 若發汗, 若吐, 若下, 若亡血, 亡津液, 陰陽自和者, 必自愈 (傷寒論·卷三·辨太陽病脈證幷治中第六)

은 虛하지 않기 때문인데, 邪氣가 인체를 손상시킬 수 없는 것이다[15]" 라고 하였다. 이는 발병에 있어서 정기의 주도적인 작용을 강조한 것이다.

(2) 사기의 주도 작용

어떤 사람의 정기가 정상적인 상태에 있더라도, 사기에 따라서 병에 걸릴 수도 있거나 혹은 그렇지 않을 수도 있다. 예를 들어 외감 풍한(外感 風寒)의 경우에는 정기가 사기에 대항하여 대개 질병이 발생하지 않지만, 화상이나 고압전류에 의한 상해、독사교상、총상이나、독성 약물을 잘못 사용하면 정기가 왕성하더라도 그 상해를 면하기 어렵다. 또한, 예를 들어 역려지기가 유행하는 기간에는 "老少와 체력의 강약을 막론하고 접촉하면 바로 병이 든다[16]"고 하였는데, 이는 사기가 발병에 있어서 주도적인 작용을 할 수 있음을 설명하는 것이다.

경우에 따라서 정기와 사기는 각기 발병과정에서의 주도적인 작용을 할 수 있다. 또한 질병발생과 발전변화의 과정에 있어서 다른 쪽의 영향을 무시할 수 없다. 예컨대『소문유편 자법론』에서 오역(五疫)에 대해 "서로 전염되지 않은 것은 정기가 안에 있어서 사기가 침범하지 못한 것으로 그 독기를 피해야 한다[17]"고 하였는데, 이는 발병에 있어서 정기를 강조하고 사기를 중시한 관점을 포함하고 있는 것이다.

2. 발병에 영향을 미치는 주요 인자

발병에 영향을 미치는 원인은 매우 많으며, 사기 외에도 자연 및 사회환경、체질인자、정신적인 인자、음식영양과 체력단련 등이 모두 질병이나 건강과 밀접한 관계가 있다.

1) 외부 환경과 발병

외부 환경은 자연적、사회적 환경을 말하며, 주로 기후인자、지리적 인자、생활거처 및 작업환경 등이 포함된다. 기후조건이 열악하고 이상 변화를 하거나、지리적 조건이 다르거나、작업이나 생활환경이 오염되거나、환경 위생이 불량하면 모두 사기로 하여금 발병케 하거나、혹은 유발인자가 되거나、인체의 정기를 손상하여 쉽게 발병케 한다.

(1) 기후인자

사계절 기후의 이상 변화는 사기를 조장하고 전파하여 발병의 조건이 되게 함으로써 계절성 질환을 일으킨다. 예를 들어, 봄에는 바람이 많이 불기 때문에 풍병(風病)이 많아 풍온(風溫)이 쉽게 발생하며, 여름에는 덥고 습하기 때문에 쉽게 상서(傷暑)、중서(中暑) 및 습열병증(濕熱病證)이 생기고, 가을에는 조사(燥邪)가 쉽게 생겨서 온조(溫燥)나 양조(凉燥)가 발생하며, 겨울에는 매우 춥고 바람도 매서워서 한병(寒病)이 쉽게 발생한다. 폭염、오랜 가뭄、멈추지 않는 장마、습하고 지저분한 기운의 만연 등 비정상적인 기후현상들은 인체의 정기를 쉽게 손상하고, 또 역려 병사(疫癘病邪)를 조장하거나 전파시켜 온병(溫病)이나 온역(溫疫)이 촉발하는 인자가 되거나 유행하는 조건이 된다. 예를 들어, 홍역、백일해、유행성 감기、유행성 뇌척수막염 등은 봄에 다발하고, 이질이나 유행성 뇌염 등은 여름철에 다발한다.

---

15) 風雨寒熱, 不得虛, 邪不能獨傷人. 卒然逢疾風暴雨而不病者, 蓋無虛, 故邪不能獨傷人 (靈樞·百病始生)
16) 無論老少强弱, 觸之者卽病 (溫疫論·上卷·原病)
17) 不相染者, 正氣存內, 邪不可干, 避其毒氣 (素問遺篇·刺法論)

과거에 '시행역기(時行疫氣)'라고 한 것은 온역의 발병과 기후인자 간에 밀접한 관계가 있음을 이미 인식한 것이다.

(2) 지리적 인자

지역에 따라 지세의 고저, 기후의 특징과 물산이 달라질 뿐만 아니라, 지각을 이루는 원소의 분포도 달라져서 다양한 지역적 특징을 가지며, 사람들의 생활습관과 생리적인 특징에 영향을 미쳐서 지역적으로 다발하거나 상견하는 병이 발생한다. 예컨대, 강, 호수, 연못 근처 사람들은 오염된 물에 감염되어 혈흡충병이나 징적(癥積), 고창(臌脹)이 생기며, 바닷가에서 먼 산간지역의 사람들은 풍토성 갑상선종 (endemic goiter) 등이 잘 생긴다. 이외에도, 자주 옮겨 다니거나 다른 지역으로 여행하는 사람들은 여행 초기에 대부분 '수토불복(水土不服)'케 되는데, 『왕씨의존(王氏醫存)』에서 "각지의 음식이 다 腸胃에 들어올 수 있는데, 대개 고향 땅에서 자라면 습성이 형성되고, 만약 오랫동안 객지에서 살다 보면 풍토가 달라서 장위가 어찌 조금도 바뀌지 않겠는가? … 풍토가 심하게 다르면 괴이한 병이 생긴다[18]"고 하였다.

(3) 생활 및 작업환경인자

청결하고 편안하고 우아한 생활거처와 작업환경은 사람의 신체와 마음에 직접 영향을 주어 활력이 넘치고 일과 학습에 능률이 오르며 질병 발생이 줄어들게 한다. 그러나 좋지 않은 생활과 작업환경은 발병의 원인이나 유발인자가 되어 사람의 건강에 영향을 준다. 대기, 수질, 토양 및 식품의 오염과 소음공해는 심각하게 건강을 위협하여 직접적인 발병인자가 되어 중병을 일으키거나 급 만성 중독을 일으킨다. 즉, 열악한 생활거처, 어둡고, 높은 습도, 더러운 공기, 불량한 주위 환경 위생, 산적된 오물, 모기 등 벌레의 만연 등은 모두 각종 질병이 발생하고 유행하는 조건이 된다.

2) 체질인자와 발병

체질은 선천 후천적으로 형성되며, 형태구조, 생리공능 및 심리적으로 표현되는 비교적 안정된 개체의 특성이다. 체질은 발병의 내부인자로서, 주로 다음의 두 가지 양상으로 나타난다.

(1) 체질인자는 특정 사기에 대한 이감수성(易感受性)을 결정한다

체질은 특정 발병인자에 대하여 이감수성을 가지고 있으며, 특정 질병에 대해서도 이발생성(易發生性)을 가지고 있다. 예컨대『영추 오변(五變)』에 "肌肉이 단단하지 않고 腠理가 성글면 風病을 잘 앓는다, … 五臟이 모두 유약하면 소단병(消癉病)을 잘 앓는다, … 뼈가 작고 肌肉이 약한 사람은 寒熱을 잘 앓는다, … 腠理가 거칠고 肌肉이 단단하지 않으면 痹症을 잘 앓는다[19]"고 하였으며, 오덕한(吳德漢)은『의리집요(醫理輯要)』에서 "風으로 인한 병을 잘 앓으면 表氣가 본래 허한 것이다. 寒으로 인한 병을 잘 앓으면 陽氣가 본래 허약한 것이다. 熱로 인한 병을 잘 앓으면 陰氣가 본래 쇠약한 것이다. 음식으로 인한 병을 잘 앓으면 脾胃가 반드시 허약한 것이다. 노동으로 인해 병을 잘 앓으면 中氣가 반드시 약한 것이다[20]"라고 하였다.

---

18) 五方水土飮食各能移入腸胃, 凡故土生長則習與性成, 若久客他方, 水土不同, 腸胃豈無少改. … 亦有水土性烈者, 偏生異病 (王氏醫存·卷三·五方水土爲病)

19) 肉不堅, 腠理疏, 則善病風. … 五臟皆柔弱者, 善病消癉. … 小骨弱肉者, 善病寒熱. … 麤理而肉不堅者, 善病痹 (靈樞·五變)

20) 要知易風爲病者, 表氣素虛. 易寒爲病者, 陽氣素弱. 易熱爲病者, 陰氣素衰. 易傷食者, 脾胃必虧. 易勞傷者, 中氣必損 (醫理輯要·錦囊覺後篇)

다음으로, 임상에서 체질의 차이는 발병과 밀접한 관계가 있다. 예를 들어 소아의 장부는 어린 싹과 같아 기혈이 충분하지 못하여 항상 쉽게 외사에 감염되거나 음식으로 말미암아 발병하며, 노인들은 오장의 정기가 허하여 체력이 약해져서 담음、해천(咳喘)、현훈、심계、소갈 등 병증이 자주 나타나고, 비만하거나 담습(痰濕)이 성(盛)하면 쉽게 현훈과 중풍이 발생하며, 마르거나 음허한 경우에는 쉽게 폐로(肺癆)、해수 등 질병이 생기는데, 이는 체질인자가 특정 질병에 대한 이발생성을 어느 정도 결정함을 설명하는 것이다.

(2) 체질인자는 특정 질병의 증후 유형을 결정한다

체질과 증후 유형과의 관계는 주로 두 가지 양상으로 나타난다.

첫째, 동일한 발병인자를 받아도 체질이 다르면 서로 다른 증후 유형이 나타난다. 예컨대 함께 풍한(風寒)의 사기를 받아도 체질이 다르기 때문에 표실(表實)이나 표허증(表虛證)으로 달라지는데, 표기(表氣)가 허하지 않고 주리가 치밀하면 항상 오한、두항강통、무한(無汗)、맥부긴(脈浮緊)의 표실증이 나타나고, 표기가 원래 허하여 주리가 성글면 쉽게 오한(혹은 오풍)、두항강통、한출(汗出)、맥부완(脈浮緩)의 표허증이 나타난다. 또 『의종금감』에서 "사람들이 받은 邪氣가 같더라도 사람마다 형체나 장부(形藏)가 다르기 때문에 寒으로 바뀌거나 熱로 바뀌거나 虛로 바뀌거나 實로 바뀌기 때문에 매우 다양하다[21]"고 하였는데, 여기서의 '형장(形藏)'은 체질인자를 가리켜서 하는 말이다. 둘째, 병인은 달라도 체질인자가 서로 같으면 같거나 비슷한 증후 유형이 나타난다. 예를 들어, 양열(陽熱)한 체질이 서열(暑熱)의 사기를 받으면 열증(熱證)이 나타나는 것은 필연적이며, 풍한(風寒)의 사기를 받아도 역시 울(鬱)하여 열로 바뀌면서 열성(熱性) 증후가 나타난다. 따라서 체질인자는 일정 정도 특정 질병의 증후 유형을 결정할 수 있다.

3) 정서(情緖 Emotion)와 발병

정서는 외부(자연과 사회적 조건) 자극에 대한 내장기능의 반응이다. 정서와 발병의 관계는 주로 아래와 같이 나타난다.

(1) 과격한 정서와 발병

정서가 지나치고 너무 오래되면 발병인자가 될 수 있는데, 이는 정서로 인한 발병이 그 성질、강도 및 지속된 시간과 유관하다는 것이다. 정서 자극의 성질에 따라 발병의 성질 역시 달라진다. 일반적으로 말하자면, 희(喜)는 비교적 적게 발병케 하고, 노(怒)의 발병은 중하며, 경공(驚恐)의 발병은 대개 신속하고, 우사(憂思)로 인한 발병은 완만하다. 폭노(暴怒)、대경(大驚)、졸공(卒恐)、광희(狂喜)처럼 감정적인 자극이 지나치게 크면 대개 '촉우즉발(觸遇則發)'한다. 이외에, 근심 걱정이 풀리지 않거나, 오랫동안 속마음을 억누르고 있다 보면 풀리지 않아 역시 쌓여서 병이 된다. 이외에도, 감정이 과격하여 발병하는 것은 심신(心神)의 조절 능력과도 관련된다. 심신의 조절은 지의(志意) 활동을 통하여 정신을 다스리고、혼백을 거두며、한온(寒溫)을 적절케 하고、희노(喜怒)를 조화시킨다. 만약 정서가 과격하면 심신의 조절 능력을 초월하여 발병한다. 인체의 조절능력은 각 개인의 기질(氣質)、성별、연령、정신수양、지식수준 등과 관련되기 때문에 정서 발병의 민감성、내성(耐性)과 이발생성(易發生性)은 항상 뚜렷한 개체 차이를 가지고 있다.

21) 人感受邪氣雖一, 因其形藏不同, 或從寒化, 或從熱化, 或從虛化, 或從實化, 故多端不齊也 (醫宗金鑒·卷三十六·傷寒心法要訣)

(2) 정서와 질병의 관계에 있어서의 쌍방향작용

정서 활동은 장부 기혈 공능활동에 따라 생겨나고 변하기 때문에 정서는 그 공능활동에 대해 중요한 영향을 미친다. 그러므로 정서의 변화는 병을 일으킬 수 있으며, 질병의 과정 중에도 역시 비정상적인 정서 변화가 나타날 수 있다.

정서가 과격하거나 지나치게 오래되면 내상(內傷)으로 발병하여 전광(癲狂)、심계、장조(臟躁) 등과 같은 정신적 증상을 일으키고, 또 두통、설사、탄탄(癱瘓)、실어(失語) 등과 같은 육체적 증상을 일으킬 수 있다. 질병의 과정에 음양이 서로 기울고 기혈이 몰리면 장부실조하기 때문에 정서 변화가 일어나는데, 이에 관해『영추 본신』에서는 "肝氣가 虛하면 두렵고, 實하면 화가 난다. 心氣가 虛하면 슬프고, 實하면 웃음이 그치지 않는다[22]" 고 하였다.

(3) 정서 변화를 일으키는 인자

정서의 변화를 일으키는 인자는 주로 다음의 세 가지 경우로 볼 수 있다.

첫째, 사회와 자연환경인자가 만드는 정서 자극이다. 정치 경제적인 지위의 변화(脫營 失精)、사업상의 어려움과 좌절、가정에서의 슬픔과 이별 등은 사람의 정서에 변화를 주어 질병을 일으킨다. 둘째, 질병과정에서 병리 변화가 미치는 영향은 항상 정서 변화를 만드는 내원성(內源性) 인자이다. 셋째, 각 개인의 기질에 따라 그 정서에도 뚜렷한 차이가 있다. 예컨대『영추 논용(論勇)』에서 용감한 사람은 기혈이 잘 통하고 심간담(心肝膽)의 공능이 왕성하여 항상 정신자극의 불량한 영향을 방어하거나 제거하며, 겁이 많은 사람은 심담허겁(心膽虛怯)하여 쉽게 놀라거나 무서워하여 쉽게 기혈이 응체됨으로써 정서의 질병이 발생한다고 하였다. 또『소문 경맥별론(經脈別論)』에서도 "용맹한 자는 기가 행하면 병이 그치나, 겁이 많은 자는 고착되어 병이 된다[23]"고 하였는데, 이는 정서의 발병이 개체의 기질 특징이나 성격과 유관함을 설명하는 것이다.

제2절 기본 병기

기본 병기(基本 病機)란 인체가 발병인자의 침습이나 영향을 받아 일으킨 기본 병리 반응이며, 병기변화의 일반적인 원리인 동시에 계통병기와 구체적인 병증병기의 기초가 된다.

인체는 여러 장부、조직、기관으로 구성되어 있고, 각 장부、조직、기관은 생리적으로 서로 연계되어 있으면서 서로 제약하기 때문에 병리적인 변화에서도 서로 영향을 미친다. 임상적으로 질병은 다종다양하고, 서로 다른 질병과 증후는 모두 특수한 병리 기전을 갖고 있다. 그러나 우리들이 각종 질병의 발생、발전 및 변화 과정을 깊이 있게 분석하는 가운데, 비록 서로 다른 병증일지라도 어떤 공통된 병리적 발전과정이 있으며, 또한 서로 다른 발병인자가 일으킨 다양한 병리 변화 중에서도 어떤 공통점을 가진 일반적인 원칙을 발견할 수 있을 것이다. 이는 바로 인체에서 여러 가지 발병인자로 인해 유발된 손해작용은 모두 사정 성쇠와 장부 경락 등 조직의 음양、기혈 및 진액 대사 등의 실조와 장애 또는 허손 등을 기본 원리로 하여 발생한 병리적인 반응임을 설명하는 것이다. 그러므로 이러한 기본 병리과정을 연구하고, 질병이나 병증의 본질과 발전변화 원리를 파악한다면 효과적으로 임상의 변증논치를 진행할 수 있을 것이며, 의

22) 肝氣虛則恐, 實則怒, 心氣虛則悲, 實則笑不休 (靈樞·本神)
23) 勇者, 氣行則已, 怯者, 則着而爲病也 (素問·經脈別論)

심할 여지없이 실질적인 가치가 있다.

1. 사정 성쇠(邪正 盛衰)

사정 성쇠는 질병 과정에서 병을 일으키는 사기와 질병에 저항하는 능력 사이의 투쟁에 따라 발생하는 성쇠의 변화이다. 사기가 인체에 침입하면 정기와 사기가 서로 작용하는데, 사기는 정기에 손상을 입히고, 정기는 사기에 대해 저항하면서 사기를 몰아내고 그 나쁜 영향을 없애는 작용을 한다. 그러므로 사정의 투쟁과 사정 간의 성쇠 변화는 질병의 발생 발전에 관계하면서 병기, 병증의 허실변화에 영향을 줄 뿐만 아니라, 또한 직접적으로 질병의 전귀(轉歸)에도 영향을 준다. 그러므로 대부분의 질병 발전과정은 바로 사정의 싸움과 그 성쇠변화의 과정이라고 할 수 있다.

사실상, 질병의 발전변화과정에서 정기와 사기의 역량은 고정된 것이 아니라, 그 상호투쟁의 과정 중에 객관적으로 존재하고 있는 역량의 상대적인 소장 성쇠의 변화이며, 아울러 일정한 원칙이 있다. 즉 정기가 증강되어 왕성해지면 사기는 당연히 쇠퇴하고, 사기가 증가되면서 항성하면 정기는 당연히 허해져서 쇠퇴한다. 그리하여 질병의 호전과 치유 또는 악화와 위중 등 서로 다른 예후와 결과가 발생하는 것이다.

1) 사정 성쇠와 허실 변화

『소문 통평허실론(通評虛實論)』에서는 "邪氣가 성하면 實이라 하고, 精氣가 부족하면 虛라고 한다"[24]고 하였는데, 사정 두 역량의 성쇠는 환자에게서 허 또는 실의 병리상태를 결정한다.

2) 사정 성쇠와 병세의 추이와 예후

질병이 발생 발전하는 과정에서 사정의 투쟁으로 말미암아 상호 역량의 대비가 끊임없이 소장 성쇠의 변화를 일으키고, 이러한 변화는 질병 발전의 추이와 예후에 결정적인 작용을 한다. 질병의 초기와 중기에는 사기가 비교적 왕성하고 정기도 아직 쇠퇴하지 않는 상태이므로 서로의 힘이 맞서서 싸움은 비교적 격렬하게 일어나고, 병리 반응 역시 뚜렷하게 나타난다. 이 단계의 투쟁을 통하여 사정은 반드시 소장(消長)케 되고, 이러한 소장 성쇠의 변화는 병세의 발전과 예후에 영향을 준다.

2. 음양 실조(陰陽失調)

음양 실조는 음과 양 사이의 평형과 협조가 상실된 것인데, 인체가 질병의 발생, 발전의 과정 중에 발병인자의 영향으로 인체의 음양이 상대적인 협조와 평형을 잃어버려 음양이 편성(偏盛) 또는 편쇠(偏衰)하거나, 음불제양(陰不制陽) 또는 양불제음(陽不制陰)하거나, 혹은 호손(互損), 혹은 격거(格拒), 혹은 전화(轉化), 혹은 망실(亡失)된 병리적인 상태이다. 동시에 음양 실조는 장부, 경락, 기혈, 영위 등이 상호 협조를 상실한 상태이며, 표리출입, 상하승강 등 기기의 실조도 포함하고 있다.

외감 육음, 내상 칠정 및 음식 노권 등 각종 발병인자가 인체에 작용하면 체내 음양 실조를 통해 질병을 형성하기 때문에 음양 실조는 바로 인체의 여러 가지 생리적인 모순과 파괴된 관계를 개괄한 것이며, 질병의 발생과 발전의 내

24) 邪氣盛則實, 精氣奪則虛 (素問·通評虛實論)

재적인 근거가 된다.

음양은 한의학에서 상대적인 속성이나 세력이 대립 통일한다는 의미를 갖고 있다. 구체적으로 음양의 두 기는 인체의 중요한 조성성분을 구성하고 있을 뿐만 아니라, 인체의 음과 양은 체내의 대사와 생리적인 공능활동을 조절하는 주요한 인자이다. 음양이 서로 촉진하고, 서로 제약하며, 상대적인 동태 평형을 유지하는 것이 바로 정상적인 생명활동을 진행하는 기본 조건이다. 양기는 인체를 온후케 하며, 위외(衛外)하고, 정신을 흥분시키며, 인체의 신진대사를 촉진하고, 장부조직기관의 공능활동을 추동한다. 양기는 인체의 정상적인 생명활동을 유지하는 관건이며 주도적인 작용을 한다. 그러므로『소문 생기통천론』에서는 "무릇 陰陽의 요점으로 陽은 치밀하게 하여 새지 않아야 한다는 것이다. … 陽이 강하기만 하고 치밀하지 못하면 陰氣가 끊어진다"[25]고 하였는데, 陰氣는 주로 인체를 자윤, 유양, 내수(內守) 및 영정(寧靜)케 한다. 음양의 두 기는 인체의 조성 성분일 뿐만 아니라, 인체의 생명활동을 유지하는 물질적인 기초이기도 하다.

정상적인 상황에서 인체의 음양이 상대적인 평형과 협조를 이루면 구체적으로는 적당한 체온, 적절한 동정, 정상적인 기기의 승강, 절도 있는 흥분과 억제가 일정한 범주 내에서 일어나고, '화기(化氣)'와 '성형(成形)' 역시 상대적인 평형을 이루게 되면서 전신의 생리활동이 정상적으로 이루어진 건강한 상태가 되는 것이다. 체내에서 음양의 평형과 협조가 파괴되면 음양의 실조가 나타나 질병이 발생된다. 따라서 음양의 실조는 바로 인체의 각종 병변에서 가장 기본적인 병기로서 각종 공능적 그리고 기질적 병변을 개괄한 것이다.

음양 실조의 병리변화는 매우 복잡하지만, 임상적으로는 주로 음양의 편승, 음양의 편쇠, 음양의 호손, 음양의 격거와 전화 및 음양의 망실 등으로 나누어진다.

1) 음양 편승(陰陽 偏勝)

음 또는 양이 편승한 경우는 대개 "사기성즉실(邪氣盛則實)"의 병기와 병증에서 볼 수 있다. 사기가 인체에 침입한 경우 그 사기의 성질에 따라 병리현상이 나타나는데, 즉 양사(陽邪)가 인체에 침입하면 인체에는 양이 편승하고, 음사(陰邪)가 인체에 침입하면 인체에는 음이 편승한다.『소문 음양응상대론』의 "陽이 이기면 熱象이 나타나고, 陰이 이기면 寒象이 나타난다"[26]고 한 것과『소문 조경론』의 "陽이 왕성하면 겉이 뜨겁고, 陰이 왕성하면 속이 차갑다"[27]는 것은 바로 양편승과 음편승의 병리상태를 말하는 것이며, 임상적으로는 한열(實寒 또는 實熱)의 특징을 명확하게 지적한 것이다. 이른바 '외열(外熱)'이나 '내열(內熱)'은 주로 한열의 징후가 이(裏) 또는 외(外)로 반영된 경우를 가리키며, 병위(病位)의 표리를 뜻한 것은 아니다.

음양 편승의 병기는 일반적으로 음과 양 가운데 어느 한 쪽이 항성하고, 다른 한 쪽은 허하지 않은 상태에서 일어난 것이다. 그러나 음과 양은 서로 제약하는 관계여서, 양이 커지면(長) 음은 꺼지고(消), 음이 커지면 양은 꺼지기 때문에 양이 편승하면 반드시 음을 억제하여 음편쇠하게 만들고, 음이 편승해도 반드시 양을 억제하여 양편쇠케 한다. 그러므로『소문 음양응상대론』에서는 "陽이 이기면 陰에 병이 들고, 陰이 이기면 陽에 병이 든다"[28]고 하였으며, 아울러 음양이 편승편성(偏勝偏盛)하는 병기의 진행과정과 결과를 제시하였다.

---

25) 凡陰陽之要, 陽密乃固. … 陽强不能密, 陰氣乃絶 (素問·生氣通天論)
26) 陽勝則熱, 陰勝則寒 (素問·陰陽應象大論)
27) 陽盛則外熱, 陰盛則內寒 (素問·調經論)
28) 陽勝則陰病, 陰勝則陽病 (素問·陰陽應象大論)

2) 음양 편쇠(陰陽 偏衰)

음양의 편쇠는 인체의 음 또는 양이 휴허(虧虛)되어 일어난 병리변화를 가리키며, "精氣가 부족하면 虛[29]"라는 표현으로 대표된다. '정기탈(精氣奪)'은 실제적으로 정、기、혈、진액 등 각종 정미한 물질의 부족과 공능의 감퇴를 포괄하는 동시에 장부、경락 등 생리공능의 감퇴와 실조의 상태를 포함하고 있다. 인체의 정、기、혈、진액과 장부、경락 등 조직기관 및 그 생리공능은 음과 양의 두 속성으로 나눌 수 있다. 정상적인 생리상황에서 그들은 서로 제약하고 호근 호용(互根 互用)하는 관계에서 평형상태를 유지하고 있다. 만약 어떤 원인으로 음양의 어느 한 쪽이 물질적으로 감소하거나 또는 공능이 감퇴되면 반드시 상대방을 제약하지 못하게 되어 반대쪽의 항성이 일어나 "양허즉음성(陽虛則陰盛)"、"양허즉한(陽虛則寒)"、"음허즉양항(陰虛則陽亢)"、"음허즉열(陰虛則熱)" 등 병리현상을 형성한다. "양허즉외한(陽虛則外寒), 음허즉내열 (陰虛則內熱)" 등은 음양 편쇠의 병리적인 상태에도 한열(虛寒이나 虛熱)의 특징이 있음을 나타낸 것이며, 이른바 '외한(外寒)'과 '내열(內熱)'의 내외는 한열의 현상이 이(裏) 또는 외(外)로 반영된 것을 가리키는 것이다.

3) 음양 호손(陰陽 互損)

음양의 호손은 음과 양 어느 한 쪽의 허손이 상당한 정도에 이르면 병변이 진행되면서 상대방에도 영향을 미쳐 음양이 모두 허하게 되는 병기이다. 음허로부터 출발하여 양허가 된 것을 '음손급양(陰損及陽)'이라 하고, 양허로부터 출발하여 음허가 된 것을 '양손급음(陽損及陰)'이라고 한다. 음양은 서로 뿌리가 되기 때문에 음양 호손의 병기가 나타나게 되는 것이다. 신(腎)에 저장된 정기(精氣)는 신음과 신양 공동의 물질이고, 또한 신음과 신양은 전신 음양의 근본이기도 하다. 전신의 어느 한 장부의 음 또는 양의 허손이 일정 수준에 이르면 반드시 그의 뿌리인 신음이나 신양을 손상케 한다. 또한 신음이나 신양의 허손이 일정 정도에 도달하면 모두 그들 공동의 물질기초인 신의 정기를 휴손시키며, 이어서 다른 한 쪽까지 허손케 하여 음양양허(陰陽兩虛)를 형성한다. 그러므로 음허와 양허를 막론하고 대부분 신음과 신양에 영향을 미치며, 신 자체의 음양이 실조되면 쉽게 음손급양이나 또는 양손급음과 같은 음양 호손의 병기가 나타난다.

4) 음양 격거(陰陽 格拒)

음양 격거는 음양 실조 가운데 비교적 특수한 병기이다. 음양 격거를 형성하는 기전은 주로 어떤 원인으로 인해 음과 양의 어느 한 쪽만 심각하게 편성하거나 또는 허약해져서 그 격차가 심해지면 성한 쪽이 내부를 차지하면서 다른 한 쪽을 외부로 격거해서 음양을 갈라놓은 상태에 진한가열(眞寒假熱)、진열가한(眞熱假寒) 등 복잡한 병리현상이 나타난 경우를 말한다.

5) 음양 전화(陰陽 轉化)

음양의 전화는 음양 실조의 병변이 일정한 조건하에서 그 병리적인 성질이 반대 방향으로 바뀌는 병리과정이다. 음양의 전화에는 유음전양(由陰轉陽)과 유양전음(由陽轉陰)이 있다.

6) 음양 망실(陰陽 亡失)

29) 精氣奪則虛 (素問·通評虛實論)

음양의 망실은 망음(亡陰)과 망양(亡陽)의 두 경우를 말한다. 인체의 음기나 양기가 크게 망실되어 음에 속한 공능이나 양에 속한 공능 등이 갑자기 심각하게 쇠갈되면 생명이 위태로워지는 병리상태이다.

3. 기혈 실상(氣血 失常)

기혈의 실상은 기와 혈의 부족, 각각의 대사 또는 운동의 실상, 생리적 기능의 이상 및 기혈의 호근 호용 기능의 실조 등과 같은 병리변화를 가리키는 것이다. 인체는 피육, 근골, 경락, 장부 등 조직기관으로 구성되어 있기 때문에 인체 생명활동의 진행은 주로 후천적으로 만들어진 기, 혈, 진액 등이 경맥을 따라 전신에 수포되어 각 장부조직기관을 영양하고 기능활동을 진행하면서 나타나는 것이다. 기혈은 생리적으로 장부, 경락 등과 같은 조직기관이 기능을 수행하기 위한 물질적 기초이다. 병리적으로 기혈이 실상하면 반드시 인체의 각종 생리공능에 영향을 미쳐서 질병이 발생한다. 그러므로 『소문 조경론』에서 "血氣가 조화롭지 않으면 모든 병이 이에 변화하여 생긴다"[30]고 하였으며, 아울러 기와 혈은 장부 기화활동의 산물이기도 하다. 따라서 장부에 병변이 발생되면 그 자체 장부 기혈이 실상될 뿐만 아니라 전신 기혈에도 영향을 미쳐 전신적인 기와 혈의 병리변화를 일으킨다. 따라서 기혈의 실상은 병기의 일반적인 원리이며, 사정 성쇠, 음양 실조와 더불어 기혈 실상 역시 장부, 경락, 형체, 감각기관 등 각종 병기 변화의 기초일 뿐만 아니라 각종 임상병증의 병기를 분석, 연구하는 기초가 된다.

1) 기의 실상

기의 실상은 주로 두 방면에서 볼 수 있다. 하나는 생화(生化)의 부족 또는 모손의 태과로 인해 기허를 형성하는 병리적인 상태이고, 다른 하나는 어떤 기능의 부족과 운동의 실상 또는 문란으로 인해 기체(氣滯), 기역(氣逆), 기함(氣陷), 기폐(氣閉) 또는 기탈(氣脫) 등 기기가 실조되는 병리적인 상태이다.

2) 혈의 실상

혈의 실상은 주로 두 경우이다. 하나는 혈의 화생부족(化生不足) 또는 모상태과(耗傷太過)로 혈의 유양기능이 감퇴되어 혈허가 형성되는 경우이고, 다른 하나는 혈의 순환장애로 혈행이 느려지거나, 빨라지거나 또는 역란(逆亂)되거나 망행(妄行)되어 일어난 병리적인 변화이다.

3) 기혈 간의 실조

기와 혈은 서로 자생(資生)하고, 의존하며, 위용(爲用)의 관계를 갖고 있다. 기는 혈을 온후, 추동, 화생, 통섭하며, 혈은 기를 유양(濡養)하고 운재(運載)하는 등의 작용이 있다. 따라서 기가 허하거나 또는 승강출입이 정상적으로 안되면 혈에 영향을 준다. 예를 들어 기허하면 혈을 만들 수 없어 혈이 허해진다. 또한 기허하면 혈액을 추동, 온후하는 작용이 저하되어 혈액의 운행이 반드시 불창(不暢)하게 된다. 또한 기허하면 통섭기능의 저하로 혈이 밖으로 넘쳐 출혈이 일어난다. 기체되면 혈이 어조(瘀阻)되며, 기기가 문란해지면 혈이 기를 따라 상역(上逆)하거나 또는 하함(下陷)하고, 심한 경우 위로는 토혈과 육혈이 나타나고, 아래로는 변혈과 붕루가 나타난다.

아울러 혈의 부족과 공능 실조는 반드시 기에 영향을 미친다. 예컨대 혈허하면 기가 영양을 받지 못하고, 쇠소(衰

30) 血氣不和, 百病乃變化而生 (素問·調經論)

少)하게 된다. 혈탈(血脫)하면 기는 의지할 바를 잃고 밖으로 흩어진다. 혈어가 되면 기도 울체되어 흐름이 불창하게 된다. 그러므로 임상에서 기혈의 실조는 주로 기체혈어(氣滯血瘀)、기허혈어(氣虛血瘀)、기불섭혈(氣不攝血)、기수혈탈 (氣隨血脫) 및 기혈양허(氣血兩虛) 등으로 나타난다.

4. 진액대사(津液代謝)의 실상(失常)

인체의 진액대사는 진액의 생성、수포 및 배설을 포함하고 있으며, 또한 진액의 대사활동은 여러 장부들이 서로 협조하여 이루어진 복잡한 생리과정이다. 진액의 대사는 반드시 정연하게 창통(暢通)되어야 하며, 그 생성과 배설은 반드시 상대적인 균형을 유지해야 한다. 즉 체내에 들어온 수액과 체외로 배출된 수액의 량은 일정하게 상대적인 균형을 이루어야 한다. 진액의 생성、수포 및 배설과정은 기의 기화기능과 승강출입의 기기활동을 배제하고서는 설명할 수 없다. 기의 기화기능이 정상이면 진액의 생성、수포 및 배설기능은 정상적으로 유지되며, 기의 승강 출입하는 기기활동이 정상적으로 작용해야만 체내의 진액을 균형 있게 승강출입시키고, 따라서 진액의 흡수와 배설이 이에 따라 상대적으로 균형을 유지할 수 있다.

여기에서 중요한 것은 인체의 진액대사를 조절하는 과정 중에서 폐、비、신、방광、삼초 및 간 등 장부의 생리적인 기능이 매우 중요하게 작용하고 있다는 것이다. 이 중 특히 폐의 선발숙강(宣發肅降) 작용, 비의 운화전수(運化轉輸) 작용 및 신의 증등기화(蒸騰氣化) 작용은 진액의 청탁승강(淸濁升降)에 주도적인 작용을 하고 있다. 소위 진액대사의 실상은 전신 또는 어느 부위의 진액대사가 문란된 경우를 말하며, 이로 인해 진액의 생성、수포 및 배설작용이 제대로 이루어지지 않아 발생되는 장애에 대한 병리적인 과정이다. 임상증상은 대부분 진액의 휴손부족(虧損不足)과 진액의 수설장애(輸泄障碍)로 나타난다.

1) 진액의 휴손부족(虧損不足)

진액의 휴손부족은 인체의 진액량이 적어 장부、형체、구규를 충분히 유윤(濡潤)、자양(滋養)과 충영(充盈)을 얻지 못하여 일어나는 일련의 건조고삽(乾燥枯澁)한 병리적인 상태이다.

진액의 휴손부족을 일으키는 원인에는 세 가지가 있다. 첫째는 예를 들어 외감 열사(外感 熱邪)로 인해 진액을 작상(灼傷)하거나 또는 내열(內熱)로서 예를 들어 구울(久鬱)로 화열(化熱)、화화(化火)하거나 또는 음허내열(陰虛內熱)로 진액을 손상시켜 휴손부족이 발생한다. 둘째는 과다한 진액의 유실로 일어난다. 예를 들어 심한 설사、구토、대한(大汗) 및 화상 등은 모두 과다한 진액손상을 유발하며 휴손부족이 일어난다. 셋째는 만성 질병으로 인한 모상(耗傷)이다. 예를 들어 구병(久病)으로 인체가 쇠약해지면서 진액을 제대로 생성하지 못한 상황에서 다시 허열(虛熱)이 진액을 모상시키면 진액이 더욱 부족하게 나타난다.

진과 액은 성상、분포하는 부위 및 생리적인 기능이 다르므로 상진(傷津)과 액탈(液脫)에도 차이가 있다. 진(津)은 주로 공규、피모、기육 및 혈맥에 분포하고 있으며, 그 성질이 맑고, 유동성이 크며, 물이 주성분으로 되어 있다. 그러므로 어떤 의미에서 상진은 실수(失水)이다. 가장 쉽게 상진되는 경우는 토사(吐瀉)이다. 임상에서 토사를 하는 경우 대량의 진액을 상실하게 되며, 만약 바로 보충하지 않으면 목광내함(目眶內陷)、십지라별(十指螺癟)、소변감소、구건설조(口乾舌燥)、피부가 건조하게 되고, 심한 경우 제곡무루(啼哭無淚)、소변전무(小便全無)케 되며, 심지어 혈중의 진액이 맥 외로 삼출되어 혈액이 농축되고, 혈액의 흐름이 곤란해지므로 면색창백(面色蒼白)、맥미욕절(脈微欲絕)한 위증(危證)이 나타난다. 이외에도 고열、한출(汗出)도 역시 진액을 손상시켜 구건욕음(口乾欲飮)、대변건조비결(大便乾燥 秘結)、소변단소이황(小便短少而黃)이 나타난다. 기후가 건조하면 피부와 폐의 진액이 가장 쉽게 소실되며 피부건열(皮

膚乾裂)、비건(鼻乾)、인건(咽乾)、건해(乾咳) 등 증상이 나타난다. 건조하고 추운 계절에는 피부에 땀이 감소하고, 체표의 진액 또한 쉽게 소실되므로 혈중에 진액이 부족한 사람은 피부의 유양공능이 저하되어 피부가 건조하고 가려우며 긁으면 허연 가루같은 것이 많이 생기는 증상이 나타난다. 임상에서 이를 혈조생풍(血燥生風)이라고 한다.

액(液)은 주로 장부、골수、뇌수、척수 및 관절에 분포되어 있고, 일반적으로 진보다는 조후(稠厚)하며, 유동성도 진보다 적다. 그 성분은 주로 수분 외에 인체에서 필요한 대량의 정미물질이 함유되어 있어서 탈액(脫液)을 단순한 수분의 이탈로 인식해서는 안되며, 반드시 수분과 정미물질을 함께 잃는 복잡한 병변으로 인식해야 한다. 가장 쉽게 탈액을 일으키는 경우로, 극심한 열병의 후기일 때 환자는 형수골립(形瘦骨立)、대육진탈(大肉盡脫)、피부건조、모발고고(毛髮枯槁)、설광홍무태혹소태(舌光紅無苔或少苔)가 나타나고, 때로는 액이 근을 유양하지 못하여 수족진전(手足震顫)、기육순동(肌肉瞤動) 등 증상이 나타난다. 일부 만성 소모성 질환, 예컨대 말기 악성 종양 또는 화상을 크게 입은 경우에도 탈액증후가 나타난다. 그러므로 상진과 탈액이 서로 다르지만 밀접한 관계도 있다. 일반적으로 말하자면, 탈액환자들은 수분만 잃어버릴 뿐만 아니라 체내에 많은 정미물질을 상실하게 된다. 이는 수분을 상실하였기 때문에 탈액환자에게서 차이는 있지만 다소간의 상진증후가 나타난다. 상진은 주로 수분을 상실한 것이며, 다른 물질의 손상은 그다지 많지 않다. 따라서 상진한 경우에는 탈액증후는 없다. 그러나 심하게 진을 상한 경우에는 기가 진탈(津脫)에 따라 외부로 유실되기 때문에 반드시 탈액의 증후도 함께 나타나게 된다.

2) 진액의 수포와 배설의 장애

진액의 수포(輸布)는 진액이 체내에서 운수(運輸)、포산(布散) 및 환류(環流)하여 체내에서 대사되는 과정을 말하며, 진액의 배설은 대사 후에 진액을 소변、땀、각종 체액 등 경로를 통해 체외로 배출하는 과정을 말한다. 수포와 배설의 공능 장애는 각각 다르게 나타나지만 그 결과는 모두 진액이 체내에서 비정상적으로 정체되어 수습 담음의 근본적인 원인이 된다. 진액의 수포와 배설장애는 주로 비、폐、신의 공능 장애와 관련이 있으며, 아울러 간의 소설작용과도 관련이 있다.

진액의 수포 장애는 진액이 비정상적으로 수포됨으로써 체내에서 승강순환이 느려져 습탁(濕濁)이 생기거나 또는 체내의 한 부위에서 정체되어 진액이 불화(不化)하고 수습이 곤조(困阻)되거나 또는 담음이 생긴 병리적인 상태를 뜻한다. 진액의 수포장애를 유발하는 원인은 다양하지만 대부분 폐의 선발과 숙강기능의 장애、비의 운화와 전수(轉輸)기능의 장애 및 간의 소설기능의 장애로 기기가 불창하여 수정(水停)이 되거나 또는 삼초의 수도(水道)가 불리하여 진액순환에 장애를 주는 경우로 집약할 수 있다.

진액의 배설 장애는 주로 기화불리(氣化不利)로 인해 땀과 오줌으로 바뀌는 공능이 감퇴되어 수액이 저류되면서 위아래로 기부에 넘쳐 발생된 부종의 병리 상태이다. 일반적으로 말하자면, 진액이 땀으로 바뀌어 배출되는 것은 주로 폐의 선발작용에 의하고, 오줌으로 바뀌어 배출되는 것은 주로 신의 기화작용과 폐의 통조(通調)작용에 의한다. 따라서 폐신(肺腎)의 기능감퇴는 수액의 저류를 일으켜 수종이 발생된다.

진액의 수포와 배설장애의 임상소견으로는 주로 습탁의 곤조、담음의 응취 및 수액의 저류 등 병리적인 변화로 요약할 수 있다.

3) 진액과 기혈의 공능 실조

진액과 기혈 간에는 밀접한 관계가 있다. 세 가지 중 하나라도 실상되면 나머지 둘에게 영향을 미쳐 공능에 장애를 준다. 임상에서는 수정기조(水停氣阻)、기수액탈(氣隨液脫)、진고혈조(津枯血燥) 및 진휴혈어(津虧血瘀) 등을 자주 볼 수 있다.

제3절 질병의 전변(傳變)

전변은 병위(病位)의 전이와 병성(病性)의 변화를 말한다. 병위와 병성은 곧 병기(病機)로서 병증의 본질이며 전변을 일으키는 핵심인자이고, 전변은 인체의 특수한 조건이나 외감 내상 등 병증과 사기의 종류에 따라 오장육부, 경락, 삼음삼양, 오체 등의 계통 및 단위별로 질병이 진전되어 나가는 경로 (pathway)와 방식을 말한다. 전변을 파악함으로써 특정 계통 단위의 병기 변화가 이루어지는 규칙과 특성을 파악하고 예후를 짐작할 수 있다. 전변이 어떤 식으로 일어나는 가에 따라 병의 예후(吉凶)가 달라지므로 치법과 방약을 선택할 때 유의하여 관찰해야 한다.

인체는 표리, 내외, 상하, 좌우가 모두 긴밀하게 연결된 유기체이므로 질병이 발전하는 과정에서 어떤 형식으로든 전변이 일어나게 되어 있다. 외감병이든 내상병이든 질병은 곧 사정상쟁(邪正相爭)의 과정이며 이 투쟁의 결과에 따른 전변 형식은 '유천입심(由淺入深)'과 '유심천출(由深淺出)'의 두 가지에서 벗어나지 않는다. 다만 상세하게 보면 질병에 따라 각각의 전변 규율이 있어서 상한의 육경변증은 태양에서부터 양명, 소양, 태음, 소음, 궐음까지 순서에 따라 진행되는 전변이고, 온병은 위분에서부터 기분, 영분, 혈분까지, 또는 상초에서부터 중초, 하초까지 순서에 따라 진행되는 전변이다. 기타 내장의 병변 역시 대부분 순서에 따라 전변하고 있다. 이러한 구체적인 질병의 전변 과정에는 병사(病邪), 병성(病性), 병위(病位) 및 병세(病勢)의 동태적인 변화를 포함하고 있다. 이와 관련하여 『소문 옥기진장론(玉機眞臟論)』에서는 "五臟이 서로 통하여 전이되는 경우에도 모두 순서가 있는데, 五臟이 병이 들면 각기 그 이기는 臟으로 전한다"[31]고 하였으며, 『소문 태음양명론(太陰陽明論)』에서는 "陰陽은 서로 다르게 자리하고 있어서 교대로 虛해지고 實해지며, 교대로 逆이 되고 從이 되어 어떤 것은 안으로 어떤 것은 밖으로 따르는 바가 다르니, 병도 그 이름을 달리 한다"[32]고 하였다.

질병의 전변을 결정하거나 또는 영향을 줄 수 있는 요소 중에 사정성쇠(邪正盛衰)의 변화가 결정적인 작용을 하며, 질병의 전변 여부를 결정할 뿐만 아니라 아울러 일정한 방식에 따라 전변의 방향과 속도도 결정한다. 예를 들어 정성사쇠(正盛邪衰)한 경우에는 전변이 완만하거나 또는 전변을 하지 않고 치유의 방향으로 가고, 사성정쇠(邪盛正衰)한 경우에는 전변이 신속하거나 또는 병세가 악화된다. 사정(邪正)이 모두 성한 경우에는 심한 증상들이 많이 나타나지만, 병세가 악화되는 경우는 드물고, 사정이 모두 허한 경우에는 전변이 완만하거나 또는 병세가 고착된 상태로 나타난다.

여기에서 지적해야 할 사항은 질병을 일으키는 병변은 사정의 상쟁과 그 성쇠변화의 원인을 제외하고도 인체 내외의 기타 여러 가지 요소의 복합적인 작용의 결과라고 말할 수 있다. 질병의 전변에 영향을 주는 요소는 다음과 같다.

- 체력/체질: 체력과 체질은 주로 두 가지 측면에서 질병의 전변에 대해 작용한다. 하나는 일정한 정도에서 정기의 강약에 영향을 주며, 이에 따라 전변의 속도를 결정한다. 예를 들어 평소에 체력이 왕성한 경우 쉽게 사기를 감수하지 않으며, 일단 감수를 하더라도 신속하게 발병하나 전변하는 경우는 드물고, 병정(病程)도 짧다. 그러나 평소에 체력이 허약하여 사기가 쉽게 침범하면 바로 깊숙이 침입하므로 병세가 완만하더라도 병정이 전면(纏綿)하고 다양하게 변화를 한다. 다른 하나는 정사상쟁 과정 중에서 사기의 '종화(從化)'가 결정에 중요한 작용을 한다. 예를 들어 평소에 양기가 왕성한 체질은 사기에 의한 증후가 몸의 화(火)를 따라 바뀌어 양열실증(陽熱實證)으로 전변되며, 또한 평소에 음기가 왕성한 체질은 사기에 의한 증후가 몸의 한(寒)을 따라 바뀌기

31) 五藏相通, 移皆有次, 五臟有病, 則各傳其所勝 (素問·玉機眞臟論)

32) 陰陽異位, 更虛更實, 更逆更從, 或從內, 或從外, 所從不同, 故病異名也 (素問·太陰陽明論)

때문에 대부분 한실(寒實)이나 허한(虛寒) 등으로 전변된다.

- 지역과 기후: 지리적인 여건과 기후의 조건은 매우 밀접한 관계를 갖고 있으며, 아울러 동시에 인체 및 발병인자에 작용하여 질병의 전변에 영향을 준다. 일반적으로 지대가 높고 건조한 지역이나 또는 맑은 날이 많고 비가 적게 오는 계절의 병변은 열이 습보다 많이 나타나므로 열이나 조로 화하여 음진을 손상시키고, 습기가 많은 곳에 살거나 또는 비가 오는 날이 많은 계절의 병변은 습이 성하고 열이 가볍게 나타나고, 습이 열보다 많이 나타나므로 양기를 쉽게 손상시킨다. 그러므로 양기가 미약하고 습이 왕성한 환자는 한습병증(寒濕病證)으로 바뀔 수 있다.
- 생활방식: 생활방식은 주로 정서、음식、노일、방사 등을 포함하고 있으며, 정기에 작용함으로써 질병의 진행에 영향을 주어 전변을 유발한다. 예를 들어 정서로 인해 내상이 되면 기기를 간섭하여 질병의 전변을 유발하게 되고, 또한 과로로 기혈을 모상하면 정기가 부족하게 되어 기기가 불리하게 되고, 기화작용이 쇠약하게 되므로 정기가 허손된다. 또한 장기간 음식물을 섭취하지 못하면 기혈이 부족하게 되어 정기가 사기를 이기지 못하여 악화되는 현상이 일어나고, 과식을 하게 되면 비위가 손상되고, 적체(積滯)가 되어 사기가 숙식적체(宿食積滯)와 함께 병변을 악화시키며, 맵거나 튀기고 볶은 음식을 과식하게 되면 열사(熱邪)를 조장하게 되고, 차가운 음식을 과식하게 되면 영기(營氣)를 손상하여 음한한 기가 체내에서 생기므로 전변에 영향을 주어 병세를 더욱더 악화시킨다. 방사 과다로 인해 정기가 휴손되면 하원(下元)이 허해지므로 정허사실(正虛邪實)하게 되고, 사기가 더욱더 깊어지면 수휴화부(水虧火浮)、허양상항(虛陽上亢) 및 수불함목(水不涵木)、허풍내동(虛風內動) 등 병변을 유발한다.

이외에도 정확한 치료는 제 때에 병변의 발전과 전변을 중단시켜 질병을 치유할 수 있게 한다. 반대로 만약 약을 잘못 투여하거나 또는 실치(失治)、오치(誤治)하게 되면 인체의 정기를 손상시키면서 아울러 사기를 조장하므로 병변을 더욱더 악화시켜 예후가 매우 불량하게 만든다.

질병의 전변은 병위(病位)의 전변、한열(寒熱) 및 허실(虛實)의 전화로 요약할 수 있다.

1. 병위(病位)의 전변(傳變)

병위의 전변은 표에서 이로,또는 이에서 표로 진행하는 사기(邪氣)의 출입(出入)에 관한 내용이다. 병위의 전변에 대해서 역대 의가들은 장기적인 관찰을 통해 방대한 경험을 축적하였으며, 본 절에서는 사기의 출입과 병위의 전변에 대한 구체적인 내용에 대해 설명하기로 한다.

1) 사기(邪氣)의 출입(出入)

사기의 출입은 "병세(病勢)의 출입"이라고도 하는데, 즉 표리 간에서 사기가 출입하는 동향을 설명한 것이다. 사기의 출입은 발병인자가 인체에 작용하여 정기와 싸워서 표사(表邪)가 이에 들어가거나 혹은 이병(裏病)이 표로 나오는 병리적인 과정을 말한다. 일반적으로 사기가 항성하면 정기가 손모(損耗)되고, 정기가 힘이 없어 사기에 저항하지 못하면 병세가 진행되어 표의 병이 안쪽으로 전해진다. 반면에 만약 정기가 회복되고 사기가 쇠약해지면 이에서 표로 나오게 된다. 따라서 표리의 병세출입은 실제적으로 사정(邪正)의 소장 성쇠에 따라 결정된다.

2) 병위전변(病位傳變)의 구체적인 내용

병위는 질병이 발생、발전하는 부위나 장소를 뜻하며, 병위의 전변은 병변 부위의 전이를 말한다. 장부、경락、오관구규, 사지백해 및 기, 혈, 진액, 정 등이 모두 병위에 해당한다. 그러나 다양한 질병이나 구체적인 병증에 따라 병위의 깊이 역시 각각 다르다. 예컨대 외감병은 주로 육경, 위기영혈, 또는 삼초 등으로 구분하고, 내상 잡병은 장부, 경락으로 구분한다. 그러므로 병위의 전변형식은 주로 경맥에 따른 전변, 삼초와 위기영혈에 따른 전변, 장부에 따른 전변 등 세 가지 형식으로 분류될 수 있다.

2. 한열(寒熱)의 전화(轉化)

전화는 병성(病性)이 바뀌는 것이다. 특히 성질이 상반되는 것으로 바뀌는데, 음증이 양증으로, 표증이 이증으로, 한증이 열증으로, 허증이 실증으로 바뀌는 식이다.

한열은 음양 실조가 질병이나 병증의 속성으로 반영된 것이다. 인체의 음양은 정상적인 상황에서 서로 협조하고 제약한다. 만약 음양이 상대적인 균형을 유지하지 못하면 반드시 음양의 편성이나 편쇠가 되어 "陽이 勝하면 熱이 나고, 陰이 勝하면 寒한다[33]" 또는 "陽이 虛하면 外寒하고, 陰이 虛하면 內熱한다[34]"와 같은 병리적인 반응이 나타난다. 그러므로 질병이나 병증의 한열 속성은 한열사기(寒熱邪氣)에 의해 음양편성이 유발되거나 인체의 음허나 양허로 인해 발생된다. 그래서 『경악전서』에서는 "寒熱은 陰陽이 化한 것이다"[35]라고 하였다.

질병이나 병증의 한열 속성은 음양의 소장 성쇠의 변화에 의해 결정되기 때문에 임상에서 질병의 한열을 구분하는 원칙이 있는데, 음사(陰邪)를 감수하거나 또는 양허음성(陽虛陰盛)한 경우에는 병세가 침정(沈靜)하므로 한에 속하고, 양사(陽邪)를 감수하거나 또는 음허양항(陰虛陽亢)한 경우에는 병세가 흥분하여 나타나므로 열에 속한다. 그러나 질병의 진행중에 음양의 소장 성쇠는 끊임 없이 변화하고 있으며, 음양 성쇠에 따라 질병과 병증도 본래의 성질을 버리고 변화를 하거나 또는 본래의 성질과 상반된 속성을 나타낸다. 즉 한에서 열로 바뀌고, 열에서 한으로 바뀔 수 있다.

1) 한에서 열로 바뀌는 경우

질병이나 병증의 속성이 본래 한이었는데 나중에 열로 바뀌는 병리적인 과정이다. 예를 들어 태양표한증(太陽表寒證) 초기에는 오한심(惡寒甚), 발열경(發熱輕), 맥부긴(脈浮緊)하게 나타난 다음에 양명리열증(陽明裏熱證)이 나타나면서 장열(壯熱), 불오한반오열(不惡寒反惡熱), 심번구갈(心煩口渴), 맥삭(脈數) 등 증상이 나타나는 경우, 또는 효천병(哮喘病)이 일어나면서 기침, 담희이백(痰稀而白)이 나타난 후에 발열, 기침, 흉통, 담황이점조(痰黃而粘稠) 등 증상이 나타나는 경우가 바로 한에서 열로 바뀐 경우이다.

2) 열에서 한으로 바뀌는 경우

질병이나 병증의 속성이 본래는 열이었는데, 나중에 한으로 바뀌는 병리적인 과정이다. 예를 들어 변혈(便血)의 경우, 초기에는 피가 선홍색을 띠고 항문작열(肛門灼熱), 구건설조(口乾舌燥), 대변비결혹불상(大便秘結或不爽) 등 증상이 나타나지만, 치료되지 않고 오래된 경우에는 정기를 손상시켜 양기가 허해지므로 피가 자암색을 띠고 완복은

33) 陽勝則熱, 陰勝則寒 (素問·陰陽應像大論)
34) 陽虛則外寒, 陰虛則內熱 (素問·調經論)
35) 寒熱者, 陰陽之化 (景岳全書·卷一·傳忠錄·寒熱篇)

통(脘腹隱痛)、희안희난(喜按喜暖)、외한지냉(畏寒肢冷)、대변당박(大便溏薄) 등 증상이 나타난다. 이런 경우가 바로 열에서 한으로 바뀌는 경우이다.

이처럼 한열의 전화가 생기는 이유는 사기가 '종화(從化)'하기 때문이다. '종화'는 종류화(從類化)라고도 하는데, 사기가 인체에 침입한 다음 인체의 체력의 차이、사기가 침범한 부위 및 시간경과에 따른 변화와 잘못된 치료 등 각종 조건에 따라 성질이 바뀌고, 사기 본래의 성질과는 다른 성질이 형성되면서, 인체의 체질과 일치하는 병리적인 반응이 나타난다. 예를 들어 같은 습사(濕邪)라도 양열(陽熱)한 사람이 받으면 습사는 몸의 양을 따라 열로 화하여 습열(濕熱)이 되고, 음한(陰寒)한 사람이 받으면 몸의 음을 따라 한으로 화하여 한습(寒濕)이 된다. 만약 같은 조사(燥邪)라도 양열한 사람이 받으면 조는 열을 따라 화하므로 온조(溫燥)가 되고, 음한한 사람이 받으면 한을 따라 화하므로 양조(凉燥)가 된다. 인체에는 음양의 구별이 있고, 장부의 강약이 있으므로 사기가 종화하게 된다. 그러므로 인체와 사기의 반응은 각각 다르게 나타나고, 그 병리적인 종화 역시 일치하지 않는다. 병의 음양은 사람의 음양에 따라 변화된다. 그러므로 병기학에서는 체질의 차이가 전화(轉化)에 미치는 작용에 대해 중시한다. 예를 들어『의문봉갈(醫門棒喝)』에서는 "六氣의 발병인자에 陰陽의 차이가 있는데, 사람을 상함에 있어 사람의 음양과 강약에 따라 변화하여 병이 된다"[36]고 하였다.

다음으로 '종화'는 사기가 침입하는 부위와 관련이 있다. 사람의 장부 경락에는 음양 허실의 차이가 있다. 그러므로 사기가 침입하면 그 장부 경락의 속성에 따라 성질의 변화가 발생된다. 예를 들어 습사(濕邪)가 비(脾)에 있으면 비는 음(陰)에 속하기 때문에 완복창만(脘腹脹滿)、지체침중(肢體沈重)、구오설사(嘔惡泄瀉) 또는 수종(水腫) 등 증상이 나타나고, 습(濕)이 음을 따라 한(寒)으로 바뀌어 한습(寒濕)의 병이 생긴다. 계속해서 사기가 위(胃)에 들어가면 위는 양(陽)에 속하기 때문에 사기가 침입되면 양을 따라 열(熱)과 조(燥)로 바뀌어 복만(腹滿)、대변난(大便難)、조열(燥熱)、구건(口乾)、태황조(苔黃燥) 등 증상이 나타난다. 또한 상한병 전변의 경우, 삼양경에서 삼음경으로 전입될 때에는 대부분 열에서 한으로 바뀌는 경우이다. 그래서『의종금감』에 "六氣가 사람이 감수할 때는 같아도, 사람에게 들어간 다음에 발생한 병의 양상은 각각 다른데 왜 그러한가? 무릇 사람의 형체에 후박(厚薄)이 있고 氣에 성쇠가 있으며 臟에는 한열이 있어서 들어온 사기가 이러한 사람의 장부 기운에 따라 변화하여 병을 일으키므로, 그 병이 각기 달라지는 것이다. 그래서 몸의 虛를 따라 바뀌거나, 實을 따라 바뀌거나, 寒을 따라 바뀌거나, 熱을 따라 바뀌거나 한다"[37]고 한 것이다. 여기서 언급한 사람의 형(形)、기(氣)、장(臟)은 체질을 의미한다.『의법심전(醫法心傳)』에서도 "陽臟이 감수한 병에는 陽이 많고, 陰臟에 감수한 병에는 陰이 많다. … 陽臟은 대개 熱化하고 陰臟은 대개 寒化하기 때문이다"[38]라고 하였다.

'종화'는 잘못된 치료와도 밀접한 관계가 있다. 일반적으로 말하자면, 오치(誤治)는 사기(邪氣)가 약물의 성(性)에 따라 변화하게 할 수 있고, 실치(失治)는 사기를 머물러 온울(蘊鬱)하게 만들어 본래의 속성을 전화시킬 수 있다. 그래서 진수원(陳修園)은 이에 대해 "寒과 熱 두 기는 성하면 변화한다. 내가 헤아려 보건대 두 가지가 있는데, 하나는 病體에 따라 나누어지는 것이고, 또 하나는 약을 잘못 투여하여 변하는 것이다"[39]라고 하였다.

---

36) 六氣之邪, 有陰陽不同, 其傷人也, 又隨人身之陰陽强弱變化而爲病 (醫門棒喝·葉氏溫熱論)

37) 六氣之邪, 感人雖同, 人受之而生病各異者, 何也? 蓋以人之形有厚薄, 氣有盛衰, 臟有寒熱, 所受之邪, 每從其人之臟氣而化, 故生病各異也. 是以或從虛化, 或從實化, 或從寒化, 或從熱化 (醫宗金鑒·辨太陰病脈證幷治全篇)

38) 陽臟所感之病, 陽者居多, 陰臟所感之病, 陰者居多. … 以陽臟者多熱化, 陰臟者多寒化也 (醫法心傳·診病須察陰臟陽臟平臟論)

39) 蓋寒熱二氣, 盛則從化, 余揆其別則有二, 一從病體而分, 一從誤藥而變 (時方妙用·卷四·太陽)

이상의 내용을 종합해보면, 양성음허(陽盛陰虛)한 체질은 쉽게 열(熱)과 조(燥)로 바뀌고, 음성양허(陰盛陽虛)한 체질은 쉽게 한(寒)과 습(濕)으로 바뀐다. 사기를 받은 장부와 경락이 양(陽)에 속하면 대부분 열과 조로 바뀌고, 음(陰)에 속하면 대부분 한과 습으로 바뀐다. 일반적으로, 외감병의 전화는 비교적 신속하게 나타나고, 내상 잡병의 전화는 비교적 완만하게 나타난다.

한열의 전화를 통해 병의 예후를 짐작할 수 있다. 일반적으로, 한에서 열로 바뀌는 것은 양장음소(陽長陰消)로 정기가 아직까지 강하고, 음병(陰病)이 양(陽)으로 나오기 때문에 병증이 순(順)한 경우이다. 반대로 열에서 한으로 바뀌는 것은 음장양소(陰長陽消)로 정기가 사기를 이기지 못하여 양증(陽證)이 음(陰)으로 바뀌기 때문에 병증이 역(逆)한 경우이다. 그러므로 임상에서는 한열의 전화로 음양의 소장을 살피고, 이에 따라 병증의 진퇴순역(進退順逆)을 예견할 수 있다.

3. 허실(虛實)의 전화(轉化)

허실은 사정(邪正)의 성쇠에 따라 결정된다. 허실에 대한 판정은 주로 사정의 싸움에서 주차(主次)의 위치에 따라 결정된다. 그러므로 사정 양측에서 맞서고 있는 상대적인 역량에 변화가 일어나서 그 주차의 위치가 뒤바뀌면 질병의 허실성질에도 근본적인 전변이 발생해서 실에서 허로, 허에서 실로 바뀐다.

1) 실(實)에서 허(虛)로 바뀐 경우

이는 질병이나 병증이 원래는 사기가 성한 것을 주로 하는 실(實)의 병리 변화였다가 정기의 허손을 주로 하는 허(虛)로 바뀐 경우이다. 예를 들어 이질이나 복통후중(腹痛後重) 등은 본래 실증(實證)에 속하지만 제 때에 적체(積滯)를 제거하지 않아 사리(瀉痢)가 오래 되면 체력이 점점 허약해져 허증(虛證)이 된다. 또한 간기(肝氣)가 항성(亢盛)하여 협통、이노(易怒)하면 비위(脾胃)에 영향을 주고 운화기능이 실조되어 식욕부진이 일어나게 되며, 기혈은 근원이 없어서 생화되지 못하므로 몸이 점차적으로 수척해지고 기혈양허가 되어 실증에서 허증으로 바뀐다.

실에서 허로 바뀌는 것은 주로 사기가 너무 강하여 정기가 사기를 이기지 못해 점차적으로 휴손되면서 쇠패(衰敗)하는 경우이다. 이외에도 오치、실치로 인해 병이 오래되면 사기가 약해지지만 정기가 더 많이 손상되어 실증에서 허증으로 바뀐다. 그러므로 실에서 허로 바뀌는 경우는 대부분 사기가 너무 강하거나、체력이 부족하거나、치료방법의 잘못으로 말미암는다. 그래서 『의종금감』에서는 "사람이 감수한 발병인자가 같더라도 사람마다 형체나 장부가 다르기 때문에 … 虛로 바뀌거나 實로 바뀐다"[40]고 하였다. 여기서의 "형체나 장부가 다른 것(形臟不同)"은 체질의 차이를 뜻한다. 그러나 병기변화의 일반적인 원리로 분석하자면, 질병의 성질이 실에서 허로 바뀐 경우는 그 원인을 막론하고 모두 사기가 너무 강하여 약하지 않았던 정기가 점차적으로 부족해지면서 기능이 감퇴되어 질병에 대한 저항능력이 저하된 경우를 뜻한다.

2) 허(虛)에서 실(實)로 바뀐 경우

이는 대부분 장부기능의 감퇴와 쇠약으로 전신의 기、혈、진액이 부족하거나 기능장애가 유발됨으로써 기화가 무력하거나 실조되어 수음(水飮)、담탁(痰濁)、어혈 등 실사(實邪)가 체내에 저류되는 병리적 과정이다. 예컨대 비기(脾氣)

---

40) 謂人感受邪氣雖一, 因其形臟不同, … 或從虛化, 或從實化 (醫宗金鑒·傷寒心法要訣·傷寒傳經從陽化熱從陰化寒原委)

의 허손으로 중기(中氣)가 부족하면 운화기능이 실조되어 복만(腹滿)이나 변비가 생긴다. 이외에도 양허수정(陽虛水停)이나 비허습취(脾虛濕聚)도 이 경우에 속한다. 허에서 실로 바뀐 경우는 체내에서 유발된 사기가 무(無)에서 유(有)로, 소(少)에서 다(多)로, 이차적인 문제에서 주된 문제로 바뀌기 때문에 그 병증 역시 허증에서 허실협잡(虛實挾雜)으로 바뀌거나 심한 경우 실증이 허증보다 뚜렷하게 나타난다. 그러나 허증이 실증으로 바뀔 수 있는 것은 정기의 부족으로 질병에 대한 저항능력이 약해지면서 장부의 기능도 저하되어 기화기능이 제대로 작동되지 않아 유발된 것이다. 또한 치료를 제 때에 하지 못하여 사기가 체내에 오래 체류(滯留)되면 정기를 손상하거나 새로운 사기가 다시 침입하여 발생한다.

참고문헌

1. 『格致餘論·陽有餘陰不足論』 朱震亨
2. 『景岳全書·卷一·傳忠錄·寒熱篇』 張介賓
3. 『脾胃論·脾胃虛實傳變論』 李杲
4. 『素問·經脈別論』
5. 『素問·生氣通天論』
6. 『素問·玉機眞臟論』
7. 『素問·陰陽應象大論』
8. 『素問·調經論』
9. 『素問·至眞要大論』
10. 『素問·太陽陽明論』
11. 『素問·通評虛實論』
12. 『素問·評熱病論』
13. 『素問遺篇·刺法論』
14. 『小兒藥證直訣·原序』 錢乙
15. 『時方妙用·卷四·太陽』 陳修園
16. 『靈樞·百病始生』
17. 『靈樞·本神』
18. 『靈樞·五變』
19. 『溫疫論·原病』 吳有性
20. 『溫疫論·雜氣論』 吳有性
21. 『王氏醫存·卷三·五方水土爲病』 王燕昌
22. 『醫理輯要·錦囊覺後篇』 吳德漢
23. 『醫門棒喝·葉氏溫熱論』 章楠
24. 『醫法心傳·診病須察陰臟陽臟平臟論』 程芝田
25. 『醫宗金鑒·辨太陰病脈證幷治全篇』 吳謙
26. 『醫宗金鑒·卷三十六·傷寒心法要訣』 吳謙
27. 『黃帝內經素問·至眞要大論·王冰注』 王冰
28. 전국한의과대학 병리학교실, 한방병리학, 2002, 일중사
29. 高思華 等, 中醫基礎理論, 2012, 人民衛生出版社
30. 樊巧玲 主編, 中醫學概論, 2010, 中國中醫藥出版社
31. 成戰鷹, 診斷學基礎, 2012, 人民衛生出版社
32. 陳家旭 等, 中醫診斷學, 2012, 人民衛生出版社
33. 何建成 等, 中醫學基礎, 2012, 人民衛生出版社

PART 2 진단과 치료

韓醫學

제 11 장 진찰방법

Diagnostic Methods

한의진단의 기본 내용은 진찰방법과 변증이다. 진찰방법은 망문문절(望聞問切, 四診: four examinations)의 방법을 이용하여 환자의 병력 (medical history)、증상 (symptom)、징후 (sign) 등을 관찰하고 수집하는 것이며, 변증은 사진(四診)을 통해 얻은 자료들을 한의학 기초이론을 활용하여 '증(證, pattern)'으로 개괄하는 진단과정이며, 질병을 예방하고 치료하는 근거를 제공한다.

한의학에서는 인체를 하나의 유기적인 통일체로 보고 있기 때문에 한의진단의 이론적 근거는 정체관(整體觀, holism)이다. 생리적으로, 체내의 장부는 체표의 형체、주요 기관、사지、말단과 밀접한 관계가 있으며, 병리적으로, 내장의 기능 실조는 반드시 체외로 드러나며, 체내의 병리변화는 상응하는 체표、기관이나 부위에 나타난다. 그러므로 병을 진찰할 때에는 환자의 외부 기관이나 국소 부위의 변화를 통해 내부의 병리변화를 추측하고 병의 상태를 파악한다. 예컨대『영추 외췌(靈樞 外揣)』에서는 "밖을 살펴서 안을 헤아린다 1)"고 하였으며,『단계심법(丹溪心法)』에서는 "그 내부를 알고자 하면 마땅히 외부를 잘 관찰해야 하고, 밖을 진찰하는 것은 바로 안을 알기 위함이다. 대개 안에 있는 것은 밖으로 드러난다2)"고 하였다.

한의학에서는 사진을 통해 질병의 상태를 진단한다. 망진(望診)은 의사가 시각을 통해 환자의 몸 전체와 부분을 관찰하는 방법이고, 문진(聞診)은 청각과 후각을 통해 환자의 소리나 냄새의 상태를 알아내는 것이며, 문진(問診)은 환자나 보호자와의 문답을 통해 질병의 시작과 진행 경과, 현재의 증상 및 기타 질병과 유관한 정황 등을 파악하는 것이고, 절진(切診)은 환자의 맥박을 진찰하거나 환자의 피부、복부、사지 등 기타 유관 부위를 촉진하는 것이다.

인체는 유기적인 통일체이므로 장부와 형체、조직과 오관(五官)、구규(九竅)는 경락을 통해 연결되어 생리 병리적으로 서로 영향을 미친다. 내장의 기능이 잘못되면 경락을 통해 체표의 조직과 기관으로 나타나고, 체표 조직이나 기관의 질병 역시 경락을 통해 소속된 장부와 전신에 영향을 미친다. 그러므로 망、문、문、절의 방법을 통해 오관、형체、색맥(色脈) 등으로 나타나는 다양한 외부의 표현을 관찰하면 내장의 병변을 추측할 수 있고, 내재하는 병리 본질을 파악함으로써 정확한 진단의 근거를 제공한다.

사진은 다양한 각도에서 병의 상태를 검사하고 임상 자료를 수집하는데, 각기 서로 다른 방법과 의의를 가지고 있어서 상호보완적인 관계이다.

---

1) 司外揣內 (靈樞·外揣)
2) 欲知其內者, 當以觀乎外; 診于外者, 斯以知其內. 蓋有諸內者形諸外 (丹溪心法·能合色脈可以萬全)

■ 그림 11-1 사진(四診)

제 1절 망진(望診, Inspection)

망진은 의사가 시각을 통해 환자의 전신 상태, 국소 변화, 국부 증상, 배설물, 혀 및 소아의 식지낙맥(食指絡脈)의 변화를 관찰하여 병의 상태를 파악하는 방법이다.

망진은 환하고 밝은 조건에서 진행해야 하는데, 자연광선이 좋다. 일반적으로 전신의 상태를 먼저 살펴보고 나서 국소 부위 그리고 배설물과 혀 등을 관찰한다.

■ 그림 11-2 망진(望診)

1) 전신 망진 (Whole body inspection)

전신 망진에서는 주로 환자의 정신, 안색, 형체, 자태 등 전체적인 모습과 한열허실의 질병 성질과 경중완급(輕重緩急)의 상태를 살펴 전체적인 이미지를 그린다.

(1) 망신(望神, Inspection of the vitality)

神에는 두 가지 의미가 있는데, 첫째는 생명활동이 겉으로 드러난 표현으로 '신기(神氣)'와 같으며, 둘째는 '신지(神志)', '신명(神明)'과 같이 사유와 의식활동을 가리킨다. 望神에서의 '神'은 첫째의 예에 해당한다. 망신은 주로 환자의 정신의식, 얼굴표정, 언어활동, 호흡, 동작 등을 보는 것으로, 그 중에서 눈동자를 보는 것이 가장 중요하다. 이와 같이 다양한 변화에 대한 관찰을 통해 환자 음양기혈의 성쇠, 상태의 경중과 예후 등을 추측할 수 있다.

① 유신(有神, '得神'이라고도 함: Presence of vitality): 환자의 정신이 또렷하고, 두 눈이 맑으며, 표정이 자연스럽고, 언어가 분명하며, 호흡을 잘 하고, 형체가 튼실하며, 활동이 자연스러운 상태를 말한다. 有神일 때는 정기가 아직 상하지 않고 장부기능도 쇠하지 않아 질병이 깊지 않고 예후도 양호하다.

② 소신(少神, Lack of vitality): 환자가 정신적으로 피곤하고, 동작이 느리며, 숨이 차면서 말하기를 귀찮아 하고, 반응이 느리며, 얼굴색이 약간 창백한 등의 표현이 나타난다. 이는 정기가 이미 상하고 장부의 기능이 부족한 것으로, 허증이나 질병의 회복기에 주로 나타난다.

③ 무신(無神, '失神'이라고도 함: Loss of vitality): 환자의 정신이 미약하고, 얼굴색이 어두우며, 안광이 어둡고, 말소리가 낮으며, 호흡이 약하고, 몸이 마르거나, 전신적으로 부으며, 움직이기가 어렵고, 의식이 흐리며, 심하면 혼미하고, 횡설수설하며, 멍하니 허공을 바라보는 상태를 말한다. 無神일 때 정기가 크게 상하고 장부의 기능이 허쇠하여 병이 매우 중하고 예후가 좋지 않다.

④ 가신(假神, False vitality): 주로 중병이나 오래된 병의 환자에게 나타나는데, 빈사상태 바로 전에 정신이 잠시 호전되면서 나타나는 가상(假象)으로, 환자의 상태가 극도로 쇠약해져 의식이 명료하지 않고 얼굴색이 어두우며, 말을 하기 싫어하고, 말소리가 낮고 끊어지며, 오랫동안 먹지 못하다가 갑자기 정신이 돌아오는 것 같고, 광대뼈 부근이 약간 붉으며, 쉴 새 없이 말을 하고, 목소리가 높으며, 식욕이 생기는 등의 현상이 나타나는 것을 말한다. 이는 병이 악화되어 장부의 정기가 쇠갈하고 예후가 불량한 것으로, 이를 비유하여 옛말에 "해가 지기 전에 잠깐 밝아진다[3]", "등잔불이 꺼지기 전에 잠깐 환해진다[4]"고도 하였다.

(2) 망색(望色, Inspection of the complexion)

주로 얼굴 색과 광택의 변화를 관찰하여 질병의 상태를 파악하는 진찰방법이다. 얼굴색은 백, 황, 적, 청, 흑(白, 黃, 赤, 青, 黑)의 다섯으로 나누어 보는데, 그 변화는 질병의 성질과 병변이 있는 장부를 나타내며, 피부의 광택은 윤기 여부를 의미하여 장부 정기의 성쇠를 반영한다.

얼굴은 기혈이 풍부하고 피부가 얇고 약해서 색택의 변화가 쉽게 드러나기 때문에 얼굴 색택의 관찰을 통해 장부의 허실과 기혈의 성쇠를 관찰하는 것이 망색의 주요 내용이다. 정상적인 얼굴색은 혈색이 도는 연한 황색이면서 윤택이 나는데, 이를 '상색(常色, normal complexion)'이라고 한다. 질병으로 인해 변화된 색택을 '병색(病色, morbid

3) 回光返照 (五燈會元·道揩禪師)
4) 殘燈復明

complexion)'이라고 한다. 일반적으로 환자의 얼굴이 빛이 나면서 선명하고 윤기가 있으면 병이 가벼운 것으로 기혈이 아직 쇠하지 않고 예후가 비교적 좋다. 색택이 어둡고 윤기가 없으면 병이 비교적 중하고 정기가 이미 상한 것으로 예후가 좋지 않다.

오색이 주관하는 병을 나누어 설명하면 다음과 같다.

① 백색 (Pale, white): 주로 허증、한증、실혈(失血)에 해당한다. 백색은 기혈의 부족을 의미한다. 양기가 허쇠하여 기혈의 운행이 잘 안되거나, 기나 혈이 손실되면 기혈이 부족해져 안면이 고루 백색을 띤다. 얼굴이 희면서 부어 있으면 양기부족(陽氣不足)이고, 담백하면서 마르면 영혈부족(營血不足)이며, 또 만약 급성병으로 갑자기 얼굴색이 창백해지면 이는 양기가 갑자기 사라지거나 한기가 체내에서 왕성해져 경맥이 응체하여 잘 통하지 않는 증후이다.

② 황색 (Yellow): 주로 습증과 허증에 해당한다. 황색은 비(脾)가 허하여 습이 만연된 표현이다. 그러므로 비가 제대로 기능하지 못하면 기혈이 부족하거나 수습이 쌓여 얼굴이 항상 누렇게 된다. 만약 얼굴색이 누러면 비위의 기가 허한 것이며, 얼굴이 누렇고 부어 있으면 비(脾)가 허하여 습이 있는 것이다. 얼굴과 눈이 노란색이면 황달이며, 그 중에서도 노란색이 선명하면 양황(陽黃)으로 습열에 속하고, 노란색이 어두우면 음황(陰黃)으로 한습에 속한다.

③ 적색 (Reddened): 열증에 해당한다. 붉은 것은 혈액이 피부맥락에 가득 차 있기 때문이다. 혈이 열을 얻으면 나아가고 맥락에 쉽게 가득 차므로 열증의 경우 주로 붉게 나타난다. 열증은 허실로 나누어지는데, 얼굴 가득히 홍적색이면 실열증에 해당하고, 오후에 광대뼈부위가 붉으면 허열증에 해당한다. 이외에도 오랜 병이나 중병으로 얼굴색이 창백한데 갑자기 얼굴이 붉어지면서 떠 있는 듯하면 '대양증(戴陽證, upcast yang pattern)'인데, 이는 장부의 정기가 쇠갈하여 음이 양을 수렴하지 못함으로써 허한 양이 위로 떠오른 것이며 진한가열(眞寒假熱)에 해당한다.

④ 청색 (Bluish): 주로 한증、통증、어혈、경풍(驚風)에 나타난다. 청색은 기혈이 통하지 않아 경맥이 막혔기 때문에 나타난다. 만약 한(寒)으로 인해 통증이 생기고 통증이 극렬하면 얼굴색이 창백하거나 파래진다. 만성적인 심、간 등의 질병으로 기체혈어(氣滯血瘀)의 병변이 있으면 얼굴색이 푸르고 어두워지며 입술이 청자색으로 변한다. 소아가 고열이 나면서 얼굴이 청자색으로 변하고 특히 콧등이나 양미간에 두드러지면 이는 경풍이 발생할 징조이다.

⑤ 흑색 (Darkish): 신허(腎虛)、수음(水飮)、어혈에 해당한다. 만약 얼굴과 전신이 검으면 대개 신양(腎陽)이 허쇠하여 음한(陰寒)이 응체된 허한증(虛寒證)이다. 안와 주변이 검으면 신허수범(腎虛水泛)의 담음병(痰飮病)이거나 한습(寒濕)이 하주(下注)한 대하병(帶下病)이다. 얼굴색이 검고 마르면 신정(腎精)이 오랫동안 소모되어 허화(虛火)가 음을 손상해서 정기가 얼굴로 올라가지 못한 때문이다. 얼굴색이 검고 피부가 거칠면 대개 어혈이 체내에 오래 머물러 피부에 영양공급이 제대로 되지 않은 것이다. 심병(心病)인데 이마 부위에 흑색이 나타나면 역증(逆症)이고, 입 주위가 검으면 신허(腎虛)이다.

(3) 형태의 관찰 (Inspection of the shape)

환자의 강약、비수(肥瘦) 및 활동 상태를 관찰하는 것이다.

① 형체 (Form): 주로 음양기혈의 성쇠를 반영한다. 흉곽이 두텁고 기육이 풍성하며 피부가 윤택하면 기혈이 왕성하고 건강 무병한 것으로, 병에 걸렸다고 하더라도 예후가 양호하다. 형체가 비만하고 기육이 무르며 정신적으

로 피곤하고 힘이 없으면 양기부족으로 담습내성(痰濕內盛)한 '형성기쇠(形盛氣衰)'이다. 형체가 마르고 흉곽이 좁으며 피부가 건조하면 기혈이 부족한 것으로 대개 허로증에서 나타나는데, 이른바 '형수음허(形瘦陰虛)'이다. 몸이 마르고 광대뼈 부근이 붉으며 피부가 까칠하면 음혈(陰血)이 부족하여 체내에 허화(虛火)가 있는 것이다. 그래서 "뚱뚱한 사람은 습이 많다[5]", "마른 사람은 火가 많다[6]"고 하였다. 얼굴과 팔다리가 부어 있으면서 복창(腹脹)하면 수종병(水腫病)이고, 배가 물을 담고 있는 것처럼 부르고 배꼽이 튀어나오면서 복부에 푸른 근육이 드러나면 충창병(蟲脹病)이다. 큰 근육이 마르고 피부가 건조하면서 근육이 빠지면 병이 위중한 상태이다.

② 자태 (Figure): 질병에 따라 종종 다양한 자태와 체위를 나타낸다. 일반적으로 "양은 움직임을 주관하고, 음은 고요함을 주관한다[7]"고 하기 때문에 많이 움직이면 양증(陽證)에 속하고, 조용히 있으면 음증(陰證)에 속한다. 누워서 옷이나 이불 덮기를 좋아하면 대개 한증에 속하고, 누울 때에 얼굴을 쳐들고 발을 뻗으면서 옷이나 이불을 걷어차면 대개 열증에 속한다. 기침이 나오면 앉아서 고개를 들고 있어야 하는 경우는 대개 담연이 많은 폐실증(肺實證)이고, 앉아서 머리를 숙이고 숨쉬기가 어려우면 대개 폐허(肺虛)나 신불납기증(腎不納氣證)이다. 관절이 붓고 아프며 움직임이 불편하면 비증(痺症, impediment)이며, 사지가 약하고 힘이 없으면서 물건을 쥐거나 움직이지 못하면 위증(痿症, wilting)이다. 반신불수와 구안와사는 풍담(風痰)이 낙맥을 저애한 중풍증이다. 경항(頸項)이 강직되고, 사지가 당기며, 각궁반장(角弓反張)이 있으면 풍이 동한 경우이고, 허공을 멍하니 쳐다보거나 옷이나 이불을 더듬고 있으면 신기(神氣)가 착란하여 병정이 위독한 상태이다.

2) 국부 망진 (Local inspection)

국부 망진은 전신적인 망진을 바탕으로 국소의 이상변화에 대해 세밀하게 관찰함으로써 환자의 병변을 파악하는 것이다. 국부 망진은 주로 두면부, 오관, 피부 등을 포함한다.

(1) 안면부의 관찰 (Inspection of the head and face)

① 두경부(頭頸部): 소아의 머리가 지나치게 크거나 작으면서 지능이 떨어지면 대개 선천 부족으로 인한 신정휴허(腎精虧虛)에 속한다. 소아의 신문(囟門, fontanel)이 하함되어 있으면 토사(吐瀉)로 인해 진액을 상하고 기혈이 부족하였거나, 혹은 선천의 정기가 부족하여 뇌수(腦髓)가 충실하지 않은 것이다. 신문이 튀어나와 있으면 대개 담열편성(痰熱偏盛)하거나 뇌수의 병변이다. 신문이 더디게 닫히는 것은 신정부족으로 인한 발육불량에 속한다. 뒷덜미가 뻣뻣하거나 머리를 자기도 모르게 흔드는 것은 풍이 동한 경우이고, 머리를 들지 못하는 것은 대개 허증이거나 병이 중한 경우이다.

② 두발(頭髮): 머리털은 혈(血)의 연장이고 신(腎)의 외영(外榮)이다. 정상인의 머리털은 대개 검고 윤기가 나는데, 이는 신기(腎氣)가 충만한 때문이다. 머리털이 적고 길지 않은 것은 신기가 허한 것이다. 머리털이 누렇고 건조하거나 오랜 병으로 인해 빠지면 대개 정혈이 부족한 것이다. 갑자기 원형탈모가 나타나는 것을 반독(斑禿)이라고 하는데, 혈허로 풍이 생긴 경우이다. 머리털이 점점 희어지고 빠지는 것은 두 가지로 나누어 볼 수 있는데, 노인의 경우에는 정혈이 점점 쇠하는 것이고, 청장년의 경우에는 혈분에 조열(燥熱)이 있거나 정혈이 부

5) 肥人濕多 (格致餘論·治病先觀形色然後察脈問證論)
6) 瘦人火多 (格致餘論·治病先觀形色然後察脈問證論)
7) 陽主動, 陰主靜 (大戴禮記·文王宮人·盧辯註)

족한 때문이다. 소아의 머리털이 이삭처럼 뭉치고 건조하면서 노랗게 되는 것은 모유가 부족하거나 영양상태가 좋지 않은 감적병(疳積病, infantile malnutrition with accumulation)이다.

(2) 오관의 관찰 (Inspection of five sensory organs)

① 눈: 오장육부의 정기는 모두 눈으로 올라가기 때문에 눈동자의 변화를 살피는 것은 망신(望神)에 있어서 중요한 의미를 지닌다. 눈동자를 잘 움직이고 생기가 있으면 정기가 아직 충만한 상태이고, 눈에 광채가 없으면 정기가 부족한 현상이다. 안신(眼神)을 관찰하는 외에도 눈의 외형、얼굴、색、동태의 변화 등을 살펴야 한다. 눈이 붉고 부어 있으면 대개 풍열(風熱)이나 간화(肝火)에 속하고, 흰자위가 노란 것은 황달의 주요 표지이다. 안검이 담백색이면 기혈이 부족한 것이고, 안포(眼胞)가 부어 있는 것은 수종의 증상이다. 안와가 하함되어 있으면 진액을 상한 것이다. 소아가 잠 잘 때에 눈동자가 드러나 있으면 대개 비허(脾虛)에 속한 것이며, 동공이 산대되어 있으면 정기가 쇠갈한 것이다. 두 눈을 위로 치켜 뜨고 있거나 멍하니 보고 있으면 대개 간풍(肝風)이 동하였거나 동할 징조이다.

② 코: 코는 폐로 통하고, 족양명위경이 콧방울 옆에서 시작하여 아래로 코 바깥쪽을 돌기 때문에 코를 보면 폐와 위의 병변을 추측할 수 있다. 코를 보는 것은 주로 콧속의 분비물과 코의 외형이다. 맑은 콧물이 흐르면 대개 외감풍한에 속하고, 탁한 콧물이 흐르면 풍열에 속하며, 오랫동안 탁한 콧물이 나오고 비린 내가 나면 비연(鼻淵, sinusitis)인데, 이는 외사나 담경온열(膽經蘊熱)이 원인이다. 콧구멍이 건조하면 폐열(肺熱)이고, 코피가 나오면 폐위온열(肺胃蘊熱)이나 음허화왕(陰虛火旺)에 속한다. 콧날개를 벌름거리면 폐열 천식의 초기에 해당되며, 오랜 병으로 콧날개를 벌름거리면서 기침을 하고 땀이 나오면 폐신기허(肺腎氣虛)의 중증이다. 콧등이 문드러지는 증상은 주로 나병이나 매독에서 나타난다.

③ 구순: 입술은 비의 외후(外候)이고, 양명경은 입 주위를 돌아가기 때문에 입술을 잘 살피면 비와 위의 병변을 짐작할 수 있다. 구순을 망진할 때에는 입과 입술, 치아와 치은의 색깔, 습윤상태와 형태의 변화를 잘 살펴야 한다. 입술과 치은이 담백하면 대개 기혈이 모두 허한 것이다. 입술이 붉고 말라 터지면 열증으로 진액이 상한 것이다. 입술의 색깔이 청자색이면 한응(寒凝)이나 혈어(血瘀)이다. 입술이 짓무르면 위열(胃熱)이 진액을 손상한 것이다. 치아가 말라서 뼈와 같은 것은 신음(腎陰)이 고갈된 것이다. 입을 악물어 말을 못 하거나 구안와사가 있으면 중풍이다. 구강 점막 근처의 구치(臼齒) 주위에 흰 색의 작은 점이 생기면 마진(痲疹)이 나오려는 증상이다.

④ 인후: 인후는 호흡을 하고 음식물이 들어가는 통로이며, 폐와 위의 문이기 때문에 인후를 살피면 폐와 위의 병변을 짐작할 수 있다. 인후를 살필 때에는 인후의 색깔과 형태의 이상유무에 주의해야 한다. 인후의 한 쪽이나 양쪽이 홍종동통하면 유아(乳蛾, tonsilitis)로, 폐위에 열이 있는 것이다. 고름이 생기고 궤란하거나 황백색의 썩은 점이 생기면 열독이 치성한 것이다. 인후가 선홍색으로 연하고 통증이 심하지 않으면 음허화왕이다. 인후가 담홍색이면서 붓지도 않고 통증이 오래도록 낫지 않는 것은 허양(虛陽)이 위로 뜬 것이다. 인후부에 회백색의 썩은 점이 조각을 이루면서 쉽게 탈락하지 않는 것은 디프테리아일 가능성이 높은데, 폐열음허(肺熱陰虛)한 상태에서 다시 전염병에 감염된 까닭이다.

⑤ 귀: 귀는 신(腎)에 통하고 소양경이 귀를 지나기 때문에 귀를 살피면 신과 담의 병변을 살필 수 있다. 귀를 살필 때에는 귀의 색깔과 외형 및 귀 안의 상태에 주의해야 한다. 귓바퀴가 두텁고 크고 붉으면서 윤기가 있으면 신기(腎氣)가 충만하다는 표현이고, 귓바퀴가 검고 건조하면 신정(腎精)이 휴손된 증상이다. 귀가 청흑색을 띠면 통증이 있음을 의미하고, 귓바퀴가 붉고 부어있으면 열독이 울체된 것이고, 귀의 뒤쪽에 붉은 핏줄이 보이면서

귀뿌리에 찬 기운이 있으면 마진이 나타날 징조이다. 귀 안에 고름이 흐르면 이창(耳瘡)인데 간담습열(肝膽濕熱)로 인한 것이다.

3) 피부의 관찰 (Inspection of the skin)

주로 피부의 색깔, 형태와 체표에 나타난 반진(斑疹, macula) 등을 관찰한다.

(1) 색형변화(色形變化)

정상인의 피부는 윤기가 있으면서 광택이 있는데, 정기가 왕성하고 진액이 고루 잘 퍼져 있기 때문이다. 피부가 무르면서 붓고 눌린 흔적이 남으면 수습(水濕)이 머물러 있는 것이고, 피부가 트거나 건조하면 진액이 손상되었거나 정혈(精血)이 휴손된 것이다. 피부가 거칠고 비늘 같은 것이 일어나면 기부갑착(肌膚甲錯, encrusted skin)이라고 하는데, 혈허와 어혈이 겹친 것이다. 피부, 얼굴, 눈이 노랗게 되면 황달인데, 황색이 선명하면 양황(陽黃)이고, 황색이 어두우면 음황(陰黃)이다. 피부가 구름조각처럼 붉으면서 열이 나고 아프면 단독(丹毒, erysipelas)에 속하는데, 열독으로 말미암은 것이다.

(2) 반진(斑疹)

반(斑)은 기육과 피부 사이에 조각처럼 퍼져 있는 것이고, 진(疹)은 피부의 작은 혈관으로부터 나와 좁쌀처럼 피부 밖으로 나온 것이다. 반과 진은 모두 전신성 질병이 피부로 드러난 것이며, 풍진이나 마진처럼 반진을 주요 증상으로 하는 일련의 질병들이 있다. 반진의 색깔과 형태의 변화를 살피면 질병의 경중과 예후를 짐작할 수 있다. 일반적으로, 색깔이 홍윤(紅潤)하면 좋고, 담체(淡滯)하면 나쁘다. 붉은 색이 심하지 않으면 열독이 비교적 가벼운 것이고, 색이 붉으면서 닭벼슬처럼 짙으면 열독이 매우 심한 것이고, 색이 자흑(紫黑)하면 열독이 극히 성하여 음액이 크게 상한 것이다. 색이 검고 건조하면 열이 극에 달하여 정기가 쇠망한 위험한 증후이다. 반진의 형태는 일반적으로 고루 퍼져 있고 듬성듬성하면 병이 가벼운 것이고, 조밀하고 뿌리가 당기면서 가지가 있으면 병이 중한 것이다. 분포가 일정하지 않게 나타나면서 바로 숨는 것은 정기가 허한 상태에서 병사가 안으로 들어간 것이다. 반의 색깔이 자암(紫暗)하고 비교적 크면서 선명했다가 흐려지곤 하는 것은 기허로 혈을 통섭하지 못하거나 혈어를 겸한 것이다.

4) 배출물의 관찰 (Inspection of the discharge)

배출물은 환자의 분비물과 배설물을 말한다. 환자가 배출한 가래, 구토물, 대소변의 색깔, 질, 양의 변화를 살펴 질병을 진찰하는 방법이다.

(1) 담연(痰涎, Phlegm-drool)

가래의 색깔이 희고 묽은 것은 대개 한담(寒痰)에 속하고, 가래의 색깔이 노랗고 끈끈한 것은 대개 열담(熱痰)에 속한다. 가래가 적고 끈끈해서 뱉어내기가 힘들면 조담(燥痰)이고, 가래의 색이 희고 양이 많으면서 쉽게 뱉을 수 있으면 습담(濕痰)이다. 기침을 하면서 나오는 가래에 피가 섞이고 비린 내가 나면 폐옹(肺癰, lung abscess)이다. 입안에 맑은 침이 많으면 비위허한(脾胃虛寒)에 속하고, 입안에 때로 끈적한 침이 있으면 비위습열(脾胃濕熱)에 속한다. 소아가 입가로 침이 흘러 턱에까지 흐르면 체이(滯頤, wet cheek)라고 하는데, 대개 비허해서 진액을 통섭하지 못하거나 위열충적(胃熱蟲積)으로 인한 것이다. 자면서 침을 흘리면 위에 열이 있거나 숙식이 안에 정체되어 있는 것이다. 구안와사가 있으면서 입가에 침을 흘리는 것은 중풍에서 나타난다.

(2) 구토물 (Vomitus)

구토물이 맑고 음식물이 섞여 있으면서 신 냄새가 없으면 위기허한에 속하고, 구토물이 더럽고 썩는 냄새가 나면 위열(胃熱)이나 식적이다. 구토물이 노란 색으로 쓴 맛이 나면 간담에 열이 있는 것이고, 구토에 선혈이나 검붉은 피가 있고 음식물 찌꺼기가 있으면 간화가 위를 범했거나 어혈이 있는 것이다. 고름 섞인 피를 토하면서 비린 내가 나면 내옹(內癰)에 속하고, 내뿜는 듯한 구토를 하면서 두통과 발열이 있으면 뇌질환이다.

(3) 대소변 (Urine and feces)

대변이 죽처럼 끈적거리면서 냄새가 나면 습열에 속하고, 대변이 물처럼 묽고 아직 소화되지 않은 음식물이 있으면 한습에 속한다. 대변이 찰진 고기덩어리 같으면서 피고름이 섞여 있으면 이질이다. 변이 나오고 나중에 검붉은 피가 섞여나오면 위락(胃絡)의 출혈이고, 먼저 선홍색의 피가 나오고 대변이 나오면 항문이 열상을 입었거나 치창(痔瘡)으로 인한 출혈이다. 소변이 맑고 많이 나오면서 몸과 손발이 차면 한증에 속하고, 소변이 노랗고 양이 적으면서 배뇨 시에 작열감이 있으면 열증에 속한다. 소변이 혼탁하고 기름기 같은 것이 섞여 나오면 고림(膏淋, unctuous strangury)에 속한다. 소변에 피가 섞여 나오고 배뇨 시 통증이 있으면 혈림(血淋, blood strangury)이라고 한다. 소변에 작은 돌멩이가 섞여 나오면서 통증이 있으면 사림(砂淋, stone strangury)이라고 한다.

5) 소아의 식지낙맥(食指絡脈) 관찰 (Inspection of infantile index finger venules)

3세 이하 소아의 식지낙맥을 관찰하는 것은 성인의 촌구맥을 진맥하는 것과 같은 의미를 가진다. 식지낙맥은 수태음폐경의 분지이며, 위치에 따라 풍(風)、기(氣)、명(命)의 삼관(三關)으로 나눈다. 식지 제1절이 풍관(風關)이고, 제2절은 기관(氣關), 제3절은 명관(命關)이다. 소아의 정상적인 식지낙맥은 약간 붉으면서 노랗게 풍관 안에 은근히 드러나고, 그 형태는 대개 사형(斜形)이나 단지(單支)이다. 소아가 병에 걸려 있을 때에 식지낙맥의 형태와 색깔의 변화를 관찰하면 장부기혈의 성쇠와 표리、한열、허실 등을 진찰하여 병의 경중과 예후를 판단할 수 있다.

식지낙맥을 망진하는 임상적인 의의를 요약하면 다음과 같다. 첫째, 색으로 한열을 변별하는데, 낙맥이 선홍색이면 외감표증이고, 자홍색이면 열증이며, 담백색이면 허증이고, 청색은 경풍이나 동통이다. 둘째, 담체(淡滯)로 허실을 정하는데, 색이 천담(淺淡)하면 허증이고 색이 농체(濃滯)하면 실증이다. 셋째, 부침(浮沈)으로 표리를 구분하는데, 낙맥이 부하면 표증이고 낙맥이 가라앉아 있으면 이증이다. 넷째, 삼관으로 경중을 추측하는데, 낙맥이 풍관을 지나 기관이나 심지어 명관에서 뚜렷하면 병이 점점 위중해지는 것을 말하며, 만약 바로 손가락 끝에 이르면 "삼관을 지나 바로 손톱 끝에 이른다[8]"고 하는데, 위중한 경우에 속한다.

---

8) 透關射甲 (保嬰撮要·脈法)

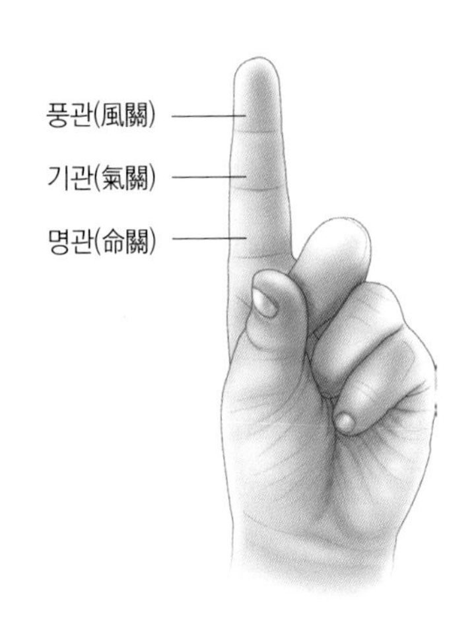

■ 그림 11-3 식지의 삼관(三關)

6) 망설 (望舌, Inspection of the tongue)

망설은 설진(舌診, tongue diagnosis)이며, 환자의 설질과 설태의 변화를 관찰하여 생리기능과 병리변화를 파악하는 진찰방법이다. 설질(舌質, tongue body)은 혀의 근육과 맥락조직으로, 설체(舌體)라고도 한다. 설태(舌苔, tongue fur)는 혀 위에 덮힌 이끼와 같은 물질이다. 설질과 설태의 종합적인 변화를 통칭하여 설상(舌象, tongue manifestation)이라고 한다.

혀는 심(心)의 묘(苗)이면서 비(脾)의 외후(外候)가 되고 다른 장부들 역시 경락을 통해 혀와 직간접적으로 연계되기 때문에 혀의 정상적인 형태와 생리기능은 기혈의 유양과 진액의 자윤에 영향을 받는다. 그러므로 설상은 체내의 변화를 민감하게 반영하기 때문에 설상의 각종 변화를 관찰하면 장부경락의 병변과 기혈진액의 상태를 파악하여 변증하는 데에 중요한 의미를 가진다.

장부의 병변은 혀와 관련되는 특정 부위에 상응하는 변화를 보여주는데, 설첨은 심폐, 설변(舌邊)은 간담, 설중(舌中)은 비위, 설근(舌根)은 신의 병변을 반영한다. 이러한 내용에 근거하여 장부의 병변을 진단하면 임상적으로 도움이 된다.

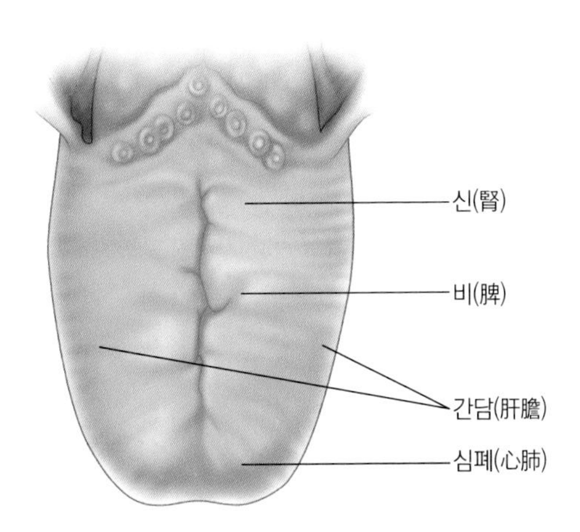

■ 그림 11-4 혀의 부위별 연관 장기

정상적인 설상의 특징은 설체가 유연하고 움직임이 자유로우며 색택이 담홍(淡紅)이면서 윤택하고 적절한 부피를 가지고 있으며, 설면에는 얇은 백태가 덮여 있고, 태는 고루 퍼져 있으며, 습윤도도 적당하다. 일반적으로 정상적인 혀는 "담홍설(淡紅舌), 박백태(薄白苔)" 이다. 병리적인 설상은 설질과 설태의 변화로 나타난다.

(1) 설질의 관찰 (Inspection of the tongue body)

설질에서는 색깔과 형태의 변화를 보는데, 주로 장부의 허실과 기혈의 성쇠를 반영한다.

① 설색(舌色): 병리적인 혀의 색은 담백, 홍, 강, 청자(淡白, 紅, 絳, 青紫)의 네 가지로 나눈다.

- 담백설(淡白舌): 정상적인 혀에 비해 색이 천담(淺淡)한데, 이는 설체의 맥락에 기혈이 부족한 때문이며, 주로 허증이나 한증에 나타난다. 만약 설체가 담백반눈(淡白胖嫩)하면 양허한증(陽虛寒證)이고, 담백수박(淡白瘦薄)하면 기혈양허(氣血兩虛)에 속한다.
- 홍설(紅舌): 혀의 색깔이 정상보다 붉은 경우는 대개 양열(陽熱)이 항성하여 기혈이 위로 설체에 막혀있는 것이며, 주로 열증에 해당한다. 열증에는 허열과 실열의 구분이 있다. 혀가 선홍색이고 황조태(黃燥苔)이면 기분실열(氣分實熱)에 속하고, 태(苔)가 후니(厚膩)하면 습열사성(濕熱邪盛)에 속한다. 설첨이 붉으면 심화항성(心火亢盛)이고, 설변이 붉으면 간담화왕(肝膽火旺)이며, 혀가 선홍색이면서 태가 적거나, 혀가 갈라져 있거나 광활무태(光滑無苔)이면 허열증에 속한다.
- 강설(絳舌): 혀의 색깔이 홍설(紅舌)보다 더 짙어서 심홍색(深紅色)을 띠고 있다. 홍설이 변하여 강설이 되므로 강설의 출현은 환자의 열세가 가중되고 병정이 진행되고 있음을 보여주는 것이다. 강설은 대개 열이 영혈(營血)로 들어가 영음(營陰)을 모상하고 혈열(血熱)이 혀에 차 있거나 음허화왕(陰虛火旺)으로 설락(舌絡)에 상염된 까닭이다. 혀의 색깔이 홍강하고 태가 얇고 건조하면 열이 영분(營分)이나 혈분(血分)에 들어간 것이고, 혀의 색깔이 홍강(紅絳)하면서 태가 적거나 없으면 음허화왕에 속하고, 혀의 색깔이 홍강하고 혀의 표면이 마치 거울과 같으면 위음(胃陰)이 쇠패한 것이다.
- 청자설(青紫舌): 혀의 색깔이 청자색이거나 국소적으로 청자색의 반괴나 어점이 있으면 설체의 맥락이 어저(瘀阻)된 것으로, 한증이나 열증 그리고 어혈에 나타난다. 만약에 강자색(絳紫色)으로 건조하면서 진액이 적으면 열성(熱盛)에 속하고, 담자색이면서 습윤하면 한성(寒盛)에 속하며, 혀가 초자(焦紫)하면서 양매(楊梅)와 같은 혓바늘이 돋아나면 열독이 극성한 것으로 열이 심하여 풍이 동한 경궐(驚厥)의 징조이다. 혀의 색깔이 자회(紫晦)하면서 건조하여 돼지간과 같으면 간신음갈(肝腎陰竭)의 위험한 징후이다. 일반적으로 청자색은 어혈이 비교적 중한 것이고, 국부적인 어반과 어점은 어혈이 비교적 가벼운 경우이다.

② 혀의 형태(舌形): 반수, 노눈, 열문, 치흔, 망자(胖瘦, 老嫩, 裂紋, 齒痕, 芒刺) 등을 말한다.

- 반수(胖瘦): 혀가 정상에 비해 크고, 혀의 색깔이 담백이면서 가장자리에 치흔이 있으면 비신양허(脾腎陽虛)로 수습이 안에 저체되어 있는 것이며, 혀가 붓고 색이 붉으면 심비열성(心脾熱盛)이고, 혀가 부어 있고 청자색이면 대개 중독에 해당한다. 혀가 얇고 작으면서 색이 담백이면 기혈양허(氣血兩虛)이다. 혀의 색이 홍강(紅絳)이면 음허화왕(陰虛火旺)이다.
- 노눈(老嫩): 혀에 주름이 많아 고령자의 피부 같이 보이는 것을 창로설(蒼老舌)이라고 하는데, 대개 실증이나 열증이다. 혀에 큰 주름이 없어 탱탱해 보이는 것을 반눈설(胖嫩舌)이라고 하는데, 허증이나 한증에 속한다.
- 열문(裂紋): 혓바닥이 뚜렷하게 갈라진 것을 열문설(裂紋舌)이라고 한다. 혀의 색이 홍강이면서 갈라져 있으면 열성상진(熱盛傷津)이며, 혀가 담백반눈(淡白胖嫩)하고 갈라져 있으면 기혈양허에 속한다. 정상인의 혀가 갈라져 있는 경우는 임상적으로 별다른 의미가 없다.

- 치흔(齒痕): 혀의 가장자리에 치흔이 있는 것을 치흔설이라고 한다. 대개 반눈설과 같이 나타난다. 비허하여 수습을 운화하지 못한 것이다.
- 망자(芒刺): 혀의 유두가 증식해서 비대해진 것을 망자설(芒刺舌)이라고 하는데, 대개 열이 성한 것이며, 혓바늘이 크면 클수록 사열(邪熱)이 더욱 심한 것이다. 망자가 돋은 부위에 따라 열이 어느 장부에 있는가를 유추하는데, 설첨에 망자가 있으면 대개 심화가 지나치게 성한 것이고, 혀의 가장자리에 있으면 간담의 화가 성한 것이며, 혀의 중앙에 있으면 위장의 열이 성한 것이다.

③ 설태(舌態): 강경, 위연, 전동, 와사, 토롱, 단축(强硬, 痿軟, 顫動, 歪斜, 吐弄, 短縮) 등을 포함한다.

- 강경(强硬): 혀가 굳어서 원활하게 움직이지 않으면 말 하기가 곤란해진다. 외감 열병에 나타나면 열이 심포로 들어가 심신(心神)이 어지러워진 경우에 속한다. 내상 잡병에 나타나면 중풍전조증인데, 간음부족(肝陰不足)으로 간풍이 내동하여 일어난다.
- 위연(痿軟): 설근이 위축되어 혀의 신축이 무력해진 것이다. 대개 기혈이 극도로 허해져서 음액이 소모되어 혀의 근맥에 영양을 공급하지 못해서 발생한다. 만약 갑자기 혀가 물러지면서 건조하고 홍색이면 열이 성하여 음이 상한 것이다. 오랜 병으로 혀가 연해지고 색이 담백하면 기혈양허이다. 혀에 태가 없으면 음액이 없는 것이다.
- 전동(顫動): 혀를 움직일 때 불수의적으로 떨리는 것이다. 설질이 담백하면서 떨리면 혈허생풍(血虛生風)이고, 혀가 붉으면서 떨리면 열극생풍(熱極生風)이다.
- 와사(歪斜): 혀가 한쪽으로 기울어져 있으면 대개 중풍이거나 중풍의 전조증이다.
- 토농(吐弄): 혀가 늘어져 입 밖으로 나온 것을 토설(吐舌, protruded tongue)이라고 한다. 혀를 수시로 입술 위아래로 날름거리는 것을 농설(弄舌, agitated tongue)이라고 한다. 모두 심비 양경(兩經)에 열이 심한 것이다. 토설은 대개 역독(疫毒)이 심을 공격하거나 정기가 이미 끊어진 경우에 나타난다. 농설은 대개 소아 지능의 발육이 불량하거나 동풍의 전조증이다. 큰 병 후에 나타난 토농설은 정기가 흩어진 것을 의미한다.
- 단축(短縮): 혀가 오므라들어 입 밖으로 나오지 못하는 것은 위중한 병을 의미한다. 만약에 혀가 짧아지고 혀의 색이 청담(青淡)하면 대개 한이 간맥에 엉켜있는 것이다. 혀가 짧으면서 건홍(乾紅)하면 열병으로 진액을 상한 것이다. 혀가 짧으면서 두꺼우면 대개 간풍이 담을 낀 경우이다.

(2) 망설태 (望舌苔, Inspection of the tongue fur)

설태에는 태색(苔色)과 태질(苔質)의 변화가 있는데, 주로 병위의 천심(深淺), 병사의 성질, 병세의 진퇴 등을 반영한다.

① 태색(苔色): 주로 나타나는 태색은 백, 황, 회흑색이다.

- 백태: 표증과 한증에 나타난다. 외감병에 백태가 나타나면 병사가 표에 있음을 의미한다. 만약 풍한표증(風寒表證)이면 설태가 박백하고 설질은 정상이다. 풍열표증(風熱表證)이면 설태는 박백하고 설첨과 설변이 홍색이다. 외감 조사(燥邪)의 경우에는 주로 설태가 박백하면서 건조하다. 외감 습사이면 설태가 백색이면서 니(膩)하다. 이한증(裏寒證)에는 설태가 백후(白厚)하다. 만약 태가 백후하면서 니하거나 활(滑)하면 담습내정(痰濕內停)이거나 식적이다.
- 황태: 이증과 열증에 나타난다. 박황(薄黃)하면 열이 가벼운 것이고, 심황(深黃)하면 열이 중한 것이며, 초황(焦黃)하면 열이 극한 것이고, 황니(黃膩)하면 습열이다. 외감병으로 설태가 백색이었다가 황색으로 바뀌면

표사(表邪)가 안으로 들어가 열로 바뀐 것이다.

- 회흑태(灰黑苔): 이한증이나 이열증에 나타난다. 회태와 흑태는 경중의 차이가 있을 뿐인데, 태색이 약간 검은 것이 회태이고, 회색이 짙어지면 흑태이다. 이처럼 경중의 차이만 있으므로 회태와 흑태의 임상적 의의는 흔히 함께 말한다. 회흑태가 나타나면 일반적으로 병이 비교적 중한 것이다. 설태가 회흑색이면서 습윤하고 설질이 암담(黯淡)하면 양허한성(陽虛寒盛)이나 담음내복(痰飮內伏)에 속한다. 태가 회흑색이면서 건조하면 이열(裏熱)이 음을 상한 것이고, 만약에 태가 검고 건조하면서 혓바늘이 돋고 건삽창로(乾澁蒼老)하면 열독이 치성하여 진액이 소모된 것이다. 혀의 중심에 흑조태(黑燥苔)가 나타나면 장중(腸中)에 조시(燥屎)가 있는 것이다. 태가 검으면서 말라있으면 신정(腎精)이 고갈될 징조이다. 그러나 전신적인 상태와 종합해야 하고, 동시에 음식물로 인해 염색된 것인지도 살펴야 한다.

② 태질(苔質): 주로 태질의 후박、윤조、부니、박탈(厚薄、潤燥、腐膩、剝脫) 등을 관찰한다.

- 후박(厚薄): 설태를 투과하여 설체를 볼 수 있는 태를 박태(薄苔)라고 한다. 태가 두꺼워서 설체를 볼 수 없는 것을 후태(厚苔)라고 한다. 설태의 후박을 관찰하여 병사의 경중과 병세의 진퇴를 파악할 수 있다. 외감병의 병사가 表에 있고, 병세가 비교적 가벼우면 대개 박태가 나타나고 반대의 경우에는 후태가 나타난다. 내상병에서 박태가 나타나면 위장의 기능이 아직 건강하고 실사(實邪)가 적체되어 있지 않음을 의미하고, 후태가 나타나면 이는 체내의 담습이나 음식의 적체로 말미암은 것이다. 일반적으로 설태가 두꺼워지면 병세가 점점 심해지고 얇아지면 병세가 점점 나아감을 의미한다.
- 윤조(潤燥): 설태의 윤조 정도를 통해 환자의 진액상태의 변화를 파악할 수 있다. 정상적인 설태는 습도가 적당해서 윤태(潤苔)라고 한다. 조태(燥苔)는 설태가 건조하여 진액이 없는 것으로, 대개 열병으로 진액을 상한 환자에게서 나타난다. 활태(滑苔)는 혀에 수분이 지나치게 많은 것으로 수습내정(水濕內停)에 해당한다. 건조하다가 습윤해지면 진액이 회복되고 있음을 나타내는 것이며, 습윤하다가 건조해지면 진액이 손상되었음을 의미한다.
- 부니(腐膩): 부태(腐苔)는 설태가 두껍고 태질이 성글면서 과립이 비교적 크며 긁으면 잘 벗겨지는데, 마치 두부찌꺼기가 혀에 쌓인 것 같은 모양으로 주로 위장 식적(食積)에서 나타난다. 니태(膩苔)는 태가 두껍고 태질이 세밀하여 긁어도 잘 벗겨지지 않고 마치 기름때가 덮여있는 것과 같은 모양인데 습열내성(濕熱內盛)으로 말미암은 것이다.
- 박탈(剝脫): 환자가 원래는 설태가 있었는데 부분적으로 혹은 전체적으로 벗겨진 것을 박탈태(剝脫苔, peeling fur)라고 한다. 설태의 박탈이 완전하지 않아 화반상을 띠면 화박태(花剝苔)라 하고, 지도모양으로 박탈되면서 가장자리의 나온 부위가 때때로 이동하면 지도설(地圖舌)이라고 한다. 설태가 전부 벗겨져 혓바닥이 거울처럼 된 것을 경면설(鏡面舌)이라고 한다. 설태의 박탈은 위기(胃氣)가 손상되어 위음(胃陰)이 모손된 것을 나타낸다. 일반적으로 태가 적으면 병이 비교적 가볍고, 박탈인 경우는 비교적 중하고 태가 없으면 더욱 중한 것이다.

(3) 설질과 설태의 관계

설질과 설태의 기본적인 변화와 그와 관련되는 병증을 파악하기 위해서는 양자간의 밀접한 관계를 고려하고 종합적으로 분석해야 한다. 일반적으로 설질홍(舌質紅)과 설질황(舌苔黃)은 실열증이고, 설질담백(舌質淡白)과 설태백(舌苔白)은 허한증을 나타낸다. 그러나 병기변화는 복잡해서 임상적으로 설질과 설태가 보여주는 병리가 일치하지 않는 경우도 있기 때문에 전신 상태와 함께 종합적으로 분석해야 한다.

(4) 망설(望舌)의 주의사항

① 빛: 망설은 충분한 자연광 아래 진행해야 하는데, 어두운 곳이나 전등불 아래에서는 설색이 잘못 나타날 수도 있다.

② 혀를 내미는 자세: 혀를 내밀 때에는 자연스럽게 하며, 혀를 충분히 드러내야 하고, 혀 끝은 약간 아래로 향하며, 혀는 양쪽을 향해 고르게 펴고, 말지 않으며, 무리하게 내밀지 말고, 혀를 내미는 시간도 길게 하지 않아서 혀의 색깔에 변화를 주어서는 안 된다.

③ 염태(染苔): 일부 음식물이나 약물은 설태의 색을 물들여서 실제와 다른 색을 형성할 수 있다. 예를 들면, 오매와 올리브는 설태를 검게 만들며, 황련과 vitamin B2는 설태를 노랗게 하고, 흡연하면 설태가 회색이 된다. 임상에서 주의하여 염태의 색깔을 오진해서는 안 된다.

제 2절 문진(聞診, Listening and smelling examination)

문진은 소리와 냄새를 통해 진찰하는 방법이다. 사람의 소리와 냄새는 모두 장부의 생리와 병리에서 비롯된 것이기 때문에 장부의 변화 상태를 반영할 수 있다.

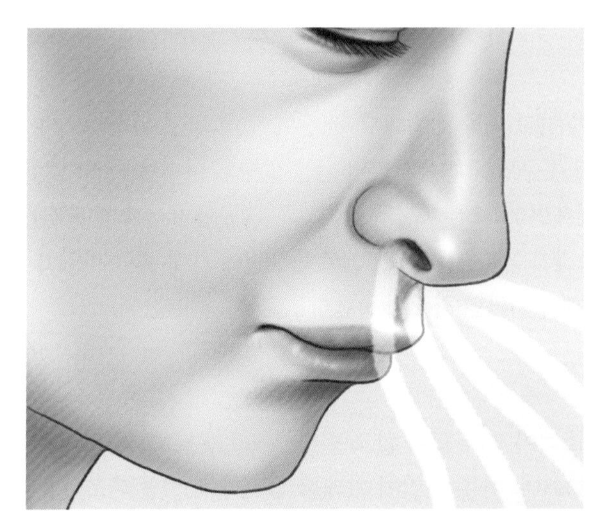

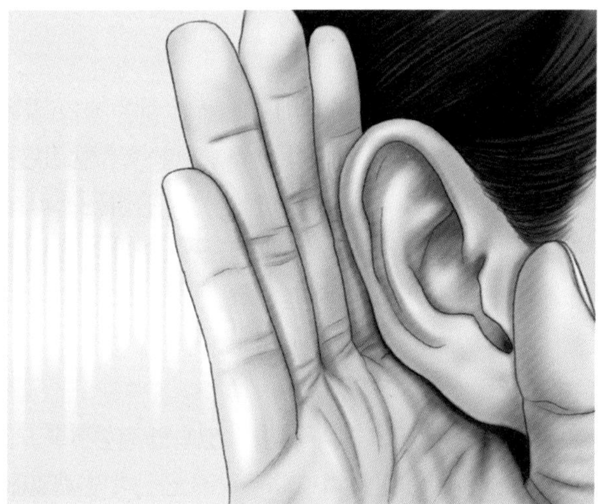

■ 그림 11-5 문진(聞診). 청각과 후각을 통해 환자의 정보를 수집한다.

1. 소리(Sound)

1) 말소리

(1) 말소리의 강약

환자가 내는 소리의 강약은 정기의 성쇠나 발병인자의 성질과 유관하다. 일반적으로 말소리가 울리면서 힘이 있고 말을 많이 하면서 바삐 움직이면 실증이나 열증에 속한다. 말소리가 낮으면서 힘이 없고 말을 적게 하면서 조용하면 허증이나 한증에 속한다. 말소리가 무겁고 탁하면 대개 외감병으로 폐기(肺氣)가 불선(不宣)하여 기도(氣道)가 잘 통하지 않은 때문이다. 병이 나서 바로 목소리가 쉬면 '금실불명(金實不鳴)'이라 하여 실증에 속하고, 신감외사(新感外邪)한 경우에 주로 나타난다. 오랜 병으로 목소리가 쉬어 있으면 '금파불명(金破不鳴)'이라 하여 허증에 속하고, 폐신음(肺腎陰)이 상한 때문이다.

(2) 언어 착란

이는 심신(心神)의 병변이다. 만약에 정신이 맑지 못하고 언어가 착란하면서 목소리가 높으면 섬어(譫語, delirious speech)라 하고 실열증에 주로 나타난다. 만약에 정신이 맑지 못하고 말이 중복되면서 힘이 없고 끊어졌다 이어졌다 하면 정성(鄭聲, muttering)이라고 하는데, 허증이다. 호언난어(胡言亂語)하고 울다가 웃다가 하면서 광조망동(狂躁妄動)하는 것은 대개 광증(狂症)에서 볼 수 있고, 정신적으로 눌려 있으면서 혼잣말을 되풀이 하는 것은 전증(癲症)에서 주로 볼 수 있다. 혀가 굳어 말하는 것이 어눌하면서 분명하지 않으면 대개 중풍이다.

2) 호흡

호흡이 미약하고 숨쉬기에 기가 부족한 것을 소기(少氣)라 하고 허증에 속한다. 호흡에 힘이 있고 목소리도 높고 거친 것을 기조(氣粗)라 하고 실증에 속한다. 호흡이 곤란하고 콧구멍을 벌름거리며 입을 벌리고 어깨를 들썩이는 것을 천(喘, dyspnea)이라 한다. 천식을 하면서 울리는 소리가 있으면 효(哮, wheezing)라고 하는데, 합쳐서 효천(哮喘)이라고 한다. 효천에는 허실의 구분이 있는데, 환자의 숨쉬는 소리가 높고 기가 거칠면서 목구멍에 가래 울림이 있고 호흡이 곤란하면 실증이고, 숨이 짧고 미약하면서 호다흡소(呼多吸小)하면 허증에 속한다.

3) 기침

기침소리가 무겁고 탁하면서 힘이 있으면 실증이고, 기침소리가 낮고 힘이 없으면 허증에 속한다. 가래 색이 희면 외감풍한(外感風寒)이고, 가래가 노랗고 끈끈하면 폐열(肺熱)이며, 마른 기침에 가래가 없거나 적으면 폐조음휴(肺燥陰虧)에 속한다. 기침소리가 무겁고 탁하면서 가래의 양이 많고 흰 거품이 있으면 담음이다. 기침소리가 연속해서 발작성을 띠고 얼굴과 귀가 붉으면 백일해 (pertusis, whooping cough)이고, 소아의 기침소리가 마치 개가 짖는 것처럼 쉰 소리가 나는 것은 디프테리아에서 나타난다.

4) 애역(呃逆)과 애기(噯氣)

애역(呃逆, Hiccup)은 딸꾹질이다. 그 소리가 높고 짧으면서 급하면 실열에 속하고, 소리가 낮고 기가 약하면 허한에 속한다. 오래 병을 앓다가 갑자기 딸꾹질을 하면서 그 소리가 짧고 약하면 끊어질 듯 하다가 다시 이어지는 것은 위기쇠패(胃氣衰敗)의 위험한 상태이다. 일상에서 딸꾹질을 하면 대개 식사하면서 날씨가 추웠거나 급히 먹은 경우에 해당하고 병에 속하지는 않는다. 트림 (Belching)은 대개 포식한 후에 상식(傷食)、간담기체(肝胃氣滯)、위허기역(胃虛氣逆) 등의 원인으로 일어난다.

2. 냄새 (Smell)

입 냄새는 주로 위열(胃熱)이나 소화불량 때문이고, 치아가 썩었거나 입안이 더러워도 나타난다. 신 냄새가 나는 것은 상식(傷食)에 속하고, 썩은 냄새가 나는 것은 아감(牙疳, gangrenous stomatitis)이나 내옹(內癰)이다. 배설물과 분비물은 대소변、가래、고름、대하 등을 포함하는데, 악취가 나면 대개 실열증에 속하고, 비린 내가 나면 대개 허한에 속한다. 예컨대, 대변의 냄새가 더러우면 장열(腸熱)에 속하고, 대변이 무르고 비린 내가 나면 비위허한(脾胃虛寒)이며, 오줌이 노랗고 누린 내가 나면 습열하주(濕熱下注)이고, 냉이 희면서 묽고 비린 내가 나면 허한에 속하며, 냉이 노랗고 진하면서 비린 내가 나면 습열이다.

제 3절 문진(問診, Inquiry)

문진은 의사가 환자나 보호자와의 문답을 통해 질병의 시작、발전 및 치료경과와 현재 증상을 포함해서 다른 질병과 관련된 정황을 파악하여 질병을 진찰하는 방법이다. 문진의 내용은 일반적인 정황、주소(主訴)、현병력、기왕력、개인력、가족력 등을 포함한다. 문진할 때에는 먼저 주소 증상을 파악하고 현병력을 중심으로 변증 분석과 결합한다. 현재 가지고 있는 증상을 위주로 해야 하는데, 그 이유는 변증의 중요한 근거가 되기 때문이다.

■ 그림 11-6 문진(問診)

1. 주소(主訴) (Chief complaints)

주소(主訴)는 환자가 진찰 시에 진술하는 가장 주요한 증상、징후 및 지속시간이다. 주소는 질병 진단의 중요한 실마리를 제공하기 때문에 주소는 반드시 정확하고 간명해야 한다. 통상적으로 하나 혹은 두 가지 증상이며, 질문할 때에 두드러진 증상과 징후를 잘 포착해야 한다. 병정이 짧고 간단한 환자는 일반적으로 주소를 쉽게 확정할 수 있다. 그러나 병정이 길고 병정이 복잡하면 주소를 파악하는 것이 비교적 곤란하기 때문에 의사는 반드시 질문과 동시에 분석을 진행하면서 주소를 확정지어야 하는데, 절대로 주관적인 억측은 피해야 한다. 주소를 이루는 증상과 징후에 대해서는 그 부위、성질、정도、시간 등 내용을 명확히 파악해야 하고 애매모호해서는 안 된다. 주소를 서술할 때에는 반드시 표준적인 증상 용어를 사용해야 하며 진단명을 주소증 기술에 사용해서는 안 된다. 예를 들면, "소갈(消渴) 1년"이라고 해서는 안되고, "다음(多飮)、다식(多食)、다뇨반소수(多尿伴消瘦) 1年"이라고 하여야 한다.

2. 병력 (Medical history)

현병력、기왕력、개인생활사와 가족력을 물어보는 것이다.

1) 현병력 (Present illness)

환자가 현재 가지고 있는 질병의 발생、발전 및 변화의 정황과 치료의 경과를 말하며, 아래와 같이 질문을 진행해야 한다.

(1) 발병 정황: 발병시간의 길이, 발병원인이나 유인(誘因), 최초의 증상과 그 성질、부위 등은 질병의 병인、병위、병성을 변별하는 데에 중요하다. 일반적으로 발병이 급하고 시간이 짧으면 대개 외감병으로 실증에 속한다. 병정이 길고 반복해서 발작하고 오래도록 낫지 않으면 대개 내상병으로 허증이나 허실협잡증(虛實夾雜證)에 속한다. 예컨대 스트레스를 받아 협늑창통(脇肋脹痛)、복통、설사하면 간울승비(肝鬱勝脾)에 속하고, 폭음폭식으로 인해 완복창만동통(脘腹脹滿疼痛)、사하산부(瀉下酸腐)하면 식체위장(食滯胃腸)에 속하는 등이다.

(2) 병변 과정: 시간의 선후 순서에 따른 병변 과정을 질문해야 한다. 예컨대 어느 단계에서 어떠한 증상이 나타났고 그 증상의 성질과 정도에는 어떠한 변화가 있으며, 언제 호전이나 악화가 되었는지, 변화에는 어떤 규칙성이 있었는지 등으로, 이는 질병의 사정성쇠(邪正盛衰)의 상황과 병정의 발전추세를 파악하는 데에 중요한 의미를 가진다.

(3) 진료와 치료 경과: 질문을 통해 어떠한 검사와 진단을 받았고 또 어떤 치료를 받았는지 그리고 그 치료효과와 반응은 어떠했는지를 알면 향후 진단과 치료에 참고가 된다.

2) 기왕력 (Past history)

과거력이라고도 하는데, 환자의 평소 건강상태와 과거에 질병을 앓았던 상황 등을 포함한다.

(1) 이전의 건강상태: 평소의 건강상태는 환자의 체질인자를 말해주며, 병정의 근거를 분석 판단할 수 있게 해준다. 예컨대, 평소 몸이 건장했는데 현재 병을 앓으면 대개 실증이며, 평소 몸이 허약한데 현재 병을 앓으면 대개 허증이다. 원래 음허하면 온조(溫燥)의 사기에 잘 걸리고 그 병은 대개 열증으로 발전하고, 원래 양허하면 한습의 사기를 잘 받아서 주로 한증으로 발전한다.

(2) 이전의 발병 상황: 환자에게 과거에 어떤 질병을 앓았는지 또 어떤 예방접종을 받았는지, 약물에 대한 과민반응이 있는지, 어떤 수술을 받았는지 등을 물어보아야 한다. 과거의 병력은 현재 앓고 있는 질병과 밀접한 관계가

있을 수 있기 때문이다.

3) 개인 생활사 (Personal life history)

주로 생활경력、정신상태、주거、음식기호、결혼이나 자녀 생육 등을 포함한다.

(1) 생활경력: 환자의 출생지、주거지와 이전에 살았던 지역을 물어보아야 하고, 특정 지역의 질환이나 전염병이 유행했던 내력을 물어 현재의 질병과 관련이 있는지 판단해야 한다.

(2) 정신인자: 사람의 정신적인 변화는 질병의 발생과 발전에 영향을 미친다. 그러므로 환자의 성격적인 특징과 현재의 정신적인 상태는 질병을 진단하는 데에 도움을 준다.

(3) 음식 및 주거: 음식의 기호와 주거 생활을 알면 병정을 판단하는 데에 도움을 준다. 예컨대 평소에 기름지고 단 음식을 좋아하면 대개 습담의 병이 생기고, 맵고 건조한 음식을 편식하면 주로 열증이 발생하고, 날 것과 차가운 음식을 좋아하면 한증에 잘 걸린다. 평소에 더운 것을 좋아하고 찬 것을 싫어하면 대부분 몸이 음기편성(陰氣偏盛)한 상태이고, 평소에 찬 것을 좋아하고 더운 것을 싫어하면 몸이 양기편성(陽氣偏盛)함을 반영한다. 게을러서 일하기를 싫어하면 비(脾)가 잘 운화되지 못하여 담습이 잘 생기며, 일이 지나치게 많으면 정기를 상하여 허로병에 잘 걸리고, 기거가 불규칙하고 음식을 절제하지 않으면 위병(胃病)에 잘 걸리는 등인데, 모두 임상에서 변증하는 데에 중요한 참고자료가 된다.

(4) 혼인과 출산력: 성인에게는 반드시 결혼과 그 배우자의 건강상태에 대해 물어보아야 한다. 기혼 여성에게는 임신횟수、분만횟수、유산、조산、난산 등에 대해 물어 보아야 한다.

4) 가족력 (Family history)

가족력은 환자와 오랫동안 같이 생활하고 있는 가족들의 건강과 질병 상태이며, 필요하면 가족들의 사망원인에 대해서도 알아보아야 한다. 이는 유전성 질환여부를 알기 위함이고, 폐결핵과 같은 전염성 질환은 상호 접촉여부와 관련된다. 그러므로 가족병력을 확인하는 것은 현재의 질병을 진단하는 데에 매우 도움이 된다.

이외에도, 소아의 병력을 물을 때에는 소아의 생리적인 특징에 근거하여 놀라지는 않았는지, 찬 바람이나 음식에 상하지는 않았는지를 물어야 한다. 분만 전후의 상황、홍역이나 수두를 앓았는지、예방접종은 하였는지、기타 수유나 발육의 상황에 대해서도 알아야 한다.

3. 현재 증상 (Present symptom)

현재의 증상은 변증의 중요한 근거가 된다. 임상에서 편리하게 활용하기 위하여 明의 장경악(張景岳)은 기존의 문진내용에 자신의 경험을 결합하여 '십문가(十問歌)'를 만들었다. 淸의 진수원(陳修園)은 이를 일부 수정하여, "첫째는 한열(寒熱)을、둘째는 한(汗)을、셋째는 두신(頭身)을、넷째는 대소변을、다섯째는 음식을、여섯째는 흉(胸)을、일곱째는 잘 들리는지를、여덟째는 갈(渴)에 대해 물어서 모두 잘 변별해야 하며、아홉째는 과거 병력을、열 번째로는 원인에 대해 묻고、다시 같이 먹고 있는 약과 몸의 변화를 참고한다. 여성에게는 반드시 월경의 주기、폐경、출혈 여부에 대해 물어야 하는데, 소아에 대해서도 첨언하자면, 천연두와 홍역을 모두 살펴야 한다[9]"고 하였다. 이러한 문진 항목은 약간의 수정 보완을 거쳐 지금도 주요 문진 범주로 임상 현장에서 활용되고 있다.

1) 한열

한열은 오한과 발열의 두 가지 증상이다. 한열을 통해 병변의 성질, 부위와 인체의 음양성쇠의 상황을 알 수 있다.

(1) 오한발열: 오한은 환자가 찬 것을 꺼리는 증상으로, 이불을 덮거나 옷을 껴입고 따뜻하게 하여도 여전히 추위를 느끼는 것이다. 발병 초기에 오한과 발열이 동시에 나타나면 외감표증(外感表證)이다. 예컨대 오한이 중하고 발열이 가벼우면서 땀이 나지 않고 두통이 있고 태백(苔白)하면 풍한표증(風寒表證)이다. 발열이 중하고 오한이 가벼우면서 땀이 나고 목이 마르며 설변첨(舌邊尖)이 붉으면 풍열표증(風熱表證)이다. 갑자기 으슬으슬 추위로 떨면서 계속해서 고열이 나고 구토와 극렬한 두통 등 증상이 있으면 역려중증(疫癘重症)이다.

(2) 단열불한(但熱不寒): 환자가 발열만 있고 오한 증상이 없으면 일반적으로 이열증(裏熱證)에 속한다. 임상에서는 열의 경중과 발열이 나타나는 시간과 특징에 따라 장열(壯熱)이나 조열(潮熱) 등으로 나눈다.

① 장열(壯熱, High fever): 환자의 고열이 물러가지 않는 것을 가리킨다. 대열(大熱), 땀이 나도 풀리지 않고, 면적(面赤), 번갈, 변비, 소변황색이 나타나면 통상적으로 이실열증(裏實熱證)에 속한다.

② 조열(潮熱, Tidal fever): 일정한 시간에 발열하는 것으로, 일반적으로 오후에 열이 중한 것을 조열이라고 한다. 세가지 경우가 있는데, 오후나 저녁에 미열이 나면서 수족심열(手足心熱), 도한, 관홍(顴紅)이 있으면 음허조열(陰虛潮熱)이라 하고, 오후 발열, 열세전면(熱勢纏綿), 신열불양(身熱不揚), 두신침중(頭身沈重) 등 습증(濕證)이 나타나면 습온조열(濕溫潮熱)이며, 오후 3-5시 경에 열이 중하고 흉만경통(腹滿硬痛)과 대변비결이 있으면 양명조열(陽明潮熱)이다.

(3) 단한불열(但寒不熱): 환자가 오한만 있고 발열이 없으면 일반적으로 이한증(裏寒證)에 속한다. 외한은 환자가 춥다고 느끼지만 이불을 덮거나 옷을 껴입거나 따뜻하게 하면 풀리는 것을 가리킨다. 만약에 외한, 지랭(肢冷), 얼굴이 창백하면서 양허(陽虛)를 겸하면 허한증(虛寒證)에 속하고, 만약에 한사가 직중하여 내장의 병변증상이 있으면 대개 실한증(實寒證)에 속한다.

(4) 한열왕래(寒熱往來): 오한과 발열이 교대로 나타나는 것으로, 반표반리증(半表半裏證)의 특징이며, 소양병(少陽病)이나 학질에 나타난다.

2) 땀

땀은 양기가 진액을 쪄서 체표로 나온 것이다. 병리적인 땀은 외감과 내상병에 고루 나타난다. 땀에 대한 질문과 분석을 통해 병변의 성질과 인체 음양의 성쇠를 분석할 수 있다. 질문할 때에는 발한 여부, 땀이 나는 시간, 땀이 나는 부위, 땀의 양과 겸증 등을 잘 살펴야 한다.

9) 一問寒熱二問汗, 三問頭身四問便, 五問飮食六問胸, 七聾八渴俱當辨, 九問舊病十問因, 再兼服藥參機變, 婦女尤必問經期, 遲速閉崩皆可見, 再添片語告兒科, 天花麻疹全占驗 『醫學實在易·問證詩』

(1) 유한/무한(有汗/無汗): 외감병 표증의 단계에 발열 오한하면서 땀이 없으면 표한증(表寒證)에 속하는데, 한사(寒邪)를 받으면 한의 성질은 당겨서 땀구멍을 막기 때문에 땀이 나지 않는다. 발열 오한하면서 땀이 나고, 인통(咽痛), 설변첨홍, 태박황, 맥부삭하면 풍열표증(風熱表證)인데, 풍과 열은 양사(陽邪)에 속하고 그 성질이 개설(開泄)하므로 주리(腠理)를 이완시켜 땀이 나게 하는 것이다. 표증이 위양허(衛陽虛)를 겸하여 기표불고(肌表不固)하면 발열, 오한, 有汗, 설태박백, 맥부완하는데, 이는 표허증이다. 이실열증(裏實熱證)의 단계에 장열구갈(壯熱口渴)하면서 大汗이 있으면 이는 양열(陽熱)이 안에서 성하여 진액을 밖으로 내몬 것이다. 만약에 대한임리(大汗淋漓), 맥미지랭(脈微肢冷), 신피기약(神疲氣弱)하면 대개 양허기탈(陽虛氣脫) 중증에 속하며, 절한(絕汗, expiry sweating)이라고도 한다.

(2) 땀이 나는 시간: 평상시 땀이 잘 나고 활동하면 더 심해지는 것을 자한(自汗, spontaneous sweating)이라 하는데, 대개 기허나 양허증에 나타난다. 잘 때 땀이 나고 깨고 나면 땀이 멈추는 것을 도한(盜汗, night sweating)이라 하는데, 음허내열증(陰虛內熱證)이나 기음양허증(氣陰兩虛證)에 나타난다.

(3) 땀이 나는 부위: 땀이 머리에서만 나면 두한(頭汗)이며, 상초열증(上焦熱證)이나 중초습열(中焦濕熱)에 나타난다. 오랜 병으로 몸이 약해져 양기 부족하면서 머리에 땀이 나면 허양상부(虛陽上浮)에 속한다. 몸의 좌우나 상하의 절반만 땀이 나면 풍습이 경맥을 막아서 영위(營衛)가 부조하고 기혈이 불화한 때문이다. 손발바닥에서 땀이 지나치게 많이 나면서 구건인조(口乾咽燥), 변비뇨황(便秘尿黃), 맥세삭하면 음경울열(陰經鬱熱)한 때문이다.

임상적으로 이상과 같이 다양하게 땀이 나는 경우를 변별하는 외에도, 땀의 냉열을 가려야 하는데, 냉한(冷汗)은 대개 양허(陽虛)에 속하고, 열한(熱汗)은 대개 양열(陽熱)이 편성한 것이다.

3) 동통

동통은 임상에서 흔히 나타나는 자각증상으로, 전신적으로 나타날 수 있으며, 허실의 구별이 있다. 실증은 외사(外邪)를 받았거나, 기체혈어(氣滯血瘀)나, 담탁응체(痰濁凝滯)나, 충적상식(蟲積傷食) 등으로 경락이 막히면 기혈의 운행이 안 되는, 이른바 "통하지 않으면 아프다(不通則痛)"이고, 허증은 기혈부족이나 음정휴손(陰精虧損)으로 인해 장부경락이 영양을 받지 못하는, 이른바 "영양이 부족하면 아프다(不營則痛)"이다. 동통에 대해 질문할 때에는 동통의 부위, 성질, 정도, 시간에 대해 확인함으로써 동통의 원인과 병기를 파악할 수 있다.

(1) 동통의 부위

① 두통: 오장육부의 기혈은 모두 경락을 통해 위로 올라가 머리에 모인다. 두통을 일으키는 원인은 매우 다양한데, 외감 風, 寒, 暑, 濕, 火邪와 담탁(痰濁), 어혈 등은 경락을 막아 청양(淸陽)을 혼란케 하여 일으키는 두통으로 대개 실증에 속한다. 기혈정수(氣血精髓)가 부족하고 뇌해(腦海)가 공허하여 발생한 두통은 허증에 속한다. 경락의 분포에 따라 연관되는 동통의 부위도 달라지는데, 예컨대 두항통(頭項痛)은 태양경에, 전액통(前額痛)은 양명경에, 측두통(側頭痛)은 소양경에, 두정통(頭頂痛)은 궐음경에 속하는 등이다.

② 흉통: 가슴은 심폐가 있는 곳으로, 흉양(胸陽)부족, 한사, 열사, 혹은 어혈이나 담음이 막고 있는 등 심폐의 병변이 발생하면 흉부의 기기가 울체되어 가슴에 통증이 생긴다. 흉통의 성질에 근거하여 겸증을 결합하면 그 동통의 원인을 구별할 수 있다. 가슴에 민통(悶痛)과 비만(痞滿)이 있으면 담음이고, 흉창통(胸脹痛)이 있다가 트림을 하면 통증이 줄어들면 기체이며, 흉통이 있으면서 기침을 하고 농혈(膿血)을 토하면 폐옹(肺癰)이고, 흉통,

기천(氣喘)、발열하면 폐열(肺熱)이며, 흉통과 함께 미열、도한(盜汗)、관홍(顴紅)이 있으면 폐로(肺癆)이고, 흉통철배(胸痛徹背)하거나 배통철심(背痛徹心)하면 흉비(胸痺)에 속하며, 가슴 앞쪽이 답답하고 찌르듯이 아프면서 심하면 칼로 베는 것 같고 땀이 나면서 손발이 차가워지면 혈어양쇠(血瘀陽衰)한 것이다.

③ 협통: 간담(肝膽)이 오른쪽 옆구리에 있어서 간담의 경맥은 양 옆구리 쪽에 분포하고 있다. 간담이나 간담경락의 병변은 모두 협통을 일으킬 수 있다. 예를 들면, 간기울결(肝氣鬱結)、간담습열(肝膽濕熱)、기체혈어(氣滯血瘀)、간음혈허(肝陰血虛) 등이다.

④ 완통(脘痛): 脘은 위(胃)가 있는 곳으로 상완、중완、하완으로 나뉘며, 위완(胃脘)이라고도 한다. 완통은 위통(胃痛)이라고도 하는데, 대개 위한(胃寒)、위열(胃熱)、간기범위(肝氣犯胃)、음식소상 등 원인으로 위가 화강(和降)하지 못하여 발생한다. 임상에서는 동통의 성질과 겸증을 결합하여 변증해야 한다.

⑤ 복통: 복부는 대복(大腹)、소복(小腹)、소복(少腹)으로 나뉜다. 배꼽 위를 대복이라 하고, 비위에 속한다. 배꼽아래는 小腹이라 하고 신、방광、대소장 및 포궁(胞宮)에 속한다. 소복의 양측을 少腹이라 하는데, 간경의 경맥이 분포되어 있다. 동통의 부위에 따라 각 장부의 병변을 파악할 수 있다. 복통에는 허와 실이 있는데, 한응(寒凝)、열울(熱鬱)、기체、혈어、상식(傷食)、충적(蟲積) 등으로 일어난 경우는 실증이고, 기혈허와 양허로 인해 발생하면 허증에 속한다.

⑥ 요통: 허리는 신(腎)에 속하기 때문에 요통은 대개 신의 병변에서 볼 수 있다. 신허로 인한 것은 허증에 속하고, 풍、한、습이나 어혈이 경락을 막아 생긴 경우는 실증에 속한다.

⑦ 사지통(四肢痛): 사지관절이나 기육에 발생한 동통은 대개 풍한습이나 습열이 침범하여 기혈의 운행을 막아 일어난 것이며, 또 비위기허(脾胃氣虛)로 사지에 영양을 공급하지 못해도 발생한다. 만약 동통이 발뒷꿈치에만 나타나거나, 경슬산통(脛膝酸痛)하면서 요통을 동반하면 대개 신허에 속한다.

(2) 동통의 성질

① 창통(脹痛, Distending pain): 창통은 기체로 인한 동통의 특징인데, 체내의 부분 혹 장부의 기기가 울체되면 운행이 안되어 발생한다. 그 특징은 통증이 있으면서 동시에 창(脹)이 있는 것인데, 창을 위주로 하면서 부위가 일정하지 않고 트림이나 방귀를 끼면 동통이 줄어들고, 체내 다양한 부위에서 나타나는데, 흉、완、복부에 가장 많이 나타난다.

② 자통(刺痛, Stabbing pain): 자통은 마치 바늘로 찌르는 듯한 느낌인데, 어혈동통의 특징이다. 동통이 고정되어 움직이지 않고 거안(拒按)하며, 흉협、복、소복、위완부에 주로 나타난다.

③ 은통(隱痛, Dull pain): 동통이 심하지 않고 오래 지속되는 것을 은통이라고 한다. 대개 기혈부족으로 음한(陰寒)이 안에서 생겨 몸에 영양 공급이 안되고 데워주지 못해 일어난다. 주로 두、완、복、요(頭,脘,腹,腰) 등 부위의 허성(虛性) 통증에서 볼 수 있다.

④ 교통(絞痛, Gripping pain): 동통이 극렬하여 쥐어짜는 것 같아서 교통이라고 한다. 대개 사기가 성하여 기기를 울체시켜 나타나는 것이다. 예컨대 심맥(心脈)이 막혀서 일어난 심교통(心絞痛)、한응장위(寒凝腸胃)로 일어난 완복교통(脘腹絞痛)、사석(沙石)이 요로를 막아 생기는 소복교통(小腹絞痛) 등이다.

⑤ 중통(重痛, Heavy pain), 산통(酸痛, aching pain): 동통에 침중감(沈重感)이 같이 있는 것을 중통이라고 하며, 동통이 있으면서 시큰한 느낌이 있으면 산통이라고 한다. 대개 습사가 경락을 막아 일어나는데, 머리、사지、허리 및 전신에 나타난다.

⑥ 냉통(冷痛, Cold pain), 작통(灼痛, scorching pain): 동통이 있으면서 차가운 느낌이 있고 따뜻한 것을 좋아하면

냉통이라 하는데, 한증에 속한다. 동통이 있으면서 작열감이 있고 시원한 것을 좋아하면 작통이라 하는데, 열증에 속한다.

이외에도, 동통의 지속시간과 만지기를 좋아하는지의 여부를 물어 보아야 한다. 대개 금방 시작한 병의 동통은 그 양상이 비교적 극렬하고 지속적이며 만지기를 거부하는 경우로, 실증에 속한다. 오랜 병의 동통은 때로 나아지기도 하며 만져주기를 좋아하는데, 대개 허증에 속한다.

4) 음식과 구미

(1) 식욕과 식사량: 식욕은 음식을 먹고자 하는 욕구를 의미하며, 식사량은 실제적인 음식섭취량이다. 환자의 식욕과 식사량을 파악하는 것은 비위의 기능과 질병의 예후나 진전을 판단하는 데에 중요하다. 식욕 감퇴는 납매(納呆, torpid intake)라고도 하는데, 비위의 운화기능이 비교적 저하된 경우이며, 오랜 병으로 식사량이 감소하면 비위허약에 속한다. 식사량이 줄고 흉민、복창、설태후니하면 습곤비위(濕困脾胃)한 것이며, 음식을 꺼리는 것은 대개 음식에 상한 경우에 나타나고, 기름진 음식을 꺼리면 대개 간담비위의 습열이다. 식욕이 지나치게 왕성해서 자주 먹고 또 금방 배가 고파지는 것을 소곡선기(消穀善飢)라고 하는데, 위열(胃熱)이 지나치게 성한 것이며, 굶었는데도 식욕이 없는 것은 위음(胃陰)이 부족한 것이다.

(2) 구갈과 음수: 구갈 여부는 항상 체내 진액의 성쇠와 분포 상황을 반영한다. 병환 중에 구갈이 없음은 진액이 아직 상하지 않았음을 의미하는데, 주로 한증、습증이나 열상이 뚜렷하지 않은 경우를 나타낸다. 구갈은 체내 진액이 손상되었거나 진액이 위로 올라가지 못한 것이기 때문에 구갈의 특징과 음수(飮水)의 반응 등을 잘 종합하여 분석해야 한다. 목이 말라 물을 많이 마시거나 찬 음료를 좋아하면 실열증(實熱證)에 속하며, 목이 마르지 않거나 뜨거운 음료를 좋아하면 한증에 속한다. 목이 마르면서도 많이 마시지 않으면 습열에 속하며, 입이 말라 물은 축이지만 마시지 않으면 체내의 어혈 가능성이 있으며, 목이 많이 마르고 많이 마시며 소변량도 많으면 소갈병이다.

(3) 구미: 구미(口味)는 입안의 비정상적인 미각이나 입맛을 가리키는데, 구미의 이상은 비위기능이나 기타 병변을 반영한다. 입안이 담담하고 식욕이 없으면 비위기허이며, 입안이 달고 끈적이면 비위습열에 속하고, 입안에 산이 넘치면 간위온열(肝胃蘊熱)이며, 입안이 쓴 것은 열증이고, 입안이 기름지면 비위습조(脾胃濕阻)이며, 입에서 냄새가 나면 위열치성(胃熱熾盛)이거나 장중적체(腸中積滯)이다. 입에서 비린 내가 나면 폐위혈락(肺胃血絡)이 손상되어 객혈이나 구혈이 있는 것이며, 입안에 오줌 기가 있는 것은 요독(尿毒)이 심(心)을 공격한 것이고, 입안이 짠 것은 신(腎)의 병변이다.

5) 수면

수면상태를 통해 음양성쇠의 상태를 파악할 수 있다. 임상에서 자주 나타나는 수면의 이상은 주로 불면과 기면(嗜眠)의 두 가지이다.

(1) 불면 (Insomnia): 항상 잠 들기 쉽지 않거나, 혹은 잠 들어도 잘 깨어나고 다시 잠 들기가 어렵거나, 혹은 때때로 놀라서 깨어나며 심지어 밤새도록 잠들지 못하는 것을 특징으로 하는데, 陽이 陰으로 들어가지 못하여 神이 깃들지 못하기 때문이다. 그 원인에는 허실의 구분이 있는데, 허한 경우는 심혈부족으로 심신이 영양을 받지 못하거나 음허화왕(陰虛火旺)하여 안에서 심신을 요란케 한 것이다. 실증은 사기내요(邪氣內擾)나 기기실조(氣機

失調) 혹은 담열식체(痰熱食滯) 등에 인한다.

(2) 기면(嗜眠, Somnolence): 자신의 의지와 무관하게 졸려서 잠자려 하는 것으로, 담습(痰濕)이 많아서 청양(淸陽)이 위로 올라가지 못하는 병증에서 주로 나타난다. 병후에 나타나면 정기가 아직 회복되지 않은 것이고, 노년에 나타나면서 정신적으로 피곤하고 식욕이 저하되어 있으면 대개 양기가 허약한 것이다.

6) 대소변

대소변은 소화기능이나 수액대사의 상태를 직접적으로 보여줄 뿐 아니라 병증의 한열허실을 판단하는 중요한 근거가 되기도 한다. 대소변에 대해 물을 때에는 대소변의 성상, 색깔, 냄새, 시간, 양의 다소, 배변의 회수, 배변시의 감각과 수반되는 증상 등에 주의하여야 한다.

(1) 대변: 주로 변비와 설사의 두 가지이다. 대변이 건조하면서 배출이 곤란하고 횟수가 줄어들면 변비이다. 발병한 지 얼마 안되어 복창통(腹脹痛)이나 발열이 있으면 실증, 열증에 속한다. 오랜 병이거나 노인, 임신부 산후변비 등은 대개 진액이나 혈이 부족한 것으로 허증에 속한다. 대변의 횟수가 늘고 변이 묽으며 심지어 물처럼 나오면 설사라고 한다. 대변이 누렇고 찰지면서 시원하지 않으며 더러운 냄새가 나고 항문이 작열하면 습열에 속하고, 대변이 물과 같이 맑고 색이 담황으로 비린 내가 나면 대개 한습이다. 대변이 묽고 수분이 비교적 많으며 소화되지 않은 음식물이 나오면 중초허한(中焦虛寒)이다. 복통이 있으면 바로 설사하고, 설사하고 나면 통증이 줄어드는 것은 간울범비(肝鬱犯脾)로 운화가 안된 것이다. 설사하면서 농혈이 나오고 복통, 이급후중(裏急後重)하면 이질이고, 새벽에 설사를 하고 오래도록 낫지 않으면 신양(腎陽)이 허한 오경사(五更瀉, fifth-watch diarrhea)이다. 설사가 오래 되고 심해져서 탈항이 되면 중기하함(中氣下陷)으로 인한 활탈불금(滑脫不禁)이다.

(2) 소변: 오줌의 횟수와 양이 줄고 황색이면 열증이고, 오줌의 횟수와 양이 많으면서 색이 맑으면 신기허(腎氣虛)이다. 오줌 양이 줄고 부종이 있으면 폐비신 세 장의 기화가 안 되는 것이고, 오줌 양이 늘고 많이 마시며 많이 먹으면 소갈이다. 소변을 자주 보고 급하며 배뇨 시 열통이 있으면 하초습열(下焦濕熱)의 임증(淋症)이다. 소변이 잘 나오지 않거나 막혀서 안 나오면 융폐(癃閉)이다. 소변이 막혀서 안 나오고 통증이 있으면서 피나 작은 돌이 섞여 나오면 석림(石淋)이며, 배뇨 후에도 소변이 계속해서 찔끔찔끔 나오면 여력부진(餘瀝不盡)이라고 한다. 스스로 배뇨를 할 수 없거나 소변이 조금씩 나오는 것을 조절할 수 없는 경우를 요실금이라고 한다. 자면서 배뇨를 조절하지 못하는 것을 유뇨(遺尿, enuresis)라 하는데, 모두 신기불고(腎氣不固)한 때문이다. 임산부가 소변을 보지 못하는 것은 대개 어혈이나 자궁이 팽대하여 방광을 압박한 때문이다. 중병을 앓는 중에 융폐로 배뇨하지 못하거나 정신이 혼미하여 유뇨하는 것은 진액이 고갈되었거나 양기가 외탈(外脫)하는 징조이다.

7) 월경과 대하

여성 환자에 대해서는 월경과 대하에 주의하여야 한다.

(1) 월경: 월경의 주기는 일반적으로 28일 전후이며 기간은 약 3-5일이고 양은 적당해야 하며 색은 붉은 색이고 피덩어리가 없어야 한다. 질문할 때에는 월경의 주기, 기간, 양, 색깔, 질과 수반된 증상에 주의해야 한다. 아울러 최근의 월경일자와 초경 혹은 폐경의 연령을 물어보아야 한다.

① 월경의 주기(經期): 만약에 월경이 두 주기 연속해서 7일 이상 빨라지면 월경선기(月經先期, advance menstruation)라고 하는데, 대개 혈열이나 기허로 인해 섭혈(攝血)하지 못하기 때문이다. 만약에 월경이 두 주기

연속해서 7일 이상 늦어지면 월경후기(月經後期, delayed menstruation)라고 하는데, 혈허, 한응, 기체혈어로 인한 것이다. 만약에 연속해서 3주기에 걸쳐 월경이 늦어짐과 빨라짐을 보이면 월경착란(月經錯亂)에 해당하는데 이는 간울기체(肝鬱氣滯)나 비위허손(脾腎虛損)으로 인한 것이다. 이 외에도, 극소수 여성의 경우에 평생 월경이 없어도 정상적으로 임신 생육하는 것을 암경(暗經)이라 하는데, 생리적으로는 변이(變異)지만 병으로 보지는 않는다.

② 월경의 양(經量): 개인의 체질이나 연령에 따라 경량에는 다소의 차이가 있다. 경량이 지나치게 많으면서 색이 붉고 끈적거리면 실증, 열증이다. 양이 많으면서 색담(色淡)하면 기허증이다. 생리기간이 아닌데 질에서 대량으로 출혈하거나 지속적으로 조금씩 나오는 것을 붕루(崩漏, flooding and spotting)라고 하는데, 혈열, 기허, 음허나 충임불고(衝任不固) 등 원인에 의한 것이다. 월경의 양이 지나치게 적고 색담(色淡)하면 혈허이다. 임신이 아닌데도 3개월 이상 월경이 안 나오면 폐경이라고 하는데, 대개 기혈부족, 한응, 혈어 등이 원인이다.

③ 월경의 색과 질(經色, 經質): 정상적인 월경은 붉은 색이며, 묽거나 끈적거리지도 않고 덩어리가 섞여 있지도 않다. 만약에 담홍색이면서 묽으면 대개 기허나 혈허이다. 선홍색이면서 진하면 열증이거나 실증이다. 자암색(紫暗色)이거나 덩어리가 있으면 혈어이다.

④ 월경통(痛經): 생리기간이나 전후에 복통이나 요통 등이 월경주기에 따라 지속적으로 발생하는 것을 통경(痛經)이라고 한다. 생리전이나 기간 중에 소복창통이나 자통(刺痛)이 있으면 대개 기체나 혈어에 속한다. 소복냉통으로 따뜻하게 해주면 풀리는 것은 대개 한응(寒凝)에 속하고, 생리 후에 소복은통(小腹隱痛)과 요산통(腰酸痛)이 있으면 기혈양허에 속한다.

(2) 대하(帶下, Vaginal discharge): 정상적인 경우, 여성의 질 안에는 소량의 유백색이면서 무취의 분비물이 있어서 질벽을 습윤케 하는 작용을 한다. 만약에 분비물이 과다하거나 계속해서 나오면 병리적인 대하이다. 대하에 대해서는 양, 색, 질이나 냄새에 대해 물어 보아야 한다. 대하의 색이 하얗고 양이 많으면서 냄새가 없으면 비허습증(脾虛濕證)이고, 대하의 색이 누렇고 끈적이면서 좋지 않은 냄새가 나면 습열에 속한다. 대하가 맑으면 비신양허(脾腎陽虛)로 한습하주(寒濕下注)한 것이다. 백대하에 혈액이 섞여 있으면 간경울열(肝經鬱熱)이거나 습열하주(濕熱下注)에 속한다.

제 4절 절진(切診, Palpation)

절진은 맥진(脈診)과 안진(按診)을 말하며, 의사가 손가락 끝의 촉각을 이용하여 환자의 일정부위를 촉, 모, 안, 압(觸, 摸, 按, 壓)하여 병의 상태를 파악하는 방법이다.

1. 맥진 (Pulse diagnosis)

맥진은 절맥(切脈) 혹은 후맥(候脈)이라고도 하는데, 의사가 손가락을 이용하여 환자의 맥박을 재서 맥상을 탐색하여 병정의 변화를 파악하고 병증을 변별하는 진찰방법이다. 맥상(脈象)은 맥동이 손가락에 응하는 형상이며, 맥상은 심장의 박동에서 비롯하기 때문에 심기(心氣)의 성쇠, 맥도(脈道)의 통리(通利) 및 기혈의 영휴(盈虧)와 직접적으로 관계된다. 인체의 혈맥은 전신을 관통하고 장부로 연계되어 있으며 밖으로는 기표(肌表)에 이르고 기혈을 운행하면서 쉬지 않고 흐른다. 맥상은 오장의 기능활동 및 기혈의 성쇠와 밀접하게 관계되기 때문에 맥상은 전신 장부의 기능, 기혈 음양의 종합적인 정보뿐만 아니라, 발병인자가 장부 기능에 대해 미치는 영향까지 반영하고 있다. 그러므로 임상에서는 맥상변화의 진찰을 통해 병변 부위, 성질 및 정사허쇠(正邪盛衰) 등 상황을 변별할 수 있게 해준다.

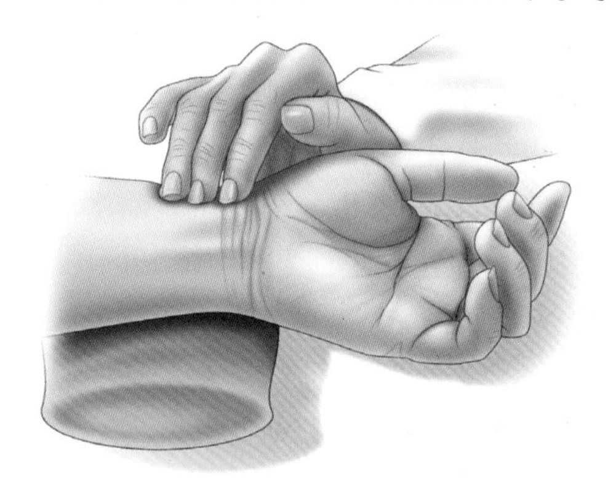

■ 그림 11-7

1) 진맥의 부위와 방법

(1) 진맥 부위: 전통적으로 '촌구맥법(寸口脈法)'을 응용하고 있는데, 요골동맥의 팔목 위쪽에서 진맥한다. 촌구맥은 촌부, 관부, 척부(寸部, 關部, 尺部)의 세 부분으로 나누며, 바로 팔목 위쪽 요골돌기가 관부이며, 그 아래쪽이 촌부이고, 그 위쪽이 척부이다(그림 11-7). 양 손에 각기 촌, 관, 척이 있어서 합하여 六脈이라고 하는데, 그들은 각기 일정한 장부와 상관관계를 가지고 있어서 상응하는 장부의 병변을 진단할 수 있다. 좌촌(左寸)은 心을, 좌관(左關)은 肝을, 좌척(左尺)은 腎을, 우촌(右寸)은 肺를, 우관(右關)은 脾를, 우척(右尺)은 腎(命門)을 살필 수 있으며(그림 11-8), 임상적으로 참고할 만하며, 다른 증상이나 징후와 결합하여 종합적인 분석을 하여야 한다.

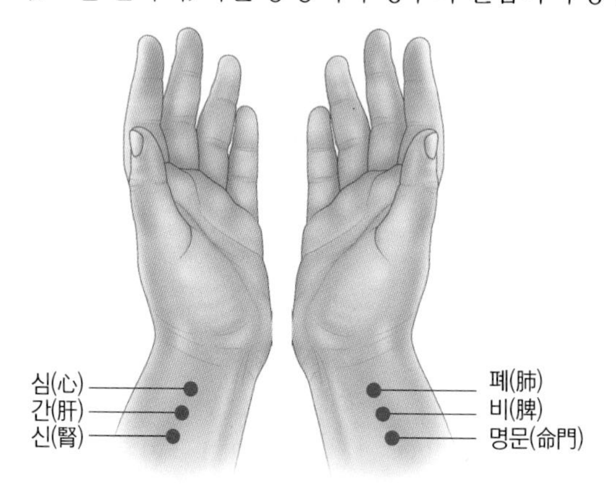

■ 그림 11-8

(2) 진맥 방법: 진맥할 때에는 환자로 하여금 잠시 휴식을 취해서 호흡 등이 평온한 상태를 유지토록 해야 한다. 그리고 환자는 똑바로 앉거나 위를 향해 누워있어야 하고, 손바닥을 위로 향해 펴고 손과 심장이 거의 같은 높이에 있게 한 다음 의사가 먼저 가운데 손가락으로 요골돌기를 짚어 관부(關部)로 정하고, 다시 식지로 촌부를 짚고 무명지로 척부를 짚는다. 세 손가락을 활 모양으로 약간 구부려 동일하게 수평을 유지함으로써 손가락 끝부분이 맥동부위를 접촉하고 편안하게 맥진케 한다. 세 손가락의 간격은 환자의 체격에 따라 적당하게 조정한다.

소아의 촌구맥은 협소해서 세 손가락을 이용하는 것이 아니라 '일지정관법 (一指定關法)'을 활용한다. 세 살 이하 소아의 경우에는 식지낙맥을 관찰하는 것으로써 맥진을 대신한다.

진맥을 할 때에는 세 가지 지력(指力)을 주로 사용하여 맥상을 살핀다. 가볍게 누르는 것을 '부취(浮取)' 혹은 '거(擧)'라고 한다. 세게 누르는 것을 '침취(沈取)' 혹은 '안(按)'이라고 한다. 중간 정도를 '중취(中取)' 혹은 '심(尋)'이라고 한다. 세 손가락 모두 동시에 맥을 짚는 것을 총안(總按)이라 하고, 또 한 손가락씩 나누어 촌、관、척부의 맥상 변화를 살피는 것을 단안(單按)이라고 한다. 촌、관、척 세 부분에 모두 부、중、침의 삼후(三候)가 있기 때문에 합하여 삼부구후(三部九候)라고 한다.

이 외에도, 진맥할 때에는 안정된 주위 환경을 유지해야 하며, 의사 역시 진지하게 호흡을 가다듬어 주의력을 집중시키며, 매 진맥시간은 적어도 1분 이상이어야 한다.

2) 정상 맥상 (Normal pulse condition)

정상적인 맥상을 '평맥(平脈)' 혹은 '상맥(常脈)'이라고 한다. 그 기본 특징은 삼부에 모두 맥이 있으며, 부하지도 침하지도 않고, 빠르거나 느리지도 않으며(한 호흡에 네 번 정도로, 대략 1분에 60-90회), 부드러우면서도 힘이 있어야 하고 고른 리듬이 있어야 한다.

맥상의 변화와 인체 내외환경은 밀접한 관계를 지닌다. 연령、성별、체질、정신상태、계절에 따른 기후 등에 의해 맥상도 변한다. 예컨대 소아의 맥상은 비교적 빠르며, 노인의 맥상은 비교적 약하다. 성년의 여성은 성년의 남성에 비해 맥이 약간 빠르면서도 약하다. 마른 사람은 맥상이 비교적 떠 있으며(浮), 뚱뚱한 사람은 맥상이 비교적 가라앉아 있다(沈). 여름의 맥상은 비교적 홍대(洪大)하고 운동선수들의 맥상은 비교적 지완(遲緩)하는데, 모두 병맥에 속하지는 않는다. 운동을 하거나 음식을 먹거나 정신적인 자극을 받았을 때에도 역시 맥상의 변화가 일어나는데, 이는 모두 일시적인 파동이고 약간의 휴식을 취하면 맥상은 다시 정상으로 회복된다.

이 외에도, 사람에 따라 맥이 촌구 부위에 나타나지 않고 척부에서 손등 쪽으로 향해 기울어져 나타나는데, 이를 사비맥(斜飛脈, oblique-running pulse)이라고 하며, 또 맥이 손목의 등쪽에 나타나는 것을 반관맥(反關脈, pulse on the back of the wrist)이라 한다. 이는 요골동맥의 해부학적 위치에 변이가 있는 것으로, 이 역시 병맥에 속하지는 않는다.

3) 맥상과 주병(主病)

질병은 맥상의 변화로 나타나는데, 이를 병맥(病脈)이라고 한다. 맥상의 분류는 매우 복잡한데, 明代에는 28종으로 보았으나, 현재 임상에서 자주 나타나는 16종의 맥상과 그에 연관되는 주병은 다음과 같다.

(1) 부맥(浮脈, Floating pulse)

- 맥상: 살짝 누르면 느껴지고 깊이 누르면 조금 약해지는데, 맥박이 천표(淺表) 부위에 나타난다.
- 주병: 표증이며, 허증의 경우에도 나타난다.
- 분석: 부맥은 病邪가 경락 기표부위에 있음을 나타내고, 主病은 表에 있다. 외사가 침범하면 위기(衛氣)가 맞서 싸워서 脈氣가 밖으로 고동치므로 부맥이 된다. 그러나 오랜 병에 몸이 약해지면 허양(虛陽)이 밖으로 떠서 부대무력한 맥이 나타나는데, 이 맥은 허맥에 속하므로 외감으로 잘못 보아서는 안 된다.

(2) 침맥(沈脈, Sunken pulse)

- 맥상: 살짝 누르면 잡히지 않고 깊이 눌러야 비로서 느껴지는데, 맥박이 나타나는 부위가 비교적 깊다.

- 주병: 이증(裏證)이다. 沈하면서 힘이 있으면 이실증이고, 沈하면서 힘이 없으면 이허증이다.

분석: 正邪가 裏에서 서로 싸우면 기혈이 안에 갇혀 맥기를 밖으로 드러나지 못하게 하므로 침맥이 나타난다. 邪가 裏에 울체되어 있으면 기혈이 잘 통하지 못하여 맥상이 침하면서 힘을 가진다. 장부 기혈이 허약하면 맥박도 힘이 없어서 맥이 침하면서 힘이 없다.

(3) 지맥(遲脈, Slow pulse)

- 맥상: 한 호흡에 맥박이 네 번 미만으로 뛰는데, 분당 60회 이하이다.
- 주병: 한증이다. 느리면서 힘이 있으면 한실증이고, 느리면서 힘이 없으면 허한증이다.
- 분석: 한사(寒邪)가 안으로 침범하면 혈맥이 응체되어 기혈의 운행이 완만해지므로 맥이 느리고 힘이 있다. 만약에 양기가 허하면 혈액의 정상적인 운행을 추동하지 못하여 맥이 느리고 힘이 없다.

(4) 삭맥(數脈, Rapid pulse)

- 맥상: 한 호흡에 맥박이 다섯 번 이상 뛰는데, 분당 90회 이상이다.
- 주병: 열증이다. 빠르면서 힘이 있으면 이열증이고, 가늘면서 빠르고 힘이 없으면 허열증이다.
- 분석: 열사(熱邪)가 침범하면 혈행이 빨라지므로 數脈이 나타난다. 實熱이 성하면 맥이 빠르고 힘이 있으며, 虛熱이 있으면 陰液이 손실되어 맥이 가늘고 빠르면서 힘이 없다. 맥상이 빠르고 크면서 힘이 없는 것은 氣虛證에서 볼 수 있다.

(5) 허맥(虛脈, Vacuous pulse)

- 맥상: 三部脈 모두 힘이 없고 비어 있는 듯한 느낌이다.
- 주병: 허증이다.
- 분석: 양기가 부족하여 혈액을 추동할 힘이 없어서 맥에 힘이 없다. 음혈이 부족하면 맥도를 채우지 못하여 맥체가 비어 있다. 그러므로 음양기혈의 모든 허에는 허맥이 나타날 수 있다. 실제적으로 허맥은 각종 무력한 맥상의 총칭이다.

(6) 실맥(實脈, Replete pulse)

- 맥상: 맥상이 고루 크고 길며 힘이 있어서 삼부맥 모두에 힘이 있다.
- 주병: 실증이다.
- 분석: 실증은 사기가 매우 성하고 정기도 약하지 않아 사기와 정기가 서로 맞서고 있기 때문에 맥에 힘이 있다. 기혈이 왕성하면 脈道가 단단하게 가득 차므로 맥이 손가락을 두드린다. 실맥은 각종 유력한 맥상의 총칭이다.

(7) 홍맥(洪脈, Surging pulse)

- 맥상: 맥체가 넓고 충실하며 힘이 있고, 맥이 올 때에는 힘이 있으나 갈 때에는 약한 것이 마치 파도와 같다.
- 주병: 열성(熱盛)이다.
- 분석: 熱邪가 크게 넘치면 맥도가 넓어지고 기혈이 왕성하므로 홍맥이 나타난다. 오랜 병의 허증에 홍맥이 나타나면 사기가 성하고 정기가 쇠약한 위증(危症)에 속한다.

(8) 세맥(細脈, Fine pulse)

- 맥상: 맥이 실처럼 가늘지만, 손끝에는 뚜렷이 느껴진다.
- 주병: 허손병증이다.
- 분석: 기혈이 허쇠하여 맥도를 채우지 못하므로 대부분의 허손병증에 나타난다.

(9) 활맥(滑脈, Slippery pulse)

- 맥상: 흐름이 매끄럽고 손끝에도 원활하게 느낌이 오는 것이 마치 쟁반 위에 구슬이 구르는 것과 같다.
- 주병: 담음､실열､식체이다.
- 분석: 담음､실열､적체가 안에 머물러 있으면 기는 실하고 혈이 넘쳐 맥도가 충실해져서 흐름이 매끄럽기 때문에 맥상이 손끝에 원활하게 느껴진다. 이 외에도, 기혼 여성이 병이 아닌데 월경이 나오지 않으면서 활맥이 나타나면 임신여부를 의심해야 한다.

(10) 삽맥(澁脈, Rough pulse)

- 맥상: 흐름이 매끄럽지 못한 것이 마치 가벼운 칼로 대나무를 긁는 것과 같다.
- 주병: 기체､혈어､정혈부족이다.
- 분석: 기체나 혈어로 맥도가 막히면 혈류가 매끄럽지 못하다. 만약에 정기가 아직 상하지 않았으면 맥이 삽하고 힘이 있다. 정혈이 부족하면 맥이 삽하고 힘이 없다.

(11) 현맥(弦脈, String-like pulse)

- 맥상: 곧으면서 긴 것이 마치 가야금줄을 만지는 것 같으며, 맥체가 비교적 딱딱한 편이다.
- 주병: 간담병､각종 통증､담음
- 분석: 간담병으로 소설기능이 잘 안되면 간기가 울체되어 脈氣가 활시위처럼 강해진다. 통증이나 담음도 기기를 잘 소통시키지 못해서 현맥이 나타날 수도 있다.

(12) 유맥(濡脈, Soggy pulse)

- 맥상: 맥이 오는 것이 가늘고 부드러우면서 떠 있다.
- 주병: 정혈이 부족하거나, 혹은 습증이다.
- 분석: 정혈이 부족하면 맥도가 채워지지 않아 유맥이 나타난다. 혹은 습사가 안에서 막히면 맥기가 힘을 잃어 유맥이 나타날 수도 있다.

(13) 약맥(弱脈, Weak pulse)

- 맥상: 맥이 가늘고 부드러우면서 가라앉아 있다.
- 주병: 기혈부족이다.
- 분석: 혈이 부족하면 맥도에 채워지지 않아서 맥이 가늘고 부드러워진다. 기가 허하면 맥이 가라앉고 힘이 없다.

(14) 대맥(代脈, Intermittent pulse)

- 맥상: 맥이 완만하게 오면서 규칙적으로 건너 뛰고, 건너 뛰는 시간이 비교적 길다.
- 주병: 장기가 쇠약하다. 풍증、통증、경공(驚恐)에 나타난다.
- 분석: 장기가 쇠약하고 기혈이 부족하고 허약하며 양기가 부족하면 맥기가 접속되지 못해서 맥이 완만하고 건너 뛰게 된다. 풍증、통증、경공 등 역시 맥기를 접속시키지 않으므로 대맥이 나타나는데, 장기가 쇠약한 것은 아니다.

(15) 결맥(結脈, Bound pulse)

- 맥상: 맥이 느리고 완만하면서 불규칙하게 건너 뛴다.
- 주병: 음한편성、기혈응체、담결(陰寒偏盛、氣血凝滯、痰結)에 나타난다.
- 분석: 陰寒이 편성하면 양기가 이르지 못해서 맥이 느리고 완만하면서 건너 뛴다. 한담、기체어혈(寒痰、氣滯瘀血)은 맥기를 막으므로 결맥이 나타난다.

(16) 촉맥(促脈, Skipping pulse)

- 맥상: 맥이 급하면서 빠르게 오고 불규칙하게 건너 뛴다.
- 주병: 주로 양성실열, 기체혈어(陽盛實熱, 氣滯血瘀)한 경우에 나타나고, 허탈의 경우에도 나타난다.
- 분석: 양열이 편성하고 음액이 부족하면 기혈의 운행이 장애를 받아서 나타난다. 맥이 촉급하면서 힘이 있는 것은 실증이고, 맥이 촉급하면서 힘이 없으면 대개 허탈의 경우이다.

4) 상겸맥(相兼脈)과 주병(主病)

질병의 발생、발전、변화는 복잡 다양한데, 두 가지 이상의 발병인자가 서로 섞여서 인체를 침범하면 병변의 부위와 성질에도 계속적으로 변화가 일어나서 병맥의 표현도 역시 두 가지 이상으로 동시에 나타나는데, 이를 상겸맥이라고 한다. 상겸맥의 주병은 일반적으로 각 맥과 관련되는 병의 종합으로, 예컨대 부삭맥(浮數脈)의 경우 부는 표(表)이고 삭은 열(熱)이므로 부삭맥은 표열증(表熱證)의 맥상이다. 임상적으로 자주 나타나는 상겸맥과 그에 관련되는 병은 표 11-1과 같다.

2. 안진(按診, Palpation)

안진은 환자의 피부、사지、흉복 및 기타 병변 부위를 직접 만지면서 진찰하는 것으로, 국소의 냉열、압통、연경(軟硬)、덩어리나 기타 이상변화를 살펴서 병위와 병변 성질을 추단하는 진찰방법이다.

표 11-1 임상에서 자주 나타나는 상겸맥상과 주병

脈象(맥상)	主病(주병)	脈象(맥상)	主病(주병)
부긴(浮緊)	표한(表寒)	침세삭(沈細數)	음허(陰虛)、혈허유열(血虛有熱)
부완(浮緩)	표허(表虛)	침삭(沈數)	이열(裏熱)
부삭(浮數)	표열(表熱)	홍삭(洪數)	기분열성(氣分熱盛)
부활(浮滑)	풍담(風痰)、표증담습(表證痰濕)	현삭(弦數)	간열(肝熱)、간화(肝火)
침지(沈遲)	이한(裏寒)	현활(弦滑)	간열협담(肝熱夾痰)、정식(停食)
침긴(沈緊)	이한(裏寒)、통증(痛症)	현지(弦遲)	한응간맥(寒凝肝脈)
침활(沈滑)	담음(痰飮)、식적(食積)	현긴(弦緊)	한통(寒痛)、한체간맥(寒滯肝脈)
침현(沈弦)	간울기체(肝鬱氣滯)、통증(痛症)	현세(弦細)	간신음허(肝腎陰虛)
침삽(沈澁)	혈어(血瘀)	활삭(滑數)	담열(痰熱)、담화(痰火)
침세(沈細)	이허(裏虛)、기혈허(氣血虛)	세삽(細澁)	혈허협어(血虛夾瘀)、정혈부족(精血不足)

1) 기부(肌膚)

주로 기부의 한열、습도、종창 등 상태를 살피는 것이다.

기부의 한열을 통해 사정(邪正)의 성쇠를 변별할 수 있다. 무릇 양증과 열증에는 기부가 작열하고, 음증과 한증에는 기부가 청량하다. 처음 만졌을 때는 열이 있다가 오래 되면 열이 심하지 않은 것은 열이 표에 있는 것이고, 처음 만졌을 때 열이 있고 계속 열이 더해지면 열이 이(裏)에 있는 것이다. 만약에 기부에 열이 있고 손발바닥에도 열이 있으면서 미열과 도한을 겸하면 음허조열(陰虛潮熱)이다. 기부가 차갑고 땀이 많으면 양허에 속한다. 기부의 습도에 따라 환자의 발한 여부와 진액의 손상 여부를 파악할 수 있다. 만약에 표증으로 기부에 열이 있고 땀이 없으면 대개 표열증(表熱證)이고, 기부에 열이 있으면서 땀이 나면 표허증(表虛證)이나 이열증(裏熱證)에 속한다. 기부가 습윤하면서 땀이 있으면 진액이 아직 상하지 않은 것이고, 기부가 건조하고 땀이 없으면 진액이 이미 상한 것이다. 기부가 갑착(甲錯)한 것은 어혈의 징후이다. 기부종창(肌膚腫脹)이 있으면서 손으로 누르면 들어가는 것은 부종이고, 만약에 피부가 당기는 듯하고 눌러도 자국이 남지 않으면 대개 기창(氣脹)에 속한다. 이 외에도, 옹양(癰瘍)을 만져서 단단하고 열이 심하지 않으면 아직 고름을 형성한 것이 아니고, 만져서 주변이 딱딱하고 가운데가 부드러우면서 열이 심하거나 파동감(波動感)이 있으면 대개는 이미 고름이 차 있는 것이다.

2) 손발

주로 손발의 온도를 검사하는 것이다. 손발의 온도를 알면 질병의 한열과 양기의 성쇠를 파악할 수 있다. 환자의 손발이 모두 차면 양허한성(陽虛寒盛)이며, 손발이 모두 뜨거우면 양성열증(陽盛熱證)에 속한다. 손등의 열이 심하면 외감의 발열이며, 손바닥의 열이 심하면 내상의 발열이다. 소아가 고열이 있으면서 손가락 끝이 차가우면 경궐(驚厥)이므로 미리 막아야 한다.

3) 흉복

주로 흉협완복부(胸脇脘腹部)의 압통 여부와 덩어리를 검사하는 것이다. 완복동통이 누르면 오히려 편해지고 국소적으로 유연하면 허증에 속하고, 만지면 국소적으로 단단하면서 통증이 심해지고 만지기를 거부하는 것은 실증이나 어혈동통에 속한다. 환자의 복부에 덩어리가 있으면 당연히 덩어리의 크기, 활동도 및 단단한 정도를 살펴야 한다. 유형의 덩어리는 혈어로 말미암은 것으로 징적(癥積)이라고 한다. 만약에 환자의 복부에 덩어리가 있는데, 만져도 형태가 없고 통증도 일정한 위치가 아니면서 뭉쳤다가 흩어졌다 하면 무형의 기가 뭉쳐서 된 것으로 가취(瘕聚)라고 한다. 우측 소복부에 압통이 있으면서 깊게 눌렀다가 갑자기 손을 뗐을 때 동통이 더 심해지면 장옹(腸癰)이다.

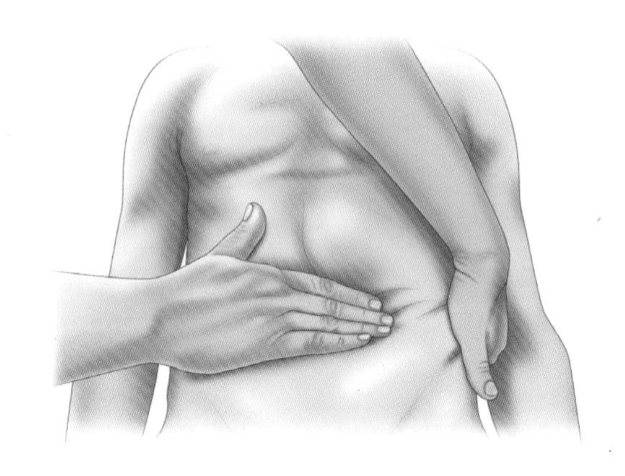

■ 그림 11-9 복부 안진

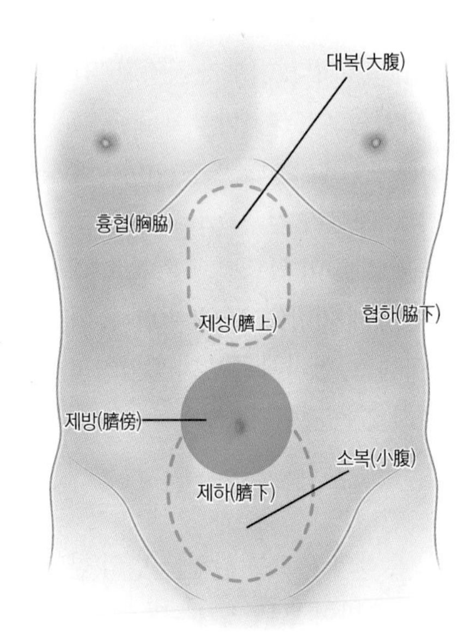

■ 그림 11-10 복부의 명칭

참고문헌

1. 『格致餘論·治病先觀形色然後察脈問證論』 朱震亨
2. 『景岳全書·十問歌』 張介賓
3. 『丹溪心法·能合色脈可以萬全』 朱震亨
4. 『大戴禮記·文王宮人·盧辯註』
5. 『保嬰撮要·脈法』 薛己
6. 『靈樞·外揣』
7. 『五燈會元·道揩禪師』
8. 『醫學實在易·問證詩』 陣修園
9. 전국한의과대학 병리학교실, 한방병리학, 2002, 일중사
10. 전국한의과대학 진단·생기능의학교실, 생기능의학, 2010, 군자출판사
11. 高思華 等, 中醫基礎理論, 2012, 人民衛生出版社
12. 樊巧玲 主編, 中醫學槪論, 2010, 中國中醫藥出版社
13. 成戰鷹, 診斷學基礎, 2012, 人民衛生出版社
14. 陳家旭 等, 中醫診斷學, 2012, 人民衛生出版社
15. 何建成 等, 中醫學基礎, 2012, 人民衛生出版社

제 12 장 변증

Pattern identification

변증은 한의학이론을 기반으로 '사진(四診)'을 통해 얻은 임상자료에 대해 다양한 변증방법을 종합적으로 운용하여 분석 귀납함으로써 그 내재하는 본질, 즉 병변의 병인、병변 기전、기능상태 및 변화의 추세 등을 파악하여 하나의 '증(證)'으로 도출해내는 과정이다. 그러므로 변증의 과정은 '사진'의 기초 위에 병변을 분석 판단하는 사유과정이며, 또한 질병 증후에 대하여 현상으로부터 본질에까지 이르는 인식과정으로 과학적 방법[1]이기도 하다.

證과 症의 개념은 다르다. 證 (Pattern)은 증후라고도 하는데, 질병의 어느 한 단계에서의 병인、병성、병위 및 병세 등의 개괄이며, 症은 질병이 외부로 표현된 개별 증상 (symptom)이나 징후 (sign)이다. 일반적으로 말하자면, 證은 일련의 상호 연계된 증상의 조합으로 이루어지며, 증이 표현하는 증상이나 징후는 변증의 객관적인 근거이다. 證은 양의학에서 말하는 증후군 (syndrome)과는 의미가 다르다.

변증이론체계에는 다양한 변증방법이 있는데, 임상에서는 팔강변증(八綱辨證)、기혈진액변증(氣血津液辨證)、장부변증(臟腑辨證)、병인변증(病因辨證)、육경변증(六經辨證)、위기영혈변증(衛氣營血辨證)、삼초변증(三焦辨證) 등이 많이 이용되고 있다. 이러한 변증방법은 다양한 병증의 발생과 발전의 원리로부터 비롯된 것인데, 예를 들면 팔강변증은 각종 변증방법의 공통점을 개괄한 것으로 변증의 총강이며, 장부변증은 장부학설에 근거하여 장부병변으로부터 만들어진 변증방법으로 각종 변증의 기초이며 주로 내상잡병에 응용되고 있다. 기혈진액변증은 기혈진액의 병리변화를 분석하며 장부변증과는 상호보완적인 변증방법이다. 병인변증은 병인의 성질과 발병 특징에 근거하여 병을 일으킨 발병인자를 변별해내는 방법이다. 육경변증、위기영혈변증과 삼초변증은 외감병의 발전변화의 원리로부터 도출해낸 변증방법인데, 주로 외감 질병에 적용된다. 이러한 변증방법의 운용에는 각기 다른 적응범위가 있으므로 임상에서는 구체적인 병증에 근거하여 실제 상황에 맞게 활용해야 한다.

제 1절 팔강변증(八綱辨證)

팔강(八綱)은 음양표리한열허실(陰陽表裏寒熱虛實)이다. 팔강변증은 사진을 통해 수집한 자료에 근거하여 분석

1) "과학적 방법이란 어떠한 현상의 메커니즘을 이해하거나 새로운 사실을 설정하는 과정인데, … 흔히 사용되는 일련의 과정이 있다. 이 과정은 실제 사실에 대한 일련의 관찰로 이루어지는데, 이들 관찰에 따르는 결과에는 인간의 두뇌의 판단이 개재하게 된다. 결국 과학이란 자연현상과 인간 두뇌의 판단이 상호 작용한 결과라고 말할 수 있다." (생물학-생명의 과학)

종합하는데, 팔강체계에 따라 변별 판단하여 음증、양증、표증、이증、한증、열증、허증、실증의 여덟 가지 기본 증후로 귀납하여 질병의 종류、성질 및 사정성쇠(邪正盛衰)를 설명하는 변증방법이다. 팔강증후는 서로 구별되면서도 상호 연계된다. 그러므로 팔강변증을 운용할 때에는 팔강증후의 각 특징을 이해해야 할 뿐만 아니라 그들 사이의 상겸、협잡、전화、진가(相兼、挾雜、轉化、眞假) 등 상황에도 주의를 기울여야 한다.

1. 표리(表裏)

이는 병변 부위、병정의 경중과 병세의 추세를 변별하는 강령이다. 일반적으로, 인체의 피모、기주(肌腠)、경락은 바깥에 있어서 表에 속하고, 장부、기혈、골수는 안에 있어서 裏에 속한다. 표증은 육음(六淫) 사기가 피모、구비(口鼻)로부터 침범하여 인체의 기표(肌表)에서 발생한 증후로, 발병이 급하고 병정이 짧으며 병위가 깊지 않은 특징이 있으며, 임상적으로 오한발열、설태박백、맥부를 주요 특징으로 한다. 이증(裏證)은 질병이 깊어 장부、기혈、골수에서 발생한 증후로, 표사(表邪)가 안으로 들어가거나 발병인자가 직접 장부를 침범하여 발병한 것이며, 또는 기타 원인으로 인해 장부기능의 실조가 일어나 발생한 것으로 이증의 증후 범위는 매우 넓어서 임상 표현 역시 복잡 다양한데, 대체적으로 장부증후 위주이며, 임상적인 특징은 일반적으로 병정이 길고、오풍한(惡風寒)이 없으며、맥상이 부하지 않고、항상 설질이나 설태의 변화를 수반한다. 표증과 이증은 동시에 나타날 수도 있는데, 이를 '표리동병(表裏同病)'이라고 한다. 경우에 따라서는 표증과 이증이 서로 바뀔 수 있는데, 이를 '유표입리(由表入裏)' '유리입표(由裏入表)'라고 한다. 무릇 발병인자가 表에서 裏로 들어가면 병세가 가중되는 것이고, 裏에서 表로 나오면 병세가 줄어드는 것을 의미한다.

2. 한열(寒熱)

질병의 성질을 변별하는 강령이다. 한과 열은 음양 편성편쇠의 구체적인 표현으로, 이른바 "양이 왕성하면 열이고, 음이 왕성하면 한이다[2]", "양이 허하면 외한(外寒)하고, 음이 허하면 내열(內熱)이다[3]". 한열의 변별은 실제적으로 음양의 성쇠를 변별하는 것이다. 한증은 한사(寒邪)를 받았거나 양허음성(陽虛陰盛)하여 인체의 기능활동이 감소한 증후이며, 오한이나 외한희난(畏寒喜暖)、구불갈(口不渴)、면색창백(面色蒼白)、지냉(肢冷)、요청(尿淸)、대변희당(大便稀溏)、설태백(舌苔白)、맥지(脈遲)를 주요 증상으로 하며, 열증은 열사(熱邪)를 받았거나 음허양성(陰虛陽盛)하여 인체의 기능활동이 항진된 증후로, 발열、구갈음냉、면홍목적、번조、대변비결、소변황、설홍태황、맥삭 등을 주요 증상으로 한다. 질병 과정 중에 때로 한증과 열증이 동시에 나타날 수 있는데, 이를 '한열착잡(寒熱錯雜)'이라 한다. 경우에 따라서 한증이 열증으로 바뀌거나 열증이 한증으로 바뀌는데, 이를 '한열전화(寒熱轉化)'라고 한다. 이외에도, 병기가 복잡하여 본질은 한증인데 열증과 유사한 가상(假象)이 나타나는 것을 '진한가열(眞寒假熱)'이라 하고, 열증의 경우에도 한증과 유사한 가상이 나타나는 것을 '진열가한(眞熱假寒)'이라고 한다. 임상에서 면밀하게 분석하고 변별하여 가상에 현혹되지 말아야 한다.

3. 허실(虛實)

2) 陽勝則熱, 陰勝則寒 (素問·陰陽應象大論)
3) 陽虛則外寒, 陰虛則內熱 (素問·調經論)

이는 인체 정기의 강약과 병사의 성쇠를 변별하는 강령이다. 虛는 정기의 허약을 가리키고, 實은 사기의 성실(盛實)을 가리킨다. 허증은 인체의 정기가 부족하고 장부의 기능이 쇠퇴해서 나타나는 증후로, 대개 선천적으로 약하거나, 후천적으로 실조되거나, 오랜 병환, 중병 이후 혹은 칠정, 노권 등으로 인체 음양기혈의 허손을 초래하여 된 것이다. 허증에는 기허, 혈허, 음허와 양허가 있는데, 그 증상과 징후는 각기 다르다. 실증은 발병인자가 지나치게 성하고 정기가 아직 허하지 않아 장부의 기능활동이 항성하게 표현된 증후인데, 외감 병사가 침범하였거나 장부 기능이 실조되어 어혈, 담음, 수습 등 속발성 발병인자가 체내에 머물러 초래된 것으로, 발병인자의 성질과 소재부위가 서로 다르므로 그 증상 역시 복잡 다양하다. 이외에도 질병의 변화는 하나의 복잡한 과정으로 허증과 실증은 항상 허실협잡(虛實挾雜), 허실전화(虛實轉化), 허실진가(虛實眞假)의 증후로 나타난다.

4. 음양(陰陽)

음양은 병증을 개괄하는 강령이다. 그 응용범위가 매우 넓어서 크게는 모든 병정을 개괄할 수 있으며, 작게는 증상을 분석하기도 한다. 음양은 팔강의 총강으로, 다른 강령들을 개괄하는데, 표, 열, 실(表, 熱, 實)은 陽에 속하고, 이, 한, 허(裏, 寒, 虛)는 陰에 속한다. 병증이 매우 다양하지만, 총괄하면 음증과 양증의 두 범주를 벗어나지 않는다. 이증, 한증, 허증이 모두 음증의 범위에 속하며, 정신위미(精神萎靡), 면색창백혹회암(面色蒼白或晦暗), 외한지냉(畏寒肢冷), 기단성저(氣短聲低), 구불갈(口不渴), 변당뇨청(便溏尿淸), 설담태백(舌淡苔白), 맥침지무력(脈沉遲無力) 등은 이허한증(裏虛寒證)으로 음증의 특징적인 표현이다. 표증, 열증, 실증은 모두 양증의 범위에 속하며, 신열면적(身熱面赤), 정신번조(精神煩躁), 성고기촉(聲高氣促), 구갈음냉(口渴飮冷), 대변비결(大便秘結), 요황량소(尿黃量小), 설홍태황(舌紅苔黃), 맥활삭(脈滑數) 등은 이실열증(裏實熱證)으로 양증의 특징적인 표현이 된다.

이외에도, 망음(亡陰, yin collapse)과 망양(亡陽, yang collapse)은 질병의 과정에서 위중한 증후로, 일반적으로는 고열대한(高熱大汗), 극렬한 토사, 실혈과다 등 위중한 상황에 나타나며, 인체의 음액(陰液)과 양기가 신속하게 쇠망할 때 나타난다.

이하에서는 임상에서 자주 발생하는 증을 위주로 소개하고, 각 증명에는 영어번역과 함께 2019년 공표된 ICD-11의 질병분류 코드[4]와 제3차 개정 한국표준질병사인분류(한의) U 코드를 표기하였다.

제 2절 기혈변증(氣血辨證)

기혈은 생명활동을 유지하는 기본 물질이고 끊임없는 승강순환을 통해 영양하기 때문에 포괄하는 병증범위가 전신적으로 매우 다양하다. 그러나 간단히 요약하면 양적으로 부족 여부, 승강출입의 이상, 순환과정의 정체, 혹은 한열조사(寒熱燥邪) 등의 외사(外邪)에 의해 기혈이 변질되기 때문에 발생한다.

한편 기혈은 오장육부를 자양하여 생명활동을 일으키므로 장부변증과도 밀접한 관계를 가진다. 그러나 여기서는 기혈증후만을 따로 설명한다. 이처럼 기혈을 독립적인 진단개념으로 사용하게 되면 좌우와 남녀, 맥색, 동정, 주야, 비

4) World Health Organization, ICD-11 for Mortality and Morbidity Statistics, 26 Supplementary Chapter Traditional Medicine Conditions - Module I, http://id.who.int/icd/entity/718687701

수 등의 요소가 변증에서 중요한 판단기준이 된다.

기의 병증은 기허증(氣虛證)、기체증(氣滯證)、기함증(氣陷證)、기역증(氣逆證)、기폐증(氣閉證) 등으로, 혈의 병증은 혈허증(血虛證)、혈어증(血瘀證)、혈열증(血熱證)、혈한증(血寒證)、혈탈증(血脫證)、혈조증(血燥證) 등으로 정리할 수 있다. 이들은 대부분 출혈과도 서로 인과 관계를 가지는데, 출혈은 혈허와 혈어를 일으키고, 혈열이나 혈어도 쉽게 출혈을 일으킬 수 있다.

1. 기허증(氣虛證 Qi deficiency pattern SE90, U60.0)

기의 생성이 부족하거나 지나치게 많이 소모되어 기의 기능이 감퇴된 것이다. 선천적으로 부족하거나、후천적으로 영양이 실조되거나、혹은 肺、脾、腎의 기능이 실조되어 기의 생산이 제대로 되지 않거나、또는 과로、방노、출혈、혹은 오랜 병 등으로 기가 과다하게 소모되어 발생한다. 기의 종류가 매우 많기 때문에 기허로 인한 결과도 다양하지만, 요약하면 추동(推動)、온후(溫煦)、방어(防禦)、고섭(固攝)、기화(氣化)기능의 실조가 주요 병기이다.

【이명】元氣虛證、元氣不足證

【증후개념】稟賦不足、飮食傷、勞倦傷 혹은 장기간의 질병 이환、고령으로 인해 臟腑기능이 저하되고 元氣가 부족한 證

【변증지표】

- 주증: 呼吸氣短、神疲乏力、少氣懶言、活動時諸症加甚
- 차증: 面色無華、語聲低微、飮食無味、自汗
- 설맥: 舌淡、脈緩或虛無力

【치법】補氣

【상용약물】人蔘、黨蔘、黃芪、白朮、大棗、炙甘草、白扁豆、黃精、山藥

【처방】四君子湯(『太平惠民和劑局方』)、獨蔘湯(『傷寒大全』)、人蔘益氣湯(『衛生寶鑑』)、玉屛風散(『丹溪心法』)、補中益氣湯(『脾胃論』)、蔘附湯(『婦人良方』)

2. 기체증(氣滯證 Qi stagnation pattern SE91, U60.3)

기체는 기의 운행이 잘 안되어 울체된 병리 상태를 말한다. 기체를 일으키는 원인은 대개 정서가 억울하거나、담、습、식적、어혈 등 발병인자가 기기를 막거나、혹은 외사(外邪)가 침범하여 기기를 막거나、혹은 간이 소설작용을 하지 못하거나、폐가 선발이나 숙강 작용을 못하는 등 장부기능의 장애로 기체가 일어나거나、기허로 인해 운행하지 못하여 발생하기도 한다.

기체하는 부위에 따라 병기도 다르다. 외사가 폐를 침범하면 폐가 선발과 숙강작용을 잃어 상초기기가 옹체되고、정지가 울결되어 간이 소설하지 못하면 간경의 기가 울결되며, 만약 위장의 기가 체하면 위의 통강(通降)에 영향을 준다. 또한 기가 혈과 진액을 추동하는데 기체하면 혈의 운행 역시 원활하지 않게 되어 어혈을 형성하고, 진액의 운행도 불창하게 되어 담음이나 수종을 형성한다.

【이명】氣行阻滯證

【증후개념】病邪、外傷、정신적인 문제 등에 의해 氣의 운행이 원활하지 못하고 울체되어서 나타나는 證으로, 특징적인 통증 양상을 보이고 증상의 발현이 정서 변화의 영향을 받는다.

【변증지표】

- 주증: 脘腹胸脇乳房腰背疼痛, 脹悶, (時輕時重, 痛無定處, 竄痛或攻痛, 隨情緒而增減)
- 차증: 噯氣太息, 結塊(聚散無常), 噯氣, 矢氣後 症狀減輕, 肩肘腿膝流走疼痛, 月經時 少腹竄痛
- 설맥: 舌苔薄, 脈弦

【치법】行氣疏滯

【상용약물】柴胡, 枳殼, 香附子, 木香, 陳皮, 川楝子, 厚朴, 烏藥, 青皮, 鬱金, 大腹皮, 沈香

【처방】四逆散(『傷寒論』), 香蘇散, 逍遙散, 七氣湯, 四七湯(『太平惠民和劑局方』), 越鞠丸(『丹溪心法』), 柴胡疏肝散(『景岳全書』), 五磨飮子(『醫碥』), 四磨湯(『濟生方』), 木香調氣飮(『醫宗必讀』), 烏藥散(『太平聖惠方』), 加味烏藥散(『濟陰綱目』), 分心氣飮(『太平惠民和劑局方』), 香橘湯(『仁齊直指方論』), 交感丹(『萬病回春』), 木香勻氣散(『醫學入門』), 木香順氣散(『證治準繩』)

3. 기역증(氣逆證 Qi counterflow pattern SE92, U60.4)

기역은 기기의 승강이 실상되어 기의 상승이 태과하거나 하강이 불급하여 기가 위로 향하는 상역의 병리상태를 말하는 것으로, 대개 정지내상(情志內傷)하였거나, 한온(寒溫)의 음식을 적절히 섭취하지 못했거나, 외사가 침범했거나, 담탁(痰濁)이 옹체(壅滯)되거나 혹은 정기가 허해져 기가 상역한 것이다.

기역의 병기는 肺, 胃, 肝과 관계가 가장 밀접하다. 폐의 경우 외사가 침범하거나 담탁이 폐를 막아 폐가 선발숙강작용을 잃으므로 기가 상역하고, 胃의 경우 한온(寒溫)이 부적절한 음식을 먹거나 혹은 외사가 침범하여 위기(胃氣)의 화강작용(和降作用)이 실상되며, 간의 경우 노하여 기가 상역하거나 기울화화(氣鬱化火)하여 火의 성질은 염상(炎上)하므로 간기의 상승이 태과하게 된다.

【이명】氣機上逆證

【증후개념】肺, 胃, 肝 등이 外邪, 食滯, 火熱, 痰濁, 정신적인 억울상태 등에 영향을 받아 氣가 상역하는 증이다.

【변증지표】

- 주증: 咳嗽上氣, 氣促喘息, 呃逆連聲, 惡心嘔吐, 反胃
- 차증: 咽痒咳嗆, 呼吸氣粗(痰氣上壅, 喉間漉漉, 張口擡肩而喘), 脘腹脹痛, 噯氣
- 설맥: 苔薄膩或黃膩, 脈滑數或弦數

【치법】平逆降氣

【상용약물】蘇子, 麻黃, 杏仁, 半夏, 生薑, 旋覆花, 代赭石, 丁香, 柿蒂, 木香, 香附子, 砂仁, 白豆蔲

【처방】蘇子降氣湯(『太平惠民和劑局方』), 定喘湯(『攝生衆妙方』), 旋覆代赭湯(『傷寒論』), 丁香柿蒂湯(『症因脈治』), 導氣枳殼丸(『精要宣明論』)

4. 기함증(氣陷證 Sunken qi pattern SE93, U60.1)

기함은 기가 허하여 발생하는 것으로, 기의 승청(升淸)과 승거(升擧)의 무력이 특징적으로 나타나는 병리 상태이다. 이 병기는 비기허와 관계가 가장 밀접한데, 비기는 升하고 위기는 降하며, 간기는 升하고 폐기는 降하여야 기기승강의 상대적 평형이 유지된다. 만약 비기가 허하여 승거무력(升擧無力)하면 하강하는 기운이 많고 올라가는 기운이 적어 기가 아래로 향하므로 기함하게 된다.

기함은 '상기부족(上氣不足)'과 '중기하함(中氣下陷)'의 두 가지로 나누어 볼 수 있다. '상기부족'은 비기가 허하므로 승청하는 힘이 부족하여 음식물의 정미가 충분히 두목(頭目)으로 올라가지 못하고 머리에 기혈공급이 부족하여 두목이 영양을 잃은 것이며, '중기하함'이란 비기가 허하여 승거무력하므로 기가 아래로 쳐지고 심지어는 내장이 하수되는 병증을 말한다.

【이명】中氣下陷證

【증후개념】氣陷證은 先天不足과 後天失調로 인해 元氣가 虧損되고 氣機升降이 失調되거나, 원래 脾虛한 사람이 勞傷過度하여 中氣가 虛해지고 升擧無力한 證으로 전신 증상과 함께 내장의 下垂가 있으면 氣陷證으로 진단한다.

【변증지표】

- 주증: 氣短乏力, 脘腹墜脹, 泄瀉, 脫肛, 婦人陰挺
- 차증: 腰痠欲折, 遺尿, 經水漏下, 流産, 神疲懶言, 頭暈目眩
- 설맥: 舌淡胖, 脈細緩無力

【진단요점】전신 증상과 함께 내장의 下垂가 있으면 氣陷證으로 진단한다

【치법】益氣升陷

【상용약물】黃芪, 黨參, 人參, 白朮, 柴胡, 升麻

【처방】補中益氣湯(『脾胃論』), 擧元煎(『景岳全書』), 升陷湯(『醫學衷中參西錄』), 提肛散(『外科正宗』)

5. 기폐증(氣閉證 Qi blockage pattern U60.5)

기폐란 기울이 태과하여 위로 심흉에 이어 심규(心竅)를 막아 돌연히 혼궐하거나, 사기가 기도(氣道)를 막아 폐기가 조체되어 호흡이 곤란한 병리 상태를 말하는 것으로, 주된 원인은 정지억울, 혹은 외사, 담탁 등이다. 정지가 억울하면 간이 소설작용을 잃어 기기가 불리하게 되어 심흉에 울결하게 되고 심규가 막히거나, 기타 오장육부나 경락의 기기가 폐색된다.

【이명】淸竅被蒙證, 九竅閉塞證

【증후개념】風, 痰, 火, 瘀로 인해 氣機가 순조롭지 못하고 九竅가 막혀서 유발된 증으로, 본 증은 응급한 상태이며, 정신언어상태, 대소변상태 및 근맥의 증상들로 이루어져 있다.

【변증지표】

- 주증: 昏迷, 牙關緊閉, 兩手握固, 大便秘結, 小便不通
- 차증: 躁動不安, 舌强, 言語蹇澁, 譫語煩躁, 氣粗鼻鼾, 喉間痰聲漉漉, 手足拘攣, 半身不隨, 少腹脹滿, 小腹痛, 噯氣頻作
- 설맥: 苔膩, 脈弦滑或沈滑

【진단요점】본 증은 응급한 상태이며, 정신언어상태, 대소변상태 및 근맥의 증상들로 이루어져 있다.

【치법】開竅啓閉, 疏通氣機

【상용약물】犀角, 牛黃, 蘇合香, 安息香, 丁香, 沈香, 鬱金, 枳實, 烏藥, 檳榔, 大黃, 靑皮, 陳皮, 半夏, 滑石, 菖蒲, 牛膝, 冬葵子

【처방】八味順氣散(『世醫得效方』), 至寶丹, 蘇合香丸(이상 『太平惠民和劑局方』), 六磨湯(『證治準繩』), 沈香散(『金匱翼』), 木香順氣散(『證治準繩』)

6. 혈허증(血虛證 Blood deficiency pattern SF00, U61.0)

혈허는 血의 부족으로서, 血의 영양과 자윤(滋潤)의 기능이 감퇴된 병리상태이다. 원인은 대개 세 가지로 볼 수 있다. 첫째는 실혈이 과다하여 새로운 血이 보충되지 않는 경우이며, 둘째는 화원(化源)의 부족인데, 영양섭취가 부족하거나 비위의 운화가 무력하여 수곡정기의 화생이 극히 적어지면 혈액을 만드는 원료가 부족하게 된다. 셋째는 혈액을 만드는 기능이 감퇴된 것인데, 예컨대 기허로 장부의 기능이 감퇴되면 화원이 부족하게 되어 혈액의 생성도 어려워진다.

혈허의 병기는 다음 세가지 경우로 분류할 수 있다.

첫째는 혈허하여 장부, 경락, 조직, 구규의 영양과 자윤이 부족하여 점차적으로 고위(枯萎)해지는 것이며, 둘째는 혈허가 인체의 감각과 운동기능 장애를 유발하는 것이고, 셋째는 혈허가 정신의식 및 사유활동의 쇠퇴와 문란을 초래하는 것이다.

【이명】血虧證

【증후개념】평소 체력 허약, 피로 누적, 思慮過度 등으로 인하여 血의 生化작용이 안되거나 만성적인 失血로 血의 소실이 지나쳐서 血의 濡養기능이 감퇴되어 나타나는 증

【변증지표】

- 주증: 面白無華或萎黃, 眼瞼口脣蒼白, 爪甲淡白, 頭暈眼花, 心悸健忘, 失眠多夢, 手足麻木
- 차증: 怔忡, 毛髮不澤, 爪甲脆薄, 頭痛隱隱, 月經愆期, 量少色淡, 血枯經閉, 胎漏胎滑, 産後血暈, 便難
- 설맥: 舌質淡, 苔薄, 脈細無力或芤

【치법】補血, 益氣生血

【상용약물】當歸, 地黃, 白芍, 川芎, 何首烏, 枸杞子, 鷄血藤, 龍眼肉

【처방】四物湯(『太平惠民和劑局方』), 當歸補血湯(『內外傷辨惑論』), 歸脾湯(『濟生方』)

7. 혈어증(血瘀證 Blood stasis pattern SF01, U61.2)

血瘀는 혈액의 흐름이 느리고 잘 소통되지 않는 병리 상태로, 주요 원인은 기체, 기허, 혈한, 혈열 및 외상 등이다. 血瘀로 말미암아 혈류가 느려지면서 원활하게 흐르지 못하면 氣의 운행을 저애하여 기체를 형성한다. 기체는 혈어를 가중시키고, 혈어는 다시 기체를 가중시키는 악순환이 계속되며, 어혈적취가 형성됨으로써 종괴가 생기고, 혈류가 완만해지고 맥도가 확장되며, 신혈(新血)의 생성을 방해하여 기부(肌膚)가 영양을 받지 못하게 된다.

【이명】血凝證

【증후개념】外傷打撲, 血寒凝泣, 血熱煎熬, 氣滯不行, 氣虛無力 등으로 인해 血의 運行이 장애를 받아 臟腑와 經絡에 국부 혹은 전신적으로 瘀血이 정체된 증으로, 특징적인 통증양상(一點常痛, 刺痛, 晝輕夜重), 종괴, 출혈 등이 나타나면 血瘀證으로 진단한다.

【변증지표】

- 주증: 局部疼痛, 腫脹(腫塊不移, 一點常痛, 刺痛, 拒按), 面色黧黑, 口脣青紫, 皮膚瘀斑, 出血
- 차증: 口渴欲漱而不欲飮, 肌膚甲錯, 腹壁青筋怒脹, 皮膚絲狀紅縷, 魚際部位紅斑, 月經時腹痛血塊, 色紫暗, 或經閉
- 설맥: 舌青紫有瘀點, 脈澀或沈細

【치법】活血化瘀

【상용약물】丹蔘、赤芍藥、桃仁、紅花、大黃、川芎、水蛭、虻蟲、茜草、五靈脂、蟅蟲、澤蘭

【처방】血府逐瘀湯(『醫林改錯』)、大黃蟅蟲丸、桂枝茯苓丸(이상『金匱要略』)、當歸鬚散(『醫學入門』)

8. 혈열증(血熱證 Blood heat pattern SF02, U61.5)

혈열은 열로 인해 혈행이 빨라지면서 맥도가 확장되고 심하면 출혈되는 병리 상태이다. 주로 외감열사(外感熱邪)가 혈분(血分)에 침입하거나, 혹은 정서가 불량하거나 사울화열(邪鬱化熱)하여 열이 혈분에 들어감으로써 일어난다.

血에 열이 가해지면 혈행이 빨라지고 맥도가 확장되며 나아가 열사가 맥락을 작상(灼傷)하면 출혈케 되는데, 이를 '熱迫血妄行'이나 '動血'이라 한다. 또한 心은 혈맥을 주관하므로 혈맥과 心은 상통하며, 따라서 혈열은 심에 머무는 神에 직접적인 영향을 미쳐 심신(心神)이 불안하게 된다.

【이명】熱入血分證

【증후개념】본래 陽盛한 체질이거나 辛辣한 음식을 과식하거나 혹은 분노가 과도한 사람에게 熱毒이 血分을 침입하거나 溫熱邪毒이 血分에 영향을 미쳐서 血熱이 왕성하고 迫血妄行하는 증으로, 출혈증과 야간발열이 요점이다.

【변증지표】

- 주증: 出血鮮紅(鼻衄、吐血、尿血、便血 등)、身熱夜重、斑疹
- 차증: 心煩易怒、面紅目赤、月經先期而量多色紅、神志昏糊、譫語狂亂、煩躁不寧、齒齦腫痛
- 설맥: 舌深絳、苔焦黃少津、脈細數或弦數

【치법】凉血淸熱、瀉火解毒

【상용약물】犀角、生地黃、赤芍藥、牡丹皮、連翹、梔子、水牛角、玄蔘、紫草、野菊花、凌霄花、白薇

【처방】犀角地黃湯(『千金方』)、淸瘟敗毒飮(『疫疹一得』)

9. 혈한증(血寒證 Blood cold pattern SF03, U61.4)

血이 寒하여 응삽불통(凝澁不通)한 것으로, 외감한사(外感寒邪)가 혈맥을 침범하거나 혹은 양기가 부족하여 발생한다. 血이 寒하게 되면 혈맥의 운행이 불리해져서 血이 응취하여 어혈을 형성하고, 양기를 전신에 공급하지 못하여 각종 寒의 병리상태가 나타나게 된다.

【이명】血冷證、血虛寒凝證

【증후개념】寒邪가 경락、혈맥、포궁 등에 침입하여 혈맥이 응체되고 불통하는 증으로, 국부나 전신에 寒象이 나타나고, 筋脈이 연축구급하는 것을 기본으로 한다. 국소부위의 냉통、형한지랭、설질암담 등이 있으면 확진할 수 있다.

【변증지표】

- 주증: 疼痛(頭、四肢、胸、少腹 등 부위)、手足冷(色靑紫)
- 차증: 四肢攣急、肌肉麻痺、胸痛徹背、背痛徹心、脘腹冷痛、月經疼痛、月經量少、月經血色暗有塊、閉經
- 설맥: 舌暗淡或靑紫、苔白膩、脈緊或沈細

【치법】溫經散寒、養血通脈

【상용약물】桂枝、芍藥、當歸、川芎、生薑、細辛、艾葉、黃芪、阿膠、川烏、秦艽、羌活、獨活、肉桂、吳茱萸
【처방】當歸四逆湯(『傷寒論』)、黃芪桂枝五物湯、當歸生薑羊肉湯、瓜蔞薤白白酒湯(이상 『金匱要略』)、蠲痺湯(『醫學心悟』)

10. 혈탈증(血脫證 Blood collapse pattern U61.1)

혈탈은 대량 출혈을 통한 기혈병탈(氣血并脫)의 병리상태인데, 일반적으로 외상 실혈、부녀의 붕루、혹은 산후 출혈태과 등에 의해서 발생된다. 血은 氣를 싣고 있으므로 혈탈하면 氣도 역시 血을 따라 폭탈망실(暴脫亡失)하게 된다. 따라서 혈탈하게 되면 기탈망양(氣脫陽亡)의 병리상태가 나타나게 된다.

【이명】氣隨血脫證, 脫血證
【증후개념】외상、객혈、토혈、붕루、산후 대량출혈 등 血이 돌발적으로 대량 소실되어 출현하는 증으로, 대량출혈과 함께 神志 증상이 나타난다.
【변증지표】

- 주증: 出血(外傷性 大出血、咳血、吐血、崩漏、産後 出血不止)、面色蒼白、譫妄神昏
- 차증: 汗出如珠、二便失禁、口脣爪甲淡白、瞳孔散大
- 설맥: 舌質淡、脈散大或芤

【치법】補血、益氣攝血
【상용약물】人蔘、麥門冬、五味子、三七根、側栢葉、地楡炭、生藕節、仙鶴草、生地黃、當歸炭
【처방】獨蔘湯(『傷寒大全』)、生脈散(『內外傷辨惑論』)、十灰散(『十藥神書』)

11. 혈조증(血燥證 Blood dryness pattern SF04, U61.3)

血이 부족하여 발생한 내조(內燥)의 병리상태로, 이는 오랜 병、노화、영양결핍 등으로 陰血이 모상(耗傷)되거나、어혈이 내결(內結)되어 새로운 혈액의 생성이 저하됨으로써 발생한다. 주된 병기는 진액이 마르고 血이 부족하여 자윤을 하지 못함으로써 內燥가 발생하고, 경맥기혈이 실조하고 기부(肌膚)가 영양받지 못하며 심하면 혈조생풍(血燥生風)하게 되는 것이다.

【이명】津枯血燥證、血虛內燥證
【증후개념】瘀血、久病 및 老衰로 인하여 滋養되지 않고 燥한 증으로서, 노인에게 많이 나타나며 血虛證도 수반될 수 있다
【변증지표】

- 주증: 口脣乾裂、咽乾喀痛、手燥足裂、皮膚乾燥、毛髮乾枯、鼻腔乾燥出血、大便乾結
- 차증: 乾咳無痰、口乾咯血、頭暈眼花、肌膚甲錯、肢軟筋萎、指甲髮脆、經少經閉
- 설맥: 舌燥無津、脈細數或沈澀

【치법】養血潤燥
【상용약물】當歸、白芍藥、枸杞子、生地黃、熟地黃、丹蔘、何首烏、杏仁、桃仁、桑葉、麥門冬、玉竹、天花粉、柏子仁、黑芝麻、蜂蜜
【처방】瓊玉膏(『洪氏集驗方』)、滋燥養榮湯(『證治準繩』)、清燥救肺湯(『醫門法律』)、生血潤膚飮(『醫學正傳』)

12. 기혈양허증(氣血兩虛證 Dual deficiency of qi and blood pattern U62.4)

기혈양허는 기허로 인한 기능쇠퇴와 혈허로 인한 조직기관의 실양(失養)이 동시에 존재하는 병리상태를 가리킨다. 대부분 久病耗傷이나 氣血兩虧로 기인하는데 먼저 실혈이 있고 나서 기수혈쇠(氣隨血衰)하는 것과 기허로 인하여 혈액이 화생하지 못하고 점차 휴소(虧少)하여 결국 기혈양허를 일으키는 두가지 경우가 있다.

【이명】氣血虧虛證

【증후개념】원래 稟賦가 부족하거나 大病, 久病 후에 臟腑의 氣血生化기능이 쇠퇴하고 심하면 中焦의 運化기능이 감퇴되어 氣虛가 血虛를 유발하거나 血虛가 氣虛를 유발하여 생성된 證으로, 氣虛證와 血虛證이 동시에 나타나는 것이 본 증의 특징이다.

【변증지표】

- 주증: 面色蒼白, 眼瞼口脣淡白, 神疲乏力, 呼吸氣短, 食無味, 頭暈眼花, 心悸怔忡
- 차증: 失眠多夢, 音聲低微, 健忘脫髮, 手足麻木, 肢體痿軟, 肌肉瘦削, 月經量少, 色淡如水
- 설맥: 舌淡嫩, 脈細弱無力

【치법】氣血雙補

【상용약물】人蔘, 黃芪, 白朮, 茯苓, 甘草, 熟地黃, 當歸, 川芎, 白芍藥, 肉桂, 枸杞子

【처방】八珍湯(『正體類要』), 當歸補血湯(『內外傷辨惑論』), 歸脾湯(『濟生方』), 十全大補湯(『太平惠民和劑局方』), 人蔘養榮湯(『太平惠民和劑局方』)

13. 기음양허증(氣陰兩虛證 Dual deficiency of qi and yin pattern U62.6)

본 증은 본래 여름철에 무더운 열기가 양명(陽明)으로 들어가 진액과 내기(內氣)를 상하고 밖으로는 땀을 대량으로 모상함으로써 열이 기를 상하고 기는 진액을 따라 나가는 병기가 복합되어 초래된다. 더 일반적인 상황으로는『온병조변(溫病條辨)』에서 말하는 것처럼 온열사(溫熱邪)가 들어가 상중하초(上中下焦)를 차례로 범하면서 氣道와 위완, 폐, 심, 위, 대장 나아가 간, 신 등 장부의 진액을 소모시키는 경우인데 춘온(春溫)과 서온(暑溫), 추조(秋燥) 등 어느 때라도 발생할 수 있다.

【이명】氣陰兩虧證, 氣陰兩傷證

【증후개념】外感이나 內傷으로 元氣와 眞陰이 모두 부족한 證

【변증지표】

- 주증: 神疲乏力, 音聲低微, 汗出氣短, 食慾不振, 便溏, 口乾咽痛, 顴紅, 低熱盜汗
- 차증: 五心煩熱, 午後潮熱, 乾咳少痰, 咳嗆咯血, 上氣喘促, 脘痛灼熱, 頭暈目眩, 心悸肢腫, 腰痠耳鳴
- 설맥: 舌質紅, 苔少而剝, 或有裂紋, 脈虛細而數

【치법】益氣培元, 滋陰降火

【상용약물】人蔘, 黨蔘, 太子蔘, 麥門冬, 沙蔘, 石斛, 生地黃, 山藥, 枸杞子, 山茱萸, 地骨皮, 五味子, 鼈甲

【처방】生脈散(『內外傷辨惑論』), 淸燥救肺湯(『醫門法律』), 淸暑益氣湯(『脾胃論』)

제 3절 진액변증(津液辨證)

진액변증은 일반적으로 진액의 부족과 수액의 정체로 나누어지며, 이에 대한 2차적 산물로서 담음도 포함된다.

1. 진액휴손증(津液虧損證 Fluid deficiency pattern SF10, U63.0)

진액 휴손은 인체의 정상적인 생명활동에 필요한 각종 수액, 즉 땀, 침, 위액, 장액(腸液), 오줌 등이 부족하여 국부 혹은 전신적 '건조, 진소(津少)' 등이 나타나는 병증이다. 진액 휴손은 조열(燥熱)이 안에서 쌓이거나 음진(陰津)이 부족한 사람에게 많이 나타나며, 조사(燥邪)가 열로 바뀌어 진액을 손상시키기 때문에 갈증이 많이 나타난다. 진액의 생성, 수포, 배설은 肺, 脾, 腎 세 장과 삼초 등의 장부와 관련이 많으므로 이러한 장부의 기능이 실조하면 진액 휴손이 되기 쉽다. 肺가 선숙(宣肅)하지 못하여 氣가 津으로 되지 못하거나, 脾가 건운(健運)하지 못하여 진액이 만들어지고 수포(輸布)되는 근원이 부족해지거나, 신양부족하여 진액을 기화시키는 기능이 저하되거나, 三焦가 실사(失司)하여 진액기혈의 통로가 장애를 받아 수액의 수포와 배설이 불리해져서 발생한다.

【이명】津液不足證, 傷津耗液證

【증후개념】外感溫熱의 邪, 기타 病邪의 化燥生熱, 過汗, 失血, 吐瀉, 誤治 등과 같은 진액의 손실 등으로 인한 증이다.

【변증지표】

- 주증: 口渴, 咽乾舌燥, 口乾少津, 皮膚不潤
- 차증: 鼻脣乾燥, 乾咳少痰, 津少舌强, 目澀少漏, 小便短少, 大便乾結, 多食反瘦, 嘔吐, 皮膚乾枯
- 설맥: 舌紅且乾, 苔乾或剝, 脈細或澀

【치법】淸熱潤燥, 生津增液

【상용약물】沙蔘, 麥門冬, 天門冬, 玉竹, 玄蔘, 生地黃, 天花粉, 太子蔘, 胡麻仁

【처방】增液湯, 沙蔘麥冬湯(이상『溫病條辨』), 竹葉石膏湯(『傷寒論』)

2. 수음내정증(水飮內停證 Pattern of retention of water-fluid SF11, U63.1)

수음 내정은 인체 수액의 운행과 수포의 실상으로 생성된 수음이 흉복, 위장, 사지 등 인체의 여러 부위에 머물러 나타난 병증이다. 본 증은 "陰이 성하고 陽은 미약한 것으로, 本은 虛하고 標는 實한[5]" 병증인 경우가 많다. 수음은 음사(陰邪)로서 한기를 만나면 응체하므로 秋冬과 같이 추운 계절에 쉽게 촉발되며, 원래 陽虛하거나, 물을 지나치게 많이 마시거나, 술은 과음하는 사람에게 많이 발생한다. 본 증은 수액의 운화와 수포의 실상 및 기화 불리로 인해 발생하므로 肺脾腎 세 장과 삼초와 밀접한 관계가 있다. 그 중에서도 脾腎이 양허하여 양기가 서창하지 못한 것이 음정불화(飮停不化)의 관건이 된다. 그리고 본 증은 양기부족(陽氣不足)과 위외기능(衛外機能)의 약화와 관련이 있으므로 풍한이나 서습의 사기가 쉽게 침습하여 다양한 겸증을 일으키는 경우가 많다.

【이명】水飮停聚證

5) 陰盛陽微, 本虛標實

【증후개념】陽氣가 虛弱하고 氣化가 不利하여 인체 水液의 運行과 輸布가 제대로 되지 않아 水飮이 胸脇,胃腸,四肢 등 부위에 모이게 되는 증으로서 水飮停聚證이라고도 한다.

【변증지표】

- 주증: 胃中振水音,腸間漉漉有聲,四肢重腫,胸脇掣痛,咳唾引痛,背冷如掌大
- 차증: 素盛今瘦,脘腹痞脹,氣短息促,痰多,嘔吐涎沫,頭暈目眩,顏面浮腫
- 설맥: 苔白膩,脈弦滑或沈弦

【치법】溫化水飮

【상용약물】茯苓,桂枝,白朮,防己,麻黃,椒目,亭瀝子,半夏,南星,澤瀉,細辛,五味子,甘遂

【처방】茯苓桂枝白朮甘草湯,己椒藶黃丸(이상『金匱要略』),十棗湯,小靑龍湯(이상『傷寒論』)

3. 수습범람증(水濕泛濫證 Pattern of water-dampness flood U63.2)

수습 범람은 기화가 불리하여 수습이 저류하면 기부(肌膚)에 넘쳐서 얼굴,사지,흉복,요배 및 전신의 부종으로 나타나는 병증의 총칭이다. 肺脾腎 세 장의 기능 실조,삼초의 기화 불리,방광의 개합실사(開闔失司)가 본 증 발생의 주요 병기이다. 이는 인체의 기기운행이 통창하면 수습이 저류하는 본 증이 발생하지 않는다는 것을 나타낸다. 그리고 수습 모두 음사(陰邪)로서 수습이 상박하여 음기가 강성하고 양기가 울알(鬱遏)되므로 본 병기의 특징은 '음성양미(陰盛陽微)'한 것이다. 평소 양허한 사람에게 양허실운(陽虛失運)하고 수습범람(水濕泛濫)한 본 증이 많이 발생하며, 외습(外濕)이 내습(內濕)을 일으키거나,음식부절이나 찬음식을 좋아하거나,방로(房勞)가 지나쳐서 원양(元陽)을 손상한 비신양허(脾腎陽虛)한 경우에 많이 발생한다. 그리고 짜고 찬 기미(氣味)의 음식물이나 약물은 腎으로 들어가는데 짜고 찬 음식물을 과식하면 腎氣가 손상을 입어 기화가 불리해지고 방광의 개합작용에 영향을 미치므로 본 증이 반복하여 발작하는 중요한 원인의 하나가 된다.

【이명】陽虛水泛證 Pattern of yang deficiency with water flood

【증후개념】外邪가 陽氣를 방해하거나,본래부터 陽氣不足으로 氣化가 안되어 水濕을 운행하지 못하여 肌膚에 넘쳐서 생기는 증으로서 陽虛水泛證이라고도 한다.

【변증지표】

- 주증: 浮腫(顏面,눈두덩이의 微腫,四肢浮腫,심하면 胸,腹,腰背의 水腫),小便不利
- 차증: 身重胸悶,惡心欲嘔,脘腹脹滿,形寒肢冷,腰痛痠重,發熱惡寒
- 설맥: 苔白膩,脈浮滑或沈緩

【치법】宣肺利水,健脾利水,溫腎利水

【상용약물】桂枝,麻黃,白朮,茯苓,豬苓,澤瀉,人蔘,薏苡仁,生薑,附子,車前子,黃芪,防己,牛膝,甘遂

【처방】越婢加朮湯(『金匱要略』),五苓散,眞武湯(이상『傷寒論』),實脾飮,加味腎氣丸(이상『濟生方』)

4. 한습증(寒濕證 Cold-dampness pattern U50.3)

한습증은 한습의 사기가 침습하거나 평소 脾陽이 부진하여 수습의 내정(內停)이 발생하고 이에 의하여 나타나는 병증에 대한 총칭이다. 우로(雨露)를 만나거나,습지에서 지내거나,차고 날 음식을 먹는 등의 원인으로 많이 발생하며, 실제 임상에서는 한습을 받은 부위나 경중에 따라 증상이 나타난다. 한습증은 나이가 많고 체력이 약한 사람에게 많이 발생하는데 노인은 脾腎의 양기가 허한 경우가 많아 '기불화수(氣不化水)'하므로 본 증에 걸리기 쉽다. 寒과 濕은 모두 음사(陰邪)로서 寒性은 응체하여 양기를 손상시키기 쉽고 습사(濕邪)는 중탁하여 기기를 저체하기 쉬우므로 양자는 기혈의 운행을 방해하여 기체혈어(氣滯血瘀)를 일으키기 쉬워 한습의 병증에 기체혈어를 겸하는 경우가 많다.

【이명】寒濕停滯證

【증후개념】寒濕邪가 침입하였거나 평소에 脾氣가 약하여 水濕이 運化되지 못하여 체내에 정체되어 생긴 증이다.

【변증지표】

- 주증: 頭身困重, 脘腹脹悶, 形寒肢冷, 肢節屈伸不利
- 차증: 不飢不食, 腹脹, 腹痛, 便溏, 下利清穀, 小便不利, 吐瀉, 身痛浮腫, 喘咳稀痰, 肢體痲痺, 疝瘕作痛
- 설맥: 舌淡, 苔白膩, 脈濡緩

【치법】溫寒祛濕

【상용약물】甘草, 茯苓, 蒼朮, 陳皮, 半夏, 白朮, 官桂, 澤瀉, 猪苓, 厚朴, 桔梗, 藿香, 紫蘇, 大腹皮, 白芷

【처방】胃苓湯(『丹溪心法』), 藿香正氣散(『太平惠民和劑局方』), 蠲痺湯(『楊氏家藏方』), 薏苡仁湯(『類證治裁』)

5. 습열증(濕熱證 Dampness-heat pattern U50.4)

습열증은 습열의 사기를 감수한 병증으로 長夏에 많이 발생한다. 장하는 비가 많이 내려 습도가 높은 계절이므로 비위가 허약한 사람은 본 증에 걸리기 쉽다. 濕은 음사(陰邪)이고 熱은 양사(陽邪)이므로 양자가 상호 결합하면 병증이 쉽게 낫지 않는다. 특히 습열병은 중초에 머무르는 시간이 가장 길고 병증의 변화 또한 많은데 이것은 습기가 곤비(困脾)하여 비가 운화하지 못하기 때문이다. 일반적으로 본 증의 결과는 '종양화열(從陽化熱)'이나 '종음화한(從陰化寒)'의 두 가지로 대별할 수 있다. '종양화열'은 환자의 양기가 원래 盛하거나, 병증의 유형이 습보다 열에 치우쳤거나, 치료과정 중에 溫燥한 약물을 과용하면 나타난다. '종음화한'은 환자의 양기가 원래 虛하거나, 병증의 유형이 열보다 습에 치우쳤거나, 치료과정 중에 寒凉한 약을 과용하여 양기를 극벌하면 나타난다.

【이명】濕遏熱伏證, 濕熱交蒸證

【증후개념】濕熱穢濁한 邪氣의 침입을 받거나 脾胃의 健運 작용이 안되어 濕熱이 내부에서 형성된 證

【변증지표】

- 주증: 身熱不暢, 渴不多飮, 脘腹脹悶
- 차증: 午後熱甚, 頭脹, 頭重, 身痛身重, 汗出熱減하다가 다시 發熱, 小便短赤, 嘔吐, 便溏不爽, 咽腫, 目黃
- 설맥: 舌苔黃膩, 脈滑數 또는 濡數

【치법】淸熱利濕, 淸熱化濕

【상용약물】甘草, 茯苓, 蒼朮, 陳皮, 半夏, 白朮, 官桂, 澤瀉, 猪苓, 厚朴, 桔梗, 藿香, 紫蘇, 大腹皮, 白芷

【처방】葛根芩蓮湯, 茵陳蒿湯, 白頭翁湯(이상 『傷寒論』), 香連丸, 八正散(이상 『太平惠民和劑局方』), 中滿分消丸, 龍膽瀉肝湯(이상 『蘭室秘藏』), 舟車丸(『丹溪心法』), 疏鑿飮子(『重訂嚴氏濟生方』), 程氏萆薢分淸飮(『醫學心悟』), 加味二妙散(『雜病源流犀燭』), 宣痺湯, 宣淸導濁湯, 茯苓皮湯(이상 『溫病條辨』), 甘露消毒丹(『溫熱經緯』), 菖蒲鬱金湯(『溫病全書』), 藿朴夏苓湯(『醫源』)

6. 풍담증(風痰證 Wind phlegm pattern SF15, U63.3)

풍담증은 간신음휴(肝腎陰虧)、간양상항(肝陽上亢)、비반담성(肥胖痰盛)한 사람에게 많이 발생하는데 肝陽이 化風하면 담이 풍을 따라 동하므로 본 증이 잘 나타난다. 정서적으로 억울되거나 성정이 급조(急躁)하면 간기가 울결되기 쉽다. 간기가 울결하면 化火하거나 肝陽이 상항하여 風이 動하므로 풍담증이 쉽게 나타난다. 그리고 본 증의 병기는 비허습담(脾虛濕痰)과 간신음허(肝腎陰虛)와 관련이 많다. 脾는 '생담지원(生痰之源)'으로 비허습담은 풍담증의 痰을 일으키는 근원이 되며, 간신음허로 인한 간양화풍(肝陽化風)이 풍담증의 風을 일으키는 근원이 되기 때문이다.

【이명】肝風挾痰證

【증후개념】痰濁이 內阻하고 肝鬱로 化風되었을 때 痰이 風을 따라서 動하게 된 證으로, 응급시에는 中風、癲癎처럼 卒然昏倒、口眼喎斜、半身不隨가 있고, 평소에는 頭暈目眩、嘔吐痰涎 등이 있으며 熱性인 경우가 많다. 또한 주로 風症과 痰症을 특징으로 감별한다.

【변증지표】

- 주증: 頭暈目眩、嘔吐痰涎、심하면 卒然昏倒、口眼喎斜、半身不隨
- 차증: 胸脇滿悶、喉中痰鳴、抽搐痙厥
- 설맥: 舌苔薄膩、脈弦滑

【치법】祛風化痰

【상용약물】半夏、白朮、天麻、鉤藤、白附子、殭蠶、皂角、全蠍、防風、膽南星、遠志、竹瀝

【처방】半夏白朮天麻湯(『醫學心悟』)、牽正散(『楊氏家藏方』)、滌痰湯、導痰湯(이상『濟生方』)

7. 한담증(寒痰證 Cold phlegm pattern U63.4)

한담증은 평소 담탁이 있는데 외한(外寒)을 감수하거나, 양허하여 內寒이 발생하고 수습이 운화되지 않아 寒과 痰이 서로 결합하여 나타나는 것이다. 한담증은 양허한 사람에게 많이 발생한다. 양허한성(陽虛寒盛)하여 수습이 저체되면 응결하여 담이 되기 때문이다. 노인은 양기가 부족하므로 한담증이 나타나기가 쉽다. 한담증의 전변 과정에 脾陽虛와 腎陽虛가 자주 동반된다. 脾는 수습의 운화를 주관하여 '생담지원'이 되는데 脾陽이 허하면 운화가 안되어 수습이 응체하므로 痰이 생성되며, 腎은 인체 양기의 근원으로서 수액을 기화시키는 기능이 있는데 腎陽이 허하여 온후하지 못하면 수습이 內停하고 위로 넘쳐 痰이 되기 때문이며, 또한 寒痰이 脾腎의 양기를 손상시키기 때문이다.

【이명】冷痰證

【증후개념】外感風寒이나 脾腎陽虛로 인한 痰이나 腎에 停留되는 濕痰 등이 원인이 되어 寒痰을 형성하는 證으로 痰證이 있으면서 寒象이 나타난다.

【변증지표】

- 주증: 痰白淸稀、咳嗽喘促、形寒肢冷
- 차증: 胸部滿悶、口淡不渴、大便溏泄
- 설맥: 舌質淡、苔白潤、脈沈滑

【치법】溫化寒痰

【상용약물】半夏、膽南星、白芥子、蘇子、白前、旋覆花、乾薑、細辛、麻黃

【처방】小靑龍湯(傷寒論)、茯苓甘草五味乾薑細辛湯、射乾麻黃湯(이상『金匱要略』)、溫中化痰丸(『太平惠民和劑局方』)

8. 열담증(熱痰證 Heat phlegm pattern U63.5)

본 증은 담과 열이 서로 결합하여 痰熱이 옹폐(壅肺)하거나 痰火가 요심(擾心)하여 발생한다. 열사(熱邪)가 진액을 끓여 痰을 생성하거나,痰鬱하여 발생한 熱이 서로 결합하여 생긴 병증이다. 陽盛한 사람에게 열담이 많이 나타나는데, 양성하면 열이 생기고, 열이 성하면 진액을 끓여 담이 생기고, 담과 열이 서로 엉켜 肺를 막거나 心을 요란케 하여 각종 열담의 병증이 생기기 때문이다. 열담증에는 폐음허증(肺陰虛證)이 동반되는 경우가 많은데, 열사가 진액을 灼傷하여 담이 생기면서 음액을 손상시키므로 폐음허증이 생기며, 폐음이 허하면 열이 생기면서 진액을 끓여 열담을 만들기 때문이다.

【이명】痰熱證

【증후개념】熱邪가 津液을 소모시켜 痰을 형성하거나 痰鬱로 熱이 생겨서 그 痰熱이 壅肺하여 肅降기능이 상실되는 證으로 痰證이 있으면서 熱象이 나타나야 한다.

【변증지표】

- 주증: 痰稠色黃,痰膠結難喀,咳嗽喘促,喉中痰鳴
- 차증: 心中煩熱,胸中悶痛,口乾咽燥,小便短赤,大便燥結
- 설맥: 舌質紅,苔黃膩,脈滑數

【치법】清熱化痰

【상용약물】貝母,瓜蔞,竹茹,天竹黃,葶藶子,海浮石,海蛤壺,黃芩,膽南星

【처방】清氣化痰丸(『醫方考』),清熱導痰湯(『古今醫鑑』),清金化痰湯(『醫學統旨』),小陷胸湯(『傷寒論』),生鐵落飮(『醫學心悟』)

9. 조담증(燥痰證 Dryness phlegm pattern SF12, U63.6)

조담은 秋燥의 外邪에 감수되어 많이 발생하며 음허한 사람이나 노인에게 많이 나타난다. 음허한 사람은 조사(燥邪)로 인해 진액을 손상하여 조담증이 되기 쉬우며, 노인은 氣陰이 부족하므로 음허하여 진액이 적고 기가 진액을 화생하지 못하므로 燥痰이 되기 쉽다. 본 증의 병기 변화 과정 중에 폐음허증(肺陰虛證)이 나타나기 쉬운데, 肺陰이 부족하면 폐가 진액을 자양하지 못하여 燥熱을 생기고 虛火가 肺金을 작상하여 담이 생기기 쉽기 때문이다.

【이명】氣痰證

【증후개념】外感秋燥邪가 진액을 말려서 痰을 이루거나 陰虛內熱로 虛火가 津液을 소모시켜 발생하는 證

【변증지표】

- 주증: 痰少膠粘,口鼻乾燥,咳嗽氣促,咽喉乾癢
- 차증: 口渴喜飮,尿少便乾,皮膚乾燥
- 설맥: 舌紅少津,脈弦細數或細澀

【치법】潤燥化痰

【상용약물】沙蔘,玉竹,百合,天冬,瓜蔞,貝母,天花粉,橘皮

【처방】貝母瓜蔞散(『醫學心悟』),瓜蔞枳實湯(『萬病回春』)

10. 습담증(濕痰證 Dampness phlegm pattern SF13, U63.7)

본 증은 脾虛하여 운화를 잘 못함으로써 수습이 내정(內停)하여 발생한 병증으로 뚱뚱한 사람에게 많이 나타난다. 그리고 늦여름처럼 습이 만연되는 시기에는 습담 환자의 병증이 가중된다. 습담은 음사(陰邪)인데 밤이 되면 음사가 음기의 도움을 받으므로 야간에 담의 양이 많아진다. 습담증은 비허습곤증(脾虛濕困證)과 위기상역증(胃氣上逆證)과 관련이 많다. 비기가 허하여 수습이 정체하면 습담이 생겨 비기를 손상시키며, 습담이 중초를 막으면 위기가 상역하기 때문이다.

【이명】痰濕證

【증후개념】脾의 운화가 안되어 진액의 수포가 순조롭지 못하고 濕濁이 모여서 오래동안 풀리지 않아 痰을 형성한 證

【변증지표】

- 주증: 咳喘、痰多色白、胸部痞悶
- 차증: 食慾不振、惡心嘔吐、腹脹便溏、眩暈心悸、肢重嗜臥
- 설맥: 舌體胖大、苔滑膩、脈滑或緩

【치법】燥濕化痰

【상용약물】陳皮、半夏、蒼朮、厚朴、茯苓、旋覆花、白芥子

【처방】二陳湯(『太平惠民和劑局方』)、三子養親湯(『韓氏醫通』)、滌痰湯(『奇效良方』)

11. 담기호결증(痰氣互結證 Pattern of binding of phlegm and qi U63.8)

본 증은『동의보감』의 울담(鬱痰)에 해당하는 것으로 평소에 기울의 상태가 선행하는 경우가 많다. 즉 억지로 참아서 억울감과 고민과 언짢음이 있어서 간기가 울결되는 상황이 지속되면서 진액을 흩어 보내는 脾肺의 기화작용도 실조하게 되고 기체부위에 유형의 痰이 단단하게 뭉쳐 초래된다. 그러므로 이것은 기담(氣痰)보다 만성적이고 증후가 심하며 악화되면 정신기능까지도 지장을 주지만 기담은 국소적인 신경성 증후에 그친다.

【이명】痰氣鬱結證、痰氣交阻證

【증후개념】七情、氣滯痰稠 등으로 인하여 痰濁과 氣鬱이 咽喉、胸膈 등의 부위에 맺혀서 梅核氣、胸膈痞悶 등의 증상을 주로 나타내는 證

【변증지표】

- 주증: 梅核氣、胸膈痞悶或竄痛、情志抑鬱、急躁易怒
- 차증: 咳嗽痰稠、善太息、月經不調
- 설맥: 舌苔膩、脈弦滑

【치법】理氣化痰

【상용약물】半夏、南星、茯苓、貝母、枳實、厚朴、靑皮、陳皮、蘇葉、鬱金

【처방】痰鬱湯(『雜病源流犀燭』)、四七湯(『太平惠民和劑局方』)、加味四七湯(『丹溪心法』)

제 4절 장부변증(臟腑辨證)

장부변증은 장부의 생리공능과 병리적 표현에 따라 증후를 분석、귀납하여 병위、병성 및 정사(正邪)의 성쇠상태를 판단하는 진단방법이다. 장부변증의 주요 목적은 질병의 소재와 질병의 성질、경중、정사상쟁의 형세 등에 근거하여 병리본질을 파악함으로써 證名과 전변예후 및 치료방안 등을 확정하는 것이다. 장부변증에서는 定位를 파악하는 것이 가장 중요하며, 이것이 잘못되면 치료도 정확성을 잃게 된다.

각 장부의 병리는 기혈음양의 실조로 나타나며 이는 각 장부의 생리적인 특징에 따라 결정된다. 血을 예로 들면, 心은 장신(藏神)、행혈(行血)하고 肝은 장혈(藏血)하기 때문에 신명의 작용은 반드시 血을 소모하는데, 혈허하면 이 두 臟의 증상이 현저하게 드러나게 된다. 이를 '心血虛'、'肝血虛'라고 한다. 혈허하면 肺、脾、腎도 영향을 받기는 하지만 이들 장부의 혈과 관련되는 증상은 거의 나타나지 않으므로 '腎血虛'、'肺血虛'나 '脾血虛'라고 하지 않는다. 따라서 장부기능을 이해하기 위해서는 먼저 각 장부의 생리공능과 음양기혈의 실조 등을 충분히 숙지하고 있어야 한다.

1. 오장변증(五臟辨證)

1) 간병변증(肝病辨證)

肝의 주요 생리공능은 소설(疏泄)과 장혈(藏血)이다. 소설은 전신의 기기를 소통 창달함으로써 혈과 진액의 흐름、정지의 서창과 장부 기기 승강출입의 정상적인 진행을 유지하는 것이다. 간단히 말하자면, 소설은 기로 하여금 쉬지 않고 움직이게 하는 것이다. 또한 肝은 木에 속하여 그 성질이 승발(升發)하기 때문에 肝氣의 운동도 상승하는 경향을 가진다. 따라서 肝이 소설을 주관한다는 것은 상승운동을 의미하는 것이며, 상승운동이 되지 않으면 소설도 안되므로 소설은 양적인 공능에 속한다.

장혈을 주관한다는 것은 혈액을 저장하고 혈량(血量)을 조절한다는 의미이다. 肝은 인체의 하부에 위치하고 血은 하행하여 안정코자 하므로 肝에 저장된다. 잠강(潛降)、영정(寧靜)、수장(收藏)의 기능은 승발이나 운동에 비해 음적인 공능에 속한다. 정상 상태에서 음양이 협조하여 균형을 유지하면 전신 기혈의 동정(動靜)、분포와 승강이 적절하게 이루어져 건강을 유지하게 된다.

만약 肝陰이 부족하면 간의 降과 靜의 작용이 불급하게 되고 肝陽의 升과 動은 태과하게 되어 氣와 血이 위로 치솟거나 내달리게 되는데, 임상에서는 이를 '간양상항(肝陽上亢)'이라 한다. 만일 升動이 태과하면 氣가 상승하고 유동하는 것이 마치 자연계에서 일어나는 狂風과도 같이 빠르기 때문에 '간풍내동(肝風內動)'이라고 하였다. 이러한 '風'은 실질적으로 肝의 소설기능이 태과하고 升動이 제재를 받지 않아 氣의 유동이 항진되어 나타나는 것으로, 섭천사(葉天士)는 "內風은 腎中의 陽氣가 비정상적으로 움직인 것이다[6]"라고 하였다. 섭천사(葉天士)가 '내풍'이라 한 것은 외감풍사(外感風邪)와 구별하기 위한 것이다. 간기울체(肝氣鬱滯)가 오래되면 火로 변하거나、간양상항이 되어 심하면 風을 일으키는데, 이는 간 병기의 두 가지 큰 특징이다.

肝의 허증에 대해서는 역대 의가들의 견해가 일치하지 않는다. 『內經』 이후로 肝의 기혈음양에는 허증이 있는 것으로 인식되었으나, 明清代에 이르러 肝氣와 肝陽은 대개 유여하고, 肝陰과 肝血은 대개 부족하다고 주장하는 의가가 많아졌다. 이들은 肝氣와 肝陽이 부족한 증을 소홀히 여겼으며 심지어는 肝氣와 肝陽에는 허증이 없다고 주장하

6) 內風，乃身中陽氣之動變 (臨症指南醫案·肝風)

는 학자도 있었다. 그러나 고대 문헌이나 학자들의 논술을 통해서 또 임상적으로도 肝의 기혈음양에 모두 허증이 있음을 알 수 있다.

肝의 성질은 조달(條達)을 좋아하고 억울을 싫어한다. 만약 정서가 편하지 않으면 肝이 소설하지 못하고 氣가 조창되지 못하여 간기울체의 증상이 나타난다. 간기울체가 오래되면 기울이 火로 변하여 肝火를 형성한다. 이는 억울하여 발생한 것으로 임상에서 肝을 치료할 때는 소통창달을 위주로 해야 한다.

(1) 간기울결증(肝氣鬱結證 Liver qi depression pattern SF57, U65.1)

간기울결은 간기울체 또는 줄여서 간울(肝鬱)이라고도 한다. 이는 대개 정신적인 자극으로 인한 정지(情志)의 억울이나, 질병이 오래되어 肝의 소설에 영향을 미쳤거나, 다른 장의 병변이 肝에 영향을 미쳐 소설기능을 소실케 하여 간의 기기가 불창하게 된 것으로 먼저 肝經과 肝臟 중의 기가 제대로 행하지 못하거나 울결의 병리상태가 나타난다. 간기울결의 병기는 주로 肝의 소설기능이 안되어 기기가 불창하여 氣가 경락에 체하거나 혹은 장부에 맺힌 것이다.

【이명】肝鬱氣滯證, 肝氣不舒證

【증후개념】肝의 疏泄 기능이 상실되어 氣機가 울체되고 원활하게 소통되지 못하는 證으로서 發病과 밀접한 관련이 있는 신경정신적 병력이나 비교적 특이한 성격(내향적이거나 민감한 성격)이 있어야 하며 정서변화에 따라 증후가 소실 또는 증감한다. 대개는 장기간의 정신적 억울 상태가 있었거나 갑작스럽게 강한 정신적 자극을 받은 경우가 많다.

【변증지표】

- 주증: 脇肋脹痛, 心煩易怒, 精神抑鬱, 胸悶, 善太息
- 차증: 多疑欲哭, 經前乳房脹痛, 少腹脹痛, 月經不調
- 설맥: 舌苔薄, 脈弦

【치법】疏肝解鬱

【상용약물】柴胡, 白芍藥, 鬱金, 川芎, 香附子, 靑皮, 陳皮, 枳殼, 金鈴子

【처방】柴胡疏肝湯(『景岳全書』), 逍遙散(『和劑局方』), 柴胡抑肝湯(『婦科玉尺』)

(2) 간화상염증(肝火上炎證 Liver fire flaming upward pattern SF58, U65.2)

대개 간기울결하여 오래되면 鬱이 火로 변하여 간화상충(肝火上衝)케 된다. 혹은 크게 怒하면 肝을 傷하고 또 怒하면 氣가 상충하기 때문에 肝火가 직상케 된다. 혹은 정지에 상하는 경우, 五志가 극에 달하면 火로 변하여 心火가 항성되어 肝을 범하면 肝火를 유발한다.

肝은 승발(升發)하고 火는 염상(炎上)하기 때문에 肝火의 병기는 주로 氣의 승발태과(升發太過)와 血을 끼고 상승시키는 것이다. 게다가 火는 양사(陽邪)로 熱이 있고 동적이므로 열상과 조동(躁動)이 나타난다. 그래서 간화상염은 "열, 승, 동(熱, 升, 動)"을 특징으로 한다.

肝火가 오랫동안 왕성하면 "陽이 勝하면 陰에 병이 든다[7]"고 한 것처럼 肝陰을 손상시키고 나아가 腎陰까지 손상시킬 수도 있다. 이 경우 비록 實火에서 병이 생겼지만 점점 음허화왕증(陰虛火旺證)으로 전화된다. 이는 肝火가 오래되어 나타나는 추세를 의미하는 것이다. 따라서 肝火旺을 치료할 때에는 瀉火法을 쓰는 동시에 陰을 보호하는 데

7) 陽勝則陰病 (素問·陰陽應象大論)

에도 주의해야 한다.

【이명】肝經實火證

【증후개념】肝火가 肝經을 따라 상역한 證으로서 肝氣鬱結證의 병력이 있거나 평소 성격이 조급하고 화를 잘 내는 경우에 많으며 舌紅, 苔黃, 脈弦數 등의 肝實熱의 특징과 頭面部의 熱象이 나타나야 확진할 수 있다.

【변증지표】

- 주증: 頭脹痛, 眩暈耳鳴, 目赤腫痛, 煩躁易怒, 面紅口苦
- 차증: 脇肋灼痛, 失眠多夢, 口渴, 小便短赤, 大便秘結
- 설맥: 舌紅苔黃, 脈弦數

【치법】淸肝瀉火

【상용약물】龍膽草, 夏枯草, 梔子, 蘆薈, 柴胡, 靑蒿, 羚羊角, 菊花, 牡丹皮, 穀精草, 靑葙子

【처방】當歸龍薈丸(『丹溪心法』), 龍膽瀉肝湯(『蘭室秘藏』), 瀉靑丸(『小兒藥證直訣』)

(3) 간음허증(肝陰虛證 Liver yin deficiency pattern SF50, U64.1)

간음허는 간음부족을 의미한다. 이른바 肝陰은 肝의 잠강, 영정, 수장, 자윤, 유양과 陽熱의 제약 등의 기능을 말하는 것으로, 이런 기능의 감퇴를 간음허라고 한다. 간음허의 원인은 대개 腎陰의 휴손으로 水가 木을 적시지 못하거나 혹은 肝의 울결이 火로 바뀌어 肝陰이 손상되었기 때문이다. 또한 외감열사가 체내 깊숙히 침입하면 肝陰을 손상시켜 간음부족증을 일으킨다.

陽熱을 제약하지 못하고 자윤의 기능을 상실케되어 熱象이나 燥象이 나타나게 되며, 肝의 체인 筋이 유양을 잃어 구련, 진전 혹 수족이 연동케 된다. 肝腎同源이므로 간음허는 대개 신음휴손(腎陰虧損)과 같이 나타난다.

【이명】肝陰不足證

【증후개념】肝의 陰液虧虛로 滋養, 濡潤기능이 부족한 證으로서 전신적인 陰虛 증상과 함께 특히 兩目乾澁, 脇肋隱痛, 脈弦이 위주로 나타나야 한다.

【변증지표】

- 주증: 頭暈目眩, 兩目乾澁, 脇肋隱痛, 五心煩熱, 口乾咽燥
- 차증: 肢麻筋攣, 爪甲不榮, 煩躁易怒, 兩顴紅赤, 尿黃便乾, 潮熱盜汗
- 설맥: 舌紅少苔, 脈弦細 或 弦細數

【치법】滋養肝陰

【상용약물】枸杞子, 阿膠, 白芍藥, 女貞子, 當歸, 熟地黃, 山茱萸, 何首烏, 鼈甲, 酸棗仁, 柏子仁

【처방】一貫煎(『柳洲醫話』), 杞菊地黃丸(『醫碥』), 當歸六黃湯(『蘭室秘藏』)

(4) 간양상항증(肝陽上亢證 Liver yang hyperactivity pattern SF52, 65.0)

간양상항은 대부분 간음허에서 발전된 것이다. 간음이 부족하면 잠강과 영정의 기능이 감퇴되어 陽을 제약하지 못해서 결과적으로 肝의 승, 동(升, 動)작용을 항진시켜 전신기기의 승동이 태과해져 기혈이 위로 넘치면 조동불안(躁動不安)의 병리상태와 함께 나타나는데, 이것이 바로 간양상항이다.

간양상항 병기의 특징은 상성하허(上盛下虛)이다. 上盛은 肝陽의 승동이 태과한 것을 의미한다. 升이 태과하면 인체 상부에서 기기가 상역하고 기혈이 옹성케 되고, 動이 태과하면 안정을 잃게 되어 조요불안(躁擾不安)케 된다. 下虛는 인체 하부에서 肝腎의 陰이 휴손된 것을 의미한다.

간양상항의 치료는 肝腎의 陰을 자보하면서 잠강진정(潛降鎭靜)시키는 것이다.

【이명】肝陽偏旺證

【증후개념】肝腎陰虛로 肝陽을 제어하지 못하여 升陽이 태과한 證으로서 陽亢 위주의 증상 때문에 實證처럼 보이나 본질은 陰虛로서 本虛標實임에 주의해야 한다. 陽亢, 陰虛 및 腎陰不足의 세가지 증상이 모두 나타나고 특히 陽亢이 뚜렷한 것으로 진단한다. 그러므로 경우에 따라서는 단순히 陽亢 증상에 腰膝酸軟 증상이 겸하여 나타나기만 하면 본 증으로 판정할 수 있다.

【변증지표】

- 주증: 眩暈, 耳鳴, 頭痛脹感, 面赤烘熱
- 차증: 失眠多夢, 煩躁易怒, 頭重脚輕, 腰膝酸軟, 咽乾口燥
- 설맥: 舌質紅, 脈弦細數 或 弦勁有力

【치법】滋陰平肝潛陽

【상용약물】天麻, 釣鉤藤, 白蒺藜, 白芍藥, 菊花, 生龍骨, 生牡蠣, 龜版, 鼈甲, 石決明, 白殭蠶, 磁石, 山藥, 熟地黃

【처방】天麻鉤藤飮(『雜病證治新義』), 杞菊地黃丸(『醫級』)

(5) 간혈허증(肝血虛證 Liver blood deficiency pattern SF54, U64.0)

간혈은 전신 혈액의 일부분이기 때문에 간혈허는 전신의 혈허가 간에 나타난 것이다. 肝은 血을 저장하기 때문에 혈액의 창고이며, 전신적으로 혈허케 되면 肝에서 가장 두드러지게 나타난다. 간혈허는 실혈이 과다하거나, 비위허약(脾胃虛弱)하여 血의 생성이 부족하거나, 오랜 병으로 인한 간혈의 손상을 원인으로 한다.

간혈허는 혈허의 특징인 전신의 유양이 상실된 증상을 포함하며 특히 눈, 힘줄, 손발톱에 주요 증후들이 나타나게 된다.

【이명】肝血不足證, 肝血虧虛證

【증후개념】肝血이 부족하여 筋, 目, 脈絡이 營養을 받지 못하는 證으로서 반드시 血虛 증상이 나타나야 한다. 筋, 目, 衝脈 등을 영양하지 못하여 발생하는 것이 肝血虛의 특이한 표현이므로 이들 중 하나만 나타나면 된다. 만일 心悸, 腰痠 등의 기타 증상이 겸하여 나타나면 心과 肝 또는 肝과 腎의 兼證인지를 고려해야 한다.

【변증지표】

- 주증: 眩暈, 視物昏花, 夜盲, 肢體麻木, 筋脈拘攣, 面色淡白少華
- 차증: 脇肋綿綿作痛, 筋惕肉瞤, 爪甲枯脆, 口脣指甲淡白, 耳鳴, 月經量少而色淡
- 설맥: 舌質淡, 脈細

【치법】補血養肝

【상용약물】當歸, 白芍藥, 阿膠, 川芎, 山茱萸, 酸棗仁, 女貞子, 鷄血藤

【처방】補肝湯(『醫宗金鑒』), 四物湯(『和劑局方』), 養肝丸(『濟生方』)

(6) 간풍내동증(肝風內動證 Liver wind stirring in the interior SF56)

간풍은 肝의 음양기혈이 실조되어 나타나는 것으로 외감의 풍사가 아니고 내풍(內風)의 범주에 속한다.

간풍내동은 肝陽이 너무 항진되어 양기의 승동이 지나치게 되면 氣가 망동하여 발생한다. 그러므로 내풍의 특징은 '動'으로 표현된다. 肝은 筋을 주관하고 눈에 구멍이 열리므로 肝風이 동하게 되면 사물이 빙글빙글 도는 것처럼 보이거나, 筋이 당기거나, 눈을 위로 치뜨는 등의 증상이 나타난다.

간풍내동을 일으키는 원인은 크게 虛와 實 두가지로 나눈다. 虛로 인한 경우는 병이 오래되어 肝腎의 陰이 소모되었거나 열병의 후기에 肝腎의 陰이 휴손되어 陰이 陽을 제어하지 못하면 간양상항하고, 심하면 風이 된다. 實로 인한 경우는 외감열병의 과정 중에 사열(邪熱)이 치성하여 전신의 陽이 모두 勝하면 肝陽이 지나치게 흥분되어 양기가 마구 승동함으로써 風이 생긴다. 사열로 인한 경우에는 대개 心을 동시에 범하여 섬어와 혼미 등의 증상을 수반한다.

이 證은 간양화풍증(肝陽化風證)、열극생풍증(熱極生風證)、혈허생풍증(血虛生風證)의 세가지 유형으로 나눌 수 있다.

【이명】肝風證

① 간양화풍증(肝陽化風證 Liver yang transforming into wind pattern U65.3)

【이명】厥陰化風證

【증후개념】간신음휴(肝腎陰虧)로 陰이 陽을 제어하지 못함으로써 肝陽이 위로 거슬러 올라가 風이 발생한 증으로 평소에 肝陽上亢의 병력이 있으며 두통이 뚜렷하다. 지체마비、진전 또는 졸도、실어、반신불수의 증상이 나타나며 舌質은 붉고 脈은 弦하다. 대부분 혼미 증상이 많으며、중풍에서 비교적 많이 나타난다.

【변증지표】

- 주증: 抽搐、拘攣、肢體麻木、口眼喎斜、語言不利、半身不遂
- 차증: 卒然僵仆、頭痛(경련성)、眩暈欲倒、腰膝酸軟、面紅口乾、神志不淸
- 설맥: 舌紅絳、脈弦

【치법】育陰潛陽、平肝息風

【상용약물】天麻、鈎鉤藤、白殭蠶、蟬蛻、蜈蚣、犀角、牛黃、生白芍藥、牛膝、羚羊角

【처방】鎭肝熄風湯(『醫學衷中參書錄』)、卒中의 閉證에는 至寶丹、蘇合香元(이상 『太平惠民和劑局方』)、脫證에는 蔘附湯(『婦人良方』)、地黃飮子(『精要宣明論』)

② 열극생풍증(熱極生風證 Pattern of extreme heat engendering wind SF59, U65.4)

【이명】熱極風動證, 肝熱生風證

【증후개념】邪熱의 항성으로 肝經을 작상시켜 筋脈이 영양을 받지 못하고 心神이 요동된 증으로서 고열과 동시에 추축 증상이 발생하며 심하면 각궁반장이 나타난다. 대부분 경병(痙病)이나 혼미 상태와 동시에 나타나며, 고열과 肝風 증상이 동시에 나타나는 것이 진단요점이다.

【주요증상】

- 주증: 高熱煩渴、面紅目赤、抽搐拘攣、頸項强直
- 차증: 兩目上視、角弓反張、小便短澁、大便秘結、神昏譫語
- 설맥: 舌紅苔黃、脈弦數

【치법】淸熱 凉肝 息風

【상용약물】羚羊角、牛黃、天麻、鈎鉤藤、生地黃、知母、菊花、黃芩

【처방】羚羊鉤藤湯(『通俗傷寒論』)、安宮牛黃丸(『溫病條辨』)

③ 혈허생풍증(血虛生風證 Pattern of blood deficiency engendering wind U65.5)

【이명】血虛風動證

【증후개념】肝血부족이 주로 근맥의 영양에 영향을 미쳐 생긴 증으로서 손발이 떨리거나 꿈틀거리는 등의 가벼운 동풍(動風) 징후가 있고 肝血虛 증상이 겸해서 나타나야 한다.

【변증지표】

- 주증: 肢體麻木、筋脈拘急、筋惕肉瞤、視物昏花
- 차증: 手足痙攣、面色蒼白、口脣指甲淡白、爪甲枯脆、反甲、脇肋隱痛
- 설맥: 舌質淡、脈弦細

【치법】養血息風

【상용약물】熟地黃、白芍藥、川芎、當歸、鷄血藤、牛膝、地龍、鈎鉤藤

【처방】定振丸(『證治準繩』)

(7) 한체간맥증(寒滯肝脈證 Cold stagnation in the liver vessel pattern SF5C, U65.7)

본 증은 대부분 寒邪를 감수하여 肝經의 기혈이 응체되어 발병한 것이다. 肝脈은 음기(陰器)를 돌아 小腹에 이르므로 寒이 경맥에 응체되면 기혈도 응체되어 小腹과 고환이 서로 당기며 추창동통(墜脹疼痛)하고, 寒은 당기게 하므로 음낭냉축(陰囊冷縮)하며, 따뜻하게 하면 잘 풀리고 寒하면 凝澁되므로 동통이 寒을 만나면 가중되고 熱을 얻으면 덜하게 된다.

【이명】寒凝肝脈

【증후개념】寒邪가 肝經에 침범하여 肝經의 氣血이 凝滯되어 經氣의 흐름이 순조롭지 못한 證으로 睾丸이 무겁게 매달린 듯 하면서 冷痛이 발생하며, 寒을 만나면 심해지고 熱을 만나면 통증이 완화된다.

【변증지표】

- 주증: 少腹脹痛、痛引睾丸、畏寒喜暖
- 차증: 陰囊冷縮、形寒肢冷、口淡不渴、小便淸長
- 설맥: 苔白滑、脈沈弦

【치법】暖肝散寒

【상용약물】吳茱萸、肉桂、艾葉、木香、香附子、烏藥、茴香、淫羊藿

【처방】暖肝煎(『景岳全書』)、當歸四逆湯(『傷寒論』)、蟠葱散(『太平惠民和劑局方』)

(8) 간경습열증(肝經濕熱證 Dampness-heat in the liver meridian pattern SF5B, U65.8)

대부분 습열사(濕熱邪)를 받거나 술이나 기름지고 단 음식을 좋아하여 습열을 화생하거나, 혹은 비위운화가 실조되어 습탁이 내생하고 울체되면 열로 바뀌어 습열이 간담에 온결됨으로써 발생한다.

【이명】濕熱犯肝證

【증후개념】濕熱이 肝經에 맺혀 있어 肝의 疏泄기능이 발휘되지 못하여 생기는 證으로서 陰部가 가렵고 더러운 물이 흘러나오며, 남자의 경우 고환에 온열감과 함께 통증이 있고, 여성의 경우 대하가 누렇고 걸쭉하게 나오면 확진할 수 있다.

【변증지표】

- 주증: 脇肋脹痛、煩躁易怒、口苦飮食無味、嘔惡腹脹、小便短赤
- 차증: 寒熱往來、睾丸腫脹熱痛、帶下黃臭、外陰瘙痒、大便不爽
- 설맥: 舌苔黃膩、脈弦滑數

【치법】清泄濕熱、疏肝解鬱

【상용약물】龍膽草、梔子、黃芩、茵蔯蒿、生大黃、靑黛、木通、澤瀉、車前子、茯苓、生薏苡仁

【처방】龍膽瀉肝湯(『蘭室秘藏』)、茵陳蒿湯(『傷寒論』)

2) 심병변증(心病辨證)

心은『소문 영란비전론(素問 靈蘭秘典論)』에서 '군주지관'이라 하였으며, 오장육부의 우두머리로서 생명활동을 주재하는 작용을 가지고 있다. 心의 주요 생리공능으로서, 첫째는 血脈을 주관하여 혈액을 맥내에서 추동함으로써 전신을 순환하게 한다. 둘째는 神志를 주관하여 정신、의식、사유 활동을 담당한다. 心은 脈에 합하고、혀로 열리며、얼굴에 그 華가 나타나고 소장과 서로 표리를 이룬다.

心의 생리기능이 실조되면 혈액의 운행을 추동하는 기능이 실조되고 정신、의식、사유활동의 장애를 받게 된다. 이 중에서 전자는 맥상、면색、설색 및 심장부위의 감각이상을 통해 나타나며、후자는 정신、수면、사유와 반응을 통해서 표현된다.

心의 병기는 크게 虛와 實로 나누어진다.

(1) 심기허증(心氣虛證 Heart qi deficiency pattern SF60, U66.0)

대개 오랜 병으로 몸이 허약하거나、氣를 상하였거나、나이를 먹어 장기(臟氣)가 쇠약해졌거나、선천 품부(稟賦)의 부족 등으로 인해서 발생한다. 心氣는 심장이 생리기능을 수행하도록 추동하는 물질적 기초로, 심기가 부족하면 心의 생리기능이 전반적으로 감퇴한다. 심기가 부족하면 고동이 약해지고 血脈이 채워지지 않아 혈행이 무력하게 된다. 뚜렷한 한상(寒象)이나 열상(熱象)이 나타나지 않기 때문에 음양의 편성편쇠로 설명하지 않고 심기허라 한다.

【이명】心氣不足證

【증후개념】心氣不足으로 血脈을 추동하는 힘이 약하고 脈氣가 순조롭게 흐르지 못하여 肌表를 고섭하지 못하는 證으로서 心 및 전신기능의 쇠약을 변증의 기초로 삼는다. 일반적으로 心悸와 神疲無力이 나타나면 본 증으로 진단할 수 있으며, 심계와 기단은 활동시 심해지는 특징이 있다.

【변증지표】

- 주증: 心悸氣短、動則尤甚、神疲無力、畏風自汗
- 차증: 胸悶、心胸隱痛、面色蒼白、少氣懶言、語聲低微
- 설맥: 舌質淡、脈細微 或 結代

【치법】補益心氣

【상용약물】人蔘、黨蔘、黃芪、桂枝、白茯神、遠志、小麥、炙甘草

【처방】養心湯(『證治準繩』)、定志丸(『備急千金要方』)、加味溫膽湯(『雜病源流犀燭』)

(2) 심혈허증(心血虛證 Heart blood deficiency pattern SF61, U66.1)

대개 실혈 과다、脾虛、혈액의 화생이 부족하거나、정지내상(情志內傷)으로 心血이 모손된 것이다. 두 가지 중요한 병기가 있는데, 첫째는 혈기 부족으로 혈맥이 공허해져 유양하는 힘이 감퇴되어 두혼(頭昏)、피핍무력(疲乏無力)、면색담이무화(面色淡而無華)、설색순색담백(舌色脣色淡白)、맥세혹삭이무력(脈細或數而無力) 등 전신 혈허의 증상이 나타난다. 둘째는 심신실양(心神失養)인데, 혈허로 인해 神이 영양을 받지 못하면 정신이 부진하여 생각을 집중할 수 없거나 생각을 오래 할 수 없으며 심하면 신사황홀(神思恍惚)케 된다.

혈허하여 心陽을 수렴하지 못하면 陽이 陰分으로 들어가지 못하여 神이 편안히 깃들지 못하므로 실면(失眠)과 다몽(多夢)의 증상이 나타난다. 혈허하여 이 영양하지 못하면 심계 불안하고 심하면 경공(驚恐)의 증상이 나타난다. 또 血은 氣를 싣고 가기 때문에 心血虛하면 거의 대부분 심기허를 겸하므로 심혈허와 심기허는 함께 나타날 수 있다.

【이명】心血不足證

【증후개념】心血이 부족하여 濡養작용을 상실하고 神을 藏하지 못하는 證으로서 心의 濡養기능의 상실을 변증의 기초로 삼는다. 일반적으로 心悸, 不眠 등 心病의 공통적인 증상이 나타나고 동시에 현훈, 건망, 面色淡白無華 또는 萎黃 등의 血虛 증상이 나타나면 확진할 수 있다. 변증에 있어서는 전신의 血虛 증상과 心病 증상의 두 측면을 확실하게 살펴야 한다.

【변증지표】

- 주증: 心悸怔忡, 面色淡白無華 또는 萎黃
- 차증: 失眠, 多夢, 健忘, 驚惕不安, 眩暈, 口脣指甲淡白
- 설맥: 舌質淡, 脈細

【치법】補血養心安神

【상용약물】當歸, 熟地黃, 丹蔘, 白芍藥, 鷄血藤, 阿膠, 酸棗仁, 柏子仁, 白茯神

【처방】四物湯(『和劑局方』), 當歸補血湯(『蘭室秘藏, 審視瑤函』), 四物安神湯(『雜病源流犀燭』)

(3) 심음허증(心陰虛證 Heart yin deficiency pattern SF64, U66.2)

심음부족은 대개 勞心이 지나치거나 오랜 병으로 영양이 부족하여 心陰을 모상하여 발생하거나, 정서불량으로 인해 心陰을 소모하거나, 심간화왕(心肝火旺)으로 心陰을 작상함으로서 발생한다. 그 병기는 주로 심음허하여 음이 양을 제압하지 못하면 심양편항(心陽偏亢)하여 허열이 나타나는 경우와 심음부족으로 영정(寧靜)기능이 감퇴하고 허열이 안에서 요란케하면 心神이 불안해지는 경우가 있다.

【이명】心陰不足證

【증후개념】陰血虧虛로 心의 濡養작용을 상실하고 虛陽이 心을 擾亂시키는 證으로서 心血虛와 陰虛內熱이 동시에 존재하는 것을 변증의 기초로 삼는다. 특히 舌紅少津과 脈細數은 다른 心病 증후와 구별되는 요점으로, 이 증상이 陰虛의 공통 증상인 五心煩熱, 顴紅, 潮熱, 盜汗 등의 虛熱象과 함께 나타나는 것이 본 증을 확진하는 중요한 근거이다.

【변증지표】

- 주증: 心悸心慌, 失眠多夢, 五心煩熱, 口乾咽燥
- 차증: 健忘, 驚惕不安, 顴紅, 尿黃便乾, 潮熱盜汗
- 설맥: 舌紅少苔, 脈細數

【치법】滋陰養心安神

【상용약물】熟地黃, 當歸, 酸棗仁, 柏子仁, 麥門冬, 丹蔘, 小麥, 玉竹, 黃精, 龍眼肉, 百合, 龜版, 合歡皮, 白茯神, 大棗

【처방】補心丹, 天王補心丹(이상『攝生秘剖』), 朱砂安神丸(『醫學發明』)

(4) 심양허증(心陽虛證 Heart yang deficiency pattern SF66, U66.3)

심양허는 대개 오랜 병으로 상하였거나, 선천 품부의 부족이나, 나이를 먹어 臟氣가 쇠약하여 발생한다. 어떤 급성병의 위중한 단계에서 지나치게 강한 사기에 정기가 대항하지 못하여 심양폭탈(心陽暴脫)에 이르는 경우도 있다.

심양허의 주요 병기는 心의 추동, 흥분 및 온후 등 양적 기능이 감퇴되어 맥중의 혈행이 무력해지고 심하면 어체(瘀滯)하거나, 心神이 부진하면서 동시에 전신에 한상(寒象)이 나타나는 것으로 요약할 수 있다.

【이명】心陽不振證, 心陽不足證

【증후개념】心陽이 부족하여 鼓動力이 약하고 溫煦작용을 상실한 證으로서 心氣虛證에 虛寒象(形寒肢冷, 畏風自汗)이 있는 것이 요점이며, 心痛의 병력이 있으면 본 증의 진단이 확실해진다.

【변증지표】

- 주증: 心悸氣短, 動則氣促, 形寒肢冷
- 차증: 心胸憋悶疼痛, 面色晄白, 少氣懶言, 畏風自汗, 尿淸便溏
- 설맥: 舌質淡, 苔薄白而潤, 脈沈遲無力, 細弱 或 結代

【치법】溫補心陽

【상용약물】桂枝, 附子, 乾薑, 遠志, 薤白, 小麥, 炙甘草, 白茯神, 黃芪

【처방】桂枝甘草湯(『傷寒論』), 保元湯(『景岳全書』)

(5) 심화항성증(心火亢盛證 Heart fire flaming upward pattern SF68, U67.0)

심화항성은 心陽이 편승한 병리상태이다. 대개 火熱의 사기가 心을 침범하거나, 화병이 안에서 생기거나, 더운 성질의 식품을 과식하여 발생한다. 그 병기는 주로 화열이 心中에서 성하여 心神을 요동하거나, 혈행을 빠르게 하여 맥도를 확장시키고, 만약 火邪가 낙맥을 작상하면 각종 출혈증상이 나타나는데, 이를 '열박혈망행(熱迫血妄行)'이라고 한다. 또한 화열이 舌로 상염하고 밑으로는 소장으로 옮겨져 하초를 거쳐 방광으로 나오게 되는데, 그로 인해 요도의 작열동통이 나타나고 尿가 黃赤하거나 요혈이 나타나게 되는 등의 현저한 열상(熱象)을 나타낸다.

【이명】心火熾盛證, 心火上炎證

【증후개념】心火內熾로 心神을 요란시킨 證으로서 心의 火熱이 內部에서 盛한 것이 특징으로 心病 증상이 나타나면서 裏實熱證에 속한다. 발병은 비교적 급속하고 병정은 짧으며, 정서적인 문제와 辛辣物 과식의 경우에 많이 나타난다.

【변증지표】

- 주증: 口舌生瘡, 心悸失眠, 煩躁不安
- 차증: 面赤口渴, 胸中煩熱, 尿赤, 狂躁譫語, 大便秘結
- 설맥: 舌紅 或 舌尖獨赤, 脈數有力

【치법】淸心瀉火

【상용약물】梔子, 黃連, 犀角, 羚羊角, 牛黃, 生地黃, 玄蔘, 朱砂, 連翹, 蘆根, 麥門冬, 紫草, 蓮子蕊

【처방】瀉心湯(『金匱要略』), 導赤散(『小兒藥證直訣』), 黃連湯(『傷寒論』), 凉膈散(『太平惠民和劑局方』)

(6) 심혈어조증(心血瘀阻證 Heart blood stasis pattern SF63, U67.1)

심맥어조(心脈瘀阻) 혹 심비(心痺)라고도 한다. 이는 心을 영양하는 脈이 막혀서 맥중의 혈행이 불리해지고 심하면 어체불통(瘀滯不通)하는 병리변화를 가리킨다. 대개 심기허하거나 심양허하면 혈액의 운행이 무력해지고 여기에 양허까지 겹치면 身寒케 된다. 寒의 성질은 응체(凝滯)하여 心脈의 血을 쉽게 어체(瘀滯)시킨다. 담탁이 응체하면 有形의 邪가 심맥(心脈)을 저체하여 심맥어조가 일어난다. 이외에도 과로하거나 혹은 寒을 받거나 급격한 정신적 자극은 항상 심혈어조를 유발하거나 그 상태를 악화시킨다.

心脈이 어조(瘀阻)하여 불통하면 혈어기체(血瘀氣滯)하기 때문에 심장부위에서의 괴로운 느낌과 동통을 일으킨다. 민통(悶痛)은 대개 심장부위에서 발생하고 일부 환자들의 경우 心經을 따라 방산되며 대개 좌측에 많이 나타난다. 일반적으로 민통은 짧은 시간동안 나타났다가 소실된다. 심한 경우 심장부위의 심한 통증을 호소하면서 공포감을 느끼며 시간도 길어진다. 심해지면 동통부지, 경공, 면색창백, 대한임리 및 맥복불출(疼痛不止, 驚恐, 面色蒼白, 大汗淋漓 및 脈伏不出)의 위증을 나타낸다. 심지어 心脈은 매우 신속하면서 완전하게 막히기 때문에 心이 영양 공급을 받지 못하면 심장 기능이 상실되어 바로 사망하게 된다.

【이명】心脈痺阻證, 心脈瘀阻證 Heart vessel obstruction pattern

【증후개념】心의 氣血 運行이 不暢하거나 阻塞되어 瘀血이 있는 證으로서 대부분 心胸悶痛이 반복 발작하고 舌質暗, 脈澁 또는 結代 등이 나타난다. 대개 心陽虛, 心氣虛, 心血虛 등 心의 기타 病證을 토대로 하여 발병하며 病이 완만하게 발전하며 病程이 길다. 瘀血, 痰濕, 氣虛, 氣滯 등 기타 여러 病證을 장기간에 걸쳐 앓았던 병력이 있는 경우가 많다.

【변증지표】

- 주증: 心胸憋悶疼痛(刺痛, 痛引肩背內臂, 突然發作, 心痛如刀割을 특징으로 함), 昏厥, 心悸怔忡
- 차증: 口脣靑紫, 自汗, 四肢厥冷
- 설맥: 舌質紫暗 或有瘀點, 瘀斑, 脈細澁 或結代 或脈微欲絕

【치법】通陽化瘀, 回陽救逆

【상용약물】桃仁, 紅花, 丹蔘, 當歸, 川芎, 赤芍藥, 枳實, 薤白, 降香, 桂枝, 瓜蔞仁, 鬱金

【처방】枳實薤白桂枝湯(『金匱要略』), 血府逐瘀湯(『醫林改錯』), 蔘附湯(『婦人良方』)

(7) 담미심규증(痰迷心竅證 Pattern of phlegm misting the heart orifice U67.4)

담조심규(痰阻心竅)라고도 하는데, 담탁(痰濁)이 심규(心竅)를 막아 心神과 외부와의 교류를 막으면 의식장애의 병리상태가 일어난다. 대개 간기불서(肝氣不舒)로 말미암아 기체담응(氣滯痰凝)하거나, 간풍내동(肝風內動)으로 인해 협담상몽(挾痰上蒙)하거나, 외감열병(外感熱病)으로 화열이 진액을 끓여 痰을 만들면 심규를 막아 의식장애를 일으킨다. 심규는 心神이 외부와 소통되는 창구이므로 심규가 잘 통하면 정신의식이 맑아져서 반응이 정상적으로 나타나게 된다. 痰은 유형의 邪로, 심규를 막아 心神과 외부 사이의 소통을 저애하고, 가벼운 경우에는 정신을 잃어 헛소리를 하며, 비교적 중한 경우에는 의식이 모호해지고 몽롱한 상태에 빠진다. 엄중한 경우에는 완전한 혼미에 빠져 인사불성하게 된다.

심규가 막히면 心神과 외부가 단절되어 의식장애가 일어나는데, 이는 담탁으로 인한 것이기 때문에 痰의 특징적인 병변이 나타나게 된다. 痰은 진액이 변해서 된 것이며 수습에 속하므로 태니와 맥활 등의 증상이 나타난다. 만약 담탁이 원인이 되면 태백니 맥활하며, 痰熱이 원인이 되면 담미심규 외에도 열요심신(熱擾心神)의 번조, 발광, 섬어 등의 증상이 나타나고 苔는 대개 황니하며 맥활삭하게 된다.

【이명】痰閉心竅證

【증후개념】痰濁이 心竅를 막아서 神志 이상이 생긴 證으로서 본 증은 癲病, 癎病, 中風, 溫病 등의 여러 질환에서 나타나지만 구체적인 증상은 각기 다르다. 다만 痰濁이 心竅를 막는 것이 본 증의 기본적인 병기이며, 辨證의 요점은 神志不淸, 嘔吐痰涎의 주증상과 함께 舌苔白膩 또는 白滑, 脈弦緩 또는 弦滑 등의 痰濕內盛의 象이 나타난다. 또한 본 증은 반복적인 발작이 있는 경우가 많다.

【변증지표】

- 주증: 精神抑鬱、神志痴呆 또는 神志昏蒙(似明似昧) 또는 卒然昏仆、不省人事、嘔吐痰涎、四肢抽搐
- 차증: 面色晦滯、不思飮食、獨白自語、表情淡淡、行動擧止異常、胸悶痰多、喉中痰鳴
- 설맥: 苔白膩、脈濡 或 滑

【치법】滌痰開竅、환자에 따라 養心安神을 고려한다.

【상용약물】膽南星、生鐵落、菖蒲、炙遠志、鬱金、小麥、炙甘草、大棗、天竺黃、炙茯苓、白茯神、龍齒、陳皮、薑半夏

【처방】導痰湯(『婦人良方』)、菖蒲鬱金湯(『溫病全書』)、定癎丸(『醫學心悟』)、滌痰湯(『奇效良方』)、淸熱導痰湯(『壽世保元』)

(8) 담화요심증(痰火擾心證 Pattern of phlegm-fire harassing the heart SF14, U67.2)

담화요심은 대개 정지불수(情志不遂)하여 기기가 울결하여 火가 생기고 진(津)을 끓여 痰을 만들어 痰火가 치성하거나、외감열병에 邪熱이 痰을 끼고 심포로 들어가 생긴 것이다. 火는 陽에 속하고 陽은 움직임을 주관하여 神志를 주관하므로 담화치성(痰火熾盛)하면 안으로 心神을 요란케 하고 위로 淸竅를 요란케 하므로 陽熱이 항성한 징후와 더불어 神志가 혼란한 증상이 발생한다.

【이명】痰火閉心證

【증후개념】火熱이 內鬱하여 痰火로 발전하여 心神을 擾亂시킨 證으로서 神志錯亂 증상과 裏熱이 亢盛하는 증상、痰濁 증상、의식장애 증상 등이 함께 나타나야 한다. 肥滿한 사람으로 평소에 痰濁이 內盛하여 오랜 시간을 경과하면서 化熱生火하게 되는 경우나 陰虛陽亢한 사람으로 性情이 평소에 急하고 정서적 변화가 심하여 약간의 외부 자극에도 쉽게 화가 치밀어 오르는 경우에서 많이 나타난다.

【변증지표】

- 주증: 心悸心煩、神志不淸、失眠多夢、面赤氣粗
- 차증: 便秘尿赤、狂妄躁動、哭笑無常、呼號怒罵、打人毁物、胡言亂語
- 설맥: 舌質紅苔黃厚膩、脈弦滑數

【치법】滌痰瀉火醒神

【상용약물】竹茹、大黃、牛膽南星、瓜蔞仁、前胡、石菖蒲、鬱金、黃連、梔子、牛黃、熊膽

【처방】礞石滾痰丸(『丹溪心法附餘』)、淸心滾痰丸(『雜病源流犀燭』)、生鐵落飮(『醫學心悟』)、十味溫膽湯(『證治準繩』)、淸肝湯(『類證治裁』)、牛黃淸心丸(일명 萬氏淸心丸『痘疹世醫心法』)

(9) 수기능심증(水氣凌心證 Water qi intimidating the heart pattern SF6A, U67.3)

양허증이 발전하여 수액대사에 영향을 미치고 그로 인해 수음이 체내에 정체되면 心陽을 저해하게 되어 발생하는 증후이다. 心陽과 心氣는 서로 밀접하고 心氣와 肺氣는 모두 宗氣와 관련되어, 심기허가 위중해지면 宗氣가 虛해지고 계속해서 肺氣가 虛해진다. 심양허하면 심기허의 정도는 이미 중한 것이며 대개 폐기허도 겸하고 있어서 호흡기능의 감퇴를 보여 심계、설색청자、기천(心悸、舌色青紫、氣喘) 등이 동시에 존재하게 된다.

腎陽은 전신 陽의 근본이므로 심양허증이 엄중하거나 지속되면 반드시 腎陽에까지 영향을 미쳐 심신양허증(心腎陽虛證)으로 발전하게 된다. 腎陽虛는 또한 수습범람(水濕泛濫)을 야기하여 부종을 일으키고、엄중할 때에는 水飮이 心肺로 넘쳐 기천부득평와(氣喘不得平臥)、심계、경맥동(頸脈動) 등의 증상이 발생한다.

【이명】水飮犯心證

【증후개념】水飮이 정체되어 心陽을 阻遏한 證

【변증지표】

- 주증: 心悸、喘息不能平臥、周身浮腫、面色晄白
- 차증: 心慌、神疲倦怠、氣短、胸脘痞滿、畏寒肢冷、小便短少淸白
- 설맥: 舌質淡、舌胖大、苔白滑、脈沈細

【치법】溫陽利水

【상용약물】附子、乾薑、黃芪、桂枝、白朮、茯苓、澤瀉、猪苓、黨蔘、木通

【처방】桂枝甘草龍骨牡蠣湯、苓桂朮甘湯、眞武湯、五苓散(이상『傷寒論』)

3) 비병변증(脾病辨證)

脾는 중초에 위치하며 횡격막 아래에 있다. 脾의 주요 생리공능은 음식물의 정미를 운화시켜 전신에 공급하고 영향함으로서 후천지본(後天之本)의 역할을 하면서 기혈생화(氣血生化)의 원천작용을 하는 것이다. 아울러 혈액을 통섭(統攝)하므로 血이 맥외(脈外)로 넘치지 않도록 한다. 脾는 승청(升淸)을 주관하여 음식물의 정미를 心肺와 頭目으로 위로 보내며 내장을 승거(升擧)시킨다. 脾는 입으로 열리고, 몸에서는 기육에 합하며, 사지를 주관하고, 입술에 그 華가 나타나며, 胃와 서로 표리를 이룬다.

脾의 병변은 주로 음식물의 정미를 운화시키는 기능의 감퇴나, 승청무력(升淸無力), 진액의 수포와 배설 실상, 혈액 통섭의 실상으로 나타난다.

(1) 비기허증(脾氣虛證 Spleen qi deficiency pattern SF70, U68.0)

비기허는 脾의 기능이 감퇴된 병리상태이다. 음식소상, 정지불화(情志不和), 사려태과, 품부소허(稟賦素虛), 노권과도(勞倦過度), 혹 구병실양(久病失養) 등이 모두 脾氣를 손상시켜 비기허약을 일으킨다.

脾氣는 脾가 생리활동을 진행하는데 필요한 물질적 기초이기 때문에 비기허약은 비기능의 전면적인 쇠약을 일으키게 된다. 이는 주로 소화흡수기능의 감퇴, 기혈화생(氣血化生)의 부족, 중기하함(中氣下陷) 및 혈액에 대한 통섭 불능 등이다. 가벼운 경우의 비기허는 대개 소화흡수기능의 감퇴를 위주로 한다.

【이명】脾氣虛弱證

【증후개념】脾氣가 부족하여 運化작용을 상실한 證으로서 面色萎黃、食少、便溏、食後脘腹脹悶의 주증상 중 적어도 둘은 나타나야 한다. 또한 다소 경중의 차이는 있지만, 일부 氣虛증상이 나타나되 그리 심하지는 않아야 하며 寒象、胃氣上逆 증상、水腫、食積은 없어야 한다.

【변증지표】

- 주증: 面色萎黃、倦怠、氣短懶言、食少便溏、食後腹脹
- 차증: 四肢倦怠、肢體浮腫、小便不利、月經量少、色淡、甚則閉經
- 설맥: 舌淡苔白、脈緩弱

【치법】健脾益氣

【상용약물】人蔘、黃芪、白朮、茯苓、山藥、蓮子、薏苡仁、扁豆、大棗、陳皮、神麯

【처방】四君子湯『和劑局方』、六君子湯『醫學正傳』、蔘苓白朮散『太平惠民和劑局方』

(2) 비기하함증(脾氣下陷證 Sunken spleen qi pattern SF71, U68.1)

비기허로 승청(升淸)이 무력해지면 음식물의 정미가 위로 보내지는 것이 적어져 頭目이 영양을 받지 못하게 되어 두훈목현、이명、잦은 피로 등의 증상이 나타나게 된다. 또 脾氣가 허해지면 승거(升擧)가 무력해지고 기기가 하함하여 소복추창(少腹墜脹)、설사탈항(泄瀉脫肛)、변의빈삭(便意頻數)、내장하수(內臟下垂) 등의 병증이 나타난다.

【이명】中氣下陷證

【증후개념】脾氣가 부족하여 淸陽이 上升하지 못하고 中氣가 下陷된 證으로서 淸陽不升증상과 下陷증상이 함께 나타나야 한다.

【변증지표】

- 주증: 氣短無力、食入則脹、脘腹重墜、便意頻數、久瀉脫肛、胃下垂、子宮下垂
- 차증: 頭暈目眩、言語低微、自汗、食少、精神倦怠、大便溏泄
- 설맥: 舌淡苔薄白、脈虛弱

【치법】升補脾氣

【상용약물】人蔘、黃芪、白朮、山藥、蓮子、扁豆、陳皮、升麻、柴胡

【처방】補中益氣湯(『脾胃論』)

(3) 비불통혈증(脾不統血證 Spleen failing to control the blood pattern SF74, U68.2)

비기가 허약하면 혈액을 통섭하는 기능이 무력해져 항상 변혈、월경과다、월경임리부진(月經淋漓不盡)、피하출혈 등 각종 출혈증이 나타나게 된다. 이러한 출혈 환자들은 대부분 비기허의 다른 증상들을 겸하게 된다.

【이명】脾不攝血證

【증후개념】久病이나 勞倦 등으로 脾氣가 손상되어 血液을 統攝할 수 없어서 血이 外溢된 證으로서 반복 발작하는 便血、崩漏 또는 出血증상이 반드시 나타나야 한다.

【변증지표】

- 주증: 面色蒼白 또는 萎黃、大便溏泄、便血、衄血、皮膚紫斑、月經過多、崩漏
- 차증: 食少、食後脹滿、倦怠無力、氣短懶言、手足不溫、消瘦
- 설맥: 舌淡苔白、脈濡細弱

【치법】補脾益氣、引血歸經

【상용약물】人蔘、黃芪、白朮、當歸、山藥、蓮子、白茯神、炮薑炭、龍眼肉、大棗、伏龍肝、炙甘草

【처방】歸脾湯(『濟生方』)、益胃升陽湯(『蘭室秘藏』)、當歸補血湯(『內外傷辨惑論』)、全生活血湯(『沈氏尊生書』)、十全大補湯(『太平惠民和劑局方』)、黃土湯(『金匱要略』)

(4) 비음허증(脾陰虛證 Spleen yin deficiency pattern SF76, U68.3)

비음허는 脾陰에 속하는 기능인 자윤과 영양기능이 감퇴하여 건조하고 영양이 불량한 병리상태가 된 것을 가리킨다. 비음허 환자는 비기허를 항상 겸하므로 비음허는 실질적으로 脾의 기음양허(氣陰兩虛)를 의미하게 된다. 이외에 향조자박(香燥炙煿)한 음식을 많이 먹어 傷陰하거나、우사((憂思)가 울결하여 火로 변해 陰을 상하거나、노권내상(勞倦內傷)하여 虛火가 陰을 모손하거나、腎陰不足하여 脾를 자양하지 못하면 직접 또는 간접적으로 비음허를 초래하게 된다.

비음허는 脾의 氣陰이 모두 부족한 병기로서, 비기허에 이어 자윤과 영양기능의 부족이 발생한 것이다. 비기허는 주로 소화흡수기능의 감퇴이며 식욕부진、변당、식입불화(食入不化) 등 증상이 나타나게 된다. 비음허는 자윤과 영양의 기능이 무력해진 것으로 구건설조、설홍소태、형체소수(口乾舌燥、舌紅少苔、形體消瘦) 등 증이 나타난 것이다.

【이명】脾陰虧損證, 脾陰不足證

【증후개념】濕熱邪가 脾陰을 손상하거나 思慮勞倦, 失血, 吐泄과다로 脾陰이 부족해져 虛熱이 발생하고 濡潤기능과 運化기능에 영향을 미친 證으로서 복합성 증후로 반드시 脾氣虛, 陰虛, 熱象의 세가지 증상을 동시에 구비해야 하는데 이들 증상의 정도는 그다지 重하지 않다.

【변증지표】

- 주증: 食少, 食後腹脹, 口乾少津, 大便秘結
- 차증: 倦怠無力, 氣短懶言, 脣舌乾燥, 口渴喜飮, 低熱
- 설맥: 舌乾苔少, 脈細弱而數

【치법】滋養脾陰, 潤腸通便

【상용약물】沙蔘, 麥門冬, 白芍藥, 生地黃, 石斛, 扁豆, 山藥, 火麻仁, 天花粉, 玉竹

【처방】麻子仁丸(『傷寒論』)

(5) 비양허증(脾陽虛證 Spleen yang deficiency pattern SF77, U68.4)

비양허는 脾陽에 속하는 기능인 온후와 운화를 추동하는 작용이 감퇴된 것으로, 허한(虛寒)과 운화무력의 병리상태가 나타나게 된다. 脾氣는 脾陽의 물질적인 기초이기 때문에 비양허의 환자는 모두 비기허를 겸하고 있으며, 비양허는 대개 비기허로부터 발전된 것이다. 이외에도 찬 음식을 과식하여 脾陽을 상하거나, 명문화쇠(命門火衰)하여 脾를 온후하지 못해도 비양허가 일어난다. 비양허하면 중초허한(中焦虛寒)과 운화실사(運化失司)의 병기가 특징적으로 나타난다.

【이명】中焦陽虛證

【증후개념】脾氣虛證이 오래되어 脾陽이 손상되거나 또는 찬 음식물을 과식하거나 寒凉藥을 과다하게 복용하여 陽氣가 쇠퇴되고 內寒이 생겨 脾의 運化기능이 원활히 수행되지 못하는 證으로서 陽氣虛와 脾氣虛의 두가지 측면의 증상이 구비되어야 한다. 따라서 腹痛에는 喜溫喜按하는 특성이 나타나고, 아울러 畏寒怯冷, 面色蒼白, 舌質淡胖의 陽虛 증상이 나타난다. 만약 腹痛 증상이 없으면 나머지 세 陽虛 증상이 모두 나타나야 한다.

【변증지표】

- 주증: 食少, 腹脹, 腹中冷痛, 喜溫喜按, 四肢不溫, 面色蒼白, 大便稀薄
- 차증: 形寒, 口淡不渴, 肢體浮腫, 小便不利, 女性白帶淸稀量多
- 설맥: 舌質淡胖, 苔白滑, 脈沈細 或 沈遲

【치법】溫補脾陽

【상용약물】乾薑, 附子, 吳茱萸, 川椒, 白朮, 黨蔘, 肉豆蔲, 丁香, 白豆蔲

【처방】理中湯(『傷寒論』), 實脾飮(『濟生方』), 厚朴溫中湯(『內外傷辨惑論』), 大建中湯(『金匱要略』), 大建中湯(『丹溪心法』), 大建中湯(『濟生方』)

(6) 한습곤비증(寒濕困脾證 Cold-dampness encumbering the spleen pattern SF7B, U68.5)

원래부터 비양부진(脾陽不振)한 사람이 脾가 습곤(濕困)케 되면 濕은 陰邪이기 때문에 脾陽을 손상시켜 內寒을 발생시키면서 한습곤비의 증을 형성한다. 정신곤권(精神困倦), 지체침중(肢體沈重), 흉민(胸悶), 완비(脘痞), 복창(腹脹), 식욕부진, 요소변당(尿少便溏), 구담무미(口淡無味)나 구점부갈(口粘不渴), 혹 부종, 태니와 같은 습사곤비(濕邪困脾)의 증상 외에도 면색위황이허부(面色萎黃而虛浮), 외한희온(畏寒喜溫), 지랭, 태백니 등의 寒象이 나타난다. 원래부터 陽盛한 사람이 습사로 곤비케 되면 기기가 핍박을 받고 기울이 오래되면 熱로 바뀌어 습열곤비(濕熱困脾)의 증을 형성한다. 습사곤비의 증상 외에도 심번, 구고, 태황니, 요황적 등의 열상(熱象)이 나타난다.

【이명】脾虛濕困證

【증후개념】內濕으로 脾가 손상을 받았거나 脾가 虛하여 寒濕이 생겨서 발생된 證으로서 內濕과 脾虛증상 및 寒象이 동시에 존재한다.

【변증지표】

- 주증: 脘腹脹悶, 腹痛溏瀉, 頭身困重, 口淡不渴
- 차증: 不思飮食, 惡心欲吐, 口粘無味, 肢體浮腫, 面色晦黃, 女性帶下綿綿
- 설맥: 舌胖苔白膩, 脈濡緩

【치법】溫化寒濕

【상용약물】蒼朮, 白朮, 草果, 厚朴, 陳皮, 桂枝, 茯苓, 藿香, 佩蘭, 蘇梗, 薑半夏

【처방】胃苓湯(『丹溪心法』), 苓甘五味薑辛湯(『金匱要略』), 苓桂朮甘湯(『金匱要略』), 實脾飮(『濟生方』)

4) 폐병변증(肺病辨證)

肺는 가슴 좌우에 각각 하나씩 있고, 가장 높은 곳에 위치하므로 오장육부의 덥개라고 한다. 肺의 주요 생리공능은 '主氣'와 '司呼吸'인데, 체내외의 기체를 교환하는 장소이다. 수도(水道)를 통조(通調)하므로 水의 上源이 되며, 百脈을 조율하여 心을 도와 행혈케 하고, 수곡지기(水穀之氣)를 선발(宣發)하여 皮毛를 온양(溫養)하며 주리의 개합을 조절한다. 肺는 위로 후롱(喉嚨)에 통하고, 코로 열려 있으며, 몸에서는 皮와 합하고, 그 華는 毛로 나타나며, 대장과 서로 표리를 이룬다.

肺의 생리기능이 실상되면 주로 호흡기능의 실상, 수액대사의 실조, 위외기능(衛外機能)의 실상으로 나타나며, 동시에 血의 운행, 氣의 생성 및 각종 피부질환에도 영향을 미치게 된다.

(1) 폐기허증(肺氣虛證 Lung qi deficiency pattern SF80, U69.0)

폐기허는 폐기부족이라고도 한다. 대개 肺가 오래도록 선발 숙강을 잘 하지 못하면 肺氣를 상하게 되거나, 과로상이 지나치면 肺氣를 모상하거나, 오랜 병으로 氣를 소모하면 肺氣 역시 상하거나, 脾虛하여 운화가 무력하고 氣의 化源이 부족해지면 肺氣 또한 허해지므로 주로 호흡기능의 저하와 위기(衛氣)의 허약으로 수곡의 한기(悍氣)를 기부(肌膚)로 보내는 힘이 저하되어 위기(衛氣)가 부족해지고 위외(衛外)하는 기능이 저하되어 自汗하고 外邪에 의해 쉽게 발병된다

【이명】肺氣不足證

【증후개념】氣의 化生이 부족하여 肺氣가 虛弱해지거나 久喘久咳로 肺氣를 손상하여 宣發과 肅降기능을 상실한 證으로서 咳嗽無力, 氣短 등 肺의 기능이 쇠약한 증상과 일반적 氣虛증상이 동시에 나타나야 한다.

【변증지표】

- 주증: 面色㿠白, 咳喘無力, 動則氣短, 自汗怕冷
- 차증: 精神倦怠, 聲音低微, 氣短懶言, 痰多淸稀
- 설맥: 舌淡苔薄白, 脈虛弱

【치법】補肺益氣

【상용약물】人蔘, 黃芪, 白朮, 炙甘草, 山藥, 黨蔘, 五味子, 防風, 浮小麥, 大棗

【처방】補肺湯(『備急千金要方』), 補中益氣湯(『脾胃論』), 玉屛風散(『世醫得效方』), 四君子湯(『和劑局方』), 六君子湯(『婦人良方』)

(2) 폐음허증(肺陰虛證 Lung yin deficiency pattern SF81, U69.1)

폐음허는 주로 肺의 자윤작용과 火熱을 제약하는 기능의 감퇴로서, 肺의 陰에 해당하는 기능이 감퇴하여 肺가 건조해지면서 허열이 생기는 병리상태이다. 폐음허는 대개 久咳로 肺陰을 모상하거나, 담화내울(痰火內鬱)이 오래되어 肺陰을 상하거나, 肝鬱이 오래되어 火로 바뀌어져 肺陰을 작상하거나, 외감조열(外感燥熱)의 邪가 肺陰을 손상하거나, 또 腎陰이 먼저 휴손되고 子病이 母에 미치면 肺陰 역시 허해진다.

폐음허하면 肺가 자윤되지 못하여 燥象이 나타나고, 陰이 陽을 제압하지 못하면 허열이 생겨 열상(熱象)이 나타나는 것이 특징이다.

【이명】肺陰不足證

【증후개념】燥熱邪나 久咳 등으로 인해 肺陰이 소모되고 津液이 부족하여 肺의 滋潤과 淸肅기능을 상실하고 虛火가 생겨난 證으로서 乾咳少痰과 함께 陰虛의 일반 증상이 나타나야 하며 病程이 비교적 길다.

【변증지표】

- 주증: 乾咳少痰, 午後顴紅, 口乾咽燥, 潮熱盜汗
- 차증: 痰少而稠(有時帶血), 五心煩熱, 形體消瘦, 聲音嘶啞
- 설맥: 舌紅絳少津, 脈細數

【치법】滋陰降火

【상용약물】百合, 地黃, 沙蔘, 麥門冬, 天冬, 玉竹, 阿膠, 天花粉, 白芍藥, 銀耳, 冬蟲夏草

【처방】養陰淸肺湯(『重樓玉鑰』), 潤肺丸(『醫學入門』), 滋陰降火湯(『增補萬病回春』), 沙蔘麥冬湯(『溫病條辨』), 百合固金湯(『醫方集解』), 合回生丸(『婦人良方』), 麥門冬湯(『金匱要略』), 淸燥救肺湯(『醫門法律』)

(3) 폐양허증(肺陽虛證 Lung yang deficiency pattern SF84, U69.2)

폐기허와 양허로 인한 한상(寒象)이 함께 있는 것으로 폐위증(肺痿證)에서 많이 볼 수 있는 증상이다.

【이명】肺陽不足證, 肺氣虛寒證

【증후개념】久咳로 肺氣를 손상하여 氣의 허손이 陽에까지 미치거나 또는 陽虛한 상태에서 肺氣를 상하여 생긴 證으로서 묽고 많은 양의 痰을 토하면서 힘없는 咳喘을 하며 氣虛증상과 함께 형한지랭(形寒肢冷)이 있다.

【변증지표】

- 주증: 咳喘無力, 面色㿠白, 形寒肢冷, 動則氣短
- 차증: 神疲少氣, 音聲低怯, 自汗, 背寒, 痰淸稀, 咳吐涎沫
- 설맥: 舌質淡, 苔薄白, 脈虛弱

【치법】溫補肺陽

【상용약물】乾薑, 甘草, 細辛, 半夏, 五味子, 茯苓, 桂枝, 杏仁

【처방】甘草乾薑湯, 伏令甘草五味乾薑細辛湯(이상『金匱要略』)

(4) 폐기음양허증(肺氣陰兩虛證 Dual deficiency of the lung qi and yin pattern SF83, U69.3)

【이명】肺氣陰不足證

【증후개념】勞倦에 의하거나 구해(久咳)、구천(久喘)으로 肺氣가 허약해지고 肺의 陰津이 부족한 증으로서 해천무력의 肺 증상이 일반적인 기음양허(氣陰兩虛)의 양상을 띠고 나타난다.

【변증지표】

- 주증: 咳喘無力、動則氣短、口乾咽燥、自汗盜汗、五心煩熱
- 차증: 神疲少氣、音聲低微、面色無華、顴紅、痰少而稠、咳痰帶血、形體消瘦、午後潮熱
- 설맥: 舌淡嫩紅、脈細弱

【치법】補益肺氣、滋陰潤肺

【상용약물】人蔘、麥門冬、五味子、黃芪、白芍藥、山藥、生地黃、貝母、百合、知母、甘草

【처방】生脈散(『內外傷辨惑論』)、百合固金湯(『醫方集解』)、淸燥救肺湯(『醫門法律』)、竹葉石膏湯(『傷寒論』)、麥門冬湯(『金匱要略』)

(5) 폐기쇠절증(肺氣衰絶證 Pattern of the lung qi debilitation into expiring U69.4)

【이명】肺氣敗絶證

【증후개념】肺의 숙강기능이 쇠절하여 승강출입의 기기가 끊어지려고 하는 증으로서 기침을 하려해도 기침을 하지 못하고 호흡을 할 수 없는 등 肺病의 위급한 증상이 전신적인 쇠갈과 함께 나타난다.

【변증지표】

- 주증: 喘息鼻脹、咳不能咳、呼吸少氣、不能息
- 차증: 面色㿠白、皮毛乾枯、形體消瘦、動則汗出氣喘、咽乾
- 설맥: 舌淡苔少、脈微弱 或 脈浮散無倫

【치법】補肺救逆

【상용약물】人蔘、黃芪、白朮、炙甘草、五味子、紫河車

【처방】生脈散(『內外傷辨惑論』)

(6) 풍한속폐증(風寒束肺證 Wind-cold fettering the lung pattern SF8C, U70.0)

【이명】風寒犯肺證

【증후개념】風寒이 침입하여 肺氣가 폐울되어 선발과 숙강작용이 안되는 증으로서 外邪가 肺에 침입하여 해수、비색(鼻塞)、비명(鼻鳴)、담다청희(痰多淸稀) 등의 증상을 동반한다. 또한 발병이 급작스럽고 病程이 짧으며 발병은 기후의 이상변화와 관련이 있다.

【변증지표】

- 주증: 咳嗽、喀痰淸稀、鼻塞、流淸涕
- 차증: 聲重、噴嚏、頭痛、惡寒發熱、無汗、周身酸痛
- 설맥: 舌苔薄白、脈浮緊

【치법】宣肺散寒、止咳化痰

【상용약물】麻黃、杏仁、桂枝、細辛、乾薑、陳皮、半夏、前胡、紫菀、桔梗、甘草、蒼耳子

【처방】杏蘇散(『溫病條辨』)、華蓋散、杏子湯(이상 『太平惠民和劑局方』)、荊防敗毒散(『外科理例』)、金佛草散(『類證活人書』)

(7) 풍열범폐증(風熱犯肺證 Wind-heat invading the lung pattern SF8A, U70.1)

【이명】風熱襲肺證

【증후개념】風熱邪에 의하거나,風寒이 울체되어 熱로 바뀌어 肺氣의 선발 숙강작용이 원활하지 못한 증으로서 장열,해수 담조황,기천 등의 風熱象이 나타나야 한다. 또한 이열(裏熱)이 왕성해서 생기는 증상으로 번조불안,대변건결,소변황적 등도 동반한다. 겨울과 봄철에 많이 발생한다.

【변증지표】

- 주증: 發熱,微惡風寒,咳嗽痰黃稠
- 차증: 咽喉疼痛,鼻流濁涕,口渴喜飮,氣喘,鼻煽,煩躁不安
- 설맥: 舌質紅,苔黃 或 黃膩,脈浮數 或 滑數

【치법】淸宣肺熱,化痰止咳

【상용약물】桑葉,桔梗,杏仁,蓮翹,金銀花,鮮蘆根,麻黃,生石膏,知母,甘草,公英,魚腥草,冬瓜仁,白殭蠶

【처방】桑菊飮,銀翹散(이상『溫病條辨』),越婢加朮湯(『金匱要略』),瀉白散(『小兒藥證直訣』),麻杏甘石湯(『傷寒論』)

(8) 조사범폐증(燥邪犯肺證 Dryness pathogen invading the lung pattern SF8D, U70.2)

【이명】燥氣傷肺證

【증후개념】燥邪나 風熱에 肺津이 손상되어 肺氣가 선발 숙강하지 못하는 증으로서 肺病증상이 燥象을 보이는 것으로, 건해무담(乾咳無痰),비조인건(鼻燥咽乾) 등의 증상이 나타나야 된다.

【변증지표】

- 주증: 乾咳無痰,鼻燥咽乾
- 차증: 痰少而粘,咳痰不爽,咳引胸痛,喀痰帶血,惡寒發熱,頭痛,身楚
- 설맥: 舌質紅少津,苔薄黃而燥,脈浮細數

【치법】淸燥潤肺,止咳化痰

【상용약물】桑葉,杏仁,白茅根 蘆根,沙蔘,麥門冬,梨皮,知母,紫菀,枇杷葉,款冬花,山梔皮,浙貝母,天花粉,牛蒡子

【처방】淸燥救肺湯(『醫門法律』),沙蔘麥冬湯,桑杏湯(이상『溫病條辨』)

(9) 한담저폐증(寒痰阻肺證 Cold and phlegm obstructing the lung pattern SF85, U70.3)

【이명】痰濁阻肺證

【증후개념】寒邪와 담탁이 합쳐져 기도를 막아 肺氣가 선발 숙강하지 못하는 증으로서 痰이 묽고 양이 비교적 많으며 형한외냉(形寒外冷) 등의 寒痰象과 해수,천촉의 肺증상이 같이 나타난다.

【변증지표】

- 주증: 咳嗽,痰稀白,喘促(不能平臥)
- 차증: 痰量較多,喀出容易,形寒畏冷,胸膈滿悶
- 설맥: 舌苔白膩,脈沈遲

【치법】溫肺散寒,燥濕化痰

【상용약물】麻黃,射乾,細辛,陳皮,半夏,茯苓,杏仁,蘇子,白芥子,蘿卜子,五味子

【처방】射乾麻黃湯,茯苓甘草五味乾薑細辛湯(이상『金匱要略』)

(10) 담열옹폐증(痰熱壅肺證 Phlegm-heat obstructing the lung pattern SF89, U70.4)

【이명】痰熱阻肺證

【증후개념】痰熱이 肺를 막아 肺가 선발 숙강작용을 상실한 증으로서 肺病 증상이 熱痰象을 동반하는 것으로 痰이 누렇고 점도가 높으며, 발열이나 호흡촉급 등이 나타난다.

【변증지표】

- 주증: 咳喘痰鳴, 痰黃粘稠
- 차증: 發熱, 呼吸促急, 痰稠膠固, 咳吐不爽, 痰中帶血, 胸膈痞滿
- 설맥: 舌紅苔黃膩, 脈滑數

【치법】淸熱化痰, 止咳平喘

【상용약물】瓜蔞仁, 貝母, 竹瀝, 竹茹, 黃芩, 魚腥草, 桑白皮, 前胡, 枇杷葉, 馬兜鈴, 葶藶子, 杏仁, 蘿卜子

【처방】淸金化痰湯(『統旨方』), 淸氣化痰丸(『醫方考』)

(11) 수한범폐증(水寒犯肺證 Pattern of water-cold attacking the lung U70.5)

【이명】水寒射肺證, 肺腎陽虛證

【증후개념】평소 체내에 정체된 수음이 있거나 腎陽이 허하여 수음이 정체되었는데 다시 寒邪를 받아 水寒이 肺에 머문 증으로 허실을 막론하고 생긴다.

【변증지표】

- 주증: 咳嗽, 喘促不得臥, 下肢浮腫
- 차증: 痰多稀白, 胸脇滿悶, 少腹脹滿, 腰部冷痛, 脛膝冷感, 尿少, 惡寒發熱, 無汗, 身痛
- 설맥: 舌苔薄白而潤, 白膩, 脈浮緊或弦緊

【치법】溫肺化飮, 助陽利水

【상용약물】麻黃, 桂枝, 細辛, 乾薑, 紫菀, 款冬花, 百部, 杏仁, 蘇子, 白芷, 枇杷葉, 附子, 茯苓, 澤瀉, 白朮

【처방】小靑龍湯合眞武湯(『傷寒論』)加減. 體强: 十棗湯(『傷寒論』), 體弱: 葶藶大棗瀉肺湯(『金匱要略』)

5) 신병변증(腎病辨證)

腎의 주요 생리공능은 '장정(藏精)'이다. 腎에 저장된 精은 태아가 출생하기 전에 이미 존재했던 것으로 부모의 精에서 근원하기 때문에 '선천지정(先天之精)'이라고 한다. 태어난 후 腎中의 精은 수곡정기(水穀精氣)의 자양과 오장육부에서 생산된 精의 주입을 계속 받아 날로 충실해진다. 精은 인체 생명의 근본이다. 腎中에 잘 저장되어 있어야 그 생리작용이 충분히 발휘된다. 『소문 육절장상론(素問 六節藏象論)』에서 "腎은 주칩(主蟄)과 봉장(封藏)의 근본이며, 精이 머무르는 곳이다[8]"라고 하였는데, 腎精은 腎氣로 변화한다. 腎氣가 생성된 후에는 腎의 장정기능과 인체의 생장, 발육, 생식기능을 촉진하는 외에 三焦를 통해 전신에 분포되어 인체의 장부, 경락, 형체, 구규의 작용을 촉진시킨다. 이러한 작용은 인체의 생명활동을 위해서 잠시도 없어서는 안되며, 이런 촉진력이 강하면 생명력이 왕성해지고, 촉진력이 약하면 생명력도 쇠퇴되며, 촉진작용이 정지되면 생명 또한 정지된다. 腎氣의 이러한 촉진작용은 인체의 활동, 촉진, 온후, 흥분, 化氣 등 다양한 작용을 포함하는데, 이를 '腎陽'이라 한다. 이에 비해 인체의 자윤과 陽熱의 억제, 안정

8) 腎者主蟄封藏之本 精之處也 (素問·六節藏象論)

과 성형 등의 기능을 촉진하는 것을 '腎陰'이라 한다. 정상시에는 腎陰과 腎陽의 기능 역시 상호 협조와 평형을 유지한다. 腎陰과 腎陽기능의 강약은 腎精과 腎氣의 성쇠에 좌우된다.

腎은 방광과 표리를 이루고, 귀와 二陰으로 열린다. 腎은 수(髓)를 생성하고 뼈를 주관하며, 치아는 뼈의 한 부분이고, 腎의 華는 머리카락이다.

腎精은 생명의 근본으로 생명력의 성쇠를 결정하기 때문에 腎精의 충만이 유지되어야 한다.『소문 상고천진론(上古天眞論)』에서 '지만(持滿)'을 양생의 요점 가운데 하나로 강조하였다. 腎精은 유여를 걱정할 필요가 없고 오직 그 부족을 염려해야 하는데, 병리적으로 腎에는 유여한 증이 없고 오직 부족한 증만 있다. 자주 나타나는 신정휴허(腎精虧虛), 신기부족(腎氣不足), 신음허(腎陰虛)와 신양허(腎陽虛)의 네 증은 상호 관련되어 확연히 구분할 수는 없다. 다만 그 특징들을 다음과 같이 나누어 볼 수 있다.

(1) 신정부족증(腎精不足證 Kidney essence deficiency pattern SF96, U71.3)

腎에 저장된 精이 부족해지면 인체의 생장, 발육과 생식에 대한 촉진 작용이 감퇴해지고 뼈, 수(髓), 치아, 머리털의 자양기능도 감퇴된다. 신정부족은 선천지정(先天之精)의 부족, 방로과도, 노화나 오랜 병 등으로 인한 腎精의 손상에 기인한다.

【이명】腎精虛證

【증후개념】腎精이 부족하여 발육이 부진하거나 생식기능이 감퇴하고 골격이 충실하지 못하게 되는 證으로서 생장 발육과 생식 기능의 감퇴가 본 증의 특징으로 명확한 衰象이나 熱象은 나타나지 않는다.

【변증지표】
- 주증: 眩暈耳鳴, 腰膝酸軟, 小兒發育遲延, 男子不姙, 女子經閉不姙
- 차증: 健忘少眠, 動作遲鈍, 形體消瘦, 齒搖髮脫, 小兒泉門閉遲, 智能低下, 反應遲鈍, 肌肉萎縮
- 설맥: 舌淡苔白, 脈細弱

【치법】補益腎精

【상용약물】熟地黃, 山茱萸, 紫河車, 枸杞子, 龜板, 女貞子, 續斷, 肉蓯蓉, 杜冲, 巴戟天

【처방】河車大造丸(『醫方集解』), 左歸丸(『景岳全書』), 補腎地黃丸(『醫宗金鑑』)

(2) 신기허증(腎氣虛證 Kidney qi deficiency pattern SF90, U71.0)

腎氣가 휴허(虧虛)하게 되면 고장(固藏)과 섭납(攝納)의 기능이 감퇴된다.

腎精이 충실하지 못하거나, 노화로 腎의 精氣가 쇠퇴하거나, 혹은 중년에 방노과도하거나, 오랜 병으로 腎氣가 손상된 경우에 주로 나타난다.

【이명】腎氣不足證

【증후개념】腎의 元氣가 虛衰하여 腎이 주관하는 기능이 감퇴되어 나타나는 證으로서 본 증은 寒象이나 熱象이 뚜렷하게 나타나지 않고, 腎의 증상인 腰膝酸軟, 耳鳴 등과 氣虛증상을 요점으로 한다. 또한 본 증은 腎不納氣나 腎氣不固의 기본적인 병기가 되지만, 이들이 특징적으로 나타나는 氣短, 喘息, 小便頻數, 遺尿와 같은 증상들을 주증상으로 하지는 않는다.

【변증지표】
- 주증: 眩暈耳鳴, 腰膝酸軟, 氣短自汗, 倦怠無力
- 차증: 面色晄白, 小便頻數, 遺精, 早泄

- 설맥: 舌淡苔白, 脈細弱

【치법】補益腎氣

【상용약물】山茱萸, 山藥, 五味子, 杜冲, 菟絲子, 益智仁, 胡桃仁, 巴戟天, 肉蓯蓉

【처방】八物腎氣丸(『丹溪心法』)

(3) 신기불고증(腎氣不固證 Kidney qi insecurity pattern U71.1)

신기부족으로 고장(固藏)이 무력해지면 하규(下竅)가 불고(不固)해져 남자에게서는 조설(早泄), 유정, 활정 등 증상이 나타나며, 여자에게서는 붕루, 묽은 대하, 유산 등이 나타난다. 남녀 모두에게서 유뇨, 소변실금이나 대변활설 등이 나타난다. 이러한 하원불고(下元不固)의 증을 총칭하여 '신기불고'라 한다.

【이명】下元不固證, 腎虛不固證

【증후개념】腎氣虛衰하여 封藏 固攝의 기능을 잃은 證으로서 小便頻數, 遺尿, 失禁, 滑精과 같은 膀胱失約 또는 精關이 견고하지 못한 증상이 있고 여기에 腎虛의 일반적인 증상이 나타난다.

【변증지표】

- 주증: 小便頻數而淸, 尿後餘瀝不盡, 遺尿, 小便失禁, 滑精, 早泄, 胎動易滑
- 차증: 面色晄白, 神疲無力, 腰膝酸軟, 聽力減退, 自汗, 白帶淸稀
- 설맥: 舌淡苔白, 脈細弱

【치법】固攝腎氣

【상용약물】金櫻子, 菟絲子, 芡實, 桑螵蛸, 龍骨, 牡蠣, 蓮須, 山藥, 潼蒺藜, 益智仁, 五味子

【처방】金鎖固精丸(『醫方集解』), 桑螵蛸散(『本草衍義』), 縮泉丸(『校注婦人良方』)

(4) 신불납기증(腎不納氣證 Kidney failing to receive qi pattern SF91, U71.2)

신기부족으로 섭납(攝納)하지 못하여 氣가 귀원(歸元)하지 못하면 호흡이 얕아져서 움직이면 쉽게 헐떡이게 되는데, 대개 肺氣가 장기간 허쇠하거나 오랜 병이 腎에 미쳐 腎氣가 부족해진 까닭이다.

【이명】腎氣上逆證, 肺腎氣虛證

【증후개념】腎虛로 氣가 歸元되지 못하여 納氣기능이 상실된 證으로서 元氣가 부족하여 肺腎의 기능이 감퇴하는 것이 본 증의 기초인데, 氣短, 喘息 등의 주증상과 腎虛 증상이 나타나는 것이 요점이다.

【변증지표】

- 주증: 氣短喘息, 呼多吸少, 動則喘甚
- 차증: 面色晄白而虛浮, 甚則面脣靑紫, 自汗出, 畏寒肢冷, 腰膝酸軟
- 설맥: 舌淡苔白, 脈細弱 또는 虛浮無根

【치법】補腎納氣

【상용약물】胡桃肉, 蛤蚧, 補骨脂, 熟地黃, 五味子, 人蔘, 黨蔘, 沈香, 紫石英

【처방】人蔘胡桃湯(『濟生方』), 蔘蚧散(『普濟方』)

(5) 신음허증(腎陰虛證 Kidney yin deficiency pattern SF93, U71.4)

전신의 자윤, 영양, 陽熱의 제약, 영정과 성형 등의 기능에 대한 腎氣의 촉진작용이 감퇴된 병변을 가리킨다.

평소에 음허하였거나, 久病이나 중병으로 腎陰을 상하였거나, 혹은 정지(情志)의 내상으로 鬱火가 腎陰을 소모시켰거나, 방로과도로 腎陰을 손상시켰거나, 온조(溫燥)한 약을 과도하게 복용한 경우에 나타난다.

腎陰에 속하는 기능이 약해지면 陽熱을 제약하지 못하여 음허내열(陰虛內熱)케 되어 오심번열, 조열, 관홍, 도한, 맥세삭, 설홍소태 등이 나타나며, 陰이 陽을 제약하지 못하면 腎中의 상화망동(相火妄動)으로 성욕항진, 유정, 조설 등이 나타난다.

【이명】腎陰不足證, 眞陰不足證

【증후개념】腎의 津液이 부족하여 內熱이 생긴 證으로서 腎病 증상인 耳鳴, 腰膝酸軟 등과 함께 陰虛 증상이 나타난다.

【변증지표】

- 주증: 頭暈目眩, 耳鳴耳聾, 腰膝酸軟, 五心煩熱, 潮熱盜汗
- 차증: 健忘少寐, 男子陽强易擧, 遺精早泄, 齒搖髮脫, 小兒發育遲延, 智能低下, 男子不妊, 女子經少不妊, 口乾咽燥, 尿黃便乾
- 설맥: 舌紅少苔, 脈細數

【치법】滋腎養陰

【상용약물】地黃, 山茱萸, 何首烏, 女貞子, 玄蔘, 枸杞子, 旱蓮草, 龜板, 鱉甲, 知母, 黃柏, 地骨皮, 胡黃連, 靑蒿

【처방】六味地黃丸(『小兒藥證直訣』), 滋陰降火湯(『增補萬病回春』), 大補陰丸(『丹溪心法』)

(6) 신양허증(腎陽虛證 Kidney yang deficiency pattern SF97, U71.5)

신양허는 주로 전신의 온후, 추동, 흥분, 化氣 등 기능에 대한 腎氣의 촉진작용이 감퇴된 병변을 말한다. 평소에 陽이 허하거나, 병이 오래되어 腎陽이 손상되었거나, 늙어서 腎陽이 감소되었거나, 방노과도 등이 원인이다. 腎陽은 전신 陽의 근본이므로 腎陽이 허해지면 각 부분에서 양허 증상이 나타난다. 만약 신양허로 脾陽을 온양(溫養)하지 못하면 脾腎의 陽이 모두 허해져 하리청곡과 오경설사 등이 나타나고, 만약 신양허하면 진액의 운행을 추동하지 못해서 수액이 정체되어 담음이 생겨나고 심하면 수종이 생긴다. 만약 신양허하면 心神을 흥분시키지 못하여 정신이 위축되는데, 『상한론 변소음병맥증병치(傷寒論 辨少陰病脈證并治)』의 "단욕매(但欲寐)" 등의 증상이 나타난다. 腎의 양허이기 때문에 전신의 양허증이 나타나는 동시에 요슬산연, 이명, 양위, 정랭(精冷)이나 궁한(宮寒)으로 인한 불임 등 腎 자체의 허한증이 나타난다.

【이명】腎陽不足證, 腎陽虛衰證, 眞陽不足證, 眞陽衰微證, 命門火衰證

【증후개념】元陽이 부족하여 기화작용을 상실함으로서 溫煦가 안되고 水濕이 증가되는 증으로서 腎의 기능저하가 있되 반드시 畏寒肢冷, 腰膝冷痛, 五更泄瀉, 小便淸長과 같은 寒象을 겸해야 한다.

【변증지표】

- 주증: 畏寒肢冷, 腰膝冷痛, 五更泄瀉, 小便淸長
- 차증: 面色㿠白 或 黧黑, 眩暈耳鳴, 男子陽痿不擧, 早泄, 性欲減退, 女子宮寒不妊, 白帶淸稀, 尿少浮腫
- 설맥: 舌淡嫩, 苔白滑, 脈沈遲無力

【치법】溫補腎陽

【상용약물】附子, 肉桂, 巴戟天, 補骨脂, 肉蓯蓉, 淫羊藿, 胡蘆巴, 鹿茸, 仙茅, 鹿角膠, 鎖陽

【처방】腎氣丸(『金匱要略』), 右歸丸(『景岳全書』)

(7) 신음양양허증(腎陰陽兩虛證 Kidney yin-yang deficiency pattern SF94, U71.6)

【이명】腎陰陽俱虛證

【증후개념】元陽이 부족하고 陰精이 모자라서 온후가 안되고 장부경락을 유양시키지 못하는 증으로서 腎기능의 저하와 열상(熱象)과 한상(寒象)이 동시에 나타난다. 따라서 신허、허열、허한의 세 가지가 나타나면 본 증으로 확정할 수 있다.

【변증지표】

- 주증: 眩暈耳鳴、腰膝酸軟疼痛、五心煩熱、盜汗、遺精、手足冷、自汗出
- 차증: 面色晄白、顴紅、失眠健忘、多夢、精神萎弱、齒浮動搖、毛髮乾枯、動則氣喘、足跗浮腫
- 설맥: 舌紅無苔、脈細數 또는 舌淡苔白、脈沈遲而弱

【치법】補陰益陽

【상용약물】熟地黃、何首烏、女貞子、枸杞子、山茱肉、旱蓮草、龜板、附子、肉桂、補骨脂、巴戟天、肉蓯蓉、仙茅、淫羊藿、葫蘆巴、鹿茸、菟絲子、五味子

【처방】五子衍宗丸(『丹溪心法』)

(8) 신허수범증(腎虛水泛證 Kidney deficiency with water retention pattern SF92, U71.7)

【이명】腎陽虛水泛證、陽虛水泛證

【증후개념】腎陽이 쇠약해져 기화작용이 되지 않아 수음이 저류된 증으로서 부종、신허 증상、양기허쇠 증상 등 세 가지를 특징으로 하고 있다.

【변증지표】

- 주증: 全身水腫(下肢尤甚、按之沒指)
- 차증: 腰膝酸痛、尿少、心悸氣短、咳喘痰鳴、陰囊水腫、腹脹滿
- 설맥: 舌淡體胖、苔白滑、脈沈弦

【치법】溫陽利水

【상용약물】附子、肉桂、桂枝、仙茅、茯苓、猪苓、澤瀉、車前子、大腹皮

【처방】金匱腎氣丸(『金匱要略』)合五苓散(『傷寒論』)、眞武湯(『傷寒論』)

2. 육부변증(六腑辨證)

1) 담병변증(膽病辨證)

(1) 담열증(膽熱證 Gallbladder heat pattern SF6F, U72.2)

담즙의 저장과 배설의 장애는 대부분 정지의 손상으로 肝이 소설작용을 상실하여 일어난다. 또 중초에 습열이 쌓여 간담의 기기를 막아도 일어난다. 담즙의 배설장애는 담즙이 소장으로 주입되지 못하여 수곡의 소화와 흡수에 영향을 미침과 동시에 담즙이 담 내에 울결되어 간담기기가 더욱 불창되어 협늑민창(脇肋悶脹)과 함께 심하면 동통을 일으킨다. 담즙배설의 장애가 심하면 오히려 담즙이 기부(肌膚)로 넘쳐 황달이 발생한다. 만약 담기(膽氣)가 잘 펼쳐지지 않으면 울체되어 열로 변하고 담열(膽熱)이 心神을 요란케 하면 협늑민창、심번、불면 등의 증상이 나타난다.

【이명】膽經實熱證

【증후개념】膽經에 邪熱이 旺盛하여 膽氣가 鬱結不暢된 證

【변증지표】

- 주증: 兩側頭痛、兩目眦痛、目眩、耳聾、口苦咽乾、胸脇滿痛、往來寒熱
- 차증: 嘔吐苦水、煩躁易怒、夜寐不安、黃疸
- 설맥: 舌紅苔黃、脈弦數有力

【치법】淸熱利膽

【상용약물】柴胡、黃芩、梔子、鬱金、蒲公英、金錢草、生大黃、芒硝、茵蔯、黃柏

【처방】蒿芩淸膽湯(『通俗傷寒論』)、龍膽瀉肝湯(『醫宗金鑑』)、金鈴子散(『素問病機氣宜保命集』)合左金丸(『丹溪心法』)

(2) 담울담요증(膽鬱痰擾證 Pattern of depressed gallbladder with phlegm harassment SF5E, U72.3)

膽은 肝에 붙어 있으며 肝과 표리를 이룬다. 膽의 중요한 생리공능은 담즙의 저장과 배설이다. 담즙은 肝의 여기가 바뀌어 생성된 것이며, 그 분비와 배설은 간의 소설작용의 조절을 받는다. 그래서 膽의 기능과 肝의 소설작용은 서로 밀접하다.

【이명】膽鬱痰熱證

【증후개념】情志鬱結로 痰熱이 內擾하고 膽의 疏泄기능이 상실된 證

【변증지표】

- 주증: 頭暈目眩、口苦、驚悸不寧、失眠、脇脹痛
- 차증: 食慾不振、嘔惡、煩躁不寐、胸悶善太息、右脇不舒
- 설맥: 舌苔黃膩、脈弦滑

【치법】淸化痰熱、利膽和胃

【상용약물】黃連、竹茹、枳殼、青黛、梔子、瓜蔞皮、枇杷葉、生苡仁、冬瓜子、茵蔯蒿、黃芩、青蒿

【처방】黃連溫膽湯(『六因條辨』)、溫膽湯(『千金方』)

2) 소장병변증(小腸病辨證)

소장의 중요한 생리공능은 수성(受盛)、화물(化物)、분별청탁(分別淸濁)이다. '受盛'은 胃에서 온 음식물을 받아서 다시 아래로 보내는 것으로 음식물은 비교적 장시간동안 소장 내에 머무른다. '化物'은 腸內의 음식물을 철저히 소화시키고 이를 정미(精微)、조박(糟粕)과 수액으로 나누는 것이다. 청탁(淸濁)을 분별한다는 것은 소장의 소화를 통해 생성된 음식물의 정미를 脾를 통해 전신에 수포시키고, 조박을 대장으로 내려보내며, 수액은 방광으로 보내는 것을 말한다. 小腸은 心과 경맥으로 연결되어 표리를 이룬다.

(1) 소장기체증(小腸氣滯證 Small intestine qi stagnation pattern SF6D, U75.1)

소장은 뒤쪽으로 허리의 척추에 붙어 있고 배꼽 위치에서 왼쪽으로 빙글빙글 돌면서 아래로 내려와 小腹에 위치한다. 그러므로 『영추 사기장부병형(靈樞 邪氣藏府病形)』에서도 小腸病이 있으면 "아랫배가 아프면서 허리뼈와 고환이 당기고 아프니[9]"고 하여 소장에 연계된 筋脈의 당기면서 아픈 증상을 설명하고 있다. 이러한 소장병은 주로 소복

9) 小腹痛, 腰脊控睾而痛 (靈樞·邪氣藏府病形)

의 기기가 울체하여 펴지지 않거나 한랭자극으로 筋脈이 당겨서 발생하는데 보통은 이 둘이 합병되는 경우가 많다.

【이명】小腸氣痛證

【증후개념】七情鬱結, 陰寒의 凝結 등으로 小腸의 氣機 순행이 안되고 氣血의 通行이 순조롭지 못한 證

【변증지표】

- 주증: 少腹絞痛, 一側陰囊腫脹, 或睾丸偏墜, 畏冷
- 차증: 腹脹腸鳴, 失氣則舒, 少腹部或有聚氣突起, 重墜不舒
- 설맥: 舌苔白滑, 脈沈弦

【치법】行氣止痛

【상용약물】橘核仁, 烏藥, 川楝子, 胡蘆巴, 小茴香, 香附子, 川芎, 靑皮, 枳實, 玄胡索, 白芍藥, 木香

【처방】天台烏藥散(『醫學發明』)

(2) 소장허한증(小腸虛寒證 Small intestinal deficiency cold pattern SF6F, U75.0)

소장의 병변은 대개 음식부절, 습열과 한습으로 인해 발생된다. 만약 수성(受盛)의 기능을 잃으면 음식물을 배출하는 속도가 빨라져 위로는 구토, 아래로는 설사가 일어난다. 화물(化物)이 무력해지면 대변 중에 소화가 덜 된 음식물이 섞여 나오고, 심하면 완곡불화(完穀不化)한다. 청탁의 분별이 제대로 되지 않으면 설사가 나고 소변량이 감소하며 오래되면 몸이 마르면서 기혈이 쇠약해진다.

【증후개념】生冷之物의 過食이나 腎陽虛로 인해 발생된 脾胃의 虛寒이 小腸에 영향을 미침으로써 傳導 및 分泌機能이 저하된 小腸寒盛의 證

【변증지표】

- 주증: 大便淸稀, 水穀不化, 腹痛, 四肢不溫
- 차증: 小便不利, 大便淸稀, 形寒肢冷
- 설맥: 舌苔白滑, 脈沈無力

【치법】溫通小腸

【상용약물】人蔘, 白朮, 乾薑, 甘草 등

【처방】理中湯(『傷寒論』)

(3) 소장실열증(小腸實熱證 Small intestinal excess-heat pattern SF6E, U75.2)

습열이 하주(下注)하거나 혹은 心火가 경락을 통해 소장으로 옮겨지면 소장에 화열이 발생한다. 화열이 소장에서 방광으로 내려가면 빈뇨와 배뇨통이 발생하며 소변이 줄어들고 黃赤色을 띄게 된다. 임상적으로 소장의 기능과 병변은 비위에 속하기 때문에 이를 참조하여 진단과 치료를 행해야 한다.

【증후개념】心熱이 小腸에 전해져 裏熱이 熾盛해짐으로써 分泌機能이 失調되거나 濕熱火邪가 化熱되어 小腸에 蓄積된 證

【변증지표】

- 주증: 小便短赤, 尿道灼痛, 口渴
- 차증: 心煩, 甚則血尿, 口舌生瘡
- 설맥: 舌紅苔黃, 脈數有力

【치법】淸利實熱

【상용약물】生地黃、木通、甘草 등
【처방】導赤散(『小兒藥證直訣』)

3) 위병변증(胃病辨證)

胃의 공능실조는 주로 위열(胃熱)、한사범위(寒邪犯胃)、식체중조(食滯中阻)、胃氣虛와 胃陰虛 등의 다섯 가지 양상으로 나타난다. (식체중조는 食傷脾胃證 참조)

(1) 위기허증(胃氣虛證 Stomach qi deficiency pattern SF7C, U73.0)

胃는 '수곡지해(水穀之海)'로 음식물을 수납(受納)하여 음식물을 부숙(腐熟)시키며 통강(通降)을 맡는다. 그런데 식사가 불규칙하거나 굶거나 혹은 포식하게 되면 胃氣가 손상되어 胃의 기능 자체가 약화된다. 그 결과 기혈의 생성이 부족하고 화강(和降)이 순조롭지 못한 기상역(氣上逆)의 병변이 생기게 된다.

【이명】胃氣不足證
【증후개념】胃氣가 부족하여 음식의 受納과 腐熟기능이 감퇴된 證
【변증지표】
- 주증: 胃脘隱痛(按之痛減)、不思飮食、消化不良、嘔吐呃逆、食入卽吐
- 차증: 痛有定時、喜熱喜按、少氣懶言、語聲低微、面色萎黃
- 설맥: 舌質淡、苔薄白、脈虛弱

【치법】補益胃氣
【상용약물】黃芪、黨蔘、白朮、白芍藥、甘草、大棗、飴糖、陳皮、玄胡索、半夏、香附子、半夏、生薑
【처방】黃芪建中湯(『金匱要略』)

(2) 위음허증(胃陰虛證 Stomach yin deficiency pattern SF7E, U73.1)

위음허는 대개 열병 후기나 병이 오래되었는데도 회복되지 않아 胃陰을 상한 경우에 胃의 섭식과 통강 기능에 장애가 생겨 상역(上逆)하는 것을 위주로 본다.

【이명】胃陰不足證
【증후개념】만성적인 陰液耗損으로 胃陰이 손상되고 胃의 滋養、濡潤기능이 상실된 證
【변증지표】
- 주증: 食慾不振、食少、胃脘虛痞、胃脘疼痛、乾嘔
- 차증: 飢而不食、口乾咽燥、大便秘結、心煩潮熱
- 설맥: 舌質光紅無苔(鏡面舌)、舌紅少苔、舌乾少津、脈細數

【치법】淸養胃陰、和胃降逆、緩痛
【상용약물】沙蔘、麥門冬、玉竹、石斛、生地黃、天花粉、蓮子肉、梨汁、金鈴子、青竹茹、冰糖
【처방】沙蔘麥冬飮、益胃湯(이상『溫病條辨』)

(3) 위한증(胃寒證 Stomach cold pattern SF7H, U73.2)

胃寒은 대개 외감 한사나 찬 음식을 많이 먹어 중초에 寒邪가 쌓이면서 胃의 기혈순환과 기기작용을 방해하고 기체혈어(氣滯血瘀)하여 통증이 발생하게 된다. 만일 寒邪를 반복해서 받게 되면 위양허로 발전하여 내상병기에 속한다.

【이명】寒邪犯胃證, 外寒犯胃證

【증후개념】평소 胃陽虛한데 寒邪가 胃를 犯하여 寒凝氣滯하고 동시에 胃의 和降작용에 장애가 나타나는 證

【변증지표】

- 주증: 胃脘冷痛, 嘔吐呃逆, 嘔吐淸水
- 차증: 喜熱食, 面白少華, 畏寒怕冷, 手足冷, 脘痛拒按
- 설맥: 舌質淡, 苔白, 脈遲緩 或 弦緩

【치법】溫胃散寒, 和中降逆

【상용약물】高良薑, 生薑, 桂枝, 吳茱萸, 香附子, 木香, 陳皮, 柿蒂, 丁香, 白芍藥, 炙甘草

【처방】良附丸(『良方集腋』), 吳茱萸湯(『傷寒論』), 丁香散(『醫統』)

(4) 위열증(胃熱證 Stomach heat pattern SF7F, U73.3)

胃熱은 평소에 中焦胃陽이 盛하거나, 邪熱이 胃를 범하거나, 신열(辛熱)하며 구운 음식이나 기름기가 많은 음식 등을 좋아하거나, 기체, 혈어, 담, 습, 식적 등이 울결되어 火가 되거나, 혹 칠정내상으로 울화가 胃를 범하여 발생하며, 胃火가 진액을 말리고 胃火가 경락을 따라 상염하여 낙맥을 작상시킨다.

【이명】胃火熾盛證

【증후개념】熱邪가 裏로 들어가거나 辛辣厚味의 과식 또는 五志過極으로 胃火가 발생한 證

【변증지표】

- 주증: 胃脘灼痛, 多食善飢, 口臭便秘, 牙齦腫痛出血, 食入卽吐
- 차증: 渴喜冷飮, 呑酸, 發熱, 煩渴
- 설맥: 舌質紅, 苔黃厚, 脈洪大 或 滑數

【치법】淸胃瀉火

【상용약물】黃連, 生石膏, 知母, 黃芩, 大黃, 金鈴子, 生地黃, 竹茹, 麥門冬

【처방】淸胃散(『蘭室秘藏』), 玉女煎(『景岳全書』), 竹葉石膏湯(『傷寒論』)

4) 대장병변증(大腸病辨證)

(1) 대장진휴증(大腸津虧證 Large intestinal fluid deficiency pattern SF8H, U74.0)

대장은 '전화조박(傳化糟粕)'과 '주진(主津)'의 기능을 통해 전도(傳導)과정 중에 조박에 남아있는 나머지 진액을 흡수하고 조박을 점차로 딱딱하게 만들면서 아래로 내려보낸다. '傳化'와 '主津'의 관계는 매우 밀접한데, 만약 조열(燥熱)의 사기가 안에서 울체되어 대장의 진액이 마르거나, 혹은 陰이 모상하여 장액(腸液)이 마르거나 하면 장내가 삽체(澀滯)하여 조박도 전도되지 못한다. 이것이 바로 변비이며, 이 외에도 기허로 추동력이 무력해지거나, 양허로 전화되지 않아서 조박이 장에 오래 머물기 때문에 발생한다.

【이명】大腸陰虛燥結證

【증후개념】大腸의 津液이 소모된 證

【변증지표】

- 주증: 大便乾結, 排便困難(努責難下), 數日一行, 便秘

- 차증: 形體消瘦、咽乾少津、口乾、口臭、頭暈目眩
- 설맥: 舌質紅、苔黃燥、脈澁 或 細數

【치법】瀉熱潤腸通便

【상용약물】熟地黃、當歸、麻子仁、郁李仁、瓜蔞仁、生何首烏、肉蓯蓉、白蜜、枳實

【처방】淸燥潤腸湯(『醫醇賸義』)、五仁丸(『世醫得效方』)、노인의 경우는 天地煎(『症因脈治』)

(2) 대장허한증(大腸虛寒證 Large intestinal deficiency cold pattern SF8J, U74.1)

대장의 양기가 허하면 진액을 기화하여 재흡수하지 못하게 되므로 한습이 된다. 그러므로 대변이 물처럼 묽어지고 복통이 생기며 대변 중에 흰 점액질이 포함된다. 이것은 대장양허에 해당하며 순전한 대장기허증은 전도무력(傳導無力)으로 인해 기허증과 함께 변비가 나타난다.

【이명】大腸虛冷證、腸虛不固證

【증후개념】下焦의 陽氣 부족으로 大腸에 寒濁이 凝聚된 證

【변증지표】

- 주증: 腹部隱痛、喜熱喜按、腹瀉、便溏、粘液便
- 차증: 四肢不溫、腸鳴、大便失禁、脫肛
- 설맥: 舌質淡、苔薄白而滑、脈沈遲 或 沈細無力

【치법】溫中益氣、澁腸固脫

【상용약물】附子、肉桂、白朮、黨蔘、炮薑、黃芪、肉蓯蓉、赤石脂、訶子肉、罌粟殼、補骨脂、益智仁

【처방】眞人養臟湯、附子理中丸(이상『太平惠民和劑局方』)、노인의 경우에는 天台烏藥散(『醫學發明』)

(3) 대장습열증(大腸濕熱證 Dampness-heat in the large intestine pattern SF8G, U74.2)

습열이 하주(下注)하여 전도(傳導)가 빨라지면 진액의 흡수가 제대로 이루어지지 않아 대변이 굳어지지 못하여 설사를 일으키는데 적백색의 하리(下痢)가 생긴다든지 사기가 결체되어 설사를 따라 제거되지 못하므로 이급후중(裏急後重) 등이 생긴다.

【이명】濕熱下注大腸證

【증후개념】濕熱이 大腸에 꽉 막혀서 下焦의 氣機가 소통되지 않는 證

【변증지표】

- 주증: 腹痛下利、下利粘液、便膿血、裏急後重、便物如漿、如黃水、肛門灼熱
- 차증: 胸脘滿悶、飮食無味、嘔惡、寒熱、口渴、小便黃赤、午後熱盛、肢體沈重
- 설맥: 舌苔黃膩、脈滑數

【치법】淸化大腸濕熱、調氣導滯

【상용약물】白芍藥、黃連、黃柏、秦皮、大黃、馬齒莧、葛根、槐花、地楡、荊芥炭、煨木香、檳榔

【처방】芍藥湯(『素問病機氣宜保命集』)、白頭翁湯(『傷寒論』)

(4) 대장실열증(大腸實熱證 Large intestinal excess heat pattern SF8F, U74.3)

外邪가 들어와 양명리열(陽明裏熱)이 심화될 때 나타나거나, 內傷인 경우 신랄후미(辛辣厚味)를 과식하여 腸胃에 조열실화(燥熱實火)가 적체되었다가 아래로 대장에 전하여 생기는데, 다만 항문작열과 같은 국소증상이 더 강조되는 것만 다르다. 또 본 증후설명과 달리 열결방류(熱結傍流)하는 경우가 있는데 이 때는 변비이기는 하지만 맹물똥을 자주 보기도 한다. 이것을 한설(寒泄)로 오인하면 안된다.

【이명】大腸結熱證

【증후개념】燥熱實火가 大腸에 結하여 傳導작용이 막힌 證

【변증지표】

- 주증: 大便乾燥秘結, 腹脹硬滿, 腹痛拒按
- 차증: 惡心嘔吐, 身熱面赤, 口渴, 肛門灼熱, 小便短赤
- 설맥: 舌苔黃燥, 甚則黑褐芒刺, 脈洪數有力

【치법】調氣軟堅, 瀉熱通便

【상용약물】大黃, 厚朴, 枳實, 玄明粉, 木香, 蘿菔子

【처방】大承氣湯, 小承氣湯, 大柴胡湯(이상『傷寒論』), 凉膈散(『和劑局方』), 乾葛湯(『症因脈治』), 枳實導滯丸(『內外傷辨惑論』)

5) 방광병변증(膀胱病辨證)

방광의 주요 생리공능은 尿의 저장과 배출이다. 저뇨(貯尿)기능은 腎과 방광지기(膀胱之氣)의 봉장(封藏)과 고섭(固攝)작용에 의존하고 있으며, 배뇨기능은 腎과 방광지기의 기화작용에 기초한다.

(1) 방광허한증(膀胱虛寒證 Bladder deficiency cold pattern SF9J, U76.0)

尿의 저장과 배설과정의 이상은 우선 소아의 腎中精氣가 충만되지 못하거나 혹 노인의 腎氣허쇠나 중년의 방노과도나 久病과 大病으로 腎氣가 소모되어 발생한다. 腎과 膀胱氣의 부족으로 腎은 봉장(封藏)하지 못하고, 방광은 고섭(固攝)하지 못하여 배뇨를 조절하는 힘이 무력해지면 유뇨, 배뇨곤란이나, 심하면 요폐나 소변실금이 생긴다.

【이명】膀胱虛冷證, 膀胱失約證

【증후개념】稟賦不足, 久病體虛, 房事不節 등으로 腎氣가 손상되고 膀胱이 虛寒해져서 氣化작용이 안되고 膀胱의 저장, 배출 기능이 안되는 證

【변증지표】

- 주증: 小便頻數, 小便淸長, 小便不禁, 尿有餘瀝, 遺尿
- 차증: 尿後白濁, 小便點滴不爽, 無力排出, 腰痠楚, 少腹冷痛
- 설맥: 舌淡, 苔薄白而潤, 脈沈細

【치법】溫腎固脬

【상용약물】益智仁, 烏藥, 附子, 肉桂, 菟絲子, 金鈴子, 芡實, 鹿角霜, 桑螵蛸, 韭子

【처방】縮泉丸(『婦人良方』), 鞏提丸(『新方八陣』)

(2) 방광습열증(膀胱濕熱證 Bladder dampness-heat pattern SF9G, U76.1)

외부의 습열이 하부에서 일어나거나 중초에서 내려가 방광의 기화를 방해하거나, 혹 邪熱이 방광에 축적되어 진액을 말리면서 방광 안에 결석을 만들어 기화를 방해하면 빈뇨, 요급(尿急), 요통(尿痛), 소변혼탁 등이 나타나고, 방광에 결석이 있는 경우는 혈뇨가 나타나며 돌이 요도를 막으면 배뇨가 중단되거나 참기 힘든 동통이 생긴다.

【이명】濕熱蘊結膀胱證

【증후개념】外感이나 飮食不節로 濕熱이 膀胱에 맺혀 膀胱의 氣化가 이롭지 못한 證

【변증지표】

- 주증: 尿頻、尿急、尿澁、尿痛、尿黃赤混濁、尿血
- 차증: 發熱、腰痛、尿中有砂石
- 설맥: 舌紅、苔黃膩、脈滑數

【치법】淸熱利濕通淋

【상용약물】茯苓、猪苓、澤瀉、木通、黃柏、梔子、金錢草、海金砂、石葦、滑石、車前子、瞿麥、萹蓄

【처방】八正散(『太平惠民和劑局方』)、石葦散(『證治滙補』)、小薊飮子(『濟生方』)、萆薢飮(『醫學心悟』)、萆薢分淸飮(『丹溪心法』)

3. 장부겸병변증(臟腑兼病辨證)

인체 각 장기 사이에는 생리적으로 서로 밀접한 관계가 있어서 병변이 발생하였을 때에도 항상 상호 영향을 미친다. 臟病이 臟에, 臟病이 腑에, 腑病이 臟에, 腑病이 腑에 파급되어 2개 이상의 장기가 속발성으로, 또는 동시에 발병하는 것을 장부겸병(臟腑兼病)이라 한다.

장부겸병의 증후는 대단히 복잡하나, 여기서는 臟과 臟의 겸병을 위주로 하였다.

1) 간비불화증(肝脾不和證 Disharmony of the liver-spleen pattern SF5J, U78.1)

肝의 소설작용은 脾胃의 운화를 도와 기기 승강과 운행을 돕는다. 만약 비기허약으로 인해 肝氣가 상대적으로 항성하여 脾를 침범하거나, 脾氣가 허약하지 않은 경우라도 肝氣가 울결되면 발병할 수 있다. 肝氣가 소통되지 못하는 것은 기기의 병변에 속하는 것으로서 증상의 발생이 간헐적이다. 정서의 변화는 肝氣에 직접적인 영향을 미치기 때문에 본 증을 유발하는 가장 중요한 원인이 되며, 기후와 음식은 주로 脾胃에 작용하므로 부차적인 요인이 된다.

【이명】肝氣犯脾證、肝鬱脾虛證、肝脾不調證、肝氣乘脾證

【증후개념】肝과 脾 두 臟의 관계 실조로 생기는 證

【변증지표】

- 주증: 兩脇脹滿疼痛、脘腹脹滿、食慾不振、煩躁易怒
- 차증: 善太息、腹痛欲瀉、腸鳴失氣、月經不調
- 설맥: 舌苔白膩、脈弦緩

【치법】疏肝健脾

【상용약물】柴胡、香附子、鬱金、川楝子、靑皮、黃芪、黨蔘、人蔘、茯苓、陳皮、枳殼、木香、砂仁

【처방】逍遙散(『和劑局方』)、痛瀉要方(『劉草窗方』)

2) 간기범위증(肝氣犯胃證 Liver qi invading the stomach pattern SF5K)

肝의 소설작용은 脾胃의 운화를 도와 기기 승강과 운행을 돕는다. 만약 肝이 소설을 못하면 胃氣가 내려가지 못하여 기기가 불통케 되는 '간위불화(肝胃不和)'가 나타난다. 즉 肝氣의 울결이 胃氣의 화강(和降)작용에 영향을 준 것을 말하며, 때로 가벼워졌다 심해졌다하면서 장기적인 과정을 거치게 된다. 본 증은 일반적으로는 간기울결(肝氣鬱滯)에 의해서 유발되지만, 간화상염(肝火上炎)이나 간한기체(肝寒氣滯)에 의해 유발되기도 한다. 寒邪로 인해 胃氣와

肝氣가 손상을 받으면 한증에 속하면서 허에 치우치고 두 장부의 증상이 공존한다.

【이명】肝胃不和證 Pattern of the liver-stomach U78.2

【증후개념】정서적으로 鬱滯가 심하여 肝氣의 疏泄이 안되므로 胃가 영향을 받아 和降작용이 안되는 證

【변증지표】

- 주증: 胃脘痞滿時痛、兩脇脹痛 또는 竄痛
- 차증: 嘈雜嘔逆、噯氣呑酸、善太息、頭痛
- 설맥: 舌苔薄白 或 薄黃、脈弦

【치법】疏肝理氣、和胃止痛

【상용약물】柴胡、靑皮、川楝子、吳茱萸、白芍藥、麥芽、半夏、竹茹

【처방】肝氣鬱結로 인한 경우에는 柴胡疏肝湯(『景岳全書』)、左金丸、寒邪로 인한 경우에는 吳茱萸湯(『傷寒論』)

3) 간화범폐증(肝火犯肺證 Liver fire invading the lung pattern SF5M, U78.3)

肝木은 소설、승발하고 肺金은 청숙하강(淸肅下降)하여 兩者는 상반 상성(相反相成)한다. 肺氣의 청숙과 하강작용은 肝木의 승발이 태과해지는 것을 방지하고 억제하여 지나치게 항성(亢盛)하지 않고 협조와 안정을 유지토록 한다. 그러나 만약 정서 억울이나 갑작스런 정신자극으로 인해 肝氣의 소설기능이 실조되어 울결이 극에 달해 火로 化하면 그 火가 氣를 따라 상역함으로써 肺金을 작삭(灼爍)시켜 선발숙강(宣發肅降)기능에 장애가 초래된다. 이 병증은 실증에 속한다.

【이명】木火刑金證

【증후개념】肝經의 火氣가 肺에 上逆하여 肺의 肅降기능이 상실된 證

【변증지표】

- 주증: 咳嗆氣逆、胸脇疼痛、胸脇不舒
- 차증: 性急易怒、痰少粘、痰帶血、目赤口苦、咽乾聲啞、頭暈頭痛、小便短赤、大便秘結
- 설맥: 舌質紅、苔黃乾、脈弦數或弦細數

【치법】淸肝瀉肺

【상용약물】桑白皮、地骨皮、紫菀、橘葉、金櫻子、山梔子、黃芩、靑黛、蛤粉、白茅根、藕節

【처방】瀉白散(『小兒藥證直訣』)、合黛蛤散(『醫說』)

4) 간신음허증(肝腎陰虛證 Liver-kidney yin deficiency pattern SF5H, U78.4)

肝은 '藏血'을 주관하고, 腎은 '藏精'을 주관하는데, 精과 血은 원천을 같이 하고 있으며, 血이 精에서 만들어진다. 그러므로 腎陰(腎精)이 부족하면 肝血의 허손을 유발하고, 肝陰(肝血)이 부족하면 이 역시 腎陰(腎精)의 휴손을 유발한다. 또한 두 장은 함께 상화(相火)를 주관하기 때문에 상화 역시 肝腎陰精의 잠육을 필요로 한다. 肝腎의 음액이 부족해 水가 木을 함양하지 못하면 血이 筋을 양육하지 못하고, 水가 木을 生하지 못하면 肝血이 휴손되어 肝陰이 부족해지므로 陰이 陽을 억제하지 못해 상화가 항성된다.

【이명】肝腎陰虧證、肝腎虧損證

【증후개념】肝陰不足과 腎陰虧損으로 이루어진 證

【변증지표】

- 주증: 腰膝酸軟、兩目乾澁、胸脇疼痛、五心煩熱

- 차증: 健忘失眠, 顴紅脣赤, 頭暈目眩, 耳鳴如蟬, 咽乾口燥, 盜汗, 遺精, 女子月經量減少
- 설맥: 舌紅絳少苔, 脈細數

【치법】滋養肝腎

【상용약물】生地黃, 白芍藥, 山茱萸, 枸杞子, 五味子, 女貞子, 旱蓮草, 天花粉, 玄蔘, 石斛, 菊花

【처방】杞菊地黃丸(『醫徧』)

5) 심간혈허증(心肝血虛證 Heart-liver blood deficiency pattern SF6G, U78.5)

肝과 心의 기능은 '藏血'과 '主血'이므로 혈허하면 心肝이 가장 큰 영향을 받으며, 혈허의 증상도 肝과 心에서 가장 잘 드러난다. 오랜 병으로 몸이 허약하여 陰血이 감소하거나, 사려과도로 陰血이 손상되거나 실혈과다나 영양공급의 부족으로 본 증이 발생한다. 본 증은 먼저 心血이 허하여 점차 心, 肝의 血이 허해지거나 또는 肝血이 허하여 점차 心, 肝의 血이 허해져서 발생하며, 두 가지 요인이 동시에 연계되어 발생하기도 한다.

【이명】心肝兩虛證

【증후개념】心血虛證과 肝血虛證의 兼證

【변증지표】

- 주증: 心悸怔忡, 健忘, 失眠, 多夢, 頭暈目昏, 四肢麻木
- 차증: 面色淡白, 驚惕不安, 筋脈拘急, 夜盲
- 설맥: 舌質淡, 脈細無力

【치법】補心血, 養肝血

【상용약물】當歸, 熟地黃, 白芍藥, 丹蔘, 酸棗仁, 柏子仁, 阿膠, 桂圓肉, 紫河車, 何首烏, 鷄血藤

【처방】四物湯(『和劑局方』), 補肝湯(『醫宗金鑒』), 神應養眞丹(『三因極一病證方論』)

6) 심담허겁증(心膽虛怯證 Pattern of the heart-gall bladder deficiency with timidity SF6H, U78.6)

膽은 중정지관(中正之官)으로서 결단을 주관한다. 心은 신명을 주관하는데, 心血이 충만하고 氣가 왕성해야 정서적으로 안정되고 정신활동도 정상적으로 이루어지며, 膽은 결단을 주관하므로 膽氣가 호탕해야 정지가 안정되고 생각이 순조롭게 잘 된다. 그러나 양기가 허약하여 膽氣가 허한(虛寒)해지거나 혹은 갑자기 충격을 받아 膽氣가 상하거나 혹은 心虛로 膽이 겁약해지거나 혹은 오래도록 병을 앓았거나 큰 병으로 고생한 경우, 肝氣가 허약해 膽氣가 허한해지면 평소에 작은 일에도 잘 놀라고 겁이 많아지며 두려워하게 된다.

【이명】心膽不寧證, 心膽氣虛證

【증후개념】心氣不足과 膽氣不足으로 정서적 문제를 동반한 證

【변증지표】

- 주증: 驚悸怔忡, 易恐懼 (때로 "如人將捕之"를 느낌), 夢寐不寧
- 차증: 自汗出, 氣短, 胸悶
- 설맥: 舌質淡, 苔薄白, 脈弦細

【치법】補益心膽, 寧神安魂

【상용약물】酸棗仁, 柏子仁, 朱砂, 遠志, 茯神, 五味子, 半夏, 陳皮, 枳實, 人蔘, 甘草

【처방】平補鎭心丹(『和劑局方』)合磁朱丸(『千金方』), 酸棗仁湯(『金匱要略』), 溫膽湯(『千金方』), 膽氣虛에 치우치면 十味溫膽湯(『世醫得效方』)

7) 심폐기허증(心肺氣虛證 Heart-lung qi deficiency pattern SF6K, U78.8)

肺는 氣를 주관하며 호흡을 조절하고, 心은 血을 주관하며 혈행을 추동한다. 心과 肺를 연결시켜 주는 것은 종기(宗氣)로서, 종기는 心脈을 관통하면서 호흡을 행하므로 心肺의 氣를 통합하고 호흡과 혈행을 적절히 조화시킨다. 대부분 오랜 喘咳로 肺氣가 손상되어 종기의 생성이 부족함으로 인해 심기허증이 초래되거나, 선천부족 혹은 고령으로 인한 臟氣 휴손, 혹은 과도한 사려로 인하여 心氣가 손상되어 부족하면 종기가 허약해져 肺에 영향을 미치므로 肺氣 역시 허해진다.

【이명】心肺氣虧證, 心肺兩虛證

【증후개념】久病咳喘으로 肺虛가 心까지 미치거나 心氣不足이 肺까지 미쳐 心肺兩臟의 기능이 衰竭하여 나타나는 證

【변증지표】

- 주증: 心悸氣短, 咳嗽, 動則氣喘
- 차증: 面色淡白無華, 神疲無力, 咳痰清稀, 心胸憋悶, 語聲低微, 自汗
- 설맥: 舌質淡, 苔薄白, 脈細弱

【치법】補益心肺

【상용약물】黨蔘, 人蔘, 太子蔘, 黃芪, 炙甘草, 白朮, 茯苓, 五味子 등

【처방】保元湯(『景岳全書』), 正元散(『博濟方』)

8) 심비양허증(心脾兩虛證 Dual deficiency of the heart-spleen pattern SF6J, U78.7)

정지의 손상은 심장과 관련되지 않는 것이 없다. 사려가 지나치면 먼저 心神이 손상되고, 心血도 소모되어 심혈허가 발생한다. 思는 五志 중 脾와 관계되며, 동시에 思는 心臟에서 動하고 脾에서 응하는 것으로, 생각이 많으면 氣가 응결되고 脾氣가 응결되면 운화에 지장이 초래되어 이로 인해 氣血의 화생이 부족해져서, 결국 脾虛로 인한 기혈부족증이 나타난다. 사려가 지나치면 脾의 운화에 장애가 생겨 脾가 기혈을 제대로 화생하지 못하면 심혈허를 일으킨다. 또한 실혈 등으로 心血이 손상당해 脾氣에 영향을 준 경우나 음식부절, 노권과다, 오랜 병으로 脾氣가 손상을 받으면 기혈을 생성하지 못해 心을 영양하지 못하게 되는 경우에도 발생한다. 心과 脾의 병변은 서로 원인과 결과가 되기 때문에 이런 환자들은 脾虛로 인해 식사량이 줄면서 변이 묽어지고, 心이 血의 영양을 받지 못하여 실면, 정신노권, 건망케 되며, 동시에 기혈부족으로 얼굴색이 누렇게 변하거나 기력이 없어진다.

【이명】心脾俱虛證, 心脾氣血兩虛證

【증후개념】氣血을 생성하고 전신으로 순환시키는 역할을 하는 心과 脾의 협조기능이 상실된 證

【변증지표】

- 주증: 心悸怔忡, 失眠健忘, 食少倦怠, 腹脹便溏
- 차증: 面色萎黃, 頭暈目花, 月經不調, 閉經, 崩漏, 皮下紫斑
- 설맥: 舌質淡嫩, 脈細無力

【치법】補益心脾, 益氣養血

【상용약물】當歸, 丹蔘, 白朮, 阿膠, 龍眼肉, 紫河車, 酸棗仁, 柏子仁, 黃芪, 人蔘, 白芍藥, 白扁豆, 炙甘草, 大棗

【처방】歸脾湯(『濟生方』), 人蔘養榮湯(『太平惠民和劑局方』)

9) 심신양허증(心腎陽虛證 Heart-kidney yang deficiency pattern SF6M, U78.9)

心과 腎은 少陰에 속하므로 心腎의 陽虛 역시 소음양허화쇠(少陰陽虛火衰)이다. 心陽은 腎陽에 근본을 두고 있기 때문에 腎陽이 쇠하면 心陽 역시 허해지고, 心陽이 허쇠하면 腎陽 역시 휴허해져 心腎의 陽이 모두 허해진다. 본 증은 대개 노권내상, 노년의 臟氣쇠약, 오랜 병으로 발생한다. 그리고 腎陽은 五臟 陽氣의 근본이므로 腎陽이 虛해지면 면색불화, 외한, 지랭 등의 전신 허한(虛寒) 증상이 나타나고, 종종 四臟의 양허를 일으키기도 한다. 특히 心陽이 부진하여 아래로 腎과 상제(相濟)하지 못하면 화기(化氣) 행수(行水)기능이 실조되어 水氣가 정체됨으로써 心을 침범하고, 水寒은 肺를 침범하며, 水氣가 범람하는 등의 병변이 발생한다.

【이명】心腎陽氣不足證

【증후개념】心腎의 陽氣 손상으로 溫煦, 行血, 氣化작용이 안되어 血行이 지체되고 水液이 정체되는 證

【변증지표】

- 주증: 形寒肢冷, 心悸氣短(動則尤甚), 尿少身腫(특히 下肢浮腫)
- 차증: 面色暗滯, 心胸憋悶(심하면 疼痛), 脣甲靑紫, 腰脊冷痛, 自汗, 神疲體倦
- 설맥: 舌暗淡 或 靑紫, 苔白滑, 脈沈微

【치법】溫補心腎, 溫陽散寒

【상용약물】人蔘, 黨蔘, 黃芪, 桂枝, 炙甘草, 附子, 肉桂, 乾薑, 茯苓, 白朮 등

【처방】眞武湯(『傷寒論』), 保元湯(『景岳全書』)

10) 심신불교증(心腎不交證 Disharmony between the heart-kidney pattern SF6L, U79.0)

心은 火를 주관하고 腎은 水를 주관하는데, 腎水는 상승하고 心火는 하행하여 心과 腎이 사귐으로써 심화가 단독으로 항성하지 않게 된다. 즉 정상적인 상황에서는 心火가 하부의 腎水를 온양하여 腎水가 차지 않게 하고, 腎水는 상부의 心火를 유양하여 心火가 항성하지 않게 하는데, 이것을 '수화호제(水火互濟)' 또는 '심신상교(心腎相交)'라 한다. 그러나 방노과도로 腎陰이 소모되면 心火를 적셔주지 못해 心火가 홀로 상염하므로 腎과의 관계가 끊어지고, 과도한 정신활동으로 心陽이 편성되면 하부의 腎水를 소작하여 腎水가 휴손되어 心火가 상부에서 치성하는 심신수화부제(心腎水火不濟)의 병변이 형성된다.

【이명】水火不濟證, 心腎不和證

【증후개념】腎水가 心火를 견제하지 못하거나 또는 心火가 腎水와 교통하지 못하여 水火의 상대 평형을 상실한 證

【변증지표】

- 주증: 心煩驚悸, 健忘少眠, 多夢遺精
- 차증: 眩暈耳鳴, 口乾咽燥, 潮熱盜汗, 五心煩熱, 腰膝酸軟, 尿黃便乾
- 설맥: 舌紅無苔, 或 苔薄少津, 脈細數

【치법】養陰血, 淸心安神, 滋陰瀉火

【상용약물】生地黃, 茯苓, 天門冬, 麥門冬, 五味子, 丹蔘, 玄蔘, 蓮子, 知母, 黃柏, 黃連, 肉桂

【처방】黃連阿膠湯(『傷寒論』), 天王補心丹(『攝生秘剖』), 交泰丸(『韓氏醫通』) 六味地黃丸(『小兒藥證直訣』)

11) 비신양허증(脾腎陽虛證 Spleen-kidney yang deficiency pattern SF7M, U79.4)

腎陽이 부족하여 脾陽을 온후하지 못하는 것을 '화불생토(火不生土)'라 하고, 脾陽이 오랫동안 허하여 腎陽에 영향을 줌으로써 휴손하게 되는 것을 '자허필도모기(子虛必盜母氣)(자식이 허하면 반드시 어미의 기를 훔친다)'라고 한다. 그리하여 腎陽이 허해지면 면색불화, 외한, 지랭 등 전신의 허한(虛寒) 증상이 나타나고, 종종 四臟의 양허를 일으

키기도 한다. 腎陽이 허해지면 이어 脾陽이 허해져서 비신양허(脾腎陽虛)가 일어나는데, 아주 심하면 土가 水를 제약하지 못하고 腎陽도 화기행수(化氣行水)하지 못하게 되어 양허수범(陽虛水泛)이 된다.

【이명】脾腎兩虛證 Dual deficiency of spleen and kidney pattern

【증후개념】脾陽虛와 腎陽虛의 兼證으로서 水液 대사가 不利한 證

【변증지표】

- 주증: 腰膝冷痛、少腹冷痛、大便溏泄、完穀不化、五更泄瀉
- 차증: 形寒肢冷、面色㿠白、少氣懶言、精神萎弱、小便不利、面浮肢腫、甚則腹滿臌脹
- 설맥: 舌淡苔白、脈沈細

【치법】溫補脾腎

【상용약물】乾薑、白朮、附子、肉桂、茯苓、肉豆蔻、破故紙、仙茅、仙靈脾、吳茱萸 등

【처방】實脾飮(『濟生方』)、四神丸(『內科摘要』)

12) 비위습열증(脾胃濕熱證 Dampness-heat in the spleen-stomach pattern U79.2)

대부분 장마철에 무덥고 비가 많아서 발생한 습열이 인체를 손상시키거나 여름철에 찬 음식을 먹고 마시며 비를 맞음으로써 습사가 안으로 들어가 화열(化熱)하여 생긴다. 혹은 평소에 기름진 음식과 술을 많이 먹고 마셔서 脾胃를 손상시키는 한편, 울결되어 熱이 발생하면 비위습열증이 조성된다. 때로는 먼저 습열병사가 외감되어 비위에 정류하고 비위의 운화기능에 영향을 미침으로 인해 습열이 내부에서 발생하여 내외의 사기가 결합함으로써 본 증이 조성되기도 한다. 본 증은 허실협잡(虛實挾雜)으로 실증 위주이다. 습열이 내부에 울결하면 쉽게 제거되지 않으므로 대부분 만성과정을 밟는다.

【이명】中焦濕熱證、濕熱蘊脾證、濕熱困脾證

【증후개념】濕熱이 中焦에 蘊結하여 脾胃의 升降과 運化 기능이 상실된 證

【변증지표】

- 주증: 脘腹痞悶懊憹、口苦、口粘、嘔惡(吐出飮食物味酸苦)、食少、便溏臭穢
- 차증: 肢體困重、小便短赤、面目肌膚發黃、皮膚搔痒、身熱起伏、汗出熱不解
- 설맥: 舌苔黃膩、脈滑數

【치법】淸利濕熱

【상용약물】黃連、黃芩、梔子、茵陳蒿、茯苓、猪苓、澤瀉、車前子、滑石、通草、薏苡仁

【처방】甘露消毒丹(『溫熱經緯』)、茵陳蒿湯(『傷寒論』)、茵陳五苓散(『金匱要略』)

13) 식상비위증(食傷脾胃證 Pattern of food damage to the spleen-stomach U79.3)

본 증의 원인은 대부분 폭음폭식이나 과식으로 인해 비위의 수납 및 운화 능력의 한계를 벗어나는데 있다. 그 병기를 살펴보면, 첫째, 음식이 기기를 막음으로써 승강작용에 이상이 발생하는 경우고, 둘째, 음식이 정체하여 소화되지 못하면 濕이 생기고 熱이 뭉치게 된다. 마지막으로 음식이 정체되면 허해져서 비위가 손상되게 된다. 만약 脾가 병들면 수곡정미를 운화시키지 못하여 정미와 조박이 모두 위장에 머무르게 되고 중초의 기기승강작용에 이상이 발생해 上下가 불통되며 음식물이 쌓여서 중초에 습열이 고이게 된다. 또한 비위가 허한 상태에서 음식물의 적체가 오랫동안 지속되면 적체된 실사(實邪)와 함께 허증이 발생하게 된다.

【이명】食滯胃腸證、食滯胃脘證、食滯中脘證

【증후개념】飮食으로 脾胃를 손상하여 脾胃의 運化와 升降작용이 상실된 證
【변증지표】
- 주증: 脘腹脹痛, 拒按, 嘔吐酸腐食臭, 大便糟粕不化, 大便溏泄
- 차증: 食慾不振, 噯氣, 惡心, 胃脘嘈雜脹痛
- 설맥: 舌苔厚膩, 脈滑

【치법】消食導滯
【상용약물】神麯, 山楂, 麥芽, 穀芽, 蘿蔔子, 鷄內金, 陳皮, 半夏, 砂仁, 枳殼
【처방】保和丸(『丹溪心法』), 大和中飮(『新方八陣』)

14) 폐비양허증(肺脾兩虛證 Dual deficiency of the lung-spleen pattern SF7L, U79.5)

肺와 脾는 氣를 생산하는 주요 장기이므로 만약 肺와 脾가 허해지면 기허가 발생한다. 脾와 肺는 土와 金으로서 母子 관계이다. 그러므로 脾虛는 肺氣虛를, 肺虛는 脾氣虛를 유발하여 비폐양허(脾肺兩虛)를 일으킨다. 대부분 폐기허손(肺氣虛損)으로 인해 氣가 진액을 퍼뜨리지 못하고 脾에 영향을 미쳐 비기허약(脾氣虛弱)을 초래하거나, 혹은 음식부절, 노권상비로 脾가 허해져 운화가 실조되면 정미를 肺에 보내지 못하며 肺가 영양을 받지 못하므로 肺氣 또한 허해진다. 이 둘의 상호영향이 폐비양허의 복합증후를 형성한다. 임상적으로 납소변당(納少便溏)이 오래되면 그 환자는 반드시 호흡이 짧아지고 목소리가 낮아진다. 少氣하여 호흡을 제대로 하지 못하는 경우가 심해지면 식사량도 줄고 식사 후에는 복창이 생긴다.

【이명】脾肺氣虛證
【증후개념】脾의 運化가 안되어 痰濕이 中焦에 생기고 肺의 肅降작용이 안되어 分布되지 못하는 證
【변증지표】
- 주증: 咳嗽氣短, 痰多淸白, 腹脹便溏
- 차증: 面色無華, 神疲懶言, 飮食減少, 身形消瘦
- 설맥: 舌淡苔薄白, 脈細弱

【치법】補脾益肺, 補氣健脾益肺
【상용약물】人蔘, 黃芪, 黨蔘, 太子蔘, 山藥, 茯苓, 白朮, 扁豆, 蓮子, 陳皮, 半夏, 沙蔘, 川貝母
【처방】六君子湯(『醫學正傳』)

15) 폐신음허증(肺腎陰虛證 Lung-kidney yin deficiency pattern SF82, U79.6)

腎은 水를 주관하는 장기이고, 肺는 水의 상원(上源)으로 水源이 충분해야만 腎陰이 끊임없이 자양을 받고, 腎陰이 충족하여 위로 肺를 도와야 肺陰 역시 충분해진다. 본 증은 外邪가 들어와 熱로 변해 陰을 손상시키거나, 혹은 內傷해수 천식과 오랜 해수가 그치지 않아 陰이 끊임없이 손상되는 경우처럼 대부분 먼저 폐음부족(肺陰不足)으로 인해 점차 腎으로 파급되어 肺, 腎의 陰이 부족해지거나, 혹은 방사과도로 인해 腎陰이 먼저 손상되고 腎에서 肺로 파급되어 폐신음허를 초래하였거나 혹은 외감과 내상이 동시에 肺, 腎의 陰을 손상시켜 발생하기도 하는데, 본 증은 肺의 청숙기능(淸肅機能) 실조와 腎의 선신사앙 실조로 인해 조열, 도한, 권홍, 긴해, 유정 등의 증상이 나타난다.

【이명】肺腎陰虧證
【증후개념】肺陰虛와 腎陰虛의 겸증으로 滋潤기능이 상실된 證
【변증지표】

- 주증: 咳嗽氣促、痰中帶血、咯血、腰膝酸軟、骨蒸潮熱
- 차증: 咳痰不爽、口乾咽燥、聲音嘶啞、形體消瘦、顴紅、五心煩熱、盜汗、男子遺精、女子月經量少、經閉
- 설맥: 舌紅少苔、脈細數

【치법】滋養肺腎

【상용약물】人蔘、麥門冬、五味子、天門冬、沙蔘、生地黃、百合、川貝母、龜板、鼈甲、地骨皮、白薇

【처방】百合固金湯(『醫方集解』)、六味地黃丸、八仙長壽丸(이상 『壽世保元』)、瓊玉膏(『洪氏集驗方』)

제 5절 기항지부변증(奇恒之腑辨證)

1. 뇌와 골수병변증(骨髓病辨證)

뇌는 사람의 정신、의지 및 사유활동을 주관하며, 눈 귀 코 혀의 감각을 인식 처리하고, 언어와 지체 활동을 지배한다. 그러므로 뇌의 병변은 이러한 생리공능의 장애와 실조로 나타난다. 그러나 한의학에서는 전통적으로 腎을 뇌와 가장 밀접한 기관으로 간주해왔다.

뇌는 '수지해(髓之海)'로 髓가 모여서 이루어진 것이며, 또 髓는 腎精이 변화하여 생성된 것이므로 腎精이 휴허하여 精이 髓를 생성하지 못하면 髓海가 부족해진다. 『영추 해론(海論)』에 "수해가 부족하면 뇌전(腦轉)、이명、경산(脛酸)、현훈、목무소견(目無所見)、해태(懈怠)、기와(嗜臥)한다[10]"고 하였는데, 이는 수해인 뇌가 부족해지면 두훈、이명、목현、물건이 맑게 보이지 않고、정신이 부진해지며、전신이 나른해지는 등의 증상이 나타나고, 腦虛는 腎이 휴손되어 발생하기 때문에 퇴산(腿痠) 등의 신허증상을 일으킨다고 설명하는 것이다. 이 외에도 소아의 선천부족으로 腎精이 허한 경우에는 뇌발육이나 지능의 발달이 느려진다. 나이가 많아 腎精이 쇠한 경우에는 뇌의 기능이 확실히 감퇴되어 반응이 느려지고、기억력이 감퇴되며、귀와 눈이 어두워지고、신체의 활동이 불편해지는 등의 증상이 나타난다.

또한 뇌는 인체에서 가장 높은 부위에 위치하고 있으며, 脾의 승청작용에 영향을 받는다. 수곡의 정기를 뇌로 보내면 뇌가 자양되어 비로소 뇌는 정상적인 생리작용을 발휘한다. 만약 脾가 허해져 淸陽을 상승시키지 못하면 氣가 인체의 상부에 제대로 분포되지 않아 뇌를 자양하지 못한다. 『영추 구문(口問)』에 "上氣가 부족하면 뇌가 충만하지 못하고, 귀에는 이명이 생기며, 머리는 비뚤어지고, 눈은 어지럽게 된다[11]"고 하였는데, 이는 脾虛하면 청양이 상승되지 못해 상부의 氣가 허해지고 뇌에는 수곡의 정기가 모자라 이명、목현、두훈、정신위미 등의 증상이 나타나는 것을 설명하는 것이다.

뇌의 생리활동은 氣、血、津液의 充養에 전적으로 의존하고 있으므로 그 병기 또한 腎、脾와 관련되는 외에도 오장의 기능장애가 모두 뇌의 기능에 영향을 미쳐 이와 상응한 병리변화가 나타난다.

髓는 뼈속에 있으며, 골수、뇌수 및 척수를 포함한다. 髓의 중요한 생리기능은 두가지인데, 하나는 골격에 영양을 제공하여 골격의 생장발육과 재생을 촉진하는 것이며, 다른 하나는 뇌수를 충양시켜 뇌기능을 정상적으로 유지시킨

10) 髓海不足, 則腦轉耳鳴, 脛酸眩冒, 目無所見, 懈怠安臥 (靈樞·海論)
11) 上氣不足, 腦爲之不滿, 耳爲之苦鳴, 頭爲之苦傾, 目爲之眩 (靈樞·口問)

다. 뼈는 인체의 받침대 역할을 하는데, 그 성질이 단단하고 강해 내장을 보호하고 운동을 가능케 한다. 뼈는 내부에 髓를 저장하고 있으며, 뼈의 생성、생장、발육、재생 등은 모두 髓의 자양을 받아서 가능해진다. 髓가 만들어지는 근본인 精에는 先天과 後天의 구분이 있으므로 髓의 충영(充盈)은 腎과 脾에 의존하고 있다.

髓와 뼈의 병변은 선천 품부의 부족으로 인한 腎精虧虛나 후천적으로 음식의 양분을 제대로 흡수하지 못하여 발생하는 수곡정기의 부족、邪熱이 오래 머물러 발생하는 陰精의 소삭(消爍)、혹 방노과도로 인한 陰精의 소모、하초허한(下焦虛寒)으로 인한 精血의 부족 등으로 인해 발생한다.

뼈가 자양을 받지 못하면 생장발육이 불량해지고 연약무력해져서 기형을 형성한다. 오래 서 있지 못하거나、골산통(骨痠痛)이 발생하고、뼈가 물러 쉽게 부러지며 손상후 회복이 느려진다.

腦·骨·髓의 증후는 腎精의 휴손이 가장 먼저 두드러지게 나타난다. 즉 腎精이 휴손되면 골수와 뇌수를 자양시키지 못하여 생장발육기능의 저하와 함께 신지불청(神志不清)의 증상이 나타난다. 이러한 병증들은 腎의 병기와 증후의 신정부족증(腎精不足證)에서 설명하였고, 또한 기혈증후 중 청양불승증(淸陽不升證)에서 기술하였다.

2. 맥병변증(脈病辨證)

맥은 '혈지부(血之府)'로、전신의 혈이 운행하는 통로이다. 정상적인 상태에서 맥은 통창되어 기혈의 흐름을 유지해야 한다. 동시에 영혈(營血)을 조절하여 맥내로 행하게 하고 맥외로 넘쳐나지 않게 한다. 맥의 주요 병변은 기혈이 흐르지 못하는 것과 영혈이 외부로 넘쳐나는 것이다.

寒은 맥중의 기혈운행을 불창케 하는 주요 원인으로, 외감한사나 양허내한은 모두 맥중 혈의 운행을 저애할 수 있다. 『소문 거통론(擧痛論)』에서 "寒氣가 맥외에 머무르면 脈이 차가워지고, 脈이 차가워지면 오므라들게 되어" 맥관의 수축으로 인해 "脈外에 머무르면 血이 줄어든다"고 하였으며, 또 "寒氣가 經에 침입하여 머무르면 울체되어 행하지 않아" 血이 응삽되어 행하지 않기 때문에 "脈中에 머무르면 氣가 불통한다"고 하여, 맥중 기혈운행이 불통되는 것을 설명하였다. 이외에 담탁으로 기기가 불창해지거나、肝이 소설하지 못해 기기가 불리해지거나、혹은 津液이 말라 脈道가 매끄럽지 못하고 혈삽하여 잘 운행하지 못하면 혈어기체(血瘀氣滯)를 일으키기 쉽다. 반대로 기체나 혈어가 발생하면 脈道內의 운행에 영향을 미친다. 脈道內의 운행이 잘 이루어지지 않으면 脈道가 순행하는 부위의 장부、형체、구규에 기체 혈어가 발생하거나 이들이 기혈의 자양을 받지 못하여 동통、민창、麻木、청자 또는 창백과 상응하는 생리공능의 장애가 나타나고, 심하면 위축(萎縮)이나 괴사가 발생한다.

營氣를 조절하여 맥외로 넘쳐나지 않게 하는 맥의 기능은 주로 脾氣의 통섭작용에 의존한다. 만약 脾氣가 허해져 혈액을 통섭하지 못하면 각종 출혈증상이 나타나는데, 이를 '비불통혈(脾不統血)' 혹은 '기불섭혈(氣不攝血)'이라고 한다. 이외에 熱은 혈관을 확장하여 혈의 운행을 빠르게 하고, 심하면 熱이 낙맥을 작상시켜 출혈을 일으키는데, 이를 '열박혈망행(熱迫血妄行)'이라 한다.

맥병 증후는 혈액의 운행장애로 어혈이 발생되는 경우와 출혈되는 경우로 분류되는데, 어혈이 발생되는 증후는 기혈증후 중 어혈증에서 설명하였고, 출혈되는 증후는 비의 병기와 증후 중 비불통혈증과 기혈증후 중 혈열증에서 기술하였다.

3. 포궁병변증(胞宮病辨證)

'포궁'은 자궁을 포함하는 여성의 생식기관과 그 공능을 의미한다. 주요 생리공능은 월경、임신 및 태아의 발육이다. 사기의 침범이나, 정지의 손상이나, 장부의 병변이나, 경락의 실조는 포궁의 기혈음양 실조와 생리기능의 실상을 일으켜서 주로 월경, 임신 및 출산의 이상을 일으킨다. 주로 나타나는 증은 다음과 같다.

1) 포궁혈열증(胞宮血熱證 Uterine blood heat pattern SF99)

【이명】胞宮積熱證

【증후개념】'血熱'의 한 가지 유형으로, 외감 熱邪가 혈중에 들어가 혈행이 빨라지고 정상 범위를 벗어나 나타나는 출혈이나 어혈 등의 병리상태를 가리킨다. 이외에도 정지가 울결되어 五志가 지나치면 火로 변해 혈열에 이른다. '血分熱'이라고도 한다.

【변증지표】陰道突然大量下血、或淋漓日久、血色深紅或紅、質黏稠、口乾喜飮、頭暈面赤、煩躁易怒、便秘尿黃、舌質紅、舌苔黃、脈弦數

【치법】淸熱凉血止血

【상용 약물】炙龜板(研粗末先煎)、牡蠣粉(包煎)、淸阿膠(陳酒炖冲)、大生地、地骨皮、焦山梔、生黃芩、地楡片、陳棕炭、生藕節生甘草

【처방】淸熱固經湯加炒蒲黃、血餘炭、益母草

2) 포궁습열증(胞宮濕熱證 Uterine dampness-heat pattern SF9B)

【증후개념】下焦濕熱의 한 가지 유형이다. 대개 濕熱邪毒이 포궁에 침범하여 氣血이 瘀滯되어 발생한다.

【변증지표】低熱起伏、少腹墜脹疼痛、腰酸納差、帶下色黃、質稠臭穢、小便短黃、舌質紅、苔黃膩、脈滑數或濡數

【치법】淸熱化濕

【처방】二妙散合龍膽瀉肝湯加減

3) 한응포궁증(寒凝胞宮證 Cold congealing in the uterus pattern SF9C)

【증후개념】본 증은 월경중이나 산후에 血室이 열려있을 때에 寒邪가 침습하였거나, 혹은 內傷 生冷하여 陰寒이 안에서 생기면 血이 응결되어 胞宮에 저체되어 발생한 것이다. 대부분 유인(誘因)이 뚜렷하고, 발병이 급작스러우며, 寒、瘀、不通을 주요 병리변화로 하는 實證에 속한다.

月經後期、月經過少、閉經、痛經、産後腹痛、産後惡露不下、癥瘕、不姙症 등 병증에서 많이 나타난다.

【변증지표】月經週期延後、經量減少、經色紫黯有塊、經行澁滯不爽、或經來驟止、繼而閉經、或經行小腹絞痛、得熱痛緩、肢冷畏寒、面靑唇黯;或見産時胞衣不下、産後小腹冷痛、惡露當下不下、或雖下甚少、小腹內結塊、疼痛拒按；或癥瘕出血、或宮寒不姙、舌質淡、苔薄白而潤、脈沈緊或沈遲

【치법】溫經散寒、活血化瘀

【처방】溫經湯加減

4) 포궁허한증(胞宮虛寒證 Uterine deficiency cold pattern SF9D)

【증후개념】宮寒(子宮寒冷)의 한 가지 유형이다. 조산 유산 등으로 말미암아 脾腎陽虛가 일어남으로써 水濕이 정상적으로 운화되지 못하면 차가운 기운이 체내 경맥 장부에 머무르게 되는데, 이 寒을 '虛寒'이라고 한다.

【변증지표】月經量少、閉經、經期浮腫、經期腹瀉、痛經、惡露淋漓不盡、産後腹痛、小腹冷痛、得熱痛減、怕冷、手足發凉、腰酸腰凉、性欲淡漠、大便稀溏, 面色蒼白、口淡無味, 神疲乏力、胃口不開、舌質黯淡苔白、脈沈濡

【치법】温補脾腎

【처방】艾附暖宮丸、金匱腎氣丸

5) 어체포궁증(瘀滯胞宮證 Pattern of blood stasis in the uterus)

【증후개념】外邪를 받거나、外傷을 당하거나、經期나 產後에 餘血이 未净하거나、성생활이 절제되지 않으면 瘀血이 衝任胞宮에 정체되어 나타나는 病證으로, 不姙症에 많다.

【변증지표】婚久不姙、月經多推後或週期正常、經來腹痛、甚或呈進行性加劇、經量多少不一、經色紫黯、有血塊、塊下痛減、有時經行不暢、淋瀝難净、或經間出血、或肛門墜脹不適、性交痛、舌質紫黯或舌邊有瘀點、苔薄白、脈弦或弦細澁

【치법】逐瘀蕩胞、調經助孕

【처방】少腹逐瘀湯

6) 담습조포증(痰濕阻胞證 Phlegm dampness obstructing the uterus pattern SF9A, U77.6)

뚱뚱하거나 평소에 기름진 음식을 많이 먹으면 담습이 생겨 포락(胞絡)을 막는다. 이어 충임맥(衝任脈)의 기기가 불창하고 혈행이 불통하면 월경부조나 심하면 폐경、불임 등의 증상이 나타난다.

【이명】痰凝胞宮證

【증후개념】비만하거나 가름진 음식을 많이 섭취하여 생긴 濕痰이 衝任脈으로 가서 胞宮기능을 옹체시킨 證

【변증지표】月經不調(經量或多或少、經期或早或遲)、色淡、帶下量多、色白質粘稠、氣腥臭、胸悶泛惡、納呆、身體困重、倦怠嗜臥、便溏尿濁、舌淡苔白膩、脈滑 或濡細 或弦滑

【치법】健脾燥濕、化痰調經

【처방】蒼附導痰丸(『萬氏女科』)、二陳湯(『和劑局方』)

제 6절 기타 변증방법

1. 병인변증(病因辨證, Disease cause pattern identification)

병인변증은 환자의 증상과 징후에 근거해서 질병의 원인과 성질을 판단하는 것으로 '심증구인(審證求因)'이라고 한다. 한의학에서 말하는 병인은 육음외감(六淫外感)、칠정내상(七情內傷)、음식노권、외상 등 질병의 원발성 병인을 가리킬 뿐만 아니라, 더 중요한 것은 변증을 통해 확정된 병인이다. 증후에 대한 분석을 통해 내린 질병의 병리 본질에 대한 결론이다.

조증(燥證)을 예로 들면, 주로 기후가 건조하여 조사(燥邪)가 밖에서 침습하면 인체의 진액을 모상하여 나타나는 건조증후를 가리키는데, 이를 '外燥'라고 하며, 가을에 주로 나타난다. 그러나 혈허나 음진휴손(陰津虧損) 등의 병리 변화로 인체를 유윤(濡潤)하지 못해서 나타나는 건조증후를 '內燥'라고 한다. 또 외감 습사(濕邪)는 대개 비가 많이 내리거나 거처가 습하거나 안개가 자욱해서 발생하는데, 두중여과(頭重如裹)、흉민완비(胸悶脘痞)、구니불갈(口膩不渴)、지체곤중산통(肢體困重酸痛)、곤권사수(困倦思睡)、오심구토(惡心嘔吐)、변당(便溏)、태니(苔膩) 등이 주로 나타난다. 그러나 임상에서 외감 습사가 없음에도 불구하고 앞에서 말한 증후가 나타나면 습증(濕證)으로 변증할 수 있으며, 습증으로 인해 脾가 건운(健運)하지 못하여 水液이 정상적으로 수포되지 못하면 습탁(濕濁)으로 변하여 된 것이므로 이를 '내습(內濕)'이라고 한다.

정확하게 병인변증을 진행하기 위해서는 각종 병인으로 인해 형성된 증후의 임상적인 특징을 반드시 파악하고 있어야 한다. 그래야만 다양한 증상과 징후에 근거하여 종합 분석을 진행할 수 있고, 정확하게 질병의 병인과 성질을 판단할 수 있다.

2. 육경변증(六經辨證, Six-Meridian pattern identification)

육경변증은『상한론』에서 처음 소개되었으며, 외감병의 발생 발전과정에서 나타난 증후를 분류 귀납하는 방법이다. 이는 외감병의 진행과정에 나타난 각종 증후를 인체 항병능력의 강약, 病邪의 성쇠 및 병세의 진퇴 완급 등을 살펴 팔강과 결합하고 경락、장부、기혈과 연계시켜 태양병、양명병、소양병、태음병、소음병、궐음병(太陽病、陽明病、少陽病、太陰病、少陰病、厥陰病)으로 분류 귀납 개괄하여 병변 부위、성질、정사성쇠(正邪盛衰)、병세추향(病勢趨向)과 육경병증 사이의 전변관계를 설명한다.

육경변증을 병변 부위로 나누자면, 태양병은 表를、소양병은 반표반리(半表半裏)를、양명병과 삼음병은 모두 裏를 주관한다. 장부경락의 병리변화로 나누자면, 삼양병증은 육부의 병변을 기초로 하고, 삼음병증은 오장의 병변에 기초하는데, 실제적으로 육경변증은 장부 十二經의 병변을 개괄하고 있다. 병변의 성질과 정사관계로 나누자면, 정성사실(正盛邪實)하고、항병력이 강하며、병세가 흥분되어 있고、熱과 實로 표현되면 대개 삼양병증에 속해서 치료는 당연히 거사(祛邪)를 위주로 해야 하며, 병세가 쇠하고 寒과 虛로 표현되면 삼음병증에 속해서 치료는 당연히 부정(扶正)을 위주로 해야 한다.

육경병증은 서로 엄격한 구분이 있지만, 동시에 서로 일정한 연계를 가지고 있다. 두 경이나 세 경의 병증이 동시에 나타나면 '합병(合病)'이라 하고, 한 경의 병증이 아직 끝나지 않았는데 다른 경의 증후가 나타나면, 즉 선후의 순서가 있는 경우를 '병병(并病) (overlap of diseases)'이라 하며, 증이 한 경에서 전변되어 다른 경으로 가는 경우를 '전경(傳經) (transmission)'이라 하고, 발병인자가 陽經을 따라 들어가지 않고 직접 삼음증후(三陰證候)가 나타나는 경우를 '직중(直中) (direct strike)'이라고 한다.

1) 태양병증(太陽病證 SG60): 風寒이 인체의 肌表를 침범하면 正邪가 항쟁하여 영위의 조화를 상실케 하여 나타나는 증후이다. 상한병의 초기 단계이며, 오한、두항강통、맥부를 임상 특징으로 한다. 태양병증은 환자가 받은 발병인자와 체질의 차이에 따라 태양중풍증(太陽中風證)과 태양상풍증(太陽傷寒證)으로 나눈다.
2) 양명병증(陽明病證 SG61): 상한병의 발전과정 중에 陽熱이 항성하여 위장조열(胃腸燥熱)로 나타난 증후이다. 그 성질은 이열실증(裏實熱證)에 속하는데, 邪正투쟁이 극에 달한 단계이다. 신열、불오한、반오열、한자출、맥대를 그 임상 특징으로 한다.
3) 소양병증(少陽病證 SG62): 발병인자가 소양담부(少陽膽腑)를 침범하여 추기(樞機)가 운행되지 못하고 經氣가 불리해서 나타난 증후이다. 반표반리증(半表半裏證)이라고도 한다. 구고、인건、목현、한열왕래、흉협고만、묵묵불욕음식、심번희구、맥현을 그 임상 특징으로 한다.
4) 태음병증(太陰病證 SG63): 여러 가지 원인으로 인해 脾陽이 허쇠해지고 한습이 안에서 생겨 나타난 증후이다. 그 성질은 이허한증(裏虛寒證)에 속한다. 복만이토、식불하、자리、구불갈、시복자통、사지불온、맥침완이약을 그 임상 특징으로 한다.

5) 소음병증(少陰病證 SG64): 상한 육경병변 발전과정의 후기로, 전신성 음양쇠비(陰陽衰憊)로 나타나는 이허한증후(裏虛寒證候)이다. 병변 부위는 주로 心腎에 있다. 맥미세,단욕매를 그 임상 특징으로 한다.
6) 궐음병증(厥陰病證 SG65): 육경병증의 최후 단계로, 병변은 음양대치(陰陽對峙),한열착잡(寒熱錯雜),궐열승복(厥熱勝復)의 증후로 나타난다. 병변 부위는 간,담과 위이다. 소갈,기상당심,심중동열,기이불욕식,식즉토회의 상열하한을 그 임상 특징으로 한다.

3. 위기영혈변증(衛氣營血辨證, Defense-Qi-Nutrient-Blood pattern identification)

위기영혈변증은 외감 온열병을 위한 변증방법이다. 외감 온열병의 과정에 나타나는 증상과 징후에 대해 분석하여 위,기,영,혈(衛,氣,營,血)의 네 단계 증후유형으로 귀납 개괄하여 병위의 심천,병정의 경중 및 각 단계의 병리변화와 그 전변원리를 설명한다. 온열병은 溫熱의 발병인자를 받아 일으킨 급성 열병의 총칭으로, 그 특징은 발병이 급속하고 병정이 자주 바뀐다. 병정이 진행하는 일반적인 원리는 처음에 衛分에서 시작하여 점차 氣分,營分,血分으로 들어간다.

1) 위분증(衛分證, Defense aspect pattern, BlockL3-SG8): 溫熱의 발병인자가 기표(肌表)를 침범하여 衛氣의 기능이 실조되어 나타나는 증후를 가리키며, 일반적으로 온열병의 초기에 나타난다. 발열,미오풍한,구미갈,맥부삭을 그 임상 특징으로 한다. 폐는 피모를 주관하고 衛氣는 폐로 통하므로 위분증은 대개 폐위실선(肺衛失宣)의 해수나 인후종통 등 증상이 나타난다.

2) 기분증(氣分證, Qi aspect pattern, BlockL3-SG9): 온열의 발병인자가 장부를 침입하고 營血 단계에는 아직 들어가지 않은 것이다. 발병인자는 대부분 衛分을 거쳐 들어가지만, 직접 氣分으로 들어가기도 하는데, 정성사실(正盛邪實)의 이실열증(裏實熱證)으로 나타난다. 발열,불오한,구갈,설태황을 주요 특징으로 한다. 熱邪가 침입하는 장부에 따라 증후의 유형도 달라진다. 해천,흉통,담황점조를 겸하면 열옹우폐(熱壅于肺)이며, 심번,불면은 열요흉격(熱擾胸膈)이고, 대열,대갈,대한출,면적,설태황조,맥홍대를 특징으로 하면 열이 胃에 들어간 것이다. 일포조열,대변조결복통거안,설태황조,맥침실유력은 열결장도(熱結腸道)에 속하는 등이다.

3) 영분증(營分證, Nutrient aspect pattern, BlockL3-SH0): 온열의 발병인자가 내함한 심중한 단계이다. 溫邪가 營으로 들어가는 경로는 첫째, 衛分을 거쳐 영으로,둘째, 氣分을 거쳐 영으로,셋째, 발병인자가 직접 영으로 들어가는 것이다. 營은 血中의 氣로서 안으로는 심에 통하기 때문에 영분증은 營陰이 손상 받아 심신이 요란해지는 병변이다. 발열야간가중,심번불매,신혼섬어,설질홍강을 주요 특징으로 한다.

4) 혈분증(血分證, Blood aspect pattern, BlockL3-SH1): 온열병의 과정에서 가장 심중한 단계이다. 온열이 혈분에까지 들어 오는 것은 대부분 영분에서 낫지 않아 이른 것이며, 때로는 氣分의 고열이 직접 혈분으로 들어오는 '기혈양번(氣血兩燔)'도 있다. 심은 혈을 주관하고 간은 혈을 저장하기 때문에 열이 혈분에 들어오면 반드시 심간에 영향을 미치고 또 쉽게 신에도 이른다. 모혈,동혈,상음,동풍(耗血,動血,傷陰,動風)의 증후를 그 주요 특징으로 한다. 출혈,혈색선홍혹심홍,발열야심,설질홍강,맥세삭은 혈열망행(血熱妄行)이며, 발열,두통,현훈,추축,각궁반장,설질홍강,맥현삭은 간열동풍(肝熱動風)이다.

4. 삼초변증(三焦辨證, Triple Energizer pattern identification)

삼초변증은 『온병조변(溫病條辨)』에서 언급한 상중하 삼초의 개념을 이용하였으며, 위기영혈변증의 기초위에 온열병의 전변원리를 결합하여 만들어낸 변증방법이다. 이는 삼초를 온병의 변증강령으로 삼고, 위기영혈을 바탕으로 하여 삼초에 소속된 장부가 온열병의 과정에 일으키는 병리변화를 밝히고 아울러 증후 유형을 개괄하여 병정의 경중, 병변부위와 질병의 전변관계를 설명한다.

삼초에 소속된 장부의 병기변화와 증후 표현은 온병의 발전 단계를 보여준다. 삼초로 온열병의 전변을 말하자면, 병은 상초에서 시작하여 중초로 전해지고 마지막에 하초에 이른다. 상초는 주로 온열병의 초기에 나타나면서 肺와 心包의 증후를 포함하고, 중초는 대개 온열병의 극기(極期)에 나타나면서 脾와 胃의 증후를 포함하고, 하초는 대개 온열병의 후기에 나타나면서 肝과 腎의 증후를 포함한다.

삼초에 소속된 장부의 증후 전변은 상초 수태음폐(手太陰肺)에서 시작하는데, 폐경의 증후가 풀리지 않는 경우, 그 전변의 추세는 두 가지이다. 하나는, 폐에서 심포로 전입하는 것으로 '역전(逆傳, reverse transmission)'이라고 하며, 또 하나는 폐에서 중초로 전입하는 것으로 '순전(順傳, normal transmission)'이라 한다. 중초병이 낫지 않으면 하초 肝腎으로 들어간다. 이는 온병 삼초증후 전변의 일반적인 원리이다. 그러나 반드시 주의해야 할 사항은 삼초증후의 전변은 고정불변된 것이 아니며, 그가 받은 발병인자 성질의 경중, 신체의 강약, 치료의 적합성 여부 등 인자에 따라 영향을 받으며, 전변의 여부와 그 방향을 결정한다.

1) 상초병증(上焦病證 SG70): 온열의 발병인자가 수태음폐경과 수궐음심포경을 침습하여 나타난 증후이다. 발열, 오풍한, 한출, 해수, 구갈, 두통, 설변첨홍, 맥부삭하거나, 혹은 단열불한, 해수, 기천, 태황, 맥삭하거나, 심하면 고열, 신혼섬어, 설질홍강 등을 그 임상 특징으로 한다.

2) 중초병증(中焦病證 SG71): 온열의 발병인자가 중초 비위를 침습하여 발병인자가 燥나 濕으로 변하여 나타난 증후이다. 신열면적(身熱面赤), 호흡기조(呼吸氣粗), 복만변비(腹滿便秘), 신혼섬어(神昏譫語), 태황조(苔黃燥), 맥침실유력(脈沉實有力)하거나, 혹은 신열불양(身熱不揚), 두신중통(頭身重痛), 흉완비민(胸脘痞悶), 설태황니(舌苔黃膩), 맥유삭(脈濡數)을 그 임상 특징으로 한다.

3) 하초병증(下焦病證 SG72): 온열의 발병인자가 하초를 침범하여 肝腎의 陰을 손상시킨 증후이다. 조열관홍(潮熱顴紅), 오심번열(五心煩熱), 구조인건(口燥咽乾), 신권이롱(神倦耳聾), 수족연동(手足蠕動), 신권(身倦), 맥허(脈虛), 설강태소(舌絳苔少)를 그 임상 특징으로 한다.

참고문헌

1. 『傷寒論·辨少陰病脈證幷治』 張仲景
2. 『素問·上古天眞論』
3. 『素問·靈蘭秘典論』
4. 『素問·六節藏象論』
5. 『素問·陰陽應象大論』
6. 『素問·調經論』
7. 『靈樞·口問』
8. 『靈樞·邪氣藏府病形』
9. 『靈樞·海論』
10. 『臨症指南醫案·肝風』 葉桂
11. Robert A Wallace 등, 이광웅 등 공역, 생물학-생명의 과학, 1993, 을유문화사
12. 전국한의과대학 병리학교실, 한방병리학, 2002, 일중사
13. 柯雪帆 主編, 中醫辨證學, 1989, 上海中醫學院出版社
14. 高思華 等, 中醫基礎理論, 2012, 人民衛生出版社
15. 冷方南 主編, 中醫證候辨治軌範(1판), 1989, 人民衛生出版社
16. 陳家旭 等, 中醫診斷學, 2012, 人民衛生出版社
17. 樊巧玲 主编, 中醫學概論, 2010, 中國中醫藥出版社
18. 成戰鷹, 診斷學基礎, 2012, 人民衛生出版社
19. 程紹恩·夏洪生 主編, 中醫證候診斷治療學, 1994, 北京科學技術出版社
20. 趙恩儉 主編, 中醫證候診斷治療學, 1983, 天津科學技術出版社
21. 中國中醫研究院 主編, 中醫證候鑑別診斷學, 1987, 人民衛生出版社
22. 何建成 等, 中醫學基礎, 2012, 人民衛生出版社
23. World Health Organization, ICD-11 for Mortality and Morbidity Statistics, 26 Supplementary Chapter Traditional Medicine Conditions - Module I, http://id.who.int/icd/entity

제 13 장 양생

Health Cultivation

양생(養生)은『장자 내편(莊子 內篇)』에 처음 등장하고, 섭생(攝生)、도생(道生)、보생(保生)이라고도 하는데, 생명을 보양(保養)한다는 뜻이다. 사람의 수명에는 한계가 있고, 생장장노이(生長壯老已)에 따른 노화의 과정을 거친다. 그러나 각종 조섭(調攝)과 보양을 통해 체력을 키우고 정기를 강화하여 외부 환경에 대한 적응능력과 질병에 대한 저항력을 키우면 질병의 발생을 줄이거나 예방할 수 있으며, 인체 생명 활동을 최상의 상태로 유지하여 노화 과정을 지연시킬 수 있다. 그러므로 양생은 질병 예방、건강증진 및 장수를 위해 매우 중요하다.

제1절 양생의 기본 원칙

오래전부터 장기간 양생 활동을 통해 발병의 원인과 조건에 대해 연구하면서 인체의 생장장노이와 같은 생명과정과 노화의 기전에 대한 양생 원칙을 확립하였다. 이러한 기본 원칙들을 이해하고 지키는 것은 새로운 양생 방법을 운용 개발하기 위해서도 중요하다.

1. 자연의 법칙 - 시간의 리듬에 적응한다

『영추 사객(靈樞 邪客)』에서 "인간과 자연은 상응한다"[1]고 하였는데, 사람의 생명 활동은 자연의 법칙에 따라 진행되며, 인간은 본래 자연의 변화에 적응할 수 있는 능력을 갖추고 있으므로 그 법칙을 파악하고 적극적으로 각종 양생법을 적용하여 그 변화에 적응하면 질병을 예방하고 건강을 유지하면서 장수할 수 있을 것이다. 예컨대『소문 사기조신대론(素問 四氣調神大論)』에서 말한 "봄과 여름에는 양을 기르고, 가을과 겨울에는 음을 길러 그 근본을 좇는다"[2]와 같은 순시섭양(順時攝養)의 원칙은 사계절 음양소장(陰陽消長)의 리듬에 따라 양생하는 것인데, 이렇게 인체 생리 활동을 자연계 변화 주기에 맞추면 인체 내외 환경의 협조와 통일이 유지된다.

2. 안정된 정신과 심리 상태를 유지한다

1) 人與天地相應 (靈樞·邪客)
2) 春夏養陽, 秋冬養陰, 以從其根 (素問·四氣調神大論)

1) 나쁜 자극을 피한다

나쁜 자극을 피한다는 것은 두 가지 내용을 포함하고 있다. 즉 하나는 최대한 외부 환경의 나쁜 자극으로부터 인체를 보호하는 것이다. 이는 아름다운 자연환경, 좋은 사회환경과 화목한 가정 분위기가 정신의 조양에 많은 도움이 되기 때문이다. 따라서 적극적으로 이와 같은 환경과 분위기를 조성하여 자연환경, 사회환경 및 가정적인 요소로부터 유발되는 나쁜 자극으로부터 보호하는 것이다. 다른 하나는 앓고 있는 신체적 질환을 적극적으로 치료하여 병으로 인한 나쁜 자극을 방지하는 것이다. 신체적인 질환은 환자들에게 고통과 같은 괴로운 자극을 주며, 중병이나 오래된 병은 환자들에게 정신적인 부담을 주는데, 그러한 자극은 비정상적인 감정변화를 일으켜서 병세를 악화시키고 재활에 영향을 미쳐 조로케 한다.

2) 스스로 심리 조절 능력을 향상시킨다

과격하거나 장기적인 정신 자극이 인체의 심리 조절범위를 벗어나면 발병인자로 작용하는데, 인체의 심리 조절능력은 사람의 의지가 조화로운 것(志意和)이 바탕이 된다. 즉『영추 본장(本藏)』에서 "의지가 조화로우면 정신이 집중되고 혼백이 흩어지지 않아 회한이나 분노가 일어나지 않아 오장이 사기를 받지 않는다"[3]고 하였다. 구체적으로, "의지가 조화롭다는 것"은 각 개인의 기질, 성별, 나이, 경력, 문화, 사상, 교양 등과 밀접한 관계가 있다. 그러므로 같은 정신적인 자극이라 하더라도 질병으로 발전하는 것은 개인에 따라 각각 다르게 나타난다는 것이다. 그러므로 사람들이 양생을 통해 스스로 심리 조절을 잘하면 경험과 사유 등을 통해 정서와 감정적 반응을 조절함으로써 나쁜 자극이 주는 영향을 없애고 양호한 심리적인 상태를 유지할 수 있다.

3. 적절한 성생활을 한다

남녀 간의 성생활은 타고난 본능으로, 종족을 유지하기 위해서는 필수적일 뿐만 아니라, 남녀가 사춘기 때부터 자연스럽게 가지게 되는 성욕 역시 신(腎)의 정기(精氣)가 충만함을 반영한다. 적절한 성생활은 개인 건강에 도움을 줄 수 있을 뿐만 아니라, 후손을 번창케 하고, 사회와 가정의 안정과 화목에 대해 중요한 의미가 있으므로 역대 의가들은 모두 성생활을 중시하였다.

예로부터 성인이 되면 결혼해야 한다고 하였는데, 이는 성생활이 필수적인 동시에 자연에 순응하는 것임을 의미한다. 만약 성인이 되고 나서도 적절한 성생활을 하지 못하면 생리적으로 만족을 얻지 못하여 병이 생기게 될 뿐만 아니라, 심리적으로도 욕구가 충족되지 못하므로 기기울체의 병증이 쉽게 유발된다. 과거 문헌에서 과부, 승려, 비구니들이 앓는 병들을 대부분 간의 소설(疏泄)이 안 되는 것과 연관시키는 것은 바로 이 때문이다.

그러나 성생활은 신정(腎精)을 소모하기 때문에 반드시 절제하여야 한다. 신의 정기는 생명 활동의 원동력이고, 전신 음양의 근본이기도 하다. 만약 성생활을 절제하지 못하여 지나치게 신정을 소모하면 반드시 부족하게 되어 성기능 감퇴, 전신 허약, 심지어 노화를 촉진할 수도 있으므로 신정은 반드시 아껴야 한다.

4. 신체의 단련을 중요시한다

3) 志意和則精神專直, 魂魄不散, 悔怒不起, 五藏不受邪矣 (靈樞·本藏)

신체 단련은 기혈의 흐름을 촉진하고, 인체의 근골을 강인하게 만들며, 기육을 견실하게 하고, 장부 기능을 왕성하게 하며 체력을 증강하고, 또한 '동(動)'으로 '정(靜)'을 다스려서 정신 사유 활동을 조절하여 심신의 건강을 증진한다. 그러므로 운동은 양생의 중요한 부분이기도 하다.

신체 단련은 그 운동량이 적당하여 "몸이 일은 하되 피곤하지 않은"[4] 정도가 되어야 한다. 아울러 순서에 따라 점진적으로 진행하고, 꾸준히 해야만 신체 단련에 의한 양생 효과를 얻을 수 있다. 또한, 운동 후에 적절한 휴식을 취하는 것은 음양의 평형을 유지하는 것과 같다.

5. 음식을 적절하게 섭취한다

『비급천금요방(備急千金要方)』에서 "음식은 사기를 배출해내고 장부를 안정시킬 수 있으며, 마음을 기쁘고 상쾌하게 하여 기혈을 자양할 수 있다"[5]고 하였는데, 이는 옛사람들이 음식 양생을 매우 중시하였음을 알 수 있는 내용이다. 음식을 통한 양생에는 반드시 지켜야 할 원칙들이 있다.

1) 음식의 금기(禁忌)를 가린다

『금궤요략(金匱要略)』에서 "무릇 좋은 음식을 먹음으로써 양생하는 것인데, 음식에 문제가 있으면 오히려 몸을 상하게 된다. … 만약 적당히 먹으면 몸에 도움이 되나, 해로우면 병이 생겨 위태로움에 이르게 된다"[6]고 하였는데, 이는 음식과 건강 사이에는 의(宜)와 기(忌)、이(利)와 해(害)의 관계가 있음을 설명하는 것이다. 음식의 의기(宜忌)는 양생 원칙의 하나로서, 일반적으로 체질이 열하면 차가운 음식을 섭취하고 더운 음식을 피해야 하며, 체질이 냉하면 더운 음식을 섭취하고 찬 음식을 피해야 한다.

2) 균형 잡힌 식사를 한다

건강의 필수 조건은 음식물의 적절한 섭취인데, 영양소가 풍부한 음식물은 인체 성장발육을 촉진하고, 노화 현상을 지연시키며, 질병에 대한 저항력도 증강시킨다. 따라서 음식물은 반드시 균형 있게 섭취해야 한다. 예를 들어『소문 장기법시론(藏氣法時論)』에서 "독약은 사기를 공격하고 오곡(五穀)은 기르며 오과(五果)는 이를 돕고 오축(五畜)이 더하고 오채(五菜)가 채우는데, 기미(氣味)를 고루 잘 먹으면 정기가 보익된다"[7]고 하였다.

6. 병사(病邪)의 침해(侵害)를 막는다

외사(外邪)를 피하는 것은 양생의 중요한 원칙 가운데 하나이다. 이를 위해 다음 세 가지를 실천해야 한다. 첫째는 "비정상 기후인자(허사)와 인체에 해로운 외부 인자(적풍)를 때에 맞추어 피한다"[8]이고, 둘째는 "독기(氣毒)를 피

4) 形勞而不倦 (素問·上古天眞論)
5) 食能排邪而安臟腑, 悅情爽志以資氣血 (備急千金要方·序論)
6) 凡飮食滋味以養於生, 食之有妨, 反能爲害. … 若得宜則益體, 害則成疾, 以此致危 (金匱要略·禽獸魚蟲禁忌并治)
7) 毒藥攻邪, 五穀爲養, 五果爲助, 五畜爲益, 五菜爲充, 氣味合而服之, 以補益精氣 (素問· 藏氣法時論)
8) 虛邪賊風, 避之有時 (素問·上古天眞論)

함"[9]으로 발병과 전염을 막아야 하며, 셋째는 약물을 통한 예방을 해야 한다. 예컨대 현대에 사용하고 있지는 않지만 "소금단(小金丹)을 … 열 알 먹으면 역병(疫病)에 걸리지 않는다"[10]와 같은 기록이 있다. 또한, 날씨가 더운 여름 삼복날(초복, 중복, 말복), 주요 혈자리에 약물을 붙여 면역기능을 강화하여 겨울철에 발생하기 쉬운 각종 호흡기질환(감기, 알레르기성 비염, 축농증, 천식, 기관지염, 유행성 독감) 등을 예방하는 삼복첩(三伏貼)은 현대에도 널리 활용되고 있다. 이 외에도 질병의 발생과 전염을 예방하기 위하여 약물을 많이 이용하고 있는데, 이는 질병 예방과 양생의 중요한 부분을 차지하고 있다.

제2절 양생의 주요 방법

인간은 정해진 수명이 있으며, 한의학에서는 이를 '천년(天年)'이라고 한다. 『좌전(左傳)』 등의 기록에 의하면, 수명은 100에서 120세 정도가 된다.[11),12)] 선천적인 품부, 자연환경 및 사회인자가 모두 수명에 영향을 미치는데, 특히 신정(腎精)의 성쇠와 비위(脾胃)의 공능상태는 노화에서 중요한 역할을 하며, 장수에 영향을 미치는 내적 인자로 작용한다.

1. 순시섭양(順時攝養)

순시섭양은 사계절의 기후와 음양변화의 원리에 따라 정신, 기거, 음식, 운동 등을 종합적으로 조양(調養)하는 양생법이다.

봄은 만물이 소생하는 계절로, 양기가 승발(升發)하여 인체의 정기혈진액(精氣血津液)을 만들기에 유리하므로 봄의 양생법은 봄기운에 따라 몸의 신진대사를 촉진하는 방법이다. 예를 들어 정신적인 조양을 위하여 실외활동을 함으로써 기분을 유쾌하게 하고 양기를 창달시키며, 기거(起居)에서는 늦게 자고 일찍 일어나야 하며, 이른 봄에는 아직 추위가 완전히 가시지 않은 상태에 있으므로 몸을 항상 따뜻하게 하여 감기를 예방해야 한다. 음식에서는 신감미온(辛甘微溫)한 음식을 먹어야 하는데, 신감(辛甘)한 맛은 발산하여 양기의 승발을 도와주고, 온(溫)한 음식은 양기를 보호해 준다. 아울러 가볍고 부드러우면서도 이완케 하는 운동을 하면 인체의 토고납신(吐故納新)과 기혈의 순환에 유리하다.

여름은 만물이 번성하는 계절로, 양기가 가장 왕성한 여름에는 몸의 양기도 매우 쉽게 발설(發泄)되므로 양기의 조양에 유의해야 한다. 정신이 유쾌하고 호탕해야 몸의 기운이 고루 잘 통한다. 늦게 자고 일찍 일어나며, 특히 점심때에는 더위가 가장 심할 때이므로 식후에 낮잠을 30분 정도 잠으로써 무더위를 피하고 피로를 풀어야 한다. 음식은 담백하면서 소화가 잘되는 것이 좋으며, 찬 음식을 너무 많이 먹지 않아 양기의 보양에 주의해야 한다. 운동은 적절히 해야 하는데, 너무 더운 낮을 피하여 새벽이나 저녁때 함으로써 무더위를 피하고 인체의 양기와 진액이 지나치게 소모

9) 避其毒氣 (素問遺篇·刺法論)
10) 小金丹 … 服十粒, 無疫干也 (素問遺篇·刺法論)
11) 上壽百二十歲 (左傳·僖公三十二年·孔穎達·正義)
12) 人上壽百歲 (莊子·盜跖)

되는 것을 막아야 한다.

가을은 만물이 성숙하는 계절로, 양기는 서서히 수렴되면서 음기가 점차 강해지는 때이다. 양생을 통해 정기(精氣)를 수렴하고 음진(陰津)을 보양한다. 정신적으로는 낙천적인 정서와 차분하고 안정된 마음을 유지하여 신기(神氣)를 수렴해야 한다. 일찍 자고 일찍 일어나며, 옷은 초가을과 늦가을의 기후변화에 따라 입는다. 가을은 건조하기 때문에 실내는 적절한 습도를 유지해야 하고 음식물은 너무 건조한 것들을 삼가 음기(陰氣)를 보호한다. 가을의 특징은 거두는 것이므로 정공(靜功)으로 단련하여야 한다.

겨울은 만물이 수장(收藏)되는 계절로, 음한(陰寒)한 기운이 왕성하고 양기가 폐장(閉藏)된다. 그러므로 양생은 염양호음(斂陽護陰)의 원칙을 지켜서 양장(養藏)을 위주로 한다. 정신적으로 지나친 충격을 피해서 양기가 손상되지 않도록 해야 한다. 일찍 자고 늦게 일어나며, 옷은 특히 보온에 유의해야 한다. 음식은 더운 것을 먹고 호음잠양(護陰潛陽)을 원칙으로 해야 하는데, 조열신랄(燥熱辛辣)한 음식을 과식하면 열로 변하여 음기(陰氣)를 상하게 된다. 체력 단련은 해가 뜬 후에 하고, 눈이 많이 오거나 짙은 안개가 끼는 날에는 운동하지 않는 것이 좋다.

2. 조신(調神) 양생

『영추 천년(天年)』에서 "신(神)을 잃으면 죽고 신을 얻으면 산다"13)고 하여 양생에서 조신의 중요성을 강조하였다. 조신의 방법에는 사계절에 따른 조신 외에도 다음과 같이 세 가지로 나눌 수 있다.

1) 양정장신(養靜藏神)

『소문 비론(痺論)』에 "고요하면 신이 갈무리되고 조급하면 소실되어 사라진다"14)고 하였으며, 또『노노항언(老老恒言)』에서는 "마음을 고요하게 기르는 것이 섭생의 첫걸음이다"15)라고 하였는데, 여기에서 말하는 '정(靜, 고요함)'은 심적으로 안정·즐거움 및 무사과욕(無私寡慾)의 정신세계를 유지하고 있는 것을 말한다. 양정(養靜)의 관건은 절욕(節慾)에 있는데, 명예와 재물에 대한 과욕을 절제하는 것이다. 만약 지나치게 명예와 재물을 탐내거나 酒色을 절제하지 못하고 방종하거나 욕구를 이루지 못하여 노심초사하면 수명을 단축할 수 있게 된다.

한의학에서는 양정(養靜)을 위해 절욕만을 강조하는 것은 아니고, 욕구를 충족시키면서 양신(養神)하는 것도 허용한다. 일상적인 의식주나 업무에서 만족하게 되면 심신(心神)이 안정된 가운데 더욱더 생활에 충실할 수 있고, 낙관적인 정서를 유지할 수 있다.

'양정장신'의 기전은 우선적으로 심(心)의 생리적 특성과 밀접한 관계가 있다.『소문 장기법시론』에서 "심은 부드럽고자 한다"16)고 한 것은 심이 안정·수렴·조화를 중시하는 생리적 특성을 갖추고 있음을 말한다. 만약 심이 부드럽지 못하여 심화가 성해지면 "번조하고 미치고 날뛰게"17)된다. 마음이 안정되면 신(神)은 저절로 안정되고, 신이 안정되면 장부 기혈이 조화되어 사기가 침범하지 못하므로 건강하게 수명이 연장된다. 또한, 양정은 인체의 정기(正氣)와 밀접한 관계가 있다. '양정장신'하면 진기(眞氣)를 상하지 않고 질병 저항능력이 강해져서 질병의 예방과 노화 방지에

---

13) 失神者死, 得神者生 (靈樞·天年)
14) 靜則神藏, 躁則消亡 (素問·痺論)
15) 養靜爲攝生首務 (老老恒言·燕居)
16) 心欲耎 (素問·藏氣法時論)
17) 諸躁狂越 (素問·至眞要大論)

유리하다. 예컨대 『소문 상고천진론(上古天眞論)』의 "사리사욕이 없으면 진기가 따라올 것이고, 정신이 안에서 잘 지켜진다면 병이 어찌 생기겠는가?"[18]가 바로 이 경우이다.

2) 동형이신(動形怡神)

'동형'은 몸을 움직이는 것으로, 산책, 전통적인 건강체조법, 체육단련 등을 의미한다. '동형' 하면 기혈 순환을 촉진하고, 서근활락(舒筋活絡)하며, 장부의 공능활동을 도와서 사람의 정신을 맑고 즐겁게 해준다. 이외에도 '동형' 이후에는 깊은 잠에 들게 하여 신(神)을 안정시킬 수 있다. 특히 노년기에 들어서면 장부 기혈이 허약해지고 공능이 저하되어 정신적 육체적으로 피로하여 앉거나 눕기를 좋아하고, 잠을 깊이 자지 못하며, 반응이 둔해져서 정서가 불안해지는데, 적당히 몸을 움직여서 정신을 맑게 하면서 안정시키는 것은 매우 중요하다.

3) 이정역성(移情易性)

화수운(華岫云)이 "울증(鬱證)은 오로지 환자의 이정역성 여부에 달려 있다"[19]고 하였다. '이정'은 생각의 초점이나 마음에서 연연하고 있는 생각들을 다른 곳으로 옮기는 것이고, '역성'은 심지(心志)를 바꾸는 것으로 잘못된 생각, 나쁜 감정이나 생활습관을 바꿔서 마음의 평화로움을 되찾는 것을 뜻한다. "마음먹기에 달렸다"고 하는 것이 이런 사례에 해당한다.

'이정역성'의 구체적인 실행방법은 매우 많은데, 예컨대 음악, 연극, 노래, 춤, 독서, 교우, 화초 가꾸기, 낚시, 바둑, 장기 등 취미생활을 통해 정서를 기르고 삶에 애착을 갖게 하며, 정신수양을 하고, 심신을 단련할 수 있도록 하는 것이다. 사람은 살면서 많은 어려운 일들을 만나게 되는데, 만약 자신의 소질, 취미, 환경 및 조건에 따라 위와 같은 활동을 한다면 스스로 '이정역성' 하여 노화 현상을 지연시킬 수 있을 것이다.

3. 석정(惜精) 양생

남녀 간의 성생활을 옛날에는 '방사(房事)'라고 하였다. 성생활로 인해 부부가 화목해지고, 사회가 안정되며, 후손이 번성하고, 아울러 개인의 심신이 건강해지기 때문에 성생활은 양생에서 중요한 위치를 차지하고 있다. 그 주요 내용은 다음과 같다.

1) 성욕을 절제하여 정(精)을 아낀다

절욕(節慾)은 성욕이 왕성한 시기에 절제하여 너무 지나치지 않음으로써 신정(腎精)의 휴손(虧損)을 예방하는 것이다. 성욕이 강한 것은 신기(腎氣)가 비교적 왕성함을 보여주는 것이며, 이때 외설(外泄)을 절제하면 신정이 항상 충족한 상태를 유지하게 되므로 체력, 사고력, 질병 저항능력 등이 좋아져 노화를 지연시킬 수 있다. 성욕이 왕성하지 않으면 억지로 성생활을 해서는 안 되는데, 만약 신정이 충족되지 않는 상태에서 강제로 외설하면 점점 휴손되어 신정이 허해지고, 생식공능이 감퇴되어 노화가 일어난다.

18) 恬惔虛無, 眞氣從之, 精神內守, 病安從來 (素問·上古天眞論)
19) 鬱證全在病者能移情易性 (臨證指南醫案·卷六·鬱)

2) 청결한 성생활을 한다

성생활은 안정되고, 쾌적하며, 건강하고, 즐거운 분위기에서 해야 한다. 만약 기후와 환경이 좋지 않고, 정신적으로 긴장되거나 즐겁지 않은 상태에서는 피하는 것이 좋다. 여자의 생리 기간이나 산후에 오로(惡露)가 완전히 배출되지 않은 경우에도 피해야 한다. 남녀 어느 한 쪽이 병을 앓고 있을 때도 피해야 한다. 성교하기 전에는 성기를 반드시 청결케 하여야 각종 질병을 예방할 수 있다.

4. 음식 양생

음식 양생에 대한 내용은 매우 다양한데, 주로 식품의 위생, 적절한 조리, 식품의 가공, 요리, 유형, 음식의 방식과 습관, 음식의 금기 및 약선(藥膳) 등 내용이 포함되어 있다.

1) 음식의 위생에 주의한다

음식 위생에 관한 내용은 매우 많은데, 그중에 하나는 청결이다. 각종 육류, 어패류와 수생식물들은 기생충의 중간숙주가 될 수 있고, 식품의 가공, 저장, 운송과정에서 쉽게 각종 기생충과 병원미생물에 의해 감염될 수 있으며, 또한 각종 산업폐기물, 공해 물질, 잔류농약에 의해 오염될 수 있다. 이처럼 불결하거나 오염된 음식을 섭취하게 되면 여러 가지 위장질환, 기생충질환, 전염성 질환이나 중독 등을 일으킨다. 또 식중독을 피하고자 부패 변질된 것이나 폐사한 동물의 육류를 섭취하지 않아야 한다.

2) 절제된 음식습관을 갖도록 한다

음식 양생은 음식물에 대해 절제하고, 좋은 음식습관을 기르며, 일정한 시간과 음식량을 정하여 지나치게 배고프거나 배부르지 않도록 하는 것이다. 『여씨춘추 진수(呂氏春秋 盡數)』에서 "먹는 것을 때에 맞추어서 하면 몸과 마음에 질병이 없다."[20]고 하였다. 폭음 폭식하면 위장의 공능을 손상시켜 다른 질환들도 잘 일으키게 된다. 또한, 적게 먹기를 오래 하면 영양부족으로 정기(正氣)가 약해져서 쉽게 발병한다.

3) 편식을 피한다

편식을 피한다는 것은 음식 온도를 적당히 하고, 오미(五味)를 골고루 섭취하여 양생하는 것을 말한다. 날 것이나 찬 음식을 먹으면 비위의 양기를 손상하게 되고, 맵고 뜨거운 것을 오랫동안 편식하면 위장에 열(熱)이 쌓이거나 치질을 악화시킨다. 그러므로 식생활에 있어서 뜨겁고 찬 정도가 적당해야 하며, 맵고 뜨거운 음식을 적게 먹고, 차고 조리하지 않은 음식물들을 조심해야 한다. 오미는 오장에 각기 친화성이 있는데, 만약 장기적으로 한 음식만 편식한다면 장기(臟氣)가 편성(偏盛)되어 공능 실조를 유발하거나 '고량(膏粱)'으로 인한 질병이 일어난다. 아울러 다른 영양물질의 결핍을 일으켜 여러 가지 질병들을 유발한다. 이와 관련하여 『보생요록(保生要錄)』에서는 "좋아하는 것만 편식하면 안 된다. 편식하면 몸이 상하여 질병이 생긴다. 싫어하는 것이라고 해서 전혀 먹지 않으면 안 되는데, 먹지 않으면 장(臟)의 기운이 균형을 잃는다"[21]고 하였다.

---

20) 食能以時, 身心無災 (呂氏春秋·盡數)
21) 所好之物不可偏嗜, 偏嗜則傷而生疾, 所惡之味不可全棄, 全棄則臟氣不均 (保生要錄· 論飮食門)

4) 약선(藥膳)을 이용한 방법

약선(藥膳)은 한의학 이론을 근거로, 음식물과 약물(또는 음식물의 첨가물, 조미료 등)을 배합하는 것이다. 약물의 포제(炮制)와 식품의 조리를 통해 질병을 예방하고, 신체를 강장하게 하는 식품들이다. 인삼(人蔘), 황기(黃芪), 황정(黃精), 구기자(枸杞子), 동충하초(冬蟲夏草), 하수오(何首烏), 복령(茯苓), 상심(桑椹), 참깨, 호두, 꿀, 연자(蓮子), 소고기, 오리고기, 어류 등이 약선에 자주 사용된다. 약선의 원리로는 약식결합(藥食結合), 인시제의(因時制宜), 변증시선(辨證施膳) 등이 있다. 실제로 적절한 약선은 약과 음식의 장점을 모두 갖추고 있으면서 건강 유지와 노화 방지 효과가 있다.

5. 전통적인 건강체조법

전통적인 건강체조법에는 오금희(五禽戲), 태극권(太極拳), 역근경(易筋經), 팔단금(八段錦) 등과 같은 각종 기공과 무술운동이 있다. 동(動)을 위주로 할 때에는 운동을 통해 건강을 유지하고, 인체의 각 관절, 근골, 기육을 충분히 단련하여 경맥을 통하게 하고, 기혈을 조화롭게 하며, 각 계통의 기능을 활성화시켜 건강하게 장수할 수 있도록 해준다. 반면에 정(靜)을 위주로 할 때는 '의(意), 기(氣), 형(形)'의 단련을 통해 심신을 단련함으로써 건강을 지키고 노화를 막는다.

기공은 도인(導引), 토납(吐納)이라고도 했는데, 연의(煉意), 연기(煉氣), 연형(煉形)의 신심(身心) 단련방법이다. 오랫동안 기공의 전래, 보급 및 발전을 통해 다양한 유파와 방법이 만들어졌으며, 그 분류 방법 역시 매우 다양하다. 현재의 기공은 타도인(他導引)과 자도인(自導引)으로 나눌 수 있다. 타도인은 기공사가 기를 일으켜 질병을 치료하는 특이 공능에 속하며, 자도인은 동공(動功)과 정공(靜功)으로 나누는데, 대안공(大雁功), 학상장(鶴翔樁) 등은 동공에 속하고, 방송공(放鬆功), 참장공(站樁功), 내양공(內養功) 등은 정공에 속한다.

기공은 기론(氣論)과 경락학설 등 이론을 기초로 하여 연의, 연기, 연형의 세 가지 요소를 단련하는 것으로 건강 유지와 항노화를 목표로 한다. 예를 들어 내양공의 단련법은 연의를 필요로 하고, 연의는 입정(入靜)을 유도한다. '입정'한다는 것은 일정 부위(예를 들어 단전, 회음이나 다른 특정 부위)에 집중하여 잡념을 없애고, 단련에 정신을 집중하는 것이다. 연기는 조식(調息)으로서, 호흡을 조정하는 것인데, 단련하면서 균세심장(勻細深長)하게 호흡을 유지하는 것이다. 연형은 장시간 취해도 편안한 자세로 단련하는 것인데, 전신을 이완시켜 자연에 순응하는 것이다. 단련하면서 연의, 연기, 연형을 유기적으로 배합하는데, 의(意)로써 기(氣)를 다스리고, 기로써 형(形)을 꿰는 것이다. 가령 동공(動功)이 의(意)로써 몸을 부리면 몸은 의(意)를 따라 움직이며, 동작(動作)은 호흡과 배합되어 형기(形氣)가 서로 조화된다. 실제로 정확한 기공 수련을 지속해서 하면 건강에 좋은 영향을 줄 수 있으며, 그 효과도 증명된 바 있다. 또 고혈압, 각종 통증 질환, 일부 뇌 질환과 암 등 다양한 질환에 대해 치료 효과가 있으며, 환자가 빨리 회복할 수 있도록 도와준다.

각종 기공 유파의 공법(功法), 원리, 작용에 대한 사람들의 인식이 각기 다르고, 때에 따라서는 신비하게 느껴지는 점도 있지만, 기공의 임상효과는 현대 과학적으로 검증 연구되고 있다.

6. 약물을 통한 양생

노화는 자연스러운 것이지만, 병리적으로는 허증(虛證)에 해당한다. 한의학에서는 신정(腎精)의 허손과 비위기(脾胃氣)의 부족을 노화의 주요인으로 보기 때문에 보익부정(補益扶正)은 약물 양생의 기본 원칙이며, 신(腎)과 비

(脾)를 보하는 것이 그 핵심적인 내용이다. 항노화를 하는 익수방제(益壽方劑), 예컨대 『세보재의서(世補齋醫書)』의 수오연수단(首烏延壽丹), 『외대비요(外臺秘要)』의 연년복령음(延年茯苓飮), 『증보만병회춘(增補萬病回春)』의 연령고본단(延齡固本丹) 및 근대 『자희광서의방선의(慈禧光緖醫方選議)』에 실린 연수제방(延壽諸方) 등 대부분의 방제는 신과 비를 보익하는데 중점을 두고 있다. 그러나 인체는 하나의 유기체이고, 노화는 이런 유기체의 전반적인 변화과정이기 때문에 노화 역시 다른 장부나 신체기관과 유관하다.

실제 임상에서 보익 효과가 있는 약물은 대부분 허손 병증이나 병후 조리에 사용되는데, 장기간에 걸쳐 적절하게 복용하면 건강과 항노화 효과를 거둘 수 있다.

7. 추나(推拿)와 침구 양생

옛 문헌에서는 추나를 안교(按蹻), 교마(蹻摩), 안올(案扤) 등으로 불렀으며, 각종 수기법, 예컨대 추(推), 나(拿), 안(按), 마(摩), 유(揉), 차(搓), 찰(擦), 말(抹), 두(抖), 요(搖) 등을 통해 체표의 특정 부위를 자극하여 인체의 생리, 병리 상태를 조절함으로써 치료 효과와 건강증진을 달성하는 방법이다.

추나의 작용 원리는 주로 인체 내 에너지 변화, 생물정보 조정 및 해부학적 위치 이상의 교정 등 세 부분으로 나눌 수 있다. 추나는 주요 치료수단이면서 보조적인 조치일 뿐만 아니라, 실제 양생법으로도 피동적인 추나와 자가 추나가 많이 이용되고 있다.

침구는 호침자법(毫鍼刺法)과 삼릉침(三稜鍼), 피내침, 매화침, 이침, 전침요법 등 기타 침법과 구법(灸法)을 포함한다. 침자법(鍼刺法)의 양생 작용 기전은 침자(鍼刺)를 통해 각 혈위의 특이 작용을 일으키고, 경락계통의 감응 전도와 기능조절 공능을 통해 치료와 건강증진의 효과를 발휘한다. 침 자극은 뇌 내 엔도르핀 생성을 촉진하여 진통과 진정 작용을 일으키기도 한다. 또한 침 자극을 통해 정보가 체내에 들어오면 체내 각 계통의 되먹임 조절을 일으켜서 인체 생명 정보의 조절이 회복되거나 증강되어 질병 치료와 건강 증진의 목적을 달성할 수 있다.

구법의 작용원리는 주로 뜸의 물리적인 열과 쑥의 약효를 이용하여 혈위를 자극하면 기혈의 순행을 촉진하여 산한거사(散寒祛邪), 진통, 화어소종(化瘀消腫) 등 효과를 발휘한다. 아울러 보신건비(補腎健脾)하고, 정기의 질병 저항 능력을 증가시켜 질병을 예방하고 건강을 유지하는 등 체력을 보강하는 작용이 있다.

8. 체질과 양생

사상체질의학의 양생론은 체질을 막론하고 보편적인 인간으로서의 양생 방법을 중요시하는 한편, 선천적인 성정(性情)의 편차에 따라 각 장부의 대소가 다르게 나타나므로 각 체질의 편소지장(偏小之臟)과 편대지장(偏大之臟)의 기운을 잘 조절해야 함을 강조해왔다.

우선, 『동의수세보원사상초본권(東醫壽世保元四象草本卷)』에서 언급한 심리적 양생을 정리하면 다음과 같다. 태양인과 소양인은 애노(哀怒)의 지나침을 경계하는 동시에 희락(喜樂)을 억지로 만들어내지 말고 조금씩 끌어내야 한다고 하였다. 또한, 태음인과 소음인은 희락의 지나침을 경계하는 동시에 애노를 억지로 만들어내지 말고 조금씩 끌어내야 한다고 하였다.

체질에 따른 신체적 양생을 정리해보면, 태양인은 나태한 마음 때문에 술에 빠지고 사람들을 잘 모으지 못하기 쉬우므로, 부지런하고 성실한 생활 태도로 극복해야 한다. 소양인은 사치스러운 방탕에 빠져 한 곳에 잘 머무르지 못하기 쉬우므로, 간단히 정리하며 절약하는 생활 태도로 극복해야 한다. 태음인은 탐욕 때문에 재화에 눈이 어두워 바깥

일을 꾸리고 추진하지 못하기 쉬우므로, 널리 보고 들어 배우는 생활 태도로 극복해야 한다. 소음인은 편급(偏急)한 마음 때문에 권세를 다투기 쉬우므로, 경계하는 생활 태도로 권세에 대한 미련을 포기할 수 있어야 한다.

또한, 사상의학에서는 각 장기 공능의 대소(大小)에 따라 과도한 장기의 공능은 억제하고 부족한 장기의 공능은 도와주어 평형이 되도록 하는 음식 섭생을 특별히 강조해왔다.

태양인은 기가 청평소담(淸平素淡)하고 보간생음(補肝生陰)하는 음식이 좋고, 더운 음식보다 생랭(生冷)한 음식이 좋으며, 담백하고 지방질이 적은 해물류나 채소류가 좋다. 예를 들면 메밀、새우、조개、게、문어、오징어、솔잎、포도、머루、다래、감、모과 등이 좋고, 맵고 뜨거운 성질의 음식이나 지방질이 많은 음식은 피하는 것이 좋다.

소양인은 맵고 뜨거운 성질의 음식은 맞지 않으며, 싱싱하고 시원한 음식이나 채소, 해물류가 적합하고 보음하는 음식이 좋다. 예를 들면 보리、녹두、돼지고기、달걀、오리고기、생굴、새우、게、가자미、배추、오이、가지、상추、우엉、호박、수박、참외、딸기、바나나、파인애플 등이 좋고, 자극성과 방향성이 강한 음식과 맵고 뜨거운 성질의 음식(고추、생강、마늘、파、후추、카레、닭고기、개고기 등)은 피하는 것이 좋다.

태음인은 동식물성 단백질이나 맛이 중후한 음식이 좋다. 예를 들면, 밀、콩、율무、고구마、땅콩、현미、쇠고기、우유、치즈、조기、민어、대구、해조류、무、당근、도라지、더덕、고사리、연근、마、밤、잣、호두、은행、배 등이 좋고, 자극성이 강한 음식이나 지방질이 많은 음식과 맵고 뜨거운 성질의 음식(닭고기、돼지고기、개고기、마늘、생강、후추、과자、사탕 등)은 피하는 것이 좋다.

소음인은 소화가 잘 되면서 따뜻한 성질의 음식이 적합하며, 자극성과 방향성이 있는 조미료를 적당히 사용하면 좋다. 예를 들면, 찹쌀、좁쌀、감자、닭고기、양고기、조기、도미、멸치、고등어、미꾸라지、시금치、양배추、미나리、쑥갓、냉이、파、마늘、생강、고추、겨자、후추、카레、양파、부추、사과、귤、토마토、복숭아 등이 좋고, 소화가 잘 안되는 음식이나 차가운 성질의 음식(돼지고기、냉면、수박、참외、오징어、밀가루、보리、빙과류、생맥주 등)은 피하는 것이 좋다.

참고문헌

1. 『金匱要略 禽獸魚蟲禁忌并治』 張仲景
2. 『老老恒言 燕居』 曹庭棟
3. 『東醫壽世保元四象草本卷』 李濟馬
4. 『保生要錄 論飮食門』 蒲虔貫
5. 『備急千金要方 序論』 孫思邈
6. 『世補齋醫書』 陸懋修
7. 『素問 痺論』
8. 『素問 四氣調神大論』
9. 『素問 上古天眞論』
10. 『素問 藏氣法時論』
11. 『素問 至眞要大論』
12. 『素問遺篇 刺法論』
13. 『靈樞 本藏』
14. 『靈樞 邪客』
15. 『靈樞 天年』
16. 『呂氏春秋 盡數』 呂不韋
17. 『外臺秘要』 王燾
18. 『臨證指南醫案』 葉桂
19. 『慈禧光緒醫方選議』 陳可冀
20. 『莊子 內篇』 莊子
21. 『增補萬病回春』 龔廷賢
22. 전국 한의과대학 사상의학교실, 사상의학, 2011, 집문당
23. 한의과대학 예방의학교재 편찬위원회, 예방한의학 및 공중보건학, 2019, 계축문화사
24. 高思華 等, 中醫基礎理論, 2012, 人民衛生出版社
25. 樊巧玲 主編, 中醫學概論, 2010, 中國中醫藥出版社
26. 王泓午, 預防醫學, 2012, 人民衛生出版社
27. 何建成 等, 中醫學基礎, 2012, 人民衛生出版社
28. Bai Z, et al., The Effects of Qigong for Adults with Chronic Pain: Systematic Review and Meta-Analysis. Am J Chin Med. 2015;43(8):1525-39
29. Jahnke R, et al., A comprehensive review of health benefits of qigong and tai chi. Am J Health Promot., 2010;24(6):e1-e25.
30. Klein PJ, et al., Qigong in cancer care: a systematic review and construct analysis of effective Qigong therapy. Support Care Cancer. 2016;24(7):3209-22.
31. Song R, et al., The impact of Tai Chi and Qigong mind-body exercises on motor and non-motor function and quality of life in Parkinson's disease: A systematic review and meta-analysis. Parkinsonism Relat Disord. 2017;41:3-13.
32. Xiong X, et al., Qigong for hypertension: a systematic review. Medicine, 2015;94(1):e352.
33. Zhao ZQ, Neural mechanism underlying acupuncture analgesia. Prog Neurobiol. 2008;85(4):355-75.

제 14 장 치료원칙과 치법

Treatment Principles and Methods

제1절 치료원칙

치료원칙은 질병을 치료할 때에 지켜야 하는 원칙이다. 변증은 치료원칙을 확립하는 전제이자 기초인데, 변증과정에서 증상과 징후 등을 통해 병인、병위(病位)、병성(病性)、정기와 사기의 소장 성쇠(消長盛衰) 등을 분석하여 치료의 원칙을 확립한다.

본 장에서는 기본적인 치료원칙으로 조기 치료、치병구본(治病求本)、부정거사(扶正祛邪)、음양 조정(陰陽 調整)、기혈 조리(氣血 調理)、장부 조치(臟腑 調治)、삼인제의(三因制宜) 등에 대해 설명한다.

실제 임상에서 치료는 원칙을 지키되 유연하게 적용하여야 한다. 질병은 지속적으로 변화하여 악화될 수도 있는 과정이기 때문에 조기에 진단하고 치료해야만 병의 진행을 멈출 수 있다(조기 치료). 증상과 징후는 질병의 본질이 외부로 나타난 반응이며, 병을 치료할 때에는 반드시 병의 본질을 찾아내어 그 본질에 대해 정확한 치료를 해야 한다(치병구본). 질병의 과정은 정기와 사기가 서로 맞서면서 소장성쇠(消長盛衰)하는 동적인 과정이며, 인체의 음양 실조는 질병이 발생 발전하는 근본 원인이기 때문에 거사사실(祛邪瀉實)과 부정보허(扶正補虛)로 음양의 편성 편쇠를 조정하는 것은 반드시 지켜야 할 원칙에 해당한다(부정거사、음양 조정). 장부나 기혈의 실조로 병이 난 경우에는 반드시 장부 기혈을 조정하는 것(기혈 조리、장부 조치)이 원칙에 해당하고, 날씨、지리적 환경과 환자의 나이、성별、체질과 같은 특징(삼인제의)에 따라 적절한 치료법과 조치를 취하는 것이 유연성에 해당한다. 단순한 병증에는 한 가지 치료원칙을 적용할 수 있지만, 복잡한 병증의 경우에는 두 가지 이상의 치료원칙을 함께 응용해야 하는데 이런 것도 유연성에 해당한다.

치법(治法)은 치료원칙에 근거하여 증(證)에 들어맞는 치료방법을 정한 것으로, 비교적 구체적이면서 다양하다. 같은 질환이라도 증이 다르면 치법이 달라지고(同病異治), 서로 다른 질환이라도 같은 증이 나타나면 같은 치법을 사용해야 한다(異病同治).

1. 조기 치료

조기 치료는 질병 발생의 초기 단계에서 조기 진단과 치료를 실시함으로써 질병이 막 시작하려는 상태에서 소멸시켜 더 이상 악화되거나 진행되지 않게 하는 것을 가리킨다.

조기 치료는 매우 중요하다. 발병 초기 단계에는 병위(病位)가 비교적 얕고, 병세(病勢)도 대개 가벼우며, 정기도 많이 손상되어 있지 않아 질병에 대한 저항력이나 회복능력이 강하기 때문에 조기에 치료하면 질병이 비교적 수월하게 빨리 나아지게 된다.

조기 치료를 위해서는 의사가 질병의 발생, 발전 변화하는 과정과 그 변화의 원리를 우선적으로 파악하여 제 때에 정확한 진단을 내려서 유효하고도 철저한 치료를 해야 한다. 질병의 주요 분류와 전변 원리에 따라 조기 치료는 두 가지 양상으로 나뉘어진다.

1) 외감병(外感病)의 조기 치료

(1) 상한(傷寒)의 조기 치료

상한은 풍한의 사기로 인해 발생한 외감성 질환이다. 그 사기는 대부분 피모와 주리를 통해 체내에 들어오고, '순경전(循經傳)'의 경우에는 태양에서 양명, 소양, 태음, 소음, 궐음의 순서로 나아간다. 사기의 경중, 정기의 성쇠와 치료 등으로 말미암아 '월경전(越經傳)', '월경표리전(越經表裏傳)', '표리수경입부(表裏隨經入腑)' 등과 같은 전변 형식이 나타난다. 전변 형식은 다르더라도 대부분 태양에서부터 시작되며, 오치(誤治)로 인해 전변된 경우에도 태양병에서 가장 많이 발생된다. 그러므로 상한을 잘 치료하려면 태양병을 반드시 잘 이해하고 있어야 한다. "맥이 浮하고 머리와 뒷목이 뻣뻣하고 아프며 오한이 있음[1]"은 태양병의 기본 증후이며, 태양병 표증의 경우에는 외사(外邪)를 발산하는 것이 주요 치법이다. 태양병을 정확하고도 효과적으로 치료하는 것이 상한병의 진행을 억제하는 가장 좋은 방법이다.

(2) 온병(溫病)의 조기 치료

온병은 온열 사기를 받아 일어난 급성 열병이다. 섭천사(葉天士)는 온병의 발전과정을 위(衛), 기(氣), 영(營), 혈(血)의 네 단계로 구분하였다. 위분(衛分)에서 시작하여 기분(氣分), 영분(營分), 혈분(血分)의 순서로 전변하는 경우를 '순전(順傳)'이라 하고, 위분의 사기가 직접 영혈에 전해져 심포(心包)에 들어간 경우를 '역전심포(逆傳心包)'라고 한다. 순전과 역전이 위분에서 시작되기 때문에 위분증(衛分證)의 치료는 온병을 조기 치료하는 관건이다. 위분증은 발열, 미오풍한(微惡風寒), 구미갈(口微渴), 태박백변첨홍(苔薄白邊尖紅), 맥부삭(脈浮數)을 기본적인 특징으로 하고 있으며, 신량해표(辛凉解表)가 위분증의 주요 치법이다. 실제 임상에서 온열 사기로 인한 질병은 대부분 위분에서 시작하고 바로 기분으로 전입되기 때문에 온병의 초기 치료는 신량해표에 기분을 청(淸)하는 치법을 겸해야만 온병의 진행을 막을 수 있다.

2) 내상병(內傷病)의 조기 치료

내상병은 대부분 정지의 자극, 노일(勞逸)의 손상, 음식 실의(失宜) 등으로 유발된다. 내상병은 대부분 체내에서 발생되어 먼저 장부의 기기에 영향을 주어 공능 실조를 일으키면서 장부신형(臟腑身形)에 손상을 준다. 따라서 내상병의 조기 치료는 조기(調氣)가 주요 치법이다. 즉 내상병의 위치를 먼저 파악한 후 그 기기를 조리하고 실상된 공능을 회복시켜 악화되거나 전변되지 않도록 한다.

『소문 옥기진장론(素問 玉機眞藏論)』에서 "五臟이 서로 통하여 전이되는 경우에도 모두 순서가 있는데, 오장이 병이 들면 각기 그 이기는 장으로 전한다"[2]고 하였는데, 그 전변의 원리에 따라 예방적 치료를 하면 전변을 막을 수 있

1) 脈浮, 頭項强痛而惡寒 (傷寒論·辨太陽病脈證幷治)
2) 五臟相通, 移皆有次, 五臟有病, 則各傳其所勝 (素問·玉機眞藏論)

다고 하는 것이다. 예를 들어『금궤요략(金匱要略)』에서 말한 "肝의 병을 보면 肝에서 脾로 전이될 것을 알아서 먼저 脾氣를 실하게 해야 한다[3]"는 임상에서 많은 의사들이 간병(肝病)을 치료하면서 동시에 비위(脾胃)를 조리하는 약물을 겸용하여 좋은 효과를 거두는 근거가 되며, 이는 간병실비(肝病實脾) 역시 조기 치료에 해당되는 것임을 설명한다.

조기 치료는 질병의 원리를 이해하고 정밀하게 검사하여 일찍이 그 병을 알아내고 정확한 진단과 유효한 치료를 하는 것인데, 이는 의학의 수준과도 관련되는 것이다. 이외에도, 환자가 병을 숨기거나 의사를 기피하지 않고 조금만 불편해도 바로 의사에게 문의하거나 검사를 받는 것 역시 조기 치료를 하여 질병의 전변과 악화를 방지하는 데에 중요하다.

2. 치병구본(治病求本)

'치병구본'은 질병을 치료할 때 반드시 질병의 본질을 찾아내서 그 본질에 적중하는 치료를 한다는 뜻이다.

『소문 음양응상대론(陰陽應象大論)』에서 "병을 치료함에 반드시 근본을 구해야 한다"[4]고 하였는데, 비록 옛 사람들의 '본(本)'에 대한 견해가 각기 다르기는 하지만, 실질적으로 말하자면, '본'은 질병의 병기를 가리킨다. 병인、병성(病性)、병위(病位)、사정관계(邪正關係) 등은 모두 병기의 중요한 요소이다. 다시 말하자면, 병기에는 병원(病源)、인체의 체질 인자 및 그 반응성 등을 포함하고 있으며, 이들 각 병기는 질병의 본질에 대한 어느 한 측면의 개괄이라고 할 수 있다.

질병은 '변(變)'에 속하고, 생리 활동의 이상이다. 변이 있으면 반드시 상(象: 증상이나 징후 등으로 나타남)이 나타나고, 상에는 반드시 일정한 본질이 존재하기 때문에 모든 질병에는 '본'이 존재한다. 그러나 '본'은 뚜렷하게 나타나는 경우와 쉽게 드러나지 않는 경우가 있고, 진상(眞象)과 가상(假象)이 섞인 경우가 있으며, 병과 증상이 따로 나타나는 경우가 있고, 병은 이(裏)에 있는데 증상이 표(表)에 나타나는 경우가 있으며, 병리검사상으로는 나타나지만 증상과 징후로는 나타나지 않는 경우가 있기 때문에 질병의 근본을 파악하는 것은 매우 중요하다. 병기는 질병의 어떤 단계에서든지 반드시 내재하기 때문에 本(병기)을 치료하여 질병의 주요 문제를 해결하면 다른 문제들도 따라서 해결된다. 예를 들어 장개빈(張介賓)이 말한 "그 근본을 바로 치료하면 생겨날 모든 병이 근본을 좇아 모두 물러나게 된다[5]"는 것이 바로 이 경우이다.

1) 치표(治標)와 치본(治本)

표본은 본말(本末), 즉 뿌리와 가지를 가리키는 상대적인 개념으로, 사물의 본질과 현상、인과관계 및 병변 과정 중에 나타나는 모순의 주차(主次)관계를 설명하는 데에 자주 사용된다. 사정(邪正)의 관계에서 정기는 본이고, 사기는 표가 되며, 병인과 증상으로 말하자면, 병인은 본이고, 증상은 표가 되며, 선후병(先後病)으로 말하자면, 선병(先病)은 본이고, 후병(後病)은 표가 되며, 원발병은 본이고, 속발병은 표가 되며, 표리로 말하자면, 장부의 병은 이(裏)이고, 기표(肌表) 경락의 병은 표가 되는 등이다.

---

3) 見肝之病, 知肝傳脾, 當先實脾 (金匱要略·臟腑經絡先後病脈證第一)
4) 治病必求於本 (素問·陰陽應象大論)
5) 直取其本, 則所生諸病, 無不隨本皆退 (景岳全書·求本論)

질병의 치료로 말하자면, 대개의 경우 본을 치료하는 것이 중요하다. 그러나 질병 과정의 여러 단계에서 병증에는 선후가 있고, 모순에는 주차가 있으며, 병세에는 완급이 있기 때문에 경우에 따라서 표를 먼저 치료해야 하거나, 혹은 본을 먼저 치료해야 하거나, 혹은 표본을 함께 치료해야 한다.

(1) 병증이 위중할 때의 표본 치법

육음이나 역려로 인한 질병의 초, 중기, 혹은 만성 질병의 급성적인 발작, 혹은 기타 질병의 진행과정에서 나타난 심각한 병발증이나 속발병증의 경우, 병증이 급중(急重)하기 때문에 선치(先治) 혹은 급치(急治)해야 하는데, 주로 아래와 같이 세 가지 경우가 있다.

① 표가 급할 경우 표를 먼저 치료한다

원발병과 속발병의 경우로, 간병(肝病)으로 인해 고창(鼓脹)이 되면, 간병은 본이 되고, 복수(腹水)는 표가 된다. 먼저 화어이수(化瘀利水)하여 복수가 감소되고 병세가 안정된 다음에 다시 간병을 치료한다. 선후병으로 말하자면, 먼저 '졸병(卒病)'을 치료한 다음에 '고질(痼疾)'을 치료해야 한다. 또한 병발증(併發症)의 경우, 예컨대 음수(陰水)환자가 또 외사로 인해 감모(感冒)가 되면 먼저 감모를 치료를 해서 본병(本病)의 악화를 막아야 한다. 또 표리가 함께 병이 된 경우, 만약 체표 경락의 병변이 위중하면 마땅히 먼저 표병을 치료한 다음 장부리증(臟腑裏證)을 치료해야만 병사(病邪)가 장부로 전입되어 장부병이 악화되는 것을 막을 수 있다. 만약 병의 진행단계에서 고열, 심한 구토, 극심한 동통, 심한 출혈, 요폐, 추축(抽搐), 천촉(喘促), 혼미, 허탈 등과 같이 위중한 증상들이 나타나는 경우, 이러한 증상들이 표에 속한다고 하더라도, 바로 해결하지 못하면 생명을 위협할 수 있기 때문에 반드시 선치하거나 급치해야 한다.

② 본이 급할 경우 본을 먼저 치료한다

예를 들어 『金匱要略』에서 "병을 의사가 瀉下시켰는데, 계속해서 설사하고 소화되지 않은 음식물이 계속해서 나오면서 몸이 아프면, 마땅히 급히 裏를 구해야 한다"[6]고 하였는데, 몸이 아픈 것은 경락에 병사가 침입한 것이며, 소화되지 않은 음식물을 계속 설사하는 것은 비양(脾陽)이 허쇠하여 나타난 것으로, 아픈 것과 설사를 비교하면 이증(裏證)이 급하기 때문에 이(裏)를 먼저 구해야 한다. 즉 표리가 함께 병이 된 경우일지라도 본이 급한 경우에는 그 본을 급히 치료해야 한다.

③ 표와 본이 모두 급한 경우 표본을 같이 치료해야 한다

예컨대 사정(邪正)의 관계로 말하자면, 열병의 과정에서 만약 대변이 조결 불통하면 사열리결(邪熱裏結)이 본이 되고, 음액의 손상은 표가 된다. 이 경우 사열공하(瀉熱攻下)와 자음통변(滋陰通便)의 치법을 함께 운용하는데, 이것이 바로 표본겸치(標本兼治)에 속한다.

(2) 병세가 완만할 때의 표본 치법

급성 질병의 회복기나 만성으로 경과된 경우에 병세는 비교적 완만하게 나타나므로 이 때에는 상황을 잘 구별하

6) 病, 醫下之, 續得下利淸穀不止, 身體疼痛者, 急當救裏 (金匱要略·臟腑經絡先後病脈證第一)

여 표본 치법을 적절하게 활용해야 한다. 예를 들어 풍열표증(風熱表證)으로 두통이 나타나는 경우에 풍열을 발산하여 해표시키면 두통이 없어지는 것처럼 먼저 본을 치료할 수도 있다. 또한 예를 들어 비허(脾虛)로 운화가 실조되면 식체가 쉽게 일어나는데, 이 때에는 먼저 이기소도(理氣消導)한 다음 비기를 보익해야 하는 것처럼 먼저 표를 치료할 수도 있다. 또한 본래 기허로 항병능력이 저하되어 감모가 반복적으로 일어나면 마땅히 익기해표(益氣解表)해야 하며, 또 표증이 아직 제거되지 않는 상태에서 이증이 나타나면 표리쌍해(表裏雙解)해야 하는데, 이는 모두 표본겸치에 속하는 경우이다. 표본을 함께 치료할 때에는 반드시 표병과 본병의 주차(主次)에 따라 용약에 차별을 두어야 한다.

결국 병증의 변화에는 경중､완급､선후､주차의 차이가 있기 때문에 표병과 본병을 구분해야만 복잡한 질병에 대한 적절한 치료방안을 마련할 수 있다. 따라서 표본의 치법을 활용하는 데에도 선후와 완급의 차이가 있고, 단용(單用)과 겸용(兼用)의 차이가 있다.

2) 정치(正治)와 반치(反治)

정치는 역치(逆治), 반치는 종치(從治)라고도 한다. 정치와 반치는 약물의 한열 성질､보사 효능 및 질병의 본질､현상사이의 역종(逆從) 관계에 따라 제시된 두 가지 치법이며, 모두 치병구본(治病求本) 치료원칙의 구체적인 운용이다.

(1) 정치(正治)

정치는 질병의 증상이 나타내는 성질과 반대되는 약물로 치료하는 방법을 가리키는데, 가장 많이 사용되고 있는 치료법칙이다. 정치는 질병의 징상(徵象 주로 증상과 징후)과 질병의 본질이 서로 일치하는 병증에 사용된다.

임상에서 자주 이용되는 정치법에는 다음의 네 가지가 있다.

① 한자열지(寒者熱之)

한성 병증이 한상(寒象)으로 나타나는 경우, 온열한 성질을 가진 방약으로 치료하는데, 이를 "寒證에는 熱藥을 쓴다"[7]고 한다. 즉 열약(熱藥)으로 한증(寒證)을 치료하는 것이다. 예를 들어 표한증에는 신온해표하는 방약을 사용하고, 이한증(裏寒證)에는 신열온리(辛熱溫裏)하는 방약을 사용한다.

② 열자한지(熱者寒之)

열성 병증이 열상(熱象)으로 나타나는 경우, 한량(寒凉)한 성질을 가진 방약으로 치료하는데, 이를 "熱證에는 寒藥을 쓴다"[8]고 한다. 즉 한약(寒藥)으로 열증(熱證)을 치료하는 것이다. 예를 들어 표열증에는 신량해표(辛凉解表)하는 방약을 사용하고, 이열증(裏熱證)에는 고한공리(苦寒攻裏)하는 방약을 사용한다.

③ 허하면 보한다(虛則補之)

허손(虛損)의 병증에 허한 증후가 나타나면 보익하는 방약으로 치료하는데, 이를 "虛證은 補한다"[9]고 한다. 즉 보

7) 寒者熱之 (素問·至眞要大論)
8) 熱者寒之 (素問·至眞要大論)
9) 虛則補之 (素問·三部九候論)

약으로 허증을 치료하는 것이다. 예를 들어 양기가 허쇠하면 부양익기(扶陽益氣)시키는 방약을 사용하고, 음혈이 부족하면 자음양혈(滋陰養血)하는 방약을 사용한다.

④ 실하면 사한다(實則瀉之)

사실(邪實)의 병증에 실한 증후가 나타나면 공사사실(攻邪瀉實)하는 방약으로 치료하는데, 이를 "實證은 瀉한다"10)고 한다. 즉 거사사실(祛邪瀉實)하는 약으로 실증을 치료하는 것이다. 예컨대 식체에는 소식도체(消食導滯)하는, 어혈병증에는 활혈화어(活血化瘀)하는, 담습병증에는 거담거습(祛痰祛濕)하는, 이실증(裏實證)에는 사하공리(瀉下攻裏)하는, 화열독성(火熱毒盛)할 때에는 청열해독(淸熱解毒)하는 방약을 사용한다.

(2) 반치(反治)

반치는 질병상태에서 외부로 표현된 가상(假象)과 같은 성질의 약물을 활용하는 치료법칙이다. 이 경우에 사용된 방약의 성질이 질병으로 인해 외부로 표현된 가상의 성질과 같기 때문에 종치(從治)라고 한다. 이러한 치료법칙은 질병의 징상과 그 본질이 완전히 일치하지 않는 병증에 적용된다. 일부 위중하고 복잡한 질환의 경우 나타나는 증상과 질병의 본질이 서로 한열이나 또는 허실의 진상(眞象)과 가상(假象)이 함께 있는 상황으로 나타나기 때문에 반치법을 쓴다. 임상에서 자주 사용되는 반치법에는 다음의 몇 가지 경우가 있다.

① 한인한용(寒因寒用)

한량한 성질의 약물을 투여하여 가한(假寒) 징상을 가진 병증을 치료하는데, 이를 "寒藥으로 寒證을 치료한다"11) 고 하며, 진열가한증에 적용된다. 예를 들어 열궐증에서 양열(陽熱)이 내성하여 열사가 깊이 잠복하면 장열(壯熱)、오열(惡熱)、번갈음냉(煩渴飮冷)、소변단적(小便短赤)、설질강(舌質絳)、태건황혹회황이건(苔乾黃或灰黃而乾) 등 이열(裏熱) 징상이 나타나며, 동시에 이열(裏熱)이 극성하여 양기가 밖으로 나가지 못하도록 막으면 외부로는 가한의 징상, 즉 수족궐냉하면서도 흉복부를 만져보면 열감이 있고 옷과 이불을 가까이 하려하지 않거나、맥침(脈沈) 등이 나타난다. 이 병증은 양성격음(陽盛格陰)으로 인한 진열가한증이라고도 한다. '이한치한(以寒治寒)'은 바로 그 열이 성한 본질에 대해 치료하는 것이다.

② 열인열용(熱因熱用)

온열한 성질의 약물을 투여하여 가열(假熱) 징상의 병증을 치료하는데, 이를 "熱藥으로 熱證을 치료한다"12)고 하며, 진한가열증에 적용된다. 예를 들어 격양증에서는 하리청곡(下利淸穀)、사지궐냉、맥미욕절(脈微欲絕)、설담태백(舌淡苔白) 등과 같은 일련의 음한(陰寒)이 내성한 증상과 함께 음한(陰寒)이 체내에서 막아 양기를 외부로 몰아 몸이 오히려 오한하지 않거나 면적(面赤) 등과 같은 가열의 징상이 나타난다. 이 병증을 음성격양으로 인한 진한가열증이라고도 한다. '이열치열(以熱治熱)'은 바로 그 양이 허하고 음한이 성한 본질에 대해 치료하는 것이다.

---

10) 實則瀉之 (素問·三部九候論)
11) 以寒治寒 (景岳全書·傳忠錄·反佐論)
12) 以熱治熱 (景岳全書·傳忠錄·反佐論)

③ 색인색용(塞因塞用)

보익하는 약물로 막혀서 불통하는 증상을 갖고 있는 허증을 치료하는 것을 가리키며, 이를 "補藥으로 막힌 것을 연다(以補開塞)"고 한다. 장부의 기혈이 부족하면 공능이 저하되어 폐색 불통의 병증이 나타나는데, 보해서 통창시키는 것이다. 예를 들어 비기(脾氣)가 허약하면 식욕부진、권태무력、설담맥허(舌淡脈虛) 등 증상과 함께 완복창만과 대변 불통이 뚜렷하게 나타나는데 이는 비허로 인해 기를 추동할 수 없기 때문에 나타난 것으로 건비익기(健脾益氣)하는 방약을 사용해야 한다. 그러므로 색인색용은 주로 그 허손부족(虛損不足)의 본질을 치료하는 것이다.

④ 통인통용(通因通用)

통리(通利)작용이 있는 약물을 사용하여 통사(通瀉) 증상을 갖고 있는 실증을 치료하는 것을 가리키며, 이를 "通하게 하는 藥으로 通한 것을 치료한다(以通治通)"고도 한다. 예를 들어 숙식으로 위장이 막혀 복통、장명、설사、배설물의 심한 악취、태니구탁(苔膩垢濁)、맥활(脈滑) 등 증상이 나타나면 당연히 소식(消食) 도체(導滯) 공하(攻下)시켜 적체를 제거하여야 한다. 또한 붕루의 경우, 자궁출혈이 점적출혈로 끊기지 않거나 갑자기 출혈량이 많아지면서 어혈 덩어리와 복통거안이 나타나면 활혈화어하는 방약을 사용하여 치료한다. 이는 모두 사(邪)가 성하여 실(實)이 된 본질을 치료하는 것이다.

정치와 반치는 모두 질병의 본질을 치료하는 것이며, 치병구본의 범주에 속한다. 그러나 정치와 반치는 개념적인 차이가 있고, 또한 사용된 방약의 성질、효능과 질병의 본질、현상간의 관계로 말하자면, 방법상으로는 역종(逆從)의 구분이 있다. 이외에도 그들이 적용하는 병증에 구별이 있는데, 병변의 본질과 임상증상이 부합되면 정치법을 사용하고, 반대로 병변의 본질과 임상증상의 속성이 일치하지 않으면 반치법을 사용한다. 실제 임상에서 대부분의 경우에는 질병의 본질과 그 징상의 속성이 일치하기 때문에 정치법이 주로 많이 사용되는 치료법칙이다.

3. 부정거사(扶正祛邪)

질병은 사정(邪正)이 서로 싸우는 과정이다. 서로 맞서고 있는 사정의 소장 성쇠는 질병의 발생、발전 변화 및 그 결과를 결정한다. 그러므로 질병을 치료하는 기본 원칙은 정기를 돕고 사기를 제거함으로써 질병이 신속하게 호전되는 과정으로 나아가고, 인체가 건강을 빨리 회복할 수 있도록 도와주는 것이다.

1) 부정거사의 기본 개념

'부정(扶正)'은 인체의 정기를 도와 체력을 증강시키고, 인체가 사기에 저항하는 능력을 향상시키는 치료원칙이다. 부정은 주로 허증에 적용되는데, "虛하면 補한다"[13]고 하였다. 익기(益氣)、자음(滋陰)、양혈(養血)、부양(扶陽) 및 장부의 보법(補法) 등은 모두 부정을 바탕으로 확립된 치료방법이다. 그 구체적인 조치와 수단은 탕약의 복용 외에도 침구、추나、기공、음식 양생、정신 조섭、체육 단련 등이 있다.

'거사(祛邪)'는 사기를 제거하여 병사의 침입과 손상을 없애거나 약하게 만드는 치료원칙이다. 거사는 주로 실증에

13) 虛則補之 (素問·三部九候論)

적용되는데, "實하면 瀉한다"[14]고 하였다. 거사의 치료원칙을 바탕으로 확립된 치료방법은 매우 많다. 예를 들어 발한, 용토(涌吐), 공하(攻下), 청열, 이습(利濕), 소도(消導), 거담, 활혈화어 등과 같이 그 구체적인 조치와 수단은 매우 다양하다.

2) 부정거사의 임상적인 운용

(1) 운용원칙

임상적으로 부정거사의 치료원칙을 운용하면서 따라야 할 세 가지 원칙이 있다. 첫째로 허증에는 부정을 하고, 실증에는 거사를 해야 한다. 둘째로 사정(邪正)의 성쇠와 그 질병 진행과정의 상황에 따라 운용방식의 선후와 주차를 결정한다. 셋째로 부정할 때 사기를 조장해서는 안되며, 사기를 제거하면서 정기를 손상해서는 안 된다. 부정과 거사의 운용이 적당하면 사기가 제거되고 사기가 물러가면 정기는 스스로 안정된다. 정기를 도와주면 정기가 충족되어 사기는 저절로 물러가게 된다. 만약 운용이 적절하지 못하면 거사하면서 정기도 함께 손상되고, 부정할 때에는 사기도 조장되거나 체류(滯留)되기 때문에 주의해야 한다.

(2) 운용방식

부정거사의 구체적인 운용방식은 다음과 같다.

① 단독사용: '부정'은 순수한 허증(虛證), 진허가실증(眞虛假實證) 및 정허사불성(正虛邪不盛) 등 정허(正虛)를 위주로 하는 병증에 적용된다. 반면에 '거사'는 순수한 실증(實證), 진실가허증(眞實假虛證) 및 사성정불허(邪盛正不虛) 등 사성(邪盛)을 위주로 하는 병증에 적용된다.

구체적으로 운용할 때에는 약의 용량을 잘 조절하여야 한다. 예를 들어 병은 중한데 약을 적게 사용하면 병을 이기지 못하게 되고, 반면에 약을 과용하면 '약화(藥禍)'를 일으켜 병을 더 악화시킨다. 보양(補陽)이 지나치면 내열(內熱)을 증가시키며, 자음(滋陰)이 지나치면 비위(脾胃)를 상하게 된다. 보기(補氣)가 지나치면 기체(氣滯)를 일으키고, 공하(攻下)와 용토(涌吐)가 지나치면 비위(脾胃)를 손상시키며, 땀을 지나치게 내면 진기(津氣)를 상하게 된다. 결국 보사(補瀉)의 정도는 병세에 따라 그 용량을 결정해야 한다.

② 합병사용: 부정과 거사의 합병사용은 공보(攻補)를 함께 실시하는 것으로 허실협잡(虛實挾雜)의 병증에 적용된다. 정허(正虛)와 사실(邪實)에는 주차(主次)가 있기 때문에 합병사용의 경우에는 반드시 주차를 구별해야 한다.

- 부정겸거사(扶正兼祛邪): 부정을 위주로 하면서 거사를 보조로 하는 치료법이다. 정허를 위주로 (혹은 정허(正虛)가 비교적 심한 경우) 하는 허실협잡증(虛實挾雜證)에 적용된다.
- 거사겸부정(祛邪兼扶正): 거사를 위주로 하면서 부정을 보조로 하는 치료법이다. 사실을 위주로 (혹은 사성(邪盛)이 비교적 심한 경우) 하는 허실협잡증에 적용된다.

③ 선후사용(先後使用): 부정과 거사의 선후사용 역시 주로 허실협잡증에 적용되는데, 임상적으로 두 가지 방식이 있다.

- 선거사후부정(先祛邪後扶正): '선공후보(先攻後補)'를 뜻하며, 그 적응증은 일반적으로 다음의 두 가지 경우를 전제로 한다. 그 하나는 사성(邪盛)이 위주일 때 부정을 하면 오히려 사기를 조장하게 되거나, 또는 비록 정기가 허하더라도 아직은 공법(攻法)을 견딜 수 있을 때 사용한다. 또 하나는 정허가 심하지 않은 상태에서 사기가 성해지고 있거나, 또는 허와 실이 미미할 때에 먼저 거사(祛邪)를 하면 사기가 신속하게 제거되면서 정기 역시 쉽

14) 實則瀉之 (素問·三部九候論)

게 회복된다.

- 선부정후거사(先扶正後袪邪): '선보후공(先補後攻)'을 뜻하며, 그 적응증도 역시 두 가지 경우이다. 하나는 정허(正虛)가 위주이면서 환자의 상태가 공법(攻法)을 견딜 수 없는 경우이고, 다른 하나는 병세의 허실이 매우 심하면서도 병사가 쉽게 확산이 되지 않을 경우에 사용하는데, 이 때에는 먼저 부정보허(扶正補虛)하여 정기를 도와줘서 정기가 공법을 견뎌낼 수 있을 때까지 기다린 다음에 다시 거사를 하면 정기가 허탈하지 않게 된다.

4. 음양 조정(陰陽 調整)

음양을 조정한다는 것은 질병의 과정에서 인체 음양의 편성 편쇠를 교정하여 그 유여함을 덜어내고 그 부족함을 보함으로써 인체 음양의 상대적인 평형을 회복시키는 것이다. 음양의 상대적인 평형은 인체의 정상적인 생명활동과정을 유지케 하며, 음양의 실조는 인체 각종 공능과 기질적인 병변의 병리를 개괄한 것으로, 질병이 발생, 발전, 변화하는 근거가 된다. 그러므로 음양을 조정하는 것은 임상에서 질병을 치료하는 기본 원칙이기도 하다.

음양 실조의 병리변화는 음양의 편성, 편쇠, 호손(互損), 격거(格拒), 망실 및 전화(轉化) 등으로 나누어서 설명할 수 있다. 따라서 음양을 조정하는 치료원칙도 주로 그 유여함을 덜어내고, 그 부족함을 보하며 또한 손익(損益)을 겸용하는 등 세 가지 방법을 포함하고 있다. 그 구체적인 운용은 앞에서 말한 여섯 가지의 병리변화에 상응하는 치료법을 확립하는 데에 있다.

1) 유여하면 덜어낸다(損其有餘)

유여를 '손(損)'한다는 것은 편성(偏盛)함을 덜어낸다는 것으로, 음 또는 양 한 쪽이 편성하거나 유여한 병증에 '실즉사지(實則瀉之)'의 방법으로 치료하는 것을 가리킨다. 예를 들어 양이 편성하면 양이 성하면서도 음이 상대적으로 허하지 않은 실열증으로 나타나는데, 이 경우 양열(陽熱)을 청사(淸瀉)시키는 방법으로 치료한다. 음이 편성하면 음이 성하면서도 양이 상대적으로 허하지 않은 실한증으로 나타나는데, 음한(陰寒)을 온산(溫散)시키는 방법으로 치료한다.

2) 부족하면 보한다(補其不足)

부족함을 보한다는 것은 편쇠함을 보한다는 것으로, 음 또는 양의 한 쪽이 편쇠 부족한 병증에 '허즉보지(虛則補之)'의 방법으로 치료하는 것을 가리킨다. 보허(補虛)의 구체적인 방법은 다음과 같다.

(1) 음양 호제(陰陽 互制)의 보허방법

음허하여 양을 억제하지 못해서 양항(陽亢)하는 허열증(虛熱證)에 대해 자음(滋陰)하는 방법으로 양항을 제약한다. 이를 "陽病은 陰을 치료한다"15), "水의 主를 장실케 하여 양의 빛을 억제한다"16)고도 하였다.

양허하여 음을 억제하지 못해서 음성(陰盛)하는 허한증(虛寒證)에 대해 부양(扶陽)하는 방법으로 陰盛을 제약하는 것이다. 이를 "陰病은 陽을 치료한다"17), "火의 源을 더하여 음의 그늘을 없앤다"18)고도 하였다.

15) 陽病治陰 (素問·陰陽應象大論)
16) 壯水之主, 以制陽光 (黃帝內經素問·至眞要大論·王冰注)
17) 陰病治陽 (素問·陰陽應象大論)
18) 益火之源, 以消陰翳 (黃帝內經素問·至眞要大論·王冰注)

(2) 음양 호제(陰陽 互濟)의 보허방법

음양 호근(陰陽 互根)의 원리에 근거하여, 양이 편쇠한 경우에 부양제(扶陽劑)에다 자음약(滋陰藥)을 적당히 배합하여 "陽이 陰의 도움을 얻어 生化함이 끝이 없게"[19] 하는데, 이를 "陰중에서 陽을 구한다"[20]고 하였다. 음이 편쇠한 경우에 자음제에다 부양약을 적당히 배합하여 "陰이 陽의 升함을 얻으면 샘의 근원이 마르지 않게"[21] 하는데, 이를 "陽중에서 陰을 구한다"[22]고도 한다.

(3) 음양 병보(陰陽 并補)

음양호손(陰陽互損)으로 나타난 음양양허증(陰陽兩虛證)에 대해 반드시 주차를 구별하여 쌍보(雙補)해야 한다. 양의 허손이 음에 미친 경우 보양(補陽)을 충분히 한 기초 위에 자음제(滋陰劑)를 배합하고, 음의 허손이 양에 미친 경우 자음(滋陰)을 충분히 한 기초 위에 보양제(補陽劑)를 배합한다.

이외에도 음양이 망실된 경우, 망양(亡陽)에는 익기(益氣)､회양(回陽)､고탈(固脫)하고, 망음(亡陰)에는 익기(益氣)､구음(救陰)､고탈(固脫)한다.

3) 손익 겸용(損益 兼用)

음양이 편성한 병변은 항상 다른 편의 편쇠를 유발하기 때문에 치료하면서 그 유여함을 덜어내고 아울러 그 부족함도 고려해야 한다. 예컨대 "陰이 지나쳐서 陽에 병이 든"[23] 경우에는 음한(陰寒)을 온산(溫散)시키는 동시에 부양(扶陽)해야 하고, "陽이 지나쳐서 陰에 병이 든"[24] 경우에는 양열(陽熱)을 청사(淸瀉)하는 동시에 자음(滋陰)해야 한다. 반면에 만약 음양 실조의 병리변화가 음양 편쇠를 위주로 하고 동시에 아울러 음이나 양이 편성하는 병기가 나타나는 경우에는 그 부족함을 보하는 것을 위주로 하고 그 유여함을 덜어내는 것을 겸해야 한다.

이외에도, 음양격거(陰陽格拒)의 경우, 양성격음(陽盛格陰)으로 인한 진열가한증은 양열(陽熱)을 내리면서 양기(陽氣)를 소통시켜야 하는데, 이는 그 유여함을 덜어내는 경우에 속한다. 반면에 음성격양(陰盛格陽)으로 인한 진한가열증은 회양구역(回陽救逆)하고 인화귀원(引火歸原)해야 하는데, 이는 그 부족함을 보하는 경우에 속한다.

음양이 전화(轉化)하는 과정에서 만약 실에서 허로 바뀌면 그 부족함을 보해야 하고, 반면에 허에서 실로 바뀌면 손익(損益)을 겸용해야 한다. 결국 일정한 조건에서 발생된 음양의 병리 전화에 대한 일반적인 치료원칙은 바뀐 뒤에 나타난 증후의 성질에 따라 적절한 치법을 세워 그 부족함을 보하거나 혹은 손익을 겸용해야 한다.

5. 기혈 조리(氣血 調理)

기혈은 인체 생명활동의 기본 물질이며, 또한 장부 신형(身形) 생리활동의 물질적인 기초이다. 기혈을 조리하는 것은 기혈 실조의 병기에 대해 확립된 치료원칙이다.

---

19) 陽得陰助而生化無窮 (類經·疾病類·五實五虛死)
20) 陰中求陽 (類經·疾病類·五實五虛死)
21) 陰得陽升而泉源不竭 (類經·疾病類·五實五虛死)
22) 陽中求陰 (類經·疾病類·五實五虛死)
23) 陰勝則陽病 (素問·陰陽應象大論)
24) 陽勝則陰病 (素問·陰陽應象大論)

1) 조기(調氣)

(1) 보기(補氣)

기허증(氣虛證)은 보기해야 한다. 기가 만들어지는 원천은 주로 선천적인 정기, 음식물의 정기와 자연계의 청기이기 때문에 선천적인 품부, 음식, 환경인자 외에도 신, 비위, 폐 등의 생리공능과 밀접한 관계가 있다. 그러므로 보기할 때에는 위에서 거론된 장부의 생리공능을 조절해야 하는데, 특히 비위를 조절하는 것은 기허증을 다스리는 데에 매우 중요한 관건이 된다.

(2) 기기(氣機)에 대한 조리

기는 유통이 중요한데, 기기를 조리하는 원칙과 방법에는 다음과 같이 두 가지가 있다.

① 장부기기(臟腑氣機)의 승강 원리에 따른다

장부에는 승강출입의 원리가 있는데, 예를 들어 비기는 승(升)을, 위기는 강(降)을, 간은 승발을, 폐기는 숙강을 특징으로 한다. 따라서 기기를 조리할 때에는 마땅히 그 증후의 특징에 따라 이러한 원리를 적용해야 한다. 예를 들어 위기가 상역하면 강역화위 (降逆和胃)해야 하고, 비기가 하함하면 익기승제(益氣升提)해야 한다.

② 기기가 문란한 병리상태를 조리한다

기기가 문란한 경우에는 증후의 성질에 따라 조리해야 한다. 예를 들어 기체된 경우에는 행기시키고, 기폐된 경우에는 개규통폐(開竅通閉)시키며, 기탈된 경우에는 익기고탈 (益氣固脫)하는 등이다.

2) 이혈(理血)

(1) 보혈(補血)

혈허증은 보혈시킨다. 음식물의 정미가 생혈(生血)의 주요 근원이며 영기와 진액이 화혈(化血)에 참여하고, 아울러 비위, 심, 신, 간 등의 생리적인 활동과 밀접한 관계가 있다. 따라서 보혈할 때에는 위에서 거론한 장부의 공능을 조리해야 하며, 특히 혈허증을 치료할 때에는 비위를 조리하는 것이 매우 중요하다.

(2) 혈액의 운행을 조리한다.

혈액의 영양과 자윤 작용은 정상적인 운행을 통해야만 발휘된다. 여러 원인에 의해 혈액의 운행은 혈어(血瘀), 맥류박질(脈流薄疾)과 출혈의 세 가지의 병리 상태로 나타나며, 또한 서로 간에 영향을 줄 수 있다. 따라서 혈액의 운행을 조리하는 원칙은 다음과 같이 정리할 수 있다. 즉 혈어증이면 활혈화어하고, 맥류박질하면 청열량혈이나 자음강화시키며, 출혈의 경우에는 그 출혈의 원인과 병기에 따라 청열지혈, 온경지혈, 보기섭혈 (補氣攝血), 화어지혈(化瘀止血), 수삽지혈(收澁止血) 등과 같은 치료방법을 선택한다.

3) 기혈의 조리(調理)

기혈 사이에는 호근 호용(互根互用)의 관계가 있는데, 기혈 실조의 경우에 기병이 혈에 미치고, 혈병이 기에 미치는 병리변화뿐만 아니라, 인과, 선후 및 주차에 따라 기혈의 관계를 조리하는 방법이 매우 다양하다.

(1) 기병이 혈에 미친 경우를 조리하는 방법

병이 기에서 먼저 시작하여 혈에 미친 경우에는 기병이 기초가 되고 주가 되기 때문에 조기(調氣)를 위주로 하거나 혹은 먼저 조기한 다음에 이혈(理血)하는데, 임상에서는 기혈을 함께 조리하는 경우를 자주 볼 수 있다.

예를 들어 기허로 인해 혈허가 된 경우에는 보기를 위주로 보혈을 배합하고, 기허로 혈어가 된 경우에는 보기를 위주로 활혈화어를 배합하며, 기체로 혈어가 된 경우에는 행기를 위주로 활혈화어를 배합하고, 기허로 섭혈하지 못하는 경우에는 보기를 위주로 수삽지혈하는 약물을 배합한다.

(2) 혈병이 기에 미친 경우를 조리하는 방법

병이 혈에서 먼저 시작하여 기에 미친 경우에는 혈병이 기초가 되고, 혈병이 우선하기 때문에 이혈(理血)을 위주로 하고 조기를 배합한다. 예를 들어 혈허로 인해 기소(氣少)케 된 경우에는 양혈(養血)을 위주로 익기(益氣)를 배합한다. 그러나 기수혈탈(氣隨血脫)의 경우에는 전통적으로 먼저 익기、고탈(固脫)、지혈시킨 다음 병세가 완화된 후에 다시 양혈시키는 약을 쓴다. 유형의 혈은 신속히 만들어지지 않기 때문에 무형의 기를 먼저 고섭해야 한다.

이외에도, 기혈 실조는 대부분 장부 공능 실조와 밀접한 관계가 있기 때문에 실제 임상에서는 기혈의 조리를 장부의 조리와 함께 운용한다.

6. 장부 조리(臟腑 調理)

1) 장부의 음양기혈을 조리한다

장부의 생리공능은 음양기혈 등이 서로 협조하고 배합한 결과이며, 장부 음양기혈의 실조는 장부 병리변화의 기초이다. 각 장부의 음양기혈에도 서로 다른 병기적 특징이 있으므로 그 구체적인 조리방법 역시 서로 다르다.

(1) 오장의 음양기혈 실조에 대한 조리

심(心)의 음양 실조 병기의 특징은 주로 심양(心陽)의 편쇠 편성과 심음부족의 두 가지이다. 심양이 부족하면 심양을 보익하고, 심양이 욕탈(欲脫)할 때에는 익기(益氣)、회양(回陽)、구역(救逆)하며, 심화(心火)가 치성하면 청심사화(淸心瀉火)하고, 심음이 허할 때에는 심음을 보하고 심신(心神)을 안정시켜야 한다. 심의 기혈이 실조될 경우에 그 병기적인 특징은 주로 심의 기혈편쇠(氣血偏衰)와 심맥어조(心脈瘀阻)로 나타난다. 심기(心氣)가 허할 때에는 심기를 보양하고, 심혈(心血)이 허할 때에는 심혈을 보양하며, 심맥어조할 때에는 활혈거어 위주로 치료해야 한다.

폐(肺)의 음양 실조 병기의 특징은 주로 폐기(肺氣)와 폐음(肺陰)의 실조로 나타난다. 폐기가 허쇠하면 폐기를 보익하고, 폐기가 옹체되면 선폐산사(宣肺散邪)하며, 폐음이 부족하거나 음허화동할 때에는 자양폐음(滋養肺陰)、청금강화(淸金降火)한다.

비(脾)의 음양 실조 병기의 특징은 주로 비양(脾陽)과 비기(脾氣)의 허쇠로 나타난다. 즉 비불통혈(脾不統血)、비기하함(脾氣下陷)、비허습조(脾虛濕阻)、비허수종(脾虛水腫)、비허대하(脾虛帶下) 등 병리변화로 나타나는데, 이에 대한 치료법은 보기섭혈(補氣攝血)、보기승제(補氣升提)、건비조습(健脾燥濕)、건비이수(健脾利水)、건비이습지대(健脾利濕止帶) 등이 있다.

간(肝)의 음양 실조 병기의 특징은 주로 간기(肝氣)와 간양(肝陽)의 유여와 간혈(肝血)과 간음(肝陰)의 부족으로 나타난다. 간기가 울결되면 소간이기(疏肝理氣)하고, 간화가 상염하면 청강간화(淸降肝火)하며, 간혈이 허하면 간혈을 보양하고, 간음이 부족하면 간음을 자양하며, 간양이 상항하여 화풍(化風)한 경우에는 자양간신(滋養肝腎)、평간

(平肝)、식풍(熄風)、잠양(潛陽)해야 한다.

신(腎)의 음양 실조 병기에 대해 역대 학자들은 대부분 '주허무실(主虛無實)'의 견해와 함께 정기음양(精氣陰陽)의 부족을 위주로 보았다. 그 치법에 대해서도 신정휴손 (腎精虧損)에는 신정[腎精]을 보하고, 신기불고(腎氣不固)에는 보신고섭(補腎固攝)한다. 신의 음양부족은 대부분 병리적인 소장실조(消長失調)로 나타난다. 신음이 부족하면 양을 제약하지 못하여 양항하므로 허열증이 나타나는데, 이때에는 자음하여 양을 제약한다. 신양이 허쇠하면 음을 제약하지 못하여 음한(陰寒)이 내성(內盛)하므로 허한증이 나타나는데, 이때에는 부양(扶陽)하여 음을 제약한다.

(2) 육부의 음양기혈 실조에 대한 조리

담의 음양기혈 실조 병기의 특징으로서 담에 습열이 있으면 청열(淸熱)、이습(利濕)、통부(通腑)하고, 담기(膽氣)가 울체되었으면 소간이담(疏肝利膽)하며, 담울담요(膽鬱痰擾)한 경우에는 청열(淸熱)、화담(化痰)、해울(解鬱)한다.

위의 음양실조 병기의 특징은 주로 양성(陽盛)、양허(陽虛) 및 음허(陰虛) 등으로 나타난다. 양성하여 위열이 있으면 청사위화(淸瀉胃火)하고, 비위가 허한하면 온보중초(溫補中焦)하며, 위음(胃陰)이 부족하면 자음익위(滋陰益胃)한다.

"大腸과 小腸은 모두 胃에 속하기"[25] 때문에 두 장(腸)의 병변은 대부분 비위에 준하여 치료한다. 또한 방광의 습열증은 청리(淸利)하고, 허한할 때에는 온신부양(溫腎扶陽)한다. 삼초는 인체의 상중하 삼부에 상응하는 장부의 병기와 밀접한 관계가 있다. 따라서 삼초의 병변은 상응하는 장부에 따라 변증논치하는데, 임상에서는 상중하 삼부의 기기를 소통시켜 삼초의 수도가 조창(調暢)할 수 있게 해준다.

(3) 기항지부의 음양기혈 실조에 대한 조리

기항지부가 저장하고 있는 정(精)은 오장에서 기원하기 때문에 그 공능상태 역시 대부분 오장에 속한다. 따라서 기항지부의 병변은 오장에 준하여 치료한다. 예를 들어 골(骨)과 수(髓)의 병변은 신에, 뇌(腦)의 병변은 신、비、심에, 여자포(女子胞)의 병변은 신、간、비 또는 심에, 맥(脈)의 병변은 십이경과 기경팔맥에 준하여 변증 치료하며, 담(膽)은 이미 육부에서 설명한 바 있다.

2) 장부의 생리적인 특징에 따른 치법을 적용한다

(1) 장부 음양오행의 속성에 따라 적절한 치법을 확립한다

예컨대 심(心)은 양장(陽臟)으로 오열(惡熱)하는 것이 심의 생리적인 특징중의 하나이다. 심의 양기의 충만여부는 심장의 정상적인 행혈공능과 관련이 있기 때문에 심병을 치료할 때에는 심의 양기를 잘 살펴야 한다. '심오열(心惡熱)'은 또한 임상에서 심이 화열사기(火熱邪氣)와 서사(暑邪) 등에 대해 특별한 이감수성(易感受性)과, 화열병증 (火熱病證)과 서병(暑病)에 대한 이발생성(易發生性)으로 나타나기 때문에 청심사화(淸心瀉火)、청서(淸暑)하여 안신(安神)시켜야 한다. 또한 간은 목에 속하고, 조달을 좋아하는 성질이 있기 때문에 정지(情志)의 손상으로 간울(肝鬱)이 되면 소간행기(疏肝行氣)시켜 울결을 풀어야 하는데, 이는 그 생리적인 특성에 순응하는 것이다.

---

25) 大腸小腸皆屬于胃 (靈樞·本輸)

(2) 장부기기의 원리에 따라 적절한 치법을 정한다

예를 들어 폐의 생리특성은 선강(宣降)이다. 외사를 감수하거나 내상으로 인해 폐의 선강이 실조되면 해천(咳喘)、흉민(胸悶)이 일어나는데, 선폐산사(宣肺散邪)、강기관흉(降氣寬胸)시키면 폐의 각종 병변들을 다스릴 수 있다. 또 비(脾)는 승(升)해야 하고, 위(胃)는 강(降)해야 하는데, 만약 병변이 발생하면 승강의 실조가 된다. 그러므로 임상에서는 비기(脾氣)가 하함하면 익기승제(益氣升提)하고, 위기(胃氣)가 상역하면 강역화위(降逆和胃)하는데, 이는 모두 장부의 성질에 순응해야 하는 원칙과 유관한 것이다.

(3) 장부성질의 고욕(苦欲)이나 희오(喜惡)에 따라 적절한 치법을 정한다

무중순(繆仲淳)은 『신농본초경소(神農本草經疏)』에서 "싫어하고 좋아하는 것은 장부의 성질에 의해 결정된다"[26], "그 성질을 어기면 싫어하고, 그 성질을 따르면 좋아한다"[27]고 하였는데, '고욕' (혹은 '희오')으로 장부의 생리특성을 설명한 것이다.

예컨대, 비(脾)는 조(燥)를 좋아하고 습(濕)을 싫어하기 때문에 비허습조증(脾虛濕阻證)일 때에는 감온조습(甘溫燥濕)시키는 약을 쓰고, 음유자니(陰柔滋膩)한 약은 금해야 한다. 또 위(胃)는 윤(潤)을 좋아하고, 조(燥)를 싫어하기 때문에 위음허(胃陰虛)로 조열(燥熱)이 있으면 감한생진(甘寒生津)、청열윤조(淸熱潤燥)시키는 약을 써야 하는데, 만약 온조(溫燥)한 약을 투여하면 음액(陰液)을 더욱 손상시킬 수 있다.

3) 장부 간의 관계를 조리한다

장부 사이에는 생리적으로 호제(互濟)、호제(互制)、호용(互用)하는 관계가 있고, 병리적으로는 서로 영향을 미치고 전변하기 때문에 치료에서는 항상 장부 간의 관계에 주의해야 한다.

(1) 오행생극(五行生剋)의 원리에 따라 치료원칙과 방법을 확립한다

① 오행의 상생원리에 근거하여 치료의 원칙과 방법을 확립한다

그 치료원칙은 주로 '보모(補母)'와 '사자(瀉子)'인데, 예를 들어 자수함목(滋水涵木)、배토생금(培土生金)、익화보토(益火補土)、생금자수(生金資水) 등은 "虛하면 그 어미를 補한다"[28]에 속하고, 간실사심(肝實瀉心)、심실사위(心實瀉胃) 등은 "實하면 그 자식을 瀉한다"[29]에 속한다.

② 오행의 상극원리에 근거하여 치료의 원칙과 방법을 확립한다

그 치료원칙은 주로 '억강(抑强)'과 '부약(扶弱)'이다. 예를 들어 목화형금(木火刑金)의 경우에는 좌금평목법(佐金平木法)으로 사간청폐(瀉肝淸肺)시키는데, 이는 억강에 속한다. 간허(肝虛)가 비위(脾胃)에 영향을 미친 것을 목불소토(木不疏土)라고 하며, 이 때에는 화간건비(和肝健脾)시켜 양쪽의 공능을 강화시키는데, 이는 부약에 속한다. 또한 억목부토(抑木扶土)와 사남보북(瀉南補北) 등은 겸치(兼治)에 속하며, 그 병리상태에 따라 주차를 구분해야 한다.

---

26) 苦欲因乎臟性 (神農本草經疏·五臟苦欲補瀉論)
27) 違其性故苦, 遂其性故欲 (神農本草經疏·五臟苦欲補瀉論)
28) 虛者補其母 (難經·六十九難)
29) 實者瀉其子 (難經·六十九難)

(2) 장부의 상합(相合)관계에 근거하여 치료원칙과 방법을 확립한다

『영추 본수(本輸)』에서는 오장과 특정한 오부(五腑) 간의 협동 촉진관계를 상합관계로 개괄하고 있다. 예를 들어 폐는 대장에 합하고, 심은 소장에 합하며, 간은 담에 합하고, 비는 위에 합하며, 신은 방광에 합한다. 따라서 병리적으로도 서로 영향을 줄 수 있으며, 임상에서는 장부 자체의 병변을 치료할 뿐만 아니라 아래와 같은 간접적인 치료법을 활용하고 있다.

① 장병(臟病)이 있을 때 부(腑)를 치료하고, 부병(腑病)이 있을 때 장(臟)을 치료한다

장병이 있을 때 부를 치료하는 경우의 예로, 『영추 궐병(厥病)』에서 "腎心痛에는 먼저 경골(京骨)과 곤륜(崑崙)을 자침하라"30)고 하여 방광경에 자침하라고 하였는데, 이에 관하여 장지총(張志聰)은 "陽인 腑로부터 陰인 臟의 逆氣를 사하라"31)고 하였다. 또한 심화상염(心火上炎)의 경우, 도적산(導赤散)으로 소장을 통리(通利)시킴으로써 심화가 저절로 내리게 한다. 또한 고석(顧錫)은 『은해지남(銀海指南)』에서 "이것이 臟을 치료하기 위해 腑를 먼저 치료하는 법이다"32)라고 강조하였다. 아울러 폐병에 천만(喘滿)이 나타날 때 대장을 통리시키고, 간실(肝實)할 때 사담(瀉膽)하며, 비실(脾實)할 때 사위(瀉胃)하는 등은 바로 이 치법을 따르는 것이다.

부병이 있을 때 장을 치료하는 경우의 예로, 『영추 궐병』에서 "胃心痛은 대도(大都)와 대백(大白)을 자침하라"33)고 하여 족태음비경을 자침하여 위역(胃逆)을 내리라고 하였는데, 이에 대해 장지총은 "臟을 통해 腑를 瀉한다"34)고 하였다. 또한 방광의 공능 장애가 발생하면 수액대사가 안되어 "실하면 소변이 막히고, 허하면 소변이 새는데"35), 유닉(遺溺)할 때에는 보한다. 실제 임상에서 보신고삽(補腎固澁)하는 치법을 활용하는 것은 장병이 있을 때 부를 치료하는 경우에 해당한다.

② 실(實)하면 부(腑)를 사(瀉)하고, 허(虛)하면 장(臟)을 보(補)한다

장부의 생리공능과 특성은 각기 다른데, 오장은 주로 정기를 저장하면서 사(瀉)하지 않기 때문에 저장하는 것을 귀하게 여긴다. 만약 사(邪)가 오장에 들어 오면 거사사실(祛邪瀉實)해야 하는데, 이때에는 반드시 부(腑)를 통해 제거해야만 사기가 빠져나가게 된다. 또한 육부는 주로 음식물을 전화(傳化)하고 저장하지 않으면서, 통강(通降)이 중요하다. 만약 육부의 병변이 허증에 속하면 통사(通瀉)할 수 없기 때문에 당연히 장(臟)에서 보해야 한다. 이외에도 장부병변의 속성 역시 각기 특징이 있는데, 예를 들어 『소문 태음양명론(太陰陽明論)』에서 "陽道는 實하고 陰道는 虛하다"36), "陽이 邪氣를 받으면 六腑로 들어가고, 陰이 邪氣를 받으면 五臟으로 들어간다"37)고 하였는데, 이는 바로 외사는 쉽게 양분(陽分)을 침입하여 육부로 들어가고 (육부는 표를 주관함), 외사로 인한 병변들은 대개 유여하기 때문에 양(陽)、열(熱)、실증(實證)은 대부분 육부에 속한다. 한편 내상성 발병인자는 쉽게 음분(陰分)을 상하여 오장으로 들어가고 (오장은 裏를 주관함), 내상으로 인한 병변들은 대개 부족한 경우이기 때문에 음(陰)、한(寒)、허증(虛證)은 대부

30) 腎心痛也, 先取京骨, 崑崙 (靈樞·厥病)
31) 從腑陽而瀉其陰臟之逆氣 (黃帝內經靈樞集注·卷三·厥病)
32) 此治臟先治腑之法也 (銀海指南·卷二·小腸主病)
33) 胃心痛也, 取之大都, 大白 (靈樞·厥病)
34) 從臟瀉腑 (黃帝內經靈樞集注·卷三·厥病)
35) 實則閉癃, 虛則遺溺 (靈樞·本輸)
36) 陽道實, 陰道虛 (素問·太陰陽明論)
37) 陽受之則入六腑, 陰受之則入五臟 (素問·太陰陽明論)

분 오장에 속한다. 이것이 바로 실하면 부를 사하고, 허하면 장을 보한다는 원리이다.

○ **"실하면 부를 사한다"**

오장의 병변이 실증으로 나타나는 경우, 그 상합하는 부를 사하면 사기가 물러갈 수 있게 된다. 『영추 본수』에서 "六府는 모두 足三經으로 나오므로 위로는 손에 合한다"[38]고 하였는데, 실제 임상에서 사부(瀉腑)의 적용은 주로 위、담、방광에 해당한다. 예컨대 중초의 비위가 양열실증인 경우에는 청위사위(淸胃瀉胃)시키고, 『혈증론(血證論)』에서 "小腸의 조시(燥矢)는 胃藥으로 치료하는 경우가 많다"[39]고 하였으며, 대장은 "胃와 함께 陽明燥金에 속하므로, 胃의 치법을 빌어 치료하는 경우가 많다"[40]고 하였다. 또한 『제병원후론(諸病源候論)』에서는 "소변이 통하지 않는 것은 방광과 신에 모두 열이 있기 때문이다"[41]라고 하였는데, 방광을 청리(淸利)시키는 것이 바로 사신(瀉腎)하는 것이다.

○ **"허하면 장을 보한다."**

장을 영양하기 위해서는 곡기가 필요하기 때문에 비는 후천의 근본이 된다. 신은 선천의 근본이고, 신음 신양은 몸 전체 음양의 근본이며, 만성 질환의 경우 다른 사장(四臟)의 병변은 결국 신으로 귀착된다. 따라서 장부의 허증에는 실제 임상에서 비신(脾腎)의 조보(調補)를 중시하고 있다. 예컨대 중초 비위가 허한하면 비양(脾陽)을 온보(溫補)하고, 비양이 온보되면 위양(胃陽)도 따라서 회복된다. 또한 방광허한(膀胱虛寒)의 경우, 신양(腎陽)을 온보하면 허한은 저절로 물러간다. 위와 방광의 허한(虛寒) 병증도 실제 임상에서는 비신을 온보하는 것으로부터 출발하고 있다.

7. 삼인제의(三因制宜)

삼인제의는 인시제의(因時制宜)、인지제의(因地制宜)와 인인제의(因人制宜)를 가리킨다. 기후、지리적 환경、환자의 성별、나이、체질、생활습관 등은 질병의 발생、발전、변화와 결과에 대해 영향을 미치기 때문에 질병을 치료할 때에는 반드시 이러한 구체적인 인자에 대해 적절한 치법과 방약을 선택해야 하는데, 이는 질병을 치료할 때 반드시 지켜야 할 기본적인 원칙이다.

1) 인시제의(因時制宜)

계절의 기후적인 특징에 따라 적절한 치법과 방약을 정하는 원칙을 '인시제의'라고 한다.

일년 중에서 일조량의 차이에 따른 주기적인 변화로 인해 봄、여름、가을、겨울로 나누어지고, 아울러 온열량한(溫熱凉寒)의 기후적인 특징에 따라 인체의 생리 활동과 병리 변화에 영향을 미치기 때문에 기후 조건에 따른 적절한 치료를 하여야 한다. 예컨대 무더운 여름날 양성(陽盛)할 때에는 인체의 주리가 열려 땀이 많이 나오는데, 만약 상서(傷暑)하면 청서(淸暑)、익기(益氣)、생진(生津)해야 한다. 또한 여름에 풍한을 감수하여 병이 나는 경우 신온발산(辛溫發散)시키는 약을 많이 쓰면 진(津)과 기(氣)를 모상하기 때문에 주의해야 한다. 만약 여름날에 비가 와서 습하거나 서사(暑邪)가 비위의 공능에 영향을 주어 습조(濕阻)가 되면 방향화탁(芳香化濁)이나 담삼이습(淡滲利濕)시키는 방약을 사

---

38) 六府皆出於足之三陽, 上合於手者也 (靈樞·本輸)
39) 小腸燥屎, 多借胃藥治之 (血證論·臟腑病機論)
40) 與胃同是陽明之經, 故又多借治胃之法治之 (血證論·臟腑病機論)
41) 小便不通, 由膀胱與腎俱有熱也 (諸病源候論·卷十四·小便病諸候)

용해야 한다. 겨울이 되어 음한(陰寒)이 크게 성하면 인체의 양기가 안으로 수렴되어 주리가 치밀해지는데, 이때 만약 풍한을 감수하면 신온해표(辛溫解表)나 조양해표(助陽解表)시키는 방약을 사용해도 무방하다. 만약 열이 심한 경우가 아니면 한량(寒凉)한 약의 사용을 신중히 하여 양기가 손상되지 않도록 한다. 『소문 육원정기대론(六元正紀大論)』에서 "寒藥을 쓸 때는 추운 때를 피하고, 凉藥을 쓸 때는 서늘한 때를 피하고, 溫藥을 쓸 때는 따뜻한 때를 피하고, 熱藥을 쓸 때는 더운 때를 피하니 음식도 이와 같이 해야 한다"42)고 한 것처럼, 옛 사람들은 이미 계절에 따라 용약의 원리를 제시하였고, 아울러 계절의 한열변화에 따른 음식 원칙을 확립하였다.

2) 인지제의(因地制宜)

지리적 환경의 특징에 따라 적절한 치법과 방약을 정하는 원칙을 '인지제의'라고 한다.

지역에 따라 지세의 높이와 기후、수질、토질 등이 다르기 때문에 각 지역에서 오랫동안 생활하다 보면 생활、노동환경、생활습관이나 방식이 서로 달라지면서 그 생리 활동과 병리 변화에도 각기 특징이 나타나므로 질병을 치료할 때에는 그 지역의 특징에 따라 치법과 방약을 결정해야 한다.

비록 같은 질병일지라도 지역에 따라 서로 다른 치법을 채택해야 하고, 이러한 원칙에 대해 『내경』에서는 '이법방의(異法方宜)'라고 하였다. 또한 일부 질병의 발생은 지역적인 특성과 밀접한 관계가 있는데, 예를 들어 갑상선 종양、류마티스 관절염、고산병、디스토마 질환 등이다. 그러므로 치료할 때에는 반드시 질병의 다양한 본질에 적절한 방법과 치료수단을 선택해야 한다.

3) 인인제의(因人制宜)

환자의 나이、성별、체질 등 특징에 근거하여 적절한 치법과 방약을 정하는 원칙을 '인인제의'라고 한다.

(1) 나이

소아는 생기가 왕성하면서 장부가 약하고, 기혈도 아직 충만하지 않아 병에 걸린 후에는 쉽게 한열(寒熱)과 허실(虛實)의 변화를 일으키고, 병세의 변화도 비교적 빠르다. 그러므로 소아질환을 치료할 때에는 준제(峻劑)의 사용을 피하고, 용량도 적게 해야 한다. 이외에도, 소아는 외감병에 잘 걸리고, 위장질환도 자주 발생하기 때문에 선폐산사(宣肺散邪)와 조리비위(調理脾胃)를 중시해야 한다.

청장년의 단계에는 정기(正氣)가 왕성하고, 체력이 강건해서 병사가 일단 침입하면 대개 실증(實證)으로 나타나기 때문에 공사사실(攻邪瀉實)에 치중해야 하고, 약의 용량을 조금 많이 사용해도 된다.

노년의 단계에는 생기가 감퇴되고, 장부의 기혈이 이미 쇠약해져 있으며, 생리적인 쇠퇴와 노인성 질환이 함께 발현되어 병변이 다양하게 나타나면서 대부분 허증(虛證)이나 허중협실(虛中挾實)로 나타난다. 그러므로 부정보허(扶正補虛)해야 하고, 거사(祛邪)할 때에는 정기가 손상되지 않도록 주의하며, 아울러 병리상태의 핵심을 잘 파악하여 정확한 치료를 실시한다.

(2) 성별

남녀는 생리、병리적인 측면에서 각각의 특성이 있기 때문에 약을 사용할 때에도 차이가 있다. 예를 들어 여성들에

42) 用寒遠寒, 用凉遠凉, 用溫遠溫, 用熱遠熱, 食宜同法 (素問·六元正紀大論)

게는 경대태산(經帶胎産)에 관련된 질환들이 있다. 월경병의 경우에는 조경(調經)을 위주로 하고, 대하증의 경우에는 거사(祛邪)를 중시하며, 임신기간 중의 질환에 대해서는 준하(峻下)、파혈(破血)、주찬(走竄) 및 유독(有毒) 약물의 사용을 신중히 하거나 금지하고, 산후 각종 질환에 대해서는 오로부진(惡露不盡)과 기혈의 휴손 여부에 따라 적절한 치법과 방약을 사용한다.

남자들에게는 성기능장애와 같은 남성 특유의 병증들이 발생한다. 예를 들어 양위(陽痿)、조루(早漏)、유정(遺精)、활정(滑精)、생식기 질환 및 정액 이상 등에 대해서 실증인 경우에는 거사(祛邪)를 주로 하고, 허증인 경우에는 보신(補腎)이나 또는 관련된 장부를 조보(調補)해야 한다.

(3) 체질

선천적인 품부 등에 따라 각 개인의 체질에는 강약、음양、한열 등과 같은 구별이 있고, 또한 서로 다른 병리적인 체질로 나타날 수도 있기 때문에 질병에 걸린 후에는 인체의 반응성과 병증의 속성이 달리 나타나고, 이에 따른 치법과 방약 역시 달라진다.

일반적으로 말하자면, 체력이 건장하거나 양열(陽熱)이 편성한 체질의 경우 병증은 대부분 실증과 열증으로 나타나고, 또한 공법(攻法)에도 견딜 수 있으므로 사실청열(瀉實淸熱)하면서 약의 용량을 조금 늘려도 무방하다. 반대로 체력이 허약하거나 음한(陰寒)이 편성한 체질의 경우 병증은 대부분 허증과 한증 또는 허중협실(虛中挾實)한 병증으로 나타나고, 또한 공법에 견딜 수 없으므로 보익(補益)이나 온보(溫補)시키는 약을 사용한다. 만약 사기가 있으면서 협실(挾實)한 경우에는 기미가 비교적 박(薄)하거나 독성이 적은 약물을 사용하여 치료한다.

이외에도 인체가 같은 병사를 감수하였더라도 체질적인 차이에 따라 병증의 성질도 한으로 바뀌거나 열로 바뀌거나, 또는 실로 바뀌거나 또는 허로 바뀔 수 있는데, 이를 병리적인 '종화(從化)'라고 한다. '종화'는 체질적인 인자와 밀접한 관계가 있다. 또한 '종화' 후에 나타나는 증후(證候)의 성질이 각각 다르기 때문에 치법과 방약 역시 달라진다.

삼인제의의 원칙은 구체적으로 변증론치의 원칙성과 유연성을 반영하고 있으며, 한의학의 정체관을 보여주고 있다. 환자를 전체적으로 파악하면서, 기후、지리적 환경 그리고 환자의 나이、성별、체질인자를 해당 질병의 병리 변화와 결합하여 구체적으로 분석하고 적절한 방법으로 해결해야 한다.

제2절 치법(治法)

치법과 치료원칙은 그 의미가 다른데, 치료원칙은 치법의 근거이기 때문에 치법은 치료원칙에 따른다. 예를 들면, 발한법(發汗法)은 기후、지리、체질 등 각종 조건에 따라 적절한 원칙을 구체적으로 운용해야 하고, 공하법(攻下法), 보익법(補益法)은 표본완급(標本緩急)과 사정성쇠(邪正盛衰)에 근거해서 거사(祛邪)와 부정(扶正)의 치료원칙을 따라 선용해야 한다.

치법은 치료의 대법과 구체적 치법으로 구분되는데, 치료의 대법은 기본 치법이라고도 한다. 이는 구체적인 치법의 공통성을 보여주는 것으로, 임상에서 보편적으로 활용되며, 한、토、하、화、온、청、소、보(汗、吐、下、和、溫、淸、消、補)의 팔법(八法)이 이에 해당한다. 구체적 치법은 구체적인 병증에 따라 설정된 치법으로, 예를 들면 신온해표법(辛溫解表法)、청위설열법(淸胃泄熱法)、온보비신법(溫補脾腎法) 등이다. 임상적으로 구체적인 증형(證型)이 매우 많아서 그 치법을 다 소개할 수 없기 때문에 여기서는 치료의 대법인 팔법만 소개키로 한다.

1. 한법(汗法)

한법은 '해표법(解表法)'이라고도 하며, 발한시키는 약을 써서 피부를 열고 영위를 조화시키며, 거사(袪邪)하여 밖으로 내보냄으로써 표증을 푸는 치료의 대법이다. 한법은 주로 대부분의 외감성 질병 초기에 병사가 표에 있어서, 오한발열、두통、신통、설태박(舌苔薄)、맥부(脈浮) 등 증상이 있는 경우에 사용한다. 이외에도 허리 위로 심하게 붓는 부종、창양(瘡瘍) 초기、마진이 아직 돋지 않은 시기 등에 표증이 있으면 사용할 수 있다.

한법은 외감 표증으로 나타나는 한열의 성질에 따라 신온발한(辛溫發汗)과 신량발한(辛凉發汗)의 두 종류로 나눈다. 신온발한은 외감 풍한에 적용되고 신량발한은 외감 풍열이나 습조(濕阻)에 적용된다.

이밖에 만약 환자의 정기가 허하면 음허、양허、기허、혈허에 따라 해표제(解表劑)에 자음(滋陰)、조양(助陽)、익기(益氣)、양혈(養血) 등의 약물을 적당히 배합하여 부정거사한다. 이것이 곧 '자음(滋陰)발한'、'조양(助陽)발한'、'익기(益氣)발한'、'양혈(養血)발한'이다.

한법을 응용할 때에는 지나치게 땀을 내어서는 안 된다. 즉, 땀이 나서 사기가 제거되는 정도로만 해야 한다. 왜냐하면 발한이 지나쳐서 땀방울이 뚝뚝 떨어질 정도가 되면 진액을 소모하고 정기를 손상할 수 있기 때문이다. 또 함부로 땀을 내지 않도록 주의해야 한다. 즉 표사(表邪)가 이미 풀렸거나、마진이 이미 모두 발진했거나、창양이 이미 터졌거나、자한、도한、실혈、토사、열병 후기에 진액이 휴손되었으면 모두 쓰지 못한다.

2. 토법(吐法)

토법은 '최토법(催吐法)'이라고도 한다. 약물의 용토하는 효능을 이용하여 병사(病邪)나 유독물질을 입으로 토하게 하는 치료방법이다. 토법은 주로 위완(胃脘)의 식적정체(食積停滯)、흉격의 완담유체(頑痰留滯)、담연(痰涎)이 기도를 가로막고 병사가 위로 넘치는 경향이 있는 사람이나 잘못 먹은 독물이 아직 위(胃) 안에 있는 등의 병증에 적용된다.

토법은 아직 병세가 급하고 반드시 체한 것을 신속히 토해내야 하는 실증에 많이 쓴다. 그러나 사기(邪氣)에 한열의 구분이 있고 정기(正氣)에 허실의 구별이 있는 것이므로 토법을 한토(寒吐)、열토(熱吐)、완토(緩吐) 등 구체적으로 세분한다. 한토법은 열사(熱邪)가 흉완에 옹체된 병증에 적용되고, 열토법은 한담(寒痰)이 흉완에 옹체되었거나 기도를 가로막은 병증에 적용되며, 완토법은 사실정허(邪實正虛)이면서 병이 상초에 있는 병증에 적용된다.

토법은 일종의 구급 방법으로서 적절히 사용하면 신속한 효과를 거둘 수 있으나 사용이 적절하지 못하면 정기를 상하기 쉬우므로 반드시 신중하게 써야 한다. 병세가 위독한 자、실혈자(失血者)、호흡이 촉박하고 불안한 자、노인、유아、임신부、산후 및 기혈이 허약한 자는 토법을 쓸 수 없다.

3. 하법(下法)

하법은 '사하법(瀉下法)'이라고 하며, 통하(通下)작용으로 대변을 사하시키는 방법으로 체내의 결체와 적수(積水)를 제거함과 동시에 실열온결(實熱蘊結)을 해제하는 일종의 치료대법이다. 하법은 한열조습(寒熱燥濕) 등의 사기가 안에서 장도(腸道)에 맺힌 것、수결(水結)、숙식、어혈、적담(積痰) 등 이실증(裏實證)에 적용한다.

병세에 완급이 있고 병성(病性)에 한열이 있으며 병사(病邪)에 다양성이 있으므로 하법을 한하(寒下)、온하(溫下)、윤하(潤下)、축하(逐下)、공어(攻瘀) 등으로 나눌 수 있다. 한하는 이실열증(裏實熱證)에, 온하는 한랭응체(寒冷凝滯)、위장냉적(胃腸冷積)에, 윤하는 장도(腸道)의 진액 부족、음휴혈소(陰虧血少)에 의한 대변비결에, 축수(逐水)는 양수실증(陽水實證)에, 공어는 어열(瘀熱)이 하초에 맺혔거나, 속에 건혈(乾血)이 있고 어조응체(瘀阻凝滯)하고 체질이 아직 실한 자에 적용된다. 하법 중에서 특히 준하축수(峻下逐水)는 인체의 정기를 쉽게 상하므로 응용시에 반드시 주의해야 한다. 병세와 환자의 체질에 따라 적당한 사용량을 파악해야 하며 사기가 제거되는 정도를 봐 가면서 써야 하고, 양이 너무 많거나 오래 써서는 안 된다. 사기가 속에 있지 않거나 정기가 부족한 환자, 예컨대 부녀 월경기, 임신기, 노인, 양허체약(陽虛體弱), 비위허약(脾胃虛弱)한 환자에 대해서는 모두 신중하게 쓰거나 또는 금지한다.

4. 화법(和法)

화법은 화해법(和解法)이라고도 하며, 화해(和解)와 소설(疏泄)작용을 갖고 있는 방제를 사용하여 반표반리의 사기를 제거하거나 또는 체내의 부조화를 조정한다. 화법의 응용범위는 매우 넓은데, 예를 들면 외감병 중 한열왕래의 소양증(少陽證), 내상병 중 간위불화(肝胃不和), 간비불화(肝脾不和), 담위불화(膽胃不和), 장위불화(腸胃不和) 등 증에 응용할 수 있다.

병위(病位)와 장부의 공능 실조에 따라 화법에는 화해소양(和解少陽), 소간화위(疏肝和胃), 조화간비(調和肝脾), 조화장위(調和腸胃) 등이 있다. 화해소양은 사기가 반표반리에 있는 소양증에 적용된다. 소간화위는 간기범위(肝氣犯胃), 위실화강(胃失和降)의 간위불화증에 적용된다. 조화간비는 간비실조(肝脾失調)로 일어나는 복통, 설사 또는 월경실조 등 병증에 적용된다. 조화장위는 사기가 장위에 있고 한열이 같이 나타나는 장위실조증(腸胃失調證)에 적용된다.

임상에서 사기가 기표(肌表)에 있고 아직 소양에 들어가지 않았거나, 사기가 이미 안으로 들어가 양명열(陽明熱)이 성한 자에게 화법을 쓰는 것은 적당하지 않다.

5. 온법(溫法)

온법은 '온리법(溫裏法)' 또는 '거한법(祛寒法)'이라고 하며, 성질이 온열에 속하는 약을 응용하여 한사(寒邪)를 제거하고 양기를 보익하는 치료대법이다. 본 법은 이한증(裏寒證)에 적용되며 한사가 장부에 침입하고 음한이 내성한 한실증(寒實證)에 적용된다. 또 양기가 허약하여 한이 안으로부터 생긴 허한증(虛寒證)에 쓴다. 후자에 대해서는 보법과 배합하여 같이 쓴다.

온법은 임상 응용시에 한사가 침범한 부위와 정기의 강약이 같지 않은 것을 근거로 하여 온중거한(溫中祛寒), 온경산한(溫經散寒), 회양구역(回陽救逆) 등 구체적인 치법이 있다. 온중거한은 한사가 중초를 직접 침범하였을 때나 양허중한증(陽虛中寒證)에 적용된다. 온경산한은 한사가 경락에 응체되었거나, 혈맥이 순조롭지 않은 비증(痺證)이나, 십이경맥한증(十二經脈寒證)에, 회양구역은 망양허탈(亡陽虛脫) 등 위중한 징후에 쓴다. 온폐화음(溫肺化飮), 온화한담(溫化寒痰), 온신이수(溫腎利水), 온경난간(溫經暖肝), 온위리기(溫胃理氣) 등 치법은 모두 온법의 범위에 속한다.

6. 청법(淸法)

청법은 청열법(淸熱法)이라고도 하며, 성질이 한량한 약을 응용하여 청열, 사화, 해독, 양혈(凉血) 등의 작용을 통해서 열사(熱邪)를 제거하는 치료대법이다. 본 법은 주로 이실열증(裏實熱證)에 적용된다.

외감 열성 질환이라고 하더라도 표사(表邪)가 이미 풀리고, 이열(裏熱)이 왕성하기만 하면 모두 응용할 수 있다. 예컨대 열결위장(熱結胃腸)에 항상 하법(下法)과 같이 쓴다. 본 법으로 허열증(虛熱證)도 치료할 수 있지만, 반드시 양음법(養陰法)과 같이 써야 한다.

청열법은 열병 발전 단계의 차이와 화열이 손상한 장부의 차이에 의거하여 청열사화、청열해독、청영양혈(淸營凉血)、청사장부(淸瀉臟腑) 등의 구체적인 치법이 있다. 청열사화는 열이 기분에 있고 실열에 속하는 징후에 적용된다. 청열해독은 시역온병(時疫溫病)이나 열독창궤(熱毒瘡潰)에 적용된다. 청사장부에는 사폐청열(瀉肺淸熱)、청심강화(淸心降火)、청사위화(淸瀉胃火) 등이 있는데, 이들은 모두 청법의 범주에 속한다. 임상에서 주의하여야 할 점은 청열법에서 쓰는 약이 모두 한량한 성질을 갖고 있어서 비위의 양기를 손상할 수 있으므로 대개의 경우 오래 써서는 안 된다.

7. 소법(消法)

소법은 '소도법(消導法)' 또는 '소산법(消散法)'이라고도 하며, 소식도체(消食導滯)、행기(行氣)、화담(化痰)、이수(利水) 등의 성질을 가진 약을 운용하여 적체된 실사(實邪)를 점차 소도하거나 소산시키는 치료대법이다. 본 법은 주로 기、혈、식、담、습(氣、血、食、痰、濕)이 형성한 적취、징가、비괴(痞塊) 등 병증에 적용된다.

소법에는 소식도체(消食導滯)、소비화적(消痞化積)、행기화어(行氣化瘀) 등 구체적인 치법이 있다. 소식도체는 식체불화(食滯不化)에 적용된다. 소비화적은 담습이나 기혈이 서로 맺혀 형성된 비괴、징가 등의 병증에 적용된다. 행기화어는 기결혈어증(氣結血瘀證)에 적용된다. 기타, 예컨대 소담화음(消痰化飮)、소수산종(消水散腫)、연견산결(軟堅散結) 등도 소법의 범위에 속한다.

소법은 거사(祛邪)를 위한 것이며, 정허사실(正虛邪實) 환자는 거사에 부정(扶正)을 겸해야 한다.

8. 보법(補法)

보법은 보익법(補益法)이라고도 하며, 보양 작용이 있는 방약을 응용하여 허약증후를 없애는 치료대법이다. 본 법은 각종 원인으로 인해 생긴 장부 기혈음양이 허약한 병증에 적용된다.

보법은 대개 보기、보혈、보음、보양의 네 가지로 나눈다. 보기나 익기(益氣)는 기허로 생긴 증후에 적용된다. 보혈이나 양혈(養血)은 혈허로 생긴 증후에 적용된다. 보음、자음(滋陰)、양음(養陰)은 음정(陰精) 또는 진액 부족으로 생긴 증후에 적용된다. 보양이나 조양(助陽)은 양기부족으로 인해 발생된 증후에 적용된다.

임상에서 보법의 구체적인 운용은 허(虛)가 어느 장에 있는가를 근거로 하여 그 장을 직접 보하는 것이다. 예컨대 보양심혈법(補養心血法)、보익심기법(補益心氣法)、양혈유간법(養血柔肝法)、자음윤폐법(滋陰潤肺法)、보기건비법(補氣健脾法)、자음보신법(滋陰補腎法)、온보신양법(溫補腎陽法) 등 구체적인 치법은 모두 그 장의 허를 직접 보하는 것이다. 만약 어느 장부의 기、혈、음、양이 함께 허할 때에는 다른 치법과 겸하여 치료를 해야 하며, 비신쌍보(脾腎雙補)、자보간신(滋補肝腎)、익기양음(益氣養陰) 등의 방법을 쓸 수 있다.

보법을 응용할 때 주의해야 할 것은 진실가허증(眞實假虛證)을 세밀하게 식별하여 "실한 것을 실하게 하는" 오류를 범하지 않도록 한다. 환자가 허하게 보인다고 해서 본질이 실한 것을 보하게 되면 환자의 병을 오히려 더 위중하게 한다. 또한 사실정허(邪實正虛)이면서 사기가 성한 것이 위주인 환자에 대해서도 삼가야 한다. 그렇지 않으면 "보하면 안 되는데 보해서 병을 더 심하게 하는 오보익질(誤補益疾)"이나 "도둑을 집안에 둔 채 문을 닫아거는 폐문유구(閉門留寇)"의 잘못을 초래할 수 있다.

상술한 치료 팔법은 팔강변증과 약의 작용에 맞추어 귀납한 기본적인 치료대법으로서 임상에서의 실제 응용은 팔법보다 훨씬 다양하다. 예를 들어 고삽법(固澁法)、식풍법(熄風法)、진잠법(鎭潛法) 등이다. 팔법은 그 대강을 설명한 것이다.

참고문헌

1. 『景岳全書·傳忠錄·反佐論』 張介賓
2. 『金匱要略·臟腑經絡先後病脈證第一』 張仲景
3. 『難經·六十九難』 扁鵲
4. 『類經·疾病類·五實五虛死』 張介賓
5. 『傷寒論·辨太陽病脈證幷治』 張仲景
6. 『素問·三部九候論』
7. 『素問·玉機眞藏論)』
8. 『素問·六元正紀大論』
9. 『素問·陰陽應象大論』
10. 『素問·至眞要大論』
11. 『素問·太陰陽明論』
12. 『神農本草經疏·五臟苦欲補瀉論』 繆希雍
13. 『靈樞·厥病』
14. 『靈樞·本輸』
15. 『銀海指南·卷二·小腸主病』 顧錫
16. 『諸病源候論·卷十四·小便病諸候』 巢元方
17. 『血證論·臟腑病機論』 唐宗海
18. 高思華 等, 中醫基礎理論, 2012, 人民衛生出版社
19. 樊巧玲 主編, 中醫學概論, 2010, 中國中醫藥出版社
20. 何建成 等, 中醫學基礎, 2012, 人民衛生出版社

제 15 장 체질

Constitution

한의학에서는 인체의 건강과 발병상태를 정기(正氣)와 사기(邪氣) 사이의 끊임없는 투쟁과정으로 설명하였다. 건강한 상태를『소문 자법론(素問 刺法論)』에서는 "정기가 체내에 잘 보존되어 있으면 사기가 침입하지 못한다"[1]고 하였으며, 발병의 상황을『소문 평열병론(評熱病論)』에서는 "사기가 인체를 침범하였다면 그 사람의 정기는 반드시 허약한 상태에 있는 것이다"[2] 라고 하였다. 이는 양의학에 비해 한의학이 발병인자를 대표하는 사기보다 인체의 생활능력과 질병에 대한 저항능력을 의미하는 정기를 중시하는 발병관을 가지고 있음을 말한다. 즉 정기의 양호 여부가 질병 발생을 결정하는 중요한 관건이라는 것이며, 이는 다시 한의학 치료가 대부분 정기의 배양과 보존을 목표로 하는 점과 일치한다. 물론『소문 자법론』에서 "다섯 가지의 전염병이 돌게 되면 모두 서로 쉽게 전염되어 노소를 불문하고 그 증상이 서로 비슷하다"[3]고 한 것처럼 발병 양상에 대한 사기의 결정적 역할을 인식한 경우도 있지만, 대부분의 질환에 대하여 한의학은 정기 위주 발병론을 가지고 있다. 그리고 이러한 정기 위주 발병론은 정기와 사기 가운데 어느 것이 더 우세하냐는 양적인 비교로부터 더 나아가 그러한 정기가 질적으로 어떻게 구성되어 있느냐는 체질의 인식으로 발전하게 된다. 그래서『영추(靈樞)』에서 제시된 정기의 구성 양태가 바로『통천(通天)』과『음양이십오인(陰陽二十五人)』등에서의 음양론적、오행론적 체질 유형이며[4], 한의학의 체질론은 전통적으로 이 범주 안에 머물고 있다. 한의학을 포함한 동서고금의 전통의학은 대부분 체질의학적 특성을 지니고 있다.

제1절 체질의 개념

1. 체질의 기본 개념

체질은 각 개인이 지니는 정신적 또는 육체적인 특징을 합하여 일컫는 말로, 인간은 형태뿐 아니라, 체내의 구조와 기능, 또는 재능과 정신상태까지 모두 나름의 특징을 지니고 있다. 체질은 누구에게나 예외 없이 존재하며(보편성),

1) 正氣存內, 邪不可干 (素問·刺法論)
2) 邪之所湊, 其氣必虛 (素問·評熱病論)
3) 五疫之至, 皆相染易, 無問大小, 病狀相似 (素問·刺法論)
4) 『내경병리학』 최승훈

얼굴 생김만큼이나 천태만상으로 복잡다단하고(복잡성), 정신과 육체에 걸쳐 전면적으로 그 특징이 나타나며(전면성), 일생을 통하여 끊임없이 드러나는(연속성) 등의 기본적인 특징을 지닌다.

이러한 체질이 생리적으로는 개체 생리반응성(生理反應性)으로, 병리적으로는 발병경향성(發病傾向性)으로 나타나는데, 생리 반응성은 내외 환경인자에 대한 인체의 끊임없는 반응을 말하며, 병리 경향성은 특정한 발병인자에 대한 이감수성(易感受性), 어떠한 질병이나 병증에 대한 이발생성(易發生性)과 이전화성(易轉化性)으로 표현된다[5].

2. 체질의 구성

인체의 정상적인 생명 활동은 육체와 정신의 조화로운 협조로 이루어지며, 육체와 정신의 합일 또는 '형여신구(形與神俱)'는 생명의 존재와 건강의 기본적인 특징이다. 건강은 인체의 형태구조, 생리공능(生理功能)과 심리상태가 양호한 것이며, 인간은 자신을 스스로 심신 양면적으로 다스려 나가는, 주체적이고 자율적인 존재로서, 한 개인의 정신적, 육체적 건강은 전적으로 본인의 수양 여부에 달려있다. 그러므로 체질 개념은 형(形, 身)과 신(神, 心) 두 측면의 내용을 포괄하고 있으며, 일정한 형태구조는 반드시 상응하는 생리공능과 심리적인 특징을 만들어내는데, 건강한 생리공능과 심리적인 특징은 정상적인 형태구조의 반영이며, 양자는 서로 의존하고 영향을 미치면서 체질의 고유한 특징 가운데 종합적으로 드러나는 것이다. 그러므로 체질은 형태구조, 생리공능과 심리상태의 차이로 구성되어 있다.

1) 형태구조의 차이

인체 형태구조 상의 차이는 개체 체질 특징의 중요한 내용으로, 외부 형태구조와 내부 형태구조(장부, 경락, 기혈진액 등)를 포괄하고 있다. "겉으로부터 속을 헤아린다"[6]는 인식방법에 근거하여 내부 형태구조와 겉으로 보이는 형상은 유기적인 통일체이며, 외부 형태구조는 체질의 외재하는 표현이고, 내부 형태구조는 체질의 내재하는 기초이다. 그리고 외부 형태구조는 직관적인 파악이 가능하기 때문에 동서고금을 통해 체질연구자들이 중시하였다. 그러므로 외부 형태구조는 내부 구조가 양호하고 협조가 잘 이루어지는 기초 위에 주로 신체 외형을 통해 나타나기 때문에 사람의 체질 특징은 우선으로 체표 형태, 체격, 체형 등의 차이로 나타난다.

체표 형태는 외관 형태의 특징으로, 체격, 체형, 체중, 성징, 자세, 안색, 모발, 설상, 맥상 등을 포함한다. 체격은 인체 생장 발육의 수준, 영양 상태와 단련 정도의 상태를 나타내는데, 일반적으로 신체 각 부분의 크기, 형상, 대칭 정도 및 체중, 가슴둘레, 어깨너비, 골반 넓이와 피부와 피하 연조직의 상태를 관찰 측량하여 판단하는 것으로, 체질의 표지 가운데 하나를 반영한다. 체형은 신체 각 부위의 크기 비례의 형태 특징을 가리키며, 신체 유형이라고도 하는데, 체격을 재는 중요한 지표이다. 한의학에서는 체형 관찰에 있어서 주로 형체의 비수장단(肥瘦長短), 피부의 후박견송(厚薄堅鬆), 흑백창눈(黑白蒼嫩)의 차이 등을 관찰한다. 그중에서도 비수(肥瘦)가 가장 대표적인데, 『영추 역순비수(逆順肥瘦)』와 『영추 위기실상(衛氣失常)』에서 체형으로 사람을 비인(肥人)과 수인(瘦人)으로 나누고, 비만 체질을 다시 그 형태 특징 등으로 나누어 고형(膏型), 지형(脂型), 육형(肉型)으로 나누었다. 원(元)의 주단계(朱丹溪)는 『격치여론(格致餘論)』에서 더 나아가 체형과 발병의 상관관계에 대해 "뚱뚱한 사람은 습(濕)이 많고, 마른 사람은 화(火)가 많다"[7]

---

5) 『내경병리학』 최승훈
6) 司外揣內 (靈樞·外揣)
7) 肥人濕多, 瘦人火多 (格致餘論)

는 관점을 제시하였다. 사상의학에서는 장국(臟局)의 대소(大小)에 따라 인간의 체질을 4가지로 구분하였다. 조선말의 이제마(1836-1900)는『동의수세보원(東醫壽世保元)』의 사상장부론(四象臟腑論)에서 폐비간신(肺脾肝腎)의 사장(四臟)을 설정하고 호흡출납(呼吸出納)의 생리 기능과 인체의 연관구조를 설정하였다. 즉, 위완(胃脘)、위(胃)、소장(小腸)、대장(大腸) 등 사부(四腑)、전후사해(前後四海)、피근육골(皮筋肉骨)、이목비구(耳目鼻口) 등 인체의 구조를 모아 각각 사당(四黨)을 형성하였다.

2) 생리공능의 차이

형태구조는 생리공능이 발휘되는 기초인데, 각 개인의 서로 다른 형태구조의 특징은 생리공능과 자극에 대한 반응의 차이를 결정하고, 생리공능의 개별적인 특징은 또한 그 형태구조에 영향을 미쳐 일련의 상응하는 변화를 일으킨다. 그러므로 생리공능 상의 차이 역시 각 개체 체질 특징의 구성 부분이다.

인체의 생리공능은 그 내부 형태구조의 완정성과 협조성의 반영이며, 장부경락과 정기혈진액 공능의 표현이다. 그러므로 인체 생리공능의 차이는 장부공능의 성쇠편파(盛衰偏頗)뿐 아니라, 인체의 소화、호흡、혈액순환、수액대사、생장발육、생식、감각 운동、정신、의식、사유 등 각 방면 공능의 강약 차이로 나타난다. 인체의 질병에 대한 예방 및 저항능력、신진대사의 정황、자아조절능력 및 흥분이나 억제에 따른 기본 상태 등은 모두 장부경락과 정기혈진액 생리공능의 표현이다. 심장 박동과 리듬、안색、입술의 색깔、설상、호흡 상황、언어의 높낮이、식욕、체온、한열에 대한 반응、대소변 상태、성기능、생식기능、월경 상태、형체의 동태、활동능력、수면 상황、시청각、촉각、후각、통증에 대한 인내 정도、피부 기육의 탄성、모발의 다소와 광택 등은 모두 장부경락과 정기혈진액의 생리공능을 반영하는 것으로 체질 상황을 구성하는 주요 내용이다.

사상의학에서는 간과 폐, 그리고 비와 신이 짝이 되어 기액대사(氣液代射)와 수곡대사(水穀代射)로 나누어 인체 대사를 설명하고 있는데, 음식물의 생화작용 결과로 생성된 물질이 전사해(前四海)와 후사해(後四海)를 형성하여 인체의 정상적인 생리 활동을 유지하고 있다.

3) 심리특징의 차이

심리는 객관적으로 존재하는 사물이 대뇌에 반영된 것을 가리키는데, 감각、지각、정감、기억、사유、성격、능력 등의 총칭으로, 사상의학에서는 심(心)의 범주에 속한다. 신(身)과 심(心)은 통일된 정체(整體)이며, 체질은 특정한 형태구조、생리공능 및 상관된 심리상황의 종합체로서, 형태、공능、심리 사이에는 내재적인 상관성이 있다. 특정한 형태구조는 모두 특정한 심리 경향을 띠는데, 예를 들면『소문 음양응상대론(陰陽應象大論)』에 "사람의 오장(五臟)은 오기(五氣)를 화(化)하여 희노비우공(喜怒悲憂恐)을 일으킨다"[8]고 하였다. 인체 장부의 정기와 그 공능은 각기 다르므로 각 개인이 드러내는 정서 활동에도 차이가 있어서 사람에 따라 화를 잘 내거나 슬퍼하거나 겁이 많게 된다. 사상의학에서 사람의 형태구조는 성정(性情)의 작용에 따라 결정된다고 하였는데, 생리현상과 병리 현상 모두 성정의 승강원리에 의하여 특징지어지는 것으로 설명하고 있다. 그러므로 일정한 형태구조와 생리공능은 심리특징이 만들어지는 기초이고, 그 사람이 일정한 심리특징을 쉽게 드러나게 하며, 심리특징이 장기적으로 드러나면서 또한 형태구조와 생리공능에 영향을 미쳐서 상응하는 행위특징을 나타나게 한다. 그러므로 체질 구성인자 가운데 형태구조、공능、심리 사이에는 밀접한 관계가 있으며, 심리 인자는 체질 개념에서 필수불가결하고, 심리특징의 차이는 주로 인격、기질、성격 등

8) 人有五臟化五氣, 以生喜怒悲憂恐 (素問·陰陽應象大論)

의 차이로 나타난다.

3. 체질의 표지

체질의 표지는 체질의 구성내용을 통해 나타난다. 그러므로 한 개인의 체질 상황을 평가할 때에는 마땅히 형태구조、생리공능과 심리특징 등 측면에서 종합적으로 고려해야 한다.

1) 체질진단의 표지

(1) 신체적 특성-형태와 기상을 살핀다(體形氣象論, 容貌詞氣論)

체질진단은 기본적으로 1:1 대면을 통해 이뤄진다. 제일 먼저 살펴보는 것은 겉으로 드러나는 신체적 특성이다. 여기에는 얼굴을 비롯한 체형 전체의 정적인 형태와 동적인 기상이 되며, 넓게는 목소리와 말투까지 포함된다.

(2) 심성적 특성-평소 잘 유발되는 행동을 살핀다(性質才幹論)

체질진단을 위해 평소에 잘 유발되는 마음가짐과 행동거지를 살피는데, 이러한 마음가짐과 행동거지는 체질 속성상 잘 드러나는 말과 행동 등으로 나타날 수 있다. 즉, 생활 가운데 드러나는 재능、소질、장점 등을 심성적 특성이라고 할 수 있다.

(3) 생리 병리적 특성-체질별 질병 상태가 다름을 이해한다(病證藥理論)

체질별로 생리적、병리적 기전이 다름을 의미한다. 체질에 따라 건강한 상태에서 확인할 수 있는 증상과 건강하지 않은 상태에서 나타나는 증상이 다르다는 것이 임상적으로 잘 알려져 있다.

2) 이상(理想)체질의 표지

이상체질은 인체가 유전적인 잠재력을 충분히 발휘하는 기초 위에 후천적으로 적극적인 배양을 통해 인체의 형태구조、생리공능、심리상태 및 환경에 대한 적응능력 등 각 방면에서 전면적인 발전이 이루어져 상대적으로 양호한 상태에 있는 것으로, 형신(形神)이 통일된 상태이다. 형신통일(形神統一)은 건강의 표지이며, 한의학에서는 이상체질의 표지를 건강의 표지와 함께 다루기 때문에 이상체질의 표지 역시 건강의 표지에 반영된다. 이와 관련하여 사상의학에서는 완실무병(完實無病)의 조건을 제시하고 있는데, 이는 인체의 표리기(表裏氣)가 충분히 갖추어진 무병 상태의 건강 조건을 의미한다. 태양인은 오줌이 잘 나오는 "소변왕다(小便旺多)"、태음인은 땀이 잘 나오는 "한액통창(汗液通暢)"、소양인은 대변이 잘 통하는 "대변선통(大便善通)"、소음인은 음식 소화를 잘 시키는 "음식선화(飮食善化)"가 이에 해당한다.

4. 체질의 특성

1) 체질은 심신특성의 개괄이다

체질은 각 개인의 형태구조、생리공능과 심리 활동의 기본 특징을 반영하고 있는데, 내재하는 장부기혈음양(臟腑

氣血陰陽)의 편차와 기능 활동의 차이를 나타내고 있으며, 각 개인의 신체 소질과 심리 소질에 대한 개괄이다.

2) 체질은 보편성､전면성과 복잡성을 가지고 있다

체질은 누구에게나 존재하며, 매 개인은 심신의 통일체로, 반드시 자기 몸과 마음의 특성을 드러내고 있다. 이러한 특성들은 전면적으로 형태와 공능의 차이로 나타난다. 이러한 차이는 그 전면성과 다른 개체들 사이에 나타나는 복잡한 다양성에서 비롯하는데, 이러한 다양성에 특정한 규칙은 없다. 체질학설의 역할은 그러한 규칙을 드러내고 체질을 합리적으로 분류하는 것이다.

3) 체질은 안정성과 가변성이 있다

체질은 선천적으로 물려받고, 후천적으로 길러진다. 선천적으로 물려받은 것은 각 체질의 상대적인 안정성과 체질의 특이성을 결정하며, 후천적인 각종 환경인자､영양 상태､음식습관､정신 인자､연령변화､질병 손상､치료 등은 인체의 체질이 가변성 혹은 적응성을 갖게 한다. 이로 인해 체질은 생명과정에서 상대적인 안정성을 지니게 된다.

4) 체질은 연속성과 예측 가능성을 가지고 있다

체질의 특징은 생명의 전 과정을 통해 나타나는데, 생리 상태 아래에서는 생리 반응성으로, 병리 단계에서는 발병 경향성으로 나타난다. 체질에 따라 처음에는 조금씩 드러나다가 점차로 체질 고유의 발전 변화 원리에 따라 완만하게 변화하는 추세를 보인다. 체질의 이러한 예측 가능성은 병이 발생하기 전에 미리 치료할 수 있는 근거를 제공한다.

제2절 체질학설의 형성과 발전

체질을 중시하는 것은 한의학의 대표적인 특징 가운데 하나이다. 한의학의 체질이론은 『내경』에서부터 시작하였는데, 예를 들면 『영추 음양이십오인』에서 '오형지인(五形之人)', 『소문 궐론(厥論)』에서는 "이 사람은 질(質)이 건장하다"[9]라고 한 것처럼 주로 '형'､'질' 등으로 표현하였다. 『내경』에서의 체질 분류는 주로 음양분류법(陰陽分類法)､오행분류법(五行分類法)､체형비수분류법(體型肥瘦分類法)､장부형태분류법(臟腑形態分類法)､심리특징분류법(心理特徵分類法)으로 정리될 수 있다. 장중경(張仲景)의 『상한잡병론(傷寒雜病論)』에서는 체질과 발병､변증､치료용약 및 질병 예후 관계 등 내용을 더욱 발전시켰으며, 변질논치(辨質論治)의 정신을 바탕으로 체질이론이 실제 임상에서 더욱 충실하게 활용될 수 있는 기반을 닦았다. 당(唐)의 손사막(孫思邈)은 『천금요방(千金要方)』에서 '품질(稟質)'로, 송(宋)의 진자명(陳自明)은 『부인양방(婦人良方)』에서 '기질(氣質)'로 표현하였으며, 남송(南宋)의 『소아위생총미론방(小兒衛生總微論方)』 등에서는 체질의 형성이 태아기에 이미 이루어졌음을 강조하였는데, 전을(錢乙)은 『소아약증직결(小兒藥證直訣)』에서 소아의 체질 특징을 "형성은 되었으나 완전하지는 않다"[10], "완전하게 갖추었으되 건장하지는 않다"[11], "장부가 유약하여 쉽게 허해지거나 실해지고, 쉽게 한(寒)해지거나 열(熱)해진다"[12]고 하였으며, 진직(陳直)

9) 是人者質壯 (素問·厥論)
10) 成而未全 (小兒藥證直訣)
11) 全而未壯 (小兒藥證直訣)
12) 臟腑柔弱, 易虛易實, 易寒易熱 (小兒藥證直訣)

은 『양로봉친서(養老奉親書)』에서 노년인의 체질 특징 가운데 특별히 심리특징과 그 이치를 밝혔으며, 체질의 식양(食養)과 식료(食療)를 강조하였다. 금(金)의 유완소(劉完素)는 『소문현기원병식(素問玄機原病式)』의 '장부육기병기(臟腑六氣病機)'에서 각형의 병리체질 형성과 '내생육기(內生六氣)'의 관계를 밝힘으로써 체질의 내재적인 기초에 대하여 강조하였다. 명(明)의 장개빈(張介賓)은 '품부(禀賦)'、'기질(氣質)'과 함께 '체질'이라는 표현을 처음으로 사용하였는데, 『경악전서(景岳全書)』에서 "특히 체질과 귀천에는 더욱 차이가 있는데, 변변치 않은 음식을 먹는 건장한 사람과 갑자기 새로 생긴 병은 급히 공격하여 없애는 것이 적당하다"[13]고 하는 한편, 장상 체질이론을 주창하여 선후천지본(先後天之本)인 비신(脾腎)의 체질에 대한 중요성과 아울러 외감(外感)과 내상잡병(內傷雜病)의 변증논치에서 체질이론을 운용하였다. 청(淸)의 서대춘(徐大椿)은 '기체(氣體)'와 '체질(體質)'을 함께 썼고, 섭계(葉桂)와 화수운(華岫雲)이 본격적으로 '체질'을 언급하였는데, 대부분 개인의 서로 다른 생리 특수성을 표현하였다. 왕굉(汪宏)의 『망진준경(望診遵經)』과 왕연창(王燕昌)의 『왕씨의존(王氏醫存)』에서는 체질의 형성、정형(定型)、연화(演化)에 영향을 미치는 외부 인자에 대해 명확히 밝혔다. 한편 명청의 온병학자들은 온열병학의 관점에서 체질의 분형 및 임상맥증、체질과 온병의 발생、발전、결과、치료、용약의 관계에 대해 설명하였다. 조선의 이제마는 인간을 네 가지 체질로 구분하는 사상의학을 창시하였는데, 그는 애노희락(哀怒喜樂) 성정(性情)의 치우침에 따라 체질의 유형을 네 가지로 설정하여 인체의 생리、병리적 현상을 체질별로 파악하고자 하였다.

1. 동서고금의 체질론

1) 중의학의 체질론

왕기(王琦, 1943~)가 주장한 체질론으로, 장부、경락、기혈진액은 체질을 구성하는 생리적 기초이기 때문에 '음양-정기혈진액'의 성쇠와 허실에 따라 평화질과 아홉 가지 편파질로 분류하였다.

(1) 평화질(平和質)

체형이 균형 잡혀 있고、신체가 건장하며、눈빛이 살아 있고、피부가 윤택하며、입술 색이 붉으면서 윤기가 있고、머리숱이 많으면서 광택이 나고、정력이 충만하며、한열(寒熱)을 잘 견디고、잠을 잘 자며、소화를 잘 시키고、대소변이 정상이며、설담홍(舌淡紅) 태박백(苔薄白)하고、맥은 화완(和緩)하고、성격은 명랑하다.

(2) 편파질(偏頗質)

① 기허질(氣虛質)

기육(肌肉)이 부실하고、호흡이 길지 않으며 음성이 낮고、쉽게 피곤하면서 땀을 많이 흘리며、입술 색이 다소 창백하고、정신이 부진하며、혀가 큰 편으로 치흔이 있고、맥은 허완(虛緩)하며、성격은 내향적이고 겁이 많으며、정신적인 자극에 대해 잘 참지 못한다.

② 양허질(陽虛質)

13) 矧體質貴賤尤有不同, 凡黎藿壯夫, 及新暴之病, 自宜消伐 (景岳全書·雜證謨·飲食門)

몸 전체적으로 희면서 비만하며, 기육이 부실하고, 추위를 싫어하면서 손발이 차며, 뜨거운 음식을 좋아하고, 정신이 부진하며, 잠이 많은 편이고, 대변은 무르며, 소변은 맑으면서 양이 많고, 혀는 다소 크고 부드러운 편이면서 치흔이 있으며, 설태는 습윤하고, 맥은 침지(沈遲)하면서 약하며, 성격이 차분하고 내향적이다.

③ 음허질(陰虛質)

몸이 마르고, 손발 바닥에서 열이 나며, 입과 목이 마르고, 대변은 건조하며, 혀는 붉고 습기나 태가 적으며, 맥은 세현삭(細弦數)하고, 성질이 조급하며, 어지럽거나 잠을 잘 못자고, 외향적이면서 돌아다니기를 좋아한다.

④ 혈허질(血虛質)

몸이 마른 편이고, 손발이 자주 저리면서 감각이 없으며, 얼굴이나 입술 손톱에 혈색이 없고, 눈이나 머리가 어지러우며, 잠을 못 이루고 잘 잊어버리며, 혹은 월경량이 적고 색이 그다지 붉지 않으며, 혀는 혈색이 적고, 맥은 세약(細弱)하다.

⑤ 담습질(痰濕質)

몸이 비만한 편이고, 얼굴색은 담황(淡黃)이거나 어두우며, 땀이 많으면서 끈적이고, 가슴이 답답하면서 가래가 많으며, 눈두덩이 조금 부어 있고, 몸은 무겁고 피곤하며, 혀는 큰 편이고, 설태는 희면서 많으며, 입안이 차지면서 단맛이 돌고, 맥은 활(滑)하며, 대변은 무른 편이고, 소변은 혼탁하며, 성격이 온화하고 잘 참는다.

⑥ 습열질(濕熱質)

얼굴이 지저분하고 기름기가 있으며, 종기가 잘 생기고, 눈 주위의 근육이 붉으며, 입안이 쓰고 마르며, 가슴이 괴롭고 게으른 편이며, 몸은 무겁고 피곤하며, 소변이 적고 붉으며, 대변은 건조하거나 끈적거리며, 남자는 사타구니가 쉽게 습해지고, 여자는 냉이 많은 편이며, 혀가 붉으면서 태는 황니(黃膩)하고, 맥은 대개 활삭(滑數)하며, 성격은 급하고 화를 잘 낸다.

⑦ 어혈질(瘀血質)

얼굴이나 피부색과 안광이 어둡고, 어반(瘀斑)이 잘 생기며, 쉽게 동통이 생기고, 입이나 입술이 암담(暗淡)하거나 자색(紫色)이며, 설질은 어두우면서 어반이 있고, 혀 밑의 정맥이 커져 있으며, 맥상은 세삽(細澁) 혹은 결대(結代)이고, 여성의 경우에는 대개 통경(痛經), 폐경(閉經), 경색자흑유혈괴(經色紫黑有血塊), 붕루(崩漏) 혹은 출혈의 경향이 있다.

⑧ 기울질(氣鬱質)

성격은 내향적으로 우울하면서 의심이 많으며, 번민하면서 즐거움이 없고, 트림이나 한숨을 쉬며, 흉협(胸脇)이 창만하거나 동통이 있고, 유방이 창통하며, 목구멍이 막히는 듯하고, 잠을 잘 자지 못하면서 꿈을 많이 꾸며, 건망증이 있고, 혀는 담홍색이면서 태는 박백(薄白)하고, 맥상은 현세(弦細)하다.

⑨ 특품질(特稟質)

몸이 기형이거나 선천적으로 결함이 있는 경우이며, 유전적 질환이 있는 환자이다.

체질과 증은 서로 긴밀하게 연관되어 체질에 따라 주로 발생하는 증들이 결정된다. 그러한 관점에서, 중의학의 체질론에서 제시한 체질은 진정한 의미에서의 체질이 아니라 임상에서 많이 볼 수 있는 증(證)에 해당한다고 할 수 있다.

2) 아유르베다 (Ayurveda)의 체질론

인도 아유르베다의 체질론은 소우주인 인간이 대우주로부터 분리되어 존재할 수 없다는 전제 아래, 건강과 질병의 문제도 우주와 인간의 상호관계 속에서 고찰하였다. 우주에 존재하는 모든 물질은 earth、water、fire、air、ether의 다섯 가지 요소로 구성되며, 인체도 이 다섯 가지 요소가 기본이 된다. 이 기본 요소들은 인체에서 세 가지 기본적인 성분 또는 기질로 나타나는데, 이에 따라 신체를 3원소(공기、불、물)의 체질로 구분하고 있으며, 이를 도샤 (doshas)라고 한다. 에테르와 공기로부터 Vata라고 불리는 육체의 공기 성분이 나타나고, 물과 불로부터 Pitta라고 불리는 불의 성분이 나타나고, 흙과 물로부터 Kapha라고 불리는 물의 성분이 나타난다. Vata、Pitta와 Kapha의 세 가지 성분이 육체와 마음과 의식의 모든 생물학적、심리학적、병리학적 기능을 조절하며, 유전적으로 결정되어 변하지 않으며, 만약 이 균형이 깨어지면 질병에 걸린다.

사상체질과 비교하자면, Vata형 체질은 공허하기 쉬운 체질로 소음인과 유사하고, Pitta형 체질은 뜨거운 불로서 소양인과 유사하고, Kapha형 체질은 습하고 살찌기 쉬운 태음인과 유사하다. 사상의학에서 태양인은 매우 드물다고 보는데, 아유르베다의 체질론에도 그와 유사한 체질이 존재하지 않는 것으로 보아, 사상의학과 아유르베다의 체질론은 대체적으로 체질분류에 관해 서로 비슷한 인식을 공유하고 있는 것으로 볼 수 있다.

3) 기타 체질론

(1) Hippocrates의 4체액설 (Humorism)

고대 그리스 철학에서 우주는 화、수、풍、토의 네 가지로 구성된다는 원리를 인체에 적용하여 인체는 혈액 (blood)、점액 (phlegm)、황담즙 (yellow bile)、흑담즙 (black bile)의 4체액으로 구성되어 있다는 것이 히포크라테스 (BC 460~370)의 체액병리설이다. 이는 로마의 Galenus의학으로 이어지고, 중세에 아랍권으로 전해지면서 현재 이슬람권 전통의학인 Unani의학의 주요 내용을 구성하고 있다.

(2) Galenus의 4기질설(四氣質說, Four temperaments)

갈레누스 (129~216)는 히포크라테스의 체액병리설을 기초로 4기질설을 주장하였다.

① 다혈질: 외향적이고 즉각적인 반응을 드러내며 감정의 변화가 심하다. 큰 소리로 웃거나 대화를 주도하여 주목받는 것을 즐기며 웅변이 뛰어나다. 주변 사람과 사물에 대해서 늘 호기심을 가지며 환경에 잘 적응하는 편이다.

② 점액질: 자극에 대해 지둔박약(遲鈍薄弱)하여 흥분하거나 격분하는 일이 적고, 활발하지 못하지만 일단 일을 시작하면 의지가 강하고 인내력이 있다.

③ 담즙질: 자신의 능력에 확신을 가지며 매우 진취적이고 자신이 원하는 방향으로 계획을 추진하며 분석적으로 추정하기보다 직관으로 결정한다. 일에 차질이 생겼을 때는 재빨리 대처하며 단호하게 처리한다.

④ 흑담즙질: 신중하고 민감하며 음악·미술·운동 등의 예술 분야에 뛰어나다. 잘 감동하고 상처받기 쉬우니 사려 깊으며 가치 있고 유익하며 창조적인 생각을 해낸다. 분석력이 뛰어나고 잠재적인 문제점을 끄집어내며 완벽주의자적인 성향이 있다.

(3) Sheldon의 배엽기원설(胚葉起源說, Somatotype and constitutional psychology)

미국의 William H. Sheldon (1898~1977)은 체질이 출생 전에 어느 정도 결정되며, 체형은 대개 6세 때 결정된다는 배엽기원설을 주장하였다.

① 내배엽형(내장긴장형, Endomorphic): 태생기의 내배엽으로부터 생기는 내장은 복부가 흉부보다 발달한 데 비하여 사지가 짧고 끝이 뾰족하며, 골절이 굵고 어깨는 수평이며, 얼굴은 넓고 위아래가 거의 같다. 피부는 매우 부드럽고 매끈하며 보통 뚱뚱한 편에 속한다.

② 중배엽형(신체 긴장형, Mesomorphic): 태생기의 중배엽에서 발달하여 동체의 폭이 비교적 넓고 근육이 견고하며, 가슴 직경이 크고 비교적 평평하다. 사지의 골격과 근육이 발달하였으며, 피부는 두껍고 거칠다.

③ 배엽형(두뇌 긴장형, Ectomorphic): 태생기에 이미 외배엽에서 발달하며 신체표면에 있는 감각기, 즉 신경계통이 발달하였다. 체형은 직선적이고 복부보다 흉부가 발달하였다. 어깨가 좁고 근육이 굴곡이 있으며 머리 전체와 비교하면 얼굴이 작은 편이다. 피부는 섬세하고 건조하며 주름이 많고 체형은 홀쭉하며 허약한 체질로 보인다.

(4) Kretchmer의 3체질 (Typology)

독일의 정신과 의사인 Ernst Kretchmer (1888~1964)는 정신신체의학적 관점에서 인간을 3대 유형으로 분류하였다(1921년).

① 비만형 (Pyknic): 신체가 둥글고 지방이 많으며 피부는 유연하고 특히 허리와 배의 발달이 좋으며 목이 굵되 짧고 사지가 체간에 비교해 짧다. 순환성 기질과 친화성이 있으며 사회적인 태도는 외향성이고 친절하고 애교가 있으며 유머가 풍부하고 온화한 편이다. 이것이 정상범위를 벗어나면 순환병 기질이라고 하며, 극단적일 때는 조울병에 해당하는 병증을 일으킬 수 있다.

② 세장형 (Asthenic/Leptosomic): 신체가 가늘고 길며 흉곽이 좁고 피부가 건조 창백하며 사지가 체간에 비교해 길다. 분열성 기질과 친화성이 있으며, 사회적 태도는 내향적으로 부끄럼을 잘 타고 폐쇄적이며 냉담한 경향이 있다. 이것이 정상범위를 벗어나면 분열병 기질이라고 하며, 극단적일 때는 조현병이 된다.

③ 투사형 (Athletic): 전신의 근육이 잘 발달하였고 흉곽이 넓으며 얼굴은 긴 계란형이고 광대뼈가 현저하게 드러나 보인다. 이 체질은 점착성 기질과 친화성이 있으며, 점액질적으로 평소에는 평온하고 자극에 대한 감수성이 둔하나 때로는 폭발적으로 분노하는 일이 있다. 융통성이 없으며 의리가 강하고 신심이 강하다. 이것이 정상범위를 벗어나면 간질성 기질이며, 뇌전증이 된다.

(5) Sigaud의 체질론

프랑스의 Claude Sigaud (1862~1921)는 인간을 호흡형 (respiratory type)、소화형 (digestive type)、근형 (muscular type)、뇌형 (cerebral type)의 네 유형으로 분류하였다(1904년). 호흡형은 호흡에 관련된 기관들이 발달한 형태이고, 소화형은 소화에 관련된 부분들이 발달한 형태이다.

(6) 후루카와 다께지(古川竹二)의 혈액형 체질론

일본의 후루카와 다께지(1891~1940)는 1927년 "The Study of Temperament Through Blood Type"이라는 논문에서 인간을 혈액형에 따라 A형、B형、O형、AB형으로 분류하였다.

① A형: 온순하고 인정이 있으며 감수성이 많아 감상적이며 정서적이고 다감하며 평화적이나 소심하고 겁이 많으며 태만하고 내성적이다.

② B형: 쾌활 명랑하고 근면하며 사교적 이지적이고 투쟁적 동정적이며 경솔하여 결단성이 부족하며 방종적이며 과시를 잘하나 신용이 적고 실행력이 적은 감이 있고 주벽과 불량성이 있다.
③ O형: 침착하여 경거망동하지 않으며 대담하고 이지적이며 침묵형으로 말수가 적고 실행력이 많으며 신망이 있고 판단력이 강하며 고집이 세나 완고한 경향도 적지 않다.
④ AB형: A형과 B형의 혼합형

(7) Spranger의 유형론 (Personality theory)

독일의 Edward Spranger (1882~1963)는 기본적인 생활영역을 6가지로 분류하고, 이들 중 어느 것에 가장 가치나 흥미를 갖고 있는가에 따라 6가지 유형으로 분류하였다.
① 이론형 (Theoretical): 사물을 객관적으로 파악하고 논리적인 지식체계를 구성하는 것에 가치를 둔다.
② 경제형 (Economic): 모든 점에서 경제성과 실용성에 가장 높은 가치를 둔다.
③ 심미형 (Aesthetic): 현실 생활에 관심이 없고, 예술 등 아름다운 것에 최고의 가치를 둔다.
④ 종교형 (Religious): 신을 믿으며 종교적인 체험에 가장 큰 가치를 둔다.
⑤ 권력형 (Political): 항상 권력을 추구하고 다른 사람을 자기에게 복종시키는 것에 가치를 둔다.
⑥ 사회형 (Social): 다른 사람을 사랑하고 봉사하며 진보시키는 것에 최고의 가치를 둔다.

(8) Jung의 심리학적 유형론

스위스의 Carl Gustav Jung (1875~1961)은 심리학적으로 외향성과 내향성의 일반적 태도 유형과 사고관의 심적 기능에 의한 기능유형을 조합하여 8가지 유형으로 분류하였다.

	외향성	내향성
일반적 경향	관심이 밖으로 향하고 객관적이다. 사교적이고, 움츠려서 몸을 지키려고 하지 않는다. 쉽게 자기 생각을 표현하고 자신감이 강하다. 타인이 자기처럼 행동하기를 요구한다. 타인이 있는 곳에서 일한다. 책임을 뒤로 돌리고 기회를 얻는다.	관심이 안으로 향하고 주관적이다. 고독하고 외부의 세계로부터 몸을 지킨다. 자기 생각을 표현하기가 쉽지 않다. 자신감이 약하다. 타인의 일에 무관심, 타인이 있으면 일을 할 수 없다. 일을 맡기 전에 책임을 생각한다.
사고 Thinking	객관적 사고, 인간적 온정이 없고, 오만해 보인다. 독선적, 고집이 세고 허세가 많다. 예: 과학자	외부의 사실보다 내면세계의 관념에 더 많은 관심을 가짐. 완고, 고집이 세다. 예: 철학자、실존심리학자
감정 Feeling	여성이 많다. 변덕이 심하고, 감정적, 기분파이다.	여성이 많다. 자신의 감정을 남들에게 숨긴다. 말수가 적고 접근하기 어렵다.
감각 Sensing	남성이 많다. 현실주의적, 실제적이다. 관능적 성향으로 여러 종류의 중독、도착、강박에 걸리기 쉽다.	외적 대상에 관심이 없고, 자신의 정신적 감각에 몰두한다. 자신의 표현에 곤란을 느낀다.
직관 Intuiting	여성이 많다. 경솔함과 불안정이 특징. 싫증을 잘 내며 사고기능의 결함으로 항상 새로운 직관만을 좇는다.	예술가형, 외적 현실이나 관습의 접촉을 유시하시 않기 때문에 고립되어 있다.

2. 사상체질의학

사상체질의학은 조선말 이제마가 저술한『동의수세보원』에서 기원하였다. 그는 인간의 타고난 체질의 유형을 네 가지로 설정하고, 각 체질의 생리, 병리적 현상을 음양론적 특징에 바탕을 둔 사물류(四物類)적 요약 정신으로 파악하고자 하였다.『내경』에도 체질에 관한 내용은 기재되어 있지만, 이제마는『내경』의 체질이론에 대해 "대체로 외형에 대해서는 인식하였지만, 장부의 이치에 대해서는 알지 못했다"14)고 평가하였다. 이제마는 장중경을 비롯한 후세 의가의 내용을 자신의 이론과 임상경험에 따라 분석해냄으로써 체질 유형론적 사고를 발전시켰다.

네 가지 체질은 태양인、소양인、태음인、소음인을 일컫는데, 장부의 대소에 따라 정의된다. 장부의 대소란 해부학적인 장부의 크기를 말하는 것이 아니라, 인체의 일정 부위를 주관하는 기능의 편차를 말하는 것으로, 그 대소는 체질에 따라 나타나는 희로애락의 치우침에 따라 결정된다. 태양인은 폐대간소(肺大肝小)、소양인은 비대신소(脾大腎小)、태음인은 간대폐소(肝大肺小)、소음인은 신대비소(腎大脾小)라고 하였다. 또 이제마는 장부 대소와 심욕(心慾)과의 관계를 설명하였는데, 심욕의 흐름이 장부 대소와 깊은 연관성을 가진 것으로 인식했다.

동서고금을 통해 다양한 체질이론이 제시되었으나, 그 가운데 사상의학이 인간의 형태구조、생리공능、심리유형 등의 전반적인 내용을 병리、진단、치료 분야와 함께 다루고 있으며, 일상적인 생활에서의 정신적인 수양 및 섭생에 대해서도 강조함으로써 가장 전면적이고 유용한 체질이론으로 받아들여지고 있다.

1) 사상체질별 심리 · 생리 · 병리적 특성15)

	심리적 특성	생리적 특성	병리적 특성
태양인	진취적이며 적극적으로, 무슨 일이든지 물러서지 않고 밀고 나감. 남성적으로, 모임을 주도하는 편이며 지도력이 강함. 처음 만나는 사람도 쉽게 사귀는 편임(사교적). 맺고 끊음이 분명하지만, 항상 급하게 서두르는 편	소변이 잘 나가면 몸이 가볍고 상쾌함. 수면장애가 쉽게 오고, 입에 침이 고이거나 음식물을 넘기기가 어려워지는 경우가 있음	몸이 안 좋으면 변비가 있어도 불편하지 않으나 소변이 진해지고 양이 감소함. 쉽게 피로하여 보행이 어려운 예도 있음
소양인	적극적이고, 활동적이며, 외향적. 자기 일보다 남의 일에 더 열성임. 용감하며 뜻을 잘 굽히지 않는 편으로 활발하고, 자기 주장이 강함. 무슨 일이나 시원스럽게 처리하는 편이지만, 일을 벌여 놓기만 하고 마무리를 잘하지 못함	대변이 규칙적이고 잘 통하면 몸이 가볍고 상쾌함. 평소 식사 속도가 빠른 편임	심적으로 불안하거나 긴장 되면 일에 쫓겨 일의 순서 등을 쉽게 잊어버림. 변비가 생기거나, 배변이 시원하지 않으면 가슴이 쉽게 답답해짐. 건강상태가 나쁘면 소변이 진해지거나 자주 보며 시원하지 않음
태음인	보수적으로 변화를 싫어함. 처음에 남 앞에 잘 나서지 않고 속내를 잘 드러내지 않음. 이해타산이 빠르고 말수가 적은 편임. 맡은 일을 잘 해내는 편이며, 끈기가 있지만, 새로운 환경에 대한 적응은 쉽지 않음	땀을 흘리면 몸이 가볍고 상쾌함. 물을 잘 마시는 편이며 식욕이 대체로 좋고, 식사량이 많아 체중이 쉽게 잘 늘어나는 편임	정신적으로 불안하거나 긴장 되었을 때 가슴이 두근거리고 진땀이 쉽게 남. 건강상태가 나쁘면 헛배가 부르거나 변이 묽어지고 자주 보게 됨. 피부 모발 안구가 건조해지고 대소변이 조삽해짐
소음인	소극적으로 안정 지향적. 조용히 혼자 일을 추진하는 편이고, 여성적이며, 매사에 몸을 사리는 편으로 내성적. 치밀하고 꼼꼼하며, 단정하고 신중하지만 평소 소심하여 자주 불안해 하는 편	소화가 잘되면 몸이 가볍고 상쾌하며, 평소 땀이 많지 않고, 땀을 많이 흘리면 쉽게 피로감을 느낌. 평소 물을 잘 마시지 않고 따뜻한 물을 좋아함	정신적으로 불안하거나 긴장 되었을 때 팔다리 힘이 빠지는 등 탈력감을 쉽게 느낌. 건강상태가 나쁘면 아랫배가 차면서 뭉치거나 더부룩하고 대변이 가늘면서 시원하지가 않음. 평소 식사량이 적은 편이고, 건강상태가 나쁘면 소화가 잘 안 됨

14) 略得外形, 未得臟理 (東醫壽世保元·四象人辨證論)
15) 전국한의과대학 사상체질의학교실, 『사상의학』

2) 사상체질별 체형의 특징

	5부위 체간 측정법		전문가 합의에 따른 체형 특성
태양인	제1선 3.7 제2선 1.5 제3선 1.8 제4선 3.4 제5선	역 사다리꼴 형태로 1선과 5선의 측정치 차이가 10cm 이상	골격이 큰 편. 머리나 목덜미가 발달한 편이고, 허리나 하체가 빈약한 편임
소양인	제1선 2.3 제2선 1.5 제3선 1.5 제4선 1.1 제5선	역삼각형 형태로 1선>3선>4선>5선이며 골반부가 안쪽으로 위축되어 있음	골격이 보통이며 다부진 체격. 가슴이 넓고 튼튼한 근육형이며, 엉덩이 부위가 빈약한 편이고 걸음걸이가 빠르고 몸을 흔듦
태음인	제1선 2.5 제2선 0.4 제3선 0.5 제4선 2.7 제5선	배꼽을 중심으로 한 4선의 길이가 가장 길며, 3선이 5선보다 1-2cm 정도 긴 체형	체격이 크고, 골격이 굵은 편. 살이 찐 편으로 걸음이 느리고 무게 있게 걷는 편임
소음인	제1선 2.3 제2선 1.8 제3선 1.1 제4선 1.1 제5선	3,4,5선 가운데 3,4선이 5선보다 작은 경향성을 보이며, 4선≥5선인 경우도 있음	체형이 작고 마른 편. 하체가 상체보다 발달하여 있으며, 가슴이 빈약하고 구부정한 세장형으로 걸음걸이는 자연스럽고 얌전함

제1선 : 앙와시 차려자세에서 적당히 양팔을 벌려 측정한 액와횡문 기시점 사이 거리
제2선 : 좌우 양 유두를 횡행 직선으로 연결하여 흉배부측면(적백육제선)까지의 거리
제3선 : 제7,8 늑연골 접합부 융기 부분을 좌우로 연결하여 흉배부측면까지의 수평 직선거리
제4선 : 신궐혈에서 양 천추혈을 횡행으로 연결하여 요배부측면경계(적백육제선)까지의 수평직선거리
제5선 : 전상장골극(ASIS)의 바깥 측면부위까지의 수평 직선거리

3) 사상체질별 음성의 특징

	전문가 합의에 따른 음성 특성
태양인	목소리가 크고, 우렁차며, 멀리까지 들림
소양인	목소리가 맑고 낭랑하며, 빠르고 고음이거나, 말이 많은 편임
태음인	말이 적고 중후한 편이며, 느리고 저음, 탁음임
소음인	목소리가 조용하고, 침착하며, 느리며, 힘이 없음

4) 사상체질별 안면의 특징 16) 17)

	사상체질 표준 안면형		전문가 합의에 따른 안면 특성
태양인	45세 미만	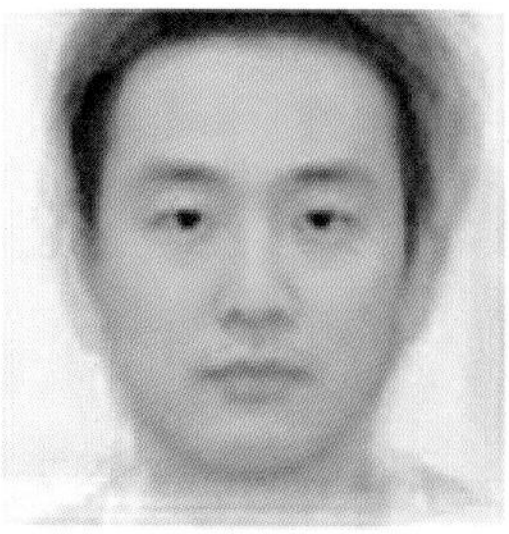 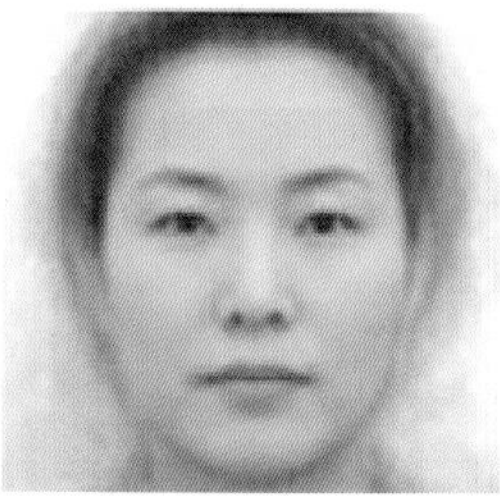	용모가 뚜렷하고 인상이 강한 편으로, 과단성(카리스마적)이 두드러져 보임
	45세 이상		
소양인	45세 미만	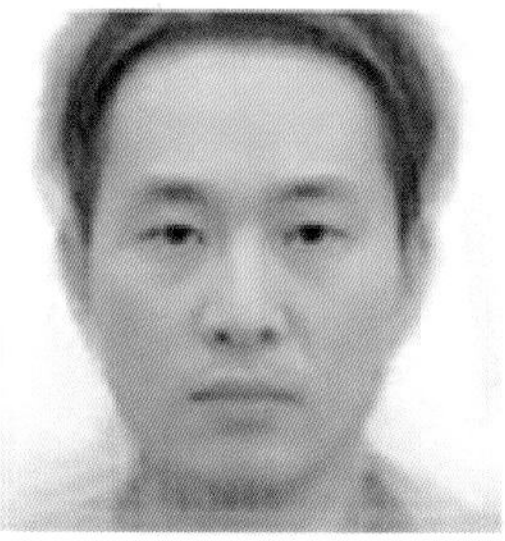 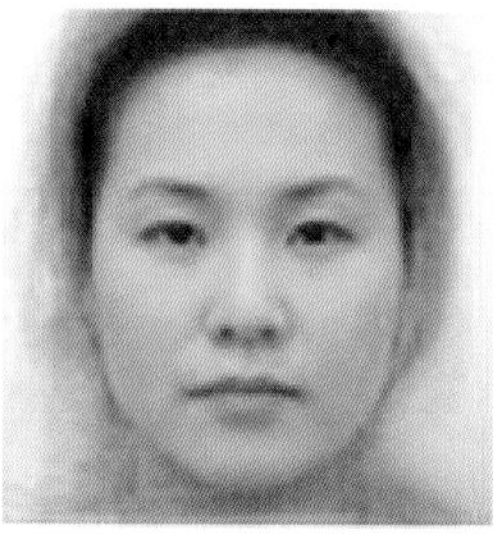	날카롭고 야무진 인상으로, 날쌔면서 용감해 보임
	45세 이상		

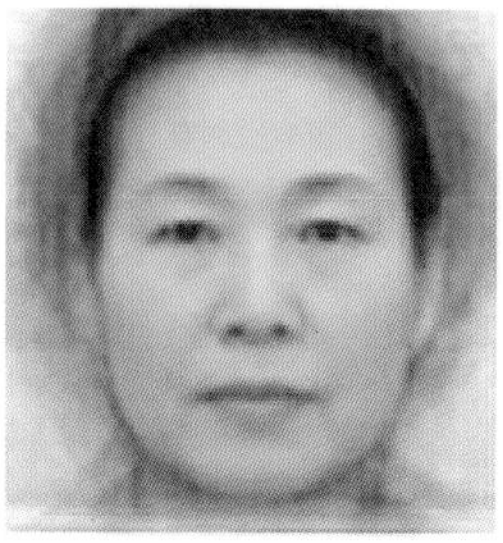

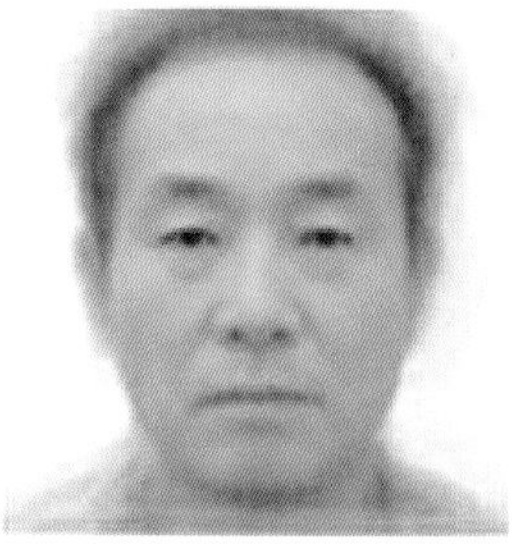

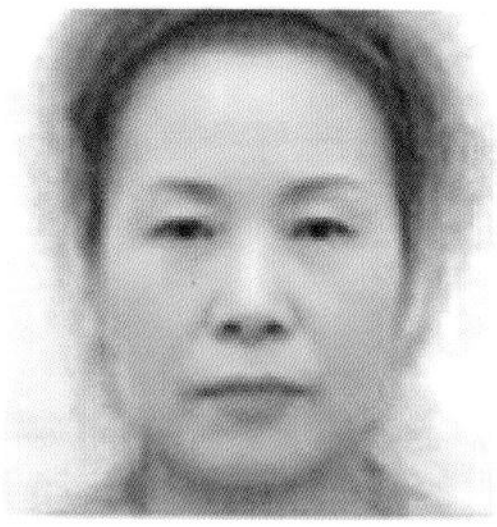

16) Clinical Guideline for Educating Public Health Oriental Medical Doctors on Diagnosis of Sasang Constitution, J Sasang Constitutional Medicine, 2012.

17) Clinical Guideline for Sasang Constitutional Medicine: The Examination of Sasangin Disease and Diagnosis for Sasang Constitution, J Sasang Constitutional Medicine 2015

	사상체질 표준 안면형		전문가 합의에 따른 안면 특성
태음인	45세 미만	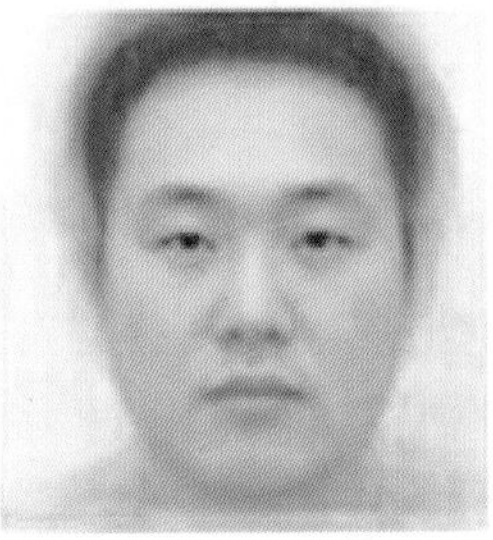 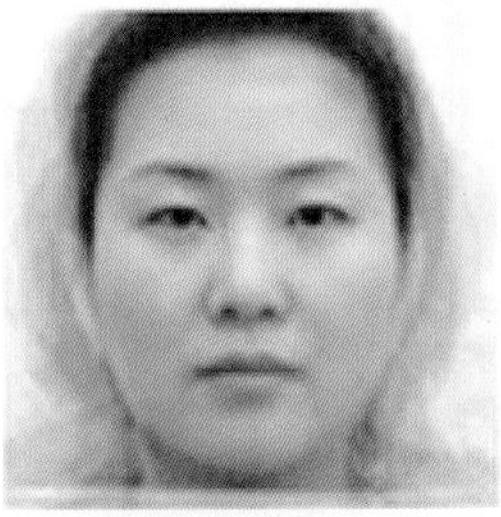	중후하고 점잖은 인상으로, 듬직해 보임
	45세 이상	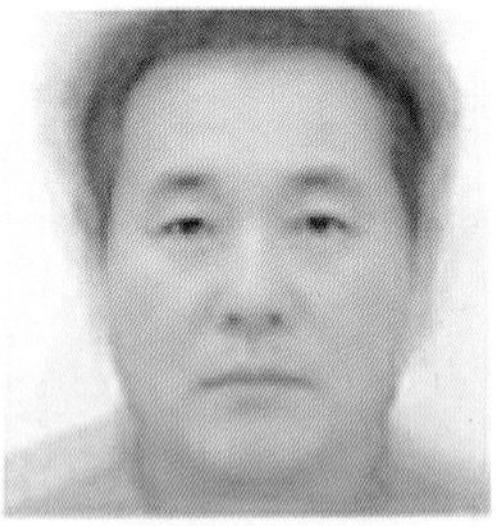 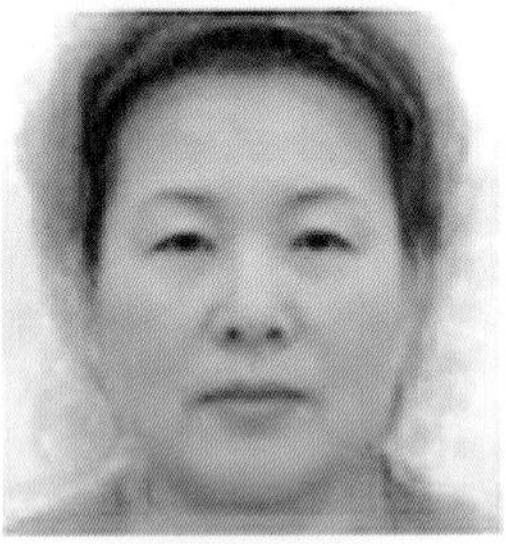	
소음인	45세 미만	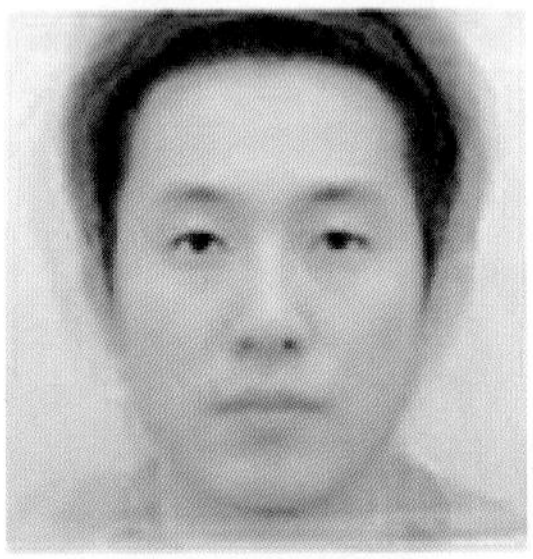 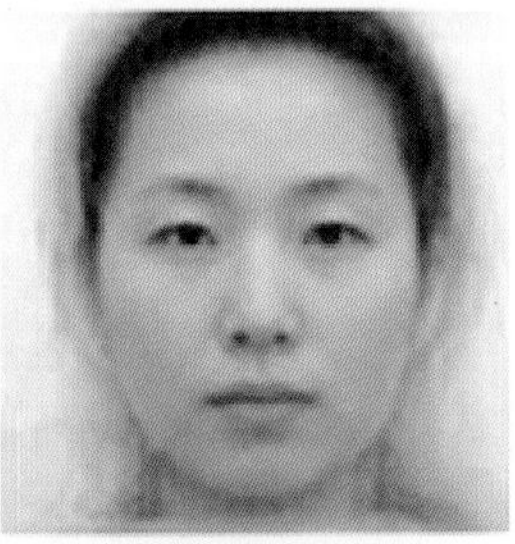	유순하고 섬세한 인상으로, 차분해 보임
	45세 이상	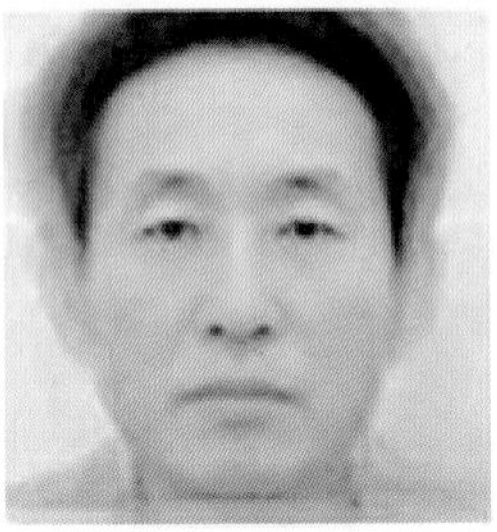 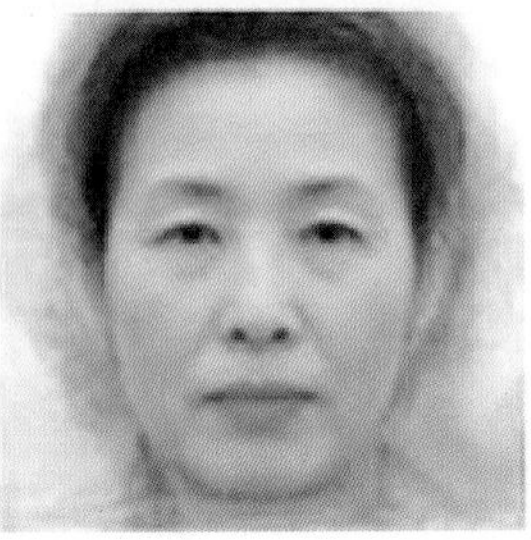	

참고문헌

1. 이의주, 유정희, 체질과 건강, 2012, 집문당
2. 전국한의과대학 사상체질의학교실, 사상의학, 2004, 집문당
3. 최승훈, 내경병리학, 1999, 통나무
4. 樊巧玲 主編, 中醫學概論, 2010, 中國中醫藥出版社
5. 왕치 지음 조연호 역, 中醫體質學, 2014, 씨에이치문화원
6. 古川竹二, The Study of Temperament Through Blood Type, 1927
7. Kim DG, A Comparative Study of Korean Oriental Medicine & Indian Traditional Medicine, J Korean Oriental Med. 2005:26(2): 201-216 (Korean)
8. Kang KR, Hwang SM, Park SJ, Chae H, A Comparative Study on Traditional Medicine in the World, Korean Journal of Oriental Medicine, 2009:15(3) (Korean)
9. Kim JW, Jwon SH, Sul YK, Kim KK, Lee EJ. A study on the body shape classified by Sasang Constitutions and gender using physical measurements. J Sasang Constitut Med. 2006;18(1):54-61. (Korean)
10. Huh MH, Koh BH, Song IB. The body measuring method to classify Sasang Constitutions. J Sasang Constitut Med. 2002;14(1):51-66. (Korean)
11. Lee EJ, Lee JK, Kim JY, Song JM. The Study on the Biomechanical Body Segment
12. ES Jang, JH Do, HJ Jin, KH Park, BC Ku, SW Lee, Jong Yeol Kim. Predicting Sasang
13. Guidline for Educating Public Health Oriental Medical Doctors on Diagnosis of Sasang Constitution. J Sasang Constitutional Medicine. 2012.
14. Kim SH, Lee SW, Lee JH, Lee EJ. Clinical Guideline for Sasang Constitutional Medicine: The Examination of Sasangin Disease and Diagnosis for Sasang Constitution. J Sasang Constitutional Medicine 2015:27(1):110-124
15. Do JH, Jang ES, Ku BC, Jang JS, Kim HG, Kim JY. Development of an integrated Sasang constitution diagnosis method using face, body shape, voice, and questionnaire information.
16. Kwak CK, Seok JH, Song JH, Kim HJ, Hwang MW, Yoo JH, etc. An Error Analysis of the 3D Automatic Face Recognition Apparatus (3D-AFRA) Hardware. J Sasang Constitut Med. 2007;19(2):22-29. (Korean)
17. Lee SY, Koh BH, Lee EJ, Lee JH. Hwang MW. Systematic Review on Researches of Sasang Constitution Diagnosis Using Facial Feature. J Sasang Constitut Med. 2012;24(4):17-27. (Korean)
18. Koo IH, Kim JY, Kim MG, Kim KH. Feature Selection from a Facial Image for Distinction of Sasang Constitution. eCAM.2009:S(1):65-71.
19. Kim KH, Ku BC, Kang NS, Kim YS, Jang JS, Kim JY. Study of a Vocal Feature Selection Method and Vocal Properties for Discriminating Four Constitution Types. eCAM.2012. http://dx.doi.org/10.1155/2012/831543
20. Jang JS, Ku BC, Kim YS, Nam JH, Kim KH, Kim JY. A Practical approach to Sasang Constitutional Diagnosis using vocal features. BMC CAM.2013:13(307) doi:10.1186/1472-6882-13-307

제16장 본초

Medicinal Materials

본초는 한의학 이론을 바탕으로 질병의 예방、진단、치료뿐만 아니라 건강을 유지하거나 재활을 위해 사용되는 자연계의 물질이며, 한의학에서 이(理, principles)、법(法, methods)、방(方, formulas)、약(藥, medicinals)을 구성하는 요소이다. 본초는 한약을 구성하는 개별 약재를 의미하며, 이 장에서는 본초의 전반적인 기본 지식과 자주 사용되는 본초의 기원、성미、귀경、효능 및 주치에 대해 소개하고자 한다.

제1절 본초의 품질

1. 본초의 명명

본초는 종류가 많고 명칭도 복잡한데, 이는 시대적인 변천과 지역의 차이와 관계된다. 본초 명칭의 유래와 의미를 분석하면 부분적이나마 본초에 대한 지식을 얻을 수 있으며 명명 방법에는 다음과 같은 몇 가지 특징이 있다.

1) 산지에 의한 명명

적지 않은 약재 이름은 산지를 말해주고 있다. 예를 들어, 아교(阿膠)는 산동성 동아현 아정(山東省 東阿縣 阿井)에서 생산되어 유래된 이름이다. 반면에 처음부터 본초명에 산지를 표기하지는 않았으나, 진품 한약재임을 강조하기 위해서 본초명 앞에 산지를 붙인 예도 있다. 예를 들어, 중국 항주(杭州)의 국화(菊花)를 항국화(杭菊花)라고 부르며, 중국 하남성 회경부(河南省 懷慶府)에서 생산되는 산약(山藥)을 회산약(懷山藥)이라 하고, 중국 사천(四川)에서 생산하는 황련(黃連)을 천황련(川黃連)이라 부른다.

2) 생장 특성에 의한 명명

약재의 생장 특징에 따라 명명하기도 한다. 예를 들어, 하고초(夏枯草)는 하지 후에 꽃이 시든다는 의미이고, 인동등(忍冬藤)은 추운 겨울에도 등엽(藤葉)이 시들지 않아서 붙여진 이름이며, 상기생(桑寄生)은 뽕나무에 기생하여 생장한다는 뜻으로 붙여진 이름이다.

3) 형태、색깔、냄새、맛에 의한 명명

어떤 약재는 특수한 형태를 보여서 그 형태에 따라 명명되었다. 예를 들어, 낚시바늘같은 갈고리가 있어서 조구등(釣鉤藤)이라고 하며, 우슬(牛膝)은 줄기의 마디 부위가 부풀어 오른 모습이 소의 무릎과 비슷하다고 하여 붙여진 이름이다. 식물류 약재는 약용 부위의 색깔에 따라 명명하기도 하였다. 예컨대 홍화(紅花)는 그 꽃의 색깔이 붉으며, 자초(紫草)는 그 뿌리가 자색이며, 단삼(丹蔘)은 그 뿌리가 인삼과 비슷하고 색이 붉어 붙인 이름이다. 일부 약재들은 그들이 지닌 독특한 향과 맛으로 명명되었는데, 예를 들면 사향(麝香)은 좋은 향기가 멀리까지 퍼져서 붙인 이름이며, 이외에 정향(丁香)、목향(木香)、고삼(苦蔘) 등도 냄새나 맛으로 명명된 예이다.

4) 효능에 의한 명명

어떤 약재는 주요 효능으로 명명되었는데, 위령선(威靈仙)은 그 효능이 좋아 마치 신선과 비슷하다고 해서 명명된 것이며, 방풍(防風)은 여러 가지 풍을 예방 치료하고, 결명자(決明子)는 눈을 밝게 한다고 하여 붙여진 이름이다.

5) 약용 부위에 의한 명명

약용 부위에 따라 명명된 것도 많다. 예를 들어, 식물류 약재로는 홍화(紅花)、도인(桃仁)、상엽(桑葉)、지실(枳實)、소경(蘇梗)、갈근(葛根) 등이 있으며, 동물류 약재로는 영양각(羚羊角)、우황(牛黃)、별갑(鼈甲)、웅담(熊膽)、자위피(刺猬皮) 등이 있다.

6) 발견자에 의한 명명

약재의 효능을 발견한 사람의 이름으로 명명된 약물로는 하수오(何首烏)、사군자(使君子)、두충(杜沖)、유기노(劉寄奴)、서장경(徐長卿) 등이 있다.

7) 수입제품과 발음에 의한 명명

외국에서 수입된 한약은 흔히 원 생산국의 이름을 약명 앞에 붙여 수입 약물임을 표시하였다. 소합향(蘇合香)은 원래 옛 소합국(蘇合國, 현 이란)에서 생산된 것이다. 일부 약명 앞에는 외국이라는 의미를 지닌 번(番) 자를 붙여 번사엽(番瀉葉)、번목과(番木瓜)라고 하였으며, 마찬가지로 호(胡)자를 붙여 호황련(胡黃連)、호도(胡挑)、호초(胡椒)라고 하였다.

2. 본초의 채집

본초의 채집 시기와 방법은 약물의 품질과 밀접한 관계가 있다. 이는 약재의 생장 발육 시기에 따라 약용 부분이 함유한 유효、유해성분이 각기 달라지고, 약물의 치료 효과와 부작용에도 차이가 나기 때문에 반드시 적절한 시기를 선택해서 채집해야 한다. 주로 약에 쓰이는 부분의 유효 성분 함량이 가장 높은 시기에 채집하고 있다. 식물류 약재는 일정한 채집 시기와 방법이 있다. 이를 약용 부위에 따라 분류하면 다음과 같다.

1) 전초류(全草類)

대부분의 초류(草類) 약재들은 가지와 잎사귀가 무성하고 꽃이 막 피려고 할 때 채집하는데, 뿌리를 제외한 지상 부분만 자르는 것에는 익모초(益母草)와 형개(荊芥) 등이 있고, 뿌리를 포함한 전체를 채집하는 차전초(車前草) 등이고, 잎사귀와 꽃이 달린 가지를 쓸 때는 더욱 시기를 잘 맞춰야 하는데 하고초(夏枯草)나 박하(薄荷) 등이 있다.

2) 엽류(葉類)

엽류 약재는 대개 꽃봉오리가 막 열리려고 하거나 피었을 때 채집하는데, 이때가 잎사귀가 무성하면서 성미(性味)가 왕성하고 약력(藥力)이 강하여 채집하기에 가장 적절한 시기가 된다. 비파엽(枇杷葉)과 대청엽(大青葉) 등이 이에 해당하며, 상엽(桑葉)과 같이 일부 약재는 늦은 가을 서리가 내린 다음에 채집한다.

3) 화류(花類)、화분류(花粉類)

화류 약재는 일반적으로 꽃봉오리가 아직 터지지 않았거나 막 터지려고 할 때 채집하는데, 향기가 흩어지지 않고 꽃잎이 떨어지지 않아 품질에 영향을 미치지 않게 하려는 것으로, 야국화(野菊花)와 금은화(金銀花) 등이 이에 속한다. 꽃피는 기간이 짧은 식물이나 꽃이 차례로 필 때는 여러 차례 나누어서 채취하며, 포황(蒲黃)이나 송화분(松花粉)처럼 꽃가루를 약으로 쓸 때는 꽃이 만발하였을 때에 채취한다.

4) 과실류(果實類)、종자류(種子類)

청피(青皮)、지실(枳實)、복분자(覆盆子)、오매(烏梅) 등은 열매가 덜 익었을 때에 채취하지만, 나머지 대부분 과실류 약재는 과루(瓜蔞)나 빈랑(檳榔)처럼 열매가 잘 익었을 때 채취한다. 연자(蓮子)나 은행(銀杏)처럼 씨앗을 약으로 쓸 때는 보통 완전히 익었을 때 채취한다. 차전자(車前子)나 소자(蘇子)와 같이 전초와 씨앗을 모두 쓸 때는 씨앗이 잘 익은 다음에 전초를 잘라 씨앗을 받아내고 그늘에서 보관한다. 회향(茴香)이나 견우자(牽牛子)처럼 씨앗이 익으면 쉽게 떨어지거나 열매껍질이 쉽게 열려 씨앗이 흩어질 때는 막 익으려고 할 때 채집한다. 구기자(枸杞子)나 여정자(女貞子)처럼 쉽게 변질하는 열매는 거의 익었을 무렵, 새벽이나 해질 녘에 나누어 채취한다.

5) 근、근경류(根、根莖類)

천마(天麻)나 갈근(葛根)과 같은 근경류는 일반적으로 식물의 휴면시기에 채집한다. 늦가을이나 겨울 혹은 초봄에 식물이 단단해져 발아할 때 채취한다. 그러나 예외도 있어서 반하(半夏)나 현호색(延胡索) 등은 여름에 채취한다.

6) 나무껍질、뿌리껍질류(樹皮、根皮類) 및 기타

황백(黃柏)이나 두충(杜沖)과 같은 나무껍질、뿌리껍질류 약재는 통상적으로 봄여름에 식물의 생장이 왕성하고 식물 체내에 수액이 충만할 때에 채취하는데, 그러면 약성이 비교적 강하여 효능이 높으며, 쉽게 벗길 수 있다. 목단피(牧丹皮)나 고련피(苦楝皮) 등과 같은 일부 식물의 뿌리껍질은 가을이 지나고 채취한다.

이외에도, 광물류 약재는 연중 채취할 수 있으며, 동물류 약재는 품종에 따라 채취하는데, 약효를 보증할 수 있으면서 쉽게 얻을 수 있으면 된다.

3. 본초의 포제(炮製)

포제는 포자(炮炙)、수사(修事)、수치(修治)、수제(修製)라고도 하였는데, 약물을 응용하거나 제제(製劑)를 만들기 전에 필요한 일체의 가공과정으로, 전통적인 제약 기술에 속한다.

1) 포제의 목적

포제의 목적은 다음의 여섯 가지에 해당한다.

(1) 약재의 독성이나 부작용을 경감시키거나 제거한다

파두상(巴豆霜)을 만들거나, 감수(甘遂)나 대극(大戟)을 초자(醋炙)하거나, 천오(川烏)나 초오(草烏)를 감초나 금은화와 함께 달이는 등 일부 부작용이 비교적 강한 약재들은 포제를 거치면 뚜렷하게 약재의 독성이나 부작용이 줄어들어, 임상에서 안전하게 활용할 수 있게 된다.

(2) 약재의 작용을 증강한다

현호색(玄胡索)을 초제(醋製)하면 활혈지통(活血止痛)의 효과가 증강되고, 마황(麻黃)을 밀제(蜜製)하면 윤폐지해(潤肺止咳)작용이 증강되며, 홍화(紅花)를 주제(酒製)로 하면 활혈(活血)작용이 증강되고, 음양곽(淫羊藿)을 양지초(羊脂炒)하면 보신조양(補腎助陽) 작용이 증강된다.

(3) 약재의 성능을 변화시킨다

생지황(生地黃)은 청열양혈(清熱涼血)、자음생진(滋陰生津)하지만, 증제(蒸製)하여 숙지황(熟地黃)을 만들면 자음보혈(滋陰補血)、생정전수(生精塡髓)한다. 생하수오(生何首烏)는 절학해독(截瘧解毒)、윤장통변(潤腸通便)하면서 보익력(補益力)은 약하고 수렴도 못 하지만, 흑두즙(黑豆汁)과 같이 찌면 자보간신(滋補肝腎)、보익정혈(補益精血)하는 효능을 가진다. 약재를 포제하면 약재의 성능이 바뀌고 응용범위도 넓어져서 치료에 도움이 된다.

(4) 약재를 청결케 한다

일반적으로 한약재는 진흙이나 모래 등과 같은 이물질들이 섞여 있으므로 반드시 수치하는 과정에서 물로 잘 씻어 청결케 해야만 약재의 품질과 정확한 중량을 보증할 수 있다. 또 비파엽(枇杷葉)의 털을 제거하거나 선퇴(蟬退)의 머리와 발을 떼는 것은 약재의 불필요한 부분과 이물질을 배제하는 과정이다.

(5) 맛과 냄새를 바로 잡는다

일부 약물은 특이한 냄새와 맛으로 인해 복용하기가 불편하므로 포제를 하여 냄새와 맛을 바로 잡아야 한다. 예를 들어, 주자오초사(酒炙烏梢蛇)、초초오령지(醋炒五靈脂)、부초백강잠(麩炒白僵蠶) 등이다.

(6) 저장과 제재에 편리하다

대부분 약재는 저장 보관해야 하고, 그러기 위해서는 건조 처리하여야 한다. 어떤 약재는 반드시 특수한 포제를 해야만 저장해서 운송할 수 있다. 예를 들어 마치현(馬齒莧)은 연약하고 즙이 많으므로 반드시 끓는 물에 넣고 삶은 다음에 건조해야 한다. 상표초(桑螵蛸)도 반드시 쪄서 벌레의 알을 죽인 다음 건조해 보관하는데, 그렇지 않으면 제 효능을 발휘하지 못할 뿐만 아니라 벌레가 알에서 부화하여 약으로 사용하지 못하게 된다. 탕제에 넣는 동식물 약재들은 절단해서 일정한 규격의 편(片, slice)、사(絲, thread)、괴(塊, lump)、단(段, piece)으로 잘라야 하고, 대부분의 광물 약들은 단(煅, forge)、쉬(淬, quench)、도쇄(搗碎, pound into pieces)해야 끓이기가 편하다.

2) 포제의 방법

포제의 방법은 다섯 가지로 나눌 수 있다.

(1) 수치(修治, Processing of medicinal)

수치는 약재를 씻고, 잘게 부수며, 자르는 세 과정을 포함하는데, 더 나아가 보존, 조제, 제제와 임상에서 약을 쓰기에 편리하도록 하는 준비과정이다. 주로 사용하는 방법에는 도(挑, pick), 사(篩, sieve), 쇄(刷, brush), 괄(刮, scrape) 등이 있다.

(2) 수제(水製, Water processing)

수제는 물이나 기타 보료(輔料)를 사용하여 약재를 처리하는 방법이다. 그 목적은 약재를 청결케 하고, 잡질을 제거하며, 약재를 연하게 하고, 자르기 편하게 하며, 독성을 경감시키고, 약성을 조정하는 등이다. 주로 사용하는 방법은 표세(漂洗, long rinse), 윤(潤, moist), 침포(浸泡, macerate), 분세(噴洒, spout out), 수비(水飛, water grind) 등이다.

(3) 화제(火製, Fire processing)

화제는 약재를 불로 열처리하는 방법이다. 딱딱한 약재를 무르게 하여 제제나 복용을 하기 쉽게 하고, 약재의 성능을 바꾸며, 치료 효과를 높이고, 약재의 독성 등을 가볍게 하거나 제거하기 위함이다. 주로 사용하는 방법은 초(炒, stir-bake), 자(炙, stir-bake with adjuvant), 탕(湯, decoct), 단(煅, calcine), 외(煨, roast) 등이다.

(4) 수화공제(水火共製, Water-fire processing)

수화공제는 물과 불을 사용하거나 보료와 함께 약물을 처리하는 방법이다. 그 목적은 약재의 성능을 바꾸고, 약효를 증강하며, 약재의 독성과 부작용을 없애주고, 약재를 깨끗하게 하며, 자르기 편하게 하는 등이다. 주로 하는 방법은 증(蒸, steam), 자(煮, boil), 돈(炖, simmer in a bath), 쉬(淬, quench) 등이다.

(5) 기타 제법

이상의 네 가지 외에도 일련의 특수한 제법이 있다. 주로 사용하는 방법은 발효(fermentation), 발아(發芽, sprout), 제상(製霜, make into frost) 등 방법이다.

4. 한약재의 생산과 품질관리 체계

한약재는 식물, 동물, 광물로부터 만들어지며, 특히 식물성 한약재가 전체의 70% 이상을 차지한다. 동식물은 각기 최적의 서식, 자생 환경이 다르므로 한약재 생산지 또한 다양하다. 예컨대 육계는 열대 식물로서 베트남이 주산지이며, 감초는 냉대 식물로서 중국 만주, 내몽골, 위구르 지역이 주산지이다. 또한, 대황은 고산 식물로서 중국 서북부가, 육종용은 사막 식물로서 몽골이 주산지이다. 한 나라 안에서도 지역별로 특산 한약재가 생산되기도 하는데, 예를 들어 구기자는 청양, 진도, 산약은 안동, 진주, 천마는 무주, 오미자는 문경, 장수, 애엽은 강화, 진피는 제주에서 주로 생산된다. 이처럼 특정 지역에서 주로 생산되거나 우수한 품질로 인정받는 한약재를 도지약재(道地藥材)라고 부른다[1].

현재 한방의료기관에서 투약하는 한약재는 약사법에 따라 규격품 한약재를 사용하게 되어 있다. 규격품 한약재란 대한민국약전 등 공정서의 기준에 적합하게 제조된 의약품용 한약재를 말하는데, 식품의약품안전처로부터 '우수 한

1) 中華本草 제1책, p.53

약재 제조 및 품질관리 기준(hGMP)' 인증을 받은 제약회사에서만 제조할 수 있다. 전통시장 등에서 판매되는 식품용 한약재는 농산물로 취급되어, 의약품용 한약재보다 품질 규제가 느슨하다. 의약품용 한약재는 수입 단계와 제조 단계에서 식약처 기준에 따른 품질검사를 통과한 뒤에만 사용할 수 있으며, 이 품질검사는 한약재의 형태,맛,냄새 등이 규정과 일치하는지 검사하는 관능검사, 농약,중금속,곰팡이독소 등의 잔류 여부를 검사하는 위해 물질 검사, 지표 성분,이물질,수분 함량 등 품질을 확인하는 정밀검사 등으로 구성되어 있다. 특히 수입 한약재는 식약처에서 지정한 한약 검사기관에서 반드시 검사를 거치도록 되어 있으며, 시중에 유통되고 있는 의약품용 한약재에 대한 점검 검사도 지속해서 이루어지고 있다. 점검 검사에서 부적합 판정이 발생할 경우, 해당 제조단위에서 생산된 한약재는 전량 회수 및 폐기하게 된다.

제2절 본초의 효능

본초의 효능은 약물이 질병을 예방 치료하는 과정에 나타나는 성질과 작용을 의미하며, 주로 사기(四氣),오미(五味),귀경(歸經),승강부침(升降浮沈)과 독성(毒性) 등의 내용을 포함한다2).

약재가 병을 치료하는 기본 작용은 부정거사(扶正祛邪)하고,병인을 제거하며,장부기능의 조화를 회복시키고,음양기혈(陰陽氣血)의 편성편쇠(偏盛偏衰)를 바로 잡음으로써 정상 상태로 회복시켜 질병을 치유하고 건강을 회복시키는 것을 목적으로 한다. 약재가 치료 효능을 발휘하는 것은 각종 약재가 지닌 특성과 작용, 즉 약재의 편성(偏性, 치우친 성질)을 가지고 있기 때문이다. 약재의 편성으로 음양기혈의 편성편쇠 병리 현상을 바로 잡는 것이 약물로 병을 치료하는 기본 원리이다.

1. 사기(四氣, Four qi)

사기는 약물의 한(寒, cold),열(熱, hot),온(溫, warm),양(凉, cool) 네 가지 약성(藥性)을 가리키는데, 사성(四性)이라고도 한다. 이는 주로 인체의 한열 변화를 일으키는 약재의 작용을 나타낸다.

한량(寒凉)과 온열(溫熱)은 서로 대립하는 두 가지 약성으로, 한과 양,온과 열은 각기 공통적인 성질과 동시에 정도의 차이를 가지고 있는데, 양은 한보다 덜 하고, 온은 열보다 덜 하다. 이외에도, 평성약(平性藥)이 있는데, 한열의 경계가 분명하지 않고,약성이 평화하며,작용도 완화한 부류이다. 온량의 차이가 있기는 하지만 사성(四性)의 범위를 벗어나지는 않기 때문에 오기라 하지 않고 '사기'라고 한다.

약성의 한열온량은 약재를 복용하여 인체에 작용한 후에 나타난 효능에 근거하여 나온 것으로, 치료하는 질병의 성질과 상반되는 성질을 가지고 있다. 대개 열증(熱證)을 가볍게 하거나 제거하는 약물은 그 약성이 한량에 속하며, 한증(寒證)을 가볍게 하거나 제거하는 약물은 그 약성이 온열에 속한다. 일반적으로, 한량약은 청열(淸熱),사화(瀉火),해독 등의 작용이 있으며, 온열약은 온리(溫裏),산한(散寒),조양(助陽) 등의 작용이 있다. 예를 들어, 황련(黃連)은 열독증에 대해 사화해독 작용을 하며, 부자(附子)는 이한증(裏寒證)에 온리산한(溫裏散寒) 작용을 하는데, 전자의 약성은 한량을, 후자의 약성은 온열을 나타낸다.

2) 東醫寶鑑·湯液篇·卷之一·湯液序例

『소문 지진요대론(素問 至眞要大論)』에 "한(寒)의 병증은 열(熱)로 다스리고, 열(熱)의 병증은 한(寒)으로 다스린다[3]"고 하였으며, 『신농본초경(神農本草經)』에도 "한(寒)의 병증은 열약(熱藥)으로 치료하고, 열(熱)의 병증은 한약(寒藥)으로 치료한다[4]"고 한 것처럼, 양열증(陽熱證)에는 한량약을 이용하고, 음한증(陰寒證)에는 온열약을 이용하는 것이 임상에서의 기본적인 용약원칙이다.

2. 오미(五味, Five flavors)

오미는 약물의 산(酸)、고(苦)、감(甘)、신(辛)、함(鹹) 다섯 가지 기본적인 맛을 가리킨다. 이외에, 담미(淡味)나 삽미(澁味)도 있지만, "담미는 감미에 붙어 있다(淡附于甘)", "삽미는 산미가 변한 맛이다(澁乃酸之變味)"라고 하였기 때문에 '칠미(七味)'라 하지 않고 '오미'라고 한다. 오미는 약물의 맛 실제를 말하기도 하지만, 약물작용이라는 더 중요한 의미가 있다. 고전문헌과 임상적인 경험을 결합하여 각 오미의 약물작용과 그 치료하는 병증 내용을 정리하면 다음과 같다.

1) 신(辛, Pungent)

'능산능행(能散能行)'하여 발산(發散)、행기(行氣)、행혈(行血)하는 작용을 하는데, 표증(表證)이나 기혈조체(氣血阻滯)의 병증에 주로 쓰인다. 소엽(蘇葉)이 발산풍한(發散風寒)하고、목향(木香)이 행기제창(行氣除脹)하며、천궁(川芎)이 활혈화어(活血化瘀)하는 등이다.

2) 감(甘, Sweet)

'능보능화능완(能補能和能緩)'하여 보익(補益)、화중(和中)、완급지통(緩急止痛) 및 약성을 조화시키는 작용을 하며 허증(虛證)、구급동통(拘急疼痛)、약성의 조화 등에 주로 쓰인다. 인삼(人蔘)이 대보원기(大補元氣)하고、숙지황(熟地黃)이 자보정혈(滋補精血)하며、이당(飴糖)이 완급지통(緩急止痛)하고、감초(甘草)가 약성을 조화시키는 등이다.

3) 산(酸, Sour)、삽(澁, Astringent)

'능수능삽(能收能澁)'하여 수렴、고삽(固澁)하는 작용을 하는데, 체허다한(體虛多汗)、폐허구해(肺虛久咳)、구사장활(久瀉腸滑)、유정활정(遺精滑精)、유뇨요빈(遺尿尿頻)、붕대부지(崩帶不止) 등 활탈증(滑脫證)에 주로 쓰인다. 오미자(五味子)는 고표지한(固表止汗)하고、오매(烏梅)는 염폐지해(斂肺止咳)하며、오배자(五倍子)는 삽장지사(澁腸止瀉)하고、산수유(山茱萸)는 삽정지유(澁精止遺)하며、적석지(赤石脂)는 고붕지대(固崩止帶)하는 등이다.

4) 고(苦, Bitter)

'능설능조능견(能泄能燥能堅)'하여 청설(淸泄)、강설(降泄)、통설(通泄)、조습(燥濕)、견음(堅陰) 및 사화존음(瀉火存陰) 등 작용을 하는데, 열증(熱證)、천해(喘咳)、구오(嘔惡)、변비、습증(濕證)、음허화왕(陰虛火旺) 등에 주로 쓰인다. 황금(黃芩)이 청열사화(淸熱瀉火)하고、행인(杏仁)이 강기평천(降氣平喘)하며、반하(半夏)가 강역지구(降逆止嘔)하고、

---

3) 寒者熱之, 熱者寒之 (素問·至眞要大論)
4) 療寒以熱藥, 療熱以寒藥 (神農本草經·序例)

대황(大黃)이 사열통변(瀉熱通便)하며, 황련(黃連)이 청열조습(淸熱燥濕)하고, 창출(蒼朮)이 고온조습(苦溫燥濕)하며, 황백(黃柏)이 사화존음(瀉火存陰)하는 등이다.

5) 함(鹹, Salty)

'능하능연(能下能軟)'하여 사하통변(瀉下通便), 연견산결(軟堅散結)작용을 하는데, 대변조결(大便燥結), 나력담핵(瘰癧痰核), 영류(癭瘤), 징하비괴(癥瘕痞塊) 등에 주로 쓰인다. 망초(芒硝)가 사열통변(瀉熱通便)하고, 별갑(鼈甲)이 연견산결(軟堅散結)하는 등이다.

6) 담(淡, Bland)

'능삼능리(能滲能利)'하여 삼습이수(滲濕利水)의 작용을 하는데, 부종과 소변불리에 주로 쓰인다. 저령(猪苓)과 택사(澤瀉) 등이 그 예이다.

사기오미(四氣五味)는 약재의 성능을 설명하는 주요 근거이다. 양자를 종합적으로 고려해야 약재의 작용을 정확하게 판단할 수 있다. 일반적으로, 기미가 같은 약재는 작용이 서로 비슷하며, 기미가 다른 약재는 작용도 다르다.

3. 승강부침(升降浮沈, Ascending, descending, floating, sinking)

승강부침은 약물이 체내에서 작용하는 다양한 추향성(趨向性)이다. 승(升)은 위로 올라가고, 들어 올리며, 위를 향하는 것이며, 강(降)은 아래로 내려가고, 끌어 내리며, 아래를 향하는 것이고, 부(浮)는 외부로 발산하고, 외부를 향하는 것이며, 침(沈)은 안으로 수렴하고, 안으로 향하는 것이다. 이상의 네 가지 작용과 방향성은 질병이 보여주는 추향성과는 상대적으로 말하는 것이다. 그중에서 승과 강, 부와 침은 서로 대립적이며, 승과 부, 침과 강이 서로 다르기는 하지만 확실하게 나눌 수는 없다. 일반적으로, 승부약(升浮藥)은 위로 올라가고 외부를 향하여 승양(升陽), 발표(發表), 산한(散寒), 용토(涌吐) 등의 작용을 하며, 침강약(沈降藥)은 아래로 내려가고 내부를 향하여 잠양(潛陽), 강역(降逆), 사하(瀉下), 삼습(滲濕) 등 효능을 가진다. 그러나 일부 약재들은 승강부침의 성능이 뚜렷하지 않거나 이향성(二向性)을 가지고 있는데, 예를 들면, 마황(麻黃)은 발한시키면서도 평천이수(平喘利水)하고, 천궁(川芎)은 '상행두목(上行頭目)'하면서도 '하행혈해(下行血海)'한다.

질병의 발생 부위가 상(上), 하(下), 표(表), 이(裏)로 구별되고 병세에도 상역이나 하함의 구별이 있으므로 이에 맞추어 승강부침의 서로 다른 특성이 있는 약재를 사용하는 것이 임상에서 약재를 활용하는 중요 원칙이다. 대개 병변 부위가 상, 표에 있고 병세가 하함하면 승부시켜야 하고, 병변 부위가 하, 이에 있고 병세가 상역하면 침강시켜야 한다.

약물 승강부침의 성능은 사기오미(四氣五味), 질(質)의 경중(輕重)과 밀접하게 관련되며, 또한 포제와 배오에도 영향을 받는다.

1) 기미(氣味)

신감(辛甘)의 미(味)와 온열(溫熱)의 기(氣)를 지닌 약재는 대개 마황(麻黃), 승마(升麻), 황기(黃芪) 등과 같은 승부약(升浮藥)이며, 고산함(苦酸鹹)의 미와 한량의 기를 지닌 약재는 대개 대황(大黃), 망초(芒硝), 산사(山查) 등과 같은 침강약(沈降藥)이다.

2) 질(質)

소엽, 국화, 선퇴와 같이 질이 가벼운 화, 엽, 피, 지 등의 약재는 주로 승부약이며, 자소자, 지실, 모려, 대자석과 같이 무거운 씨앗, 과실, 광물, 조개껍데기 등의 약재는 주로 침강약이다. 예외도 있는데, 예를 들면 선복화(旋覆花)는 꽃이지만 강기소담(降氣消痰), 지구지애(止嘔止噫)하는 효능이 있으면서 약성이 침강하고 승부하지 않는다. 창이자(蒼耳子)는 비록 열매이지만 통규발한(通竅發汗), 산풍제습(散風除濕)하는 효능이 있으면서 약성이 승부하고 침강하지 않는다.

3) 포제(炮製)

포제는 약물의 승강부침 성능에 영향을 미치거나 바꿀 수 있다. 예컨대 주자(酒炙)하면 승(升)하고, 강자(薑炙)하면 산(散)하며, 초자(醋炙)하면 수렴하고, 염자(鹽炙)하면 하행한다.

4) 배오(配伍, Combination)

약재의 승강부침은 배오를 통해서 바뀔 수 있는데, 승부약(升浮藥)도 침강약(沈降藥)이 많은 처방에서는 하강하고, 반대로 침강약도 승부약이 많은 처방에서는 상승한다. 일부 약재는 다른 약의 상행이나 하행을 이끄는데, 예를 들어 길경(桔梗)은 다른 약을 상행시키며, 우슬(牛膝)은 다른 약을 하행시킨다. 이는 승강부침이 조건에 따라서는 서로 바뀔 수 있으며, 인위적으로도 바꿀 수 있음을 설명한다. 바로 이시진(李時珍)이 "승강(升降)은 약물에 따르고, 또한 인위적으로도 가능하다[5]"고 한 것과 같다.

4. 귀경(歸經, Meridian entry)

귀경은 약물이 신체 특정 부분에 대해 선택적인 작용이 있음을 말한다. 즉 약이 특정한 장부 경락에 대해 가지는 친화작용인데, 그런 이유로 특정 부위의 병변에 대해 주요 치료작용을 가진다. 귀경은 약재가 병을 치료하는 적용 범위만이 아니라, 약효의 소재, 약재 작용의 정성적인 측면까지 포괄하는 이론이다.

본초 귀경이론은 한의학의 기본 이론을 바탕으로 형성되었으며, 장부경락학설을 기초로 하고, 약재가 치료하는 구체적인 병증을 근거로 하며, 오랜 세월에 걸친 임상 경험을 통해 만들어진 용약이론이다. 예컨대 심경(心經)의 병변에는 주로 심계(心悸), 불면이, 폐경(肺經)의 병변에는 항상 흉민(胸悶), 천해(喘咳)가, 간경(肝經)의 병변에는 흉통(脇痛), 추축(抽搐) 등 증상이 나타난다. 임상에서 주사(朱砂)와 원지(遠志)가 심계와 불면을 치료한다는 것은 그들이 심경으로 가고, 길경(桔梗)과 소자(蘇子)가 기침과 흉민을 치료한다는 것은 그들이 폐경으로 가며, 백작약(白芍藥)과 조구등(釣鉤藤)이 협통과 추축을 치료한다는 것은 그들이 간경으로 가는 것을 설명한다.

임상에서 귀경이론에 따라 약재를 쓸 때는 반드시 사기(四氣), 오미(五味), 승강부침(升降浮沈) 등을 종합적으로 고려하여야 한다. 예를 들면, 같이 폐경으로 간다고 하더라도 사기(四氣)가 다르면 그 치료작용도 달라진다. 자소(紫蘇)는 폐경(肺經)의 풍한(風寒)을 온산(溫散)시키고, 박하(薄荷)는 폐경의 풍열(風熱)을 양산(凉散)시키며, 건강(乾薑)은 성이 열(熱)하여 온폐화음(溫肺化飮)하고, 황금(黃芩)은 성이 한(寒)하여 청폐사화(淸肺瀉火)한다. 똑같이 폐경으로 가는 약물이라도 오미(五味)가 다르면 작용 역시 달라진다. 오매(烏梅)는 산미(酸味)로써 수고삽(收固澁)하고, 염폐지해(斂肺止咳)하며, 마황(麻黃)은 신미(辛味)로써 발표(發表)하고, 선폐평천(宣肺平喘)하며, 당삼(黨蔘)은 감미(甘味)로써 보허(補虛), 보폐익기(補肺益氣)하며, 진피(陳皮)는 고미(苦味)로써 하기(下氣)하고, 지해화담(止咳化痰)하며, 합

5) 升降在物, 亦在人也 (本草綱目·序例上·升降浮沈)

개(蛤蚧)는 함미(鹹味)로써 보신(補腎)、익폐평천(益肺平喘)한다. 똑같이 폐경으로 가는 약물이라도 승강부침이 다르면 작용도 달라진다. 길경(桔梗)과 마황(麻黃)은 약성이 승부(升浮)하기 때문에 개선폐기(開宣肺氣)、지해평천(止咳平喘)하고, 행인(杏仁)과 자소자(紫蘇子)는 약성이 강침(降沈)하기 때문에 강폐지해평천(降肺止咳平喘)한다. 사기(四氣)、오미(五味)、승강부침(升降浮沈)、귀경(歸經)은 모두 약성 이론의 중요한 구성요소이기 때문에 응용할 때에는 반드시 종합적으로 고려해야만 임상에서 정확하게 사용할 수 있다.

5. 독성(毒性)

식물에서 나오는 화학물질은 그 종류만 해도 20만 가지가 넘는데, 때에 따라 인체에 매우 치명적인 결과를 일으킬 수 있다[6].

본초의 독성에 대한 견해에는 두 가지 관점이 있다.

첫째, 독성은 약재의 편성(偏性)이다.『유문사친(儒門事親)』에서 "무릇 약(藥)에는 독(毒)이 있다. 대독(大毒)이나 소독(小毒)을 막론하고 독이라 한다. 감초(甘草)나 고삼(苦蔘)도 독이 있다고 하는데, 오래 복용하면 반드시 한쪽으로 치우치는 성질을 가지게 된다[7]"고 하였으며,『유경(類經)』에서도 "약이 병을 고치는 것은 독이 있으므로 가능한 것이다. 이른바 독은 기미(氣味)가 치우쳐 있는 것이다[8]"라고 하였다. 무릇 약에는 모두 편성이 있으므로 독성은 모든 약에 보편적으로 존재하고 있다. 이는 본초의 독성에 대한 전통적인 인식이며, 넓은 의미에서의 독성에 속한다. 둘째, 독성은 독약물이 인체에 대해 가지는 상해성(傷害性)을 가리킨다.『제병원후론(諸病源候論)』에서 "무릇 약물에 독이 있다거나 대독(大毒)하다는 것은 모두 몸에서 변란(變亂)을 일으킬 수 있다는 것이다. 사람에게 해로울 뿐만 아니라 죽일 수도 있다[9]"고 하였다. 이는 일부 독약물이 독성이라는 특수성을 가지는 것으로, 현대의 본초 독성에 대한 인식이며, 좁은 의미의 독성에 속한다.

독성은 보편적으로 존재하는 것이며, 유독과 무독함을 절대화할 수는 없다. 임상에서 약을 쓸 때는 금기를 철저히 지켜야 하는데, 치료한다고 하면서 무턱대고 대량으로 사용하여 안전을 소홀히 하면 중독에 이르고 심하면 사망하게 된다. 또한, 안전에 치중하여 너무 소심하게 임의로 용량을 줄이면 기대하는 효과를 거둘 수 없고 오히려 병을 연장한다. 그러므로 합리적이고 안전하며 유효하게 적량의 약물을 사용해야 한다. 또한, 유독한 약물을 사용할 때에는 조금씩 양을 늘려가는 방법을 취할 수 있다. 그러나, 병이 나으면 바로 멈춰 지나치게 복용하지 말아야 한다.

르네상스 시대의 연금술사이자 의화학자인 파라켈수스 (Paracelsus, 1493-1541)도 어떤 것이 독이 될지 약이 될지는 무엇보다 복용하는 양에 따라 결정된다[10]고 하였다.

6) Mithofer, A., and W. Boland. 2012. Plant defense against herbivores: chemical aspects. Annual Review of Plant Biology 63: 431-450.
7) 凡藥皆毒也, 非止大毒小毒謂之毒, 雖甘草苦蔘不可不謂之毒. 久服必有偏勝 (儒門事親·卷二 推原補法利害非輕說十七)
8) 藥以治病, 因毒爲能, 所謂毒者, 因氣味之有偏也 (類經·十四卷 疾病類)
9) 凡藥物云有毒及有大毒者, 皆能變亂, 于人爲害, 亦能殺人 (諸病源候論·蠱毒病諸候)
10) "Die Dosis macht das Gift" (The dose makes the poison), Paracelsus, dritte defensio, 1538

제3절 한약의 용법

1. 제량(劑量)

한약의 제량은 임상에서 사용할 때의 용량을 의미한다. 고대부터 중량(수銖、량兩、전錢、근斤 등)、도량(촌寸、척尺 등)、용량(합合、승升、두斗 등) 등의 방법으로 약물의 용량을 측정했다. 일반적으로 한약의 용량을 결정할 때의 고려사항은 다음과 같다.

1) 약재의 특성

성미가 농후하고 작용이 비교적 강한 약물의 양은 적게 해야 하고, 광물이나 껍질 등 무거우면서 성미가 담박하며 작용이 온화한 약물의 용량은 많게 해야 한다. 수분을 많이 함유한 약재들은 비교적 용량을 많이 해야 하는데, 일반적으로 말린 것을 쓸 때보다 4배 정도로 한다. 또, 영양각(羚羊角)이나 사향(麝香) 등 귀중한 약재는 약효가 보증되는 한 용량을 최소화해야 한다.

2) 응용별 적용

같은 약물을 탕제에 넣을 때는 환산제에 넣을 때에 비해 용량을 좀 많게 한다. 단미약은 복합처방에 처방하는 경우보다 좀 더 용량을 많이 해야 한다. 복합처방에 배오하여 사용하는 경우에는 주요 약물을 보조 약물의 용량보다 더 많이 넣어야 한다.

3) 환자의 특성

노인、소아、여성、산후 및 원래 허약한 환자의 경우에는 용량을 줄여야 하고, 성인이나 평소 건장했던 환자의 경우에는 용량을 늘려야 한다. 일반적으로 5세 이하의 소아에게는 성인 약량의 1/4 정도를 준다. 5세 이상의 아동에게는 성인 용량의 절반을 사용한다. 병이 가볍고 병세가 심하지 않으며 병정이 길면 용량을 줄이고, 병이 중하고 병세가 급하면서 병정이 짧으면 용량을 늘린다.

4) 계절적 특성

여름철에는 발한해표약(發汗解表藥)이나 신온대열약(辛溫大熱藥)을 많이 쓰면 안 되고, 겨울철에는 발한해표약이나 신온대열약을 많이 쓸 수 있다. 여름철에는 고한강화약(苦寒降火藥)의 용량을 늘리고, 겨울철에는 고한강화약의 용량을 줄여야 한다. 극독약(劇毒藥)、준열약(峻烈藥)、정제약(精劑藥) 및 일부 귀중약을 제외하면, 한약재의 일반적인 1일 복용량은 5~10g이며, 일부 용량이 비교적 많은 경우 15~30g이고, 말리지 않은 신선한 약물의 경우에는 30~60g이다.

2. 배오(配伍)

배오는 질병의 상태와 약물의 특징에 근거하여 용약의 원칙에 따라 두 가지 이상의 약물을 합하여 같이 응용하는 것이다. 배오는 한약을 운용하는 기본 방식인데, 그 목적은 약재의 편성(偏性)을 조화시켜 복잡한 병정에 적중케 함으로써 임상에서의 용약이 더욱 안전하고 유효하도록 하는 것이다.

오랜 임상 경험을 통하여 단미약의 응용과 함께 약물 사이의 배오 관계를 단행(單行)、상수(相須)、상사(相使)、상외(相畏)、상쇄(相殺)、상오(相惡)、상반(相反)의 '칠정(七情)'으로 정리하였다.

1) 단행(單行, Simple use)

단행은 한 가지 약으로 한 가지 질병을 치료하는 것이다. 예를 들어, 독삼탕(獨蔘湯)은 인삼(人蔘) 한 가지를 쓰는데, 대량으로 출혈하여 원기가 허탈해진 위중한 병증을 치료한다.

2) 상수(相須, Mutual reinforcement)

상수는 두 가지의 성능과 효능이 비슷한 약재를 배합 응용하는 것으로, 원래 약재의 치료 효과를 증강할 수 있다. 예를 들어, 마황(麻黃)을 계지(桂枝)와 같이 쓰면 발한해표(發汗解表)、거풍산한(祛風散寒)의 치료 효과를 증강할 수 있다.

3) 상사(相使, Mutual assistance)

상사는 한 가지 약재를 주(主)로 삼고 다른 약재를 보(輔)로 삼아 두 약재를 같이 쓰는 경우인데, 보조약은 주약의 치료 효과를 높일 수 있다. 예를 들어, 황기(黃芪)와 복령(茯苓)으로 비허수종(脾虛水腫)을 치료하는데, 황기는 건비익기(健脾益氣)、이수소종(利水消腫)하는 주약(主藥)이 되고, 복령은 담삼이습(淡滲利濕)의 효능으로 황기(黃芪)의 익기이뇨(益氣利尿)하는 치료 효과를 도와줄 수 있다.

4) 상외(相畏, Mutual restraint)

상외는 어떤 약재의 독성이나 부작용을 다른 약재로 억제하는 것을 가리킨다. 예를 들어, 반하(半夏)와 생강(生薑)을 같이 쓰면 반하의 독성이나 부작용을 생강이 억제하는데, 이것을 반하가 생강을 두려워한다(半夏畏生薑)고 표현한다.

5) 상쇄(相殺, Mutual suppression)

상쇄는 어떤 약재가 다른 약재의 독성이나 부작용을 제거할 수 있음을 가리킨다. 예를 들어, 생강이 반하의 부작용이나 독성을 없애는데(生薑殺半夏之毒), 상외는 유독한 약물이 주어이고, 상쇄는 해독하는 약물을 주어로 표현한 것이다.

6) 상오(相惡, Mutual inhibition)

상오는 어떤 약재를 다른 약재와 같이 쓰면 원래의 효과를 떨어뜨릴 수 있다는 것이다. 예를 들어, 인삼(人蔘)은 나복자(蘿蔔子)를 꺼리는데, 나복자는 인삼의 보기(補氣) 효과를 저하한다.

7) 상반(相反, Antagonism)

상반은 두 가지 약재를 같이 쓰면 극렬한 독성이나 부작용이 일어나는 것을 가리킨다. 예를 들어, 감초(甘草)와 감수(甘遂)、패모(貝母)와 오두(烏頭) 등으로, 십팔반(十八反, eighteen antagonisms)과 십구외(十九畏, nineteen restraints)에서 볼 수 있다.

이상의 칠정(七情) 가운데 단행(單行) 이외에, 상수(相須)와 상사(相使)는 협동작용을 일으켜 약효를 높이는데, 임상에서 자주 사용하는 배오 방법이다. 상외(相畏)와 상쇄(相殺)는 독으로 인한 부작용을 제거하여 안전한 용약을 가능케 하므로 독성 부작용이 비교적 강한 약물들의 배오 방법이다. 상오(相惡)는 약물의 길항작용으로 인해 한 가지 약물의 효과를 줄일 수 있다. 상반(相反)은 약물의 상호작용이 독성 반응이나 강렬한 부작용을 일으키기 때문에 상오와 상반은 배오 금기의 범주에 속한다.

3. 용약 금기

한약의 용약 금기는 주로 배오금기(配伍禁忌)、증후금기(證候禁忌)、임신용약금기(妊娠用藥禁忌)와 음식금기(飮食禁忌)의 네 가지를 포함하고 있다.

1) 배오 금기(配伍 禁忌)

배오금기는 일부 약물들을 같이 쓰면 극렬한 독부작용을 일으키거나 약효를 떨어뜨리거나 파괴하기 때문에 함께 쓰는 것을 피해야 하는 것을 말한다. 오랜 세월에 걸쳐 배오금기에 대한 지식이 발전하면서 문헌상으로 다양하게 소개되었는데, 그 가운데 금원시기(金元時期)에는 '십팔반(十八反)'으로, 명대(明代)에는 '십구외(十九畏)'로 만들어져 유행하였다.

'십팔반가(十八反歌)'는 최초로 장자화(張子和)의 『유문사친(儒門事親)』에 기재되었다. "본초에서 십팔반을 분명히 언급하였는데, 반하(半夏)、과루(瓜蔞)、패모(貝母)、백렴(白蘞)은 오두(烏頭)와, 해조(海藻)、대극(大戟)、감수(甘遂)、원화(芫花)는 감초(甘草)와, 제삼(諸蔘)(인삼、단삼、사삼、고삼)、세신(細辛)、작약(芍藥)은 여로(藜蘆)와 상반(相反)이다[11]"라고 하였다.

'십구외가(十九畏歌)'는 명(明)나라 유순(劉純)의 『의경소학(醫經小學)』에 처음 등장한다. "유황(硫黃)은 원래 화(火)의 정화(精華)인데, 박초(朴硝)와 서로 싸우고, 수은(水銀)은 비상(砒霜)을 꺼리며, 낭독(狼毒)은 밀타승(密陀僧)을 가장 두려워하고, 파두(巴豆)는 성질이 매우 뜨거운데 견우(牽牛)와는 맞지 않으며, 정향(丁香)은 울금(鬱金)을 꺼리며, 아초(牙硝)는 삼릉(三稜)과는 맞지 않으며, 천오(川烏)와 초오(草烏)는 서각(犀角)과 맞지 않으며, 인삼(人蔘)은 오령지(五靈脂)를 가장 무서워하고, 관계(官桂)는 냉기(冷氣)를 잘 조절하지만, 적석지(赤石脂)를 꺼린다"[12]고 한 것처럼, 유황은 박초를, 낭독은 밀타승을, 파두는 견우를, 정향은 울금을, 천오、초오는 서각을, 아초는 삼릉을, 관계는 적석지를, 인삼은 오령지를 외(畏)한다고 하였다.

2) 증후 금기(證候 禁忌)

어떤 병증에 특정 약재를 사용해서는 안 된다는 것이 '증후금기(證候禁忌)'이다. 예를 들어, 마황(麻黃)은 성미가 신온(辛溫)하고, 발산풍한(發散風寒)、선폐평천(宣肺平喘)하기 때문에 외감 풍한표증(風寒表證)이나 풍한속폐(風寒束肺)、폐기불선(肺氣不宣)의 천해(喘咳)에 사용한다. 그러나 표허자한(表虛自汗)이나 음허도한(陰虛盜汗)、폐신허천

11) 本草明言十八反, 半蔞貝蘞及攻烏, 藻戟遂芫俱戰草, 諸蔘辛芍叛藜蘆 (儒門事親·卷十四 十八反)
12) 硫黃原是火中精, 朴硝一見便相爭, 水銀莫與砒霜見, 狼毒最怕密陀僧. 巴豆性烈最為上, 偏與牽牛不順情, 丁香莫與鬱金見, 牙硝難合京三棱. 川烏草烏不順犀, 人參最怕五靈脂. 官桂善能調冷氣, 若逢石脂便相欺

(肺腎虛喘)에는 사용하지 않는다. 증후금기의 내용은 비교적 많은데, 한약에 대한 설명 중에 사용주의 부분에서 볼 수 있다.

3) 임신 용약금기(妊娠 用藥禁忌)

임신 용약금기는 여성의 임신기에 사용하는 약재의 금기이다. 일부 약재는 부작용으로 유산시킬 수 있다. 해로운 정도에 따라 신용(愼用, 사용에 주의)과 금용(禁用)의 두 부류로 나눈다. 신용해야 할 약물은 통경거어(通經袪瘀), 행기파체(行氣破滯), 신열활리(辛熱滑利)시키는데, 도인(桃仁), 홍화(紅花), 우슬(牛膝), 대황(大黃), 지실(枳實), 부자(附子), 육계(肉桂), 건강(乾薑), 목통(木通), 동규자(冬葵子), 구맥(瞿麥) 등이다. 금해야 하는 약물은 독성이 비교적 강하거나 약성이 맹렬한 약물인데, 파두(巴豆), 견우(牽牛), 대극(大戟), 상륙(商陸), 사향(麝香), 삼릉(三稜), 아출(莪朮), 수질(水蛭), 반묘(斑猫), 웅황(雄黃), 비상(砒霜) 등이다.

4) 음식 금기(飮食 禁忌)

음식 금기는 복약 기간에 금기해야 할 음식으로, '식기(食忌)'라고도 한다. 일반적으로 복약 기간에는 날 것이나, 차거나, 기름지거나, 아주 맵거나, 소화가 잘 안 되거나, 특수하게 자극적인 음식물을 금기시킨다. 예를 들어, 한성병(寒性病)의 경우에는 차거나 날 음식을, 열성병(熱性病)의 경우에는 기름지거나 아주 매운 음식을, 창양(瘡瘍) 등 피부병에는 생선, 새우, 소, 양 등 비리거나 자극적인 음식을, 평소 두훈실면(頭暈失眠), 번조이노(煩躁易怒)하는 환자는 후추, 마늘, 술을 피해야 한다.

4. 한약 달이는 방법과 복용 방법

한약을 달이는 방법과 복용 방법은 치료 효과에 영향을 미치므로 특별히 주의해야 한다.

1) 약을 달이는 방법

약을 달이는 방법은 주로 탕제(湯劑)의 경우에 적용된다. 역대 의학자들은 약을 달이는 방법을 매우 중시하였다. 예를 들어, 서영태(徐靈胎)의 『의학원류론(醫學源流論)』에 "약을 달이는 방법을 가장 중요하게 다루어야 하며, 약의 효과가 있고 없고는 모두 여기에 달려 있다[13]"고 하였다. 해표약(解表藥)을 달일 때는 센 불로 달이는 시간을 길게 하지 말아야 하며, 신속하게 몇 분간 끓인 후 약한 불로 바꿔서 다시 10~15분간 달이면 된다. 보익약(補益藥)은 약한 불로 오래 달이고, 물이 끓은 다음 다시 40~60분가량 달이면 된다.

- 탕제의 장점: 복용한 후 흡수가 빨라서 치료 효과를 신속히 발휘할 수 있고 융통성 있게 증에 따라 약물을 가감하여 배오할 수 있으며, 각종 질병의 특수상황에 대처할 수 있다.
- 탕제의 단점: 약을 달이는 데 비교적 긴 시간이 필요하며, 급성 환자는 제때 약을 먹을 수 없고, 응급환자를 구급하는 데에 불리하다. 또한, 저장, 보존과 휴대에도 불편하다.

일부 약물을 달일 때 특별히 주의해야 할 점이 있다. 예를 들어, 정유(精油)를 함유한 방향성 약물재인 박하(薄荷), 곽향(藿香) 등은 정유를 상실시키지 않고 유효 성분의 소실을 막기 위해서 다른 약물을 달여 일정한 시간이 된 후 이

13) 煎藥之法, 最宜深講, 藥之效不效, 全在乎此 (醫學源流論·方藥·煎藥法論)

런 종류의 방향성 약물을 넣고 다시 10분가량 달이는 것이 좋다. 일부 광석이나 패각류(貝殼類)의 약재는 질이 단단해서 유효 성분을 쉽게 달여낼 수 없다. 예를 들어, 생석고(生石膏)、대자석(代赭石)、석결명(石決明)、진주(珍珠)、용골(龍骨)、귀판(龜板)、별갑(鼈甲) 등은 반드시 분쇄 후에 먼저 30분간 달인 후 다른 약재를 넣어 달인다. 해금사(海金沙)와 차전자(車前子)는 천에 잘 싸서 약탕관에 넣고 달인다. 인삼(人蔘)과 영양각(羚羊角)은 따로 달여서 유효 성분이 달이는 과정에서 다른 약물에 흡수되는 것을 피해야 한다. 또 일부 교질(膠質)을 함유하고、점성이 크며、쉽게 용해되고、쉽게 용기에 붙어 타거나 녹기 쉬운 약물, 예를 들어, 아교(阿膠)、녹각교(鹿角膠)、귀판교(龜板膠) 등은 단독으로 가열하여 녹이거나 중탕으로 녹여서 섞는다.

2) 복약 방법

일반 탕제는 온복(溫服)하고, 해표약은 열복(熱服)하며, 구토나 약물중독을 치료할 때에는 매회 복용량을 적게 하고, 자주 복용해야 한다. 한량약(寒涼藥)을 써서 열성병을 치료할 때에는 냉복(冷服)한다. 그리고 온열약을 써서 한증(寒證)을 치료할 때에는 열복한다[14]. 환제와 산제를 내복할 때는 더운 물로 삼키며, 승제선통(升提宣通)하기 위해서는 술과 함께 복용하고, 약을 이끌어 신(腎)에 들어가게 하기 위해서는 소금물과 함께 복용한다. 약을 먹는 시간은 반드시 병세와 약성에 따라 결정해야 한다. 예로부터 임상에서 보양약은 식전에 복용하고, 구충약과 사하약은 공복에 먹으며, 위장에 자극이 있는 약물은 식후에 복용하고, 정신을 안정시키고 수면을 돕는 약물은 잠잘 무렵에 복용하며, 기타 일반 약물은 식후에 복용하는 것으로 되어 있다.

보통 하루에 두 첩의 한약을 복용하는데, 아침과 점심에 각 한 첩씩을 물에 달여서 마시고, 한 번 달인 두 첩의 약재를 합해 재탕해서 저녁에 복용하는 것이 전통적인 복약법이다. 현재는 반 제(10첩) 또는 한 제(20첩) 이상의 한약을 한꺼번에 달여서 1회 분량씩 멸균 포장하므로 편리하고 위생적이다. 하루 세 차례 복용하는 것이 일반적이나, 병이 급하면 4시간마다 한 번씩 복용하여 약효를 지속시켜 병세를 호전시킨다. 발한(發汗)、사하약(瀉下藥)을 복용할 때에는 환자의 체력과 건강을 고려해야 하며, 보통 땀이 나고 설사하는 정도로만 하며, 장기간 복용으로 땀과 설사가 과도하여 정기(正氣)가 손상되는 것을 피해야 한다.

제4절 상용 본초

본 절에서는 현재 임상에서 많이 쓰이고 있는 본초를 중심으로 소개한다. 약명에 병기된 태음、태양、소음、소양이라는 표기는 각기 사상체질별 약물을 의미한다.[15] 본초의 기원과 생약명은 대한민국약전(KP) 제11 개정 및 대한민국약전외한약(생약)규격집(KHP)에 따라 표기하였다.

1. 해표약(解表藥)

표사(表邪)를 발산시키는 작용을 함으로써 표증(表證) 치료에 쓰이는 약물로, 해표약 혹은 발표약(發表藥)이라고

14) 大凡服藥, 寒藥熱飮, 熱藥寒飮, 中和之劑, 溫而服之 (東醫寶鑑·湯液篇·卷之一·湯液序例·服藥法)
15) 東醫四象診療醫典

한다. 이에 속하는 약물들은 대개 신미(辛味)를 가지는데, 신미는 발산하고 발한(發汗)을 촉진해 표사가 땀을 따라 나가게 함으로써 표증을 치료한다. 주로 오한(惡寒)、발열、두통、신통、무한(無汗) 혹은 유한불창(有汗不暢)、맥부(脈浮)의 외감표증(外感表證)에 적용된다. 일부 해표약은 발한력이 강해서 진액과 기를 상하므로 체허자한(體虛自汗)、음허도한(陰虛盜汗)、열병진상(熱病津傷)이나 구환창옹(久患瘡癰)、임병(淋病)、출혈 환자들은 비록 외감표증이 있더라도 사용에 주의하거나 사용하지 말아야 한다. 해표약은 대부분 방향성(芳香性)이 있으므로 오래 달이지 않는다.

마황(麻黃) **[태음인 약물]**

- 기원종: 초마황(草麻黃)、중마황(中麻黃) 또는 목적마황(木賊麻黃) (마황과 Ephedraceae)
- 약용 부위: 목질화되지 않은 줄기
- 성미: 온 신미고(溫 辛微苦)
- 귀경: 폐 방광(肺 膀胱)
- 효능: 발한산한(發汗散寒)、선폐평천(宣肺平喘)、이수소종(利水消腫)
- 주치: 풍한감모(風寒感冒)、흉민천해(胸悶喘咳)、풍수부종(風水浮腫)、기관지효천(氣管支哮喘). 밀자(蜜炙)하면 윤폐지해(潤肺止咳)한다.
- 사용주의: 많은 양을 쓰지 않도록 한다. 표실증(表實證)이 아닌 신체 허약자, 표허자한(表虛自汗)、도한천(盜汗喘)、폐허해수(肺虛咳嗽)에는 기(忌)한다. 승압(升壓) 작용이 있으므로 고혈압 환자들은 사용에 주의한다. 실제로 180mmHg 이상일 때 ephedrine이 혈압을 상승시키므로 사용을 자제하여야 한다(예: 오약순기산(烏藥順氣散) 사용 시).

©kiom.re.kr

©hges.tn.edu.tw

계지(桂枝) **[소음인 약물]**

- 기원종: 육계(肉桂) (녹나무과 Lauraceae)
- 약용 부위: 어린 가지
- 성미: 온 신감(溫 辛甘)
- 귀경: 심 폐 방광(心 肺 膀胱)
- 효능: 발한해기(發汗解肌)、온경통맥(溫經通脈)、조양화기(助陽化氣)、평충강기(平衝降氣)
- 주치: 풍한감모、완복냉통、혈한경폐(血寒經閉)、관절비통(關節痺痛)、담음、수종、심계、분돈(奔豚)
- 사용주의: 성(性)이 온(溫)하여 조열(燥熱)하므로 온열병(溫熱病) 또는 음허화왕(陰虛火旺)과 혈열망행(血熱妄行)에는 금하며, 임산부는 유산의 우려가 있으므로 사용에 주의하며, 월경이 과다한 증에는 사용에 주의하여야 한다.

ⓒkiom.re.kr ⓒmfds.go.kr

자소엽(紫蘇葉) **[소음인 약물]**

- 기원종: 차즈기 또는 주름소엽(꿀풀과 Labiatae)
- 약용 부위: 잎 및 가지 끝부분
- 성미: 온 신(溫 辛)
- 귀경: 폐 비(肺 脾)
- 효능: 해표산한(解表散寒), 행기화위(行氣和胃)
- 주치: 풍한감모, 해수구오(咳嗽嘔惡), 임신구토, 어해중독(魚蟹中毒)
- 사용주의: 신산(辛散)한 약물이므로 온병과 기약표허자(氣弱表虛者)는 복용을 금한다.

ⓒzh.wikipedia.org ⓒzh.wikipedia.org

형개(荊芥) **[소양인 약물]**

- 기원종: 형개(꿀풀과 Labiatae)
- 약용 부위: 꽃이삭(花穗)
- 성미: 미온 신(微溫 辛)
- 귀경: 폐 간(肺 肝)
- 효능: 해표산풍(解表散風), 투진(透疹)
- 주치: 감모, 두통, 마진, 풍진, 창양초기(瘡瘍初起). 초탄(炒炭)한 경우에는 변혈, 붕루, 산후혈훈(產後血暈)
- 사용주의: 표허유한(表虛有汗)과 발열이 중(重)하고 오한이 가벼운 자, 음허두통자(陰虛頭痛者), 혈허발열(血虛發熱), 음허화성(陰虛火盛)으로 인하여 두통목통(頭痛目痛)이 있는 자는 복용을 금한다.

©mfds.go.kr ©mfds.go.kr

강활(羌活) [소양인 약물]

- 기원종: 강활(강호리), 중국강활(中國羌活) 또는 관엽강활(寬葉羌活) (산형과 Umbelliferae)
- 약용 부위: 땅속줄기 및 뿌리
- 성미: 온 신고(溫 辛苦)
- 귀경: 방광 신(膀胱 腎)
- 효능: 산한(散寒)、거풍(祛風)、제습(除濕)、지통(止痛)
- 주치: 풍한감모두통(風寒感冒頭痛)、풍습비통(風濕痺痛)、견배산통(肩背酸痛)
- 사용주의: 승산(升散)시키고 온조(溫燥)한 성질이 강하여 상음모혈(傷陰耗血)시키므로 혈허비통(血虛痺痛)과 표허한다증(表虛汗多症)에는 금하며, 과량을 복용하면 구토의 우려가 있으므로 사용에 주의한다.

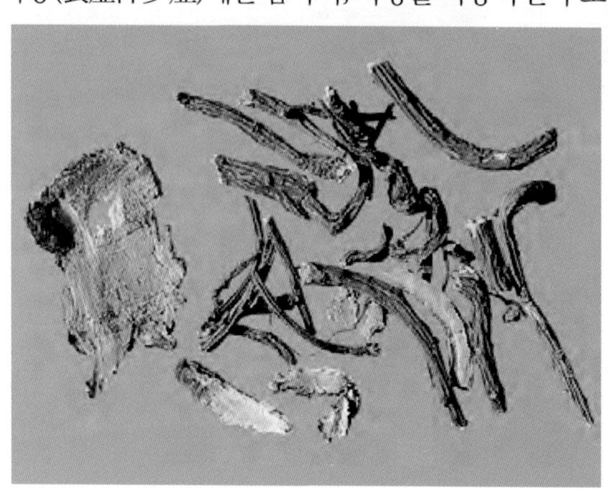

©mfds.go.kr ©kiom.re.kr

백지(白芷) [태음인 약물]

- 기원종: 구릿대 또는 항백지(杭白芷) (산형과 Umbelliferae)
- 약용 부위: 뿌리
- 성미: 온 신(溫 辛)
- 귀경: 폐 위 대장(肺 胃 大腸)

- 효능: 산풍제습(散風除濕), 통규지통(通竅止痛), 소종배농(消腫排膿)
- 주치: 감모두통, 미릉골통, 비색(鼻塞), 비연(鼻淵), 치통, 백대(白帶), 창양종독
- 사용주의: 성질이 조열(燥烈)하고 발산작용이 있으므로 음허화왕자(陰虛火旺者)나 혈허유열(血虛有熱)한 병증과 옹저가 이미 궤란된 허증(虛證) 상태에서는 사용에 주의한다.

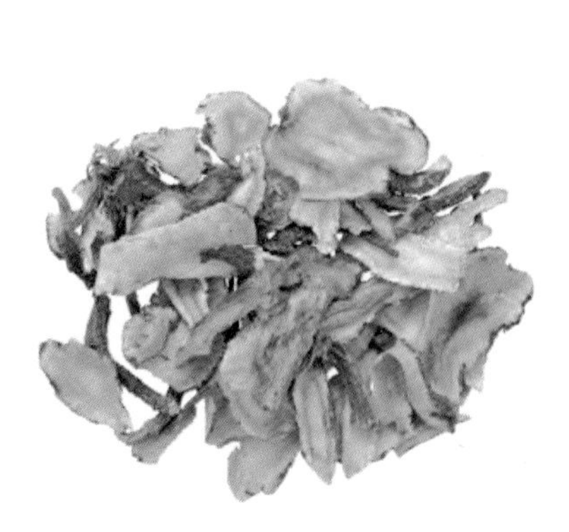

©kiom.re.kr ©kiom.re.kr

방풍(防風) [소양인 약물]

- 기원종: 방풍(防風) (산형과 Umbelliferae)
- 약용 부위: 뿌리
- 성미: 온 신감(溫 辛甘)
- 귀경: 간 비 방광(肝 脾 膀胱)
- 효능: 해표거풍(解表祛風), 승습(勝濕), 지경(止痙)
- 주치: 감모두통, 풍습비통, 골절산통(骨節酸痛), 풍진소양(風疹瘙痒), 사지연급, 파상풍
- 사용주의: 음허화왕(陰虛火旺)이나 혈허(血虛)로 인한 경급(痙急)과 두통이 풍사(風邪)로 인하지 않았으면 복용을 금기한다. 자한, 산후발경(產後發痙), 소아발축(小兒發搐)에는 복용하지 않는다.

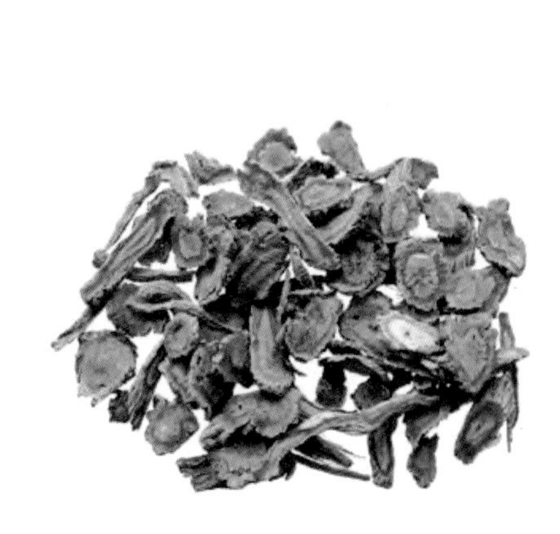

©kiom.re.kr ©kiom.re.kr

고본(藁本) [태음인 약물]

- 기원종: 고본, 중국고본(中國藁本) 또는 요고본(遼藁本) (산형과 Umbelliferae)

- 약용 부위: 뿌리줄기 및 뿌리
- 성미: 온 신(溫 辛)
- 귀경: 방광(膀胱)
- 효능: 거풍(祛風)、산한(散寒)、제습(除濕)、지통(止痛)
- 주치: 풍한감모、전정동통(巓頂疼痛)、풍습지절비통(風濕肢節痺痛)
- 사용주의: 혈허(血虛) 및 혈열두통(血熱頭痛)에는 복용을 금한다.

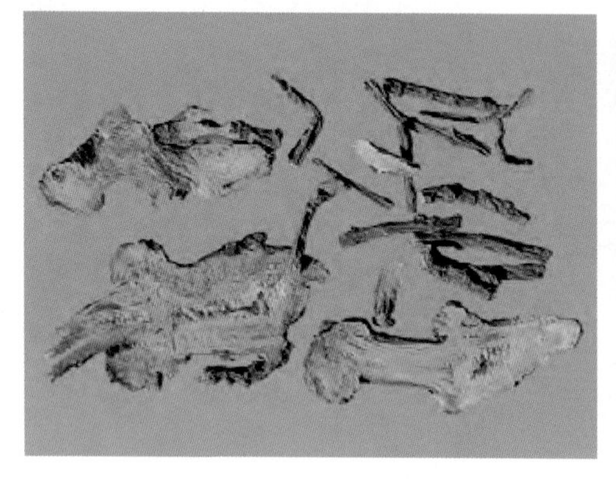
©mfds.go.kr

©mfds.go.kr

신이(辛夷) [소음인 약물]

- 기원종: 망춘화, 백목련, 목련 및 무당목련(목련과 Magnoliaceae)
- 약용 부위: 꽃봉오리
- 성미: 온 신(溫 辛)
- 귀경: 폐 위(肺 胃)
- 효능: 산풍한(散風寒)、통비규(通鼻竅)
- 주치: 풍한두통、비연(鼻淵)、비색불통(鼻塞不通)、비류탁체(鼻流濁涕)
- 사용주의: 음허화왕자(陰虛火旺者)와 기허자(氣虛者) 및 두뇌통(頭腦痛)이 혈허화치(血虛火熾)에 속한 자、치통이 위화(胃火)에 속한 자는 복용을 금한다. 다량 사용 시 어지럽거나 안구충혈 등이 생길 수 있다.

©mfds.go.kr

©mfds.go.kr

세신(細辛) [소음인 약물]

- 기원종: 민족도리풀 또는 서울족도리풀(쥐방울과 Aristolochiaceae)

- 약용 부위: 뿌리 및 땅속줄기
- 성미: 온 신(溫 辛)
- 귀경: 심 폐 신(心 肺 腎)
- 효능: 거풍산한(祛風散寒)、통규지통(通竅止痛)、온폐화음(溫肺化飮)
- 주치: 풍한감모、두통、치통、비색비연(鼻塞鼻淵)、풍습비통(風濕痺痛)、담음천해(痰飮喘咳)
- 사용주의: 기허한다(氣虛汗多)、혈허두통(血虛頭痛)、음허해수(陰虛咳嗽)에는 복용을 금한다. 여로(藜蘆)와 함께 사용하지 않는다.

©mfds.go.kr

©kpant.biodiv.tw

생강(生薑) [소음인 약물]

- 기원종: 생강(생강과 Zingiberaceae)
- 약용 부위: 신선한 땅속줄기
- 성미: 미온 신(微溫 辛)
- 귀경: 폐 비 위(肺 脾 胃)
- 효능: 해표산한(解表散寒)、온중지구(溫中止嘔)、화담지해(化痰止咳)、해독
- 주치: 풍한감모、위한구토、한담해수、반하독、천남성독、어해독(魚蟹毒)
- 사용주의: 표허자한(表虛自汗) 및 음허내열자(陰虛內熱者)와 열증(熱證)[옹창(癰瘡)、치창(痔瘡)、임산부、위열인통(胃熱咽痛)] 등에 금한다.

©mfds.go.kr

생강나무 ©mfds.go.kr

향유(香薷) [소음인 약물]

- 기원종: 향유 또는 기타 동속식물(꿀풀과 Labiatae)
- 약용 부위: 꽃필 때의 전초
- 성미: 미온 신(微溫 辛)
- 귀경: 폐 위(肺 胃)
- 효능: 발한해표(發汗解表)、화중이습(和中利濕)
- 주치: 서습감모(暑濕感冒)、오한발열、두통무한(頭痛無汗)、복통토사、소변불리
- 사용주의: 표허한다(表虛汗多)와 표사(表邪)가 없거나 음허유열(陰虛有熱)에는 복용을 금한다.

©kiom.re.kr

©mfds.go.kr

총백(葱白) [소음인 약물]

- 기원종: 파(백합과 Liliaceae)
- 약용 부위: 신선한 비늘줄기
- 성미: 온 신(溫 辛)
- 귀경: 폐 위(肺 胃)
- 효능: 발표통양(發表通陽)、해독살충
- 주치: 감모풍한(感冒風寒)、음한복통(陰寒腹痛)、이변불통(二便不通)、이질、창옹종통(瘡癰腫痛)、충적복통(蟲積腹痛)
- 사용주의: 표허한다(表虛汗多)에는 복용을 금하며, 전통적으로 꿀과 함께 사용하지 않는다.

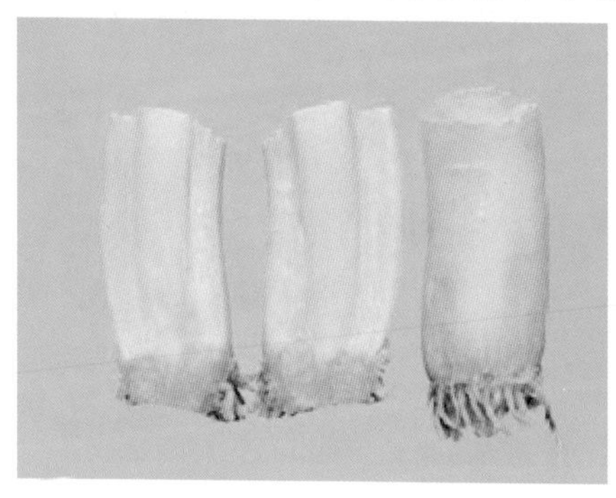

©mfds.go.kr

©mfds.go.kr

창이자(蒼耳子) [태음인 약물]

- 기원종: 도꼬마리(국화과 Compositae)
- 약용 부위: 잘 익은 열매
- 성미: 온 신고(溫 辛苦)
- 귀경: 폐(肺)
- 효능: 산풍제습(散風除濕)、통비규(通鼻竅)
- 주치: 풍한두통、비연유체(鼻淵流涕)、풍진소양(風疹瘙痒)、습비구련(濕痺拘攣)
- 사용주의: 혈허(血虛)로 인한 두통과 비통(痺痛)에는 복용을 금한다.

©cmd.gov.hk ©mfds.go.kr

박하(薄荷) [소양인 약물]

- 기원종: 박하(꿀풀과 Labiatae)
- 약용 부위: 지상부
- 성미: 양 신(凉 辛)
- 귀경: 폐 간(肺 肝)
- 효능: 선산풍열(宣散風熱)、청두목(淸頭目)、투진(透疹)
- 주치: 풍열감모、풍습초기、두통、목적、후비(喉痺)、구창(口瘡)、풍진、마진、흉협창민(胸脇脹悶)
- 사용주의: 음허발열(陰虛發熱)과 해수자한(咳嗽自汗)、한다(汗多) 및 표허(表虛)에는 복용을 금한다. 또한 유즙분비저하(乳汁分泌低下)의 부작용이 있으므로 일반적으로 모유수유 중인 경우에는 사용하지 않는다. 음허혈조(陰虛血燥)、간양편항(肝陽偏亢)、표허한다자(表虛汗多者)는 복용하지 않는다.

©kiom.re.kr ©kiom.re.kr

우방자(牛蒡子) **[소양인 약물]**

- 기원종: 우엉(국화과 Compositae)
- 약용 부위: 잘 익은 열매
- 성미: 한 신고(寒 辛苦)
- 귀경: 폐 위(肺 胃)
- 효능: 소산풍열(疏散風熱)、선폐투진(宣肺透疹)、해독이인(解毒利咽)
- 주치: 풍열감모、해수담다、마진、풍진、인후종통、자시단독(痄腮丹毒)、옹종창독
- 사용주의: 성질이 한(寒)하고 활리(滑利)하므로 두진(痘疹)이 기허색백(氣虛色白)하고 대변자리(大便自利)하거나 설사하는 경우、기허변당(氣虛便溏)한 경우와 옹저가 이미 궤란되고 변폐가 있는 경우는 복용을 금한다.

©dgom.daegu.go.kr ©kiom.re.kr

상엽(桑葉) **[태음인 약물]**

- 기원종: 뽕나무 또는 산뽕나무(뽕나무과 Moraceae)
- 약용 부위: 잎
- 성미: 한 감고(寒 甘苦)
- 귀경: 폐 간(肺 肝)
- 효능: 소산풍열(疏散風熱)、청폐윤조(淸肺潤燥)、청간명목(淸肝明目)
- 주치: 풍열감모、폐열조해(肺熱燥咳)、두훈두통、목적혼화(目赤昏花)

- 사용주의: 폐허무화자(肺虛無火者)와 풍한(風寒)으로 인한 해수에는 복용을 금한다.

©mfds.go.kr ©mfds.go.kr

국화(菊花) **[태음인 약물]**

- 기원종: 국화(국화과 Compositae)
- 약용 부위: 꽃
- 성미: 미한 감고(微寒 甘苦)
- 귀경: 폐 간(肺 肝)
- 효능: 산풍청열(散風淸熱)、평간명목(平肝明目)
- 주치: 풍열감모、두통현훈、목적종통(目赤腫痛)、안목혼화(眼目昏花)
- 사용주의: 기허위한(氣虛胃寒)으로 식욕이 없고 설사하면 복용하지 않는다.

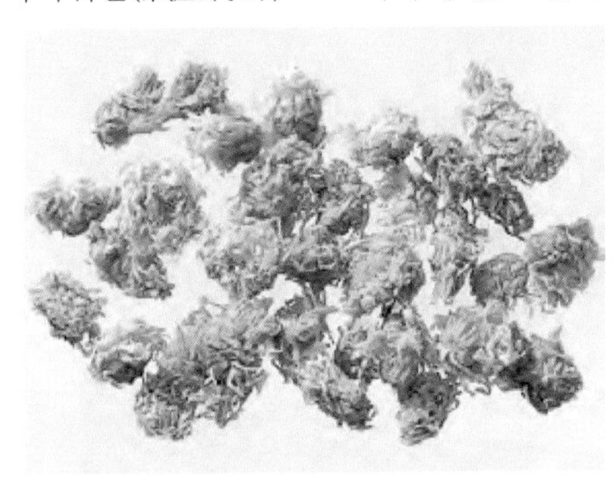

©mfds.go.kr ©mfds.go.kr

갈근(葛根) **[태음인 약물]**

- 기원종: 칡(콩과 Leguminosae)
- 약용 부위: 뿌리로서 그대로 또는 주피를 제거한 것
- 성미: 양 감신(凉 甘辛)
- 귀경: 비 위(脾 胃)
- 효능: 해기퇴열(解肌退熱)、생진(生津)、투진(透疹)、승양지사(升陽止瀉)
- 주치: 외감발열두통、항배강통、구갈、소갈、마진불투(麻疹不透)、열리(熱痢)、설사、고혈압으로 인한 경항강통(頸項强痛)
- 사용주의: 위한구토자(胃寒嘔吐者)와 표허한다자(表虛汗多者)는 복용을 금한다.

©mfds.go.kr ©kiom.re.kr

갈화(葛花)

- 기원종: 칡(콩과 Leguminosae)
- 약용 부위: 꽃봉오리 또는 막 피기 시작한 꽃
- 성미: 양 감(凉 甘)
- 귀경: 비 위(脾 胃)
- 효능: 해주성비(解酒醒脾), 지혈
- 주치: 숙취의 번열구갈(煩熱口渴), 두통두훈, 완복창만, 구역토산(嘔逆吐酸), 식욕부진
- 사용주의: 위한구토자(胃寒嘔吐者)와 표허한다자(表虛汗多者)는 복용을 금하고, 위기(胃氣)를 손상시킬 우려가 있으므로 다복(多服)은 삼간다.

©mfds.go.kr ©kiom.re.kr

시호(柴胡) **[소양인 약물]**

- 기원종: 시호 또는 그 변종(산형과 Umbelliferae)
- 약용 부위: 뿌리
- 성미: 미한 고(微寒 苦)
- 귀경: 간 담(肝 膽)
- 효능: 화해표리(和解表裏), 소간(疏肝), 승양(升陽)
- 주치: 감모발열, 한열왕래, 흉협창통, 월경부조, 자궁탈수, 탈항
- 사용주의: 성질이 승발(升發)하므로 허약한 환자의 기역(氣逆)이나 혹은 음허화왕(陰虛火旺), 진음휴손자(眞陰

虧損者)와 간양상승자(肝陽上升者)는 복용을 금한다.

©mfds.go.kr

©dgom.daegu.go.kr

승마(升麻) [태음인 약물]

- 기원종: 승마, 촛대승마, 눈빛승마 또는 황새승마(미나리아재비과 Ranunculaceae)
- 약용 부위: 땅속줄기
- 성미: 미한 신미감(微寒 辛微甘)
- 귀경: 폐 비 위 대장(肺 脾 胃 大腸)
- 효능: 발표투진(發表透疹), 청열해독(淸熱解毒), 승거양기(升擧陽氣)
- 주치: 풍열두통(風熱頭痛), 치통, 구창, 인후종통, 마진불투(麻疹不透), 양독발반(陽毒發斑), 탈항, 자궁탈수
- 사용주의: 상성하허(上盛下虛), 간양상승(肝陽上升) 및 기역하강(氣逆下降) 등, 음허화왕(陰虛火旺) 및 마진이 이미 돋아난 자는 복용을 금한다.

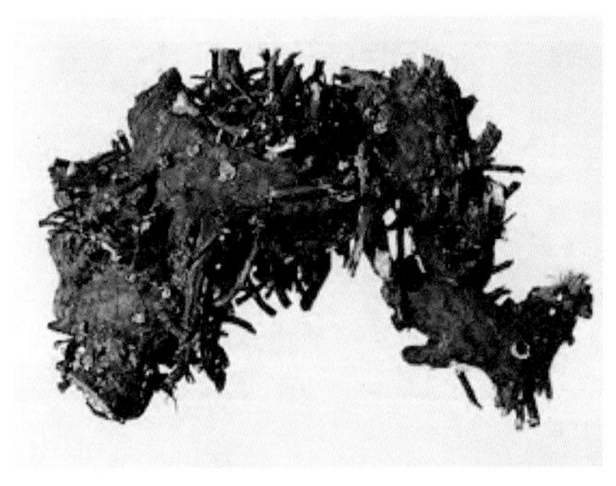
©mfds.go.kr

©mfds.go.kr

만형자(蔓荊子)

- 기원종: 순비기나무 또는 만형(蔓荊) (마편초과 Verbenaceae)
- 약용 부위: 잘 익은 열매
- 성미: 미한 신고(微寒 辛苦)
- 귀경: 간 위 방광(肝 胃 膀胱)
- 효능: 소산풍열(疏散風熱), 청리두목(淸利頭目)
- 주치: 풍열감모, 두통, 치은종통, 목적다누(目赤多淚), 목암불명(目暗不明), 두훈목현, 습비구련(濕痺拘攣)
- 사용주의: 혈허유화(血虛有火)로 인한 두통목현과 비위(脾胃)가 허(虛)하면 복용을 금한다.

ⓒdgom.daegu.go.kr ⓒdgom.daegu.go.kr

선퇴(蟬退)

- 기원종: 말매미(매미과 Cicadidae)
- 약용 부위: 성충이 될 때 벗은 허물
- 성미: 한 감(寒 甘)
- 귀경: 폐 간(肺 肝)
- 효능: 산풍제열(散風除熱)、이인(利咽)、투진(透疹)、퇴예(退翳)、해경(解痙)
- 주치: 풍열감모、인통、음아(音啞)、마진불투(麻疹不透)、풍진소양、목적예장(目赤翳障)、경풍추축(驚風抽搐)、파상풍
- 사용주의: 임산부는 사용에 주의한다.

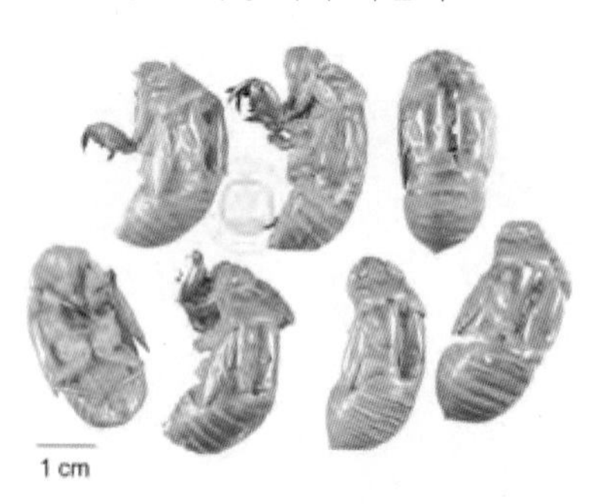

ⓒlibproject.hkbu.edu.hk ⓒcommons.wikimedia.org

2. 청열약(清熱藥)

청열약은 이열(裏熱)을 내리는 작용을 함으로써 이열증을 치료하는 데 주로 쓰이는 약물이다.

이에 속하는 약물은 청열사화(清熱瀉火)、청열조습(清熱燥濕)、청열해독(清熱解毒)、청열양혈(清熱涼血)、청허열(清虛熱) 등의 효능이 있으며, 주로 밖에 표사(表邪)가 없고 안에도 적체(積滯)가 없으면서 화열(火熱)이 내치(內熾)하는 이열증(裏熱證), 예컨내, 고열、번조、사리(瀉痢)、황달、토뉵(吐衄)、발반(發斑)、옹종창양、음허발열、골증조열(骨蒸潮熱) 등을 치료한다.

이 약물들은 약성(藥性)이 한량(寒涼)하여 쉽게 비위(脾胃)를 상하기 때문에 비위허한자(脾胃虛寒者)는 사용에 주의한다. 병이 나으면 바로 복약을 중지하여 정기(正氣)가 손상되지 않도록 해야 한다.

석고(石膏) [소양인 약물]

- 기원: 황산염광물 석고로, 황산칼슘수화물 ($CaSO_4 \cdot 2H_2O$)을 95% 이상 함유한다.
- 성미: 대한 신감(大寒 辛甘)
- 귀경: 폐 위(肺 胃)
- 효능: 청열사화(淸熱瀉火)、제번지갈(除煩止渴)
- 주치: 열병의 장열불퇴(壯熱不退)、번갈、신혼섬어、발광、발반(發斑)、폐열천해(肺熱喘咳)、중서자한(中暑自汗)、위화두통(胃火頭痛)、치통、구설생창(口舌生瘡)
- 사용주의: 병이 나으면 투약을 중지하고, 내복하는 경우에는 날 것을 쓴다.

©mfds.go.kr

지모(知母) [소양인 약물]

- 기원종: 지모(백합과 Liliaceae)
- 약용 부위: 땅속줄기
- 성미: 한 고감(寒 苦甘)
- 귀경: 폐 신 위(肺 腎 胃)
- 효능: 청열사화(淸熱瀉火)、생진윤조(生津潤燥)
- 주치: 외감열병、고열번갈、폐열조해(肺熱燥咳)、골증조열(骨蒸潮熱)、내열소갈(內熱消渴)、장조변비(腸燥便秘)
- 사용주의: 한윤(寒潤)한 성질로 활장(滑腸)시켜 설사를 일으키기 쉬우므로 음허변비(陰虛便秘)에는 적합하지만 비허변당(脾虛便溏)이나 한음해수(寒飮咳嗽)에는 쓰지 않는다.

©mfds.go.kr

©mfds.go.kr

괄루근(栝樓根) **과루근**(瓜樓根) **천화분**(天花粉)

- 기원종: 하늘타리 또는 쌍변괄루(雙邊栝樓) (박과 Cucurbitaceae)
- 약용 부위: 뿌리로서 껍질을 제거한 것
- 성미: 미한 감미고산(微寒 甘微苦酸)
- 귀경: 폐 위(肺 胃)
- 효능: 청열생진(清熱生津)、소종배농(消腫排膿)
- 주치: 열병번갈(熱病煩渴)、폐열조해(肺熱燥咳)、내열소갈(內熱消渴)、창양종독(瘡瘍腫毒)

©dgom.daegu.go.kr

©dgom.daegu.go.kr

죽엽(竹葉) **[태음인 약물]**

- 기원종: 솜대 또는 왕대(벼과 Gramineae)
- 약용 부위: 잎
- 성미: 한 신고(寒 辛苦)
- 귀경: 심 폐 위(心 肺 胃)
- 효능: 청열제번(清熱除煩)、생진이뇨(生津利尿)
- 주치: 열병번갈、소아경간(小兒驚癎)、해역토뉵(咳逆吐衄)、면적(面赤)、소변단적、구미설창(口糜舌瘡)
- 사용주의: 임산부는 복용하지 않는다.

©pixabay.com ©flickr.com

치자(梔子) [소양인 약물]

- 기원종: 치자나무(꼭두서니과 Rubiaceae)
- 약용 부위: 잘 익은 열매
- 성미: 한 고(寒 苦)
- 귀경: 심 간 폐 위 삼초(心 肝 肺 胃 三焦)
- 효능: 사화제번(瀉火除煩), 청열이뇨(淸熱利尿), 양혈해독(凉血解毒)
- 주치: 열병심번, 황달요적, 혈림삽통(血淋澁痛), 혈열토뉵(血熱吐衄), 목적종통, 화독창양, 염좌상통(捻挫傷痛)
- 사용주의: 비위변당자(脾胃便溏者)는 복용을 금한다.

©dgom.daegu.go.kr ©dgom.daegu.go.kr

하고초(夏枯草) [소양인 약물]

- 기원종: 꿀풀 또는 두메꿀풀(꿀풀과 Labiatae)
- 약용 부위: 꽃대
- 성미: 한 신고(寒 辛苦)
- 귀경: 간 담(肝 膽)
- 효능: 청화(淸火), 명목(明目), 산결(散結), 소종(消腫)
- 주치: 목적종통, 목주야통(目珠夜痛), 두통현훈, 나력, 영류(癭瘤), 유옹종통(乳癰腫痛)
- 사용주의: 위장에 자극성이 있으므로 비위허약자(脾胃虛弱者)는 복용에 주의한다.

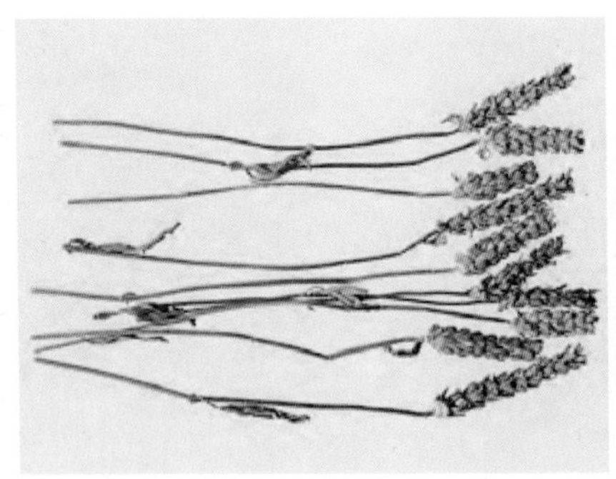

©mfds.go.kr ©mfds.go.kr

청상자(青葙子) **[소양인 약물]**

- 기원종: 개맨드라미(비름과 Amaranthaceae)
- 약용 부위: 씨
- 성미: 미한 고(微寒 苦)
- 귀경: 간(肝)
- 효능: 거풍열(祛風熱)、청간화(淸肝火)、명목퇴예(明目退翳)
- 주치: 간열목적(肝熱目赤)、예장(翳障)、간화현훈、고혈압、비뉵(鼻衄)、피부풍열소양(皮膚風熱瘙癢)、개선(疥癬)
- 사용주의: 청열(淸熱)하는 힘이 비교적 강하므로, 간신(肝腎)이 허(虛)하거나 동공이 산대된 경우에는 복용을 금한다.

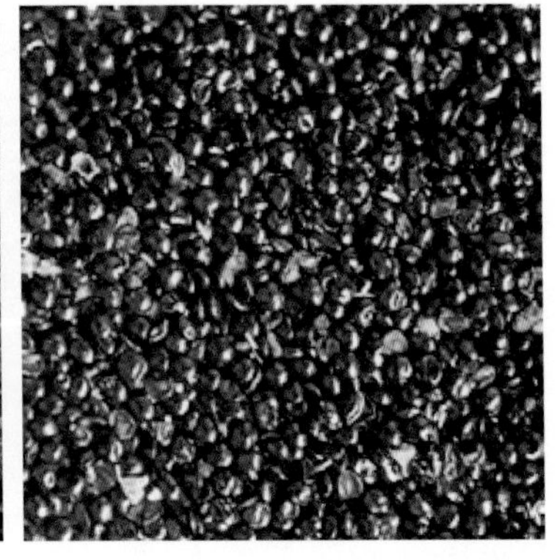
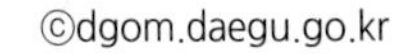

©dgom.daegu.go.kr ©dgom.daegu.go.kr

황금(黃芩) **[태음인 약물]**

- 기원종: 황금(속썩은 풀) (꿀풀과 Labiatae)
- 약용 부위: 뿌리로서 그대로 또는 주피를 제거한 것
- 성미: 한 고(寒 苦)
- 귀경: 폐 담 위 대장 소장(肺 膽 胃 大腸 小腸)
- 효능: 청열조습(淸熱燥濕)、사화해독(瀉火解毒)、지혈、인태
- 주치: 습온(濕溫)、서온(暑溫)、흉민구오(胸悶嘔惡)、습열비만(濕熱痞滿)、사리(瀉痢)、황달、폐열해수(肺熱咳嗽)、고열번갈、혈열토뉵(血熱吐衄)、옹종창독(癰腫瘡毒)、태동불안、붕루、열림(熱淋)
- 사용주의: 고한(苦寒)하여 비위(脾胃)를 상할 수 있으며, 비폐허열(脾肺虛熱)과 같이 실열(實熱)이 아닌 경우에

는 금한다.

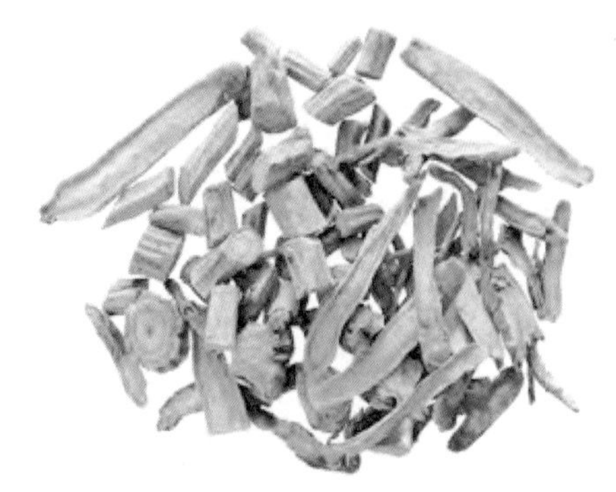
©kiom.re.kr

©kiom.re.kr

황련(黃連) **[소양인 약물]**

- 기원종: 황련, 중국황련(中國黃連), 삼각엽황련(三角葉黃連) 또는 운련(雲連) (미나리아재비과 Ranunculaceae)
- 약용 부위: 땅속줄기로서 뿌리를 제거한 것
- 성미: 한 고(寒 苦)
- 귀경: 심 비 위 간 담 대장(心 脾 胃 肝 膽 大腸)
- 효능: 청열조습(淸熱燥濕), 사심제번(瀉心除煩), 사화해독(瀉火解毒)
- 주치: 습열비만(濕熱痞滿), 구토탄산(嘔吐呑酸), 사리(瀉痢), 황달, 고열신혼(高熱神昏), 심화항성(心火亢盛)으로 인한 심번불매(心煩不寐), 혈열토뉵(血熱吐衄), 목적(目赤), 치통, 소갈, 옹종정창(癰腫疔瘡), [외치] 습진, 습창(濕瘡), 이도유농(耳道流膿)
- 사용주의: 고한(苦寒)하여 위장을 상하게 하므로 비위(脾胃)가 허한(虛寒)하며 실화(實火)가 없는 경우에 사용해서는 안된다. 즉 위한구토(胃寒嘔吐)와 비허설사증(脾虛泄瀉證)에는 복용을 금하고, 과량이나 장기간 복용은 마땅하지 않다.

©kiom.re.kr

©kiom.re.kr

황백(黃柏) **[소양인 약물]**

- 기원종: 황벽나무 또는 황피수(黃皮樹) (운향과 Rutaceae)
- 약용 부위: 나무껍질로서 주피를 제거한 것
- 성미: 한 고(寒 苦)

- 귀경: 신 방광 대장(腎 膀胱 大腸)
- 효능: 청열조습(淸熱燥濕)、사화해독(瀉火解毒)、퇴허열(退虛熱)
- 주치: 습열사리(濕熱瀉痢)、황달、대하、열림(熱淋)、각기(脚氣)、위벽(痿躄)、골증노열(骨蒸勞熱)、도한、유정、창양종독(瘡瘍腫毒)、습진소양
- 사용주의: 고한(苦寒)한 약물은 상음패위(傷陰敗胃)하므로 화왕(火旺)하고 위기(胃氣)가 강한 자가 아니면 복용을 금한다.

©kiom.re.kr ©kiom.re.kr

용담(龍膽)

- 기원종: 용담, 과남풀 또는 조엽용담(條葉龍膽) (용담과 Gentianaceae)
- 약용 부위: 뿌리 및 땅속줄기
- 성미: 한 고(寒 苦)
- 귀경: 간 담(肝 膽)
- 효능: 청열조습(淸熱燥濕)、사간담화(瀉肝膽火)
- 주치: 습열황달(濕熱黃疸)、음종음양(陰腫陰痒)、대하、강중(强中)、습진소양、목적이롱(目赤耳聾)、협통、구고(口苦)、경풍추축(驚風抽搐)
- 사용주의: 비위허한자(脾胃虛寒者)는 복용을 금한다.

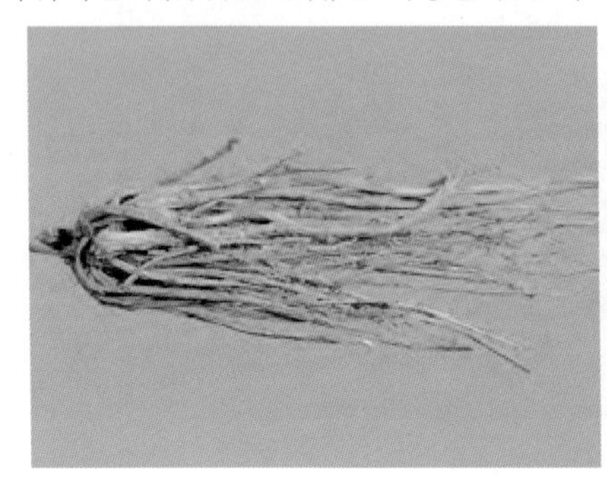

©mfds.go.kr ©mfds.go.kr

고삼(苦參) **[소양인 약물]**

- 기원종: 고삼(콩과 Leguminosae)
- 약용 부위: 뿌리로서, 그대로 또는 주피를 제거한 것
- 성미: 한 고(寒 苦)

- 귀경: 심 간 위 대장 방광(心 肝 胃 大腸 膀胱)
- 효능: 청열조습(清熱燥濕)、거풍살충(祛風殺蟲)、이뇨
- 주치: 열리(熱痢)、변혈、황달뇨폐(黃疸尿閉)、적백대하、음종음양(陰腫陰痒)、습진、습창(濕瘡)、피부소양、개선마풍(疥癬麻風)、[외치] 트리코모나스 질염 (trichomonal vaginitis)
- 사용주의: 고한(苦寒)한 약물이므로 내복할 때는 양을 과다하게 하여서는 안 되며, 비위(脾胃)가 허한(虛寒)하여 식소변당자(食少便溏者)는 복용을 금한다. 여로(藜蘆)를 반(反)한다.

©kiom.re.kr ©kiom.re.kr

백선피(白鮮皮)

- 기원종: 백선(운향과 Rutaceae)
- 약용 부위: 뿌리껍질
- 성미: 한 고(寒 苦)
- 귀경: 비 위 방광(脾 胃 膀胱)
- 효능: 청열조습(清熱燥濕)、거풍해독(祛風解毒)
- 주치: 습열창독(濕熱瘡毒)、황수임리(黃水淋漓)、습진、풍진、개선창라(疥癬瘡癩)、풍습열비(風濕熱痺)、황달뇨적(黃疸尿赤)
- 사용주의: 하부허한자(下部虛寒者)는 쓰지 않는다.

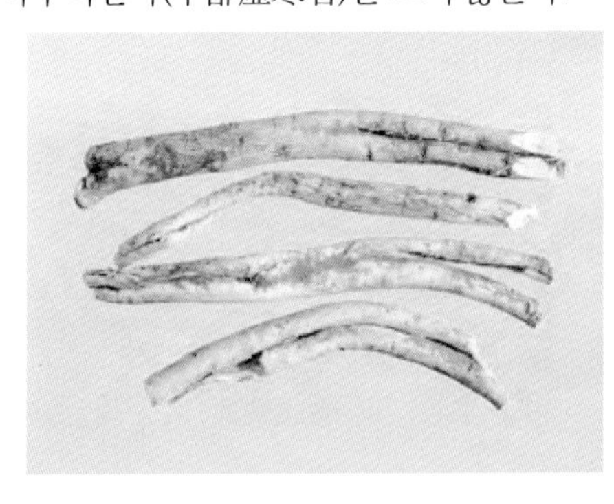

©mfds.go.kr ©mfds.go.kr

대두황권(大豆黃卷) **[태음인 약물]**

- 기원종: 콩(콩과 Leguminosae)
- 약용 부위: 잘 익은 씨를 발아시킨 것
- 성미: 평 감(平 甘)

- 귀경: 비 위(脾 胃)
- 효능: 청해투표(淸解透表)、제습이기(除濕利氣)
- 주치: 습온초기(濕溫初起)、서습발열(暑濕發熱)、식체완비(食滯脘痞)、습비(濕痺)、근련(筋攣)、골절번동(骨節煩疼)、수종창만(水腫脹滿)、소변불리
- 사용주의: 외감풍한(外感風寒)과 한다자(汗多者)는 복용을 금한다.

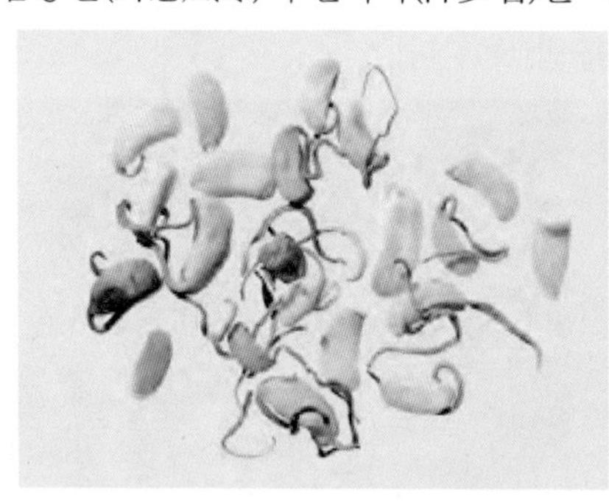

©mfds.go.kr ©kdbl.org

지황(地黃) **[소양인 약물]**

- 기원종: 지황(현삼과 Scrophulariaceae)
- 약용 부위: 뿌리
- 성미: 한 감(寒 甘)
- 귀경: 심 간 신(心 肝 腎)
- 효능: 청열양혈(淸熱凉血)、양음생진(養陰生津)
- 주치: 열병의 설강번갈(舌絳煩渴)、음허내열、골증노열(骨蒸勞熱)、내열소갈(內熱消渴)、토혈、육혈、발반(發斑)、발진(發疹)
- 사용주의: 비위허약설사(脾胃虛弱泄瀉)、위허식소(胃虛食少)、흉복담체자(胸腹痰滯者)는 사용에 주의한다.

©kiom.re.kr ©dgom.daegu.go.kr

현삼(玄參) **[소양인 약물]**

- 기원종: 현삼 또는 중국현삼(中國玄參) (현삼과 Scrophulariaceae)
- 약용 부위: 뿌리
- 성미: 한 감고함(寒 甘苦鹹)

- 귀경: 폐 신 위(肺 腎 胃)
- 효능: 양혈자음(養血滋陰), 사화해독(瀉火解毒)
- 주치: 열병 상음(熱病 傷陰), 설강번갈(舌絳煩渴), 온독 발반(溫毒 發斑), 진상변비(津傷便秘), 골증노수(骨蒸勞嗽), 목적(目赤), 인통, 나력(瘰癧), 백후(白喉), 옹종창독(癰腫瘡毒)
- 사용주의: 성질이 한(寒)하면서 응체되기 쉬워 위장을 손상할 우려가 크므로 비위(脾胃)에 습이 있거나 비허변당(脾虛便溏) 혹은 흉민식소자(胸悶食少者)인 경우에는 모두 금하며, 여로(藜蘆)를 반(反)한다.

ⓒkiom.re.kr ⓒkiom.re.kr

목단피(牡丹皮)16) **[소양인 약물]**

- 기원종: 모란(작약과 Paeoniaceae)
- 약용 부위: 뿌리껍질
- 성미: 미한 고신(微寒 苦辛)
- 귀경: 심 간 신(心 肝 腎)
- 효능: 청열양혈(淸熱凉血), 활혈산어(活血散瘀)
- 주치: 온독발반(溫毒發斑), 토혈육혈(吐血衄血), 야열조량(夜熱早凉), 무한골증(無汗骨蒸), 경폐(經閉), 통경(痛經), 옹종창독(癰腫瘡毒), 질박상통(跌撲傷痛)
- 사용주의: 활혈행어(活血行瘀) 약물이므로 임산부 및 월경과다자(月經過多者)는 복용을 금하며, 혈허유한자(血虛有寒者)는 금한다.

16) 본래는 '모란피'이다.

©kiom.re.kr

©kiom.re.kr

적작약(赤芍藥) [소음인 약물]

- 기원종: 작약 또는 기타 동속 근연 식물(작약과 Paeoniaceae)
- 약용 부위: 뿌리
- 성미: 미한 고(微寒 苦)
- 귀경: 간(肝)
- 효능: 청열양혈(清熱凉血)、산어지통(散瘀止痛)
- 주치: 온독발반(溫毒發斑)、토혈육혈(吐血衄血)、목적종통(目赤腫痛)、간울협통(肝鬱脇痛)、경폐(經閉)、통경(痛經)、징가복통(癥瘕腹痛)、질박손상(跌撲損傷)、옹종창양(癰腫瘡瘍)
- 사용주의: 허한증(虛寒證)에는 금하고, 여로(藜蘆)를 반(反)한다.

©kiom.re.kr

©kiom.re.kr

금은화(金銀花) [소양인 약물]

- 기원종: 인동덩굴(인동과 Caprifoliaceae)
- 약용 부위: 꽃봉오리 또는 막 피기 시작한 꽃
- 성미: 한 감(寒 甘)
- 귀경: 심 폐 위(心 肺 胃)
- 효능: 청열해독、양산풍열(凉散風熱)、양혈지리(凉血止痢)
- 주치: 옹종정창(癰腫疔瘡)、후비(喉痺)、단독(丹毒)、열독혈리(熱毒血痢)、풍열감모(風熱感冒)、온병발열(溫病發熱)
- 사용주의: 허한작사자(虛寒作瀉者)와 외양기허농청자(外瘍氣虛膿淸者)는 복용을 금한다.

©mfds.go.kr

©mfds.go.kr

연교(連翹) **[소양인 약물]**

- 기원종: 의성개나리 또는 당개나리(물푸레나무과 Oleaceae)
- 약용 부위: 열매
- 성미: 미한 고(微寒 苦)
- 귀경: 심 폐 담(心 肺 膽)
- 효능: 청열해독(淸熱解毒)、소종산결(消腫散結)
- 주치: 옹저(癰疽)、나력、유옹(乳癰)、단독、풍열감모、온병 초기、온열입영(溫熱入營)으로 인한 고열번갈、신혼발반(神昏發斑)、열림요폐(熱淋尿閉)
- 사용주의: 고한(苦寒)하여 비위허약자(脾胃虛弱者)와 기허발열(氣虛發熱) 및 옹저이궤(癰疽已潰)나 농청색담자(膿淸色淡者)는 복용을 금해야 한다.

©dgom.daegu.go.kr

©kiom.re.kr

포공영(蒲公英) **[태음인 약물]**

- 기원종: 민들레, 서양민들레, 털민들레, 흰민들레(국화과 Compositae)
- 약용 부위: 전초
- 성미: 한 고감(寒 苦甘)
- 귀경: 간 위(肝 胃)
- 효능: 청열해독(淸熱解毒)、소종산결(消腫散結)、이뇨통림(利尿通淋)
- 주치: 정창종독(疔瘡腫毒)、유옹(乳癰)、나력(瘰癧)、목적(目赤)、인통、폐옹、장옹、습열황달、열림삽통(熱淋澀痛)
- 사용주의: 장기간 또는 과량으로 사용하지 말고, 실열화독자(實熱火毒者)가 아닌 외증(外證)의 만종무두(漫腫無頭)와 불적불종자(不赤不腫者)、음저(陰疽)와 외증이궤자(外證已潰者)는 복용을 금한다.

©mfds.go.kr ©zh.wikipedia.org

자화지정(紫花地丁)

- 기원종: 제비꽃 또는 호제비꽃(제비꽃과 Violaceae)
- 약용 부위: 전초
- 성미: 한 고신(寒 苦辛)
- 귀경: 심 간(心 肝)
- 효능: 청열해독(淸熱解毒)、양혈소종(凉血消腫)
- 주치: 정창종독(疔瘡腫毒)、옹저발배(癰疽發背)、단독(丹毒)、독사교상(毒蛇咬傷)
- 사용주의: 평소 허한(虛寒)한 자는 복용을 금한다.

©mfds.go.kr ©mfds.go.kr

판람근(板藍根)

- 기원종: 대청(십자화과 Cruciferae)
- 약용 부위: 뿌리
- 성미: 한 고(寒 苦)
- 귀경: 심 위(心 胃)
- 효능: 청열해독(淸熱解毒)、양혈(凉血)、이인(利咽)
- 주치: 온독발반(溫毒發斑)、설강자암(舌降紫暗)、유행성 이하선염(耳下腺炎)、후비(喉痺)、성홍열(猩紅熱)、대두역(大頭疫)、단독、옹종(癰腫)
- 사용주의: 평소 허약하거나 설사복통(泄瀉腹痛)이 있는 자는 복용을 금한다.

©mfds.go.kr ©dgom.daegu.go.kr

우황(牛黃) **[태음인 약물]**

- 기원종: 소(소과 Bovidae)
- 약용 부위: 담낭에 생긴 결석
- 성미: 양 감(涼 甘)
- 귀경: 심 간(心 肝)
- 효능: 청심(淸心)、활담(豁痰)、개규(開竅)、양간(涼肝)、식풍(息風)、해독
- 주치: 열병신혼(熱病神昏)、중풍담미(中風痰迷)、경간추축(驚癎抽搐)、전간발광(癲癎發狂)、인후종통、구설생창、옹종정창(癰腫疔瘡)
- 사용주의: 임산부는 사용에 주의하고, 실열증(實熱證)이 아니면 복용을 금한다.

©mfds.go.kr

백두옹(白頭翁) **[소음인 약물]**

- 기원종: 할미꽃 또는 중국할미꽃(미나리아재비과 Ranunculaceae)
- 약용 부위: 뿌리
- 성미: 한 고(寒 苦)
- 귀경: 위 대장(胃 大腸)
- 효능: 청열해독(淸熱解毒)、양혈지리(涼血止痢)
- 주치: 열독혈리(熱毒血痢)、음양대하(陰痒帶下)、아메바성 이질
- 사용주의: 허한성(虛寒性)의 사리(瀉痢)에는 복용을 금한다. 특히 장기간 사용하면 소화기능을 저하하므로 주의

한다.

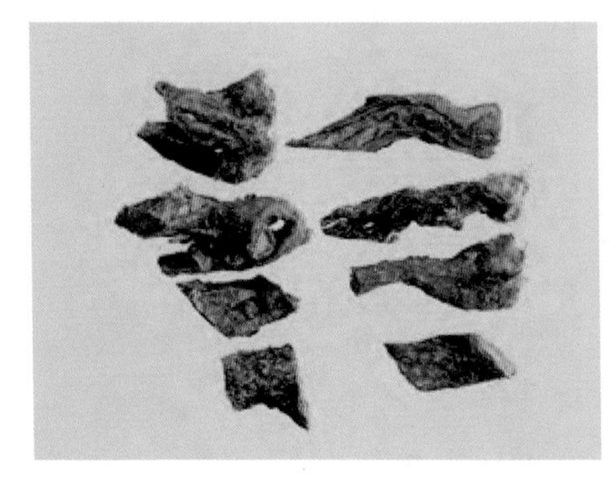

©mfds.go.kr ©mfds.go.kr

패장(敗醬)

- 기원종: 뚝갈 또는 마타리(마타리과 Valerianaceae)
- 약용 부위: 뿌리
- 성미: 미한 신고(微寒 辛苦)
- 귀경: 간 위 대장(肝 胃 大腸)
- 효능: 청열해독(淸熱解毒)、소종배농(消腫排膿)、거어지통(祛瘀止痛)
- 주치: 장옹(腸癰)、하리(下痢)、적백대하(赤白帶下)、산후어체복통(産後瘀滯腹痛)、목적종통(目赤腫痛)、옹종개선(癰腫疥癬)
- 사용주의: 활혈산어(活血散瘀)하므로 실열(實熱)이나 어혈(瘀血)이 없는 경우나 혹은 비위허약(脾胃虛弱)으로 인한 설사, 식욕부진 및 허한하탈자(虛寒下脫者)는 복용을 금한다.

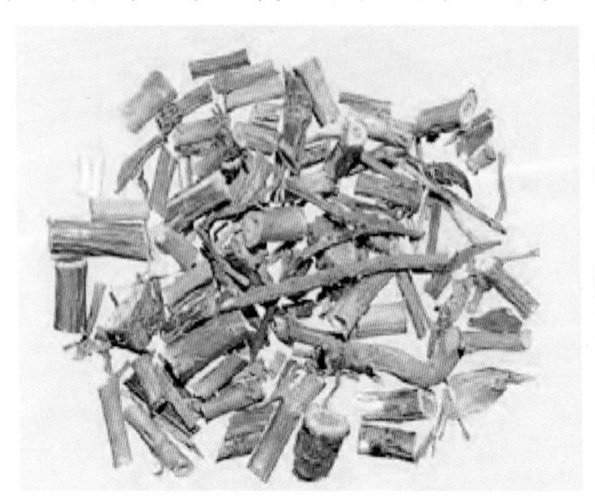

©mfds.go.kr ©dgom.daegu.go.kr

백화사설초(白花蛇舌草)

- 기원종: 백운풀(꼭두서니과 Rubiaceae)
- 약용 부위: 전초
- 성미: 한 미고감(寒 微苦甘)
- 귀경: 위 대장 소장(胃 大腸 小腸)
- 효능: 청열이습(淸熱利濕)、해독소옹(解毒消癰)
- 주치: 폐열천해(肺熱喘咳)、편도선염、인후염、장옹(腸癰)、이질、황달、골반염、자궁부속기염、옹종정창(癰腫疔瘡)、독

사교상
- 사용주의: 임산부는 복용을 금한다.

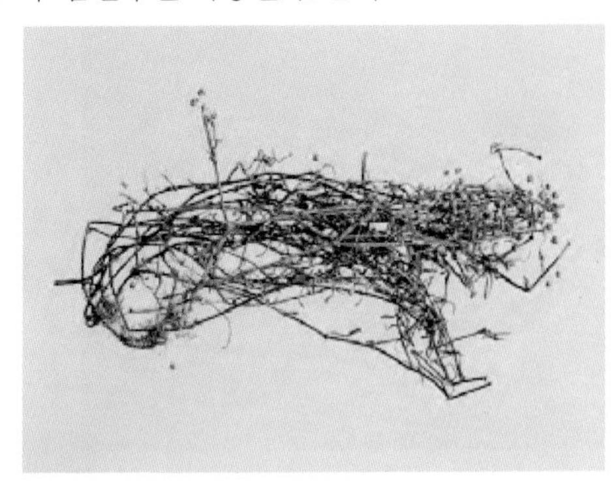

ⓒmfds.go.kr ⓒen.wikipedia.org

웅담(熊膽) **[태음인 약물]**
- 기원종: 불곰 또는 기타 근연동물(곰과 Ursidae)
- 약용 부위: 담즙을 말린 것
- 성미: 한 고(寒 苦)
- 귀경: 심 간 담(心 肝 膽)
- 효능: 청열해독(淸熱解毒)、지경(止痙)、명목(明目)
- 주치: 경풍、전간、추축、목적종통(目赤腫痛)、수명(羞明)、예장(翳障)、창옹종통(瘡癰腫痛)、치창종통(痔瘡腫痛)、인후종통
- 사용주의: 허한자(虛寒者)는 복용을 금한다.

ⓒmfds.go.kr

산자고(山慈姑)
- 기원종: 약난초, 독산란(獨蒜蘭) 또는 운남독산란(雲南獨蒜蘭) (난초과 Orchidaceae)
- 약용 부위: 헛비늘줄기
- 성미: 양 감미신(凉 甘微辛)
- 귀경: 간 비(肝 脾)
- 효능: 청열해독(淸熱解毒)、화담산결(化痰散結)

- 주치: 옹종정독(癰腫疔毒)、나력담핵(瘰癧痰核)、임파결핵、사충교상(蛇蟲咬傷)
- 사용주의: 정기(正氣)가 허약한 자는 복용을 금한다.

©mfds.go.kr ©mfds.go.kr

감국(甘菊)

- 기원종: 감국(국화과 Compositae)
- 약용 부위: 꽃
- 성미: 미한 고신(微寒 苦辛)
- 귀경: 간 심(肝 心)
- 효능: 청열해독(淸熱解毒)、산풍청열(散風淸熱)、평간명목(平肝明目)
- 주치: 정창옹종(疔瘡癰腫)、목적종통(目赤腫痛)、두통현훈、풍열감모、안목혼화(眼目昏花)
- 사용주의: 기허위한(氣虛胃寒)으로 식욕이 없고 설사하면 금한다.

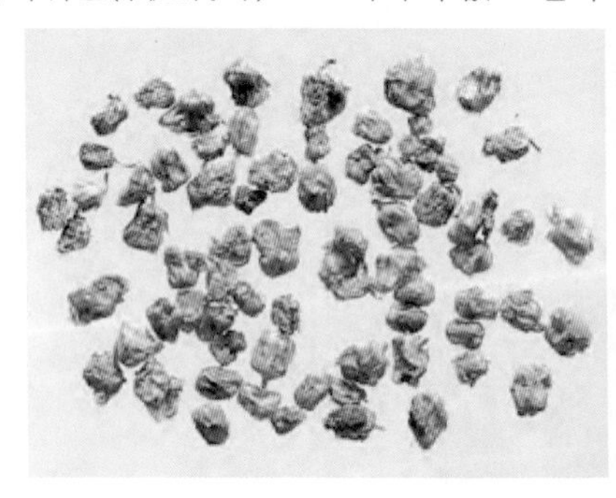

©mfds.go.kr ©mfds.go.kr

인동(忍冬) [소양인 약물]

- 기원종: 인동덩굴(인동과 Caprifoliaceae)
- 약용 부위: 잎 및 덩굴줄기
- 성미: 한 감(寒 甘)
- 귀경: 폐 위(肺 胃)
- 효능: 청열해독(淸熱解毒)、소풍통락(疏風通絡)
- 주치: 온병발열(溫病發熱)、열독혈리(熱毒血痢)、옹종창양(癰腫瘡瘍)、풍습열비(風濕熱痺)、관절홍종열통(關節紅腫熱痛)
- 사용주의: 비위허한자(脾胃虛寒者)는 복용을 금한다.

©mfds.go.kr

©mfds.go.kr

어성초(魚腥草) [태음인 약물]

- 기원종: 약모밀(삼백초과 Saururaceae)
- 약용 부위: 지상부
- 성미: 미한 신(微寒 辛)
- 귀경: 폐(肺)
- 효능: 청열해독(清熱解毒), 소옹배농(消癰排膿), 이뇨통림(利尿通淋)
- 주치: 간옹토농(肝癰吐膿), 담열천해(痰熱喘咳), 열리(熱痢), 열림(熱淋), 옹종창독(癰腫瘡毒)
- 사용주의: 허한증(虛寒證)과 음성 외양(陰性 外瘍)에는 복용을 금한다.

©mfds.go.kr

©mfds.go.kr

사간(射干)

- 기원종: 범부채(붓꽃과 Iridaceae)
- 약용 부위: 뿌리줄기
- 성미: 한 고(寒 苦)
- 귀경: 폐(肺)
- 효능: 청열해독(清熱解毒), 소담(消痰), 이인(利咽)
- 주치: 열독담화울결(熱毒痰火鬱結), 인후종통, 담연옹성(痰涎壅盛), 해수기단(咳嗽氣短)
- 사용주의: 성질이 강(降)하므로 실화(實火)가 아니거나 비허설사자(脾虛泄瀉者)나 임산부는 금한다. 또한, 장기간 복용하면 허약한 사람의 경우 설사하기 쉬우므로 사용에 주의한다.

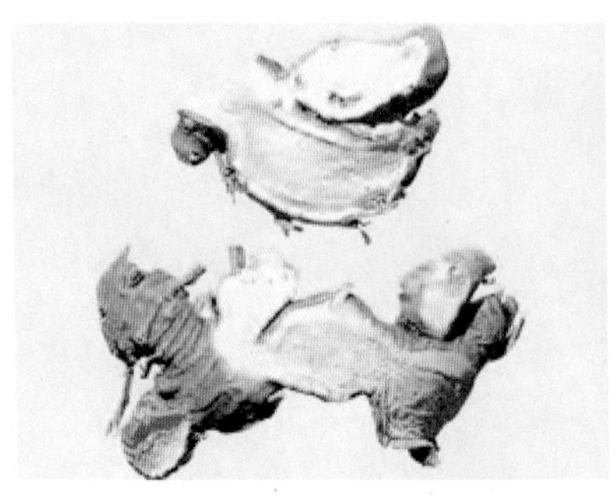

©mfds.go.kr ©mfds.go.kr

산두근(山豆根)

- 기원종: 월남괴(越南槐) (콩과 Leguminosae)
- 약용 부위: 뿌리 및 땅속줄기
- 성미: 한 고(寒 苦)
- 귀경: 폐 위(肺 胃)
- 효능: 청열해독(淸熱解毒)、소종이인(消腫利咽)
- 주치: 화독온결(火毒蘊結)、인후종통、치은종통
- 사용주의: 비위(脾胃)가 허한(虛寒)하여 식소하리(食少下痢)하는 자는 복용을 금하며, 후증(喉證)이 허화(虛火)와 풍한(風寒)에 속한 자와 비허변당자(脾虛便溏者)는 마땅히 사용하지 말아야 한다.

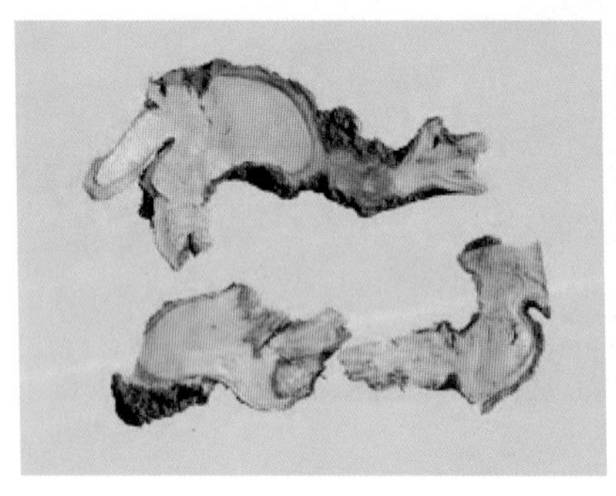

©mfds.go.kr ©mfds.go.kr

청호(靑蒿) **[소양인 약물]**

- 기원종: 개똥쑥 또는 개사철쑥(국화과 Compositae)
- 약용 부위: 지상부
- 성미: 한 고신(寒 苦辛)
- 귀경: 간 담(肝 膽)
- 효능: 청열해서(淸熱解暑)、제증(除蒸)、절학(截瘧)
- 주치: 서사발열(暑邪發熱)、음허발열、야열조량(夜熱早凉)、골증노열、학질한열(瘧疾寒熱)、습열황달
- 사용주의: 산후에 혈허(血虛)나 내상(內傷)으로 인한 설사와 식욕부진에는 복용을 금한다.

©mfds.go.kr ©mfds.go.kr

백미(白薇) **[태음인 약물]**

- 기원종: 백미꽃 또는 만생백미(蔓生白薇) (박주가리과 Asclepiadaceae)
- 약용 부위: 뿌리 및 뿌리줄기
- 성미: 한 고함(寒 苦鹹)
- 귀경: 위 간 신(胃 肝 腎)
- 효능: 청열양혈(淸熱凉血), 이뇨통림(利尿通淋), 해독요창(解毒療瘡)
- 주치: 온사상영(溫邪傷營)의 발열, 음허발열(陰虛發熱), 골증노열(骨蒸勞熱), 산후혈허발열(産後血虛發熱), 열림(熱淋), 혈림(血淋), 옹저종독(癰疽腫毒)
- 사용주의: 상한(傷寒)과 유행성 발병의 경우에 혈분(血分)에 열이 없거나, 발한 과다로 망양(亡陽), 비위허한(脾胃虛寒)으로 식소변당자(食少便溏者) 등은 복용을 금한다.

©mfds.go.kr ©mfds.go.kr

지골피(地骨皮) **[소양인 약물]**

- 기원종: 구기자나무 또는 영하구기(寧夏枸杞) (가지과 Solanaceae)
- 약용 부위: 뿌리껍질
- 성미: 한 감(寒 甘)
- 귀경: 폐 간 신(肺 肝 腎)
- 효능: 양혈제증(凉血除蒸), 청폐강화(淸肺降火)
- 주치: 음허조열(陰虛潮熱), 골증도한(骨蒸盜汗), 폐열해수(肺熱咳嗽), 객혈(喀血), 육혈(衄血), 내열소갈(內熱消渴)
- 사용주의: 외감풍한의 발열과 비위허한(脾胃虛寒)인 경우는 금한다. 또한 허로화왕(虛勞火旺)이나 비위허약(脾胃虛弱)으로 식욕이 부진하고 수양성 하리(水樣性 下痢)에는 양을 줄여야 하며, 가열(假熱)인 경우에는 복용을

금한다.

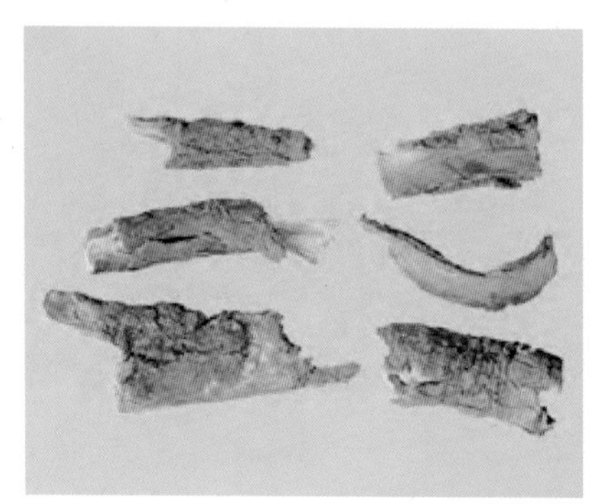

©mfds.go.kr ©dgom.daegu.go.kr

호황련(胡黃連) [소양인 약물]

- 기원종: 호황련(胡黃蓮) 또는 서장호황련(西藏胡黃蓮) (현삼과 Scrophulariae)
- 약용 부위: 땅속줄기
- 성미: 한 고(寒 苦)
- 귀경: 간 위 대장(肝 胃 大腸)
- 효능: 퇴허열(退虛熱)、제감열(除疳熱)、청습열(淸濕熱)
- 주치: 음허골증(陰虛骨蒸)、조열도한(潮熱盜汗)、소아감적(小兒疳積)、소화불량、복창체수(腹脹體瘦)、하리(下痢)、발열、습열사리(濕熱瀉痢)、황달、치질
- 사용주의: 비위(脾胃)가 허한(虛寒)한 자는 복용을 금한다.

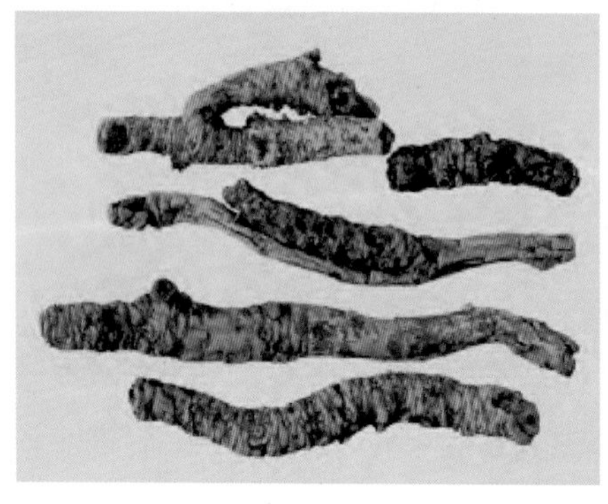

©mfds.go.kr ©dgom.daegu.go.kr

3. 사하약(瀉下藥)

사하통변(瀉下通便)시키는 작용을 함으로써 변비와 기타 위장의 적체(積滯)、수음내정(水飮內停) 등 이실증(裏實症)을 치료하는 약물을 사하약이라고 한다.

사하약은 대변을 통리(通利)시키고 적체(積滯) 수음(水飮)이나 기타 유해물질을 배제시킨다. 위장적체(胃腸積滯)、실열내결(實熱內結)、수종정음(水腫停飮) 등 이실증(裏實證)에 적용된다.

약력(藥力)이 비교적 준맹(峻猛)하거나 독성이 있는 약물은 병에 들어맞으면 바로 복약을 멈추어야 한다. 노인, 허약자, 여성의 월경기, 태전산후(胎前産後)에는 사용을 피하거나 주의해야 한다.

대황(大黃) [태음인 약물]

- 기원종: 장엽대황(掌葉大黃), 탕구트대황 또는 약용대황(藥用大黃) (마디풀과 Polygonaceae)
- 약용 부위: 뿌리 및 땅속줄기로서 주피를 제거한 것
- 성미: 한 고(寒 苦)
- 귀경: 비 위 대장 간 심포(脾 胃 大腸 肝 心包)
- 효능: 사열통장(瀉熱通腸), 양혈해독(凉血解毒), 축어통경(逐瘀通經)
- 주치: 실열변비(實熱便秘), 적체복통(積滯腹痛), 사리불상(瀉痢不爽), 습열황달(濕熱黃疸), 혈열토뉵(血熱吐衄), 목적(目赤), 인종(咽腫), 장옹복통(腸癰腹痛), 옹종정창(癰腫疔瘡), 어혈경폐(瘀血經閉), 질타손상(跌打損傷), 상부 소화관 출혈, [외치] 수화탕상(水火燙傷)
- 사용주의: 표증미해자(表證未解者), 혈허기약(血虛氣弱), 비위허한(脾胃虛寒), 무실열적체자(無實熱積滯者) 및 태전산후(胎前産後)에는 복용을 금한다.

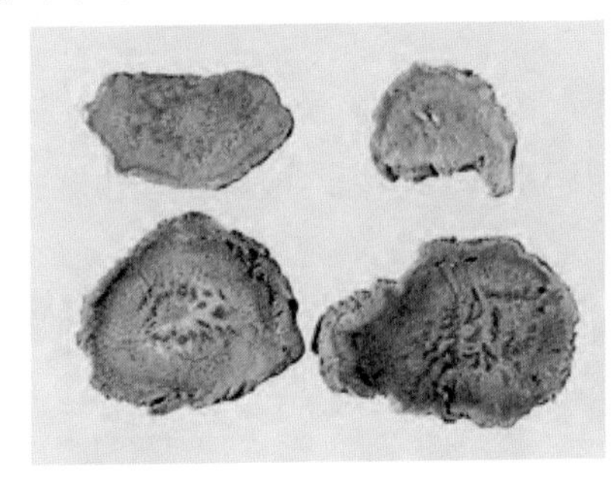
ⓒmfds.go.kr

ⓒkiom.re.kr

망초(芒硝) [소양인 약물]

- 기원: 황산염광물 망초를 정제한 것. 주로 황산나트륨 수화물 ($Na_2SO_4 \cdot 10H_2O$)을 함유한다.
- 성미: 한 함고(寒 鹹苦)
- 귀경: 위 대장(胃 大腸)
- 효능: 사열통변(瀉熱通便), 윤조연견(潤燥軟堅), 청화소종(淸火消腫)
- 주치: 실열변비, 대변조결, 적체복통, 장옹종통(腸癰腫痛), [외치] 유옹(乳癰), 치창종통(痔瘡腫痛)
- 사용주의: 삼릉(三棱)을 외(畏)하고 유황(硫黃)을 오(惡)한다. 비위허한자(脾胃虛寒者)와 임신부는 금한다.

©mfds.go.kr

노회(蘆薈) **[소양인 약물]**

- 기원종: 알로에 베라, 희망봉 알로에, 아프리카 알로에 또는 스피카타 알로에(백합과 Lilliaceae)
- 약용 부위: 잎에서 얻은 액즙(液汁)을 건조한 것
- 성미: 한 고(寒 苦)
- 귀경: 간 위 대장(肝 胃 大腸)
- 효능: 사하(瀉下), 청간열(淸肝熱), 살충(殺蟲)
- 주치: 열결변비, 경폐(經閉), 소아경간(小兒驚癎), 소아 경풍, 감적(疳積), 충적(蟲積), 습선(濕癬), 치루(痔瘻), 위축성 비염, 나력
- 사용주의: 사하(瀉下) 작용이 비교적 강하여 위기(胃氣)를 손상할 수 있으므로, 비위(脾胃)가 허한(虛寒)하고 식소변당자(食少便溏者)와 임산부는 복용을 금한다.

©mfds.go.kr

©dgom.daegu.go.kr

욱리인(郁李仁)

- 기원종: 이스라지 또는 양이스라지나무(장미과 Rosaceae)
- 약용 부위: 씨
- 성미: 평 신고감(平 辛苦甘)
- 귀경: 비 대장 소장(脾 大腸 小腸)
- 효능: 윤조활장(潤燥滑腸), 하기(下氣), 이수(利水)
- 주치: 진고장조(津枯腸燥), 복창변비, 식적기체(食積氣滯), 소변불리, 대복수종(大腹水腫), 사지 부종, 각기
- 사용주의: 음허진액휴손자(陰虛津液虧損者)와 임산부는 사용에 주의하고, 대변부실자(大便不實者)는 복용을 금

한다.

ⓒdgom.daegu.go.kr ⓒdgom.daegu.go.kr

감수(甘遂) [소양인 약물]

- 기원종: 감수(甘遂) (대극과 Euphorbiaceae)
- 약용 부위: 코르크층을 벗긴 덩이뿌리
- 성미: 한 고(寒 苦)
- 귀경: 폐 신 대장(肺 腎 大腸)
- 효능: 사수축음(瀉水逐飮)、소종산결(消腫散結)
- 주치: 수종창만(水腫脹滿)、흉복적수(胸腹積水)、담음적취(痰飮積聚)、기역해천(氣逆咳喘)、이변불리(二便不利)、습열종독(濕熱腫毒)
- 사용주의: 기허(氣虛)、상음(傷陰)、비위쇠약자(脾胃衰弱者) 및 임산부는 복용을 금한다.

ⓒmfds.go.kr ⓒdgom.daegu.go.kr

대극(大戟) [소양인 약물]

- 기원종: 대극(대극과 Euphorbiaceae)
- 약용 부위: 뿌리
- 성미: 한 고(寒 苦)
- 귀경: 폐 비 신(肺 脾 腎)
- 효능: 사수축음(瀉水逐飮)
- 주치: 수종창만(水腫脹滿)、흉복적수(胸腹積水)、담음적취(痰飮積聚)、기역천해(氣逆喘咳)、이변불리(二便不利)
- 사용주의: 허한(虛寒)으로 인한 음수부종(陰水浮腫)이나 체약자(體弱者) 및 임산부는 복용을 금한다.

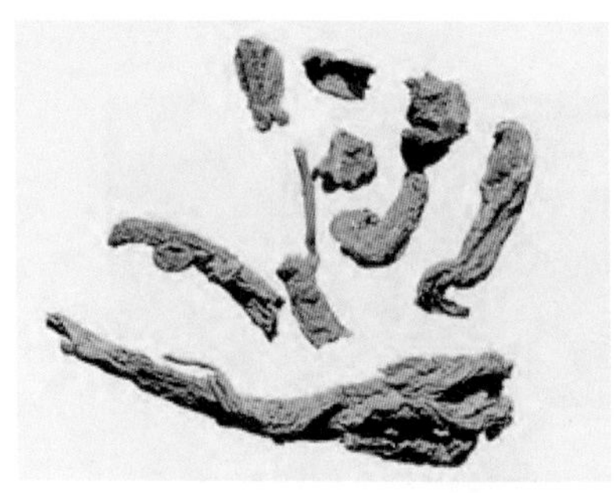

©mfds.go.kr ©mfds.go.kr

원화(芫花)

- 기원종: 팥꽃나무(팥꽃나무과 Thymeleaceae)
- 약용 부위: 꽃봉오리
- 성미: 온 고신(溫 苦辛)
- 귀경: 폐 비 신(肺 脾 腎)
- 효능: 사수축음(瀉水逐飮)、해독 살충
- 주치: 수종창만、흉복적수(胸腹積水)、담음적취、기역천해(氣逆喘咳)、이변불리、[외치] 개선독창(疥癬禿瘡)、동상
- 사용주의: 평소 허약한 자나 임산부는 복용을 금한다.

©herb.daegu.go.kr ©mfds.go.kr

견우자(牽牛子)

- 기원종: 나팔꽃 또는 둥근잎나팔꽃(메꽃과 Convolvulaceae)
- 약용 부위: 잘 익은 씨
- 성미: 한 고(寒 苦)
- 귀경: 폐 신 대장(肺 腎 大腸)
- 효능: 사수통변(瀉水通便)、소담척음(消痰滌飮)、살충공적(殺蟲攻積)
- 주치: 수종창만(水腫脹滿)、이변불통、담음적취、기역해천、충적복통、회충、조충병(絛蟲病)
- 사용주의: 통사(通瀉)시키는 효능이 강력하여 신체가 건강하고 실사자(實邪者)가 아니면 마땅하지 않으며, 임산부는 복용을 금한다. 또한, 습열이 혈분에 있는 자와 기허자(氣虛者)가 비위허약(脾胃虛弱)으로 비만(痞滿)이 된 증상에는 복용을 금한다.

©dgom.daegu.go.kr ©dgom.daegu.go.kr

상륙(商陸)

- 기원종: 자리공 또는 미국자리공(상륙과 Phytolaccaceae)
- 약용 부위: 뿌리
- 성미: 한 고(寒 苦)
- 귀경: 폐 비 신 대장(肺 脾 腎 大腸)
- 효능: 축수소종(逐水消腫)、통리이변(通利二便)、해독산결(解毒散結)
- 주치: 수종창만(水腫脹滿)、이변불통、[외용] 옹종창독(癰腫瘡毒)
- 사용주의: 비허수종(脾虛水腫)과 위기허약자(胃氣虛弱者) 및 임산부는 복용을 금한다.

©mfds.go.kr ©mfds.go.kr

파두(巴豆) **[소음인 약물]**

- 기원종: 파두(巴豆) (대극과 Euphorbiaceae)
- 약용 부위: 씨
- 성미: 열 신(熱 辛)
- 귀경: 위 대장(胃 大腸)
- 효능: 준하적체(峻下積滯)、파징가(破癥瘕)、축수소종(逐水消腫)、할담이인(豁痰利咽)、살충、외용식창(外用蝕瘡)
- 주치: 한적변비(寒積便秘)、유식정체(乳食停滯)、하복수종(下腹水腫)、이변불통、후풍(喉風)、후비(喉痺)、[외용]악창개선(惡瘡疥癬)、우지(疣痣)
- 사용주의: 독성이 비교적 크고 사하(瀉下) 작용이 강력하므로 한실적체(寒實積滯)가 없는 자와 임산부 및 체약자는 복용을 금하여야 한다. 또한 견우자(牽牛子)와 함께 사용하여서는 안 된다.

©dgom.daegu.go.kr ©dgom.daegu.go.kr

4. 거풍습약(祛風濕藥)

풍한습사(風寒濕邪)를 제거하는 작용을 함으로써 풍습비증(風濕痺證)을 치료하는 약물을 거풍습약이라고 한다.

이에 속하는 약물은 대개 맵고 써서 기육, 경락, 근골에 머물러 있는 풍습사(風濕邪)를 제거하며, 풍습비통(風濕痺痛), 근맥구련(筋脈拘攣), 요슬산연(腰膝酸軟), 하지위약(下肢萎弱) 등에 주로 쓰인다.

비증(痺證)은 대개 만성 질병에 속하기 때문에 복용의 편리를 위하여 주제(酒劑) 혹은 환산제(丸散劑)로 만든다. 신온(辛溫)하고 성질이 조(燥)한 거풍습약(祛風濕藥)은 쉽게 음혈(陰血)을 상하기 때문에 음혈휴허자(陰血虧虛者)는 사용에 주의한다.

독활(獨活) **[소양인 약물]**

- 기원종: 독활(두릅나무과 Araliaceae)
- 약용 부위: 뿌리
- 성미: 미온 신고(微溫 辛苦)
- 귀경: 신 방광(腎 膀胱)
- 효능: 거풍제습(祛風除濕), 통비해표지통(通痺解表止痛)
- 주치: 풍한습비(風寒濕痺), 요슬동통, 관절굴신불리, 오한발열, 두통신통, 지체침중(肢體沈重)
- 사용주의: 성질이 신온(辛溫)하여 조산(燥散)하므로 음허혈조(陰虛血燥), 혈허발경(血虛發痙)과 혈허두통(血虛頭痛) 및 기혈양허(氣血兩虛)로 인한 편신동통(遍身疼痛)의 경우는 금한다.

©kiom.re.kr ©dgom.daegu.go.kr

위령선(威靈仙) [태음인 약물]

- 기원종: 으아리, 좁은 잎사위질빵 또는 중국 위령선(威靈仙) (미나리아재비과 Ranunculaceae)
- 약용 부위: 뿌리 및 땅속줄기
- 성미: 온 신함(溫 辛鹹)
- 귀경: 방광(膀胱)
- 효능: 거풍제습(祛風除濕), 통락지통(通絡止痛)
- 주치: 풍습비통(風濕痺痛), 지체마목, 근맥구련(筋脈拘攣), 굴신 불리, 골경인후(骨哽咽喉)
- 사용주의: 성질이 주찬(走竄)하여 기혈을 손상시키므로 오래 복용하거나 용량이 과다하면 정기(正氣)를 손상하기 쉬우며 체약자는 복용을 금한다.

ⓒmfds.go.kr ⓒmfds.go.kr

방기(防己) [소양인 약물]

- 기원종: 방기(새모래덩굴과 Menispermaceae)
- 약용 부위: 덩굴성 줄기 및 땅속줄기
- 성미: 한 고신(寒 苦辛)
- 귀경: 방광 신 비 폐(膀胱 腎 脾 肺)
- 효능: 거풍지통(祛風止痛), 이수소종(利水消腫)
- 주치: 풍습비통(風濕痺痛), 수종각기(水腫脚氣), 소변불리, 습진창독(濕疹瘡毒), 고혈압
- 사용주의: 고한(苦寒)한 성미(性味)를 가지고 있으므로 위약(胃弱), 음허자(陰虛者), 습열(濕熱)이 없는 자, 비위(脾胃)가 허한(虛寒)한 자는 복용을 금한다.

ⓒkiom.re.kr ⓒdgom.daegu.go.kr

진교(秦艽)

- 기원종: 진교, 마화진교, 조경진교 또는 소진교(용담과 Gentianaceae)
- 약용 부위: 뿌리
- 성미: 미한 고신(微寒 苦辛)
- 귀경: 위 간 담(胃 肝 膽)
- 효능: 거풍습(祛風濕)、지비통(止痺痛)、청허열(淸虛熱)、청습열(淸濕熱)
- 주치: 풍습비통(風濕痺痛)、근맥구련、골절산통、일포조열(日晡潮熱)、소아감적발열(小兒疳積發熱)
- 사용주의: 구통허리자(久痛虛羸者)와 수다(溲多)、변활자(便滑者)는 복용을 금한다.

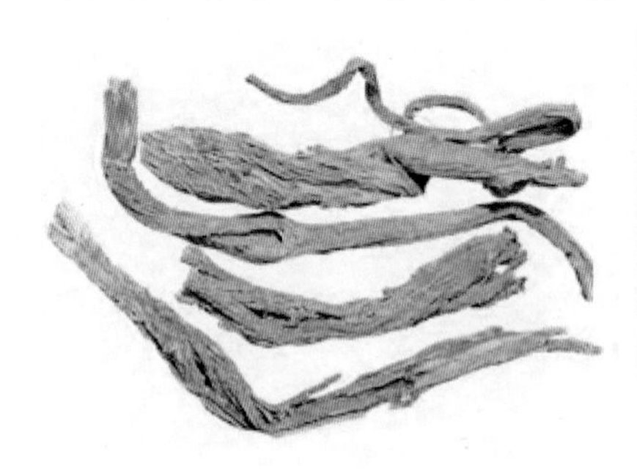

©mfds.go.kr ©dgom.daegu.go.kr

초오(草烏) **[소음인 약물]**

- 기원종: 이삭바꽃, 놋젓가락나물 또는 세잎돌쩌귀(미나리아재비과 Ranunculaceae)
- 약용 부위: 덩이뿌리
- 성미: 열 신고(熱 辛苦)
- 귀경: 심 간 신 비(心 肝 腎 脾)
- 효능: 거풍제습(祛風除濕)、온경지통(溫經止痛)
- 주치: 풍한습비(風寒濕痺)、관절동통、심복냉통、한산작통(寒疝作痛)、마취지통(痲醉止痛)
- 사용주의: 성질이 신열(辛熱)하여 준렬(峻烈)하고 독성이 강하므로 날로 내복하여서는 안 되며, 허약인、임산부 및 음허양성(陰虛陽盛)의 경우와 열증(熱證)에는 금하며, 백급(白芨)、패모(貝母)、반하(半夏)、백렴(白蘞)、과루실(瓜蔞實)、서각(犀角) 등을 반(反)한다.

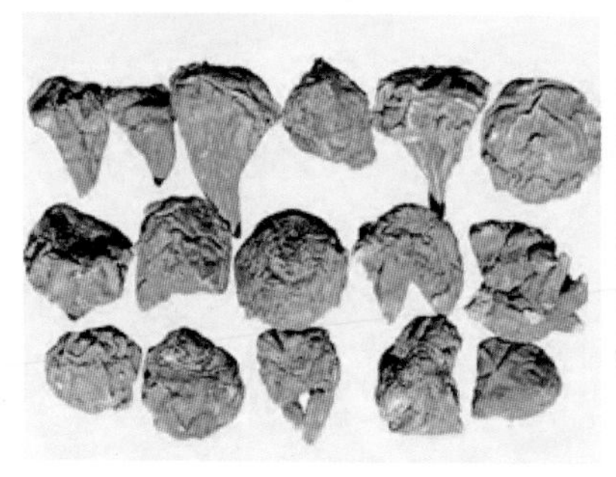

©mfds.go.kr ©dgom.daegu.go.kr

목과(木瓜) [태양인 약물]

- 기원종: 모과나무 또는 명자꽃(장미과 Rosaceae)
- 약용 부위: 잘 익은 열매
- 성미: 온 산(溫 酸)
- 귀경: 간 비(肝 脾)
- 효능: 서근활락(舒筋活絡), 화위화습(和胃化濕)
- 주치: 습비구련(濕痹拘攣), 요슬관절산중동통, 토사전근(吐瀉轉筋), 각기수종(脚氣水腫)
- 사용주의: 많이 먹으면 치아와 뼈가 손상되며, 빈혈이나 진음(眞陰)이 부족하여 하반신요슬(下半身腰膝)이 무력하거나, 식상(食傷)으로 비위(脾胃)가 쇠약하고 복내(腹內)에 적체(積滯)가 있어 변비가 있는 자는 복용을 금한다. 음허(陰虛) 요슬무력자(腰膝無力者)는 금한다.

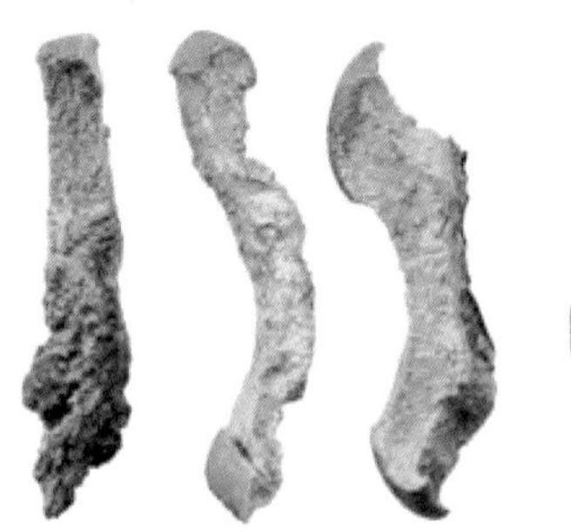

ⓒkiom.re.kr ⓒdgom.daegu.go.kr

상지(桑枝) [태음인 약물]

- 기원종: 뽕나무 또는 기타 동속 근연식물(뽕나무과 Moraceae)
- 약용 부위: 어린 가지
- 성미: 평 고(平 苦)
- 귀경: 간(肝)
- 효능: 거풍습(祛風濕), 이관절(利關節)
- 주치: 풍습비통(風濕痺痛), 사지구련(四肢拘攣), 견비·관절산통마목(肩臂·關節酸痛麻木), 수종
- 사용주의: 신체허약자는 복용을 금한다.

ⓒkiom.re.kr ⓒkiom.re.kr

백화사(白花蛇)

- 기원종: 오보사(五步蛇) (살모사과 Viperidae)
- 약용 부위: 내장을 뺀 몸체
- 성미: 온 감함(溫 甘鹹)
- 귀경: 간(肝)
- 효능: 거풍(祛風)、통락(通絡)、지경(止痙)
- 주치: 풍습완비(風濕頑痺)、마목구련(麻木拘攣)、중풍 구안와사、반신불수、추축경련、파상풍증、마풍개선(麻風疥癬)
- 사용주의: 음허내열자(陰虛內熱者)와 유중풍(類中風)이 허(虛)에 속한 자는 복용을 금한다. 철기(鐵器)를 금한다.

©dgom.daegu.go.kr

희렴(豨薟)

- 기원종: 털진득찰 및 진득찰(국화과 Compositae)
- 약용 부위: 지상부
- 성미: 한 고(寒 苦)
- 귀경: 간 신(肝 腎)
- 효능: 거풍습(祛風濕)、통경락(通經絡)、이관절(利關節)、청열해독
- 주치: 풍습비통(風濕痺痛)、근골무력、요슬산연、사지마비、반신불수、풍진습창(風疹濕瘡)
- 사용주의: 음혈부족자(陰血不足者)는 복용을 금한다.

©mfds.go.kr

©mfds.go.kr

오가피(五加皮) [태양인 약물]

- 기원종: 오갈피나무 또는 기타 동속 식물(두릅나무과 Araliaceae)
- 약용 부위: 뿌리껍질 및 줄기 껍질
- 성미: 온 신고(溫 辛苦)
- 귀경: 간 신(肝 腎)
- 효능: 거풍습(祛風濕), 보간신(補肝腎), 강근골(强筋骨)
- 주치: 풍습비통(風濕痺痛), 근골위연(筋骨痿軟), 사지구련, 요슬산연, 소아 행동발달 장애, 체허핍력(體虛乏力), 수종, 각기
- 사용주의: 음허화왕자(陰虛火旺者)는 복용을 금한다.

ⓒmfds.go.kr

ⓒdgom.daegu.go.kr

상기생(桑寄生) [태음인 약물]

- 기원종: 뽕나무 겨우살이 또는 상기생(桑寄生) (겨우살이과 Loranthaceae)
- 약용 부위: 잎, 줄기 및 가지
- 성미: 평 고감(平 苦甘)
- 귀경: 간 신(肝 腎)
- 효능: 보간신(補肝腎), 강근골(强筋骨), 거풍습(祛風濕), 안태원(安胎元)
- 주치: 풍습비통(風濕痺痛), 요슬산연, 근골무력, 붕루과다(崩漏過多), 태동불안, 고혈압
- 사용주의: 풍습(風濕)이 없는 자는 복용을 금한다.

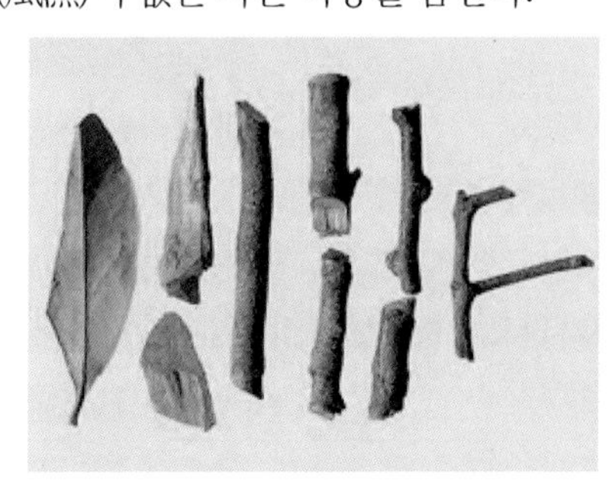
ⓒmfds.go.kr

ⓒdgom.daegu.go.kr

5. 화습약(化濕藥)

방향성(芳香性)이 있고 화습운비(化濕運脾)시키는 작용을 함으로써 습조중초증(濕阻中焦證)을 치료하는 약물로 쓰이는데, 화습약이라고 한다.

이에 속하는 약물은 신향온조(辛香溫燥)하여 비위경(脾胃經)으로 가며, 비위(脾胃)의 운화를 촉진시키고 습탁(濕濁)을 소제(消除)하기 때문에 습탁이 내조(內阻)하여 비(脾)가 습곤(濕困)으로 인해 운화를 실상하여 일으킨 완복비만(脘腹痞滿)、구토범산(嘔吐泛酸)、대변당박(大便溏薄)、식소체권(食少體倦)、구감다연(口甘多涎)、설태백니(舌苔白膩) 등 증에 적용된다.

이러한 약물들은 방향성(芳香性)이 있으므로 탕제를 달일 때 나중에 넣거나 오래 달이지 않는다. 신온향조(辛溫香燥)한 약물들은 기(氣)와 음(陰)을 쉽게 상하기 때문에 음허혈조(陰虛血燥)나 기허자(氣虛者)는 사용에 주의해야 한다.

창출(蒼朮) [소음인 약물]

- 기원종: 모창출(茅蒼朮) 또는 북창출(北蒼朮) (국화과 Compositae)
- 약용 부위: 땅속줄기
- 성미: 온 신고(溫 辛苦)
- 귀경: 비 위 간(脾 胃 肝)
- 효능: 조습건비(燥濕健脾)、거풍산한(祛風散寒)、명목(明目)
- 주치: 완복창만、설사、수종、각기위벽(脚氣痿躄)、풍습비통(風濕痺痛)、풍한감모、야맹
- 사용주의: 성질이 온조(溫燥)하여 음액을 손상되기 쉬우므로 음허내열자(陰虛內熱者)나 한다자(汗多者)는 복용을 금한다.

©kiom.re.kr

©kiom.re.kr

후박(厚朴) [소음인 약물]

- 기원종: 일본목련, 후박(厚朴)[17] 또는 요엽후박(凹葉厚朴) (목련과 Magnoliaceae)
- 약용 부위: 줄기 껍질
- 성미: 온 고신(溫 苦辛)

17) 우리나라에 자생하는 '후박나무'와는 전혀 다른 종이다.

- 귀경: 비 위 폐 대장(脾 胃 肺 大腸)
- 효능: 조습소담(燥濕消痰), 하기제만(下氣除滿)
- 주치: 습체상중(濕滯傷中), 완비토사(脘痞吐瀉), 식적기체(食積氣滯), 복창변비, 담음천해(痰飮喘咳)
- 사용주의: 고신온(苦辛溫)하므로 음허내열(陰虛內熱)하여 진액이 고갈된 자는 복용을 금한다.

©kiom.re.kr

©dgom.daegu.go.kr

곽향(藿香) [소음인 약물]

- 기원종: 배초향(꿀풀과 Labiatae)
- 약용 부위: 지상부
- 성미: 미온 신(微溫 辛)
- 귀경: 비 위 폐(脾 胃 肺)
- 효능: 방향화탁(芳香化濁), 개위지구(開胃止嘔), 발표해서(發表解暑)
- 주치: 습탁중조(濕濁中阻), 완비구토(脘痞嘔吐), 서습권태(暑濕倦怠), 흉민불서(胸悶不舒), 한습폐서(寒濕閉暑), 복통토사(腹痛吐瀉), 비연두통(鼻淵頭痛)
- 사용주의: 음허화왕자(陰虛火旺者)나 위약욕구(胃弱欲嘔) 및 위열작구자(胃熱作嘔者)는 복용을 금하고, 중초화성열극(中焦火盛熱極)이나 온병, 열병 또는 위가실사(胃家實邪)로 인한 작구작창자(作嘔作脹者)는 복용을 금한다.

©kiom.re.kr

©kiom.re.kr

사인(砂仁) [소음인 약물]

- 기원종: 녹각사(綠殼砂) 또는 양춘사(陽春砂) (생강과 Zingiberaceae)
- 약용 부위: 잘 익은 열매 또는 씨의 덩어리
- 성미: 온 신(溫 辛)
- 귀경: 비 위 신(脾 胃 腎)
- 효능: 화습개위(化濕開胃)、온비지사(溫脾止瀉)、이기안태(理氣安胎)
- 주치: 습탁중조(濕濁中阻)、완비불기(脘痞不飢)、비위허한、구토 설사、임신오조、태동불안
- 사용주의: 음허유열자(陰虛有熱者)는 복용을 금하고, 복통이 화(火)에 속한 자、서열(暑熱)로 인한 설사자、태동이 혈열(血熱)로 인한 자는 복용하여서는 안 된다.

©dgom.daegu.go.kr

©dgom.daegu.go.kr

백두구(白豆蔻) [소음인 약물]

- 기원종: 백두구 또는 자바백두구(생강과 Zingiberaceae)
- 약용 부위: 잘 익은 열매
- 성미: 온 신(溫 辛)
- 귀경: 폐 비 위(肺 脾 胃)
- 효능: 화습소비(化濕消痞)、행기온중(行氣溫中)、개위소식(開胃消食)
- 주치: 습탁중조(濕濁中阻)、식욕부진、습온초기(濕溫初起)、흉민불기(胸悶不飢)、한습구역(寒濕嘔逆)、흉복창통(胸腹脹痛)、식적불소(食積不消)
- 사용주의: 성질이 신조(辛燥)하여 조열모기(燥熱耗氣)하므로 화승작구자(火升作嘔者)、음허혈조자(陰虛血燥者)、열복통자(熱腹痛者)는 복용을 금한다.

©dgom.daegu.go.kr

©dgom.daegu.go.kr

초두구(草豆蔻) **[소음인 약물]**

- 기원종: 초두구(생강과 Zingiberaceae)
- 약용 부위: 씨로서 열매껍질을 제거한 것
- 성미: 온 신(溫 辛)
- 귀경: 비 위(脾 胃)
- 효능: 조습건비(燥濕健脾), 온위지구(溫胃止嘔)
- 주치: 한습내조(寒濕內阻), 완복창만냉통, 애기구역(噯氣嘔逆), 식욕부진
- 사용주의: 온조상음(溫燥傷陰)하므로 음허혈소자(陰虛血少者)와 진액부족자(津液不足者) 및 무한습자(無寒濕者)는 복용을 금한다.

©drug.kr ©dgom.daegu.go.kr

패란(佩蘭)

- 기원종: 벌등골나물(국화과 Compositae)
- 약용 부위: 지상부
- 성미: 평 신(平 辛)
- 귀경: 비 위 폐(脾 胃 肺)
- 효능: 방향화습(芳香化濕), 성비개위(醒脾開胃), 발표해서(發表解暑)
- 주치: 습탁중조(濕濁中阻)로 인한 완비구오(脘痞嘔惡), 구중첨니(口中甛膩), 구취, 다연(多涎), 서습표증(暑濕表證)의 두창흉민(頭脹胸悶)
- 사용주의: 음허(陰虛)와 기허증(氣虛證)이 있는 자와 위기(胃氣)가 허한 자는 복용을 금한다.

©mfds.go.kr ©dgom.daegu.go.kr

6. 이수삼습약(利水滲濕藥)

수도(水道)를 통리(通利)시키고 수습을 삼설(滲泄)시키는 작용을 함으로써 수습내정병증(水濕內停病證)을 치료하는 약물로 쓰이는데, 이수삼습약이라고 한다.

이에 속하는 약물들은 대개 감담(甘淡)하고, 주로 방광경(膀胱經)과 소장경(小腸經)으로 귀경하며, 이수소종(利水消腫)、이뇨통림(利尿通淋)、이습퇴황(利濕退黃) 등의 효능을 가지고 있다. 주로 소변불리、수종、설사、담음、임증(淋證)、황달、습창(濕瘡)、대하、습열로 인한 각종 병증에 쓰인다.

이수삼습약은 진액을 쉽게 상하게 하므로 음휴진소(陰虧津少)、신허유정유뇨자(腎虛遺精遺尿者)는 사용에 주의하거나 피해야 한다. 일부 약물들은 비교적 강한 통리(通利)작용을 가지고 있으므로 임신부는 사용에 주의해야 한다.

복령(茯苓) [소양인 약물]

- 기원종: 복령(구멍장이버섯과 Polyporaceae)
- 약용 부위: 균핵
- 성미: 평 감담(平 甘淡)
- 귀경: 심 폐 비 신(心 肺 脾 腎)
- 효능: 이수삼습(利水滲濕)、건비영심(健脾寧心)
- 주치: 수종뇨소(水腫尿少)、담음현계(痰飮眩悸)、비허식소(脾虛食少)、변당설사、심신불안、경계실면(驚悸失眠)
- 사용주의: 복령(茯苓)-허한(虛寒)으로 인한 유정(遺精)이나, 기허하함(氣虛下陷)으로 인한 요의빈삭(尿意頻數)에는 복용을 금한다. 적복령(赤茯苓)-허한(虛寒)으로 인한 정활(精滑)과 비위허한자(脾胃虛寒者)는 복용을 금한다. 복신(茯神)-신허(腎虛)하여 소변이 자리(自利)한 자와 허한정활자(虛寒精滑者)는 복용을 금한다. 복령피(茯苓皮)-수다허종자(溲多虛腫者)는 복용을 금한다.

©kiom.re.kr ©dgom.daegu.go.kr

저령(猪苓) [소양인 약물]

- 기원종: 저령(구멍장이버섯과 Polyporaceae)
- 약용 부위: 균핵
- 성미: 평 감담(平 甘淡)
- 귀경: 신 방광(腎 膀胱)
- 효능: 이수삼습(利水滲濕)
- 주치: 소변불리、수종、설사、임탁(淋濁)、대하

- 사용주의: 수습이 없는 자는 복용을 금한다.

©kiom.re.kr

©kiom.re.kr

택사(澤瀉) [소양인 약물]

- 기원종: 질경이택사(택사과 Alismataceae)
- 약용 부위: 덩이줄기로서 잔뿌리와 주피를 제거한 것
- 성미: 한 감(寒 甘)
- 귀경: 신 방광(腎 膀胱)
- 효능: 이소변(利小便), 청습열(淸濕熱)
- 주치: 소변불리, 수종창만(水腫脹滿), 설사뇨소, 담음현훈, 열림삽통(熱淋澁痛), 고지혈증
- 사용주의: 신허정활자(腎虛精滑者)와 임병(淋病)과 수종이 신허(腎虛)로 인한 자는 복용을 금한다.

©dgom.daegu.go.kr

©dgom.daegu.go.kr

의이인(薏苡仁) [태음인 약물]

- 기원종: 율무(벼과 Gramineae)
- 약용 부위: 잘 익은 씨
- 성미: 량 감담(凉 甘淡)
- 귀경: 비 위 폐(脾 胃 肺)
- 효능: 건비삼습(健脾滲濕), 제비지사(除痺止瀉), 청열배농(淸熱排膿)
- 주치: 수종, 각기, 소변불리, 습비구련(濕痺拘攣), 비허설사(脾虛泄瀉), 폐옹(肺癰), 장옹(腸癰), 편평우(扁平疣)
- 사용주의: 대변조결자(大便燥結者)와 소변단소 및 한(寒)으로 인한 전근(轉筋), 비허무습자(脾虛無濕者)는 복용을 금하고, 임산부도 복용을 금한다.

©dgom.daegu.go.kr ©dgom.daegu.go.kr

옥미수(玉米鬚)

- 기원종: 옥수수(벼과 Gramineae)
- 약용 부위: 암술대와 암술머리
- 성미: 평 감(平 甘)
- 귀경: 간 담 방광(肝 膽 膀胱)
- 효능: 이뇨퇴종(利尿退腫), 이담퇴황(利膽退黃), 강혈압(降血壓), 지혈
- 주치: 신염수종(腎炎水腫), 각기, 황달성 간염, 담낭염, 담결석, 당뇨병, 토혈, 육혈, 고혈압, 비염, 유옹(乳癰)
- 사용주의: 허한성(虛寒性)으로 인한 요의빈삭(尿意頻數)에는 복용을 금한다.

©dgom.daegu.go.kr ©dgom.daegu.go.kr

차전자(車前子) **[소양인 약물]**

- 기원종: 질경이 또는 털질경이(질경이과 Plantaginaceae)
- 약용 부위: 잘 익은 씨
- 성미: 미한 감(微寒 甘)
- 귀경: 간 신 폐 소장(肝 腎 肺 小腸)
- 효능: 청열이뇨(淸熱利尿), 삼습통림(滲濕通淋), 명목(明目), 거담(祛痰)
- 주치: 수종창만(水腫脹滿), 열림삽통(熱淋澁痛), 서습설사(暑濕泄瀉), 목적종통(目赤腫痛), 담열해수(痰熱咳嗽)
- 사용주의: 내상노권(內傷勞倦)과 양기하함(陽氣下陷), 신허정활(腎虛精滑) 및 안에 습열이 없는 자는 복용을 금한다.

©dgom.daegu.go.kr

©dgom.daegu.go.kr

목통(木通) **[소양인 약물]**

- 기원종: 으름덩굴(으름덩굴과 Lardizabalaceae)
- 약용 부위: 줄기로서 주피를 제거한 것
- 성미: 한 고(寒 苦)
- 귀경: 심 소장 방광(心 小腸 膀胱)
- 효능: 청열이뇨(淸熱利尿), 통리혈맥(通利血脈)
- 주치: 소변단적(小便短赤), 임탁(淋濁), 수종, 흉중번열(胸中煩熱), 인후동통, 구설생창, 풍습비통(風濕痺痛), 유즙불통(乳汁不通), 경폐, 통경
- 사용주의: 설강통리(泄降通利)작용이 강하므로 임산부나 비위(脾胃)가 허한(虛寒)하며 안에 습열(濕熱)이 없는 자와 진휴기약(津虧氣弱)으로 인한 정활(精滑), 요의빈삭자(尿意頻數者) 및 임산부는 복용을 금한다.

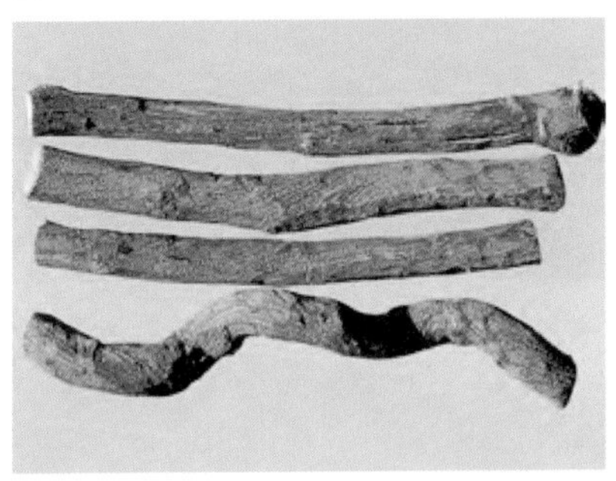

©mfds.go.kr

©mfds.go.kr

활석(滑石) **[소양인 약물]**

- 기원: 천연의 함수 규산마그네슘이며, 소량의 규산알루미늄을 함유하는 경우도 있다.
- 성미: 한 감담(寒 甘淡)
- 귀경: 방광 폐 위(膀胱 肺 胃)
- 효능: 이수통림(利水通淋), 청열해서(淸熱解暑), 거습염창(祛濕斂瘡)
- 주치: 열림(熱淋), 석림(石淋), 요열삽통(尿熱澁痛), 서습번갈(暑濕煩渴), 습열수사(濕熱水瀉), [외치] 습진, 습창(濕瘡), 땀띠
- 사용주의: 비위허약(脾胃虛弱), 열병진상(熱病津傷) 및 신허활정(腎虛滑精)에는 조심해서 사용해야 한다.

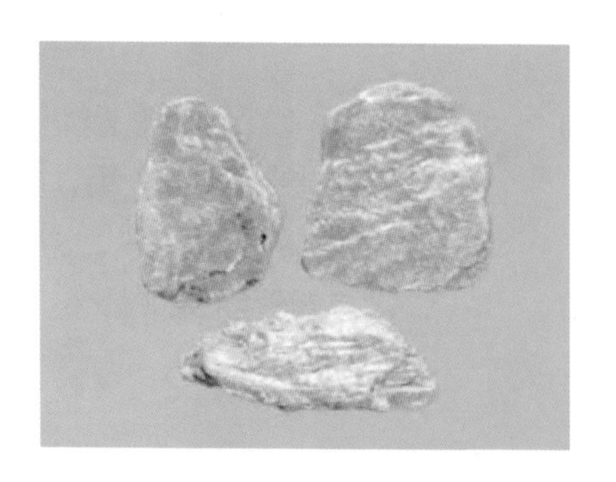

©mfds.go.kr

통초(通草) [소양인 약물]

- 기원종: 통탈목[18](두릅나무과 Araliaceae)
- 약용 부위: 줄기의 수(髓)
- 성미: 미한 감담(微寒 甘淡)
- 귀경: 폐 위(肺 胃)
- 효능: 청열이뇨(淸熱利尿)、통기하유(通氣下乳)
- 주치: 습열뇨적(濕熱尿赤)、임병삽통(淋病澁痛)、수종뇨소(水腫尿少)、유즙불하(乳汁不下)
- 사용주의: 기혈양허자(氣血兩虛者)와 안에 습열이 없는 자와 임산부는 복용을 금한다.

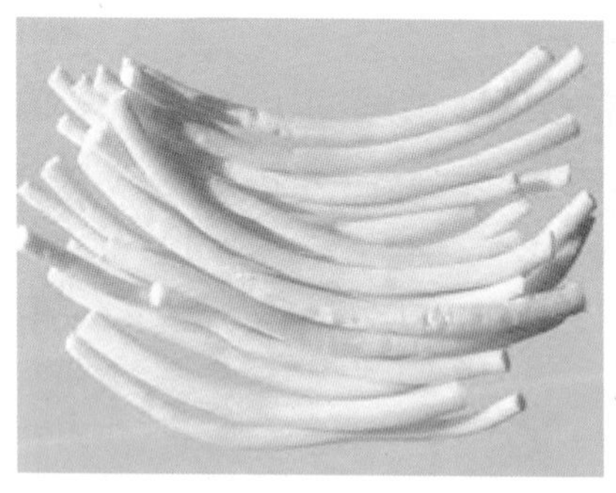

©mfds.go.kr ©mfds.go.kr

해금사(海金沙) [소양인 약물]

- 기원종: 실고사리(실고사리과 Schizaeaceae)
- 약용 부위: 포자
- 성미: 한 미함(寒 甘鹹)
- 귀경: 방광 소장(膀胱 小腸)
- 효능: 청리습열(淸利濕熱)、통림지통(通淋止痛)
- 주치: 열림(熱淋)、사림(砂淋)、석림(石淋)、혈림(血淋)、고림(膏淋)、요도삽통(尿道澁痛)
- 사용주의: 신(腎)의 진음부족(眞陰不足)으로 인한 소변불리와 제림(諸淋)의 경우에는 삼리(滲利)시켜 음(陰)이

18) 관목통(등칡)을 통초라는 이름으로 잘못 사용하는 경우가 많으므로 주의가 필요하다.

상하기 쉬우므로 복용을 금한다.

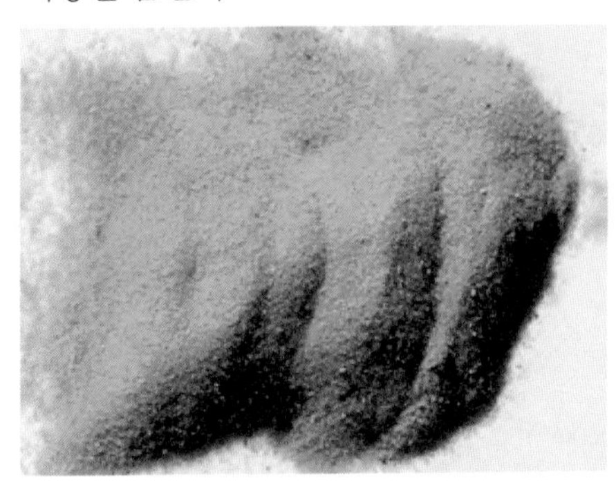
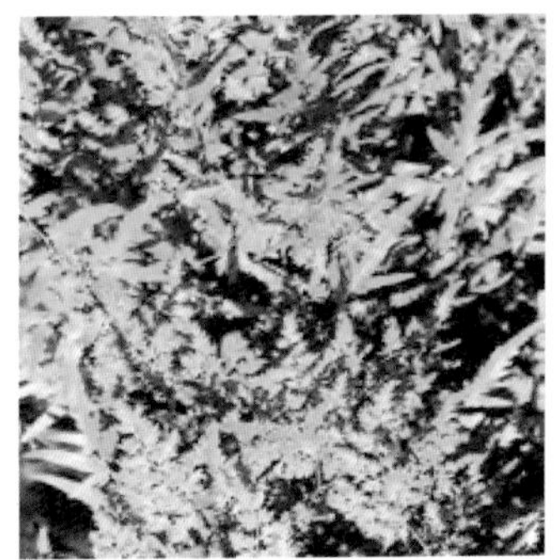

©mfds.go.kr ©dgom.daegu.go.kr

석위(石韋)
- 기원종: 석위, 애기석위 또는 세뿔석위(고란초과 Polypodiaceae)
- 약용 부위: 잎
- 성미: 미한 감고(微寒 甘苦)
- 귀경: 폐 방광(肺 膀胱)
- 효능: 이뇨통림(利尿通淋)、청폐화담(淸肺化痰)、지혈
- 주치: 열림(熱淋)、혈림(血淋)、석림(石淋)、소변불통、임력삽통(淋瀝澁痛)、토혈、육혈、요혈、붕루、폐열천해(肺熱喘咳)
- 사용주의: 음허자(陰虛者)와 습열이 없는 자는 복용을 금한다.

©mfds.go.kr ©mfds.go.kr

비해(萆薢)
- 기원종: 도코로마(마과 Dioscoreaceae)
- 약용 부위: 뿌리줄기
- 성미: 평 고(平 苦)
- 귀경: 간 위 방광(肝 胃 膀胱)
- 효능: 이습탁(利濕濁)、거풍습(祛風濕)
- 주치: 고림(膏淋)、백탁(白濁)、대하、창양(瘡瘍)、습진、풍습비통(風濕痺痛)
- 사용주의: 신허음휴자(腎虛陰虧者)와 하부에 습사(濕邪)가 없는 자는 복용을 금한다.

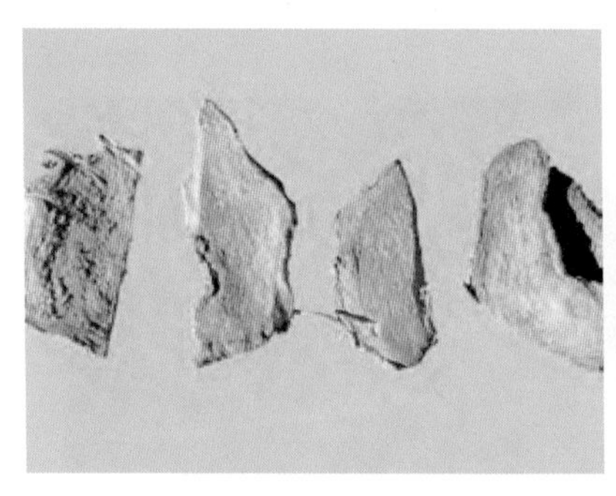

©mfds.go.kr ©mfds.go.kr

지부자(地膚子) [소양인 약물]

- 기원종: 댑싸리(명아주과 Chenopodiaceae)
- 약용 부위: 잘 익은 열매
- 성미: 한 신고(寒 辛苦)
- 귀경: 신 방광(腎 膀胱)
- 효능: 청열이습(淸熱利濕), 거풍지양(袪風止痒)
- 주치: 소변삽통(小便澁痛), 음양대하(陰痒帶下), 풍진(風疹), 습진, 피부소양
- 사용주의: 음허무습자(陰虛無濕者)와 소변이 과다하거나 임산부는 복용을 금한다.

©dgom.daegu.go.kr ©dgom.daegu.go.kr

편축(萹蓄)

- 기원종: 마디풀(마디풀과 Polygonaceae)
- 약용 부위: 전초
- 성미: 미한 고(微寒 苦)
- 귀경: 방광(膀胱)
- 효능: 이뇨통림(利尿通淋), 살충(殺蟲), 지양(止痒)
- 주치: 방광열림(膀胱熱淋), 소변난직, 임력삽통(淋瀝澁痛), 피부습진, 음양대하(陰痒帶下)
- 사용주의: 소변리자(小便利者)와 설사하는 자, 습열이 없는 자, 중허(中虛)로 인한 소변불리자(小便不利者)는 복용을 금한다.

ⓒmfds.go.kr ⓒmfds.go.kr

구맥(瞿麥) **[소양인 약물]**

- 기원종: 술패랭이꽃 또는 패랭이꽃(석죽과 Caryophyllaceae)
- 약용 부위: 지상부
- 성미: 한 고(寒 苦)
- 귀경: 심 소장(心 小腸)
- 효능: 이뇨통림(利尿通淋), 파혈통경(破血通經)
- 주치: 열림(熱淋), 혈림(血淋), 석림(石淋), 소변불통, 임력삽통(淋瀝澁痛), 경폐
- 사용주의: 비신기허자(脾腎氣虛者), 임신부는 사용을 금한다.

ⓒmfds.go.kr ⓒmfds.go.kr

인진호(茵蔯蒿) **[소음인 약물]**

- 기원종: 사철쑥(국화과 Compositae)
- 약용 부위: 지상부
- 성미: 미한 고신(微寒 苦辛)
- 귀경: 비 위 간 담(脾 胃 肝 膽)
- 효능: 청습열(淸濕熱), 퇴황달(退黃疸)
- 주치: 황달뇨소(黃疸尿少), 습창소양(濕瘡瘙痒), 전염성 황달형 간염
- 사용주의: 습열(濕熱)로 인하지 않은 황달과 축혈(蓄血)로 인한 황달에는 복용을 금한다.

ⓒmfds.go.kr ⓒmfds.go.kr

금전초(金錢草)

- 기원종: 과로황(過路黃) (앵초과 Primulaceae)
- 약용 부위: 전초
- 성미: 미한 감함(微寒 甘鹹)
- 귀경: 간 담 신 방광(肝 膽 腎 膀胱)
- 효능: 청열이습(清熱利濕)、통림(通淋)、소종(消腫)
- 주치: 열림(熱淋)、사림(沙淋)、요삽작통(尿澁作痛)、황달뇨적(黃疸尿赤)、옹종정창(癰腫疔瘡)、독사교상(毒蛇咬傷)、담결석、요로결석
- 사용주의: 음저제증(陰疽諸證)과 비허설사자(脾虛泄瀉者)는 복용을 금한다.

ⓒmfds.go.kr ⓒdgom.daegu.go.kr

7. 온리약(溫裏藥)

이한(裏寒)을 온산(溫散)시키는 작용을 함으로써 이한증(裏寒證)을 치료하는 약물로 쓰이는데, 온리약이라고 한다.

온리약의 성미는 신열(辛熱)하고 안으로는 장부(臟腑)로 가서 온리산한(溫裏散寒)을 위주로 하는데, 조양(助陽)과 회양(回陽)작용도 겸하고 있다. 이한증에 적용되며, 한사(寒邪)가 내침(內侵)하여 일으킨 중한복통(中寒腹痛)、구도 설사, 양기허쇠(陽氣虛衰)의 외한지랭(畏寒肢冷)、안색 창백、소변청장(小便清長)、사지궐랭、맥미욕절(脈微欲絕)의 망양증(亡陽證) 등을 치료한다. 온리약의 성미는 대개 신온조열(辛溫燥熱)하여 쉽게 상음동화(傷陰動火)하므로 열증(熱證)과 음허내열(陰虛內熱)의 경우에는 사용을 피해야 하며, 임신부는 사용에 주의해야 한다.

부자(附子) [소음인 약물]

- 기원종: 오두(烏頭) (미나리아재비과 Ranunculaceae)
- 약용 부위: 자근(子根)을 가공한 것
- 성미: 열 신감(熱 辛甘)
- 귀경: 심 비 신(心 脾 腎)
- 효능: 회양보화(回陽補火), 산한제습(散寒除濕)
- 주치: 음성격양(陰盛格陽), 대한망양(大汗亡陽), 토리궐역(吐痢厥逆), 심복냉통(心腹冷痛), 비설냉리(脾泄冷痢), 각기수종(脚氣水腫), 소아만경(小兒慢驚), 풍한습비(風寒濕痺), 위벽구련(踒躄拘攣), 음저창루(陰疽瘡漏), 일체의 침한고랭(沈寒痼冷)
- 사용주의: 신열(辛熱)하고 조열(燥烈)하므로 음허화왕(陰虛火旺), 진열가한(眞熱假寒), 임산부 등에 모두 금한다.

ⓒkiom.re.kr ⓒmfds.go.kr

천오(川烏) [소음인 약물]

- 기원종: 오두(烏頭) (미나리아재비과 Ranunculaceae)
- 약용 부위: 모근의 덩이뿌리
- 성미: 열 신(熱 辛)
- 귀경: 비 명문(脾 命門)
- 효능: 거한습(祛寒濕), 산풍사(散風邪), 온경(溫經), 지통(止痛)
- 주치: 풍한습비(風寒濕痺), 역절풍통(歷節風痛), 사지구련, 반신불수, 두풍두통, 심복냉통(心腹冷痛), 음저종독(陰疽腫毒)
- 사용주의: 음허양성(陰虛陽盛), 열증동통(熱證疼痛)과 임산부는 복용을 금한다.

ⓒkiom.re.kr ⓒdgom.daegu.go.kr

건강(乾薑) [소음인 약물]

- 기원종: 생강(생강과 Zingiberaceae)
- 약용 부위: 땅속줄기를 말린 것
- 성미: 열 신(熱 辛)
- 귀경: 비 위 폐(脾 胃 肺)
- 효능: 온중축한(溫中逐寒), 회양통맥(回陽通脈)
- 주치: 심복냉통(心腹冷痛), 토사, 지랭맥미(肢冷脈微), 한음천해(寒飮喘咳), 풍한습비(風寒濕痺), 양허토뉵(陽虛吐衄), 하혈
- 사용주의: 음허혈열자(陰虛血熱者)와 혈열망행자(血熱妄行者)는 복용을 금하고, 임산부는 사용에 주의한다.

ⓒdgom.daegu.go.kr ⓒdgom.daegu.go.kr

육계(肉桂) [소음인 약물]

- 기원종: 육계(肉桂) (녹나무과 Lauraceae)
- 약용 부위: 나무껍질로서 그대로 또는 주피를 약간 제거한 것
- 성미: 열 신감(熱 辛甘)
- 귀경: 신 비 방광(腎 脾 膀胱)
- 효능: 보원양(補元陽), 난비위(暖脾胃), 제적랭(除積冷), 통혈맥(通血脈)
- 주치: 명문화쇠(命門火衰), 지랭맥미(肢冷脈微), 망양허탈(亡陽虛脫), 복통 설사, 한산분돈(寒疝奔豚), 요슬냉통, 경폐징가(經閉癥瘕), 음저(陰疽), 유주(流注), 허양부월(虛陽浮越), 상열하한(上熱下寒)
- 사용주의: 음허양항(陰虛陽亢), 열병상진(熱病傷津) 등의 경우와 이실증(裏實證) 및 임산부는 모두 금한다.

©dgom.daegu.go.kr ©dgom.daegu.go.kr

오수유(吳茱萸) [소음인 약물]

- 기원종: 오수유(吳茱萸) 또는 그 변종(운향과 Rutaceae)
- 약용 부위: 거의 익은 열매
- 성미: 열 신고(熱 辛苦)
- 귀경: 간 비 위 신(肝 脾 胃 腎)
- 효능: 산한지통(散寒止痛)、강역지구(降逆止嘔)、조양지사(助陽止瀉)
- 주치: 궐음두통(厥陰頭痛)、한산복통(寒疝腹痛)、한습각기(寒濕脚氣)、경행복통(經行腹痛)、완복창통、구토탄산(嘔吐呑酸)、오경설사(五更泄瀉)、외치구창(外治口瘡)、고혈압
- 사용주의: 음허화왕(陰虛火旺)의 경우나 임산부는 사용에 주의한다.

©dgom.daegu.go.kr ©dgom.daegu.go.kr

정향(丁香) [소음인 약물]

- 기원종: 정향(丁香) (정향나무과 Myrtaceae)
- 약용 부위: 꽃봉오리
- 성미: 온 신(溫 辛)
- 귀경: 비 위 신(脾 胃 腎)
- 효능: 온중강역(溫中降逆)、보신조양(補腎助陽)
- 주치: 비위허한(脾胃虛寒)으로 인한 애역 구토(呃逆 嘔吐)、식소토사(食少吐瀉)、심복냉통(心腹冷痛)、신허양위(腎虛陽痿)
- 사용주의: 열병과 음허내열자(陰虛內熱者)는 복용을 금한다.

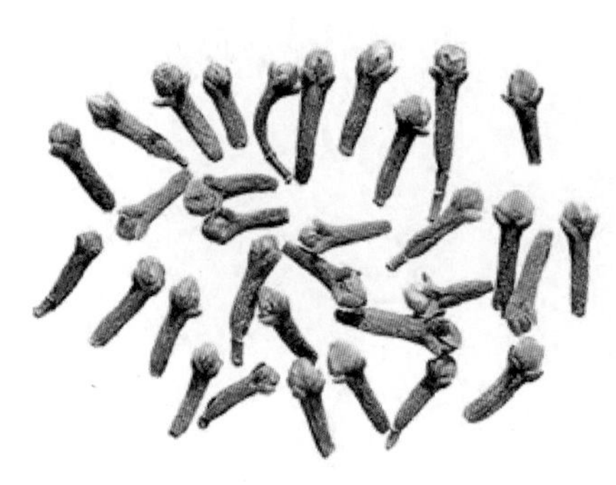

©mfds.go.kr ©mfds.go.kr

고량강(高良薑) [소음인 약물]

- 기원종: 고량강(高良薑) (생강과 Zingiberaceae)
- 약용 부위: 땅속줄기
- 성미: 열 신(熱 辛)
- 귀경: 비 위(脾 胃)
- 효능: 온위산한(溫胃散寒)、소식지통(消食止痛)
- 주치: 완복냉통(脘腹冷痛)、위한구토(胃寒嘔吐)、애기탄산(噯氣呑酸)
- 사용주의: 신열(辛熱)하고 조열(燥烈)하므로 음허유열자(陰虛有熱者)、간위화울(肝胃火鬱)의 위통(胃痛)과 구토하는 경우 등에는 금한다.

©mfds.go.kr ©mfds.go.kr

회향(茴香) [소음인 약물]

- 기원종: 회향(산형과 Umbelliferae)
- 약용 부위: 잘 익은 열매
- 성미: 온 신(溫 辛)
- 귀경: 간 신 비 위(肝 腎 脾 胃)
- 효능: 온신산한(溫腎散寒)、화위이기(和胃理氣)
- 주치: 한산(寒疝)、소복냉통、신허요통、위통、완복창통、구토、식소토사(食少吐瀉)、건습각기(乾濕脚氣)
- 사용주의: 음허화왕자(陰虛火旺者)는 사용에 주의한다.

©dgom.daegu.go.kr ©dgom.daegu.go.kr

호초(胡椒) **[소음인 약물]**

- 기원종: 후추(후추과 Piperaceae)
- 약용 부위: 채 익기 전의 열매
- 성미: 열 신(熱 辛)
- 귀경: 위 대장(胃 大腸)
- 효능: 온중산한(溫中散寒), 하기소담(下氣消痰), 해독
- 주치: 한담식적(寒痰食積)으로 인한 완복냉통(脘腹冷痛), 반위(反胃), 구토청수(嘔吐淸水), 설사, 냉리(冷痢), 해식물독(解食物毒)
- 사용주의: 신열(辛熱)하므로 위열(胃熱)이나 음허유화(陰虛有火)의 경우에는 금한다.

©dgom.daegu.go.kr ©dgom.daegu.go.kr

8. 이기약(理氣藥)

기기(氣機)를 소창(疏暢)시키는 작용을 함으로써 기체증(氣滯證)을 치료하는 약물로 쓰이며, 이기약 또는 행기약(行氣藥)이라고 한다. 그중에서도 행기력이 강한 약은 파기약(破氣藥)이라고도 한다.

이에 속하는 약물은 기기(氣機)를 소리(疏利)시키는데, 행기건비(行氣健脾), 소간해울(疏肝解鬱), 행기관흉(行氣寬胸), 행기지통(行氣止痛), 파기산결(破氣散結) 등의 효능으로 나누어지며, 비위기체(脾胃氣滯)로 인한 완복창통, 애기탄산, 오심구토, 설사나 변비, 또는 간기울체(肝氣鬱滯)로 인한 협륵창통(脇肋脹痛), 산기동통(疝氣疼痛), 유방창통, 월경 부조, 그리고 폐기옹체(肺氣壅滯)로 인한 흉민, 흉통, 해수기천(咳嗽氣喘) 등에 적용된다.

이러한 약물은 대개 신온향조(辛溫香燥)하여 기음(氣陰)을 쉽게 손상하기 때문에 기음부족자(氣陰不足者)는 사용에 주의해야 한다. 탕제에 넣을 때는 오래 달이지 않는다.

진피(陳皮) **[소음인 약물]**

- 기원종: 귤나무(운향과 Rutaceae)
- 약용 부위: 잘 익은 열매껍질
- 성미: 온 신고(溫 辛苦)
- 귀경: 비 폐(脾 肺)
- 효능: 이기건비(理氣健脾), 조습화담(燥濕化痰)
- 주치: 흉복창만(胸腹脹滿), 식욕부진, 구토얼역(嘔吐噦逆), 해수담다(咳嗽痰多)
- 사용주의: 성미(性味)가 고한(苦寒)하여 위(胃)를 손상케 하므로 위허식소자(胃虛食少者)와 비위허한자(脾胃虛寒者)에게는 마땅하지 않다.

©kiom.re.kr

©ja.wikipedia.org

청피(靑皮) **[소음인 약물]**

- 기원종: 귤나무(운향과 Rutaceae)
- 약용 부위: 덜 익은 열매껍질
- 성미: 미온 고신(微溫 苦辛)
- 귀경: 간 담(肝 膽)
- 효능: 소간파기(疏肝破氣), 산결소담(散結消痰)
- 주치: 흉협위완동통(胸脇胃脘疼痛), 산기(疝氣), 식적, 유종(乳腫), 유핵(乳核), 구학벽괴(久瘧癖塊)
- 사용주의: 기허자(氣虛者)는 사용에 주의한다.

©dgom.daegu.go.kr ©dgom.daegu.go.kr

지실(枳實) [소음인 약물]

- 기원종: 탱자나무(운향과 Rutaceae)
- 약용 부위: 익지 않은 열매
- 성미: 한 고신산(寒 苦辛酸)
- 귀경: 비 위(脾 胃)
- 효능: 파기소적(破氣消積), 화담산비(化痰散痞)
- 주치: 적체내정(積滯內停), 비만창통(痞滿脹痛), 사리후중(瀉痢後重), 대변불통, 담체기조흉비(痰滯氣阻胸痺), 결흉(結胸), 위하수, 탈항, 자궁탈수
- 사용주의: 기취사실(氣聚邪實)의 경우가 아니거나, 비위허약자(脾胃虛弱者) 혹은 임산부는 사용에 주의한다.

©dgom.daegu.go.kr ©mfds.go.kr

지각(枳殼)

- 기원종: 광귤나무, 하귤 또는 그 재배변종(운향과 Rutaceae)
- 약용 부위: 덜 익은 열매
- 성미: 양 고신(凉 苦辛)
- 귀경: 폐 비 대장(肺 脾 大腸)
- 효능: 이기관중(理氣寬中), 행담(行痰), 소적(消積)
- 주치: 흉격담체(胸膈痰滯), 흉비(胸痞), 협창(脇脹), 식적, 트림, 구역, 하리후중(下痢後重), 탈항, 자궁탈수
- 사용주의: 비위(脾胃)가 허약한 자나 임산부는 사용에 주의한다.

©kiom.re.kr ©dgom.daegu.go.kr

목향(木香) [소음인 약물]

- 기원종: 목향(木香) (국화과 Compositae)
- 약용 부위: 뿌리로 거친 껍질을 제거한 것
- 성미: 온 신고(溫 辛苦)
- 귀경: 비 위 대장 삼초 담(脾 胃 大腸 三焦 膽)
- 효능: 행기지통(行氣止痛)、건비소식(健脾消食)
- 주치: 흉완창통(胸脘脹痛)、사리후중(瀉痢後重)、식체불소(食滯不消)、식욕부진
- 사용주의: 음허(陰虛)하고 진액이 부족한 사람은 사용에 주의한다. 폐허유열(肺虛有熱)、혈고(血枯)、음화충상(陰火衝上) 등의 증상이 있으면 금한다.

©kiom.re.kr ©kiom.re.kr

향부자(香附子) [소음인 약물]

- 기원종: 향부자(사초과 Cyperaceae)
- 약용 부위: 땅속줄기로서 가는 뿌리를 제거한 것
- 성미: 평 신미감고(平 辛微甘苦)
- 귀경: 간 비 삼초(肝 脾 三焦)
- 효능: 이기해울(理氣解鬱)、조경지통(調經止痛)
- 주치: 간울기체(肝鬱氣滯)로 인한 흉협완복창통(胸脇脘腹脹痛)、소화불량、흉완비민(胸脘痞悶)、한산복통(寒疝腹痛)、유방창통、월경부조、경폐、통경
- 사용주의: 기허무체(氣虛無滯)、음허혈열자(陰虛血熱者)는 금한다.

©mfds.go.kr ©dgom.daegu.go.kr

오약(烏藥) [소음인 약물]

- 기원종: 오약(烏藥) (녹나무과 Lauraceae)
- 약용 부위: 뿌리
- 성미: 온 신(溫 辛)
- 귀경: 비 폐 신 방광(脾 肺 腎 膀胱)
- 효능: 순기지통(順氣止痛)、온신산한(溫腎散寒)
- 주치: 흉복창통(胸腹脹痛)、기역천급(氣逆喘急)、방광허랭(膀胱虛冷)、유뇨뇨빈(遺尿尿頻)、산기(疝氣)、통경(痛經)
- 사용주의: 기허(氣虛)와 내열자(內熱者)는 복용을 금한다.

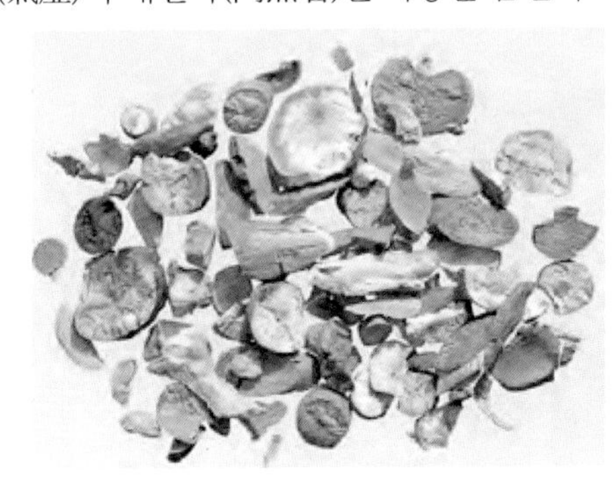

©mfds.go.kr ©dgom.daegu.go.kr

침향(沈香)

- 기원종: 침향나무(팥꽃나무과 Thymeleaceae)
- 약용 부위: 수지가 침착된 수간목
- 성미: 온 신고(溫 辛苦)
- 귀경: 신 비 위(腎 脾 胃)
- 효능: 행기지통(行氣止痛)、온중지구(溫中止嘔)、납기평천(納氣平喘)
- 주치: 흉복창민동통(胸腹脹悶疼痛)、위한구토애역(胃寒嘔吐呃逆)、신허기역천급(腎虛氣逆喘急)、요슬허랭(腰膝虛冷)、대장허비(大腸虛秘)、소변기림(小便氣淋)、남자정랭(男子精冷)
- 사용주의: 음허화왕(陰虛火旺)과 기허하함자(氣虛下陷者)는 사용에 주의한다.

©mfds.go.kr ©dgom.daegu.go.kr

천련자(川楝子) **[소음인 약물]**

- 기원종: 멀구슬나무(멀구슬나무과 Meliaceae)
- 약용 부위: 열매
- 성미: 한 고(寒 苦)
- 귀경: 간 위 소장(肝 胃 小腸)
- 효능: 서간행기지통(舒肝行氣止痛)、구충(驅蟲)
- 주치: 흉협통(胸脇痛)、완복창통(脘腹脹痛)、산통(疝痛)、충적복통(蟲積腹痛)
- 사용주의: 비위(脾胃)가 허한(虛寒)한 자와 임산부는 복용을 금한다.

©dgom.daegu.go.kr ©dgom.daegu.go.kr

대복피(大腹皮) **[소음인 약물]**

- 기원종: 빈랑(야자과 Palmae)
- 약용 부위: 열매껍질로서 열매를 삶은 다음 벗겨낸 것
- 성미: 미온 신(微溫 辛)
- 귀경: 비 위 대장 소장(脾 胃 大腸 小腸)
- 효능: 하기관중(下氣寬中)、행수소종(行水消腫)
- 주치: 습조기체(濕阻氣滯)로 인한 완복창민(脘腹脹悶)、대변불상(大便不爽)、수종창만(水腫脹滿)、각기부종(脚氣浮腫)、소변불리
- 사용주의: 기허체약자(氣虛體弱者)는 사용에 주의한다.

©dgom.daegu.go.kr

©dgom.daegu.go.kr

9. 소식약(消食藥)

소식화적(消食化積)의 작용을 함으로써 음식적체 병증을 치료하는 약물로 쓰이며, 소식약(消食藥) 혹은 소도약(消導藥)이라고 한다.

이에 속하는 약물들은 대개 미감 성평(味甘 性平)하고 비위경(脾胃經)으로 귀경하며, 소식화적(消食化積)、개위화중(開胃和中)하는 효능을 가지고 있어서 식적정체(食積停滯)、완복창만(脘腹脹滿)、애기탄산(噯氣呑酸)、오심구토、식욕부진、대변실상(大便失常)하거나 비위허약(脾胃虛弱)으로 소화불량한 경우에 적용된다.

이런 약물들은 기(氣)를 소모하게 하는 폐단이 있으므로 기허(氣虛)하면서 적체가 없는 경우에는 사용에 주의해야 한다.

산사(山査) [소음인 약물]

- 기원종: 산사나무와 그 변종(장미과 Rosaceae)
- 약용 부위: 잘 익은 열매
- 성미: 미온 산감(微溫 酸甘)
- 귀경: 비 위 간(脾 胃 肝)
- 효능: 소식건위(消食健胃)、행기산어(行氣散瘀)
- 주치: 육식적체(肉食積滯)、위완창만(胃脘脹滿)、사리복통(瀉痢腹痛)、어혈경폐(瘀血經閉)、심복자통(心腹刺痛)、산기동통(疝氣疼痛)、고지혈증
- 사용주의: 비위허약자(脾胃虛弱者)는 사용에 주의한다.

©dgom.daegu.go.kr ©dgom.daegu.go.kr

신곡(神麯) [소양인 약물]

- 기원: 밀가루 또는 밀기울에 팥가루, 으깬 살구씨, 개똥쑥즙, 도꼬마리즙, 버들여뀌즙 등의 재료를 반죽하여 누룩균으로 발효시킨 누룩
- 성미: 온 감신(溫 甘辛)
- 귀경: 비 위(脾 胃)
- 효능: 건비화위(健脾和胃), 소식조중(消食調中)
- 주치: 음식정체, 흉비복창(胸痺腹脹), 구토사리(嘔吐瀉痢), 산후어혈복통(産後瘀血腹痛), 소아복대견적(小兒腹大堅積)
- 사용주의: 비음허(脾陰虛)와 위화성자(胃火盛者)에게는 신중하게 적은 양을 사용하여야 한다. 또한, 발효품이기 때문에 유산될 우려가 있으므로 임산부는 금한다.

©최호영

맥아(麥芽) [소양인 약물]

- 기원종: 보리(벼과 Gramineae)
- 약용 부위: 잘 익은 열매를 발아시킨 것
- 성미: 평 감(平 甘)
- 귀경: 비 위 간(脾 胃 肝)
- 효능: 행기소식(行氣消食), 건비개위(健脾開胃), 퇴유소창(退乳消脹)
- 주치: 식적불소(食積不消), 완복창만, 비허식소(脾虛食少), 유즙울적(乳汁鬱積), 유방창통, 부녀단유(婦女斷乳)

- 사용주의: 수유기에는 복용을 금하고, 많이 복용하지 않으며, 적체가 없고 비위(脾胃)가 허한 자와 임산부는 금한다.

©dgom.daegu.go.kr

©dgom.daegu.go.kr

내복자(萊菔子) **[태음인 약물]**

- 기원종: 무(십자화과 Cruciferae)
- 약용 부위: 잘 익은 씨
- 성미: 평 신감(平 辛甘)
- 귀경: 폐 비 위(肺 脾 胃)
- 효능: 소식제창(消食除脹)、강기화담(降氣化痰)
- 주치: 음식 정체、완복창만、대변비결、적체사리(積滯瀉痢)、담옹천해(痰壅喘咳)
- 사용주의: 기허자(氣虛者)는 사용에 주의한다.

©dgom.daegu.go.kr

©dgom.daegu.go.kr

계내금(鷄內金) **[소음인 약물]**

- 기원종: 닭(꿩과 Phasianidae)
- 약용 부위: 모래주머니의 내막(內膜)
- 성미: 평 감(平 甘)
- 귀경: 비 위 소장 방광(脾 胃 小腸 膀胱)
- 효능: 건위소식(健胃消食)、삽정지유(澁精止遺)
- 주치: 식적불소(食積不消)、구토사리(嘔吐瀉痢)、소아감적(小兒疳積)、유뇨(遺尿)、유정(遺精)

©mfds.go.kr ©pixbay.com

10. 구충약(驅蟲藥)

체내 기생충을 구제(驅除)하거나 죽이는 작용을 함으로써 장내 기생충을 치료하는 약물로 쓰이며, 구충약이라고 한다.

이에 속하는 약물들은 대개 독성을 가지고 있어서 장내 기생충을 죽이거나 마비시키거나 체외로 배출시키는 작용을 하는데, 회충、조충、요충、구충 등 다양한 장내 기생충병에 적용된다. 식욕부진 혹은 다식선기(多食善飢)、기식이물(嗜食異物)、요제복통 시발시지(繞臍腹痛 時發時止)、위중조잡(胃中嘈雜)、구토청수(嘔吐淸水)、항문소양(肛門瘙痒) 등이 있거나 오래되어 면색위황(面色萎黃)、형체소수(形體消瘦)、복부팽대(腹部膨大)、청근부로(靑筋浮露)、전신부종 등에 적용된다.

구충약은 대개 사하약(瀉下藥)과 동시에 사용하여 기생충의 배출을 이롭게 한다. 구충약은 일반적으로 공복시에 복용함으로써 약물작용을 충분히 하여 효과를 낼 수 있도록 해야 한다. 발열이나 복통이 극렬한 경우에는 급히 구충약을 쓰지 말고 증상이 조금 풀린 다음 구충약물을 복용한다. 구충약물은 대부분 독성을 가지고 있으므로 약량을 잘 조절하여 용량이 지나쳐 중독되거나 정기(正氣)를 손상하지 않도록 해야 한다. 평소에 허약하거나 노약자와 임신부는 사용에 주의해야 한다.

사군자(使君子) [태음인 약물]

- 기원종: 사군자(使君子) (사군자과 Combretaceae)
- 약용 부위: 열매
- 성미: 온 감(溫 甘)
- 귀경: 비 위(脾 胃)
- 효능: 구충(驅蟲)、소적(消積)
- 주치: 회충、요충병、충적복통(蟲積腹痛)、소아감적(小兒疳積)
- 사용주의: 뜨거운 차와 같이 복용하지 말아야 하며, 대량의 복용은 금한다.

©dgom.daegu.go.kr

©dgom.daegu.go.kr

고련피(苦楝皮) **[소음인 약물]**

- 기원종: 멀구슬나무(멀구슬나무과 Meliaceae)
- 약용 부위: 나무껍질 또는 뿌리껍질
- 성미: 한 고(寒 苦)
- 귀경: 간 소장 방광(肝 小腸 膀胱)
- 효능: 구충(驅蟲)、요선(療癬)
- 주치: 요충병(蟯蟲病)、충적복통(蟲積腹痛)、[외치] 개선소양(疥癬瘙痒)
- 사용주의: 신체가 허약하고 비위허한자(脾胃虛寒者)는 복용을 금한다.

©mfds.go.kr

©mfds.go.kr

빈랑자(檳榔子) **[소양인 약물]**

- 기원종: 빈랑(야자과 Palmae)
- 약용 부위: 잘 익은 씨로서 열매를 채취하여 물에 삶아 열매껍질을 벗긴 것
- 성미: 온 고신(溫 苦辛)
- 귀경: 위 대장(胃 大腸)
- 효능: 구충소적(驅蟲消積)、강기(降氣)、행수(行水)、절학(截瘧)
- 주치: 조충、회충、비대흡충증(肥大吸蟲症、fasciolopsiasis)、충적복통(蟲積腹痛)、적체사리(積滯瀉痢)、이급후중、수종각기(水腫脚氣)、학질
- 사용주의: 기허체약자(氣虛體弱者)는 사용에 주의한다.

©dgom.daegu.go.kr ©dgom.daegu.go.kr

비자(榧子) [태음인 약물]

- 기원종: 비자나무 또는 중국비자나무(주목과 Taxaceae)
- 약용 부위: 씨
- 성미: 평 감(平 甘)
- 귀경: 폐 위 대장(肺 胃 大腸)
- 효능: 구충소적(驅蟲消積)、윤조통변(潤燥通便)
- 주치: 구충、회충、조충병(條蟲病)、충적복통(蟲積腹痛)、소아감적(小兒疳積)、변비
- 사용주의: 과다하게 복용하면 활장(滑腸)케 하므로 설사하는 자는 사용을 삼간다.

©dgom.daegu.go.kr ©dgom.daegu.go.kr

관중(貫衆) [소음인 약물]

- 기원종: 관중(면마과 Aspidiaceae)
- 약용 부위: 뿌리줄기 및 잎자루의 잔기
- 성미: 양 고(凉 苦)
- 귀경: 간 위(肝 胃)
- 효능: 청열해독(淸熱解毒)、구충(驅蟲)
- 주치: 충적복통(蟲積腹痛)、창양(瘡瘍)
- 사용주의: 음허내열(陰虛內熱)과 비위허약자(脾胃虛弱者)、임산부는 복용을 금한다.

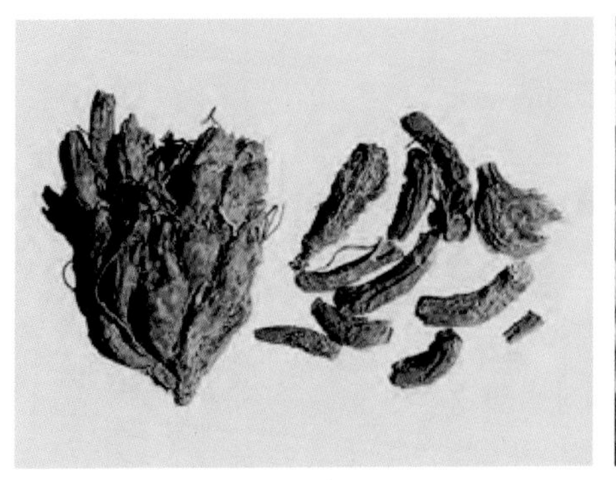

ⓒmfds.go.kr ⓒdgom.daegu.go.kr

11. 지혈약(止血藥)

출혈을 멈추는 작용을 함으로써 각종 출혈 병증을 치료하는 약물로 쓰이며, 지혈약이라고 한다.

이에 속하는 약물은 양혈지혈(凉血止血)、온경지혈(溫經止血)、화어지혈(化瘀止血)、수렴지혈(收斂止血) 등의 작용을 하는데, 주로 객혈、해혈、육혈、토혈、변혈、요혈、붕루、자전(紫癜)과 외상 출혈 등 각종 출혈 병증에 적용된다.

"지혈(止血)은 하되 어혈은 남기지 않는다(止血不留瘀)"는 지혈약을 운용하면서 시종 주의해야 하는 원칙이다. 그러나 양혈지혈약(凉血止血藥)과 수렴지혈약(收斂止血藥)은 지혈유어(止血有瘀)시키는 폐단이 있으므로 출혈과 함께 어혈이 있는 경우에는 단독으로 사용하지 않거나 활혈화어약(活血化瘀藥)과 함께 사용한다.

백급(白芨) [태음인 약물]

- 기원종: 자란(난초과 Orchidaceae)
- 약용 부위: 덩이줄기
- 성미: 미한 고감삽(微寒 苦甘澁)
- 귀경: 폐 간 위(肺 肝 胃)
- 효능: 수렴지혈(收斂止血)、소종생기(消腫生肌)
- 주치: 해혈 토혈、외상 출혈、창양종독(瘡瘍腫毒)、피부군열(皮膚皸裂)、폐결핵 해혈、궤양성 출혈
- 사용주의: 오두(烏頭)와 같이 사용해서는 안 되며, 외감해혈(外感咳血)、폐옹초기(肺癰初起) 및 폐위(肺胃)에 실열(實熱)이 있는 자는 복용을 금한다.

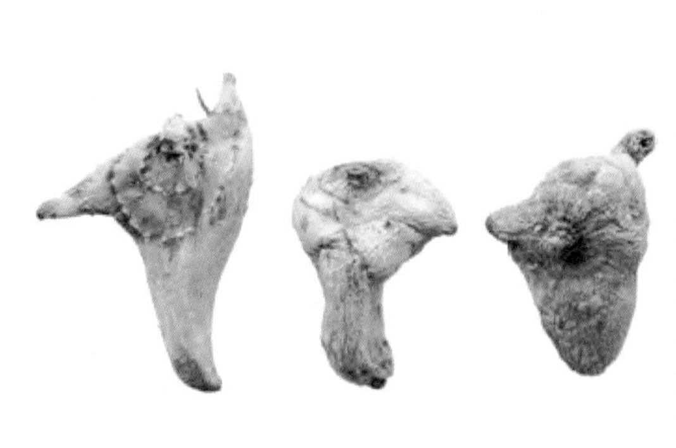

ⓒkiom.re.kr ⓒkiom.re.kr

대계(大薊)

- 기원종: 엉겅퀴 또는 기타 동속 근연식물(국화과 Compositae)
- 약용 부위: 전초
- 성미: 양 고감(涼 苦甘)
- 귀경: 심 간(心 肝)
- 효능: 양혈지혈(涼血止血), 거어소종(祛瘀消腫)
- 주치: 육혈, 토혈, 요혈, 변혈, 붕루하혈(崩漏下血), 외상 출혈, 옹종창독(癰腫瘡毒)
- 사용주의: 비위(脾胃)가 허한(虛寒)하면서 어체(瘀滯)가 없는 자는 복용을 금한다.

©kiom.re.kr

©kiom.re.kr

소계(小薊)

- 기원종: 조뱅이 또는 큰조뱅이(국화과 Compositae)
- 약용 부위: 전초
- 성미: 양 감고(涼 甘苦)
- 귀경: 심 간(心 肝)
- 효능: 양혈지혈(涼血止血), 거어소종(祛瘀消腫)
- 주치: 육혈, 토혈, 요혈, 변혈, 붕루하혈(崩漏下血), 외상 출혈, 옹종창독(癰腫瘡毒)
- 사용주의: 비위(脾胃)가 허한(虛寒)하면서 어체(瘀滯)가 없는 자는 복용을 금한다.

©mfds.go.kr

©mfds.go.kr

지유(地楡) **[소양인 약물]**

- 기원종: 오이풀 또는 긴오이풀(장미과 Rosaceae)

- 약용 부위: 뿌리
- 성미: 미한 고산삽(微寒 苦酸澁)
- 귀경: 간 대장(肝 大腸)
- 효능: 양혈지혈(凉血止血)、해독염창(解毒斂瘡)
- 주치: 변혈、치출혈(痔出血)、혈리(血痢)、붕루、수화탕상(水火燙傷)、옹종창독(癰腫瘡毒)
- 사용주의: 허한냉리(虛寒冷痢)와 이질 초기에는 복용을 금한다.

©dgom.daegu.go.kr

©dgom.daegu.go.kr

괴화(槐花)

- 기원종: 회화나무(콩과 Leguminosae)
- 약용 부위: 꽃봉오리와 꽃
- 성미: 미한 고(微寒 苦)
- 귀경: 간 대장(肝 大腸)
- 효능: 양혈지혈(凉血止血)、청간사화(淸肝瀉火)
- 주치: 변혈、치혈(痔血)、혈리(血痢)、붕루、토혈、육혈、간열목적(肝熱目赤)、두통 현훈
- 사용주의: 비위허한자(脾胃虛寒者)와 임산부는 복용을 금한다.

©mfds.go.kr

©mfds.go.kr

측백엽(側柏葉)

- 기원종: 측백나무(측백나무과 Curpressaceae)
- 약용 부위: 어린 가지와 잎
- 성미: 한 고삽(寒 苦澁)
- 귀경: 폐 간 비(肺 肝 脾)

- 효능: 양혈지혈(凉血止血)、생발오발(生髮烏髮)
- 주치: 토혈、육혈、변혈、붕루하혈(崩漏下血)、혈열탈발(血熱脫髮)、수발조백(鬚髮早白)
- 사용주의: 진음(眞陰)이 허(虛)한 자와 대변조결자(大便燥結者)는 복용을 금하며, 혈증이 없는 자는 복용을 금한다.

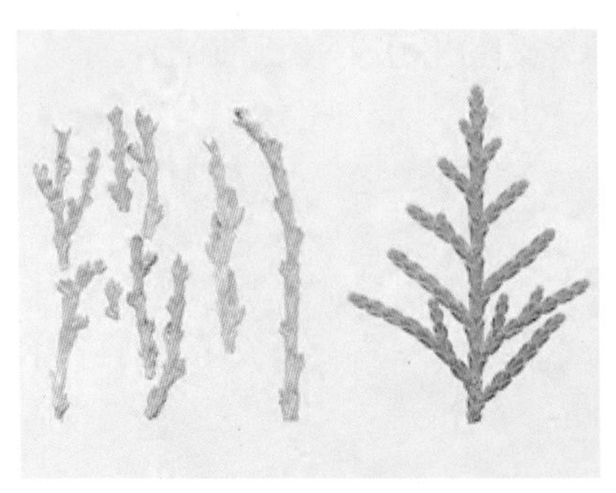

©mfds.go.kr ©mfds.go.kr

모근(茅根)

- 기원종: 띠(벼과 Gramineae)
- 약용 부위: 땅속줄기로서 가는 뿌리와 비늘모양의 잎을 제거한 것
- 성미: 한 감(寒 甘)
- 귀경: 폐 위 방광(肺 胃 膀胱)
- 효능: 양혈지혈(凉血止血)、청열이뇨(淸熱利尿)
- 주치: 혈열토혈(血熱吐血)、육혈、요혈、열병번갈(熱病煩渴)、황달、수종、열림삽통(熱淋澁痛)、급성 신염 수종
- 사용주의: 비위허한자(脾胃虛寒者)와 수다불갈자(溲多不渴者)는 복용을 금한다.

©dgom.daegu.go.kr ©dgom.daegu.go.kr

삼칠(三七) [소음인 약물]

- 기원종: 삼칠(三七) (두릅나무과 Araliaceae)
- 약용 부위: 뿌리 및 땅속줄기
- 성미: 온 감미고(溫 甘微苦)
- 귀경: 간 위(肝 胃)
- 효능: 산어지혈(散瘀止血)、소종정통(消腫定痛)

- 주치: 객혈、토혈、육혈、변혈、붕루、외상 출혈、흉복자통(胸腹刺痛)、질박종통(跌撲腫痛)
- 사용주의: 혈허토혈(血虛吐血)과 혈열망행자(血熱妄行者) 및 출혈(出血)이 음허(陰虛)로 인한 경우에는 사용을 금하지만, 자음(滋陰)、양혈(凉血)시키는 약물과 배오(配伍)하였을 때는 사용할 수 있으며, 무허혈자(無虛血者)와 임산부는 복용을 금한다.

©dgom.daegu.go.kr ©dgom.daegu.go.kr

포황(蒲黃) [태음인 약물]

- 기원종: 부들 또는 기타 동속 식물(부들과 Typhaceae)
- 약용 부위: 꽃가루
- 성미: 평 감(平 甘)
- 귀경: 간 심포(肝 心包)
- 효능: 출혈(止血)、화어(化瘀)、통림(通淋)
- 주치: 토혈、육혈、객혈、붕루、외상 출혈、경폐 통경、완복자통(脘腹刺痛)、질박종통(跌撲腫痛)、혈림삽통(血淋澁痛)
- 사용주의: 생포황(生蒲黃)은 자궁을 수축하는 작용이 있으므로 임산부는 복용을 금한다.

©mfds.go.kr ©mfds.go.kr

천초근(茜草根)

- 기원종: 꼭두서니 또는 기타 동속 근연식물[19](꼭두서니과 Rubiaceae)
- 약용 부위: 뿌리
- 성미: 한 고(寒 苦)

19) 단, 서양꼭두서니(유럽 꼭두서니)는 독성이 있어 사용 금지되었다.

- 귀경: 간(肝)
- 효능: 양혈(凉血)、지혈(止血)、거어(祛瘀)、통경(通經)
- 주치: 토혈、육혈、붕루、외상 출혈、경폐어조(經閉瘀阻)、관절비통(關節痺痛)、질박종통(跌撲腫痛)
- 사용주의: 비위(脾胃)가 허한(虛寒)한 자와 어체(瘀滯)가 없는 자는 복용을 금한다.

©mfds.go.kr

©mfds.go.kr

애엽(艾葉) [소음인 약물]

- 기원종: 황해쑥, 쑥 또는 산쑥(국화과 Compositae)
- 약용 부위: 잎 및 어린 줄기
- 성미: 온 신고(溫 辛苦)
- 귀경: 간 비 신(肝 脾 腎)
- 효능: 산한지통(散寒止痛)、온경지혈(溫經止血)
- 주치: 소복냉통(少腹冷痛)、경한부조(經寒不調)、자궁허랭성 불임、토혈、육혈、붕루경다(崩漏經多)、임신하혈、[외치] 피부소양(皮膚瘙痒)
- 사용주의: 음허혈열자(陰虛血熱者)는 사용에 주의하고, 음허화왕(陰虛火旺)과 혈조생열자(血燥生熱者) 및 실혈병(失血病)이 오래된 증에는 복용을 금한다.

©mfds.go.kr

©mfds.go.kr

12. 활혈거어약(活血祛瘀藥)

혈맥(血脈)을 동리(通利)시켜 혈행을 촉진하고 어혈을 소산시키는 작용을 함으로써 어혈병증을 치료하는 약물로 쓰이며, 활혈화어약(活血化瘀藥) 혹은 활혈거어약(活血祛瘀藥)이라고 하는데, 줄여서 활혈약(活血藥) 혹은 화어약(化瘀藥)이라고 한다. 그중에서 활혈 작용이 비교적 강하면 파혈약(破血藥) 혹은 축어약(逐瘀藥)이라고도 한다.

이에 속하는 약물들은 활혈화어 작용을 통해 지통(止痛)、조경(調經)、소종(消腫)、요상(療傷)、소옹(消癰)、소징(消癥) 등 다양한 효능을 가지며, 어혈동통(瘀血疼痛)、징가적취(癥瘕積聚)、질박손상(跌撲損傷)、관절비통(關節痹痛)、중풍불수(中風不遂)、지체마목(肢體麻木)、창양종통(瘡瘍腫痛)、월경부조、경폐、통경、산후복통과 같은 각종 어혈병증에 적용된다.

기혈(氣血)은 서로 밀접한 관계이기 때문에 활혈거어약을 사용할 때에는 항상 이기약(理氣藥)을 배오하여 활혈산어(活血散瘀)의 효능을 증강한다.

이런 약물들은 행산력(行散力)이 강하여 쉽사리 모혈(耗血) 동혈(動血)하기 때문에 여성의 월경과다와 기타 출혈증에 어혈이 없는 경우와 임신부의 경우에는 사용에 주의하거나 금해야 한다.

천궁(川芎) **[소음인 약물]**

- 기원종: 천궁 또는 중국천궁(中國川芎) (산형과 Umbelliferae)
- 약용 부위: 땅속줄기로서 그대로 또는 끓는 물에 데친 것
- 성미: 온 신(溫 辛)
- 귀경: 간 담 심포(肝 膽 心包)
- 효능: 활혈행기(活血行氣)、거풍지통(祛風止痛)
- 주치: 월경부조、경폐 통경、징가복통(癥瘕腹痛)、흉협자통(胸脇刺痛)、질박종통(跌撲腫痛)、두통、풍습비통(風濕痺痛)
- 사용주의: 음허화왕자(陰虛火旺者)와 상성하허(上盛下虛) 및 기약자(氣弱者)는 복용을 금한다.

©kiom.re.kr ©mfds.go.kr

유향(乳香) **[소양인 약물]**

- 기원종: 유향나무 또는 기타 동속 근연식물(감람과 Burseraceae)
- 약용 부위: 줄기에 상처를 내어 얻은 수지
- 성미: 온 신고(溫 辛苦)
- 귀경: 심 간 비(心 肝 脾)
- 효능: 활혈지통(活血止痛)、소종생기(消腫生肌)
- 주치: 기혈응체(氣血凝滯)로 인한 심복동통(心腹疼痛)、풍습비통(風濕痺痛)、옹창종독(癰瘡腫毒)、장옹(腸癰)、질타손상(跌打損傷)、경폐통경(經閉痛經)、산후어혈자통(産後瘀血刺痛)
- 사용주의: 옹저가 이미 궤란되었거나 고름이 많은 경우 및 임산부는 복용을 금하며, 다량 복용시 오심구토가 일어날 수 있으므로 많이 복용하지 말아야 한다.

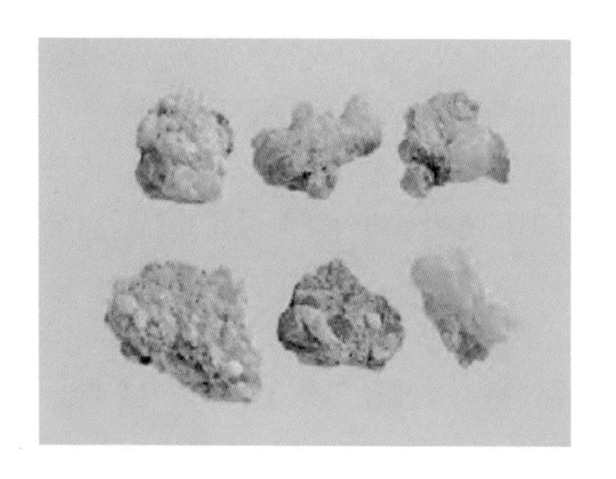

©mfds.go.kr

몰약(沒藥) [소양인 약물]

- 기원종: 몰약나무(감람나무과 Burseraceae)
- 약용 부위: 고무수지
- 성미: 평 고(平 苦)
- 귀경: 간 비(肝 脾)
- 효능: 활혈지통(活血止痛)、소종생기(消腫生肌)
- 주치: 흉복어통(胸腹瘀痛)、통경、경폐、징가(癥瘕)、질타손상、옹종창양(癰腫瘡瘍)、장옹(腸癰)、목적종통(目赤腫痛)、풍습비통(風濕痺痛)
- 사용주의: 어혈로 인하지 않은 자와 혈허자(血虛者) 및 산후에 오로(惡露) 과다로 복중허통자(腹中虛痛者)는 복용을 금한다. 골절통、흉복협륵통、임신부는 금한다.

©mfds.go.kr ©en.wikipedia.org

현호색(玄胡索) [소음인 약물]

- 기원종: 들현호색 또는 연호색(延胡索) (양귀비과 Papaveraceae)
- 약용 부위: 덩이줄기
- 성미: 온 신고(溫 辛苦)
- 귀경: 간 비(肝 脾)
- 효능: 활혈산어(活血散瘀)、이기지통(理氣止痛)
- 주치: 흉협완복동통(胸脇脘腹疼痛)、경폐 통경、산후어조(産後瘀阻)、질박종통(跌撲腫痛)

- 사용주의: 산후혈허(産後血虛)와 경혈부족(經血不足)으로 인한 경통(經痛)의 경우와 기허작통자(氣虛作痛者) 및 임산부는 복용을 금한다.

ⓒmfds.go.kr ⓒmfds.go.kr

울금(鬱金) [소음인 약물]

- 기원종: 온울금(溫鬱金), 강황(薑黃), 광서아출(廣西莪朮) 또는 봉아출(蓬莪朮) (생강과 Zingiberaceae)
- 약용 부위: 덩이뿌리로서 그대로 또는 주피를 제거하고 쪄서 말린 것
- 성미: 한 신고(寒 辛苦)
- 귀경: 심 간 담(心 肝 膽)
- 효능: 활혈지통(活血止痛), 행기해울(行氣解鬱), 청심양혈(淸心凉血), 소간이담(疏肝利膽)
- 주치: 흉복협륵제통(胸腹脇肋諸痛), 통경, 경폐, 징가결괴(癥瘕結塊), 열병신혼(熱病神昏), 전광(癲狂), 경간(驚癎), 토혈, 육혈, 혈림(血淋), 사림(砂淋), 황달
- 사용주의: 음허실혈자(陰虛失血者)와 기체혈어(氣滯血瘀)가 없는 자는 복용을 금하고 임산부는 사용에 주의하여야 한다.

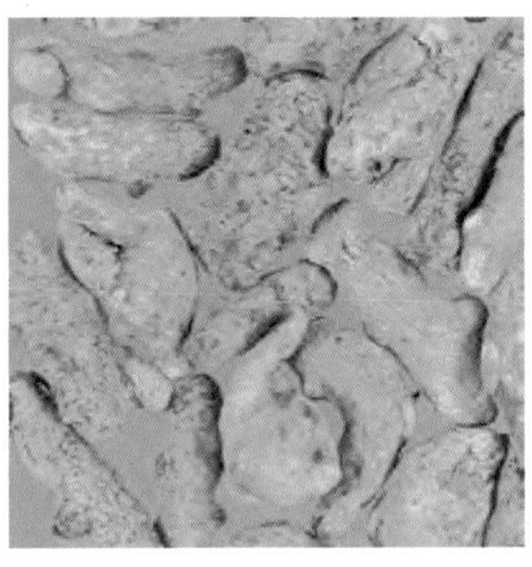

ⓒdgom.daegu.go.kr ⓒdgom.daegu.go.kr

강황(薑黃) [소음인 약물]

- 기원종: 강황(薑黃) (생강과 Zingiberaceae)
- 약용 부위: 땅속줄기로서 속이 익을 때까지 삶거나 쪄서 말린 것
- 성미: 온 신고(溫 辛苦)
- 귀경: 간 비(肝 脾)
- 효능: 파혈행기(破血行氣), 통경지통(通經止痛)
- 주치: 심복비만창통(心腹痞滿脹痛), 경폐, 징가(癥瘕), 풍습견비동통(風濕肩臂疼痛), 질박종통

- 사용주의: 혈허(血虛)의 경우와 기체혈어(氣滯血瘀)가 없는 경우는 복용을 금한다.

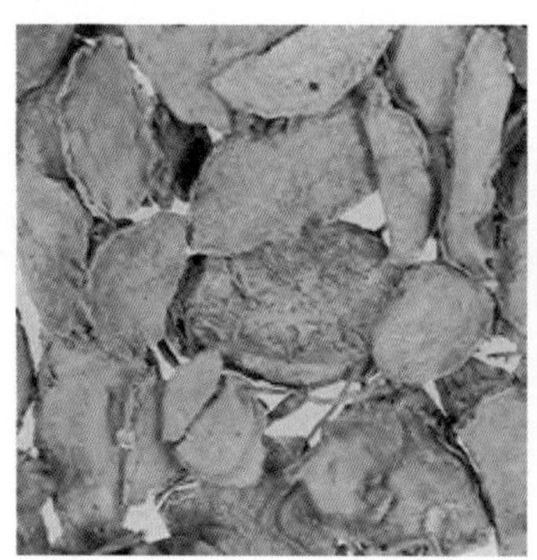

©dgom.daegu.go.kr ©dgom.daegu.go.kr

아출(莪朮) [소음인 약물]

- 기원종: 봉아출(蓬莪朮), 광서아출(廣西莪朮) 또는 온울금(溫鬱金) (생강과 Zingiberaceae)
- 약용 부위: 땅속줄기를 그대로 또는 수증기로 쪄서 말린 것
- 성미: 온 신고(溫 辛苦)
- 귀경: 간 비(肝 脾)
- 효능: 행기파혈(行氣破血), 소적지통(消積止痛)
- 주치: 혈기심통(血氣心痛), 음식적체, 완복창통, 혈체경폐(血滯經閉), 통경, 징가비괴(癥瘕痞塊), 질박손상
- 사용주의: 기혈양허(氣血兩虛)와 비위(脾胃)가 박약(薄弱)하여 적체가 있는 자는 사용에 주의하여야 하며, 월경과다하거나 임산부는 복용을 금한다.

©mfds.go.kr ©dgom.daegu.go.kr

삼릉(三稜) [소음인 약물]

- 기원종: 흑삼릉(흑삼릉과 Sparganiaceae)
- 약용 부위: 덩이줄기
- 성미: 평 신고(平 辛苦)
- 귀경: 간 비(肝 脾)
- 효능: 파혈행기(破血行氣), 소적지통(消積止痛)
- 주치: 징가비괴(癥瘕痞塊), 어체경폐(瘀滯經閉), 통경, 식적창통(食積脹痛), 질박손상

- 사용주의: 혈고경폐자(血枯經閉者), 임신부, 진기허자(眞氣虛者)는 금한다.

©mfds.go.kr

©mfds.go.kr

단삼(丹參) **[소음인 약물]**

- 기원종: 단삼(꿀풀과 Labiatae)
- 약용 부위: 뿌리
- 성미: 미한 고(微寒 苦)
- 귀경: 심 간(心 肝)
- 효능: 활혈거어(活血祛瘀), 조경지통(調經止痛), 양혈안신(養血安神), 양혈소옹(凉血消癰)
- 주치: 월경부조, 통경, 경폐, 산후어체복통, 심복동통, 징가적취, 열비종통(熱痺腫痛), 질타손상, 열입영혈(熱入營血)로 인한 번조불안, 심번실면(心煩失眠), 옹창종독(癰瘡腫毒)
- 사용주의: 어혈이 아니면 사용에 주의한다.

©mfds.go.kr

©dgom.daegu.go.kr

익모초(益母草) **[소음인 약물]**

- 기원종: 익모초(꿀풀과 Labiatae)
- 약용 부위: 지상부로서 꽃이 피기 전 또는 꽃이 필 때 채취한 것
- 성미: 미한 고신(微寒 苦辛)
- 귀경: 간 심포(肝 心包)
- 효능: 활혈조경(活血調經), 이수소종(利水消腫)
- 주치: 월경부조, 통경, 경폐, 오로부진(惡露不盡), 수종뇨소(水腫尿少)
- 사용주의: 임산부는 복용을 금한다.

©mfds.go.kr ©mfds.go.kr

도인(桃仁) **[소음인 약물]**

- 기원종: 복사나무 또는 산복사(장미과 Rosaceae)
- 약용 부위: 잘 익은 씨
- 성미: 평 고감(平 苦甘)
- 귀경: 심 간 대장(心 肝 大腸)
- 효능: 활혈거어(活血祛瘀), 윤장통변(潤腸通便)
- 주치: 경폐, 통경, 징가비괴(癥瘕痞塊), 질박손상, 장조변비(腸燥便秘)
- 사용주의: 혈허(血虛)의 경우와 임산부는 사용에 주의한다.

©dgom.daegu.go.kr ©dgom.daegu.go.kr

홍화(紅花) **[소양인 약물]**

- 기원종: 잇꽃(국화과 Compositae)
- 약용 부위: 관상화
- 성미: 온 신(溫 辛)
- 귀경: 심 간(心 肝)
- 효능: 활혈통경(活血通經), 산어지통(散瘀止痛)
- 주치: 경폐, 통경, 오로불행, 징가비괴(癥瘕痞塊), 질박손상, 창양종통(瘡瘍腫痛)
- 사용주의: 어체(瘀滯)가 없는 자나 임산부는 복용을 금한다.

©kiom.re.kr ©kiom.re.kr

우슬(牛膝) [소양인 약물]

- 기원종: 쇠무릎 또는 우슬(牛膝) (비름과 Amaranthaceae)
- 약용 부위: 뿌리
- 성미: 평 고산(平 苦酸)
- 귀경: 간 신(肝 腎)
- 효능: 산어혈(散瘀血)、소옹종(消癰腫)
- 주치: 임병뇨혈(淋病尿血)、경폐、징가、난산、포의불하、산후혈어복통(産後血瘀腹痛)、후비(喉痺)、옹종(癰腫)、질타손상
- 사용주의: 성질이 하행하면서 활규(滑竅)하므로 임산부와 월경과다자, 유정, 비허설사자(脾虛泄瀉者)는 복용을 금한다.

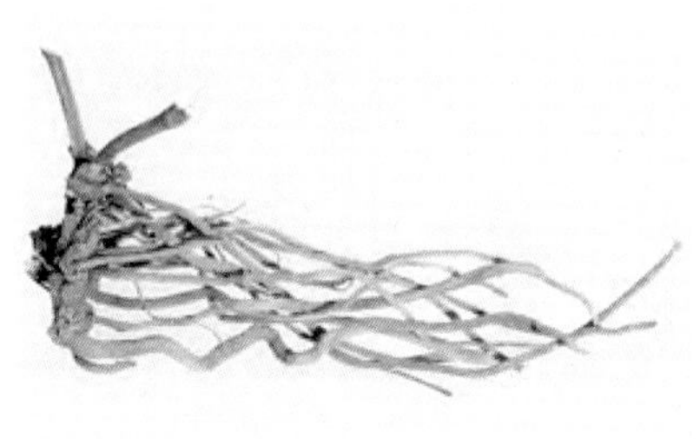

©mfds.go.kr ©mfds.go.kr

수질(水蛭)

- 기원종: 참거머리 또는 말거머리(거머리과 Hirudinidae)
- 약용 부위: 몸체
- 성미: 평 함고(平 鹹苦)
- 귀경: 간(肝)
- 효능: 파혈(破血)、축어(逐瘀)、통경(通經)
- 주치: 징가비괴(癥瘕痞塊)、혈어경폐(血瘀經閉)、질타손상(跌打損傷)
- 사용주의: 체약혈허자(體弱血虛者)나 어혈이 아닌 경우 및 임산부는 복용을 금한다.

©dgom.daegu.go.kr ©en.wikipedia.org

왕불류행(王不留行) **[소양인 약물]**

- 기원종: 장구채(석죽과 Caryophyllaceae)
- 약용 부위: 열매가 익었을 때의 지상부
- 성미: 평 고(平 苦)
- 귀경: 간 위(肝 胃)
- 효능: 활혈통경(活血通經), 하유소종(下乳消腫)
- 주치: 부녀경폐(婦女經閉), 경통(經痛), 유즙불통, 유옹종통(乳癰腫痛)
- 사용주의: 임산부는 복용을 금한다.

©mfds.go.kr ©mfds.go.kr

소목(蘇木) **[소음인 약물]**

- 기원종: 소목(蘇木) (콩과 Leguminosae)
- 약용 부위: 심재
- 성미: 평 감함(平 甘鹹)
- 귀경: 심 간 비(心 肝 脾)
- 효능: 활혈파어(活血破瘀), 소종지통(消腫止痛)
- 주치: 경폐 통경, 산후어조(産後瘀阻), 흉복자통(胸腹刺痛), 외상종통(外傷腫痛), 파상풍
- 사용주의: 혈허무어자(血虛無瘀者)와 임산부는 복용을 금한다.

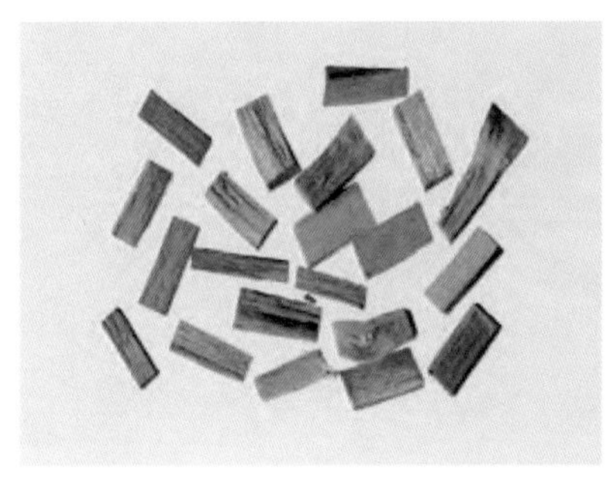

©mfds.go.kr ©mfds.go.kr

건칠(乾漆) **[소음인 약물]**

- 기원종: 옻나무(옻나무과 Anacardiaceae)
- 약용 부위: 줄기에 상처를 입혀 흘러나온 수액(樹液)을 건조한 덩어리
- 성미: 온 신고(溫 辛苦)
- 귀경: 간 비(肝 脾)
- 효능: 파혈거어(破血祛瘀)、소적(消積)、살충
- 주치: 부녀경폐(婦女經閉)、징가(癥瘕)、어혈、충적복통(蟲積腹痛)
- 사용주의: 파혈통경(破血通經)작용이 강렬하므로 어체(瘀滯)가 아닌 경우나 임산부는 금하며, 영혈(營血)과 위기(胃氣)를 손상할 우려가 있으므로 몸이 허약하면 금한다.

©mfds.go.kr ©dgom.daegu.go.kr

조각자(皂角刺) **[태음인 약물]**

- 기원종: 주엽나무 또는 조각자나무(콩과 Leguminosae)
- 약용 부위: 가시
- 성미: 온 신(溫 辛)
- 귀경: 간 위(肝 胃)
- 효능: 소종배농(消腫排膿)、거풍살충(祛風殺蟲)
- 주치: 옹저종독(癰疽腫毒)、나력、산후결유(産後缺乳)、태의불하、[외치] 개선마풍(疥癬麻風)
- 사용주의: 옹저(癰疽)가 이미 궤란된 경우와 임산부는 복용을 금한다.

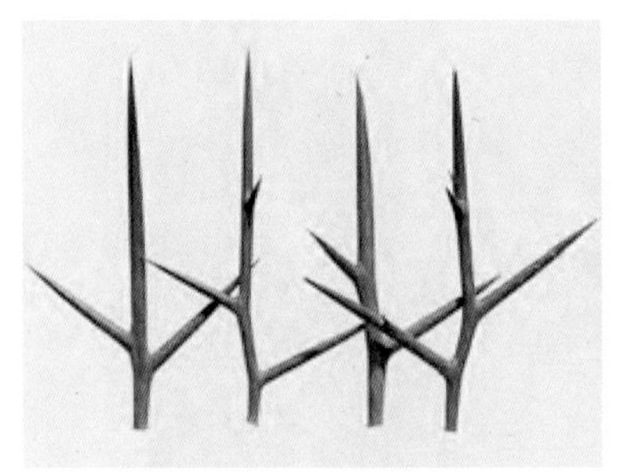

©mfds.go.kr ©mfds.go.kr

계혈등(鷄血藤)

- 기원종: 밀화두(密花豆) (콩과 Leguminosae)
- 약용 부위: 덩굴성 줄기
- 성미: 온 고미감(溫 苦微甘)
- 귀경: 간 신(肝 腎)
- 효능: 활혈서근(活血舒筋)、양혈조경(養血調經)
- 주치: 수족마목、월경 부조、통경、폐경、지체탄탄(肢體癱瘓)、풍습비통(風濕痺痛)
- 사용주의: 혈열(血熱)로 인한 자는 복용을 금한다.

©mfds.go.kr ©dgom.daegu.go.kr

13. 화담지해평천약(化痰止咳平喘藥)

거담(祛痰)이나 소담(消痰)하는 작용을 함으로써 담증(痰證)을 치료하는 약물로 쓰이며, 화담약(化痰藥)이라고 한다. 해수나 천식을 멈추거나 경감시키는 작용을 함으로써 해수와 천증(喘證)을 치료하는 약물로 쓰이며, 지해평천약(止咳平喘藥)이라고 한다.

화담약(化痰藥)은 담탁(痰濁)을 제거하거나 소산(消散)시켜 담탁조폐(痰濁阻肺)、해천담다(咳喘痰多)、해담불상(咳痰不爽) 및 전간(癲癎)、현훈、중풍、경궐(驚厥)、지체마목、반신불수、구안와사、나력(瘰癧)、영류(癭瘤)、음저(陰疽)、유주(流注) 등 담(痰)과 유관한 병증을 치료한다. 지해평천약(止咳平喘藥)은 외감 내상으로 인한 각종 해수와 천식을 치료한다.

'비는 담이 생기는 원천'[20]이기 때문에 비허(脾虛)하면 진액이 정상적으로 운행하지 못하고 습이 몰려 담을 형성하는데, 건비조습약(健脾燥濕藥)과 같이 쓰면 표(標)와 본(本)을 동시에 고려하는 것이 된다. 또 담은 쉽사리 기기(氣機)를 조체(阻滯)하기 때문에 이기약(理氣藥)과 배오하면 화담(化痰)의 효능이 강화된다.

해수에 객혈을 겸하고 있으면 강렬하거나 자극성이 있는 온조화담약(溫燥化痰藥)을 피해야 하는데, 그렇지 않으면 출혈이 심해진다. 외감 해수의 초기에 담이 많거나 해담불상(喀痰不爽)하면 서둘러 수렴지해약(收斂止咳藥)을 쓰지 말아야 한다.

반하(半夏) [소음인 약물]

- 기원종: 반하(천남성과 Araceae)
- 약용 부위: 덩이줄기로서 주피를 완전히 제거한 것
- 성미: 온 신(溫 辛), 유독(有毒)
- 귀경: 비 위 폐(脾 胃 肺)
- 효능: 화담지구(化痰止嘔), 조습강역(燥濕降逆), 소비산결(消痞散結)
- 주치: 담다천해(痰多喘咳), 담음현계(痰飮眩悸), 풍담현훈(風痰眩暈), 담궐두통, 구토 반위, 흉완비민(胸脘痞悶), 매핵기
- 사용주의: 오두류(烏頭類), 이당(飴糖), 해조(海藻), 양혈(羊血) 등과 같이 먹지 않는다. 일체의 혈증(血症), 음허조해(陰虛燥咳), 진액손상(津液損傷)에 의한 구갈자(口渴者)는 복용하지 않는다.

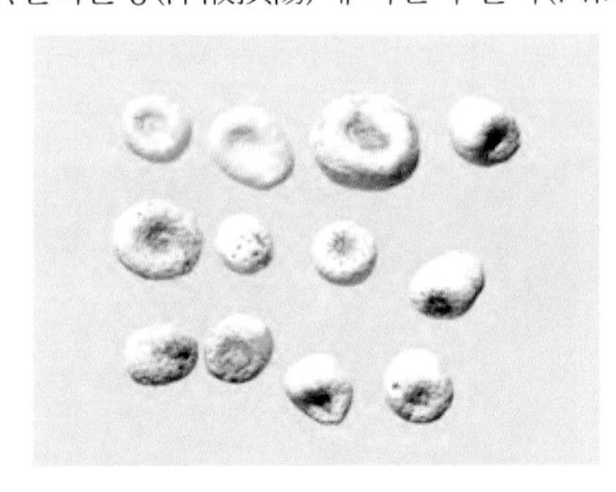

ⓒmfds.go.kr

ⓒmfds.go.kr

천남성(天南星) [소음인 약물]

- 기원종: 둥근잎천남성, 천남성(天南星) 또는 두루미천남성(천남성과 Araceae)
- 약용 부위: 덩이뿌리로서 주피를 완전히 제거한 것
- 성미: 온 고신(溫 苦辛), 유독(有毒)
- 귀경: 간 폐 비(肝 肺 脾)
- 효능: 조습화담(燥濕化痰), 거풍지경(祛風止痙), 산결소종(散結消腫)
- 주치: 완담해수(頑痰咳嗽), 풍담현훈(風痰眩暈), 중풍담옹(中風痰壅), 구안와사, 반신불수, 전간, 경풍(驚風), 파상풍
- 사용주의: 음허조담자(陰虛燥痰者), 임신부는 사용에 주의한다.

20) 脾爲生痰之源 (醫宗必讀·痰飮)

©mfds.go.kr ©mfds.go.kr

백부자(白附子)

- 기원종: 백부자(미나리아재비과 Ranunculaceae)
- 약용 부위: 덩이뿌리
- 성미: 온 신(溫 辛)
- 귀경: 비 위(脾 胃)
- 효능: 거풍담(祛風痰), 정경축(定驚搐), 해독산결지통(解毒散結止痛)
- 주치: 중풍담옹(中風痰壅), 구안와사, 언어건삽(言語蹇澁), 담궐두통, 편정두통(偏正頭痛), 후비인통(喉痺咽痛), 파상풍, [외치] 나력담핵(瘰癧痰核), 독사교상
- 사용주의: 음허(陰虛) 또는 고열자(高熱者)와 유중풍(類中風) 및 소아만경(小兒慢驚)에는 복용을 금한다. 임신부도 금한다.

©dgom.daegu.go.kr ©dgom.daegu.go.kr

개자(芥子)

- 기원종: 갓(십자화과 Cruciferae)
- 약용 부위: 잘 익은 씨
- 성미: 온 신(溫 辛)
- 귀경: 폐(肺)
- 효능: 온폐거담(溫肺祛痰), 이기산결(利氣散結), 통락지통(通絡止痛)
- 주치: 한담천해(寒痰喘咳), 협창통(脇脹痛), 담체경락관절마목(痰滯經絡關節麻木), 동통, 담습유주(痰濕流注), 음저종독(陰疽腫毒)
- 사용주의: 신온(辛溫)하여 발산하는 성질이 있으므로 폐허해수(肺虛咳嗽)와 음허화왕(陰虛火旺)의 경우에는 금

한다.

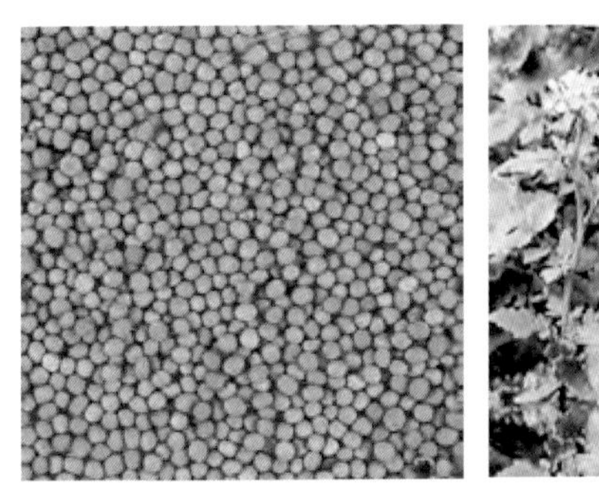

©dgom.daegu.go.kr ©dgom.daegu.go.kr

선복화(旋覆花)

- 기원종: 금불초 또는 유라시아선복화(歐亞旋覆花) (국화과 Compositae)
- 약용 부위: 꽃
- 성미: 미온 고신함(微溫 苦辛鹹)
- 귀경: 폐 비 위 대장(肺 脾 胃 大腸)
- 효능: 소담행수(消痰行水)、강기지구(降氣止嘔)
- 주치: 풍한해수(風寒咳嗽)、담음축결(痰飮蓄結)、흉격비만(胸膈痞滿)、천해담다(喘咳痰多)、구토희기(嘔吐噫氣)、심하비경(心下痞硬)
- 사용주의: 능산(能散)하고 강역(降逆)하므로 허한 경향이 있는 자는 많이 복용해서는 안 된다. 허약자나 대변 설사에는 적당하지 않으며, 음허(陰虛)로 인한 노수(勞嗽)나 풍열(風熱)에 의한 조해(燥咳)에는 복용을 금한다.

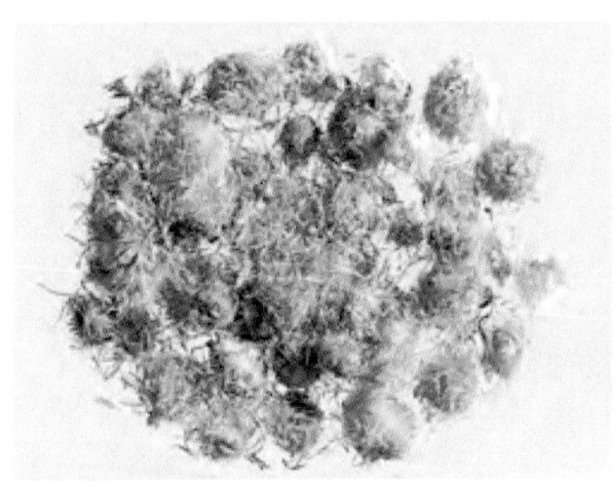

©mfds.go.kr ©mfds.go.kr

전호(前胡) **[소양인 약물]**

- 기원: 백화전호(白花前胡)[21] 또는 바디나물(산형과 Umbelliferae)
- 약용 부위: 뿌리
- 성미: 미한 고신(微寒 苦辛)
- 귀경: 간(肝)

21) 우리나라 자생식물 '전호'와는 전혀 다른 종이다.

- 효능: 거담강기(祛痰降氣), 선산풍열(宣散風熱)
- 주치: 풍열해수담다(風熱咳嗽痰多), 담열천만(痰熱喘滿), 객담황조(咯痰黃稠)
- 사용주의: 기허혈소자(氣虛血少者)나 음허화치(陰虛火熾)로 진음(眞陰)을 손상하여 나타나는 담다해수(痰多咳嗽)와 천식 등의 증상이 있는 자, 진기(眞氣)가 쇠약하여 흉협역만자(胸脇逆滿者), 음허(陰虛)에 기인한 두통 및 내열(內熱)에 의한 흉부번민자(胸部煩悶者)는 복용을 금한다.

©kiom.re.kr

©kiom.re.kr

길경(桔梗) [태음인 약물]

- 기원종: 도라지(초롱꽃과 Campanulaceae)
- 일반명: 뿌리로서 그대로 또는 주피를 제거한 것
- 약용 부위: 뿌리
- 성미: 평 고신(平 苦辛)
- 귀경: 간(肝)
- 효능: 선폐이인(宣肺利咽), 거담배농(祛痰排膿)
- 주치: 해수담다(咳嗽痰多), 흉민불창(胸悶不暢), 인통음아(咽痛音啞), 폐옹토농(肺癰吐膿), 창양농성불궤(瘡瘍膿成不潰)
- 사용주의: 개설선산(開泄宣散)하므로 음허(陰虛)로 인한 만성 해수와 해혈(咳血)에는 복용을 금한다.

©kiom.re.kr

©kiom.re.kr

과루(瓜蔞) [소양인 약물]

- 기원종: 하늘타리 또는 쌍변괄루(雙邊栝樓) (박과 Cucurbitaceae)
- 약용 부위: 잘 익은 열매
- 성미: 한 감미고(寒 甘微苦)

- 귀경: 폐 위 대장(肺 胃 大腸)
- 효능: 청열척담(淸熱滌痰)、관흉산결(寬胸散結)、윤조활장(潤燥滑腸)
- 주치: 폐열해수(肺熱咳嗽)、담탁황조(痰濁黃稠)、흉비심통(胸痺心痛)、결흉비만(結胸痞滿)、유옹、폐옹、장옹종통(腸癰腫痛)、대변비결
- 사용주의: 오두(烏頭)류와 상반(相反)한다.

ⓒdgom.daegu.go.kr ⓒdgom.daegu.go.kr

천패모(川貝母) **[태음인 약물]**

- 기원종: 천패모(川貝母)、암자패모(暗紫貝母)、감숙패모(甘肅貝母) 또는 사사패모(梭砂貝母) (백합과 Liliaceae)
- 약용 부위: 비늘줄기
- 성미: 미한 고감(微寒 苦甘)
- 귀경: 폐 심(肺 心)
- 효능: 청열윤폐(淸熱潤肺)、화담지해(化痰止咳)
- 주치: 폐열조해(肺熱燥咳)、건해소담(乾咳少痰)、음허노수(陰虛勞嗽)、객담대혈(喀痰帶血)
- 사용주의: 비위허한자(脾胃虛寒者)와 습담이 있는 자는 금한다.

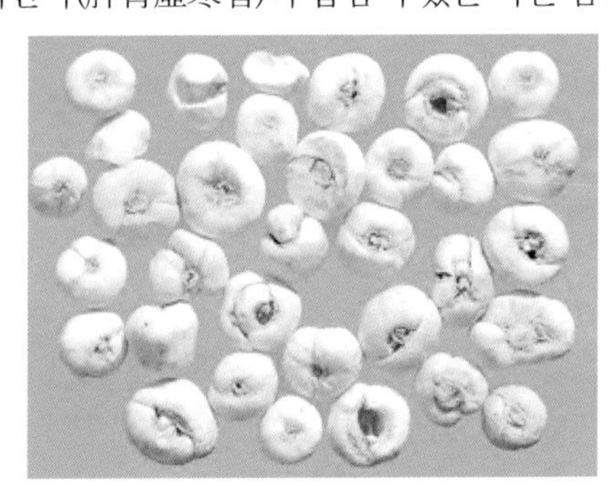

ⓒmfds.go.kr ⓒdgom.daegu.go.kr

죽여(竹茹) **[태음인 약물]**

- 기원종: 솜대、왕대 또는 기타 동속 근연식물(벼과 Gramineae)
- 약용 부위: 겉껍질을 제거한 중간층
- 성미: 미한 감(微寒 甘)
- 귀경: 폐 위(肺 胃)
- 효능: 청열화담(淸熱化痰)、제번지구(除煩止嘔)

- 주치: 열담해수(熱痰咳嗽), 담화협담번열구토(膽火挾痰煩熱嘔吐), 경계실면(驚悸失眠), 중풍담미(中風痰迷)의 설강불어(舌强不語), 위열구토(胃熱嘔吐), 임부오조, 태동불안
- 사용주의: 비위허한자(脾胃虛寒者)는 사용을 금한다.

©mfds.go.kr

©mfds.go.kr

죽력(竹瀝) **[태음인 약물]**

- 기원종: 솜대, 왕대(벼과 Gramineae)
- 약용 부위: 줄기에 열을 가해 태울 때 유출되는 즙액
- 성미: 한 감(寒 甘)
- 귀경: 심 폐 위(心 肺 胃)
- 효능: 청열활담(淸熱滑痰), 진경통규(鎭痙通竅)
- 주치: 열해담조(熱咳痰稠), 담열몽폐청규제증(痰熱蒙弊淸竅諸證), 중풍담미(中風痰迷), 경간전광(驚癎癲狂)
- 사용주의: 한활(寒滑)하기 때문에 한수(寒嗽) 및 비허변당(脾虛便溏)의 경우는 금한다.

©mfds.go.kr

©pixabay.com

반대해(胖大海)

- 기원종: 반대해(벽오동과 Sterculiaceae)
- 약용 부위: 씨
- 성미: 한 감(寒 甘)
- 귀경: 폐 대장(肺 大腸)
- 효능: 청열윤폐(淸熱潤肺), 이인해독(利咽解毒), 윤장통변(潤腸通便)
- 주치: 폐열성아(肺熱聲啞), 건해무담(乾咳無痰), 인후건통(咽喉乾痛), 열결변폐(熱結便閉), 두통목적(頭痛目赤)
- 사용주의: 중한(中寒)과 중습(中濕)으로 인한 변당자(便溏者)는 복용을 금한다.

ⓒen.wikipedia.org ⓒen.wikipedia.org

비파엽(枇杷葉) **[태음인 약물]**

- 기원종: 비파나무(장미과 Rosaceae)
- 약용 부위: 잎
- 성미: 미한 고(微寒 苦)
- 귀경: 폐 위(肺 胃)
- 효능: 청폐지해(淸肺止咳)、강역지구(降逆止嘔)
- 주치: 폐열해수(肺熱咳嗽)、기역천급(氣逆喘急)、위열구역(胃熱嘔逆)、번열구갈(煩熱口渴)
- 사용주의: 허한구토(虛寒嘔吐)、풍한해수(風寒咳嗽) 등의 증상이 있으면 금한다.

ⓒmfds.go.kr ⓒmfds.go.kr

행인(杏仁) **[태음인 약물]**

- 기원종: 살구나무、개살구나무、시베리아살구 또는 아르메니아살구(장미과 Rosaceae)
- 약용 부위: 잘 익은 씨
- 성미: 미온 고(微溫 苦)
- 귀경: 폐 대장(肺 大腸)
- 효능: 강기지해평천(降氣止咳平喘)、윤장통변(潤腸通便)
- 주치: 해수기천(咳嗽氣喘)、흉만담다(胸滿痰多)、혈허진고(血虛津枯)、장조변비(腸燥便秘)
- 사용주의: 대변당설(大便溏泄)의 경우에는 신중히 사용하며, 특히 소아의 경우 중독 우려로 다량 복용을 금한다.

©dgom.daegu.go.kr ©mfds.go.kr

백부근(百部根)

- 기원종: 만생백부(蔓生百部)、직립백부(直立百部) 또는 대엽백부(對葉百部) (백부과 Stemonaceae)
- 약용 부위: 덩이뿌리
- 성미: 미온 감고(微溫 甘苦)
- 귀경: 폐(肺)
- 효능: 윤폐하기지해(潤肺下氣止咳)、살충
- 주치: 신구해수(新久咳嗽)、폐로해수(肺勞咳嗽)、백일해、[외치] 두슬(頭虱)、체슬(體虱)、요충、음양(陰癢)
- 사용주의: 열수(熱嗽)、음허화염(陰虛火炎) 등의 증상이 있으면 금한다.

©dgom.daegu.go.kr ©dgom.daegu.go.kr

자완(紫菀) **[태음인 약물]**

- 기원종: 개미취(국화과 Compositae)
- 약용 부위: 뿌리와 뿌리줄기
- 성미: 온 신고(溫 辛苦)
- 귀경: 폐(肺)
- 효능: 윤폐하기(潤肺下氣)、소담지해(消痰止咳)
- 주치: 담다천해(痰多喘咳)、신구해수(新久咳嗽)、노수해혈(勞嗽咳血)
- 사용주의: 실열해수(實熱咳嗽)、음허화왕(陰虛火旺)으로 인한 해혈(咳血)에는 금한다

©mfds.go.kr

©mfds.go.kr

관동화(款冬花) **[태음인 약물]**

- 기원종: 관동(款冬) (국화과 Compositae)
- 약용 부위: 꽃봉오리
- 성미: 온 신미감(溫 辛微甘)
- 귀경: 폐(肺)
- 효능: 윤폐하기(潤肺下氣), 지해화담(止咳化痰)
- 주치: 신구해수(新久咳嗽), 천해담다(喘咳痰多), 노수해혈(勞嗽咳血)
- 사용주의: 음허노수자(陰虛勞嗽者)는 금한다.

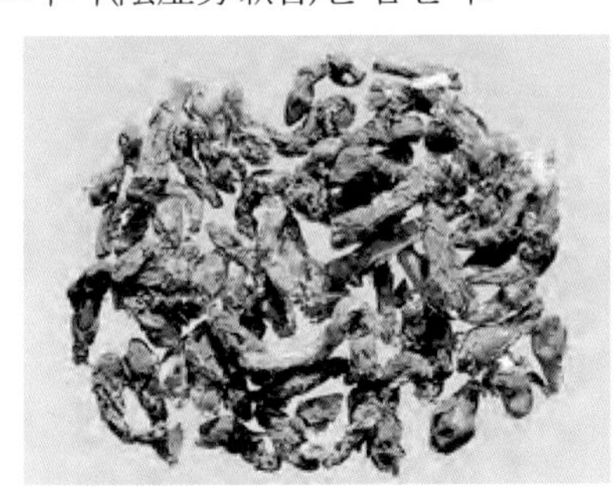
©mfds.go.kr

©mfds.go.kr

자소자(紫蘇子) **[소음인 약물]**

- 기원종: 소엽(차즈기) 또는 주름소엽(꿀풀과 Labiatae)
- 약용 부위: 열매
- 성미: 온 신(溫 辛)
- 귀경: 폐(肺)
- 효능: 강기소담(降氣消痰), 평천(平喘), 윤장(潤腸)
- 주치: 담옹기역(痰壅氣逆), 해수기천(咳嗽氣喘), 장조변비(腸燥便秘)
- 사용주의: 장활기허자(腸滑氣虛者)는 금한다.

©dgom.daegu.go.kr ©dgom.daegu.go.kr

상백피(桑白皮) [태음인 약물]

- 기원종: 뽕나무(뽕나무과 Moraceae)
- 약용 부위: 뿌리껍질로서 주피를 제거한 것
- 성미: 한 감(寒 甘)
- 귀경: 폐(肺)
- 효능: 사폐평천(瀉肺平喘), 이수소종(利水消腫)
- 주치: 폐열해천(肺熱咳喘), 수종창만뇨소(水腫脹滿尿少), 면목기부부종(面目肌膚浮腫)
- 사용주의: 폐허무화(肺虛無火), 풍한해수자(風寒咳嗽者)는 금한다.

©kiom.re.kr ©kiom.re.kr

백과(白果) [태음인 약물]

- 기원종: 은행나무(은행나무과 Ginkgoaceae)
- 약용 부위: 열매의 속씨
- 성미: 평 감고 삽(平 甘苦 澁)
- 귀경: 폐(肺)
- 효능: 염폐평천(斂肺平喘), 수삽지대탁(收澁止帶濁), 축소변(縮小便)
- 주치: 담다천해(痰多喘咳), 대하백탁(帶下白濁), 유뇨빈뇨(遺尿頻尿)
- 사용주의: 실사(實邪)가 있는 자는 금한다. 많이 복용하지 않는다.

ⓒdgom.daegu.go.kr

ⓒpixabay.com

14. 안신약(安神藥)

신지(神志)를 안정시키는 작용을 함으로써 심신불안병증(心神不安病證)을 치료하는 약물로 쓰이며, 이를 안신약이라고 한다.

이에 속하는 약물은 모두 안신작용을 가지고 있다. 그중에서 광물이나 조개껍질 등은 무거워서 진심안신(鎭心安神) 작용이 있고, 종자류 약물은 심기를 보하는 성질이 있기 때문에 양심안신(養心安神) 작용이 있다. 실면다몽(失眠多夢)、심계정충(心悸怔忡)、경간(驚癎)、전광(癲狂) 등과 같은 심신불안병증에 적용된다.

광석류의 안신약은 장기 복용해서는 안 되고, 환산제로 만들 때는 반드시 양위건비약물(養胃健脾藥物)을 배오하여 위(胃)와 기가 상하는 것을 막아야 한다. 독성이 있는 약물은 더욱 조심해야 한다.

주사(朱砂) [소양인 약물]

- 기원: 황화광물 진사로 주로 황화수은 (HgS)으로 구성되어 있다.
- 성미: 미한 감(微寒 甘)
- 귀경: 심(心)
- 효능: 진심안신(鎭心安神)、청열해독(淸熱解毒)
- 주치: 심계이경(心悸易驚)、실면다몽(失眠多夢)、전간발광(癲癎發狂)、소아경풍(小兒驚風)、시물혼화(視物昏花)、구창(口瘡)、후비(喉痺)、창양종독(瘡瘍腫毒)
- 사용주의: 과다하거나 지속적으로 오래 복용하지 말고, 고온에 노출되면 수은이 유리될 수 있으므로 주의해야 한다. 임산부는 복용을 금한다.

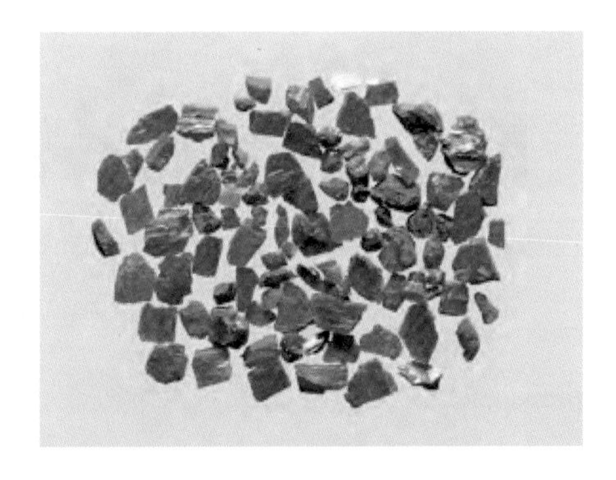

ⓒmfds.go.kr

용골(龍骨) [태음인 약물]

- 기원: 큰 포유동물의 화석화된 뼈로서 주로 탄산칼슘으로 구성되어 있다.
- 성미: 한 삽(寒 澁)
- 귀경: 심 간(心 肝)
- 효능: 평간잠양(平肝潛陽)、진경안신(鎭驚安神)、염한고정(斂汗固精)、지혈삽장(止血澁腸)、생기염창(生肌斂瘡)
- 주치: 경간전광(驚癎癲狂)、정충건망(怔忡健忘)、실면다몽(失眠多夢)、자한도한(自汗盜汗)、유정(遺精)、임탁(淋濁)、토뉵변혈(吐衄便血)、붕루대하(崩漏帶下)、사리탈항(瀉痢脫肛)、궤양구불수구(潰瘍久不收口)
- 사용주의: 습열(濕熱)과 실사(實邪)의 경우에는 금한다.

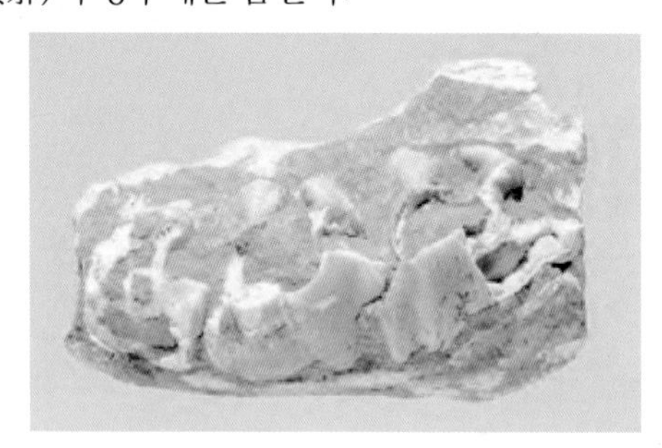

©mfds.go.kr

산조인(酸棗仁) [태음인 약물]

- 기원종: 멧대추(갈매나무과 Rhamnaceae)
- 약용 부위: 잘 익은 씨
- 성미: 평 감산(平 甘酸)
- 귀경: 심 간(心 肝)
- 효능: 양심안신(養心安神)、염한(斂汗)
- 주치: 허번불면(虛煩不眠)、경계다몽(驚悸多夢)、체허다한(體虛多汗)、진상구갈(津傷口渴)
- 사용주의: 간담실열자(肝膽實熱者)、활설자(滑泄者)는 금한다.

©dgom.daegu.go.kr ©dgom.daegu.go.kr

백자인(柏子仁) [태음인 약물]

- 기원종: 측백나무(측백나무과 Cupressaceae)
- 약용 부위: 씨로서 씨껍질을 제거한 것
- 성미: 평 감(平 甘)

- 귀경: 심 신 대장(心 腎 大腸)
- 효능: 양심안신(養心安神), 윤장통변(潤腸通便)
- 주치: 허번실면(虛煩失眠), 심계정충(心悸怔忡), 음허도한(陰虛盜汗), 장조변비(腸燥便秘)
- 사용주의: 변당(便溏), 다담자(多痰者)는 금한다.

©dgom.daegu.go.kr ©dgom.daegu.go.kr

원지(遠志) **[태음인 약물]**

- 기원종: 원지(원지과 Polygalaceae)
- 약용 부위: 뿌리
- 성미: 미온 고신(微溫 苦辛)
- 귀경: 폐 심 신(肺 心 腎)
- 효능: 영심안신(寧心安神), 거담개규(祛痰開竅), 소산옹종(消散癰腫)
- 주치: 심신불안(心神不安), 실면다몽(失眠多夢), 건망경계(健忘驚悸), 신지황홀(神志恍惚), 경간(驚癎), 해담불상(咳痰不爽), 창양종독(瘡瘍腫毒), 유방종통(乳房腫痛)
- 사용주의: 심신유화(心腎有火), 음허양항(陰虛陽亢)의 경우에는 금하며, 궤양병과 위염에는 사용에 주의한다.

©dgom.daegu.go.kr ©dgom.daegu.go.kr

영지(靈芝) **[소양인 약물]**

- 기원종: 영지 또는 기타 근연종(구멍장이버섯과 Polyporaceae)
- 약용 부위: 자실체
- 성미: 평 감미고(平 甘微苦)
- 귀경: 심 비 폐(心 脾 肺)
- 효능: 양심안신(養心安神), 보기익혈(補氣益血), 지해평천(止咳平喘)

- 주치: 실면다몽(失眠多夢)、심계정충(心悸怔忡)、건망(健忘)、폐허구해(肺虛久咳)、해천(咳喘)
- 사용주의: 비위허한자(脾胃虛寒者)는 금한다.

ⓒdgom.daegu.go.kr

수오등(首烏藤)[22]

- 기원종: 하수오(마디풀과 Polygonaceae)
- 약용 부위: 덩굴줄기
- 성미: 평 감미고(平 甘微苦)
- 귀경: 심 간(心 肝)
- 효능: 양심안신(養心安神)、거풍통락(祛風通絡)
- 주치: 실면、노상(勞傷)、다한、혈허신통(血虛身痛)、옹저(癰疽)、나력、풍창개선(風瘡疥癬)
- 사용주의: 대변당설(大便溏泄) 및 습담(濕痰)의 경우는 적당하지 못하며, 내복(萊菔)을 금한다.

ⓒmfds.go.kr

ⓒforest.go.kr

15. 평간식풍약(平肝息風藥)

평간잠양(平肝潛陽)과 식풍지경(息風止痙)하는 작용을 함으로써 간양상항(肝陽上亢)이나 간풍내동증(肝風內動證)을 치료하는 약물로 쓰이며, 평간식풍약(平肝息風藥)이라고 한다.

이에 속하는 약물은 모두 간경(肝經)으로 들어가고, 대개 조개껍질류나 충류약(蟲類藥)들은 평간잠양(平肝潛陽)、

22) 야교등(夜交藤)이라고도 한다.

식풍지경(息風止痙)시키는 효능이 있어서 간양상항의 현훈이명(眩暈耳鳴), 두창두통(頭脹頭痛)과 간풍내동의 현훈욕부(眩暈欲仆), 항강지전(項强肢顫), 경련추축(痙攣抽搐) 등에 적용된다.

이런 약물 중에서 조개껍질류와 광물질들은 무겁고 단단해서 용량 역시 커야 하는데, 탕제에 넣을 때는 잘게 부수어 먼저 달이며, 충류약은 대개 독이 있고 약력도 비교적 맹렬하여 용량을 적게 해야 한다.

영양각(羚羊角) **[태음인 약물]**

- 기원종: 영양 또는 고비영양(高鼻羚羊) (소과 Bovidae)
- 약용 부위: 뿔
- 성미: 한 함(寒 鹹)
- 귀경: 간 심(肝 心)
- 효능: 평간식풍(平肝息風), 청간명목(淸肝明目), 청열해독(淸熱解毒)
- 주치: 고열경간(高熱驚癎), 신혼경궐(神昏痙厥), 자간추축(子癎抽搐), 전간발광(癲癎發狂), 두통현훈(頭痛眩暈), 목적예장(目赤翳障), 온독발반(溫毒發斑), 옹종창독(癰腫瘡毒)
- 사용주의: 화열(火熱)이 없는 자나 비허만경(脾虛慢驚) 등에는 복용을 금한다.

ⓒdgom.daegu.go.kr ⓒen.wikipedia.com

조구등(釣鉤藤) **[소양인 약물]**

- 기원종: 화구등(華鉤藤) 또는 기타 동속 근연식물(꼭두서니과 Rubiaceae)
- 약용 부위: 가시가 달린 어린 가지
- 성미: 미한 감(微寒 甘)
- 귀경: 간 심포(肝 心包)
- 효능: 식풍지경(息風止痙), 청열평간(淸熱平肝)
- 주치: 두통현훈(頭痛眩暈), 경간추축(驚癎抽搐), 임신자간(妊娠子癎), 고혈압증
- 사용주의: 풍열(風熱)이나 실열(實熱)이 없는 자는 금한다.

©dgom.daegu.go.kr

©dgom.daegu.go.kr

천마(天麻) [태음인 약물]

- 기원종: 천마(난초과 Orchidaceae)
- 약용 부위: 덩이줄기를 쪄서 말린 것
- 성미: 평 감(平 甘)
- 귀경: 간(肝)
- 효능: 평간식풍(平肝息風), 식풍지경(熄風止痙)
- 주치: 두통현훈, 지체마목, 소아경풍(小兒驚風), 전간추축(癲癎抽搐), 파상풍증
- 사용주의: 혈허무풍(血虛無風)과 화염두훈(火炎頭暈) 및 유중풍증(類中風證)에는 금한다.

©kiom.re.kr

©kiom.re.kr

백강잠(白殭蠶) [태음인 약물]

- 기원: 누에나방(누에과 Bombycidae)의 유충이 백강병균(모닐리아과 Moniliaceae)의 감염에 의한 백강병으로 경직사한 몸체
- 성미: 평 함신(平 鹹辛)
- 귀경: 간 폐 위(肝 肺 胃)
- 효능: 식풍지경(息風止痙), 소산풍열(疏散風熱), 화담산결(化痰散結), 청열해독(清熱解毒), 청열조습(清熱燥濕)
- 주치: 중풍실음(中風失音), 경간(驚癎), 두풍(頭風), 후풍(喉風), 후비(喉痺), 나력결핵, 풍창은진(風瘡癮疹), 단독(丹毒), 무명종독(無名腫毒), 남자음양(男子陰痒), 여자대하(女子帶下)
- 사용주의: 상표초(桑螵蛸), 길경(桔梗), 복령(茯苓), 복신(茯神), 비해(萆薢)와 상오(相惡)한다. 산후통에 풍이 없는 자와 붕중(崩中)에는 금한다.

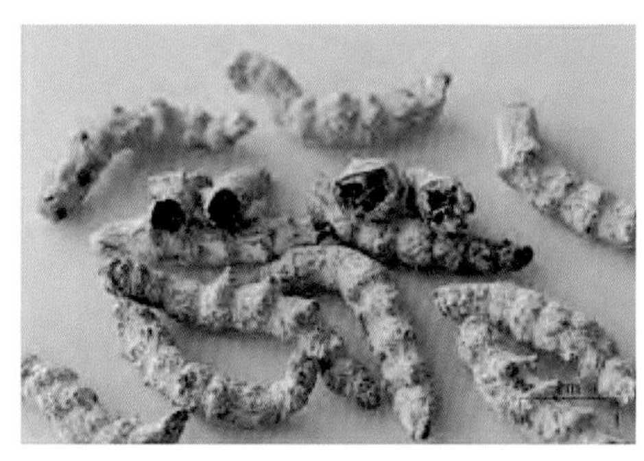

ⓒkeilab.org ⓒcommons.wikimedia.org

전갈(全蝎) **[소음인 약물]**

- 기원종: 극동전갈(전갈과 Buthidae)
- 약용 부위: 몸체를 끓는 물이나 끓는 소금물에 잠깐 담갔다가 말린 것
- 성미: 평 신(平 辛)
- 귀경: 간(肝)
- 효능: 식풍지경(息風止痙)、통락지통(通絡止痛)、해독산결(解毒散結)
- 주치: 소아경풍(小兒驚風)、추축경련(抽搐痙攣)、중풍 구와(中風口喎)、반신불수、파상풍、풍습완비(風濕頑痺)、편정두통(偏正頭痛)、창양(瘡瘍)、나력
- 사용주의: 혈허생풍자(血虛生風者)는 금한다.

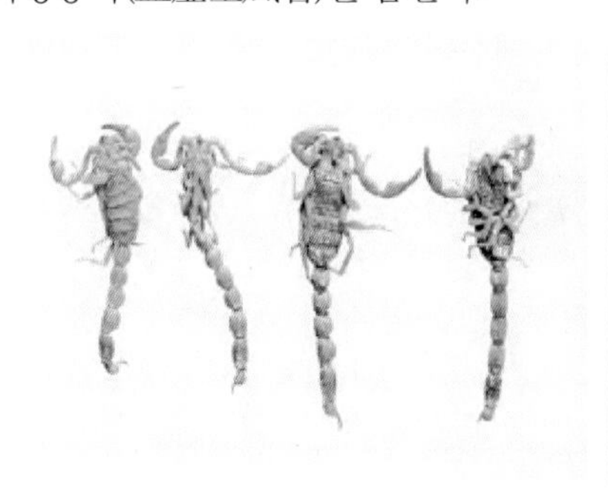

ⓒmfds.go.kr ⓒen.wikipedia.org

오공(蜈蚣) **[소양인 약물]**

- 기원종: 왕지네(왕지네과 Scolopendridae)
- 약용 부위: 몸체
- 성미: 온 신(溫 辛)
- 귀경: 간(肝)
- 효능: 식풍지경(息風止痙)、해독산결(解毒散結)、통락지통(通絡止痛)
- 주치: 소아경풍、추축경련(抽搐痙攣)、중풍 구와(中風口喎)、반신불수、파상풍、풍습완비(風濕頑痺)、창양(瘡瘍)、나력、독사교상(毒蛇咬傷)
- 사용주의: 혈허경련(血虛痙攣) 및 임산부는 금한다.

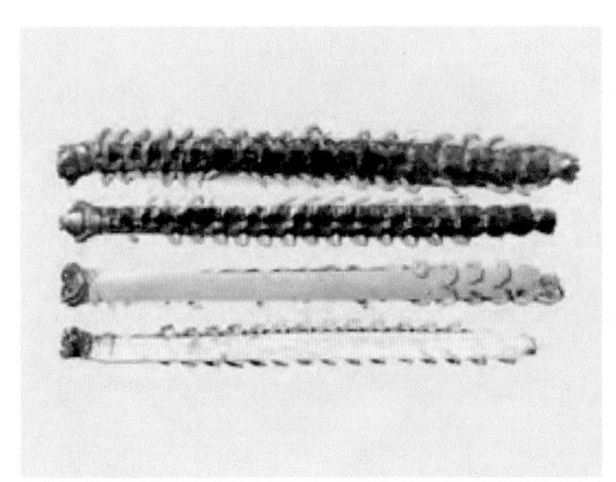

ⓒmfds.go.kr ⓒfr.wikipedia.org

지룡(地龍) **구인**(蚯蚓)

- 기원종: 보통땅지렁이, 갈색낚시지렁이(낚시지렁이과 Lumbricidae) 및 삼상원맹인(지렁이과 Megascolecidae) 또는 기타 동속 근연동물
- 약용 부위: 몸체
- 성미: 한 함(寒 鹹)
- 귀경: 간 비 폐(肝 脾 肺)
- 효능: 청열정경(淸熱定驚)、통락(通絡)、평천(平喘)、이뇨
- 주치: 고열신혼(高熱神昏)、경간추축(驚癇抽搐)、관절비통(關節痺痛)、지체마목、반신불수、폐열천해(肺熱喘咳)、요소수종(尿少水腫)、고혈압
- 사용주의: 파와 소금을 같이 쓰지 않는다. 상한(傷寒)에서 양명실열(陽明實熱)과 광조(狂躁)가 없으면 금한다.

ⓒ1688.com ⓒde.wikipedia.org

결명자(決明子) **[소양인 약물]**

- 기원종: 결명차 또는 결명(決明) (콩과 Leguminosae)
- 약용 부위: 잘 익은 씨
- 성미: 미한 감고함(微寒 甘苦鹹)
- 귀경: 간 대장(肝 大腸)
- 효능: 청간명목(淸肝明目)、평간잠양(平肝潛陽)、윤장통변(潤腸通便)
- 주치: 목적삽통(目赤澁痛)、수명다루(羞明多淚)、두통현훈、목암불명(目暗不明)、대변비결
- 사용주의: 대마자(大麻子)와 상오(相惡)한다.

©dgom.daegu.go.kr ©dgom.daegu.go.kr

석결명(石決明)

- 기원종: 말전복, 오분자기 또는 기타 동속 근연동물(전복과 Haliotidae)
- 약용 부위: 껍질
- 성미: 한 함(寒 鹹)
- 귀경: 간(肝)
- 효능: 평간잠양(平肝潛陽), 청간명목(淸肝明目)
- 주치: 두통현훈(頭痛眩暈), 목적예장(目赤翳障), 시물혼화(視物昏花), 청맹작목(靑盲雀目)
- 사용주의: 함한(鹹寒)한 약물들은 비위를 손상하기 쉬우므로 비위가 허한한 자는 복용을 삼가야 하며, 양허(陽虛)한 자 역시 삼가야 하는데, 사용할 때는 양혈약(養血藥)과 함께 사용하는 것이 좋다.

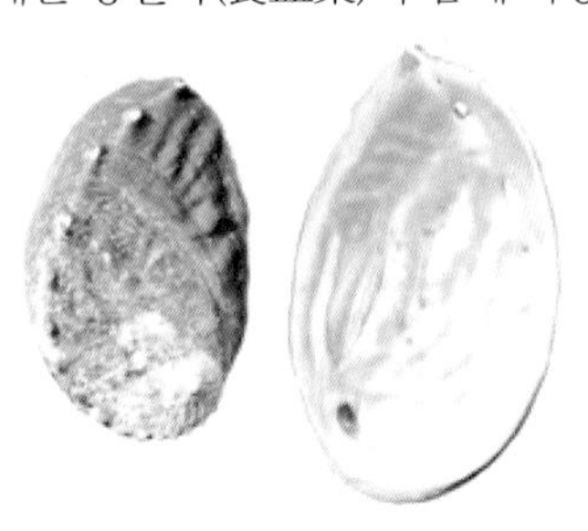

©mfds.go.kr

모려(牡蠣) **[소양인 약물]**

- 기원종: 굴, 대련만모려(大連灣牡蠣) 또는 근강모려(近江牡蠣) (굴과 Ostreidae)
- 약용 부위: 껍질
- 성미: 미한 함(微寒 鹹)
- 귀경: 간 담 신(肝 膽 腎)
- 효능: 평간잠양(平肝潛陽), 중진안신(重鎭安神), 연견산결(軟堅散結), 수렴고삽(收斂固澁), 제산지통(制酸止痛)
- 주치: 경계실면(驚悸失眠), 번조불안, 현훈이명(眩暈耳鳴), 나력담핵(瘰癧痰核), 징가비괴(癥瘕痞塊), 자한도한(自汗盜汗), 유정붕대(遺精崩帶), 위통범산(胃痛泛酸)
- 사용주의: 허증자(虛證者), 신허유정자(腎虛遺精者)는 금한다.

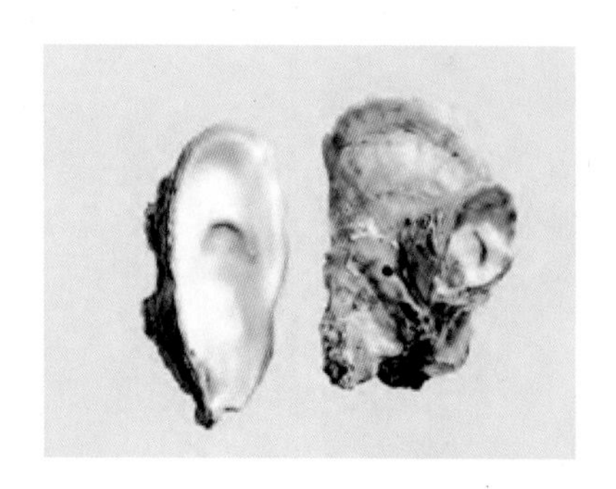

©mfds.go.kr

진주(珍珠) [소양인 약물]

- 기원종: 진주조개 또는 그 근연동물(진주조개과 Pteridae), 날개조개 또는 귀이빨대칭이(석패과 Unionidae)
- 약용 부위: 자극을 받아 생성한 구슬(진주)
- 성미: 한 감함(寒 甘鹹)
- 귀경: 심 간(心 肝)
- 효능: 안신정경(安神定驚), 청간명목(淸肝明目), 해독생기(解毒生肌)
- 주치: 경계실면(驚悸失眠), 경풍전간(驚風癲癎), 목생운예(目生雲翳), 창양불렴(瘡瘍不斂)
- 사용주의: 실화울열(實火鬱熱)이 없는 자는 금한다. 장식용이나 죽어서 냄새가 나는 것은 사용하지 않는다.

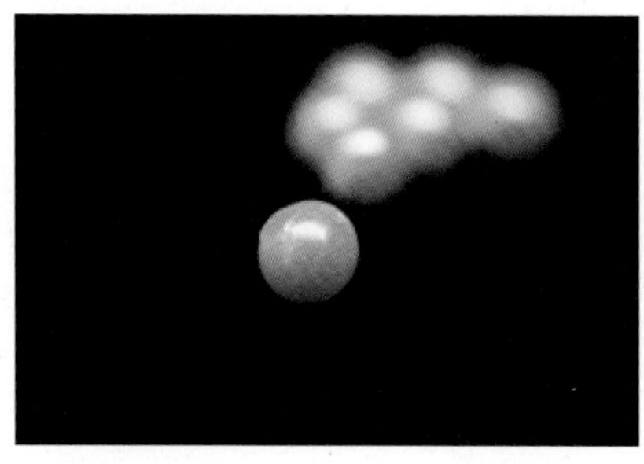

©pdpics.com ©flickr.com

대자석(代赭石)

- 기원: 산화물 광물 적철석이다. 삼산화이철수화물 ($Fe_2O_3 \cdot nH_2O$)을 주로 함유한다.
- 성미: 한 고(寒 苦)
- 귀경: 간 심(肝 心)
- 효능: 평간잠양(平肝潛陽), 중진강역(重鎭降逆), 양혈지혈(凉血止血)
- 주치: 두통현훈(頭痛眩暈), 애기(噯氣), 애역(呃逆), 구토, 토혈, 육혈, 붕루
- 사용주의: 임산부는 복용을 금한다.

©mfds.go.kr

16. 개규약(開竅藥)

신향주찬(辛香走竄)하는 성질로 개규성신(開竅醒神) 작용을 함으로써 폐증신혼(閉證神昏)을 치료하는 약물로 쓰이며, 개규약이라고 한다.

이에 속하는 약물들은 심경(心經)으로 들어가서 막힌 심규(心竅)를 열고 폐증신혼의 환자가 깨어나게 하는데, 열함심포(熱陷心包)나 담탁조폐(痰濁阻閉)로 인한 신지혼미(神志昏迷)에 적용된다.

이런 약물들은 대개 구급 치표(治標)해서 정기(正氣)를 상하기 때문에 단기간 복용하여야 한다. 또 약성이 신향주찬(辛香走竄)해서 쉽게 휘발되므로 내복하는 경우 탕제로 하지 않고 환제나 산제로 복용한다.

사향(麝香) [태음인 약물]

- 기원종: 난쟁이사향노루, 산사향노루 또는 사향노루(사향노루과 Moschidae)
- 약용 부위: 수컷의 사향선 분비물
- 성미: 온 신(溫 辛)
- 귀경: 심 비(心 脾)
- 효능: 개규성신(開竅醒神), 활혈거어(活血祛瘀), 소종산결(消腫散結), 최산하태(催産下胎)
- 주치: 열병신혼(熱病神昏), 중풍담궐(中風痰厥), 기울폭궐(氣鬱暴厥), 중오혼미(中惡昏迷), 경폐(經閉), 징가(癥瘕), 난산사태(難産死胎), 심복폭통(心腹暴痛), 옹종나력(癰腫瘰癧), 인후종통(咽喉腫痛), 질박상통(跌撲傷痛), 비통마목(痺痛麻木)
- 사용주의: 자궁흥분작용을 일으키므로 임산부는 복용을 금하며, 고혈압의 경우 사용에 주의한다.

©mfds.go.kr ©en.wikipedia.org

용뇌(龍腦) 빙편(冰片) [태음인 약물]

- 기원종: 용뇌향(龍腦香) (용뇌향과 Dipterocarpaceae)
- 약용 부위: 수간창구에서 흘러나온 수지 또는 수간과 가지를 썰어 수증기 증류하여 얻은 백색의 결정체
- 성미: 양 신고(涼 辛苦)
- 귀경: 심 비 폐(心 脾 肺)
- 효능: 개규성신(開竅醒神)、청열지통(淸熱止痛)
- 주치: 열병신혼(熱病神昏)、경궐(痙厥)、중풍담궐(中風痰厥)、기울폭궐(氣鬱暴厥)、중오혼미(中惡昏迷)、목적(目赤)、구창(口瘡)、인후종통(咽喉腫痛)、중이염
- 사용주의: 혈허(血虛) 혹은 기허(氣虛)하면서 양기상항(陽氣上亢)된 신혼담궐(神昏痰厥)、소아만경(小兒慢驚) 또는 간신음허(肝腎陰虛)로 인한 목질(目疾) 등과 임산부에 금한다.

©mfds.go.kr

석창포(石菖蒲) [태음인 약물]

- 기원종: 석창포(천남성과 Araceae)
- 약용 부위: 땅속줄기
- 성미: 온 신고(溫 辛苦)
- 귀경: 심 위(心 胃)
- 효능: 화담개규(化痰開竅)、화습행기(化濕行氣)、거풍이비(祛風利痺)、소종지통(消腫止痛)
- 주치: 열병신혼(熱病神昏)、담궐(痰厥)、건망、이명、이롱、완복창통(脘腹脹痛)、금구리(噤口痢)、풍습비통(風濕痺痛)、질타손상(跌打損傷)、옹저개선(癰疽疥癬)
- 사용주의: 음휴혈허(陰虧血虛)、음허양항(陰虛陽亢)으로 번조、해수、토혈、정활(精滑)、다한(多汗)하면 사용에 주의한다.

©kiom.re.kr ©mfds.go.kr

소합향(蘇合香) **[소음인 약물]**

- 기원종: 소합향나무(蘇合香樹) (조록나무과 Hamamelidaceae)
- 약용 부위: 수지를 가공 정제하여 만든 것
- 성미: 온 신(溫 辛)
- 귀경: 심 비(心 脾)
- 효능: 개규성신(開竅醒神)、벽예(辟穢)、지통(止痛)
- 주치: 졸연 혼도、담옹기궐(痰壅氣厥)、경간(驚癎)、온학(溫瘧)、심복급통(心腹急痛)、개선(疥癬)、동상
- 사용주의: 음허화왕자(陰虛火旺者)와 열폐(熱閉) 및 허탈자(虛脫者), 임신부는 금하며, 고열이 있는 의식장애에 쓰면 열상(熱象)을 조장하므로 사용해서는 안 된다.

©mfds.go.kr ©dgom.daegu.go.kr

안식향(安息香) **[소음인 약물]**

- 기원종: 안식향나무 또는 백화수(때죽나무과 Styracaceae)
- 약용 부위: 수지
- 성미: 평 신고(平 辛苦)
- 귀경: 심 비(心 脾)
- 효능: 개규성신(開竅醒神)、할담벽예(豁痰辟穢)、행기활혈(行氣活血)、지통
- 주치: 중풍담궐(中風痰厥)、기울폭궐(氣鬱暴厥)、중오혼미(中惡昏迷)、심복통、산후혈훈、소아경풍
- 사용주의: 불에 가까이하지 말고, 기허소식자(氣虛少食者)、음허다화자(陰虛多火者) 및 병이 악기(惡氣)의 침범으로 인한 것이 아닌 경우에는 복용을 금한다.

©mfds.go.kr ©en.wikipedia.org

섬수(蟾酥) [소양인 약물]

- 기원종: 두꺼비 또는 흑광섬서(黑眶蟾蜍) (두꺼비과 Bufonidae)
- 약용 부위: 독샘의 분비물
- 성미: 온 감신(溫 甘辛)
- 귀경: 심 위(心 胃)
- 효능: 해독소종(解毒消腫)、强心、止痛、개규벽예(開竅辟穢)、소적(消積)
- 주치: 정창(疔瘡)、옹저(癰疽)、발배(發背)、나력(瘰癧)、만성 골수염、인후종통、소아감적(小兒疳積)、심쇠(心衰)、치통
- 사용주의: 임신부는 금한다.

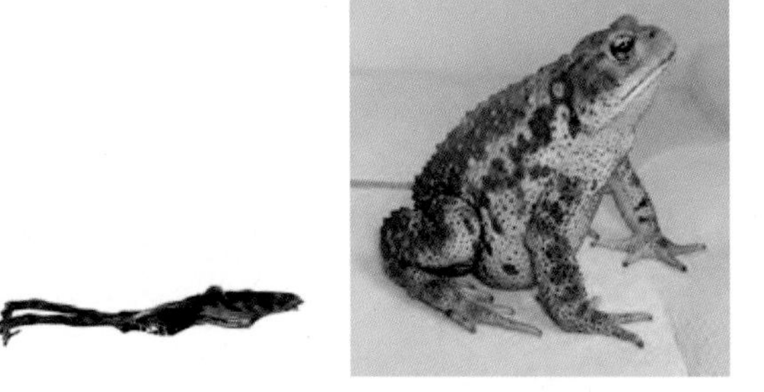

©dgom.daegu.go.kr ©commoms.wikimedia.org

장뇌(樟腦) [태음인 약물]

- 기원: 녹나무(녹나무과 Lauraceae)의 목부、가지、잎을 절단하여 수증기 증류하여 얻은 장뇌유(樟腦油)를 냉각시켜 만든 결정체
- 성미: 열 신(熱 辛)
- 귀경: 심 비(心 脾)
- 효능: 개규벽예(開竅辟穢)、제습살충(除濕殺蟲)、소종지통(消腫止痛)
- 주치: 사창(痧脹)、토사복통(吐瀉腹痛)、중오(中惡)、졸연 혼도、열병신식혼미(熱病神識昏迷)、개선소양(疥癬瘙痒)、질박손상(打撲損傷)、한습각기(寒濕脚氣)
- 사용주의: 기허자(氣虛者)와 임산부는 복용을 삼가야 한다.

©mfds.go.kr ©flickr.com

17. 보익약(補益藥)

허약을 보하여 정기의 허쇠를 바로 잡는 작용을 함으로써 각종 허증(虛證)을 치료하는 약물로 쓰이며, 보익약이라고 한다.

이에 속하는 약물은 대개 감미(甘味)를 가지고 있으며, 보허부약(補虛扶弱)하여 기혈음양허쇠(氣血陰陽虛衰)의 병증을 바로 잡는다. 보기(補氣)、보혈(補血)、보음(補陰)、보양(補陽) 등으로 나누어지며 기혈음양의 다양한 허증을 치료한다.

보허약(補虛藥)은 실사(實邪)가 있는 경우에는 적용하지 않는데, "문을 잠가 도둑을 나가지 못하게[23]" 해서는 안 된다. 무릇 신체가 건강하고 허약 증후가 없는데, 보약을 쓰면 음양실조(陰陽失調)를 일으키고 장부의 정상적인 기능이 손상을 입게 된다. 보허약(補虛藥)은 오래 달이거나 환、고제(丸、膏劑)로 만든다.

인삼(人蔘) [소음인 약물]

- 기원종: 인삼(두릅나무과 Araliaceae)
- 약용 부위: 뿌리로서 그대로 또는 가는 뿌리와 코르크층을 제거한 것
- 성미: 미온 감미고(微溫 甘微苦)
- 귀경: 비 폐 심(脾 肺 心)
- 효능: 대보원기(大補元氣)、고탈생진(固脫生津)、안신(安神)
- 주치: 노상허손(勞傷虛損)、식소(食少)、권태、반위토식(反胃吐食)、대변활설(大便滑泄)、허해천촉(虛咳喘促)、자한폭탈(自汗暴脫)、경계(驚悸)、건망、현훈두통、양위(陽痿)、빈뇨(頻尿)、소갈、부녀붕루、소아만경(小兒慢驚)、구허불복(久虛不復)、일체의 기혈진액부족(氣血津液不足)
- 사용주의: (1) 조열골증(潮熱骨蒸)、폐열해수(肺熱咳嗽)、담옹기급(痰壅氣急)、간양상항(肝陽上亢)、화울실열(火鬱實熱) 등에는 복용을 금한다. 폐열(肺熱)에 금한다는 내용이 많은 문헌에 등장하는데, 이는 허로(虛勞)에 조화(助火)하여 더 큰 손실을 일으킬 수 있음을 설명한 것이다. (2) 특히 간양상항(肝陽上亢)으로 인한 두훈목적(頭暈目赤)의 경우 사용에 주의하여야 하는데, ① 소량의 인삼은 혈관을 수축하여 혈압을 상승시킨다, ② 기성자(氣盛者)와 실자(實者)의 경우에는 불면증을 더욱 심하게 하여 수면 방해가 된다, ③ 고혈압 환자에게 다량을 사용하

23) 廢門留寇

면 뇌충혈(腦充血)을 일으킨다. 그러므로 180㎜Hg인 경우에는 신중히 처리하는 것이 좋다(최근 중국의 고혈압 처방에 인삼이 거의 사용되지 않음) (3) 장기간 복용 시, ① 두통、불면、심계、혈압상승이 올 수 있으므로 주의하고, 이런 경우에 복용을 중지하면 정상으로 회복된다, ② 복용하여 열이 심해질 경우가 있으므로 맥문동(麥門冬)이나 천문동(天門冬)을 가하여 쓰도록 한다. 특히 여름에는 열을 조장할 우려가 있으므로 되도록 겨울에 상용하도록 한다. (4) 외감과 내상 특히 습조열성(濕阻熱盛)의 경우에 사용에 주의한다. 중풍열(中風熱)、상한열증(傷寒熱證)의 감모、전염병성 열증 등에는 신중하게 사용한다.

©mfds.go.kr ©commoms.wikimedia.org

당삼(黨參) [소음인 약물]

- 기원종: 만삼, 소화당삼(素花黨參) 또는 천당삼(川黨參) (초롱꽃과 Campanulaceae)
- 약용 부위: 뿌리
- 성미: 평 감(平 甘)
- 귀경: 비 폐(脾 肺)
- 효능: 보중익기(補中益氣)、건비익폐(健脾益肺)
- 주치: 비위허약(脾胃虛弱)、기혈양휴(氣血兩虧)로 인한 체권무력(體倦無力)、식소(食少)、구갈、구사(久瀉)、탈항、허천해수(虛喘咳嗽)
- 사용주의: 사실(邪實)인 경우 특히 중만자(中滿者)는 금한다.

©dgom.daegu.go.kr ©dgom.daegu.go.kr

황기(黃芪) [소음인 약물]

- 기원종: 황기 또는 몽골황기(콩과 Leguminosae)
- 약용 부위: 뿌리로서 그대로 또는 주피를 제거한 것
- 성미: 온 감(溫 甘)

- 귀경: 폐 비(肺 脾)
- 효능: 익위고표(益衛固表), 이수소종(利水消腫), 탁독(托毒), 생기(生肌)
- 주치: 자한, 도한, 혈비(血痺), 부종, 옹저불궤(癰疽不潰), 궤구불렴(潰久不斂)
- 사용주의: 모든 실증(實證), 양증(陽證) 또는 음허양성(陰虛陽盛)의 경우는 금하며 별갑(鱉甲), 백선피(白鮮皮)를 금한다. 다만 본품(本品)은 온보(溫補)에 편중된 바가 많아 조화염폐(助火斂肺)하기 쉬우므로 겉에 표사(表邪)가 있는 자나 안에 적체(積滯)가 있고 기체습조(氣滯濕阻), 열독창양(熱毒瘡瘍) 및 음허증(陰虛證)에는 모두 사용에 주의한다. 또한, 고혈압과 면적(面赤), 설홍(舌紅) 등에는 승양(升陽)작용이 있으므로 금기하며, 심부전에도 제기(提氣)작용으로 중추신경을 흥분시키므로 금기한다.

ⓒdgom.daegu.go.kr ⓒdgom.daegu.go.kr

백출(白朮) **[소음인 약물]**

- 기원종: 삽주 또는 큰꽃삽주(국화과 Compositae)
- 약용 부위: 땅속줄기로서 그대로 또는 주피를 제거한 것
- 성미: 온 고감(溫 苦甘)
- 귀경: 비 위(脾 胃)
- 효능: 건비익기(健脾益氣), 조습이수(燥濕利水), 지한안태(止汗安胎)
- 주치: 비허식소(脾虛食少), 복창설사, 담음현훈(痰飮眩暈), 수종, 자한, 태동불안
- 사용주의: 성(性)이 온조(溫燥)하여 많이 복용하면 상음(傷陰)의 우려가 있으며 음허내열(陰虛內熱) 또는 진액휴모조갈(津液虧耗燥渴)의 경우에는 금한다.

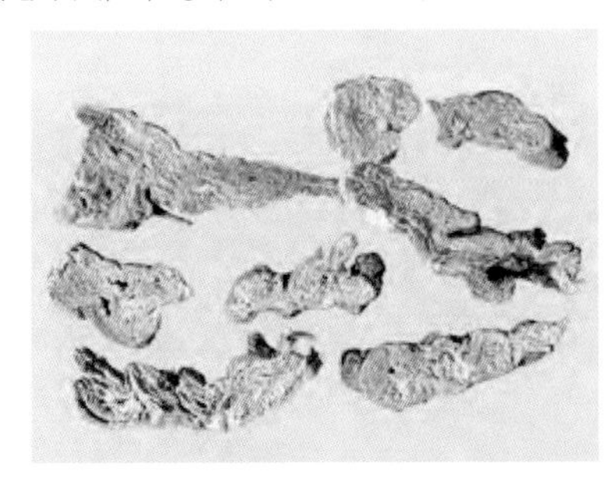

ⓒmfds.go.kr ⓒkiom.re.kr

산약(山藥) **[태음인 약물]**

- 기원종: 마 또는 참마(마과 Dioscoreaceae)
- 약용 부위: 주피를 제거한 땅속줄기로서 그대로 또는 쪄서 말린 것

- 성미: 평 감(平 甘)
- 귀경: 비 폐 신(脾 肺 腎)
- 효능: 보비양위(補脾養胃), 생진익폐(生津益肺), 보신삽정(補腎澁精)
- 주치: 비허식소(脾虛食少), 구사부지(久瀉不止), 폐허천해(肺虛喘咳), 신허유정(腎虛遺精), 대하(帶下), 요빈(尿頻), 허열소갈(虛熱消渴)
- 사용주의: 보익작용이 강하기 때문에 실열(實熱)인 실사(實邪)의 병증과 습성중만자(濕盛中滿者)나 적체(積滯)가 있는 경우에는 금한다.

©dgom.daegu.go.kr

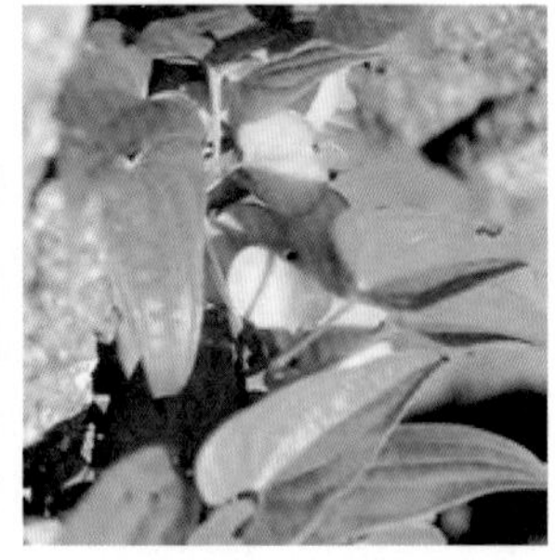

©dgom.daegu.go.kr

감초(甘草) [소음인 약물]

- 기원종: 감초, 광과감초(光果甘草) 또는 창과감초(脹果甘草) (콩과 Leguminosae)
- 약용 부위: 뿌리 및 땅속줄기로서 그대로 또는 주피를 제거한 것
- 성미: 평 감(平 甘)
- 귀경: 심 폐 비 위(心 肺 脾 胃)
- 효능: 화중완급(和中緩急), 윤폐(潤肺), 해독, 조화제약(調和諸藥)
- 주치: 비위허약으로 인한 식소(食少), 복통변당(腹痛便溏), 노권발열(勞倦發熱), 폐위해수(肺痿咳嗽), 심계, 경간(驚癎)
- 사용주의: 대극(大戟), 원화(芫花), 감수(甘遂)와 같이 쓰지 않는다. 중만(中滿)이나 부종자(浮腫者)는 복용을 금하는데, 감초는 중만을 일으켜 소화 장애를 일으킨다. 아울러 항이뇨 작용을 하고 있으므로 부종이 있으면 금한다.

©dgom.daegu.go.kr

대조(大棗) [소음인 약물]

- 기원종: 대추나무(갈매나무과 Rhamnaceae)

- 약용 부위: 잘 익은 열매
- 성미: 온 감(溫 甘)
- 귀경: 비 위(脾 胃)
- 효능: 보비화위(補脾和胃), 익기생진(益氣生津), 조영위(調營衛), 해약독(解藥毒)
- 주치: 위허식소(胃虛食少), 비약변당(脾弱便溏), 심계 정충(心悸怔忡), 부인장조(婦人臟躁)
- 사용주의: 소화 장애를 유발하므로 습조중만(濕阻中滿), 감질(疳疾), 충적(蟲積) 등의 병증에 모두 금한다.

©kiom.re.kr

©kiom.re.kr

봉밀(蜂蜜) **[소음인 약물]**

- 기원종: 양봉꿀벌 또는 동양꿀벌(꿀벌과 Apidae)
- 약용 부위: 벌집에 모은 감미물
- 성미: 평 감(平 甘) 혹은 온 감(溫 甘)
- 귀경: 폐 비 대장(肺 脾 大腸)
- 효능: 보중(補中), 윤조(潤燥), 지통, 해독
- 주치: 폐조해수(肺燥咳嗽), 장조변비(腸燥便秘), 위완동통, 비연(鼻淵), [외치] 구창(口瘡), 탕화탕상(湯火燙傷), 해오두독(解烏頭毒)
- 사용주의: 감온(甘溫)으로 자윤성(滋潤性)을 지니고 있으므로 습열적체(濕熱積滯), 흉비불서(胸痞不舒)의 경우와 변당(便溏) 및 설사에는 사용에 주의한다. 담배, 오두(烏頭), 양지황(洋地黃) 및 두견화과 식물의 봉밀은 사람에게 독성이 있다.

©pixabay.com

녹용(鹿茸) **[태음인 약물]**

- 기원종: 꽃사슴, 마록(馬鹿) 또는 대록(大鹿) (사슴과 Cervidae)
- 약용 부위: 수사슴의 털이 밀생이면서 아직 골질화되지 않았거나 약간 골질화된 어린 뿔을 잘라서 말린 것
- 성미: 온 감함(溫 甘鹹)

- 귀경: 신 간(腎 肝)
- 효능: 보신양(補腎陽)、익정혈(益精血)、강근골(强筋骨)、조충임(調衝任)、탁창독(托瘡毒)
- 주치: 양위활정(陽痿滑精)、궁랭불잉(宮冷不孕)、이수(羸瘦)、신피(神疲)、외한(畏寒)、현훈이명이롱(眩暈耳鳴耳聾)、요척냉통(腰脊冷痛)、근골위연(筋骨痿軟)、붕루대하(崩漏帶下)、음저불렴(陰疽不斂)
- 사용주의: 다량 복용 시 코피나 두중(頭重)을 일으키므로 고혈압의 경우 사용에 주의하여야 하며, 음허화치(陰虛火熾)로 인한 토혈과 하혈에는 사용을 금한다. 음허양항(陰虛陽亢), 신허유화(腎虛有火)하거나 내열(內熱)이 있는 경우, 상초(上焦)에 담열(痰熱)이 있는 자와 위(胃)에 화가 있는 자는 금한다.

©mfds.go.kr ©flickr.com

녹각(鹿角) [태음인 약물]

- 기원종: 꽃사슴, 마록(馬鹿) 또는 대록(大鹿) (사슴과 Cervidae)
- 약용 부위: 골화된 뿔
- 성미: 온 함(溫 鹹)
- 귀경: 간 신(肝 腎)
- 효능: 온신양(溫腎陽)、강절골(强節骨)、행혈소종(行血消腫)
- 주치: 양위유정(陽痿遺精)、요척냉통(腰脊冷痛)、음저창양(陰疽瘡瘍)、유옹초기(乳癰初起)、어혈종통(瘀血腫痛)
- 사용주의: 음허화왕자(陰虛火旺者)는 복용을 금한다.

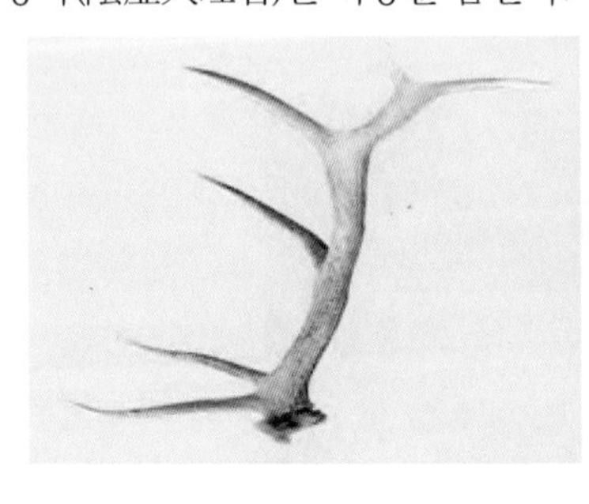

©mfds.go.kr ©en.wikipedia.org

파극천(巴戟天) [소음인 약물]

- 기원종: 파극천(巴戟天) (꼭두서니과 Rubiaceae)
- 약용 부위: 뿌리로서 수염뿌리를 제거하고 납작하게 눌러서 말린 것
- 성미: 미온 감신(微溫 甘辛)
- 귀경: 간 신(肝 腎)

- 효능: 보신양(補腎陽)､강근골(强筋骨)､거풍습(祛風濕)
- 주치: 양위유정(陽痿遺精)､궁랭불잉(宮冷不孕)､월경 부조､소복냉통､풍습비통(風濕痺痛)､근골위연(筋骨痿軟)
- 사용주의: 양허유한(陽虛有寒)으로 인한 습증(濕證)에 적용하는 약물이므로 음허화왕(陰虛火旺)하거나 습열이 있는 경우에는 복용을 금한다.

ⓒmfds.go.kr ⓒdgom.daegu.go.kr

육종용(肉蓯蓉) [소양인 약물]

- 기원: 육종용 또는 기타 동속 근연식물(열당과 Orobanchaceae)
- 약용 부위: 육질경(肉質莖)
- 성미: 온 감함(溫 甘鹹)
- 귀경: 신 대장(腎 大腸)
- 효능: 보신양(補腎陽)､익정혈(益精血)､윤장통변(潤腸通便)
- 주치: 양위(陽痿)､불임､요슬산연(腰膝酸軟)､근골무력､장조변비(腸燥便秘)
- 사용주의: 음허화왕(陰虛火旺)하거나 대변설사(大便泄瀉)할 경우에는 복용을 금하고, 또한 장위(腸胃)에 실열(實熱)이 있어 대변이 조결(燥結)한 경우에도 복용을 금한다.

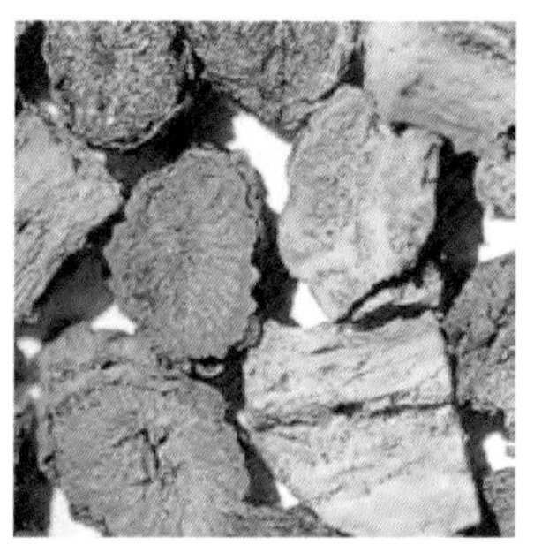

ⓒdgom.daegu.go.kr ⓒdgom.daegu.go.kr

음양곽(淫羊藿) [태음인 약물]

- 기원종: 삼지구엽초, 음양곽(淫羊藿), 유모음양곽(柔毛淫羊藿), 무산음양곽(巫山淫羊藿) 또는 전엽음양곽(箭葉淫羊藿) (매자나무과 Berberidaceae)
- 약용 부위: 지상부
- 성미: 온 신감(溫 辛甘)
- 귀경: 간 신(肝 腎)

- 효능: 보신장양(補腎壯陽), 거풍제습(祛風除濕)
- 주치: 양위불거(陽痿不擧), 소변임력(小便淋瀝), 근골연급(筋骨攣急), 반신불수, 요슬무력(腰膝無力), 풍습비통(風濕痺痛), 사지불인(四肢不仁), 갱년기 고혈압
- 사용주의: 음허(陰虛)로 상화(相火)가 쉽게 일어나면 금한다.

ⓒdgom.daegu.go.kr

ⓒdgom.daegu.go.kr

두충(杜仲)24) [소음인 약물]

- 기원종: 두충(두충과 Eucommiaceae)
- 약용 부위: 나무껍질로서 주피를 제거한 것
- 성미: 온 감미신(溫 甘微辛)
- 귀경: 간 신(肝 腎)
- 효능: 보간신(補肝腎), 강근골(强筋骨), 안태(安胎)
- 주치: 요척산동(腰脊酸疼), 족슬위약(足膝痿弱), 소변여력(小便餘瀝), 임신누혈(妊娠漏血), 태동불안, 고혈압
- 사용주의: 신허화왕(腎虛火旺), 몽유자(夢遺者)는 금한다.

ⓒmfds.go.kr

ⓒkiom.re.kr

속단(續斷) [태음인 약물]

- 기원종: 천속단(川續斷) (산토끼꽃과 Dipsacaceae)
- 약용 부위: 뿌리
- 성미: 미온 고신(微溫 苦辛)

24) 본래는 '두중'이다.

- 귀경: 간 신(肝 腎)
- 효능: 보간신(補肝腎), 속근골(續筋骨), 조혈맥(調血脈)
- 주치: 요배산통(腰背酸痛), 족슬무력(足膝無力), 태루(胎漏), 붕루, 대하, 유정(遺精), 질타손상(跌打損傷), 금창(金瘡), 치루(痔漏), 옹저창종(癰疽瘡腫)
- 사용주의: 내열(內熱)이 있는 경우는 금하며, 뇌환(雷丸)과 배합하지 않는다.

©kiom.re.kr ©kiom.re.kr

보골지(補骨脂)[25] **[소음인 약물]**

- 기원종: 보골지(補骨脂) (콩과 Leguminosae)
- 약용 부위: 씨
- 성미: 온 신고(溫 辛苦)
- 귀경: 신 비(腎 脾)
- 효능: 온신조양(溫腎助陽), 납기(納氣), 지사(止瀉)
- 주치: 양위유정(陽痿遺精), 유뇨빈(遺尿頻), 요슬냉통, 신허작천(腎虛作喘), 오경설사(五更泄瀉), [외용] 백전풍(白癜風), 원형탈모증
- 사용주의: 음허화왕(陰虛火旺)이나 변비의 경우에는 금한다.

©dgom.daegu.go.kr ©dgom.daegu.go.kr

구척(狗脊)

- 기원종: 금모구척(金毛狗脊) (구척과 Dicksoniaceae)
- 약용 부위: 땅속줄기

25) 파고지(破古紙)라고도 한다.

- 성미: 온 고감(溫 苦甘)
- 귀경: 간 신(肝 腎)
- 효능: 보간신(補肝腎)、제풍습(除風濕)、건요각(健腰脚)、이관절(利關節)
- 주치: 요배산동(腰背酸疼)、슬통각약(膝痛脚弱)、한습주비(寒濕周痺)、유뇨 뇨빈、유정、백대(白帶)
- 사용주의: 신허유열(腎虛有熱)로 소변 불리하거나 단삽하고 구고설건(口苦舌乾)한 경우에는 모두 금한다.

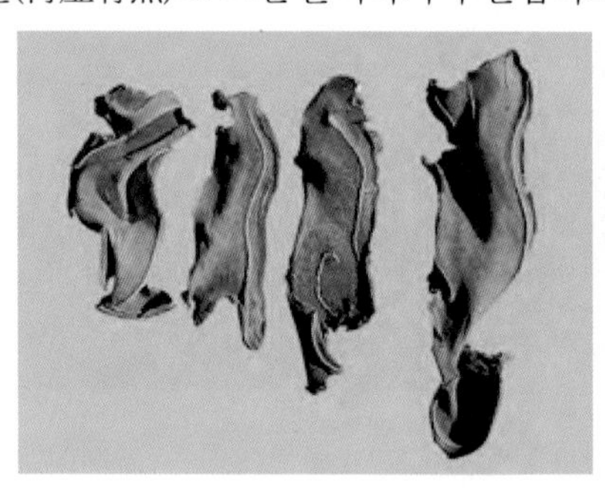

©mfds.go.kr ©dgom.daegu.go.kr

익지(益智) **[소음인 약물]**

- 기원종: 익지(益智) (생강과 Zingiberaceae)
- 약용 부위: 열매
- 성미: 온 신(溫 辛)
- 귀경: 비 신(脾 腎)
- 효능: 온비(溫脾)、난신(暖腎)、고기(固氣)、삽정(澁精)
- 주치: 냉기복통(冷氣腹痛)、중한토사(中寒吐瀉)、다수(多唾)、유정(遺精)、소변여력(小便餘瀝)、야다소변(夜多小便)
- 사용주의: 습조중만(濕阻中滿)、내열(內熱)인 경우와 담음기체(痰飮氣滯) 또는 음식정체(飮食停滯)의 경우에는 금한다.

©dgom.daegu.go.kr ©dgom.daegu.go.kr

골쇄보(骨碎補)

- 기원종: 곡궐(槲蕨) (고란초과 Polypodiaceae)
- 약용 부위: 땅속줄기로서 그대로 또는 비늘조각을 태워 제거한 것
- 성미: 온 고(溫 苦)
- 귀경: 간 신(肝 腎)

- 효능: 보신(補腎)、활혈(活血)、지혈(止血)
- 주치: 신허구사(腎虛久瀉)、요통、풍습비통(風濕痺痛)、치통、이명、질타 염좌(跌打閃挫)、골상(骨傷)、[외용] 반독(斑禿)、백전풍(白癜風)
- 사용주의: 성온(性溫)하고 활혈작용이 있기 때문에 음허화왕자(陰虛火旺者)나 음허내열(陰虛內熱)、어혈이 없는 경우에는 사용에 주의한다.

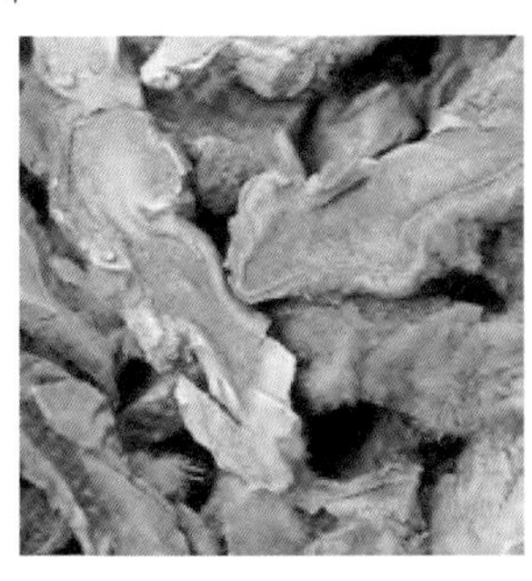

©dgom.daegu.go.kr ©dgom.daegu.go.kr

동충하초(冬蟲夏草)

- 기원: 동충하초균(冬蟲夏草菌) (잠자리 동충하초과 Ophiocordycipitaceae)이 박쥐나방과(Hepialidae) 곤충의 유충에서 기생하여 자란 자실체(子實體)와 유충의 몸체
- 성미: 온 감(溫 甘)
- 귀경: 폐 신(肺 腎)
- 효능: 보허손(補虛損)、익정기(益精氣)、지해화담(止咳化痰)
- 주치: 담음천수(痰飮喘嗽)、허천(虛喘)、노수(癆嗽)、객혈、자한도한、양위유정(陽痿遺精)、요슬산통、구허불복(久虛不復)
- 사용주의: 보양(補陽)작용이 있으므로 표사(表邪)가 있거나 폐열(肺熱)로 인한 해혈의 경우는 금한다.

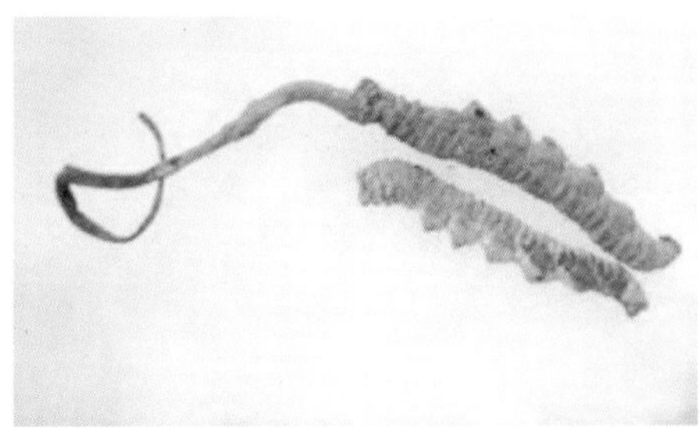

©en.wikipedia.com ©commons.wikimedia.org

합개(蛤蚧)

- 기원종: 합개(도마뱀붙이과 Gekkonidae)
- 약용 부위: 내장을 제거한 몸체
- 성미: 평 함(平 鹹)
- 귀경: 폐 신(肺 腎)

- 효능: 보폐익신(補肺益腎)、납기정천(納氣定喘)、조양익정(助陽益精)
- 주치: 허천기촉(虛喘氣促)、노수해혈(勞嗽咳血)、양위유정(陽痿遺精)
- 사용주의: 풍한(風寒) 및 실열(實熱)에 속한 해수 천식에는 금한다.

©dgom.daegu.go.kr

©commons.wikimedia.org

토사자(菟絲子) [소양인 약물]

- 기원종: 갯실새삼(메꽃과 Convolvulaceae)
- 약용 부위: 씨
- 성미: 온 신감(溫 辛甘)
- 귀경: 간 신 비(肝 腎 脾)
- 효능: 보간신(補肝腎)、익정수(益精髓)、명목(明目)、지사(止瀉)
- 주치: 요슬산통、유정(遺精)、소갈、요유여력(尿有餘瀝)、비허설사(脾虛泄瀉)、목암(目暗)
- 사용주의: 신가다화(腎家多火)、강양불위(强陽不痿)、대변조결、소변단적인 때에는 금한다.

©dgom.daegu.go.kr

©dgom.daegu.go.kr

쇄양(鎖陽)

- 기원종: 쇄양(鎖陽) (쇄양과 Cynomoriaceae)
- 약용 부위: 육질경
- 성미: 온 감(溫 甘)
- 귀경: 비 신 대장(脾 腎 大腸)
- 효능: 보신양(補腎陽)、익정혈(益精血)、윤장통변(潤腸通便)
- 주치: 요슬위연(腰膝痿軟)、양위활정(陽痿滑精)、장조변비(腸燥便秘)
- 사용주의: 상화치성(相火熾盛)、변당(便溏) 및 실열로 인한 변비에는 사용에 주의한다.

©kiom.re.kr ©kiom.re.kr

구자(韭子) [소음인 약물]

- 기원종: 부추(백합과 Liliaceae)
- 약용 부위: 씨
- 성미: 온 신감(溫 辛甘)
- 귀경: 간 신(肝 腎)
- 효능: 보간신(補肝腎)､장양고정(壯陽固精)､난요슬(暖腰膝)
- 주치: 양위몽유(陽痿夢遺)､소변빈삭､유뇨､요슬산연냉통(腰膝酸軟冷痛)､백탁대하(白濁帶下)
- 사용주의: 음허화왕(陰虛火旺)한 경우에는 복용을 금한다.

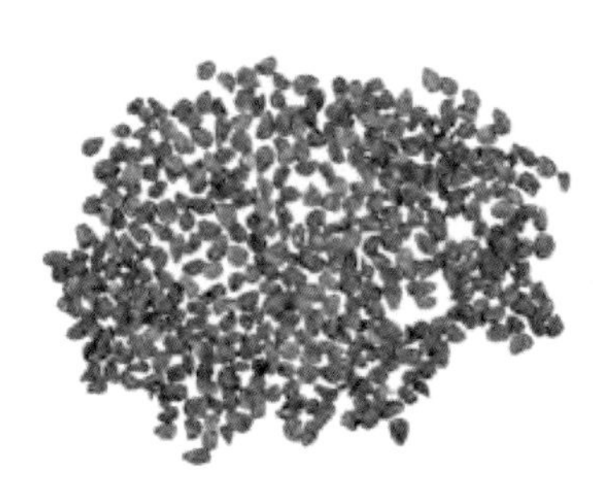

©kiom.re.kr ©kiom.re.kr

해구신(海狗腎)

- 기원종: 물개(물개과 Otariidae)
- 약용 부위: 음경과 고환을 건조한 것
- 성미: 열 함(熱 鹹)
- 귀경: 간 신(肝 腎)
- 효능: 난신장양(暖腎壯陽)､익정보수(益精補髓)
- 주치: 허손노상(虛損勞傷)､양위정쇠(陽痿精衰)､요슬위약(腰膝痿弱)
- 사용주의: 비위(脾胃)가 허한(虛寒)하며 습(濕)이 축적된 이상변(泥狀便)의 경우와 임산부는 복용을 금한다.

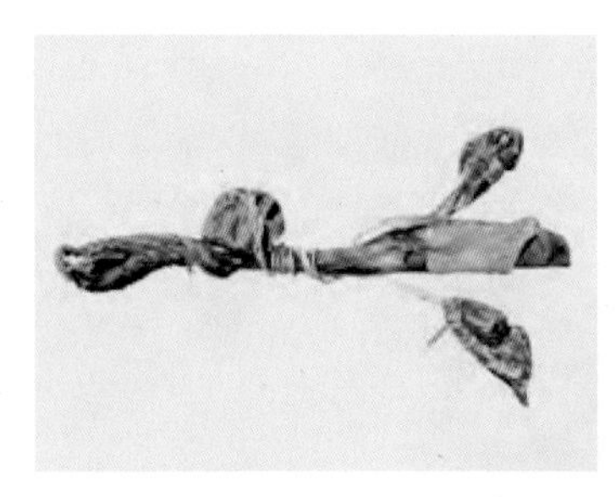

©mfds.go.kr ©en.wikidedia.org

해마(海馬)

- 기원종: 해마 또는 기타 동속 근연동물(실고기과 Syngnathidae)
- 약용 부위: 몸체
- 성미: 온 감(溫 甘)
- 귀경: 간 신(肝 腎)
- 효능: 보신장양(補腎壯陽), 조기활혈(調氣活血)
- 주치: 양위(陽痿), 유뇨, 허천(虛喘), 난산, 징가적취(癥瘕積聚), 정창종독(疔瘡腫毒)
- 사용주의: 임산부와 음허화왕자(陰虛火旺者), 비위허약자(脾胃虛弱者)는 금한다.

©dgom.daegu.go.kr ©kiom.re.kr

사상자(蛇床子) **[태음인 약물]**

- 기원종: 벌사상자 또는 사상자(산형과 Umbelliferae)
- 약용 부위: 열매
- 성미: 온 신고(溫 辛苦)
- 귀경: 신 비(腎 脾)
- 효능: 온신조양(溫腎助陽), 거풍조습(祛風燥濕), 살충
- 주치: 양위(陽痿), 음낭습양(陰囊濕痒), 대하음양(帶下陰痒), 자궁한랭불잉(子宮寒冷不孕), 풍습비통(風濕痺痛), 개선습창(疥癬濕瘡)
- 사용주의: 하초 습열 혹은 신음부족(腎陰不足), 상화이동(相火易動), 정활불고(精滑不固)의 경우에는 금한다.

©dgom.daegu.go.kr ©dgom.daegu.go.kr

당귀(當歸) **[소음인 약물]**

- 기원종: 참당귀(산형과 Umbelliferae)
- 약용 부위: 뿌리
- 성미: 온 감신(溫 甘辛)
- 귀경: 심 간 비(心 肝 脾)
- 효능: 보혈화혈(補血和血)、조경지통(調經止痛)、윤조활장(潤燥滑腸)
- 주치: 월경 부조、경폐복통(經閉腹痛)、징가결취(癥瘕結聚)、붕루、혈허두통、현훈、위비(痿痺)、장조변난(腸燥便難)、옹저창양(癰疽瘡瘍)、질타손상
- 사용주의: 윤활(潤滑)한 성질이 있으므로 습조중만(濕阻中滿)과 대변당설(大便溏泄)의 경우에는 사용에 주의한다. 또한 행혈(行血)하는 작용이 있어 붕루나 월경과다、어체(瘀滯)가 없는 경우에도 사용에 주의한다. 당귀를 장기간 혹은 다량 복용하면 인후통、비공(鼻孔)의 작열감 등의 허화상염(虛火上炎)의 증상이 나타날 수도 있다. 또한, 초기에 활혈(活血)의 효능이 있어 출혈성 환자는 사용에 주의한다. 그러나 만성에는 교애사물탕(膠艾四物湯)과 같이 보혈(補血)을 겸한 치료법에 응용된다.

©kiom.re.kr ©kiom.re.kr

숙지황(熟地黃) **[소양인 약물]**

- 기원종: 지황(현삼과 Scrophulariaceae)
- 약용 부위: 뿌리를 포제 가공한 것
- 성미: 미온 감(微溫 甘)
- 귀경: 간 신(肝 腎)
- 효능: 자음보혈(滋陰補血)、익정전수(益精塡髓)

- 주치: 간신음허(肝腎陰虛), 요슬산연(腰膝酸軟), 골증조열(骨蒸潮熱), 도한유정(盜汗遺精), 내열소갈(內熱消渴), 혈허위황(血虛萎黃), 심계 정충, 월경부조, 붕루하혈, 현훈, 이명, 수발조백(鬚髮早白)
- 사용주의: 자니(滋膩)하므로 비위허약(脾胃虛弱), 기체담다(氣滯痰多), 복만변당(腹滿便溏)한 경우에는 금하며, 내복(萊菔)을 금한다.

©dgom.daegu.go.kr ©dgom.daegu.go.kr

백작약(白芍藥) [소음인 약물]
- 기원종: 작약 또는 기타 동속 근연식물(작약과 Paeoniaceae)
- 약용 부위: 뿌리
- 성미: 미한 고산(微寒 苦酸)
- 귀경: 간 비(肝 脾)
- 효능: 양혈유간(養血柔肝), 완중지통(緩中止痛), 염음수한(斂陰收汗)
- 주치: 흉복협륵동통(胸腹脇肋疼痛), 사리복통(瀉痢腹痛), 자한도한, 음허발열, 월경부조, 붕루, 대하
- 사용주의: 허한복통설사(虛寒腹痛泄瀉)의 경우에는 사용에 주의하며, 여로(藜蘆)를 반(反)한다.

©kiom.re.kr ©mfds.go.kr

하수오(何首烏) [소음인 약물]
- 기원종: 하수오[26](마디풀과 Polygonaceae)
- 약용 부위: 덩이뿌리
- 성미: 온 고감삽(溫 苦甘澁)

26) 백수오(백하수오)와는 전혀 다른 종이다.

- 귀경: 간 심 신(肝 心 腎)
- 효능: 보간(補肝)、익신(益腎)、양혈(養血)、거풍(祛風)
- 주치: 간신음휴(肝腎陰虧)、수발조백(鬚髮早白)、혈허두훈(血虛頭暈)、요슬연약(腰膝軟弱)、근골산통(筋骨痠痛)、유정(遺精)、붕대(崩帶)、구학(久瘧)、구리(久痢)、옹종(癰腫)、나력(瘰癧)、장풍(腸風)、치질
- 사용주의: 대변당설(大便溏泄)과 습담에는 적당하지 않으며, 내복(萊菔)을 금한다.

ⓒdgom.daegu.go.kr

ⓒdgom.daegu.go.kr

아교(阿膠) **[태음인 약물]**

- 기원종: 당나귀(말과 Equidae) 또는 소(소과 Bovidae)
- 약용 부위: 가죽을 물로 가열한 다음 추출하여 지방을 제거하고 농축 건조하여 만든 교질
- 성미: 평 감(平 甘)
- 귀경: 폐 간 신(肺 肝 腎)
- 효능: 보혈자음(補血滋陰)、윤조(潤燥)、지혈
- 주치: 혈허위황(血虛萎黃)、현훈심계、기위무력(肌痿無力)、심번불면(心煩不眠)、허풍내동(虛風內動)、폐조해수(肺燥咳嗽)、노수객혈(勞嗽喀血)、토혈 요혈、변혈 붕루、임신태루(妊娠胎漏)
- 사용주의: 소화 장애가 있으므로 비위허약(脾胃虛弱)、납식불소(納食不消)、담습구토(痰濕嘔吐) 및 설사의 경우와 출혈이 실열(實熱)에 속하거나 어체(瘀滯)되어 있는 경우에는 금한다.

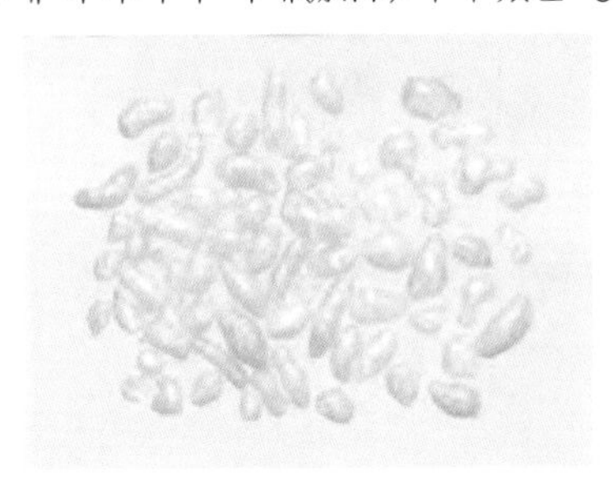
ⓒmfds.go.kr

ⓒcommons.wikimedia.org

용안육(龍眼肉) **[태음인 약물]**

- 기원종: 용안(龍眼) (무환자과 Sapindaceae)
- 약용 부위: 헛씨껍질
- 성미: 온 감(溫 甘)
- 귀경: 심 비(心 脾)

- 효능: 보익심비(補益心脾), 양혈안신(養血安神)
- 주치: 기혈부족(氣血不足), 심계 정충, 건망실면(健忘失眠), 혈허위황(血虛萎黃)
- 사용주의: 습조중만(濕阻中滿), 내열(內熱)인 경우와 담음기체(痰飮氣滯) 또는 음식정체(飮食停滯)의 경우에는 금한다.

©dgom.daegu.go.kr ©flickr.com

사삼(沙參) [태음인 약물]

- 기원종: 잔대 또는 당잔대(초롱꽃과 Campanulaceae)
- 약용 부위: 뿌리
- 성미: 미한 감(微寒 甘)
- 귀경: 폐 위(肺 胃)
- 효능: 양음청폐(養陰淸肺), 거담지해(祛痰止咳)
- 주치: 폐열조해(肺熱燥咳), 허로구해(虛勞久咳), 건해조담(乾咳稠痰), 기음부족(氣陰不足)으로 인한 번열구갈, 상음인건후통(傷陰咽乾喉痛)
- 사용주의: 실열(實熱)의 경우에 사용되며, 허한(虛寒)에 속한 증에는 금한다.

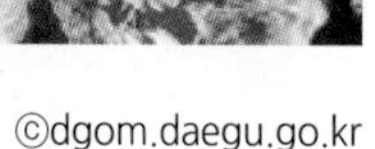

©dgom.daegu.go.kr ©dgom.daegu.go.kr

맥문동(麥門冬) [태음인 약물]

- 기원종: 맥문동 또는 소엽맥문동(백합과 Liliaceae)
- 약용 부위: 뿌리의 팽대부
- 성미: 미한 감미고(微寒 甘微苦)
- 귀경: 폐 위 심(肺 胃 心)
- 효능: 양음윤폐(養陰潤肺), 청심제번(淸心除煩), 익위생진(益胃生津)
- 주치: 폐조건해(肺燥乾咳), 음허로수(陰虛勞嗽), 심번실면(心煩失眠), 토혈, 객혈, 폐위(肺痿), 폐옹(肺癰), 허로번열

(虛勞煩熱)、소갈、열병상진(熱病傷津)、인건구조(咽乾口燥)、변비
- 사용주의: 비위허한설사(脾胃虛寒泄瀉) 또는 습정체(濕停滯) 및 풍한해수(風寒咳嗽)의 경우에는 모두 금한다.

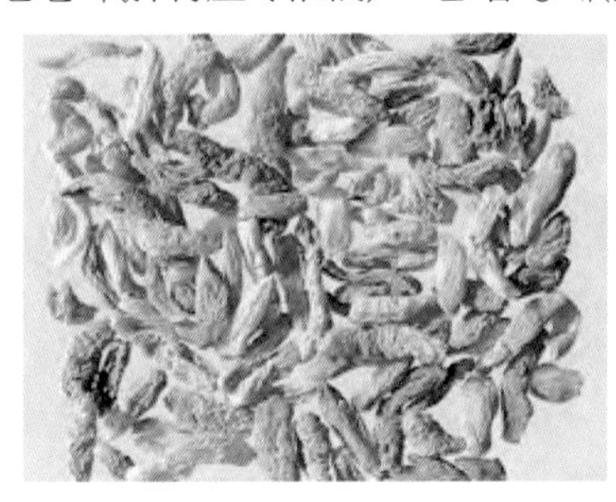

ⓒmfds.go.kr ⓒmfds.go.kr

천문동(天門冬) [태음인 약물]
- 기원종: 천문동(백합과 Liliaceae)
- 약용 부위: 덩이뿌리로서 뜨거운 물로 삶거나 찐 뒤에 겉껍질을 제거하고 말린 것
- 성미: 한 감고(寒 甘苦)
- 귀경: 폐 신(肺 腎)
- 효능: 자음윤조(滋陰潤燥)、청폐생진(淸肺生津)
- 주치: 음허발열(陰虛發熱)、폐조건해(肺燥乾咳)、해수 토혈、폐위(肺痿)、폐옹、인후종통、소갈、장조변비(腸燥便祕)
- 사용주의: 비위허한(脾胃虛寒)으로 인한 설사、외감풍한(外感風寒)으로 인한 해수、음액미휴자(陰液未虧者)의 경우에는 금한다.

ⓒkiom.re.kr ⓒpl.wikipedia.org

석곡(石斛) [소음인 약물]
- 기원종: 금채석곡(金釵石斛)、환초석곡(環草石斛)、마편석곡(馬鞭石斛)、황초석곡(黃草石斛) 또는 철피석곡(鐵皮石斛) (난초과 Orchidaceae)
- 약용 부위: 줄기
- 성미: 미한 감(微寒 甘)
- 귀경: 위 신(胃 腎)
- 효능: 익위생진(益胃生津)、자음청열(滋陰淸熱)
- 주치: 열병상진(熱病傷津)에 의한 구건번갈(口乾煩渴)、병후허열(病後虛熱)、목암불명(目暗不明)
- 사용주의: 본 약물은 습열병(溫熱病)、습온증(濕溫症)이나 허하면서 화(火)가 없거나 비위허한(脾胃虛寒)의 경우

에는 금한다.

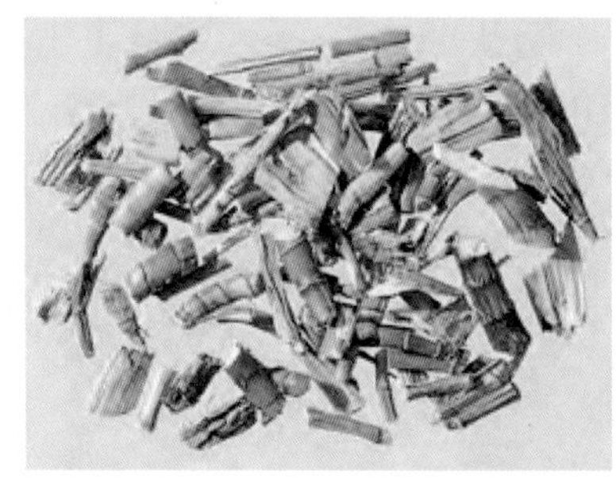

©mfds.go.kr ©mfds.go.kr

옥죽(玉竹)

- 기원종: 둥굴레 또는 기타 동속 근연식물(백합과 Liliaceae)
- 약용 부위: 땅속줄기
- 성미: 미한 감(微寒 甘)
- 귀경: 폐 위(肺 胃)
- 효능: 양음윤조(養陰潤燥)、생진지갈(生津止渴)
- 주치: 폐위음상(肺胃陰傷)、열병음상(熱病陰傷)、해수번갈(咳嗽煩渴)、허로발열(虛勞發熱)、인건구갈、소곡이기(消穀易飢)、소변빈삭
- 사용주의: 자니(滋膩)하므로 비허(脾虛) 및 담습기체(痰濕氣滯)의 경우에는 사용에 주의한다.

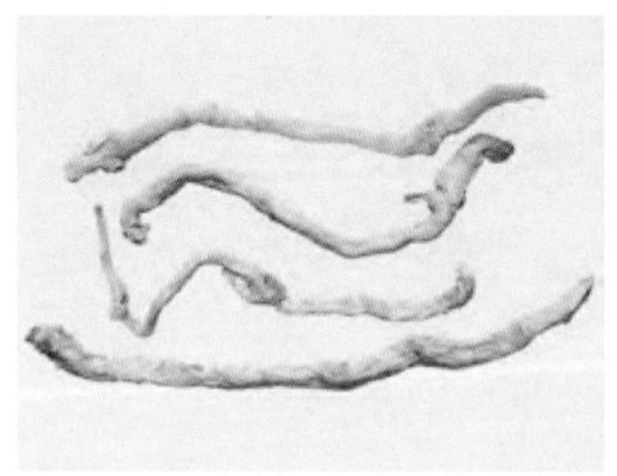

©mfds.go.kr ©mfds.go.kr

황정(黃精)

- 기원종: 층층갈고리둥굴레, 진황정, 전황정 또는 다화황정(多花黃精) (백합과 Liliaceae)
- 약용 부위: 땅속줄기로서 찐 것
- 성미: 평 감(平 甘)
- 귀경: 비 폐 신(脾 肺 腎)
- 효능: 보기양음(補氣養陰)、건비(健脾)、윤폐익신(潤肺益腎)
- 주치: 비위허약(脾胃虛弱)、허손한열(虛損寒熱)、폐허조해(肺虛燥咳)、병후체허식소(病後體虛食少)、정혈 부족、근골 연약
- 사용주의: 자니(滋膩)하기 때문에 담습옹체(痰濕壅滯)나 비허유습자(脾虛有濕者)、중한변당자(中寒便溏者)는 사용에 주의한다.

©mfds.go.kr ©mfds.go.kr

백합(百合)

- 기원종: 참나리, 중국백합(百合) 또는 큰솔나리(백합과 Liliaceae)
- 약용 부위: 비늘줄기
- 성미: 한 감(寒 甘)
- 귀경: 심 폐(心 肺)
- 효능: 양음윤폐(養陰潤肺)､청심안신(淸心安神)
- 주치: 음허구해(陰虛久咳)､해수담혈(咳唾痰血)､허번경계(虛煩驚悸)､실면다몽(失眠多夢)､정신황홀
- 사용주의: 중한변활(中寒便滑)한 경우와 풍한담수(風寒痰嗽)의 경우는 금한다.

©mfds.go.kr ©mfds.go.kr

구기자(枸杞子) [소양인 약물]

- 기원종: 구기자나무 또는 영하구기(寧夏枸杞) (가지과 Solanaceae)
- 약용 부위: 열매
- 성미: 평 감(平 甘)
- 귀경: 간 신(肝 腎)
- 효능: 자보간신(滋補肝腎)､익정명목(益精明目)
- 주치: 간신음휴(肝腎陰虧)､요슬산연､두훈､목현､목혼다루(目昏多淚)､허로해수(虛勞咳嗽)､소갈､유정(遺精)
- 사용주의: 외사실열(外邪實熱)이 있는 자나, 비록 자니성(滋膩性)은 적다고 하나 비허습체(脾虛濕滯) 또는 장활(腸滑)의 경우는 모두 금한다.

ⓒkiom.re.kr ⓒen.wikipedia.org

여정실(女貞實) [소양인 약물]

- 기원종: 당광나무 또는 광나무(물푸레나무과 Oleaceae)
- 약용 부위: 열매
- 성미: 양 감고(涼 甘苦)
- 귀경: 간 신(肝 腎)
- 효능: 자보간신(滋補肝腎), 명목오발(明目烏髮)
- 주치: 현훈이명, 요슬산연(腰膝酸軟), 수발조백(鬚髮早白), 목암불명(目暗不明)
- 사용주의: 비위허한(脾胃虛寒)으로 인한 설사가 있거나 양허(陽虛)한 경우에는 금한다.

ⓒdgom.daegu.go.kr ⓒcommons.wikimedia.org

귀판(龜板) [소양인 약물]

- 기원종: 남생이(남생이과 Emydidae)
- 약용 부위: 배딱지(腹甲) 또는 등딱지(背甲)
- 성미: 미한 함감(微寒 鹹甘)
- 귀경: 간 신 심(肝 腎 心)
- 효능: 자음잠양(滋陰潛陽), 익신건골(益腎健骨), 양혈보심(養血補心)
- 주치: 신음부족(腎陰不足), 골증노열(骨蒸勞熱), 두훈목현(頭暈目眩), 요통, 골위(骨痿), 음허풍동(陰虛風動), 구리(久痢), 구학(久瘧), 토혈, 육혈, 구해(久咳), 유정(遺精), 붕루, 대하, 소아신문불합(小兒囟門不合)
- 사용주의: 비위허한(脾胃虛寒) 또는 한습(寒濕)의 경우와 외감한 사기가 아직 풀리지 않은 자는 금하며, 많은 양을 쓰면 설사를 일으킨다.

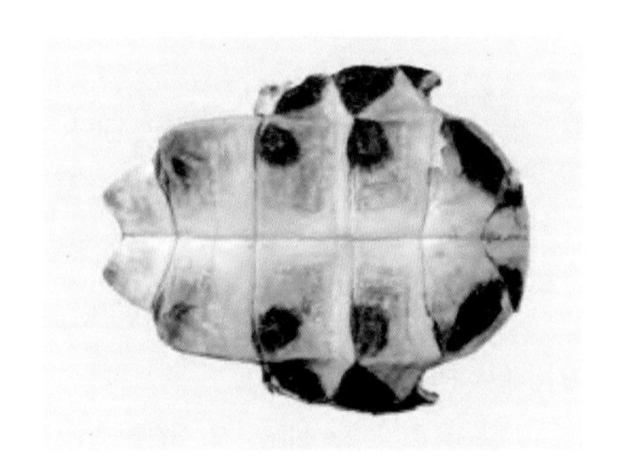

©mfds.go.kr

별갑(鱉甲) **[소양인 약물]**

- 기원종: 자라(자라과 Trionychidae)
- 약용 부위: 등딱지(背甲)
- 성미: 미한 함(微寒 鹹)
- 귀경: 간 신(肝 腎)
- 효능: 자음잠양(滋陰潛陽)、연견산결(軟堅散結)、퇴열제증(退熱除蒸)
- 주치: 음허발열(陰虛發熱)、노열골증(勞熱骨蒸)、허풍내동(虛風內動)、경폐(經閉)、징가(癥瘕)、구학학모(久瘧瘧母)
- 사용주의: 비허설사(脾虛泄瀉)、식욕부진、임산부、성욕저하자 등에는 사용에 주의한다.

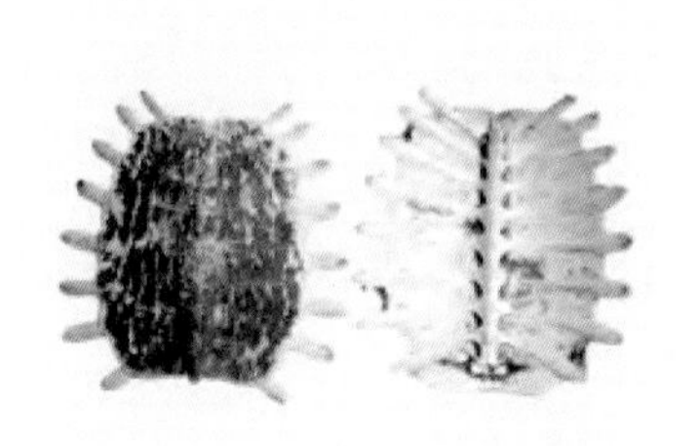

©mfds.go.kr

18. 수삽약(收澁藥)

수렴고삽(收斂固澁)함으로써 각종 활탈병증(滑脫病證)을 치료하는 약물로 쓰이며, 수삽약이라고 한다.

이에 속하는 약물은 대개 산삽(酸澁)하며, 염한(斂汗)、지해(止咳)、지사(止瀉)、고정(固精)、축뇨(縮尿)、지혈 등 작용을 통해 자한、도한、사리(瀉痢)、탈항、유정(遺精)、유뇨、실혈、붕루、대하 및 구해(久咳) 등 체허활탈증(體虛滑脫證)에 적용된다.

체허활탈(體虛滑脫)에서 체허는 본(本)이고 활탈은 표(標)이다. 수삽약은 병의 표(標)를 치료할 뿐이기 때문에 반드시 보익약을 배오해야 표본(標本)을 동시에 고려하게 된다.

수삽약은 사기(邪氣)를 수렴할 수 있기 때문에 표사(表邪)가 아직 풀리지 않은 상태에서 습열(濕熱)로 인해 생긴 사리(瀉痢)、대하、혈열출혈(血熱出血)과 울열(鬱熱)이 아직 풀리지 않으면 금한다.

가자(訶子) [소음인 약물]

- 기원종: 가자(訶子) 또는 융모가자(絨毛訶子) (사군자과 Combretaceae)
- 약용 부위: 잘 익은 열매
- 성미: 평 고산삽(平 苦酸澁)
- 귀경: 폐 대장(肺 大腸)
- 효능: 염폐(斂肺)、삽장(澁腸)、강화이인(降火利咽)
- 주치: 구해실음(久咳失音)、구사(久瀉)、탈항、변혈、붕루、대하、유정(遺精)、요빈삭
- 사용주의: 담수(痰嗽)나 사리(瀉痢) 초기에 실사(實邪)가 있거나 아직 풀리지 않은 증상과 온열화사(溫熱火邪)가 있는 경우에는 금한다. 옛사람들은 "가자(訶子)는 맛이 쓰고 기(氣)를 설(泄)하므로 원기(元氣)가 심히 허한 경우에는 사용해서는 안 된다" 라고 하였다. 최근의 임상실험에 의하면 가자는 소화 기능을 저하하므로 비기허(脾氣虛)하고 소화불량이 있는 경우에는 사용하지 않는 편이 좋다. 기허(氣虛)、습열사리자(濕熱瀉痢者)는 금한다.

©dgom.daegu.go.kr

©dgom.daegu.go.kr

육두구(肉豆蔻) [소음인 약물]

- 기원종: 육두구(육두구과 Myristicaceae)
- 약용 부위: 잘 익은 씨로서 씨껍질을 제거한 것
- 성미: 온 신(溫 辛)
- 귀경: 비 위 대장(脾 胃 大腸)
- 효능: 온중행기(溫中行氣)、삽장지사(澁腸止瀉)
- 주치: 심복창통(心腹脹痛)、허사냉리(虛瀉冷痢)、구토(嘔吐)、숙식불소(宿食不消)
- 사용주의: 사리초기(瀉痢初期)나 습체적열(濕滯積熱)의 병증、열설폭주(熱泄暴注)、장풍하혈(腸風下血)、위화치통(胃火齒痛)、구리음허화왕자(久痢陰虛火旺者)에는 조화(助火)시키므로 복용을 금한다.

©en.wikipedia.org

©commons.wikimedia.org

오매(烏梅) **[태음인 약물]**

- 기원종: 매실나무(장미과 Rosaceae)
- 약용 부위: 덜 익은 열매로서 연기를 쪼인 것
- 성미: 평 산삽(平 酸澁)
- 귀경: 간 비 폐 대장(肝 脾 肺 大腸)
- 효능: 염폐(斂肺)､삽장(澁腸)､생진(生津)､안회(安蛔)
- 주치: 폐허구해(肺虛久咳)､허열소갈(虛熱消渴)､회궐구토복통(蛔厥嘔吐腹痛)､구리활장(久痢滑腸)､담도회충증
- 사용주의: 수렴시키는 성질이 강하므로 외감해수(外感咳嗽)와 사리(瀉痢) 초기에 실사(實邪)가 있는 경우나 류머티즘 등에는 금하며, 산미(酸味)가 있으므로 위산과다에는 사용하지 않는 것이 좋다. 많이 복용하면 치아와 근육을 상한다.

ⓒdgom.daegu.go.kr

ⓒdgom.daegu.go.kr

오배자(五倍子)

- 기원: 붉나무, 청부양 또는 홍부양(옻나무과 Anacardiaceae)의 잎 위에 주로 오배자면충(면충과 Pemphigidae)이 기생하여 만든 벌레집
- 성미: 한 산삽(寒 酸澁)
- 귀경: 폐 대장 신(肺 大腸 腎)
- 효능: 염폐강화(斂肺降火)､삽장지사(澁腸止瀉)､염한지혈(斂汗止血)､수습염창(收濕斂瘡)
- 주치: 폐허구해(肺虛久咳)､구리(久痢)､구사(久瀉)､탈항､자한､도한､유정(遺精)､변혈､육혈(衄血)､붕루､외상 출혈､옹종창독(癰腫瘡毒)､피부습란(皮膚濕爛)
- 사용주의: 외감풍한(外感風寒)과 폐에 실열(實熱)이 있는 해수나 습열적체(濕熱積滯)로 인한 사리(瀉痢)에는 금한다.

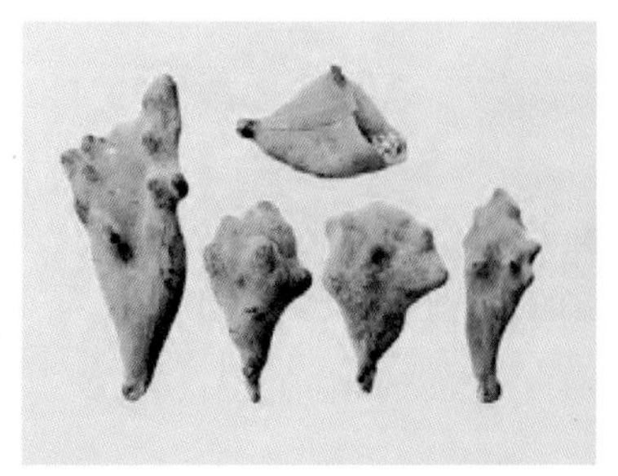
ⓒmfds.go.kr

ⓒnature.go.kr

오미자(五味子) **[태음인 약물]**

- 기원종: 오미자(오미자과 Schisandraceae)
- 약용 부위: 잘 익은 열매
- 성미: 온 산감(溫 酸甘)
- 귀경: 폐 심 신(肺 心 腎)
- 효능: 수렴고삽(收斂固澁)、익기생진(益氣生津)、보신영심(補腎寧心)
- 주치: 폐허천해(肺虛喘咳)、구건작갈(口乾作渴)、자한、도한、노상이수(勞傷羸瘦)、몽유、활정(滑精)、구사구리(久瀉久痢)
- 사용주의: 표사(表邪)가 아직 풀리지 않았거나 실열(實熱)에 속하였을 때, 또한 해수초기(咳嗽初起)와 마진초발(麻疹初發) 등의 경우에는 금한다.

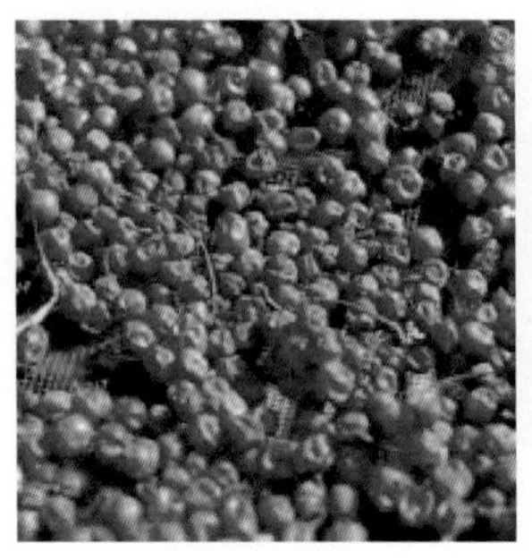

©dgom.daegu.go.kr ©commons.wikimedia.org

연자육(蓮子肉) **[태음인 약물]**

- 기원종: 연꽃(연꽃과 Nelumbonaceae)
- 약용 부위: 잘 익은 씨로서 그대로 또는 연심을 제거한 것
- 성미: 평 감삽(平 甘澁)
- 귀경: 비 신 심(脾 腎 心)
- 효능: 보비지사(補脾止瀉)、익신삽정(益腎澁精)、양심안신(養心安神)
- 주치: 비허구사(脾虛久瀉)、유정대하(遺精帶下)、심계실면(心悸失眠)
- 사용주의: 중만비창(中滿痞脹)과 대변조결자(大便燥結者)는 복용을 금한다.

©dgom.daegu.go.kr ©dgom.daegu.go.kr

검인(芡仁)

- 기원종: 가시연꽃(수련과 Nymphaeaceae)

- 약용 부위: 잘 익은 씨
- 성미: 평 감삽(平 甘澁)
- 귀경: 비 신(脾 腎)
- 효능: 익신고정(益腎固精), 보비지사(補脾止瀉), 거습지대(祛濕止帶)
- 주치: 몽유활정(夢遺滑精), 유뇨뇨빈(遺尿尿頻), 비허구사(脾虛久瀉), 백탁(白濁), 대하
- 사용주의: 외감병의 전후(前後)나 학리감치(瘧痢疳痔), 기비창(氣痞脹), 요적 변비 등에는 금한다.

ⓒdgom.daegu.go.kr ⓒdgom.daegu.go.kr

산수유(山茱萸) **[소양인 약물]**

- 기원종: 산수유나무(층층나무과 Cornaceae)
- 약용 부위: 잘 익은 열매로서 씨를 제거한 것
- 성미: 미온 산삽(微溫 酸澁)
- 귀경: 간 신(肝 腎)
- 효능: 보익간신(補益肝腎), 삽정고탈(澁精固脫)
- 주치: 현훈이명, 요슬산연, 양위유정(陽痿遺精), 유뇨(遺尿), 요의빈삭(尿意頻數), 붕루, 대하, 대한허탈(大汗虛脫), 내열소갈(內熱消渴)
- 사용주의: 명문화치(命門火熾)로 양강불위(陽强不痿)하거나, 안에 습열(濕熱)이 있어서 발생하는 소변불리의 경우는 금한다.

ⓒdgom.deagu.go.kr ⓒcommons.wikimedia.org

금앵자(金櫻子)

- 기원종: 금앵자(金櫻子) (장미과 Rosaceae)
- 약용 부위: 잘 익은 열매
- 성미: 평 산감삽(平 酸甘澁)

- 귀경: 신 방광 대장(腎 膀胱 大腸)
- 효능: 고정축뇨(固精縮尿)、삽장지사(澁腸止瀉)
- 주치: 유정 활정(遺精 滑精)、유뇨、요의빈삭、붕루、대하、구사 구리(久瀉久痢)
- 사용주의: 실화(實火)나 실사(實邪)가 있는 병증에 금하며, 대량 혹은 장기간 복용하면 변비 복통 등의 부작용이 나타난다.

ⓒdgom.daegu.go.kr ⓒdgom.daegu.go.kr

상표초(桑螵蛸) **[태음인 약물]**

- 기원종: 사마귀, 좀사마귀 또는 넓적배사마귀(사마귀과 Mantidae)
- 약용 부위: 알이 들어 있는 알집을 찐 것
- 성미: 평 감함(平 甘鹹)
- 귀경: 간 신(肝 腎)
- 효능: 익신고정(益腎固精)、축뇨(縮尿)、지탁(止濁)
- 주치: 유정활정(遺精滑精)、유뇨(遺尿)、요의빈삭(尿意頻數)、소변백탁(小便白濁)
- 사용주의: 음허화왕자(陰虛火旺者)나 방광열(膀胱熱)이 있으면 사용에 주의한다.

ⓒflickr.com ⓒen.wikipedia.org

복분자(覆盆子) **[소양인 약물]**

- 기원종: 복분자딸기(장미과 Rosaceae)
- 약용 부위: 채 익지 않은 열매
- 성미: 온 감산(溫 甘酸)
- 귀경: 신 방광(腎 膀胱)
- 효능: 익신(益腎)、고정(固精)、축뇨(縮尿)

- 주치: 신허유뇨(腎虛遺尿)、소변빈삭、양위조설(陽痿早泄)、유정활정(遺精滑精)
- 사용주의: 열성(熱性)으로 소변을 농축시키므로 소변단삽(小便短澁)하거나 신허유화(腎虛有火)의 경우에는 금한다.

©dgom.daegu.go.kr ©dgom.daegu.go.kr

해표초(海螵硝)

- 기원종: 참갑오징어 또는 무침오적(無鍼烏賊) (갑오징어과 Sepiidae)
- 약용 부위: 골상내각(骨狀內殼)
- 성미: 온 함삽(溫 鹹澁)
- 귀경: 비 신(脾 腎)
- 효능: 수렴지혈(收斂止血)、삽정지대(澁精止帶)、제산(制酸)、염창(斂瘡)
- 주치: 궤양병、위산과다、토혈 육혈、붕루 변혈、유정 활정(遺精滑精)、적백대하、위통탄산(胃痛呑酸)、[외치] 손상출혈(損傷出血)、창다농즙(瘡多膿汁)
- 사용주의: 자궁내막염이나 혈열(血熱)로 인한 출혈이 있는 자나 음허다열자(陰虛多熱者), 그리고 위산부족으로 인한 위통증에는 금한다.

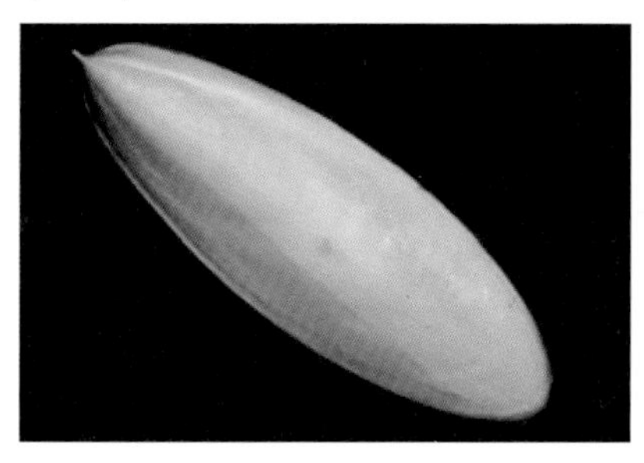

©en.wikipedia.org ©gl.wikipedia.org

백반(白礬) **[태음인 약물]**

- 기원: 황산염광물 명반석을 가공하여 얻은 결정체. 황산알루미늄칼륨 수화물 [$KAl(SO_4)2 \cdot 12H_2O$]을 99% 이상 함유한다.
- 성미: 한 산삽(寒 酸澁)
- 귀경: 폐 비 간 대장(肺 脾 肝 大腸)
- 효능: 지혈지사(止血止瀉)、거제풍담(袪除風痰)
- 주치: 구사부지(久瀉不止)、변혈、붕루、전간발광(癲癇發狂)
- 사용주의: 음허위약자(陰虛胃弱者)와 습열(濕熱)이 없는 자는 복용을 금한다.

ⓒdgom.daegu.go.kr

19. 용토약(涌吐藥)

구토를 유도하는 약물로, 용토약 혹은 최토약(催吐藥)이라고도 한다.

이에 속하는 약물들은 산고(酸苦)하여 독물(毒物)、숙식(宿食)、담연(痰涎) 등을 토하게 하는 작용을 한다. 독물을 잘못 먹어 위에 머물러 아직 흡수되지 않았거나 혹은 숙식이 소화되지 않고 아직 장으로 내려가지 않아 위완부가 창통하거나 혹은 담연이 옹성하여 흉격이나 인후에 막혀서 호흡이 천촉하거나 전간(癲癎)、발광(發狂) 등 증에 사용한다. 거사(祛邪)시킴으로써 병을 치료하는 약물로, 이와 관련하여 『소문 음양응상대론(素問 陰陽應象大論)』에서는 "그 병이 상부(上部)에 있으면 발산시키거나 토하게 하는 방법을 쓴다[27]", "상부에 있으면 토하게 한다[28]"고 하였다.

과체(瓜蒂) **[태음인 약물]**

- 기원종: 참외(박과 Cucurbitaceae)
- 약용 부위: 열매꼭지
- 성미: 한 고(寒 苦)
- 귀경: 비 위(脾 胃)
- 효능: 토풍담숙식(吐風痰宿食)、사수습정음(瀉水濕停飮)
- 주치: 담연숙식(痰涎宿食)이 상완(上脘)을 막아 생긴 흉중비편(胸中痞鞕)、풍담전간(風痰癲癎)、습열황달(濕熱黃疸)、사지부종(四肢浮腫)、비색(鼻塞)、후비(喉痺)
- 사용주의: 체허자(體虛者)와 실혈(失血) 및 상부에 실사(實邪)가 없는 자, 병후나 산후에는 금한다.

ⓒpcd.wikipedia.org

27) 其高者, 因而越之 (素問·陰陽應象大論)
28) 在上者涌之 (素問·陰陽應象大論)

상산(常山)

- 기원: 상산(常山) (범의귀과 Saxifragaceae)
- 약용 부위: 뿌리
- 성미: 한 고신(寒 苦辛)
- 귀경: 폐 간 심(肺 肝 心)
- 효능: 용토담음(涌吐痰飮), 절학(截瘧)
- 주치: 흉중담음(胸中痰飮), 학질
- 사용주의: 정기가 허약한 자나 오랜 기간 병에 걸려 몸이 허약한 자는 금한다. 또 학(瘧)이 삼음(三陰)에 있거나 소화불량하고 혀에 광택이 있으면 금한다.

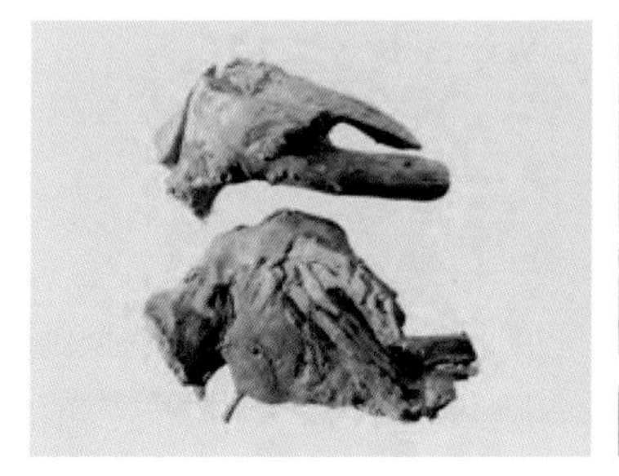

ⓒmfds.go.kr

ⓒmfds.go.kr

20. 외용약(外用藥)

주로 외용을 하며, 외과, 피부과, 안이비인후과 질환을 치료하는 약물로 쓰이며, 외용약이라고 한다.

이에 속하는 약물들은 외용 위주이며, 피부와 점막의 흡수를 통해 작용을 발휘한다. 해독소종(解毒消腫), 화부배농(化腐排膿), 생기염창(生肌斂瘡), 살충지양(殺蟲止痒) 등 작용으로 나뉘고, 주로 창옹(瘡癰), 개선(疥癬), 습진, 매독이나 충사교상(蟲蛇咬傷), 암종(癌腫) 등 외과, 피부과, 안이비인후과의 병증에 적용된다.

이런 약물들은 대개 독성과 자극성을 가지고 있으므로 외용이나 내복을 막론하고 용량과 용법을 엄격하게 조절 관리해야 한다. 임신부는 사용을 금한다.

석유황(石硫黃)

- 기원: 원소광물 유황이나 유황을 함유하는 물질을 가공하여 얻은 결정
- 성미: 온 산(溫 酸)
- 귀경: 신 대장(腎 大腸)
- 효능: 해독살충요창(解毒殺蟲療瘡)
- 주치: 개선(疥癬), 독창(禿瘡), 음저악창(陰疽惡瘡)
- 사용주의: 음허화왕자(陰虛火旺者)와 임신부는 금한다.

©mfds.go.kr

웅황(雄黃) **[소양인 약물]**

- 기원: 황화물류 광물 웅황으로, 주로 이황화비소 (As_2S_2)를 함유한다.
- 성미: 온 신(溫 辛)
- 귀경: 간 대장(肝 大腸)
- 효능: 해독살충(解毒殺蟲)、조습거담(燥濕祛痰)、절학(截瘧)
- 주치: 개선(疥癬)、독창(禿瘡)、옹저(癰疽)、주마아감(走馬牙疳)、파상풍、사충칩상(蛇蟲螫傷)、충적복통(蟲積腹痛)
- 사용주의: 임산부와 음휴혈허자(陰虧血虛者)는 금한다. 외용의 경우에도 본 약물은 피부와 점막에 흡수가 되므로 면적을 넓게 하거나 오랫동안 사용해서는 안 된다.

©mfds.go.kr

노봉방(露蜂房)

- 기원: 어리별쌍살벌 또는 기타 동속 근연 곤충(말벌과 Vespidae)이 만든 집
- 성미: 평 감(平 甘)
- 귀경: 위(胃)
- 효능: 거풍(祛風)、공독(攻毒)、살충(殺蟲)、지통(止痛)
- 주치: 우치아통(齲齒牙痛)、창양종독(瘡瘍腫毒)、유옹、나력、피부완선(皮膚頑癬)、아장풍(鵝掌風)
- 사용주의: 독성이 있으므로 과량 복용을 금한다. 신기능 부전이나 이미 자궤(自潰)된 옹저(癰疽)에 써서는 안 되며, 기혈(氣血)이 허약한 자는 복용을 금한다.

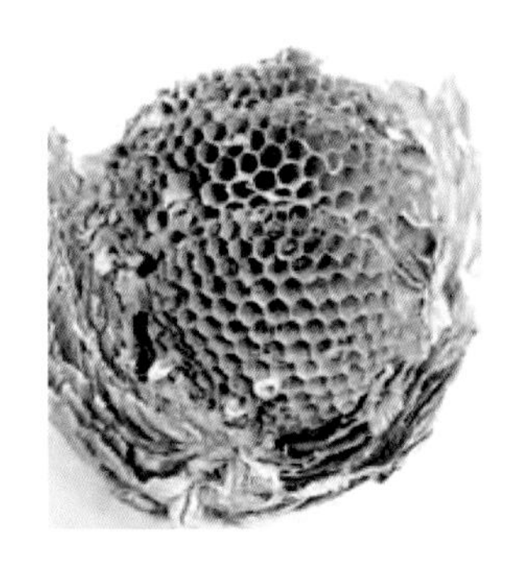

©pixabay.com

21. 유용한 웹사이트

본초와 관련한 다양한 정보를 담고 있는 웹사이트를 소개하면 다음과 같다.

1) 한약기원사전

- 주소 : boncho.kiom.re.kr
- 제공 : 한국한의학연구원
- 자료 : 한국、중국、일본、대만、북한의 약전에 수록된 한약재 규정 비교

2) OASIS 한약재 모노그래프

- 주소 : oasis.kiom.re.kr
- 제공 : 한국한의학연구원
- 자료 : 한약재의 이름、형태、성분、효능 등

3) 한의약융합연구정보센터 생약 up-to-date

- 주소 : www.kmcric.com/database/herb_search
- 제공 : 경희대학교 한의약융합연구정보센터
- 자료 : 한약재의 일반정보、성분、약리 등

4) 한국전통지식포탈 - 전통의료

- 주소 : www.koreantk.com
- 제공 : 특허청
- 자료 : 한약재、한약 처방、병증、한방용어 사전 등

5) 한의학 고전 DB

- 주소 : mediclassics.kr
- 제공 : 한국한의학연구원
- 자료 : 본초강목、향약집성방、동의보감 등 고전문헌 원문 및 번역문

참고문헌

1. 『東醫寶鑑·湯液篇·卷之一·湯液序例』 許浚
2. 『本草綱目·序例上·升降浮沉』 李時珍
3. 『素問·陰陽應象大論』
4. 『素問·至眞要大論』
5. 『神農本草經·序例』
6. 『類經·卷十四·疾病類』 張介賓
7. 『儒門事親·卷六·十形三療一·痿』 張從正
8. 『儒門事親·珍珠囊補遺藥性賦』 張從正
9. 『醫經小學』 劉純
10. 『醫學源流論·卷上·方藥·煎藥法論』 徐大椿
11. 『諸病源候論·卷二十六·蠱毒病諸候』 巢元方
12. 식품의약품안전처 고시 제2016-21호, 한약재 안전 및 품질관리 규정
13. 식품의약품안전처, 대한민국약전 제11개정
14. 식품의약품안전처, 대한민국약전외한약(생약)규격집 제4개정
15. 李泰浩, 東醫四象診療醫典, 1941, 杏林書院
16. 전국한의과대학 본초학 공동교재 편찬위원회, 본초학, 1998, 영림사
17. 한국한의학연구원, 한약기원사전, http://boncho.kiom.re.kr/codex/
18. 國家中醫藥管理局 中華本草 編委會, 中華本草, 1999, 上海科學技術出版社
19. Mithöfer, A., and W. Boland. 2012. Plant defense against herbivores: chemical aspects. Annual Review of Plant Biology 63: 431-450. doi: 10.1146/annurevarplant-042110-103854

제 17 장 방제

Formula

한의학의 역사는 침구학의 발전과 함께 증(證)의 발견과 이 증에 적중하는 방(方)의 발명으로 요약된다.

방, 즉 방제(方劑)는 한약으로 조성되며, 변증(辨證)을 통해 치법(治法)이 결정되면 적절한 약물, 용량, 제형과 용법을 선택하고 처방원칙에 따라 구성하는데, 한의학에서 질병을 예방, 치료하는 중요한 방법이다.

일찍이 원시시대부터 우리 조상들은 먹거리를 찾는 과정에 질병을 치료하는 약물도 동시에 발견하였다. 처음에는 한 가지 약물을 이용하다가 오랜 세월에 걸친 경험을 통해 다수의 약물을 배합함으로써 더 나은 치료효과를 거두게 되었는데, 이처럼 복합처방을 응용하는 경험이 축적되면서 점차로 방제의 원칙을 만들기 시작하였다. 상용하는 치법은 한, 토, 하, 화, 온, 청, 소, 보(汗, 吐, 下, 和, 溫, 淸, 消, 補)로 '팔법(八法)'이라 한다. "처방은 치법에서 나오고, 치법으로 처방을 거느린다[1]"고 하여 치법 이론이 임상에서 처방을 구성하거나 새로운 처방을 만드는 기본 원칙이 되었고, 방제는 치법의 구체적인 표현이다. 양자는 서로 밀접하게 연관되어 있으며, 변증논치 과정에서 중요한 위치를 차지한다.

본 장에서는 방제의 조성, 제형, 사용 방법 등을 중심으로 한약 처방의 기본 원리를 변증논치의 이론과 방법에 따라 이해하도록 하였다.

제 1절 방제의 조성

현재 임상에서 사용하고 있는 방제는, 소수의 단미약(單味藥)을 제외하고는 대부분 둘 이상의 한약재로 조성된 복합처방이다. 이는 단미약의 작용에 한계가 있고, 일부 약물들은 인체에 대하여 부작용이나 독성을 일으킬 수 있기 때문이다. 한약재들을 배오하여 운용하면 서로 간의 장점을 더하고 단점을 줄일 수 있어서 단미약으로 질병을 치료하는 것보다 확실히 더 많은 장점을 가지고 있다. 이러한 장점은 세 가지 측면으로 볼 수 있는데, 첫째, 공효(功效)가 서로 비슷한 약물을 배오하면 치료효과를 증강할 수 있어서 중한 질병에 적용할 수 있다. 예를 들면 대황(大黃)과 망초(芒硝)를 같이 쓰면 사하축사(瀉下逐邪)의 작용을 강화함으로써 열결중증(熱結重證)을 치료할 수 있는데, 대승기탕(大承氣湯)과 같은 처방이다. 둘째, 공효가 다른 약물들을 배오해서 같이 쓰면 치료의 범위를 확대할 수 있고 비교적 복잡한 병증에 적용할 수 있다. 예컨대 인삼(人蔘)은 보기(補氣)하고 맥문동(麥門冬)은 양음(養陰)하기 때문에 두 약물을 같이 쓰면 기음쌍보(氣陰雙補) 작용을 하여 기음양허증(氣陰兩虛證)을 치료할 수 있는데, 생맥산(生脈散)과 같은

1) 方從法出, 以法統方

처방이다. 셋째, 약성이 준열하거나 독성이 있는 약물을 사용하는 경우, 독으로 인한 부작용을 줄이거나 제거할 수 있는 약물을 배오하면 정기의 손상과 독성 반응을 피하거나 줄일 수 있다. 예컨대 감수(甘遂)는 사하축수(瀉下逐水)하지만 약성이 준맹하고 독성이 있어서 대추를 같이 쓰면 인체에 불리한 부작용을 완화할 수 있는데, 십조탕(十棗湯)과 같은 처방이다. 이같이 방제는 합리적인 배오를 통해 약물의 치료작용을 최대한 발휘할 수 있으며, 약물 부작용과 독성을 줄이거나 제거할 수 있는데, 이것이 바로 복합처방이 널리 사용되는 이유이다. 이에 부응하기 위해서 방제는 철저히 병증에 맞아야 하고, 반드시 방제조성 원칙에 따라 처방을 구성하고 또 구체적인 증후에 들어맞는 가감을 하여야 한다.

1. 조성 원칙

다양한 한약을 합리적으로 조합하고 처방하기 위해서는 정확한 변증이나 적합한 약물 선택과 적정한 약의 용량 이외에도 방제 특유의 '군신좌사(君臣佐使, sovereign, minister, assistant and courier)' 조성원칙을 잘 따라야 한다.

구체적으로 설명하면 다음과 같다.

1) 군약(君藥): 병인이나 주증에 대하여 결정적인 치료작용을 하는 약물로서, 방제 조성에서 불가결한 약물이다.

2) 신약(臣藥): 두 가지 의미가 있는데,
   ① 군약을 도와 주병(主病)이나 주증을 치료하거나,
   ② 겸병이나 겸증에 대해 주로 작용하는 약물이다.

3) 좌약(佐藥): 세 가지 의미가 있는데,
   ① 좌조약(佐助藥)으로, 군약、신약과 배합하여 치료를 강화시키는 작용을 하거나, 직접적으로 다른 증상들을 치료하며,
   ② 좌제약(佐劑藥)으로, 군약과 신약의 독성이나 맹렬한 성질을 줄여 주거나 제거하고
   ③ 반좌약(反佐藥)으로, 병이 중하고 사기가 심하여 약이 잘 안 듣는 경우에 군약의 성미와 상반되게 배오함으로써 치료과정에서 상성(相成)작용을 일으키는 약물이다.

4) 사약(使藥): 두 가지 의미가 있는데,
   ① 인경약(引經藥)으로, 처방약물들을 병소(病巢)에 이르게 하며,
   ② 조화약(調和藥)으로, 처방내의 여러 약물들을 조화시키는 약물이다.

마황탕(麻黃湯)을 예로 들자면, 마황탕은 마황 9g、계지 6g、행인 6g、감초 3g으로 조성되며, 오한발열、무한이천(無汗而喘)、맥부긴(脈浮緊)의 외감 풍한표실증(風寒表實證)을 치료한다. 이 증의 병인은 외감 풍한이며, 주증(主證)은 풍한속표(風寒束表)이고, 차증(次證)은 폐기실선(肺氣失宣)이다. 치료로서 당연히 산한해표(散寒解表)、선폐평천(宣肺平喘)해야 한다. 처방 가운데 마황과 계지는 모두 미(味)가 신(辛)하고 성(性)이 온(溫)하여 산한해표(散寒解表)할 수 있는데, 마황은 발한산사(發汗散邪)시키는 힘이 강하고 약량이 비교적 많기 때문에 본 방 가운데 병인과 주증을 주로 치료하는 약물로서 군약이다. 계지는 마황을 도와 발한、산한、해표작용을 강화시키므로 신약이다. 행인은 강기(降氣)、지해(止咳)、평천(平喘)하여 전적으로 폐기실선으로 인한 해수와 기천을 치료하므로 좌약이다. 감초는 약성을 조화시키기 때문에 사약으로서 조화약(調和藥)에 속하는데, 그 미(味)가 감(甘)하고 성(性)이 완(緩)하므로 마황과 계지의 신온발산(辛溫發散)이 발한의 태과를 초래하는 폐단을 막기 위한 좌약을 겸하고 있다. 여기에서 상술한 마황탕의

조성 내용을 정리하면 다음과 같다.

○ **마황탕**

- 군약 – 마황: 발한해표(發汗解表), 선폐평천(宣肺平喘)한다
- 신약 – 계지: 마황을 도와 발한(發汗), 해표(解表), 산한(散寒)한다
- 좌약 – 행인: 마황과 합하여 선강폐기(宣絳肺氣), 지해평천(止咳平喘)한다
- 사약 – 감초: 약성을 조화하고, 아울러 마황과 계지가 지나치게 땀을 내서 정기를 상하지 않게 한다.

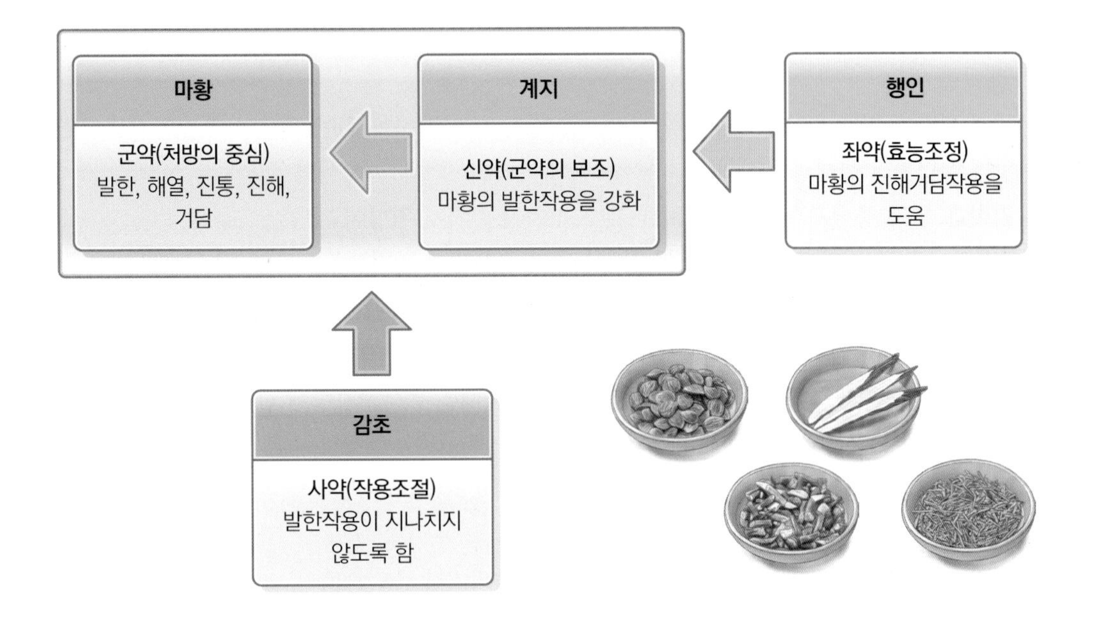

상술한 '군신좌사'의 처방원칙은 ① 방제를 이루는 약물의 작용에는 주차(主次)의 구분이 있으며, 그 중에서 군약이 중요하고, 신약이 그 다음이며, 좌사 약물이 그 다음이다. ② 방제에 속하는 약물들은 다양한 관계로 이루어져 있는데, 예컨대 군약과 신약 사이에는 상호 배합과 협조의 관계이며, 좌약과 군약 신약 사이의 협동이나 제약은 상보상성(相輔相成)이나 상반상성(相反相成)의 관계를 통해 방제로 하여금 최상의 효과를 발휘하도록 한다. ③ 모든 방제에 군신좌사의 약물들이 고루 다 포함되어 있는 것은 아니고, 모든 약이 오로지 한 가지 역할만을 하는 것도 아니다. 이는 '군신좌사'가 치료를 위해 설정된 것이기 때문에 군약을 제외하고서 반드시 다 갖춰져야 하는 것은 아니다. 만약 군약의 약력이 충분하다면 신약의 도움이 필요치 않고, 만약 군약과 신약이 무독하고 준렬하지 않은 경우 역시 좌약이 필요치 않다. 만약 주병을 치료하는 약물이 병소로 가는 경우에는 인경(引經)시키는 좌약을 더할 필요가 없다. 경우에 따라서는 신약이 좌약의 역할을 겸하고, 좌약이 사약의 역할을 겸하기도 한다. 예를 들면, 마황탕 가운데 감초가 이미 사약이나 좌약의 역할을 겸하고 있는 경우에 '군신좌사'의 처방원칙을 기계적으로 따를 필요는 없다.

'군신좌사'의 원칙에 따라 배오하면 처방에 속한 각 약물의 주종(主從)이 바로 잡히고, 명확한 역할과 함께 긴밀하게 잘 배합되며, 상호간에 협조 제약되고 그 치료작용이 제대로 발휘되어 불리한 요소들이 억제됨으로써 방제가 하나의 잘 배오된 팀이 되어 기대하는 치료효과를 거둘 수 있다. 최신 연구를 통해서 한약성분이 양약에 비해 인체 대사물질 (human metabolite)의 구조와 훨씬 더 유사하며 '군신좌사' 원칙에 따른 한약처방이 성분들의 상호작용을 통해 체

내에서 다표적(多標的, multitarget)을 대상으로 작용한다[2]는 내용이 과학적으로 규명되기도 하였다.

2. 조성 변화

임상에서 처방을 내릴 때에는 '군신좌사'의 원칙에 따라야 하며, 환자의 병정、체질、나이、성별과 계절、기후 및 생활습관 등을 고려해야 한다. "그 치법에는 따르지만 그 처방에는 얽매이지 않는다[3]"는 것처럼 원칙성과 유연성을 동시에 살려야만 방약과 병증이 들어 맞고 치료의 목적을 거둘 수 있다.

방제의 조성은 다음의 세 가지 방식으로 정리된다.

1) 약미(藥味) 증감의 변화

원방의 주증과 환자가 지닌 증상과 징후가 기본적으로 일치하고 겸증(兼證)이 다를 때에는 원방에서 부적절한 약물을 빼고 원방에는 없지만 현재의 증상과 징후에 들어맞는 약물을 더하는데, 이와 같은 증감이 바로 좌사약의 변화를 구사하는 것이다. 방제 중에서 좌사약의 작용이 두드러지지 않아서 원방이 가지는 공효의 근본을 바꾸지는 않기 때문에 수증가감(隨證加減)이라고도 하는데, 임상에서 널리 응용되고 있다. 예를 들면, 사군자탕(四君子湯)은 안색창백、기단(氣短) 무력、식소、변당、설담태백(舌淡苔白)、맥세약(脈細弱)의 비위기허증(脾胃氣虛證)을 주로 치료하는데, 그 처방은 인삼、백출、복령、자감초로 조성되어 익기보비(益氣補脾)한다. 만약에 위의 증상 외에도 완민복창(脘悶腹脹)하면 이는 脾胃가 운행하지 못하고 기체(氣滯)를 겸한 증이기 때문에 사군자탕에 진피를 더해서 행기소창(行氣消脹)시키는데, 이 처방을 이공산(異攻散)이라고 한다.

2) 약량(藥量) 증감의 변화

이 변화는 방제의 조성약물이 바뀌지 않고 약물의 용량을 늘리거나 줄임으로써 그 약효의 강약과 배오관계를 바꾸어 방제의 공용(功用)과 주치증후(主治證候)에 영향을 주는 것이다. 예를 들면, 사역탕(四逆湯)과 통맥사역탕(通脈四逆湯)은 모두 부자、건강、자감초의 세 가지 약으로 조성되어 있는데, 모두 부자를 군으로, 건강을 신으로, 자감초를 좌사로 하고 있다. 그러나 사역탕의 부자와 건강의 용량은 상대적으로 적어 회양구역(回陽救逆)함으로써 음성양미(陰盛陽微)로 인한 사지궐역(四肢厥逆)、오한권와(惡寒踡臥)、하리청곡(下痢淸穀)、맥침미세(脈沉微細)를 치료한다. 한편 통맥사역탕의 부자와 건강의 용량은 사역탕에 비해 많아서 온리회양(溫裏回陽)작용도 커져 회양통맥(回陽通脈)할 수 있는데, 음성격양(陰盛格陽)으로 인해 사지궐역(四肢厥逆)、신반불오한(身反不惡寒)、면적(面赤)、하리청곡(下痢淸穀)、맥미욕절(脈微欲絕)을 치료한다. 또 소승기탕(小承氣湯)과 후박삼물탕(厚朴三物湯)은 모두 대황、지실、후박의 세 약물로 조성되어 있는데, 소승기탕은 대황 용량이 비교적 많아 군약으로 삼고 지실을 신으로 하며 후박의 용량이 비교적 적어 대황의 1/2로 좌사약이 되는데, 사열통변(瀉熱通便)시켜 양명부실(陽明腑實) 경증(輕證)을 치료한다. 후박삼물탕은 후박의 용량을 늘려 군약으로 삼고, 지실은 신약으로 소승기탕에서의 지실보다는 양을 늘리며, 대황은 좌사약으로 용량은 후박의 절반으로 함으로써 행기통변(行氣通便)에 주력하여 기체변비증(氣滯便秘證)을 치료한다.

2) Kim HU et al, A systems approach to traditional oriental medicine, Nature Biotechnology, 33, 264-268, Mar 2015
3) 師其法而不泥其方

이상의 내용으로 보아, 사역탕과 통맥사역탕의 용량에 경중의 차이가 있기는 하지만, 그 제량의 변화는 원방의 군신좌사와 배오관계에 영향을 미치지 못하여 강약의 차이만 있고 주치 증후에도 경중의 차이만 있을 뿐이다. 소승기탕과 후박삼물탕은 약량의 증감이 배오관계의 변화를 가져왔으며, 그로 인해 두 처방의 공용과 주치증에도 본질적인 변화가 생겼다.

3) 제형 변경의 변화

방제의 제형과 효과는 밀접한 관계가 있으며, 동일한 방제의 조성약물과 제량이 완전히 일치해도 제형이 달라지면 그 작용과 적응증도 달라진다. 일반적으로 탕제의 작용은 빠르고 크며, 환제의 작용은 완만하기 때문에 임상에서는 증에 따라 제형을 선택해야 하다. 예를 들면 이중환(理中丸)과 인삼탕(人蔘湯)의 조성과 용량은 완전히 일치한다. 이중환의 네 약물을 모두 같이 고운 가루로 만들어 꿀과 함께 버무려 환으로 만드는데, 비위허한(脾胃虛寒)으로 완복동통、식욕부진、변당(便溏)하며, 병세가 비교적 완만하기 때문에 환으로 치료한다. 인삼탕은 탕제로 만들어 내복하는데, 심흉비민(心胸痞悶)과 병세가 비교적 급한 중초와 상초의 허한으로 인한 흉비(胸痹)를 치료한다. 이외에도, 제형의 선택과 약물의 특징은 서로 관계된다. 예컨대 현음(懸飮)과 복수(腹水)를 치료하는 십조탕의 주요 약물은 감수인데, 그 약물은 물에 녹지 않기 때문에 산제로 이용한다. 당연히 제형의 변경은 지속적으로 이루어져야 한다.

이상의 내용을 종합하면, 방제의 약미 증감、약량 증감과 제형 변경은 모두 그 효과에 대해 다양한 영향을 미친다. 그러므로 임상에서는 이러한 특성을 이용하여 고대의 처방이 현재의 병증에 맞아 치료의 목적을 달성할 수 있도록 해야 한다. 한편, 방제를 조성하는 주요 약물의 변경과 약량 증감은 종종 원방의 군신좌사 약물의 배오관계를 바꾸어 그 공효와 주치증후의 성질에 변화를 가져온다. 그러므로 의사가 처방을 구성하고 가감할 때에는 반드시 그 군신좌사와 배오관계를 전제로 해야만 옛 것을 따르되 옛 것에 빠지지 않을 수 있으며, 변화하면서도 그 중심을 잃지 않을 수 있게 된다.

제 2절 방제의 용법

단미 한약으로부터 조성된 복합처방은 반드시 병정、약물 성질 및 투약 경로 등에 근거하여 원료약을 적절한 제형으로 추출 가공하는데, 그 중에서는 증에 따라 가감이 편리한 탕제가 임상에서 가장 널리 사용되고 있다. 이 역시 변증논치의 특징에 따라 결정된 것이다. 정확하게 방제를 사용하면 더 나은 치료효과를 발휘하고 증강하는 데에 도움이 된다.

1. 상용 제형

최근에는 전통적인 내용을 잘 간직하면서도 제형을 다양하게 함으로써 질병 치료에 활용하고 있다. 방제의 제형은 투약의 경로에 따라 나뉘어지는데, 외용제형과 내복제형을 포함한다. 제형의 형태로는 액체 제형、고체 제형과 반고체 제형 등이 있다. 현재 상용하고 있는 제형의 특징을 설명하면 다음과 같다.

1) 탕제(湯劑, Decoction)

옛날에는 탕액이라고 하였으며, 전제(煎劑)라고도 한다. 약물을 물이나 술 혹은 물과 술을 반반으로 하여 일정 시간 끓인 다음 찌꺼기를 제거하여 만든 제형이다. 일반적으로 내복한다. 장점은 흡수가 빠르고 효과도 신속하며 가감하기가 편한 것이다.

2) 산제(散劑, Powder preparation)

약물을 갈고 분쇄하여 고루 혼합한 분말상의 제제이다. 내복과 외용의 두 가지가 있다. 내복하는 산제를 칠리산(七厘散)처럼 곱게 만들면 직접 충복할 수 있다. 은교산(銀翹散)처럼 거칠게 만들어진 경우 물로 끓여 탕액을 만들어 복용한다. 外用 散劑는 일반적으로 피부에 붙이거나 상처 부위에 뿌린다. 또 빙붕산(冰硼散)처럼 만들어 인후 등에 점복(點服)하기도 한다. 장점으로는 만들기가 간편하고, 약재를 절약할 수 있으며, 잘 변질되지 않고, 복용이나 휴대하기 간편하다는 것이다.

3) 환제(丸劑, Pill preparation)

약물을 분쇄하여 만든 고운 가루나 추출물을 꿀이나 쌀가루, 밀가루, 술, 초, 약즙 등 부형제와 함께 제조한 원형의 고체 제형이다. 일반적으로 귀비환(歸脾丸) 등과 같이 만성 허약성 질병에 쓰거나 안궁우황환(安宮牛黃丸)처럼 급성 질환에도 쓴다. 장점은 흡수가 완만하고 약력이 오래 가며 약재를 아낄 수 있고 부피가 작고 휴대와 보존에 편리하다. 상용하는 환제는 밀환(蜜丸, honeyed pill), 수환(水丸, watered pill), 호환(糊丸, pasted pill), 농축환(濃縮丸, concentrated pill), 적환(滴丸, dripping pill) 등이다.

4) 고제(膏劑, Soft extract)

약물을 물이나 식물성 기름으로 끓여서 찌꺼기를 제거하고 농축하여 만든 제형이다. 내복과 외용의 두 가지로 나눈다.

(1) 내복 (Oral administration)

전고(煎膏, Syrup from prolonged extract) 、유침고(流浸膏, liquid extract)、침고(浸膏, extract)의 세 종류가 있다. 전고가 가장 많이 사용되는데, 고자(膏滋)라고도 불리며, 약재를 반복해서 끓여서 일정 정도가 지난 다음 찌꺼기를 제하고 즙을 취하여 다시 농축해서 적당량의 꿀이나 설탕 등을 넣어 끓여서 고를 만든다. 장점은 복용이 편리하고, 자보(滋補)작용이 있어 오랜 병으로 몸이 허약한 사람들에게 적합한데, 경옥고 등이 이에 해당한다. 유침고는 적당한 용매를 이용하여 약재의 유효성분을 침출액의 형태로 우려내고, 우려낸 침출액 가운데 용매는 저온으로 증발시켜 제거하고 농도와 alcohol content를 규정 표준으로 조정하여 만든 액체의 침출제형(浸出劑型)이다. 장점은 유효성분의 함량이 비교적 높기 때문에 복용량이 적고 용매의 부작용도 적은데, 익모초류침고(益母草流浸膏) 등이 이에 해당한다. 침고는 약재 중에 가용성 유효성분을 함유하고 있는 반고체나 고체의 침출제형이다. 그 장점은 용매의 부작용이 전혀 없으며, 농도가 높고, 부피가 작으며, 제량이 작고, 편제나 환제를 만들 수 있으며, 직접 캡슐에 넣어 사용할 수 있다.

(2) 외용 (External use)

경고(硬膏, Plaster)와 연고(軟膏, ointment)의 두 가지가 있다. 경고를 옛날에는 박첩(薄貼) 혹은 고약이라 하였고, 기름으로 약물을 끓여 일정 정도에 이르면 찌꺼기를 버리고 다시 황단(黃丹)이나 백납(白蠟) 등을 넣어 헝겊이나 종이에 얇게 발라서 환부에 붙여 사용하는 외용 제형이다. 장점은 용법이 간단하고 휴대에 편리하며 국부나 전신에 작용하고, 타박상과 같은 외상, 풍습비통(風濕痹痛), 창양(瘡瘍) 등 질병에 사용하는데, 예를 들면 구피고(狗皮膏) 등이다. 연고는 약고(藥膏)라고도 하는데, 약물을 곱게 가루로 만들어 적당량의 기질과 혼합한 다음 피부 점막이나 상처에 바르기 좋게 만든 반고체의 외형 제제이다. 그 장점은 국부에 외용할 수 있고, 작용이 비교적 오래 가며, 외과 창양이나 종절(腫癤)과 같은 질병에 사용한다. 삼황연고(三黃軟膏) 등이 이에 해당한다.

5) 단제(丹劑, Special pills)

고정된 형태는 없다. 내복 단제에는 환제도 있고 산제도 있는데, 약품이 귀중하거나 약효가 두드러진 것을 이름하여 '단'이라 한다. 지보단(至寶丹), 활락단(活絡丹) 등이다. 외용 단제는 단약(丹藥)이라고도 하는데, 일부 광물류 약을 고온으로 녹여 만든 다양한 결정 형태의 제품이다. 대개 곱게 빻아 상처부위에 바르거나 혹은 약끈(medicated strip)이나 약실(medicated thread)과 외용 고제로 만들어 주로 외과의 창양(瘡瘍), 옹저(癰疽), 영류(癭瘤) 등에 사용한다.

6) 주제(酒劑, Medicated liquor)

옛날에는 주례(酒醴)라 하였고, 약주라고도 하는데, 술을 용매로 하여 약물을 담가 두거나 열을 가해 삶은 다음 찌꺼기를 제거한 액체 제제이다. 그 장점은 흡수가 잘 되며, 내복이나 외용이 모두 가능하다. 발산, 활혈, 통락(通絡)작용이 있으며, 허약한 환자, 풍습동통(風濕疼痛)이나 타박 외상 등 질병에 사용한다. 십전대보주(十全大補酒) 등이 있다.

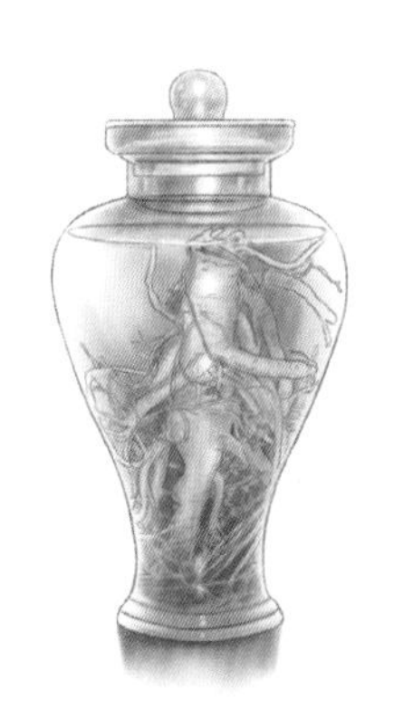

7) 다제(茶劑, Medicated tea)

약물을 거칠게 빻아 죽처럼 혼합하여 만든 덩어리 모양의 제제이다. 끓는 물에 담그거나 끓인 즙을 차 대신 복용한다. 그 장점은 만들기가 간편하고 복용이 편리하다. 다양한 질병에 활용한다. 인삼차(人蔘茶) 등이다.

8) 엑스과립제 (Soluble granules)

약물을 곱게 빻은 가루나 추출물을 건조 과립으로 만든 내복 제형이며, 따뜻한 물에 타서 먹는다. 일반적으로 1회 복용량씩 나누어 포장한다. 그 장점은 환제나 산제보다 작용이 신속하며, 부피가 작고 가볍다. 다양한 질병에 응용된다.

9) 약침제 (Pharmacopuncture)

주사제라고도 하며, 피하、근육、정맥주사를 위해 조제、추출、정제 등 과정을 거쳐 멸균처리한 제제이다. 제량이 정확하고, 약효가 신속하며, 약물을 소화액이나 음식물의 영향을 받지 않고 직접 인체 조직에 주입할 수 있다는 장점이 있다.

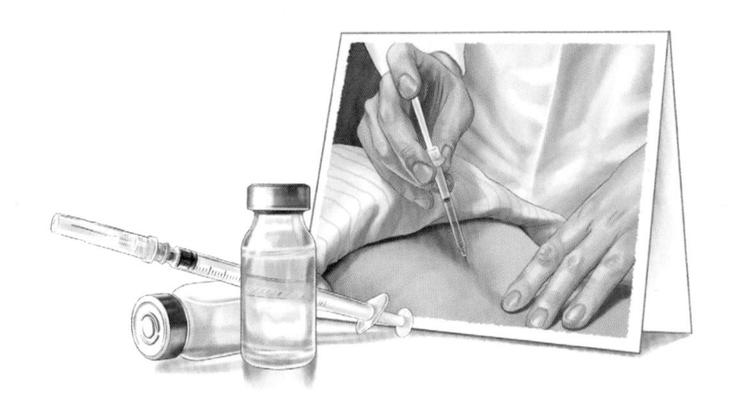

10) 시럽 (Syrup)

약물을 함유한 시럽은 약을 끓여 찌꺼기를 제거한 즙을 다시 끓여서 농축액을 만든 다음 적당량의 설탕 등 감미료를 넣고 녹여 만든다. 단 맛이 나고, 흡수가 비교적 빠르며, 복용이 편리하고, 아동이 복용하기 좋다.

2. 탕제 용법

1) 탕제 달이는 법

탕제는 가장 많이 쓰이는 제형으로, 달이는 도구, 물, 불 등 준비와 조건이 필요하다.

(1) 약을 달이는 용구

질그릇이나 질항아리가 좋고, 자기(瓷器)나 스테인리스 스틸 (stainless steel) 용기가 그 다음이다.

(2) 약을 달이는 물

깨끗하고 맑으며 특이한 맛이 없어야 하고 잡질이나 광물질이 적어야 한다. 평소 마시는 물을 사용하는 것이 좋다.

(3) 약을 달이는 불

불에는 문화(文火, 수액이 완만하게 증발하는 정도의 불: weak fire)와 무화(武火, 수액의 증발이 매우 빠른 정도의 불: strong fire)가 있다. 약을 달일 때에는 일반적으로 먼저 무화로 약액을 바로 끓여 시간을 절약하고, 그리고 나서 문화로 약액이 약간 끓을 정도를 계속 유지시켜 약액이 흘러 넘치거나 지나치게 빨리 졸아들지 않게 해야 한다.

(4) 약을 달이는 방법 (Decoction method)

먼저 약재를 30~60분간 약재가 다 잠길 정도의 물에 담가 둔다. 재탕을 할 때에는 초탕의 1/3 내지 1/2 정도의 물에 달이고, 초탕과 재탕을 합쳐 두 번이나 세 번에 나누어 복용한다. 일반적으로 약물은 동시에 넣어 달이지만, 일부 약물들은 성질에 따라 달이는 법도 특수하여 처방전에 표기해 두어야 한다. 선전(先煎)、후하(後下)、포전(包煎)、별전(別煎)、용화(溶化)、포복(泡服)、충복(沖服) 등 다양한 방법이 있다.

① 선전 (Decoct first): 주로 유효성분이 물에 잘 녹지 않는 일부 금속、광물、조개류 약물을 가리키는데, 먼저 잘게 부수어 20~30분 정도 달이고 나서 다른 약들을 넣어 같이 끓인다. 유효성분을 충분히 우려내기 위함이다. 여기에서 부자나 오두 같이 독성과 부작용이 비교적 강한 약물은 먼저 45~60분간 달인 다음 다른 약들을 넣는다. 오래 끓이면 독성이 줄어들기 때문이다.

② 후하 (Decoct later): 일부 방향성이 강한 약물들은 오래 끓이면 그 유효성분이 쉽게 휘발되어 약효가 떨어지므로, 다른 약들이 끓고 나서 5~10분 후에 넣는다. 이외에도, 구등、대황、번사엽(센나) 등과 같은 약물들은 방향성 약재가 아니더라도 오래 끓이면 그 유효성분이 파괴된다. 이들 역시 후하의 경우에 속한다.

③ 포전 (Wrap-decoct): 주로 점성이 강하거나 분말로 되어 있거나 융모가 있는 약물들이 해당되는데, 먼저 사포로 잘 싼 다음 다른 약물들과 같이 달여 약액이 혼탁해지거나 인후를 자극하여 기침을 유발하거나 그릇 바닥에 가라앉아 가열 시에 타거나 죽처럼 되는 것을 막기 위함이다. 합분、활석、청대、선복화、차전자、포황 등이 이에 해당한다.

④ 별전 (Decoct separately): 일부 귀중 약재들은 따로 달여 놓은 다음 다른 약물들을 달인 것과 혼합하여 복용하기도 한다. 인삼、서양삼、영양각、녹용 등이 이에 해당한다.

⑤ 용화 (Dissolve): 양화(烊化)라고도 하며, 주로 교류(膠類) 약물이 다른 약들과 같이 끓이면 쉽게 그릇에 눌어붙

고 타버리거나 다른 약물들에 달라붙는 것을 방지하기 위하여 물이나 술로 이런 종류의 약을 녹인 다음 잘 끓인 약액에 타서 먹도록 하는 방법이다. 이를 통하여 교류 약물의 낭비를 방지하고 다른 약물의 유효성분의 용출이 저해되는 것을 막을 수 있다. 아교나 구판교가 이에 해당한다.

⑥ 포복(泡服, Take soaked): 일부 유효성분이 쉽게 물에 녹거나 오래 끓이면 쉽게 약효가 파괴되는 약물의 경우, 소량의 뜨거운 물이나 복합처방의 다른 약물들을 달인 약액에 담갔다가 뚜껑을 덮어 휘발되지 않게 하고 반 시간 정도 기다렸다가 찌꺼기를 제거하고 복용하는데, 장홍화, 번사엽, 반대해 등이 이에 해당한다.

⑦ 충복 (Take drenched): 주로 망초처럼 물에 들어가면 녹아버리는 약, 봉밀과 같은 액체류약, 영양각이나 침향처럼 물로 갈아서 약즙을 취하는 약물들은 끓이지 말고 직접 따뜻한 물이나 약액에 타서 먹는다. 사향이나 우황과 같은 귀중약들은 용량이 비교적 적기 때문에 산실되는 것을 방지해야 하는데, 이들 약재는 미리 산제로 만들어 놓고 더운 물이나 약액에 타서 복용토록 한다.

2) 탕제 복용법

일반적으로 탕제를 하루 두 첩 복용하며, 만약에 급성 중증이거나 외감 열병인 경우에는 세 첩 이상 복용하여 약력을 증강시킬 수 있다. 복약시간의 간격은 6~8시간이고, 병변 부위와 질병 유형에 따라 식전이나 식후 복용을 결정한다. 일반적으로 병이 흉격 위에 있는 경우에는 식후에 복약하고, 병이 흉격 아래에 있는 경우에는 식전에 복약한다. 위장에 자극을 주거나 소도류(消導類) 방제는 식후에 복용하고, 보익약(補益藥)은 흡수하기 쉽도록 공복에 복용하며, 학질을 치료하는 방제는 학질 발작 전 2시간에 복용하고, 안신방제(安神方劑)는 잠들기 전에 복용한다. 위급한 중병은 한 번에 많은 양을 복용할 수 있으며, 혹은 필요에 따라 하루에 여러 차례 혹은 수시로 복용할 수 있다. 구토환자를 치료하는 경우에는 진하게 달여 소량을 여러 차례 복용하며, 경궐(驚厥)、석림(石淋)、인후병(咽喉病) 등은 달인 약을 차 대신 수시로 자주 복용할 수 있다. 이외에도 특수한 복용법이 있는데, 예를 들면 고방계명산(古方鷄鳴散)은 해가 뜨기 전 새벽에 공복한다. 약성이 준맹하거나 유독한 방제는 소량으로 시작하여 점차로 양을 늘려 가다가 효과가 나타나면 멈춘다. 과량을 복용하여 중독되는 것을 막아야 한다.

탕약은 일반적으로 따뜻하게 해서 복용한다. 발한해표약(發汗解表藥)은 뜨겁게 해서 복용하는데, 복용 후에 이불을 덮거나 옷을 더 입거나 뜨거운 죽을 먹어 땀이 나는 것을 도와야 한다. 열증에는 한약(寒藥)을 쓰고 차갑게 먹어야 한다. 진한가열증(眞寒假熱證)에는 열약(熱藥)을 차갑게 먹고, 진열가한증(眞熱假寒證)에는 한약(寒藥)을 따뜻하게 해서 먹는다. 복약 후에 구토를 하면 소량의 생강즙을 넣거나 생강으로 혀를 비비거나 소량의 진피를 씹은 다음 다시 탕약을 먹는다. 정신이 맑지 않거나 다른 이유로 구복하지 못하는 경우에는 비사법(鼻飼法, nasal feeding)으로 약을 투입한다.

제3절 상용 처방

1. 해표제(解表劑)

대부분 해표약으로 이루어지며, 발한(發汗)、해기(解肌)、투진(透疹) 등의 작용을 하고, 표증(表證)을 치료하는 방제이다. '팔법' 가운데 '한법(汗法)'에 속한다.

표증은 주로 풍한표증(風寒表證)과 풍열표증(風熱表證)의 두 가지 증형이므로 해표제는 신온해표(辛溫解表)와 신량해표(辛凉解表)의 두 유형이 해당된다.

신온해표제(辛溫解表劑)는 신온해표약 위주로 조성되어 있으며, 소산풍한(疏散風寒)의 작용을 가지고 있어서 풍한표증에 적용한다. 신량해표제(辛凉解表劑)는 신량해표약 위주로 조성되어 있고, 소산풍열(疏散風熱)의 작용을 가지고 있기 때문에 풍열표증에 적용된다.

해표제는 장시간 달이면 약성(藥性)이 사라지므로 약효를 유지하기 위해서 오래 달이지 않는다. 탕약은 따뜻하게 만들어 복용하고 몸도 따뜻하게 하여 전신에 약간의 땀을 냄으로써 거사(祛邪)에 유리하게 한다.

참고로, 다음에 소개되는 각 처방을 조성하는 약물의 단위는 g이다.

○ **마황탕**(麻黃湯) **『傷寒論』**

- 조성: 마황(麻黃) 9 계지(桂枝) 6 행인(杏仁) 6 자감초(炙甘草) 3
- 용법: 물로 달인다.
- 효능: 발한해표(發汗解表)、선폐평천(宣肺平喘)
- 응용: 오한발열、두신동통(頭身疼痛)、무한이천(無汗而喘)、설태박백(舌苔薄白)、맥부긴(脈浮緊) 등의 외감 풍한표실증(風寒表實證)에 쓴다.
- 대상 질환: 감기、독감、기관지염、기관지폐렴、기관지천식、폐기종、신경통、관절염
- 주의 사항: 땀이 나는 사람은 금한다. 원래 음허(陰虛) 혹은 혈허(血虛)하거나 내열(內熱)이 비교적 많아도 꺼린다.

○ **계지탕**(桂枝湯) **『傷寒論』**

- 조성: 계지(桂枝) 9 작약(芍藥) 9 자감초(炙甘草) 6 생강 9 대추 3개
- 용법: 물로 달인다.
- 효능: 해기발표(解肌發表)、조화영위(調和營衛)
- 응용: 두통발열(頭痛發熱)、한출오풍(汗出惡風)、설태박백(舌苔薄白)、맥부완(脈浮緩)의 외감 풍한표허증(風寒表虛證)이나 병후나 산후 외감풍한영위불화증(外感風寒營衛不和證)에 쓴다.
- 대상 질환: 감기、유행성 감기、폐렴、기관지염、다한증、(과민성) 비염、피부병、오십견、신경통、음위、천식、원인미상의 미열、산후 및 병후의 발열、류마티스 관절염、경추병、부정맥、임신구토、유정、과민성 비염、동상、담마진
- 주의 사항: 風寒表證이면서 땀이 나지 않으면 금한다. 복약 후에 뜨거운 죽을 먹고 옷이나 이불을 더해 땀이 조금 나도록 한다.

○ **구미강활탕**(九味羌活湯) (張元素 처방) **『此事難知』**

- 조성: 강활(羌活) 방풍(防風) 창출(蒼朮) 각 9 세신(細辛)3 천궁(川芎) 백지(白芷) 생지황(生地黃) 황금(黃芩) 감초(甘草) 각 6
- 용법: 물로 달인다.
- 효능: 발한거습(發汗祛濕)、겸청리열(兼淸裏熱)
- 응용: 오한발열、무한、두통、지체산통、구고미갈(口苦微渴)、설태백혹미황(舌苔白 或微黃)、맥부(脈浮)의 外感 풍한습사겸유리열증(風寒濕邪兼有裏熱證)에 쓴다.

- 대상 질환: 감기, 유행성 감기, 급성 담마진, 류마티스 관절염, 급성 근육염, 편두통, 기능성 요통
- 주의 사항: 이열(裏熱)이 심하여 고열 구갈하며 설홍맥삭(舌紅脈數)하면 금한다.

○ **향유산**(香薷散) 『**太平惠民和劑局方**』

- 조성: 향유(香薷) 500 백편두(白扁豆) 후박(厚朴) 각 250
- 용법: 함께 갈아서 가루로 만들어 매번 9g을 물로 달여 복용하거나, 혹은 술을 조금 넣고 달여 복용한다.
- 효능: 해표산한(解表散寒), 화습화중(化濕和中)
- 응용: 여름철 오한발열, 무한, 두통, 복통, 토사, 흉민, 전신권태, 설태백니(舌苔白膩), 맥부(脈浮)의 외한내습증(外寒內濕證)에 쓴다.
- 대상 질환: 감기, 유행성 감기, 상기도감염, 급성 위장염, 여름 설사, 두통, 복통, 구토, 위장형 감기, 장염, 세균성 이질, 약물 부작용, 유행성 B형 뇌염, 유행성 뇌척수막염, 복부수술 유합후, 장티푸스, 급성 편도선염
- 주의 사항: 여름철에 외감 풍한표증(風寒表證)이면서 땀이 있으면 금한다.

○ **소청룡탕**(小青龍湯) 『**傷寒論**』

- 조성: 마황(麻黃) 9 작약(芍藥) 9 세신(細辛) 6 건강(乾薑) 6 자감초(炙甘草) 6 계지(桂枝) 9 반하(半夏) 9 오미자(五味子) 6
- 용법: 물로 달인다.
- 효능: 해표산한(解表散寒), 온폐화음(溫肺化飮)
- 응용: 오한발열, 무한, 두통, 기침 천식, 담다질희(痰多質稀), 심하면 불능평와(不能平臥), 혹 지체부종(肢體浮腫), 설태백활(舌苔白滑), 맥부(脈浮)의 외한내음증(外寒內飮證)에 쓴다.
- 대상 질환: 감기, 독감, 기관지염, 기관지천식, 기관지확장, 폐기종, 폐원성 심장병, 결핵성 삼출성 흉막염, 백일해, 늑간신경통, 급만성 신염, 부종, 결막염, 습진, 수포, 복수, 비후성 비염, 과민성 비염, 타액과다증, 간질성 폐렴, catarrh성 안염, catarrh성 중이염
- 주의 사항: 기침을 하면서 가래가 노랗고 양이 많은 사람은 금한다.

○ **행소산**(杏蘇散) 『**溫病條辨**』

- 조성: 소엽(蘇葉) 9 행인(杏仁) 9 반하(半夏) 9 복령(茯苓) 9 전호(前胡) 9 길경(桔梗) 6 지각(枳殼) 6 귤피(橘皮) 6 감초(甘草) 3 생강 3쪽 대추 3개
- 용법: 물로 달인다.
- 효능: 경선량조(輕宣凉燥), 선폐화담(宣肺化痰)
- 응용: 오한 무한(惡寒 無汗), 두미통(頭微痛), 기침 담백(痰白), 비색인건(鼻塞 咽乾), 설태박백(舌苔薄白), 맥현혹부(脈弦或浮)의 외감량조증(外感凉燥證)에 쓴다.
- 대상 질환: 감기, 독감, 기관지염, 기관지 천식, 기침, 만성 비염, 상기도감염, 폐기종
- 주의 사항: 오한과 신통이 비교적 심하면서 비인(鼻咽)이 건조한 사람은 금한다.

○ **지수산**(止嗽散) 『**醫學心悟**』

- 조성: 길경(桔梗) 형개(荊芥) 자완(紫菀) 백부(百部) 백전(白前) 각 1000 자감초(炙甘草) 375 진피(陳皮) 500

- 용법: 함께 갈아 가루로 만들어 매번 9g을 따뜻한 물로 복용한다. 처음 風寒에 걸린 경우에는 생강탕(生薑湯)과 같이 하루에 두 차례 복용한다. 탕제로 먹어도 좋으며, 용량은 원방의 비율에 따른다.
- 효능: 소풍선폐(疏風宣肺), 지해화담(止咳化痰)
- 응용: 기침 인양(咽癢), 해담색백(咳痰色白), 혹 미유오풍발열(微有惡風發熱), 설태박백(舌苔薄白), 맥부(脈浮)의 풍한범폐증(風寒犯肺證)에 쓴다.
- 대상 질환: 상기도감염, 급만성 기관지염, 폐렴, 백일해, 해수, 과민성 비염, 과민성 피부염
- 주의 사항: 기침이 오래 되고 설홍소태(舌紅少苔)인 폐음부족(肺陰不足) 환자나, 肺熱이 옹성하여 기침 천식하고 가래가 누렇고 양이 많으면 금한다.

○ **패독산**(敗毒散) 『小兒藥證直訣』

- 조성: 시호(柴胡) 전호(前胡) 천궁(川芎) 지각(枳殼) 강활(羌活) 독활(獨活) 복령(茯苓) 길경(桔梗) 인삼(人蔘) 각 9 감초(甘草) 5
- 용법: 함께 갈아서 가루로 만들어 매번 6g을 생강과 박하를 소량 넣고 물로 달여서 복용한다.
- 효능: 익기해표(益氣解表), 산한거습(散寒祛濕)
- 응용: 오한발열, 두신동통(頭身疼痛), 무한비색(無汗鼻塞), 기침 담백(痰白), 흉민(胸悶), 설담태백(舌淡苔白), 맥부이안지무력(脈浮而按之無力)한 기허외감증(氣虛外感證)에 쓴다.
- 대상 질환: 감기, 유행성 감기, 기관지염, 류마티스 관절염, 과민성 피부염, 담마진, 피부소양증, 습진, 설사, 창양 초기

○ **상국음**(桑菊飮) 『溫病條辨』

- 조성: 상엽(桑葉) 7.5 국화(菊花) 3 행인(杏仁) 6 연교(連翹) 5 박하(薄荷) 2.5 길경(桔梗) 6 생감초(生甘草) 2.5 노근(蘆根) 6
- 용법: 물로 달인다.
- 효능: 소풍청열(疏風淸熱), 선폐지해(宣肺止咳)
- 응용: 기침, 신열불심(身熱不甚), 구미갈(口微渴), 설변첨홍(舌邊尖紅), 맥부삭(脈浮數)의 風溫 초기 표열경증(表熱輕證)에 쓴다.
- 대상 질환: 감기, 급성 기관지염, 급성 편도선염, 상기도감염, 유행성 감기, 폐렴, 급성 결막염, 각막염

○ **은교산**(銀翹散) 『溫病條辨』

- 조성: 금은화(金銀花) 연교(連翹) 각 30 길경(桔梗) 박하(薄荷) 우방자(牛蒡子) 각 18 죽엽(竹葉) 형개수((荊芥穗) 각 12 담두시(淡豆豉) 생감초(生甘草) 각 15
- 용법: 함께 갈아 가루로 만들어 매번 18g을 노근탕(蘆根湯)에 달여서 복용한다.
- 효능: 신량투표(辛凉透表), 청열해독(淸熱解毒)
- 응용: 발열무한(發熱無汗), 혹 유한불창(有汗不暢), 미오풍한(微惡風寒), 두통구갈(頭痛口渴), 기침 인통(咽痛), 설첨홍(舌尖紅), 태박백혹미황(苔薄白或微黃), 맥부삭(脈浮數)의 온병 초기 표열중증(表熱重證)에 쓴다.
- 대상 질환: 상기도감염, 독감, 급성 기관지염, 대엽성 폐렴, 급성 편도선염, 홍역, 뇌염, 급성 이하선염, 약물성 피부염, 바이러스성 장염, 과민성 담마진, 습진

- 주의 사항: 풍열표증(風熱表證)에 오한무한(惡寒無汗)하더라도 발열이 심하지 않고 목이 마르지 않으면 금한다.

○ **상행탕**(桑杏湯) 『**溫病條辨**』
- 조성: 상엽(桑葉) 3 행인(杏仁) 4.5 사삼(沙蔘) 6 절패모(浙貝母) 3 담두시(淡豆豉) 3 치자피(梔子皮) 3 이피(梨皮) 3
- 용법: 물로 달인다.
- 효능: 경선조열(輕宣燥熱)、윤폐지해(潤肺止咳)
- 응용: 두통、신열불심(身熱不甚)、구갈인건비조(口渴咽乾鼻燥)、건해무담(乾咳無痰)、혹 담소이점(痰少而黏)、설홍(舌紅)、태박백이건(苔薄白而乾)、맥부삭(脈浮數)의 외감 온조경증(溫燥輕證)에 쓴다.
- 대상 질환: 상기도감염、급만성 기관지염、기관지확장 객혈、백일해
- 주의 사항: 조열(燥熱)이 비교적 심하게 폐음(肺陰)을 작상(灼傷)하여 신열천해(身熱喘咳)하고 설건홍소태(舌乾紅少苔)한 경우에는 금한다.

○ **마황행인감초석고탕**(麻黃杏仁甘草石膏湯) 『**傷寒論**』
- 조성: 마황(麻黃) 9 행인(杏仁) 9 자감초(炙甘草) 6 생석고(生石膏) 18
- 용법: 물로 달인다.
- 효능: 선설폐열(宣泄肺熱)、지해평천(止咳平喘)
- 응용: 발열 구갈、기침 천식、비익선동(鼻翼煽動)、설태박백혹황(舌苔薄白或黃)、맥부삭(脈浮數)의 표사(表邪)가 아직 풀리지 않은 폐열해천증(肺熱咳喘證)에 쓴다.
- 대상 질환: 천식、급성 기관지염、대엽성 폐렴、바이러스성 폐렴、기관지천식、백일해、부비동염、담마진、감기、홍역、상기도감염、호산성 증가성 폐렴、하계열
- 주의 사항: 풍한해천(風寒咳喘)이나 담열(痰熱)이 옹성한 환자는 금한다.

2. 청열제(淸熱劑)

청열약 위주로 조성되어 청열、사화(瀉火)、양혈(凉血)、해독 등 작용이 있으며, 이열증(裏熱症)을 치료하는 방제에 쓰이기 때문에 청열제라고 한다. '팔법' 가운데 '청법(淸法)'에 해당한다.

이열증에는 기와 혈、온열(溫熱)과 서열(暑熱)、실열(實熱)과 허열(虛熱)、장부편승(臟腑偏勝)의 차이가 있기 때문에 청열제에는 청기분열(淸氣分熱)、청영량혈(淸營凉血)、청열해독(淸熱解毒)、청장부열(淸臟腑熱)、청허열(淸虛熱)과 청서열(淸暑熱) 등 유형이 있다.

청기분열제(淸氣分熱劑)는 청기약(淸氣藥) 위주로 조성되어 청열생진(淸熱生津)、제번지갈(除煩止渴) 작용이 있어서 기분열성증(氣分熱盛證)에 쓰인다. 청영량혈제(淸營凉血劑)는 청영량혈약 위주로 조성되어 청영양음(淸營養陰)、양혈산어(凉血散瘀) 작용이 있어서 사열(邪熱)이 영분(營分)으로 전해졌거나 열이 혈분(血分)에 들어간 증에 쓰인다. 청열해독제(淸熱解毒劑)는 청열해독약 위주로 조성되어 고한사화(苦寒瀉火)、직절화독(直折火毒)작용이 있어서 온역(溫疫)、온독(溫毒) 등 증에 쓰인다. 청장부열제(淸臟腑熱劑)는 각기 다른 장부에 적중하는 청열약 위주로 조성되어 청장부화열(淸臟腑火熱)의 작용이 있어서 사열(邪熱)이 어느 한 장부에 편성하여 생긴 화열증후(火熱證候)에

쓰인다. 청허열제(清虛熱劑)는 자음청열약(滋陰清熱藥) 위주로 조성되어 청열자음투사(清熱滋陰透邪)의 작용이 있어서 열성음상증(熱盛陰傷證)에 쓰인다. 청서열제(清暑熱劑)는 거서약(祛暑藥) 위주로 조성되어 청열거서(清熱祛暑)의 작용이 있어서 여름철 외감서열증(外感暑熱證)에 쓰인다.

청열제(清熱劑)를 조성하는 약물의 성미는 대부분 고한(苦寒)하다. 고한한 약물은 쉽게 위를 해치고, 고조(苦燥)한 약물은 음을 상하며, 한량(寒凉)한 약물은 양을 상하기 때문에 오래 복용할 수 없고 필요한 경우 건비화위약(健脾和胃藥)을 배합한다. 평소 脾胃가 허약하여 많이 먹지 못하고 대변이 무른 사람은 조심해서 써야 한다. 만약에 이열(裏熱)이 치성하여 양약(凉藥)을 입에 대자마자 바로 토한다면 이를 '거약(拒藥)'이라고 하는데, 약을 뜨겁게 해서 먹거나 소량의 신온(辛溫)한 생강즙을 타면 거부하는 현상을 줄이거나 제거할 수 있다.

○ **백호탕**(白虎湯) **『傷寒論』**

- 조성: 석고(石膏) 50 知母 18 炙甘草 6 粳米 9
- 용법: 물로 끓여 쌀이 익으면 건더기를 버리고 나눠서 복용한다.
- 효능: 청열생진(清熱生津)
- 응용: 장열면적(壯熱面赤)、번갈인음(煩渴引飮)、한출오열(汗出惡熱)、맥홍대유력(脈洪大有力)한 양명기분열성증(陽明氣分熱盛證)에 쓴다.
- 대상 질환: 폐렴、홍역、유행성 뇌막염、B형 뇌염、당뇨병、렙토스피라증、류마티스 관절염、일사병、구강궤양、치은염、눈다래끼、심근염、결막염、독감、디프테리아、성홍열、화상、습진、건선、피부소양증、유행성 출혈열、노년 구강건조증、급성 홍채 모양체염、뇌졸중、알레르기성 아패혈증、류마티스 심근염、수족구증、뎅기열、원인미상의 고열
- 주의 사항: 맥상이 홍대(洪大)하면서 세게 누르면 무력하고 설질이 淡한 혈허발열(血虛發熱)의 경우에는 금한다.

○ **청영탕**(清營湯) **『溫病條辨』**

- 조성: 서각(犀角)(水牛角으로 대체) 30 생지황(生地黃) 15 현삼(玄蔘) 9 죽엽심(竹葉心) 3 맥문동(麥門冬) 9 단삼(丹蔘) 6 황련(黃連) 5 금은화(金銀花) 9 연교(連翹) 6
- 용법: 물로 달인다.
- 효능: 청열해독(清熱解毒)、투열양음(透熱養陰)
- 응용: 신열야심(身熱夜甚)、시유섬어(時有譫語)、반진은은(斑疹隱隱)、설강이건(舌强而乾)、맥세삭(脈細數)의 열사초입영분증(熱邪初入營分證)에 쓴다.
- 대상 질환: 패혈증、장티푸스、유행성 B형 뇌염、유행성 뇌척수막염、피부병、바이러스성 뇌염、면역성 질병、소아가와사키병、결체조직병、폐렴、출혈성 질병
- 주의 사항: 설강태백활(舌强苔白滑)은 습알열복(濕遏熱伏)한 것이므로 금한다.

○ **서각지황탕**(犀角地黃湯) **『備急千金要方』**

- 조성: 서각(犀角)(水牛角으로 대체) 30 생지황(生地黃) 24 작약(芍藥) 12 목단피(牧丹皮) 9
- 용법: 물로 달인다.
- 효능: 청열해독(清熱解毒)、양혈산어(凉血散瘀)

- 응용: 신혼섬어(神昏譫語), 반색자흑(斑色紫黑), 혹은 잡병으로 열상혈락(熱傷血絡)한 토혈, 육혈, 변혈, 수혈(溲血), 설강기자(舌絳起刺), 맥세삭(脈細數)의 溫病 열입혈분증(熱入血分證)과 열상혈락증(熱傷血絡證)에 쓴다.
- 대상 질환: 바이러스성 간염, 간성 혼수, 정맥염, 미만성 혈관내 응혈증후군(DIC), 요독증, 급성 패혈증, 급성 황달, 급성 간염, 중독성 간염, 유행성 뇌척수막염, 티푸스, 장티푸스, 위궤양, 십이지장궤양, 요독증, 화상, 궤양병합병출혈, 녹내장, 홍채 모양체염, 공막염, 과민성 자반병

○ **황련해독탕**(黃連解毒湯) **崔氏方으로『外臺秘要』에 수록**

- 조성: 황련(黃連) 치자(梔子) 각 9 황금(黃芩) 황백(黃柏) 각 6
- 용법: 물로 달인다.
- 효능: 사화해독(瀉火解毒)
- 응용: 고열번조(高熱煩躁), 구갈인음(口渴引飮), 섬어불면(譫語不眠), 혹 신열하리(身熱下痢), 혹 옹종정독(癰腫疔毒), 설홍태황(舌紅苔黃), 맥삭유력(脈數有力)의 삼초화독열성증(三焦火毒熱盛證)에 쓴다.
- 대상 질환: 세균성 이질, 바이러스성 간염, 급성 장염, 과민성 혈소판감소증, 유행성 출혈열, 성홍열, 패혈증, 농독혈증, 급성 비뇨계 감염, B형 뇌염, 바이러스성 심근염, 신염, 유선염, 위장염, 담낭염, 뇌막염, 농루병, 폐렴, 충수염, 화상, 모든 출혈성 피부염, 습진, 주사비
- 주의 사항: 화독(火毒)이 심한 경우가 아니면 금한다. 음상(陰傷)이 비교적 뚜렷하고 설질이 광강(光絳)하면 금한다.

○ **양격산**(凉膈散) **『太平惠民和劑局方』**

- 조성: 대황(大黃) 망초(芒硝) 자감초(炙甘草) 각 600 치자인(梔子仁) 박하(薄荷) 황금(黃芩) 각 300 연교(連翹) 1250
- 용법: 함께 갈아 가루로 만들어 매번 5~12g에 죽엽(竹葉) 3g과 꿀을 조금 넣어 물에 달여 복용한다.
- 효능: 사하통변(瀉下通便), 청상설하(淸上泄下)
- 응용: 번조구갈(煩躁口渴), 면적순초(面赤脣焦), 흉격번열(胸膈煩熱), 구설생창(口舌生瘡), 혹 인통토뉵(咽痛吐衄), 변비뇨적(便秘尿赤), 설홍태황(舌紅苔黃), 맥활삭(脈滑數)의 상중이초화열증(上中二焦火熱證)에 쓴다.
- 대상 질환: 급성 식도염, 급성 위염, 급성 담낭염, 바이러스성 간염, 장폐색, 급성 편도선염, 대엽성 폐렴, 급성 인두염, 구강궤양, 담도염, 전염성 간염, 바이러스성 장염, 유행성 뇌염

○ **보제소독음**(普濟消毒飮) **『東垣試效方』**

- 조성: 황금(黃芩)(酒炒) 황련(黃連)(酒炒) 각 15 진피(陳皮) 생감초(生甘草) 현삼(玄蔘) 시호(柴胡) 길경(桔梗) 각 6 연교(連翹) 판람근(板藍根) 마발(馬勃) 우방자(牛蒡子) 박하(薄荷) 각 3 강잠(僵蠶) 승마(升麻) 각 2
- 용법: 물에 달이거나, 갈아서 고운 가루로 만들어 뜨거운 물로 자주 복용한다.
- 효능: 청열해독(淸熱解毒), 소풍산사(疏風散邪)
- 응용: 오한발열, 두면홍종열통(頭面紅腫熱痛), 인후동통(咽喉疼痛), 구갈욕음(口渴欲飮), 설홍태황(舌紅苔黃), 맥부삭유력(脈浮數有力)한 두면열독증(대두온)(頭面熱毒證(大頭瘟))에 쓴다.
- 대상 질환: 이하선염, 급성 편도선염, 급성 임파절염, 단독, 상기도감염, 바이러스성 장염, 급성 중이염, 비염, 대

상포진, 이하선염, 두면부 봉와조직염, 임파관 순환장애

○ **도적산**(導赤散) 『小兒藥證直訣』

- 조성: 생지황(生地黃) 목통(木通) 생감초초(生甘草梢) 각 6
- 용법: 함께 갈아 가루를 만들어 매번 9g씩 죽엽(竹葉)을 적당량 넣고 물에 달여 복용한다.
- 효능: 청심이수(淸心利水)
- 응용: 심흉번열(心胸煩熱), 구갈면적(口渴面赤), 갈희냉음(渴喜冷飮), 구설생창(口舌生瘡), 혹 소변적삽자통(小便赤澁刺痛), 설홍태박황(舌紅苔薄黃), 맥삭(脈數)의 심경열성증(心經熱盛證)을 치료한다.
- 대상 질환: 급성 편도선염, 급성 방광염, 바이러스성 심근염, 급성 요도염, 혈뇨, 만성 전립선염, 구강궤양, 각막염, 안검염, 소아 야제증

○ **용담사간탕**(龍膽瀉肝湯) 『醫方集解』에서 『局方』을 인용함

- 조성: 용담초(龍膽草)(酒炒) 6 황금(黃芩) 9 치자(梔子)(酒炒) 9 택사(澤瀉) 9 목통(木通) 6 차전자(車前子) 9 당귀(當歸)(酒炒) 3 생지황(生地黃)(酒炒) 6 시호(柴胡) 6 생감초(生甘草) 6
- 용법: 물로 달인다.
- 효능: 사간담실화(瀉肝膽實火), 청하초습열(淸下焦濕熱)
- 응용: 두통목적(頭痛目赤), 협통구고(脇痛口苦), 이롱이종(耳聾耳腫), 혹 소변림탁(小便淋濁), 음종음양(陰腫陰癢), 부녀대하(婦女帶下), 설홍태황니(舌紅苔黃膩), 맥현삭(脈弦數)의 간담실화상염증(肝膽實火上炎證)이나 간경습열하주증(肝經濕熱下注證)을 치료한다.
- 대상 질환: 급성 비뇨기계 감염, 바이러스성 간염, 급성 담낭염, 대상포진, 급성 골반강염, 유선염, 급성 고환염, 전립선염, 급성 신우염, 급성 결막염, 각막염, 급성 중이염, 질염, 완고성 편두통, (머리)습진, 고혈압, 홍채 모양체염, 외이도 절종, 비염, 서혜부 임파선염
- 주의 사항: 음허양항(陰虛陽亢)으로 두통목적(頭痛目赤)인 경우에는 금한다.

○ **사백산**(瀉白散) 『小兒藥證直訣』

- 조성: 지골피(地骨皮) 상백피(桑白皮) 각 30 자감초(炙甘草) 3
- 용법: 함께 갈아 가루로 만들어 매번 9g에 찹쌀 20g을 더해 물로 달여 복용한다.
- 효능: 청사폐열(淸瀉肺熱), 평천지해(平喘止咳)
- 응용: 기침 천식, 피부증열(皮膚蒸熱), 일포우심(日晡尤甚), 설홍태황(舌紅苔黃), 맥세삭(脈細數)의 소아폐열해천경증(小兒肺熱 咳喘輕證)을 치료한다.
- 대상 질환: 급만성 기관지폐렴, 바이러스성 폐렴, 세균성 폐렴, 소아폐렴, 기관지염, 백일해, 흉막염, 폐결핵, 천식, 소아 홍역 초기
- 주의 사항: 폐열(肺熱)이 심한 경우에는 사용하지 않는다.

○ **청위산**(淸胃散) 『蘭室秘藏』

- 조성: 생지황(生地黃) 12 당귀(當歸) 6 목단피(牧丹皮) 9 황련(黃連) 3~5 승마(升麻) 6
- 용법: 물로 달인다.

- 효능: 청위양혈(淸胃凉血)
- 응용: 치통견인두통(齒痛牽引頭痛)、면협발열(面頰發熱)、치아희냉오열(齒牙喜冷惡熱)、혹 치주출혈、혹 은종궤란(齦腫潰爛)、혹 순설협종통(脣舌頰腫痛)、혹 구기열취(口氣熱臭)、구순건조(口脣乾燥)、설홍태황(舌紅苔黃)、맥활삭(脈滑數)의 위화치통증(胃火齒痛證)을 치료한다.
- 대상 질환: 구강염、치주염、삼차신경통、급성 위염、급성 췌장염、과민성 혈소판 감소、재생불량성 빈혈、치통、치은출혈、구강궤양、편도선염
- 주의 사항: 치통이 풍한(風寒)이나 신허화염(腎虛火炎)에 속하는 경우에는 사용을 금한다.

○ **옥녀전**(玉女煎) **『景岳全書』**

- 조성: 석고(石膏) 9~15 숙지황(熟地黃) 9~30 맥문동(麥門冬) 6 지모(知母) 우슬(牛膝) 각 5
- 용법: 물로 달인다.
- 효능: 청위자음(淸胃滋陰)
- 응용: 치통、치송(齒松)、치은출혈(齒齦出血)、번열건갈(煩熱乾渴)、혹 소갈(消渴)、소곡선기(消穀善飢)、설홍태황이건(舌紅苔黃而乾)、맥세삭(脈細數)의 위열음허증(胃熱陰虛證)을 치료한다.
- 대상 질환: 만성 위염、구강궤양、당뇨병、설염、치은염、삼차신경통、치주병、갑상선기능항진、토혈、육혈、바이러스성 심근염

○ **작약탕**(芍藥湯) **『素問病機氣宜保命集』**

- 조성: 작약(芍藥) 30 당귀(當歸) 15 황련(黃連) 15 빈랑(檳榔) 목향(木香) 자감초(炙甘草) 각 6 대황(大黃) 9 황금(黃芩) 15 육계(肉桂) 5
- 용법: 함께 갈아 가루를 만들어 매번 15g을 물에 달여 복용한다.
- 효능: 청열조습(淸熱燥濕)、조화기혈(調和氣血)
- 응용: 복통、변농혈、이급후중、항문작열、소변단적、설태황니(舌苔黃膩)、맥활삭(脈滑數)의 습열이질(濕熱痢疾)을 치료한다.
- 대상 질환: 급성 위장염、만성 장염、세균성 이질、아메바성 이질、과민성 결장염、췌장염、설사、궤양성 결장염
- 주의 사항: 이질 초기에 표증(表證)을 겸하고 있으면 사용을 금한다.

○ **백두옹탕**(白頭翁湯) **『傷寒論』**

- 조성: 백두옹(白頭翁) 15 황백(黃柏) 12 황련(黃連) 6 진피(秦皮) 12
- 용법: 물로 달인다.
- 효능: 청열해독(淸熱解毒)、양혈지리(凉血止痢)
- 응용: 복통、이급후중、항문작열감、하리농혈 적다백소(赤多白少)、갈욕음수(渴欲飮水)、설홍태황(舌紅苔黃)、맥현삭(脈弦數)의 열독혈리증(熱毒血痢證)을 치료한다.
- 대상 질환: 세균성 이질、아메바성 이질、급성 장염、만성 결장염、장티푸스、간경화、아메바성 간농종、유아설사、비뇨기계 감염、급성 결막염
- 주의 사항: 병세가 비교적 심하고 급하면 내복하는 동시에 그 탕액으로 관장을 하면 치료효과를 증강시킬 수 있다.

○ **청호별갑탕**(青蒿鱉甲湯) 『溫病條辨』

- 조성: 청호(青蒿) 6 별갑(鱉甲) 15 생지황(生地黃) 12 지모(知母) 6 목단피(牧丹皮) 9
- 용법: 물로 달인다.
- 효능: 양음투열(養陰透熱)
- 응용: 야열조량(夜熱早凉)、열퇴무한(熱退無汗)、설홍소태(舌紅少苔)、맥세삭(脈細數)의 온병후기(溫病後期) 사복음분증(邪伏陰分證)을 치료한다.
- 대상 질환: 만성 신우신염、신결핵、골결핵、임파절결핵、바이러스 감염、소아 하계열、전염병 회복기 미열、원인 미상의 발열
- 주의 사항: 처방 가운데 청호는 고온에서 유효 성분이 파괴되므로 끓는 물에 담갔다가 복용하고、나머지는 달여서 복용한다.

○ **당귀육황탕**(當歸六黃湯) 『蘭室秘藏』

- 조성: 당귀(當歸) 생지황(生地黃) 황금(黃芩) 황백(黃柏) 황련(黃連) 숙지황(熟地黃) 각 6 황기(黃芪) 12
- 용법: 함께 갈아 가루를 만들어 매번 15g을 물에 달여 복용한다.
- 효능: 자음청열(滋陰清熱)、고표지한(固表止汗)
- 응용: 발열도한(發熱盜汗)、면적심번(面赤心煩)、구건순조(口乾脣燥)、대변건결(大便乾結)、설홍맥삭(舌紅脈數)의 음허화왕(陰虛火旺)의 도한증(盜汗症)을 치료한다.
- 대상 질환: 내분비 실조、신경쇠약、당뇨병、갑상선기능항진증、결핵병、골수염、백혈병、자궁경부염、대하、도한

○ **청서익기탕**(清暑益氣湯) 『溫熱經緯』

- 조성: 서양삼(西洋蔘) 5 석곡(石斛) 15 맥문동(麥門冬) 9 황련(黃連) 3 죽엽(竹葉) 6 하경(荷梗) 15 지모(知母) 6 감초(甘草) 3 갱미(粳米) 15 서과취의(西瓜翠衣) 30
- 용법: 물로 달인다.
- 효능: 청서익기(清暑益氣)、양음생진(養陰生津)
- 응용: 신열한다(身熱汗多)、구갈심번(口渴心煩)、체권소기(體倦少氣)、소변단적(小便短赤)、맥상허삭(脈象虛數)의 서상기진증(暑傷氣津證)을 치료한다.
- 대상 질환: 소아 및 노인 하계열、신경쇠약、부정맥、만성 기관지염、폐결핵、관상동맥질환、심근염、내분비 실조、일사병、만성 신염、요저류、식욕부진、소화불량、기능성 발열、폐렴 및 급성 전염병 회복기

3. 온리제(溫裏劑)

온리약 위주로 조성되어 있어서 온리조양(溫裏助陽)、산한통맥(散寒通脈) 등 작용을 하여 이한증(裏寒證)을 치료하는 방제이다. '팔법' 가운데 '온법(溫法)'에 해당한다.

이한증의 병위는 장부 경락에 따라 다르고, 병정은 완급 경중의 차이가 있기 때문에 온리제는 온중거한(溫中祛寒)、회양구역(回陽救逆)과 온경산한(溫經散寒) 등 유형을 포함한다.

온중거한제(溫中祛寒劑)는 온중산한약(溫中散寒藥) 위주로 조성되어 온중보허(溫中補虛)작용을 함으로써 비위허한증(脾胃虛寒證)을 치료한다. 회양구역제(回陽救逆劑)는 大辛大熱한 온리거한약(溫裏祛寒藥) 위주로 조성되어

회양구역작용(回陽救逆作用)을 함으로써 양쇠음성증(陽衰陰盛證)을 치료한다. 온경산한제(溫經散寒劑)는 온경거한약(溫經祛寒藥) 위주로 조성되어 산한통맥작용(散寒通脈作用)을 함으로써 한응경맥증(寒凝經脈證)을 치료한다.

온리제의 약성은 대개 신온조열(辛溫燥熱)하여 쉽게 상음(傷陰), 조열(助熱), 동혈(動血)하므로 평소 음혈이 부족하거나 내열이 편중되었거나 월경 중에는 쓰지 않아야 하고, 매우 무더운 여름철에는 온리제의 용량을 많지 않도록 한다.

○ **이중환**(理中丸) 『傷寒論』

- 조성: 인삼(人蔘) 건강(乾薑) 자감초(炙甘草) 백출(白朮) 각 90
- 용법: 함께 갈아 고운 가루를 내고 물기를 졸인 꿀에 버무려서 환을 만든다. 매번 6g을 따뜻한 물로 하루 세 차례 복용한다. 탕제로 복용해도 되는데(원서에는 인삼탕이라고 함), 용량은 원방의 비율을 참작한다.
- 효능: 온중거한(溫中祛寒), 보기건비(補氣健脾)
- 응용: 완복동통(脘腹疼痛), 희온희안(喜溫喜按), 외한지냉(畏寒肢冷), 식욕부진, 구토 설사, 혹 양허실혈(陽虛失血), 출혈과다, 혈색암담(血色暗淡), 설담태백(舌淡苔白), 맥상침세(脈象沈細)의 비위허한증(脾胃虛寒證)과 양허실혈증(陽虛失血證)을 치료한다.
- 대상 질환: 만성 세균성 이질, 만성 장염, 만성 위염, 위 십이지장궤양, 위하수, 회충으로 인한 복통, 만성 간염, 만성 담낭염, 관상동맥질환, 류마티스질환, 기능성 자궁출혈, 혈소판감소성 자반병, 입덧, 소화불량, 늑간신경통, 위축신, 타액분비과다증, 위확장, 설사, 신하수, 만성신염, 붕루, 변혈, 토혈, 코피, 과민성 자반병, 소아 만경풍, 소아 장경련, 소아 다연증, 만성 구강궤양, 만성 기관지염, 담도회충증

○ **오수유탕**(吳茱萸湯) 『傷寒論』

- 조성: 오수유(吳茱萸) 9 인삼(人蔘) 9 생강 18 대추 4개
- 용법: 물로 달인다.
- 효능: 온중보허(溫中補虛), 강역지구(降逆止嘔)
- 응용: 오심 구토, 위완냉통(胃脘冷痛), 탄산조잡(呑酸嘈雜), 구토 두통, 설담태박백(舌淡苔薄白), 맥상침세혹현지(脈象沈細或弦遲)의 위한구토증(胃寒嘔吐證)을 치료한다.
- 대상 질환: 만성 위염, 위십이지장궤양, 유문폐색증, 만성 비특이성 결장염, 신경성 두통, 편두통, 관상동맥질환, 생리통, 입덧, 급성 토사, 위이완, 위산과다, 신경성 구토, 메니에르병, 고혈압, 안질환
- 주의 사항: 완통탄산(脘痛呑酸)이 위중(胃中)의 울열(鬱熱)로 인한 경우에는 금한다.

○ **소건중탕**(小建中湯) 『傷寒論』

- 조성: 작약(芍藥) 18 계지(桂枝) 9 자감초(炙甘草) 6 생강 9 대추 12개 이당(飴糖) 30
- 용법: 물로 달인다.
- 효능: 온중보허(溫中補虛), 완급지통(緩急止痛), 조화음양(調和陰陽)
- 응용: 완복동통(脘腹疼痛), 온안즉통감(溫按則痛減), 설담태백(舌淡苔白), 맥세현이완(脈細弦而緩), 혹 심계허번(心悸虛煩), 혹 사지산초(四肢酸楚), 수족번열(手足煩熱), 인건구조(咽乾口燥) 등의 허로이급증(虛勞裏急證)을 치료한다.
- 대상 질환: 신경쇠약, 부정맥, 철분결핍성 빈혈, 허약아동, 야제증, 야뇨증, 만성 위장염, 위십이지장궤양, 위하

수, 삼차신경통, 편두통, 생리통, 갱년기질환, 어지럼증, 황달, 각기, 담석증, 관상동맥질환, 류마티스 심장병, 심계항진증, 저혈압, 음위, 유정, 재생불량성 빈혈, 만성 간염, 기능성 발열, 백혈병
- 주의 사항: 중초허한(中焦虛寒)이면서 복창(腹脹) 태니(苔膩)하면 금한다.

○ 사역탕(四逆湯) 『傷寒論』

- 조성: 부자(附子) 15 건강(乾薑) 9 자감초(炙甘草) 6
- 용법: 물로 달인다.
- 효능: 회양구역(回陽救逆)
- 응용: 사지궐냉, 오한권와(惡寒踡臥), 구토불갈(嘔吐不渴), 복통하리(腹痛下痢), 신쇠욕매(神衰欲寐), 설태백활(舌苔白滑), 맥상미세(脈象微細) 등의 양쇠음성증(陽衰陰盛證)을 치료한다.
- 대상 질환: 류마티스 심장병, 심부전, 폐기종, 기관지천식, 갑상선기능저하, 류마티스 관절염, 골질증생(뼈 발육과도), 급성 위장염, 심근경색증, 쇼크, 장열, 콜레라, 설사, 자가중독증, 부종, 위하수, 식도경련, 백혈구감소증, 독혈증
- 주의 사항: 이 처방을 복용한 다음 토하면, 이를 '거약(拒藥)'이라고 하는데, 저담즙(猪膽汁)과 같은 한량 약물을 조금 넣거나(反佐), 열약냉복법(熱藥冷服法)으로 사기가 성하여 약을 거부하는 반응을 완화시켜야 한다.

○ 당귀사역탕(當歸四逆湯) 『傷寒論』

- 조성: 당귀(當歸) 12 계지(桂枝) 9 작약(芍藥) 9 세신(細辛) 3 자감초(炙甘草) 6 통초(通草) 6 대추 8개
- 용법: 물로 달인다.
- 효능: 온경산한(溫經散寒), 양혈통맥(養血通脈)
- 응용: 수족궐냉, 혹 국부청자(局部青紫), 혹 허리 아래 동통마목(疼痛麻木), 외한희온(畏寒喜溫), 설담태백(舌淡苔白), 맥상침세(脈象沉細)의 혈허한궐증(血虛寒厥證)을 치료한다.
- 대상 질환: 좌골신경통, 비대성 척추염, 류마티스 관절염, 혈전폐색성 혈관염, 뇌혈전, 심부전, 다발성 신경염, 만성 골반강염, 소아 경피종, 레이노씨 증후군, 신경혈관성 두통, 견관절주위염, 관절통, 위십이지장궤양, 만성 담마진, 협심증, 심근경색증, 동상, 수장각화증, 탈저
- 주의 사항: 진양(眞陽)이 쇠하여 사지가 궐역한 경우에는 금한다.

4. 사하제(瀉下劑)

사하약 위주로 조성되어 통변(通便), 사열(瀉熱), 공적(攻積), 축수(逐水) 등 작용을 함으로써 이실증(裏實證)을 치료하는 방제로, 사하제라고 한다. '팔법' 가운데 '하법(下法)'에 해당된다.

이실증에는 열결(熱結), 한결(寒結), 조결(燥結), 수결(水結)이 있고, 인체의 정기에도 허실이 있기 때문에 사하제는 한하(寒下), 온하(溫下), 윤하(潤下), 축수(逐水)와 공보겸시(攻補兼施) 등 유형이 있다.

한하제(寒下劑)는 한량공하약(寒凉攻下藥) 위주로 조성되어 사하열결(瀉下熱結)작용이 있어서 이열적체실증(裏熱積滯實證)에 적용된다. 온하제(溫下劑)는 항상 대황을 배오하는 온리약 위주로 조성되어 사하한적(瀉下寒積)작용이 있어서 이한적체실증(裏寒積滯實證)에 적용된다. 윤하제(潤下劑)는 윤하약 위주로 조성되어 윤장통변(潤腸通便)

작용이 있어서 장조진휴(腸燥津虧)와 대변비결증에 적용된다. 축수제(逐水劑)는 준하축수약(峻下逐水藥) 위주로 조성되어 공축수음(攻逐水飮)작용이 있어서 수음(水飮)이 이(裏)에 옹성한 실증에 적용된다. 공보겸시제(攻補兼施劑)는 공하약(攻下藥)과 보익약(補益藥)을 배오함으로써 사실보허(瀉實補虛)작용을 하여 양명부실(陽明腑實)과 정기허약(正氣虛弱)을 겸한 증에 적용된다.

사하제는 쉽게 상중(傷中)、모진(耗津)、동혈、타태(墮胎)케 하므로, 복용하여 효과를 보면 바로 멈춰야 한다. 노인、허약、평소 혹은 병후에 음혈부족、부녀 월경기간 및 임신부는 모두 사용을 금한다.

○ **대승기탕**(大承氣湯) 『傷寒論』

- 조성: 대황(大黃) 12 후박(厚朴) 24 지실(枳實) 12 망초(芒硝) 9
- 용법: 지실과 후박은 먼저 달이고 대황은 나중에 넣는다. 다 되었으면 찌꺼기를 버리고 망초를 넣는다.
- 효능: 준하열결(峻下熱結)
- 응용: 대변불통、복통거안(腹痛拒按)、오후 열심(午後 熱甚)、구갈인음(口渴引飮)、설홍태황조기자(舌紅苔黃燥起刺) 혹 초흑조열(焦黑燥裂)、맥침실(脈沈實)한 양명부실증(陽明腑實證)과 아울러 열결방류증(熱結旁流證)을 치료한다.
- 대상 질환: 장폐색、급성 췌장염、급성 충수염、급성 담낭염、급성 전염성 간염、이질、중풍、쇼크、파상풍、고혈압、변비、식중독、홍역、담마진、소아 급경풍、뇌전증、조현병、비만、안질환、산욕열
- 주의 사항: 양명부실(陽明腑實)이지만 열결(熱結)이 심하지 않은 경우나、평소 기허음휴(氣虛陰虧)하거나、노인、허약자、임신부 등은 복용을 금한다.

○ **대황부자탕**(大黃附子湯) 『金匱要略』

- 조성: 대황(大黃) 9 포부자(炮附子) 12 세신(細辛) 3
- 용법: 물로 달인다.
- 효능: 공하냉적(攻下冷積)、산한지통(散寒止痛)
- 응용: 복통변비、협하편통(脇下偏痛)、발열、수족불온(手足不溫)、설태백니(舌苔白膩)、맥현긴(脈弦緊)의 한적리실증(寒積裏實證)을 치료한다.
- 대상 질환: 만성 결장염、만성 세균성 이질、만성 골반강염、만성 담낭염、담낭수술후 후유증、만성 충수염、좌골신경통、편두통、음낭탈장、탈장、추간판탈출증、췌장염、급성 단순형 장폐색、유착성 장폐색、서혜부 탈장
- 주의 사항: 한적(寒積)이 안에 있으면서 양기가 허약한 사람은 금한다.

○ **온비탕**(溫脾湯) 『備急千金要方』

- 조성: 대황(大黃)(後下) 12 부자(附子) 9 건강(乾薑) 6 인삼(人蔘) 6 감초(甘草) 6
- 용법: 물로 달인다.
- 효능: 공하냉적(攻下冷積)、온보비양(溫補脾陽)
- 응용: 복통변비、혹 구리적백(久痢赤白)、수족불온、설담태박백(舌淡苔薄白)、맥침현(脈沈弦)의 양허냉적증(陽虛冷積證)을 치료한다.
- 대상 질환: 불완전성 장폐색、장경련、만성 충수염、만성 골반강염、만성 결장염、만성 세균성 이질、유문폐색증、만성 신염후기、요독증

○ **제천전**(濟川煎) 『**景岳全書**』

- 조성: 당귀(當歸) 12 우슬(牛膝) 6 육종용(肉蓯蓉) 9 택사(澤瀉) 5 승마(升麻) 3 지각(枳殼) 3
- 용법: 물로 달인다.
- 효능: 온신양혈(溫腎養血), 윤장통변(潤腸通便)
- 응용: 대변비결, 소변청장, 요슬산연, 설담태백(舌淡苔白), 맥침세지(脈沈細遲)의 신허변비증(腎虛便秘證)을 치료한다.
- 대상 질환: 만성 충수염, 만성 담낭염, 소화불량, 만성 췌장염, 노인성 변비, 습관성 변비, 산후 변비
- 주의 사항: 신음부족(腎陰不足)으로 장(腸)이 건조하여 변비가 있으면서 목이 마르고 혀가 붉으면 금한다.

○ **마자인환**(麻子仁丸) 『**傷寒論**』

- 조성: 마자인(麻子仁) 500 작약(芍藥) 250 지실(枳實) 250 대황(大黃) 500 후박(厚朴) 250 행인(杏仁) 250
- 용법: 함께 갈아 고운 가루로 만들어 물기를 졸인 꿀로 환을 만든다. 매번 9g을 따뜻한 물로 하루에 두 번 복용한다. 탕제로 복용해도 무방하며, 용량은 원방의 비율에 맞게 조정한다.
- 효능: 윤장사열(潤腸瀉熱), 행기통변(行氣通便)
- 응용: 대변비결, 소변빈삭, 구건설조(口乾舌燥), 설태미황(舌苔微黃)의 장조변비증(腸燥便秘證)을 치료한다.
- 대상 질환: 약물성 변비, 노인변비, 습관성 변비, 산후 변비, 장마비, 불완전성 장폐색, 치질변비, 회충성 장폐색, 항문질환, 수술후 변비
- 주의 사항: 진혈(津血)이 휴허(虧虛)하여 장(腸)이 유윤(濡潤)하지 못하여 생긴 변비로 안에 조열(燥熱)이 없는 경우에는 금한다.

○ **황룡탕**(黃龍湯) 『**傷寒六書**』

- 조성: 대황(大黃) 9 망초(芒硝) 6 지실(枳實) 9 후박(厚朴) 9 감초(甘草) 3 인삼(人蔘) 6 당귀(當歸) 9
- 용법: 길경(桔梗) 3g과 생강 3쪽 대추 2개를 넣고 물로 끓여 다 되면 찌꺼기를 버리고 망초(芒硝)를 넣는다.
- 효능: 공하열결(攻下熱結), 익기양혈(益氣養血)
- 응용: 대변비결이나 하리청수(下痢清水), 완복창만(脘腹脹滿), 동통거안(疼痛拒按), 신열구갈(身熱口渴), 신권소기(身倦少氣), 번조(煩躁), 심하면 섬어(譫語), 설태초황혹초흑(舌苔焦黃或焦黑), 맥허(脈虛)의 양명부실 기혈부족증(陽明腑實 氣血不足證)을 치료한다.
- 대상 질환: 장폐색, 티푸스, 파라티푸스, 유행성 뇌척수막염, B형 뇌염, 노인성 장폐색

○ **증액승기탕**(增液承氣湯) 『**溫病條辨**』

- 조성: 현삼(玄蔘) 30 맥문동(麥門冬) 25 생지황(生地黃) 25 대황(大黃) 9 망초(芒硝) 4.5
- 용법: 앞의 네 약을 물로 달인 다음 찌꺼기를 버리고 망초(芒硝)를 넣는다.
- 효능: 자음증액(滋陰增液), 설열통변(泄熱通便)
- 응용: 신열변비(身熱便秘), 완복창만(脘腹脹滿), 구건순조(口乾脣燥), 설홍태황(舌紅苔黃), 맥세삭(脈細數)의 열결음휴변비증(熱結陰虧便秘證)을 치료한다.
- 대상 질환: 장폐색, 위석증, 위장자율신경실조, 만성 췌장염, 변비, 당뇨병, 치질
- 주의 사항: 열이 물러가고 복통이 심하지 않으며 증(證)이 음휴(陰虧)에 속하면서도 열결(熱結)이 심하지 않

은 경우에는 금한다.

○ **십조탕**(十棗湯) 『**傷寒論**』

- 조성: 원화(芫花) 감수(甘遂) 대극(大戟) 각 등분
- 용법: 함께 갈아 고운 가루로 만들어 0.5~1g을 캡슐에 넣고 대추 10~20개를 달여서 하루에 한 번 새벽 공복에 같이 복용한다.
- 효능: 공축수음(攻逐水飮)
- 응용: 기침 기단(氣短), 흉협견인동통(胸脇牽引疼痛), 두통목현(頭痛目眩), 맥침현(脈沈弦)의 현음(懸飮)을 치료한다. 또한 전신이 모두 붓고 복창천만(腹脹喘滿)하며 이변(二便)이 불리한 중증의 수종증(水腫證)을 치료한다.
- 대상 질환: 삼출성 흉막염 혹 복막염, 유행성 출혈열 소뇨기, 결핵성 복수, 간경화합병복수, 폐렴, 신염 부종, 심장성 부종, 주혈흡충병, 위산과다, 두개내압 증가, 조현병
- 주의 사항: 임신부는 금한다. 소량으로 복약을 시작하여 수음(水飮)이 회복되는 상태를 보아가면서 용량을 조절한다. 만약에 복약후에 설사가 멈추지 않으면 차가운 죽을 먹어 멈추게 한다. 만약에 몸이 약하고 사기가 성하여 준제(峻劑)로 축수(逐水)하기가 어려우면 건비보익(健脾補益)하는 약을 교대로 복용한다.

5. 화해제(和解劑)

화해나 조화 등 작용이 있어, 한사(寒邪)가 소양(少陽)에 있거나, 간비(肝脾)가 불화하거나, 한열이 착잡하거나, 표리동병증(表裏同病證)에 쓰이는 방제이다. '팔법' 가운데 '화법(和法)'에 해당한다.

화해제의 적응범위는 비교적 넓은데, 여기에서는 그 주치증의 병위에 따라 화해소양(和解少陽), 조화간비(調和肝脾), 조화한열(調和寒熱)과 표리쌍해(表裏雙解) 등 유형을 포함한다.

화해소양제(和解少陽劑)는 소양을 청투(淸透)하는 약 위주로 조성되어 화해소양작용이 있으며, 외감병사가 소양에 있는 증에 적용한다. 조화간비제(調和肝脾劑)는 소간이비약(疏肝理脾藥) 위주로 조성되어 소간해울(疏肝解鬱), 건비조운(健脾助運)작용이 있으며 간울범비(肝鬱犯脾), 간비실조증(肝脾失調證)에 적용된다. 조화한열제(調和寒熱劑)는 신열온중(辛熱溫中)과 고강설열약(苦降泄熱藥)을 배오하여 평조한열(平調寒熱), 개결제비(開結除痞)작용이 있으며 한열착잡(寒熱錯雜) 기기실조(氣機失調)의 증에 적용된다. 표리쌍해제(表裏雙解劑)는 해표약과 치리약(治裏藥)을 배오하여 표리동치(表裏同治) 작용이 있으며, 표리동병증후(表裏同病證候)에 적용된다.

화해제는 장부와 표리의 주차경중에 주의하여 상응하는 치료약물을 조절함으로써 태과나 불급의 잘못을 범하지 말아야 한다.

○ **소시호탕**(小柴胡湯) 『**傷寒論**』

- 조성: 시호(柴胡) 24 황금(黃芩) 9 인삼(人蔘) 9 자감초(炙甘草) 9 반하(半夏) 9 생강 9 대추 4개
- 용법: 물로 달인다.
- 효능: 화해소양(和解少陽)
- 응용: 왕래한열, 흉협고만(胸脇苦滿), 심번희구(心煩喜嘔), 구고인건(口苦咽乾), 설태박백(舌苔薄白), 맥현(脈弦)의 상한소양병증(傷寒少陽病證)을 치료한다.

- 대상 질환: 급만성 간염, 지방간, 담낭염, 췌장염, 급만성 위염, 췌장염, 기관지염, 신우염, 이하선염, 심근염, 담낭염, 폐렴, 경부 임파선염, 중이염, 편도선염, 산욕열, 골반강염, 고환염, 늑막염, 위십이지장궤양, 소아허열, 홍역, 폐기종, 감기, 유행성 감기, 학질, 급성 흉막염, 간경화, 원발성 간암, 담석증, 역류성 식도염, 기능성 소화불량, 당뇨병, 만성 피로증후군, 하시모토 갑상선염, 우울증, 방광염, 요도염, 비염, 임신구토, 급성 유선염, 유선증식, 담마진
- 주의 사항: 처방 가운데 시호는 승산(升散)하고, 황금과 반하는 성질이 조(燥)하기 때문에 소양증(少陽證)에 음허혈소(陰虛血少)한 경우에는 피한다.

○ **호금청담탕**(蒿芩淸膽湯) **『重訂通俗傷寒論』**

- 조성: 청호(靑蒿) 6 죽여(竹茹) 9 반하(半夏) 5 적복령(赤茯苓) 9 황금(黃芩) 6 지각(枳殼) 5 귤피(橘皮) 5 벽옥산(碧玉散)(包煎) 9
- 용법: 물로 달인다.
- 효능: 청담이습(淸膽利濕), 화위화담(和胃化痰)
- 응용: 한열왕래, 열중한경(熱重寒輕), 구고흉민(口苦胸悶), 토산고수(吐酸苦水), 혹 구황연(嘔黃涎), 심하면 건구애역(乾嘔呃逆), 설홍태백니 혹 황니(舌紅苔白膩或黃膩), 맥현활삭(脈弦滑數)의 소양습열담탁증(少陽濕熱痰濁證)을 치료한다.
- 대상 질환: 급만성 간염, 급성 담낭염, 기관지염, 학질, 만성 위염, 바이러스성 간염, 흉막염, 장티푸스, 급성 황달형 간염, 기능성 소화불량, 만성 췌장염, 신우신염, 골반강염, 렙토스피라증

○ **사역산**(四逆散) **『傷寒論』**

- 조성: 자감초(炙甘草) 6 지실(枳實) 6 시호(柴胡) 6 작약(芍藥) 6
- 용법: 함께 갈아 고운 가루를 만들어 매번 3g을 하루에 두 번씩 따뜻한 물로 복용한다. 탕제로도 가능하며, 용량은 원방의 비율에 따라 조절한다.
- 효능: 소간이비(疏肝理脾)
- 응용: 수족불온(手足不溫), 혹 미열, 혹 해수, 혹 심계, 혹 소변불리, 혹 복통, 혹 설리후중(泄利後重), 맥현(脈弦)의 양울궐역증(陽鬱厥逆證)과 협늑창민(脇肋脹悶), 완복동통, 설태박백(舌苔薄白), 맥현(脈弦)의 간비불화증(肝脾不和證)을 치료한다.
- 대상 질환: 위점막 이형증식, 간섬유화, 바이러스성 간염, 췌장염, 만성 담낭염, 만성 위염, 담석증, 늑간신경통, 내분비실조, 결장염, 위장신경증, 골반강염, 월경부조, 위십이지장궤양, 고혈압, 담도회충증, 역류성 식도염, 기능성 소화불량, 과민성 대장증후군, 난관폐색증, 유선증식, 급성 유선염

○ **소요산**(逍遙散) **『太平惠民和劑局方』**

- 조성: 자감초(炙甘草) 15 당귀(當歸) 복령(茯苓) 작약(芍藥) 백출(白朮) 시호(柴胡) 각 30
- 용법: 함께 갈아 고운 가루를 내어 매번 6g씩 외강(煨薑) 박하를 조금 넣어 끓인 물에 타서 하루에 두 번씩 복용한다. 탕제로도 가능하며, 용량은 원방의 비율에 따라 조절한다.
- 효능: 소간해울(疏肝解鬱), 양혈건비(養血健脾)
- 응용: 양협작통(兩脇作痛), 두통목현(頭痛目眩), 구조인건(口燥咽乾), 신피식소(神疲食少), 혹 왕래한열(往來寒熱), 혹 월경부조(月經不調), 유방창통(乳房脹痛), 설담홍(舌淡紅), 맥세현(脈細弦)의 간울혈허비약증(肝鬱

血虛脾弱證)을 치료한다.

- 대상 질환: 만성 간염, 간경화, 만성 담낭염, 만성 위장염, 조현병, 노이로제, 우울증, 자궁내막증, 자궁근종, 갱년기증후군, 담석증, 시신경염, 위십이지장궤양, 시유두염, 만성 갑상선염, 만성 유선염, 월경부조, 불임, 대하, 습진, 수장각화증, 과민성 대장증후군, 월경전 긴장증후군, 유선소엽증식, 골반강염

○ **통사요방**(痛瀉要方)『丹溪心法』

- 조성: 초백출(炒白朮) 90 초백작(炒白芍) 60 초진피(炒陳皮) 45 방풍(防風) 30
- 용법: 함께 갈아 가루를 내어 매번 9g씩 물에 달여 복용한다.
- 효능: 보비유간(補脾柔肝), 거습지사(祛濕止瀉)
- 응용: 장명복통(腸鳴腹痛), 설사, 사필복통(瀉必腹痛), 사후통완(瀉後痛緩), 설태박백(舌苔薄白), 맥현완(脈弦緩)의 비허간왕(脾虛肝旺)의 통사증(痛瀉證)을 치료한다.
- 대상 질환: 급만성 위장염, 과민성 대장증후군, 만성 간염, 신경성 설사, 만성 결장염, 과민성 결장염, 결핵성 장염, 급성 장염

○ **반하사심탕**(半夏瀉心湯)『傷寒論』

- 조성: 반하(半夏) 12 황금(黃芩) 건강(乾薑) 인삼(人蔘) 각 9 황련(黃連) 3 대추 4개 자감초(炙甘草) 9
- 용법: 물로 달인다.
- 효능: 평조한열(平調寒熱), 소비산결(消痞散結)
- 응용: 심하비만불통(心下痞滿不痛), 건구 혹 구토(乾嘔或嘔吐), 장명하리(腸鳴下痢), 설태박황이니(舌苔薄黃而膩), 맥현삭(脈弦數)의 한열호결비증(寒熱互結痞證)을 치료한다.
- 대상 질환: 급만성 위염, 만성 장염, 이질, 위산과다, 위확장, 위하수, 위십이지장궤양, 과민성 대장증후군, 구내염, 유아토유, 배멀미, 신경성 위장염, 소화불량, 역류성 식도염, 신경성 구토, 만성 간염, 만성 담낭염, 조기 간경화
- 주의 사항: 심하비만(心下痞滿)이 기체(氣滯)나 식적(食積)으로 된 경우에는 금한다.

○ **대시호탕**(大柴胡湯)『金匱要略』

- 조성: 시호(柴胡) 15 황금(黃芩) 9 작약(芍藥) 9 반하(半夏) 9 지실(枳實) 9 대황(大黃) 6 생강 15 대추 4개
- 용법: 물로 달인다.
- 효능: 화해소양(和解少陽), 사하열결(瀉下熱結)
- 응용: 왕래한열, 흉협고만(胸脇苦滿), 구토, 구고(口苦), 심하만통혹비경(心下滿痛或痞硬), 변비나 설사, 설태황후(舌苔黃厚), 맥현삭유력(脈弦數有力)의 소양양명합병(少陽陽明合病)을 치료한다.
- 대상 질환: 담낭산통, 간농양, 담석증, 급만성 담낭염, 고혈압, 급성 췌장염, 위염, 위십이지장궤양, 변비, 천식, 이질, 당뇨병, 비만, 감기, 이명, 담도회충병, 간염, 지방간, 간경화, 담즙위염, 급성 편도선염, 이하선염, 소아 고열
- 주의 사항: 소양양명합병이지만 양명증(陽明證)이 더 뚜렷하면 본 방의 사용을 금한다.

○ **갈근황금황련탕**(葛根黃芩黃連湯)『傷寒論』

- 조성: 갈근(葛根) 15 자감초(炙甘草) 6 황금(黃芩) 9 황련(黃連) 9
- 용법: 물로 달인다.

- 효능: 해표청리(解表淸裏)
- 응용: 신열하리(身熱下痢), 흉완번열(胸脘煩熱), 구갈한출(口渴汗出), 설홍태황(舌紅苔黃), 맥삭(脈數)의 표리구열(表裏俱熱)의 설사증을 치료한다.
- 대상 질환: 급만성 위장염, 비특이성 궤양성 결장염, 중독성 장염, 장티푸스, 파라티푸스, 세균성 이질, 장출혈, 결막염, 누선염, 구내염, 주사비, 고혈압, 위장형 감기
- 주의 사항: 설사를 하면서 외한(畏寒)하고 설담맥세(舌淡脈細)하면 본 방의 사용을 금한다.

6. 보익제(補益劑)

보익약 위주로 조성되어 인체의 기혈 음양 등을 보양하는 작용이 있으며, 각종 허증을 치료하는 방제로, 보익제라고 한다. '팔법' 가운데 '보법(補法)'에 해당한다.

허증에는 기허, 혈허, 음허, 양허의 네 가지 유형이 있으며, 기허와 혈허는 자주 겸하여 나타나기 때문에 보익제에는 보기, 보혈, 기혈쌍보, 보음, 보양 등 유형이 있다.

보기제(補氣劑)는 보기약 위주로 조성되어 익기보허(益氣補虛) 작용이 있어서 비폐기허증(脾肺氣虛證)에 적용된다. 보혈제(補血劑)는 보혈약 위주로 조성되어 양혈보허(養血補虛) 작용이 있어서 심간혈허증(心肝血虛證)에 적용된다. 기혈쌍보제(氣血雙補劑)는 보기약과 보혈약을 배오하여 익기양혈(益氣養血) 작용이 있어서 기혈양허증(氣血兩虛證)에 적용된다. 보음제(補陰劑)는 보음약 위주로 조성되어 자음익정(滋陰益精) 작용이 있어서 간신폐음허증(肝腎肺陰虛證)에 적용된다. 보양제(補陽劑)는 보양약 위주로 조성되어 온보신양(溫補腎陽) 작용이 있어서 신양휴허증(腎陽虧虛證)에 적용된다.

보익제는 대개 미(味)가 후자니(厚滋膩)하여 쉽게 위에 부담을 주기 때문에 장기간 복용해서는 안된다. 평소 비위가 허약하고 식사량이 적으며 변이 무르면 피해야 하고, 혹은 건비화위(健脾和胃) 이기조운(理氣助運)시키는 약을 더하여 소화흡수에 도움을 주어야 한다. 허하면서 보를 받아들이지 못하면 먼저 비위를 조리해야 한다. 보익제들은 문화로 오래 달여서 식전이나 공복시에 복용하여 약물의 흡수에 도움을 주어야 한다.

○ 사군자탕(四君子湯) 『太平惠民和劑局方』

- 조성: 인삼(人蔘) 백출(白朮) 복령(茯苓) 각 9 자감초(炙甘草) 6
- 용법: 물로 달인다.
- 효능: 익기건비(益氣健脾)
- 응용: 면색위백(面色萎白), 어성저미(語聲低微), 기단핍력(氣短乏力), 식소변당(食少便溏), 설담태백(舌淡苔白), 맥세약(脈細弱)의 비위기허증(脾胃氣虛證)을 치료한다.
- 대상 질환: 만성 위장염, 위하수, 위확장, 위십이지장궤양, 위장기능감퇴, 만성 췌장염, 만성 간염, 만성 신염, 심근염, 류마티스 심장병, 만성 기관지염, 뇌위축, 반신불수, 당뇨병, 야뇨증, 유뇨, 만성 사구체신염, 월경부조, 월경전기 긴장증후군, 소아미열, 소아비뉵

○ 삼령백출산(蔘苓白朮散) 『太平惠民和劑局方』

- 조성: 연자육(蓮子肉) 500 의이인(薏苡仁) 500 사인(砂仁) 500 길경(桔梗) 500 편두(扁豆) 750 복령(茯苓) 1000 인삼(人蔘) 1000 자감초(炙甘草) 1000 백출(白朮) 1000 산약(山藥) 1000

- 용법: 함께 갈아 고운 가루를 내어 매번 6g씩 대추 달인 물에 하루 두 번씩 복용한다. 탕제로도 가능하며, 용량은 원방의 비율에 따라 조절한다.
- 효능: 익기건비(益氣健脾)、삼습지사(滲濕止瀉)
- 응용: 사지무력、형체소수(形體消瘦)、소화불량、구토나 설사、흉완민창(胸脘悶脹)、면색위황(面色萎黃)、설담태백니(舌淡苔白膩)、맥허완(脈虛緩)의 비위기허협습증(脾胃氣虛夾濕證)과 그에 더하여 기침、담다(痰多)、담희색백(痰稀色白)이 수반되는 폐비기허협담습증(肺脾氣虛夾痰濕證)을 치료한다.
- 대상 질환: 만성 위장염、만성 췌장염、만성 담낭염、만성 기관지염、기관지천식、만성 결장염、폐결핵、만성 신염、소화불량、대하、빈혈、식욕부진

○ **보중익기탕**(補中益氣湯)『內外傷辨惑論』

- 조성: 황기(黃芪) 18 자감초(炙甘草) 9 인삼(人蔘) 6 당귀(當歸) 3 귤피(橘皮) 6 승마(升麻) 6 시호(柴胡) 6 백출(白朮) 9
- 용법: 물로 달인다.
- 효능: 보중익기(補中益氣)、승양거함(升陽擧陷)
- 응용: 식소체권(食少體倦)、납차변당(納差便溏)、발열자한(發熱自汗)、갈희열음(渴喜熱飮)、혹 탈항(脫肛)、자궁탈수、구사(久瀉)、구리(久痢)、붕루、설질담반(舌質淡胖)、태박백(苔薄白)의 비불승청증、기허발열증、중기하함증(脾不升淸證、氣虛發熱證、中氣下陷證)을 치료한다.
- 대상 질환: 만성 위장염、자궁탈수、위하수、내장하수、중증 근무력증、탈항、기능성 자궁출혈、저혈압、방광괄약근 무력、장기 미열、습관성 유산、폐결핵、월경부조、변비、빈뇨、위점막탈수、내상 발열、설사、만성 간염、부정맥、불면、두통、건망、노인성 치매、이명、유미뇨、붕루、대하、습관성 유산、악성 종양 치료 부작용、마비성 사시、시신경 및 시망막병변、만성 비염、고막내함、재발성 구창、만성 인후염
- 주의 사항: 습사(濕邪)를 겸하여 태니(苔膩) 맥활(脈滑)한 경우나 음허발열(陰虛發熱)한 경우에는 금한다.

○ **옥병풍산**(玉屛風散) (원래는 『究原方』 이며 『醫方類聚』 에 수록되어 있음)

- 조성: 방풍(防風) 50 자황기(炙黃芪) 백출(白朮) 각 100
- 용법: 함께 갈아 가루를 내어 매번 9g씩 물에 달여 복용한다.
- 효능: 익기고표지한(益氣固表止汗)
- 응용: 한출오풍(汗出惡風)、면색위백(面色萎白)、혹 몸이 약하여 감기에 잘 걸림、설담태백(舌淡苔白)、맥부이허(脈浮而虛)의 표허불고증(表虛不固證)을 치료한다.
- 대상 질환: 과민성 비염、상기도감염、사구체신염、만성 기관지염、내분비 실조、담마진、기관지천식
- 주의 사항: 외감자한(外感自汗)이나 음허도한(陰虛盜汗) 및 허약한 환자의 외감에는 금한다.

○ **생맥산**(生脈散)『醫學啓源』

- 조성: 인삼(人蔘) 9 맥문동(麥門冬) 9 오미자(五味子) 6
- 용법: 물로 달인다.
- 효능: 익기생진(益氣生津)、염음지한(斂陰止汗)

- 응용: 체권한다(體倦汗多)、기단신피(氣短神疲)、인건구갈(咽乾口渴)、혹 구해불유(久咳不愈)、담소이점(痰少而黏)、설건홍소태(舌乾紅少苔)、맥허삭(脈虛數)의 기음양상증(氣陰兩傷證)과 서열모기상음증(暑熱耗氣傷陰證)을 치료한다.
- 대상 질환: 부정맥、심실성 박동항진、심근빈혈、관상동맥질환、내분비실조、심부전、저혈압、폐결핵、만성 기관지염、당뇨병、노이로제、심근염、폐심병、쇼크、일사병、노인성 치매、신생아 경종증
- 주의 사항: 열사(熱邪)가 아직 가시지 않았거나 기침하면서 담(痰)이 많으면 금한다.

○ **사물탕**(四物湯) **『仙授理傷續斷秘方』**

- 조성: 숙지황(熟地黃) 12 당귀(當歸) 9 백작(白芍) 9 천궁(川芎) 6
- 용법: 갈아서 가루를 내어 매번 6g씩 물에 달여 복용한다.
- 효능: 보혈화혈(補血和血)
- 응용: 심계불면(心悸不眠)、두훈목현(頭暈目眩)、면색무화、혹 월경부조、월경량이 적거나 경폐、제복은통(臍腹隱痛)、설담(舌淡)、맥세(脈細)의 영혈허체증(營血虛滯證)을 치료한다.
- 대상 질환: 철분결핍성 빈혈、재생불량성 빈혈、과민성 혈소판감소、과민성 피부병、습관성 유산、불완전유산、자궁복구 불완전、불임、월경부조、폐경、생리통、담마진、만성 피부병、신경성 두통、대하、갱년기장애、고혈압、뇌출혈、자율신경실조、산전 산후병、각기、사마귀
- 주의 사항: 부녀의 월경부조에 어체(瘀滯)가 심하여 찌르듯이 아픈 복통이 있거나 혈붕(血崩)으로 기탈(氣脫)한 경우에는 금한다.

○ **당귀보혈탕**(當歸補血湯) **『內外傷辨惑論』**

- 조성: 황기(黃芪) 30 당귀(當歸) 6
- 용법: 물로 달인다.
- 효능: 보기생혈(補氣生血)
- 응용: 기열면적(肌熱面赤)、번갈욕음(煩渴欲飮)、맥홍대이중안무력(脈洪大而重按無力)의 혈허발열증(血虛發熱證)을 치료한다.
- 대상 질환: 내분비실조、과민성 자반병、철분결핍성 빈혈、자궁기능성 출혈、백혈구감소증、창구유합 불량、부인 월경기 혹 산후 발열、부인 월경과다
- 주의 사항: 음허조열(陰虛潮熱)한 경우에는 금한다.

○ **팔진탕**(八珍湯) **『正體類要』**

- 조성: 당귀(當歸) 9 천궁(川芎) 6 백작(白芍) 9 숙지황(熟地黃) 12 인삼(人蔘) 6 백출(白朮) 9 복령(茯苓) 6 자감초(炙甘草) 3
- 용법: 생강 2쪽 대추 3개를 넣고 물로 달여 복용한다.
- 효능: 익기보혈(益氣補血)
- 응용: 면색창백 혹 위황(面色蒼白或萎黃)、두훈목현(頭暈目眩)、권태무력、기단난언(氣短難言)、식욕부진、설질담(舌質淡)、태박백(苔薄白)、맥세약(脈細弱)의 기혈양허증(氣血兩虛證)을 치료한다.

- 대상 질환: 기능성 자궁출혈, 유산전조증, 월경부조, 과민성 자반병, 철분결핍성 빈혈, 재생불량성 빈혈, 각종 허약증, 만성 위염, 만성 간염, 만성 신염, 만성 기관지염, 부인 요통, 산후 허약증, 탈모, 신경쇠약, 태위부정, 습관성 유산, 궤양후 유합불량

○ **귀비탕**(歸脾湯) 『**濟生方**』

- 조성: 백출(白朮) 9 복신(茯神) 9 황기(黃芪) 12 용안육(龍眼肉) 12 산조인(酸棗仁) 12 인삼(人蔘) 6 목향(木香) 6 자감초(炙甘草) 3 당귀(當歸) 9 원지(遠志) 6
- 용법: 함께 갈아 가루를 내어 매번 12g씩 생강 6g 대추 3개를 넣고 물로 달여 복용한다.
- 효능: 익기보혈(益氣補血), 건비양심(健脾養心)
- 응용: 심계정충(心悸怔忡), 건망 불면, 식소체권(食少體倦), 면색위황(面色萎黃), 혹 붕루(崩漏), 변혈, 월경 양다색담(量多色淡), 혹 임리부지(淋漓不止), 설질담(舌質淡), 태박백(苔薄白), 맥세약(脈細弱)의 심비기혈양허증(心脾氣血兩虛證)과 비불통혈증(脾不統血證)을 치료한다.
- 대상 질환: 관상동맥질환, 류마티스질환, 심근비대, 신경쇠약, 만성 위염, 혈소판감소성 자반병, 기능성 자궁출혈, 재생불량성 빈혈, 심계, 소화관출혈, 빈혈, 심장병, 갱년기증후군, 원인불명 출혈, 월경부조, 대하, 붕루, 백혈병, 유정, 양위

○ **자감초탕**(炙甘草湯) 『**傷寒論**』

- 조성: 자감초(炙甘草) 12 생강 9 인삼(人蔘) 6 생지황(生地黃) 50 계지(桂枝) 9 아교(阿膠) 6 맥문동(麥門冬) 10 호마인(胡麻仁) 10 대추 10개
- 용법: 아교를 제외한 위의 약재를 같이 달인 다음 약물을 따로 하여 청주(淸酒) 10ml을 넣어 복용한다. 아교는 푹 삶아서 두 번으로 나누어 약물에 넣어 복용한다.
- 효능: 익기양혈(益氣養血), 자음복맥(滋陰復脈)
- 응용: 심계정충(心悸怔忡), 맥결혹대(脈結或代), 체권소기(體倦少氣), 설홍소태이건(舌紅少苔而乾)의 심기혈부족증(心氣血不足證)과 구해폐허(久咳肺虛)의 폐기음부족증(肺氣陰不足證)을 치료한다.
- 대상 질환: 바이러스성 심근염, 베타-수용체 기능항진증후군, 류마티스 심장병, 관상동맥질환, 심부전, 부정맥, 심계, 심내막염, 심장판막증, 바세도우씨병, 폐결핵, 빈혈, 동맥경화증, 갑상선기능항진

○ **육미지황환**(六味地黃丸) 『**小兒藥證直訣**』

- 조성: 숙지황(熟地黃) 24 산수유(山茱萸) 산약(山藥) 각 12 택사(澤瀉) 목단피(牧丹皮) 복령(茯苓) 각 9
- 용법: 함께 갈아 고운 가루를 내어 물기를 졸인 꿀로 환을 만들고 매번 6~9g씩 하루에 세 차례 따뜻한 물이나 진하지 않은 소금물로 복용한다. 탕제로도 가능하며, 용량은 원방의 비율에 따라 조절한다.
- 효능: 자음보신(滋陰補腎)
- 응용: 요슬산연, 두훈목현(頭暈目眩), 이명 이롱, 도한, 유정, 소갈, 골증조열(骨蒸潮熱), 수족심열(手足心熱), 설조인동(舌燥咽痛), 치아동요, 족근작통(足跟作痛), 소변임리(小便淋漓), 소아신문불합(小兒囟門不合), 설홍소태(舌紅少苔), 맥세삭(脈細數)의 신음허증(腎陰虛證)을 치료한다.
- 대상 질환: 만성 신염, 고혈압, 당뇨병, 폐결핵, 신결핵, 갑상선기능항진, 중심성 시망막염, 자궁난소발육불량, 신경쇠약, 식도상피증식, 갱년기증후군, 부정맥, 만성 전립선염, 유뇨증, 시신경염, 홍반성 낭창, 무배란기능성 자

궁출혈, 만성 신부전, 소화기계 종양 화학요법 부작용, 만성 전립선염, 주기성 마비, 음낭수종, 남성불임, 전립선 증식증, 만성 실음, 시신경 혹 시망막병변, 재생불량성 빈혈

○ **좌귀환**(左歸丸)『景岳全書』

- 조성: 숙지황(熟地黃) 240 초산약(炒山藥) 120 구기자(枸杞子) 120 산수유(山茱萸) 120 우슬(牛膝) 90 토사자(菟絲子) 120 녹각교(鹿角膠)(炒珠) 120 구갑교(龜甲膠)(炒珠) 120
- 용법: 숙지황을 먼저 쪄서 고(膏)를 만들고, 나머지 약들은 갈아서 고운 가루를 내어 고와 함께 잘 섞어 물기를 졸인 꿀로 버무려 환을 만든다. 매번 9g씩 따뜻한 물이나 진하지 않은 소금물로 하루 두 번씩 복용한다. 탕제로도 가능하며, 용량은 원방의 비율에 따라 조절한다.
- 효능: 자음보신(滋陰補腎), 전정익수(填精益髓)
- 응용: 두훈목현(頭暈目眩), 요슬산연, 유정활설(遺精滑泄), 자한도한, 구조설건(口燥舌乾), 설홍소태(舌紅少苔), 맥세(脈細)의 진음부족증(眞陰不足證)을 치료한다.
- 대상 질환: 자궁난소 발육불량, 고환발육불량, 내분비실조, 만성 신염, 만성 간염, 기능성 자궁출혈, 불임, 기능성 폐경, 재생불량성 빈혈, 신경쇠약, 노쇠, 요추간판탈출증, 원발성 골다공증
- 주의 사항: 장기 복용하지 않는다.

○ **대보음환**(大補陰丸)『丹溪心法』

- 조성: 숙지황(熟地黃) 자구갑(炙龜甲) 각 180 초황백(炒黃柏) 초지모(炒知母) 각 120
- 용법: 함께 갈아 고운 가루를 내고 돼지의 척수를 쪄서 같이 물기를 졸인 꿀과 함께 버무려 환을 만든다. 매번 9g씩 따뜻한 물이나 진하지 않은 소금물로 하루 두 번씩 복용한다. 탕제로도 가능하며, 용량은 원방의 비율에 따라 조절한다.
- 효능: 자음강화(滋陰降火)
- 응용: 골증조열(骨蒸潮熱), 도한유정(盜汗遺精), 기침 객혈(咯血), 심번이노(心煩易怒), 족슬동열(足膝疼熱), 설홍소태(舌紅少苔), 맥척삭이유력(脈尺數而有力)한 음허화왕증(陰虛火旺證)을 치료한다.
- 대상 질환: 당뇨병, 폐결핵, 신결핵, 골결핵, 임파절결핵, 홍반성 낭창, 갑상선기능항진증

○ **일관전**(一貫煎)『續名醫類案』

- 조성: 사삼(沙蔘) 맥문동(麥門冬) 당귀(當歸) 각9 생지황(生地黃) 18~30 구기자(枸杞子) 9~18 천련자(川楝子) 4.5
- 용법: 물로 달인다.
- 효능: 자음소간(滋陰疏肝)
- 응용: 흉완협통(胸脘脇痛), 탄산구고(呑酸口苦), 인건구조(咽乾口燥), 설홍소진(舌紅少津), 맥세현(脈細弦)의 음허간울증(陰虛肝鬱證)을 치료한다.
- 대상 질환: 만성 간염, 만성 위염, 위십이지장궤양, 늑간신경통, 만성 담낭염, 간경화, 지방간, 빈혈, 영양불량, 폐결핵, 당뇨병, 신경쇠약
- 주의 사항: 담습(痰濕)을 끼고 있거나 설태가 백니(白膩)하면 금한다.

○ 백합고금탕(百合固金湯)『愼齊遺書』

- 조성: 백합(百合) 12 숙지황(熟地黃) 생지황(生地黃) 당귀(當歸) 각9 백작(白芍) 6 감초(甘草) 3 길경(桔梗) 6 현삼(玄蔘) 3 패모(貝母) 6 맥문동(麥門冬) 9
- 용법: 물로 달인다.
- 효능: 자보폐신(滋補肺腎)、지해화담(止咳化痰)
- 응용: 기침 천식、해담대혈(咳痰帶血)、인후조통(咽喉燥痛)、두훈목현(頭暈目眩)、오심번열(五心煩熱)、오후우심(午後尤甚)、설홍소태(舌紅少苔)、맥세삭(脈細數)의 폐신음휴증(肺腎陰虧證)을 치료한다.
- 대상 질환: 폐결핵、골결핵、임파절결핵、복막결핵、신경쇠약、만성 기관지염、폐기종、심근염、폐암、기관지확장객혈、폐렴 후기、만성 간염、만성 인후염、만성 인통、사마귀、자발성 기흉

○ 신기환(腎氣丸)『金匱要略』

- 조성: 생지황(生地黃) 240 산약(山藥) 산수유(山茱萸) 각 120 택사(澤瀉) 복령(茯苓) 목단피(牧丹皮) 각 90 계지(桂枝) 부자(附子) 각 30
- 용법: 함께 갈아 고운 가루를 내어 물기를 졸인 꿀과 함께 버무려 환을 만든다. 매번 6g씩 따뜻한 물이나 진하지 않은 소금물로 하루 두 번씩 복용한다. 탕제로도 가능하며, 용량은 원방의 비율에 따라 조절한다.
- 효능: 온보신양(溫補腎陽)
- 응용: 요슬산연、하반신상유냉감(下半身常有冷感)、소복구급(小腹拘急)、소변불리、혹 소변다(小便多)、설담이반(舌淡而胖)、맥허약(脈虛弱)、척맥침세(尺脈沉細)한 신양부족증(腎陽不足證)과 담음、부종、소갈、각기、전포(轉胞) 등을 치료한다.
- 대상 질환: 만성 신염、요독증、신경성 방광염、관상동맥질환、당뇨병、고환발육불량、갱년기증후군、다발성 골수염、고알도스테론증、갑상선기능저하、전립선비대、당뇨병、고혈압、신경쇠약、만성 기관지천식、폐원성 심장병、산후 요저류、노인성 백내장、에이즈병、역행성 사정、정자운동이상증、조루、음경왜소、기형정자과다증、정자결핍증、성신경쇠약、만성 신염、신성 증후군、당뇨병、갑상선기능저하증、부신피질기능저하증、기관지천식 재발、폐경증후군
- 주의 사항: 인건구조(咽乾口燥) 설홍소태(舌紅少苔)하면 금한다.

○ 우귀환(右歸丸)『景岳全書』

- 조성: 숙지황(熟地黃) 240 초산약(炒山藥) 120 산수유(山茱萸) 90 구기자(枸杞子) 토사자(菟絲子) 녹각교(鹿角膠)(炒珠) 두충(杜沖) 각 120 당귀(當歸) 90 육계(肉桂) 60 부자(附子) 60
- 용법: 숙지황을 쪄서 고(膏)를 만들며 나머지 약들은 갈아 고운 가루를 내어 물기를 졸인 꿀과 버무려 환을 만든다. 매번 9g을 따뜻한 물이나 진하지 않은 소금물로 하루 두 번씩 복용한다. 탕제로도 가능하며, 용량은 원방의 비율에 따라 조절한다.
- 효능: 온보신양(溫補腎陽)、전정익수(塡精益水)
- 응용: 노쇠하거나 오랜 병으로 기쇠신피(氣衰神疲)、외한지냉(畏寒肢冷)、요슬산연、혹 양쇠무자(陽衰無子)、설담태백(舌淡苔白)、맥침이지(脈沈而遲)하는 신양부족(腎陽不足)의 명문화쇠증(命門火衰證)을 치료한다.
- 대상 질환: 신병증후군、자궁난소발육불량、고환발육불량、골다공증、백혈구감소증、정자결핍증、만성 기관지염、좌골신경통、홍반성 낭창、만성 설사、위궤양합병대출혈、인공유산후 월경과다、요추간판탈출증、천식、산후

원인불명 발열、만성 신부전、만성 위염、빈혈

- 주의 사항: 신허(腎虛)하면서 습탁(濕濁)을 겸했으면 금한다.

7. 고삽제(固澁劑)

수삽약(收澁藥) 위주로 조성되어 수렴고삽(收斂固澁) 작용을 하여 기、혈、정、진액이 모산(耗散) 혹 활탈(滑脫)된 증후를 치료하는 방제이다. '십제(十劑)' 가운데 '삽제(澁劑)'에 해당한다.

기혈정진액활탈증후(氣血精津液滑脫證候)의 병인과 발병부위에 따라 고삽제는 고표지한(固表止汗)、삽장고탈(澁腸固脫)、삽정지유(澁精止遺)와 고붕지대(固崩止帶) 등 유형으로 나누어진다.

고표지한제(固表止汗劑)는 수삽지한약(收澁止汗藥) 위주로 조성되어 염한고표(斂汗固表)작용이 있어서 표허불고(表虛不固) 음액외설(陰液外泄)의 자한(自汗)과 도한(盜汗)에 적용된다. 삽장고탈제(澁腸固脫劑)는 수삽지사약(收澁止瀉藥) 위주로 조성되어 고장지사(固腸止瀉)작용이 있어서 비신양허(脾腎陽虛) 대장활탈불금(大腸滑脫不禁)의 구사(久瀉)와 구리(久痢)에 적용된다. 삽정지유제(澁精止遺劑)는 수삽고정약(收澁固精藥) 위주로 조성되어 삽정축뇨(澁精縮尿)작용이 있어서 신허정관불고(腎虛精關不固)나 방광실약(膀胱失約)의 유정(遺精)과 유뇨(遺尿)에 적용된다. 고붕지대제(固崩止帶劑)는 수삽지혈(收澁止血)이나 지대약(止帶藥)으로 조성되어 고충지대(固衝止帶)작용이 있어서 충임허손(衝任虛損)이나 대맥실약(帶脈失約)의 붕루나 대하에 적용된다.

임상에서 고삽제를 사용할 때에는 사기를 수렴하지 않도록 주의해야 한다. 대개 열병에 땀이 나거나、음식에 상해 설사를 하거나、화로 인해 정설(精泄)하거나、혈열로 인한 붕루 등 실사(實邪)로 말미암은 경우에는 사용을 금한다. 증후가 허중협실(虛中夾實)인 경우에는 절대로 단순히 수삽만 해서는 안되고 필요하면 거사약(祛邪藥)을 배오한다.

○ 모려산(牡蠣散)『太平惠民和劑局方』

- 조성: 황기(黃芪) 마황근(麻黃根) 하모려(煅牡蠣) 각 30
- 용법: 함께 갈아 가루를 내어 매번 9g에 부소맥 30g을 더해 같이 달여 찌꺼기를 버리고 하루에 두 번씩 복용한다.
- 효능: 익기고표(益氣固表)、염음지한(斂陰止汗)
- 응용: 신상한출(身常汗出)、야와우심(夜臥尤甚)、심계경척(心悸驚惕)、단기번권(短氣煩倦)、설담홍(舌淡紅)、맥세약(脈細弱)의 자한(自汗)이나 도한(盜汗)의 체허위외불고증(體虛衛外不固證)을 치료한다.
- 대상 질환: 신경쇠약、폐결핵、심장빈박증、수술후 분만후 병후 발한과다
- 주의 사항: 내열(內熱)이 비교적 심하거나 담습(痰濕)을 껴서 구건인조(口乾咽燥)、설태황조 혹니(舌苔黃燥或膩)한 경우에는 피한다.

○ 진인양장탕(眞人養臟湯)『太平惠民和劑局方』

- 조성: 인삼(人蔘) 당귀(當歸) 초백출(炒白朮) 각 18 육두구(肉豆寇) 15 육계(肉桂) 자감초(炙甘草) 각 24 백작(白芍) 48 목향(木香) 42 가자(訶子) 36 앵속각(罌粟殼) 108
- 용법: 함께 갈아 가루를 내어 매번 6~12g씩 물로 달여 복용한다.
- 효능: 삽장지사(澁腸止瀉)、온중보비(溫中補脾)
- 응용: 구사구리(久瀉久痢) 일야무도(日夜無度)、복통희온희안(腹痛喜溫喜按)、권태식소(倦怠食少)、설담태백

(舌淡苔白)、맥세이지(脈細而遲)의 비위허한장실고섭증(脾胃虛寒腸失固攝證)을 치료한다.

- 대상 질환: 만성 장염、만성 비특이성 궤양성 결장염、장결핵、만성 이질、만성 골반강염、만성 자궁부속기염、이질、만성 결장염、설사、당뇨병、완고성 설사、만기 간경화、만성 설사、방사선 직장염、탈항、과민성 대장증후군(IBS)、감염후 IBS
- 주의 사항: 설사나 이질의 초기에 습열적체(濕熱積滯)가 아직 사라지지 않은 경우에는 금한다.

○ **사신환**(四神丸) 『內科摘要』

- 조성: 육두구(肉豆蔻) 60 보골지(補骨脂) 120 오미자(五味子) 60 오수유(吳茱萸) 30
- 용법: 함께 갈아 가루를 만들고 생강 120g과 대추 50개 삶아 대추육을 취한 다음 약가루와 같이 버무려 환을 만든다. 매번 6~9g을 하루 두 번씩 복용한다. 탕제로도 가능하며, 용량은 원방의 비율에 따라 조절한다.
- 효능: 온보비신(溫補脾腎)、삽장지사(澁腸止瀉)
- 응용: 새벽 설사、식욕부진、혹 구사불유(久瀉不愈)、복통희온(腹痛喜溫)、요산지냉(腰酸肢冷)、신피핍력(神疲乏力)、설담반(舌淡胖)、태박백(苔薄白)、맥침지무력(脈沈遲無力)한 비신양허설사증(脾腎陽虛泄瀉證)의 '오경설사(五更泄瀉)'를 치료한다.
- 대상 질환: 만성 결장염、과민성 장염、만성 위염、만성 설사、비특이성 결장염、과민성 대장증후군、당뇨병합병 완고성 설사、변비、오경설사、유뇨증、활정、이질、장결핵、신경성 빈뇨、과민성 비염
- 주의 사항: 습열(濕熱)을 겸하여 설태가 황니(黃膩)하면 금한다.

○ **금쇄고정환**(金鎖固精丸) 『醫方集解』

- 조성: 사원자(沙苑子) 검실(芡實) 연수(蓮鬚) 각 60 하용골(煅龍骨) 하모려(煅牡蠣) 각 30
- 용법: 함께 갈아 가루를 내고 연자분(蓮子粉)과 버무려 환을 만든다. 매번 9g을 공복에 진하지 않은 소금물로 하루에 두 번씩 복용한다. 탕제로도 가능하며, 용량은 원방의 비율에 따라 조절하며, 연자(蓮子)를 적당량 넣어 물로 달여 복용한다.
- 효능: 보신삽정(補腎澁精)
- 응용: 유정활설(遺精滑泄)、요산이명(腰酸耳鳴)、신피핍력(神疲乏力)、설담태백(舌淡苔白)、맥세약(脈細弱)의 신허유정증(腎虛遺精證)을 치료한다.
- 대상 질환: 성신경쇠약、만성 전립선염、전립선증식、중증 근무력、유미뇨、유정、유뇨、기능실조성 자궁출혈、만성 신염、도한、설사、정낭염、만성 소모성 질병、만성 기능쇠퇴성 질병、단백뇨、대하、산후병、남성불임、골절후 유합불량、조루、야뇨증
- 주의 사항: 유정(遺精)이 상화망동(相火妄動)이나 습열하주(濕熱下注)로 인한 경우에는 금한다.

○ **상표초산**(桑螵蛸散) 『本草衍義』

- 조성: 상표초(桑螵蛸) 원지(遠志) 석창포(石菖蒲) 용골(龍骨) 인삼(人蔘) 복신(茯神) 당귀(當歸) 자구갑(炙龜甲) 각 30
- 용법: 인삼을 제외한 약재들을 갈아 가루를 내서 매번 9g씩 잠자기 전에 인삼 달인 물과 같이 복용한다. 탕제로도 가능하며, 용량은 원방의 비율에 따라 조절한다.
- 효능: 조보심신(調補心腎)、삽정지유(澁精止遺)

- 응용: 유뇨 유정、소변빈삭、요여미감(尿如米泔)、혹 심신황홀(心神恍惚)、건망、설담태백(舌淡苔白)、맥세약(脈細弱)의 심신양허(心腎兩虛)의 유뇨와 유정을 치료한다.
- 대상 질환: 만성 전립선염、만성 방광염、방광신경마비、당뇨병、소아 유뇨증、신경쇠약、활정、불면、건망、요붕증、임신 자궁탈수、요도증후군、전립선 수술후 요실금、빈뇨증
- 주의 사항: 습열하주(濕熱下注)나 비신양허(脾腎陽虛)로 인한 빈뇨과 유뇨(遺尿)인 경우는 금한다.

○ **축천환**(縮泉丸)『**魏氏家藏方**』

- 조성: 오약(烏藥) 익지인(益智仁) 각등분
- 용법: 함께 갈아 고운 가루를 내어 술로 달인 산약(山藥)가루로 작은 환을 만든다. 매번 9g씩 진하지 않은 소금물이나 미음으로 하루에 두 번씩 복용한다. 탕제로도 가능하며, 용량은 원방의 비율에 따라 조절한다.
- 효능: 온신축뇨(溫腎縮尿)
- 응용: 소변빈삭 혹 유뇨(小便頻數或遺尿)、설담(舌淡)、맥세약(脈細弱)의 신허유뇨증(腎虛遺尿證)을 치료한다.
- 대상 질환: 습관성 유뇨、산후 빈뇨、자율신경기능실조、노인성 치매、요실금、요도증후군、설사、유정、만성 전립선염、대하、붕루、소아 야뇨증、신경증성 빈뇨증、요붕증、유루증、타액분비항진

○ **고충탕**(固衝湯)『**醫學衷中參西錄**』

- 조성: 초백출(炒白朮) 30 황기(黃芪) 18 하용골(煆龍骨) 24 하모려(煆牡蠣) 24 산수유(山茱萸) 24 백작(白芍) 12 해표초(海螵蛸) 12 천초(茜草) 9 종려탄(棕櫚炭) 6 오배자(五倍子) 1.5
- 용법: 물로 달인다.
- 효능: 익기건비(益氣健脾)、고충섭혈(固衝攝血)
- 응용: 혈붕 혹 월경과다(血崩或月經過多)、색담질희(色淡質稀)、심계기단(心悸氣短)、요슬산연、설질담(淡)、맥세약(脈細弱)의 비기허약충맥불고증(脾氣虛弱衝脈不固證)을 치료한다.
- 대상 질환: 기능성 자궁출혈、혈소판감소증、과민성 자반병、자궁근종출혈、산후 출혈과다、유산후 출혈、기능장애 자궁출혈
- 주의 사항: 혈열망행(血熱妄行)으로 붕중누하(崩中漏下)인 경우에는 금한다.

○ **고경환**(固經丸)『**丹溪心法**』

- 조성: 황금(黃芩) 30 백작(白芍) 30 구판(龜板) 30 춘근백피(椿根白皮) 21 황백(黃柏) 9 향부(香附) 7.5
- 용법: 위의 약들을 가루로 내어 술로 환을 빚는다. 매번 6~9g씩 하루에 두 번 술이나 따뜻한 물로 복용한다. 탕제로도 가능하며, 용량은 원방의 비율에 따라 조절한다.
- 효능: 자음청열(滋陰淸熱)、고경지혈(固經止血)
- 응용: 경행부지(經行不止)나 붕중누하(崩中漏下)、혈색선홍(血色鮮紅)、혹 자흑어괴(紫黑瘀塊)、수족심열、요슬산연、설홍(舌紅)、맥현삭(脈弦數)의 음허내열증(陰虛內熱證)을 치료한다.
- 대상 질환: 기능성 자궁출혈、급성 자궁부속기염、자궁경부미란、만성 골반강염、자궁근종출혈、인공유산 수술후 월경과다、만성 자궁부속기염으로 인한 월경과다、대하、이질、유정
- 주의 사항: 실열(實熱)이나 어혈로 인한 붕루에는 사용하지 않는다.

○ **완대탕**(完帶湯) 『**傅靑主女科**』

- 조성: 초백출(炒白朮) 30 초산약(炒山藥) 30 인삼(人蔘) 6 초백작(炒白芍) 15 초차전자(炒車前子) 9 창출(蒼朮) 9 감초(甘草) 3 진피(陳皮) 1.5 초형개수(炒荊芥穗) 1.5 시호(柴胡) 1.8
- 용법: 물로 달인다.
- 효능: 보중건비(補中健脾), 화습지대(化濕止帶)
- 응용: 대하색백 혹 담황청희무취(帶下色白或淡黃淸稀無臭), 면색위백(面色萎白), 권태변당(倦怠便溏), 설담태백(舌淡苔白), 맥유약(脈濡弱)의 비허대하증(脾虛帶下證)을 치료한다.
- 대상 질환: 과민성 질염, 질진균증, 자궁경부미란, 골반강염, 자궁부속기염, 자궁내막염, 만성 위염, 만성 결장염, 만성 담낭염, 과민성 대장증후군, 만성 세균성 이질, 만성 간염, 만성 신우신염, 단백뇨, 유미뇨, 만성 전립선염, 고환낭종, 뇌경막외혈종, 만성 골반염증성 질환
- 주의 사항: 대하색이 누렇고 비린 내가 나며 설태가 황니(黃膩)하면 금한다.

8. 안신제(安神劑)

안신약 위주로 조성되어 안신정지(安神定志)시키는 작용이 있어서 정서가 불안한 질환을 치료한다.

이른바 정서가 불안한 질환이라 함은 심계, 불면, 번조경광(煩躁驚狂) 등 심신(心神)이 안녕하지 못한 증상을 위주로 하는 질병이며, 그 기본 병기는 열요심신(熱擾心神)이나 혈불양심(血不養心)이기 때문에 주로 중진안신(重鎭安神)과 자양안신(滋養安神)의 두 가지 유형을 포함한다.

중진안신제(重鎭安神劑)는 중진안신약 위주로 조성되어 진심안신(鎭心安神) 잠양사화(潛陽瀉火)함으로써 심간양항(心肝陽亢)으로 화열요심(火熱擾心)하는 심신불녕(心神不寧)에 적용되는데, '십제' 가운데 '중제(重劑)'에 속한다. 자양안신제(滋養安神劑)는 보양안신약 위주로 조성되어 양심안신(養心安神), 자음보혈(滋陰補血) 작용이 있어서 음혈부족(陰血不足), 심간실양(心肝失養)의 심신불녕(心神不寧)에 적용되는데, '팔법' 가운데 '보법'에 해당한다.

중진안신제에 들어가는 금석류(金石類) 약물들은 쉽게 위기(胃氣)를 상하기 때문에 오래 복용해서는 안되며, 평소 비위가 허약한 환자는 건비화위약(健脾和胃藥)을 배합해야 하고; 이러한 방제에 들어가는 주사(朱砂)가 비록 안신의 양약(良藥)이기는 하지만, 그 주요 성분이 황화수은 (HgS)이기 때문에 수은중독을 피하기 위해서 다량 또는 장기간 복용해서는 안된다.

○ **주사안신환**(朱砂安神丸) 『**內外傷辨惑論**』

- 조성: 주사(朱砂) 15 황련(黃連) 18 자감초(炙甘草) 16.5 생지황(生地黃) 4.5 당귀(當歸) 7.5
- 용법: 주사는 수비(水飛)하거나 빻아서 아주 고운 가루로 만들고 나머지 약들은 갈아서 고운 가루로 내어 함께 물기를 졸인 꿀로 환을 만든다. 매번 6~9g씩 자기 전에 따뜻한 물로 복용한다. 탕제로도 가능하며, 용량은 원방의 비율에 따라 조절하는데, 주사는 수비하여 탕약과 같이 복용한다.
- 효능: 중진안신(重鎭安神), 청심사화(淸心瀉火)
- 응용: 불면다몽(不眠多夢), 경계정충(驚悸怔忡), 심번신란(心煩神亂), 설홍(舌紅), 맥세삭(脈細數)의 심화항성(心火亢盛) 음혈부족(陰血不足)으로 인한 신지불안증(神志不安證)을 치료한다.
- 대상 질환: 신경쇠약, 신경성 두통, 삼차신경통, 불안장애, 조현병, 심계, 건망, 심장 조기수축, 심장병 신경쇠약, 우울증

- 주의 사항: 평소 음허(陰虛)하거나 비위가 허약한 사람은 금한다.

○ **자주환**(磁朱丸) 『**備急千金要方**』

- 조성: 자석(磁石) 60 주사(朱砂) 30 신곡(神麴) 120
- 용법: 위의 약들을 나누어서 극세말로 만들고 체로 쳐서 섞어 물기를 졸인 꿀로 환을 만든다. 매번 6g을 따뜻한 물로 하루에 한 번 복용한다.
- 효능: 중진안신(重鎭安神)、익음명목(益陰明目)
- 응용: 심계(心悸) 불면、이명이롱(耳鳴耳聾)、시물혼화(視物昏花)의 심신불교(心腎不交)로 인한 신지불안증(神志不安證)을 치료한다.
- 대상 질환: 조울증、신경성 이명、조현병、치매、뇌전증、신경쇠약、고혈압、신경쇠약、안과질환의 방수 유출장애
- 주의 사항: 자석이나 주사는 모두 무겁고 아래로 내리는 약이므로 과다하게 복용하거나 오래 복용해서도 안 된다.

○ **산조인탕**(酸棗仁湯) 『**金匱要略**』

- 조성: 산조인(酸棗仁)(부수어 炒한다) 15~18 복령(茯苓) 6 지모(知母) 6 천궁(川芎) 6 감초(甘草) 3
- 용법: 물로 달인다.
- 효능: 양혈안신(養血安神)、청열제번(淸熱除煩)
- 응용: 불면 심계(心悸)、심번불안(心煩不安)、어지럼증、인건구조(咽乾口燥)、설홍(舌紅)、맥현세(脈弦細)의 심간음혈허,허열내요증(心肝陰血虛,虛熱內擾證)을 치료한다.
- 대상 질환: 불면、갱년기증후군、신경쇠약、내분비실조、도한、건망증、고혈압、심장노이로제、우울증、불안장애、조현병
- 주의 사항: 간화(肝火)가 비교적 심하여 심번불면(心煩不眠)、두통면적(頭痛面赤)、구고인건(口苦咽乾)、맥현삭유력(脈弦數有力)하면 금한다.

○ **천왕보심단**(天王補心丹) 『**攝生秘剖**』

- 조성: 산조인(酸棗仁) 백자인(柏子仁) 당귀신(當歸身) 천문동(天門冬) 맥문동(麥門冬) 각 60 생지황(生地黃) 120 인삼(人蔘) 단삼(丹蔘) 현삼(玄蔘) 백복령(白茯苓) 오미자(五味子) 원지(遠志) 길경(桔梗) 각 15
- 용법: 함께 갈아 고운 가루를 내어 물기를 졸인 꿀로 환을 만든다. 수비(水飛)한 주사(朱砂) 9~15g으로 옷을 입히고 매번 6~9g을 따뜻한 물로 복용하거나, 용안육을 달인 물로 하루에 두 번씩 복용한다. 탕제로도 가능하며, 용량은 원방의 비율에 따라 조절한다.
- 효능: 보심안신(補心安神)、자음청열(滋陰淸熱)
- 응용: 심계(心悸) 불면、허번신피(虛煩神疲)、몽유건망(夢遺健忘)、수족심열(手足心熱)、구고생창(口苦生瘡)、설홍소태(舌紅少苔)、맥세이삭(脈細而數)의 음허내열(陰虛內熱)로 인한 신지불안증(神志不安證)을 치료한다.
- 대상 질환: 신경쇠약、부정맥、갑상선기능항진、갱년기증후군、우울증、노이로제、조현병、구강염、심장판막질환、담마진、건망、몽유
- 주의 사항: 이 처방에는 자니(滋膩)한 약이 많기 때문에 비위가 허한(虛寒)하여 식사를 못하거나 습담(濕痰)이 머물러 있고 설태가 백니(白膩)하면 금한다.

○ **감맥대조탕**(甘麥大棗湯)『金匱要略』

- 조성: 감초(甘草) 9 부소맥(浮小麥) 15-30 대추 10개
- 용법: 물로 달인다.
- 효능: 양심안신(養心安神), 화중완급(和中緩急)
- 응용: 정신황홀, 비상욕곡(悲傷欲哭), 불능자주(不能自主), 심중번란(心中煩亂), 수면불안, 심하면 언행실상(言行失常), 잦은 하품, 설담홍태소(舌淡紅苔少), 맥세미삭(脈細微數)의 심간음혈부족(心肝陰血不足)의 장조증(臟躁證)을 치료한다.
- 대상 질환: 히스테리(hysterie), 조울병, 신경쇠약, 불면, 뇌전증, 파킨슨병, 몽유, 소아 야제증, 위경련, 경련성 기침, 부정맥, 갱년기증후군, 심장노이로제, 백혈구감소증, 심장성 신경증
- 주의 사항: 담습(痰濕)이 비교적 많아 설태가 백니(白膩)하면 피한다.

9. 개규제(開竅劑)

방향개규약(芳香開竅藥) 위주로 조성되어 개규성신(開竅醒神)하는 작용이 있어서 신혼규폐(神昏竅閉)의 증을 치료하는 방제로, 개규제라고 한다.

신혼규폐증후(神昏竅閉證候)에는 열폐(熱閉)와 한폐(寒閉)의 두 가지 유형이 있기 때문에 개규제 역시 양개(涼開)와 온개(溫開)의 두 가지 유형이 있다.

양개제(涼開劑)는 개규약에 청열약을 배오하여 청열개규(清熱開竅)작용이 있어서 온열의 사기가 안으로 심포로 갔거나 담열(痰熱)의 사기가 심규(心竅)를 막은 열폐증(熱閉證)에 적용된다. 온개제(溫開劑)는 개규약에 온리약을 배오하여 온통개규(溫通開竅)작용이 있어서 중풍, 중한이나 기울(氣鬱) 담탁(痰濁)이 심규를 막은 한폐증(寒閉證)에 적용된다.

규폐증(竅閉證)은 신지혼미(神志昏迷)를 특징으로 하는데, 신지혼미가 모두 심규가 막혀서 된 것은 아니기 때문에 개규제를 사용할 때에는 먼저 정기외탈(正氣外脫)이나 열결양명(熱結陽明)으로 인한 신혼섬어(神昏譫語)를 배제시켜야 한다. 그 다음으로 개규제 가운데 방향개규약(芳香開竅藥)은 가열하면 약성이 휘발되어 치료효과에 영향을 미치므로 일반적인 개규제는 대개 산제, 환제나 주사제로 응용한다. 셋째로 개규제는 신산(辛散)하여 파고 들어 오래 복용하면 원기를 상하거나 태아에 부담을 주기 때문에 임상에서는 주로 구급용으로 쓰고 효과가 나타나면 바로 복약을 중지하고 임신부는 피해야 한다.

○ **안궁우황환**(安宮牛黃丸)『溫病條辨』

- 조성: 우황(牛黃) 수우각농축분(水牛角濃縮粉)(원래는 犀角) 황련(黃連) 황금(黃芩) 치자(梔子) 울금(鬱金) 주사(朱砂) 웅황(雄黃) 각 30 사향(麝香) 빙편(氷片) 각 7.5 진주(珍珠) 15
- 용법: 위의 약들을 갈아 고운 가루로 만들고 물기를 졸인 꿀로 환을 만든다. 매 환의 무게는 3g으로 한다. 매번 1환을 하루에 한 번 복용하는데, 중증(重症)인 경우 하루에 2-3차례 복용할 수도 있다.
- 효능: 청열개규(清熱開竅), 활담해독(豁痰解毒)
- 응용: 고열번조(高熱煩躁), 신혼섬어(神昏譫語), 구건설조(口乾舌燥), 담연옹성(痰涎壅盛), 설홍혹강(舌紅或絳), 맥삭(脈數)의 사열내함심포증(邪熱內陷心包證)을 치료한다.
- 대상 질환: 유행성 B형 뇌염, 유행성 뇌척수막염, 중독성 이질, 요독증, 고열, 혼수, 바이러스성 뇌염, 뇌혈관질

병, 뇌손상 의식장애, 조현병, 뇌전증, 폐성 뇌병, 간성 혼수, 바이러스성 간염, 유행성 출혈열, 렙토스피라증, 전염성 단세포증다증, 급성 일산화탄소중독, 알코올중독, 농약중독, 약물중독, 상기도감염, 편도선염, 폐렴, 기관지염, 천식, 간암, 급성 췌장염, 급성 신염, 백혈병, 패혈증, 지방색전증후군, 소아 하계열

○ **자설**(紫雪) 『**外臺秘要**』

- 조성: 석고(石膏) 한수석(寒水石) 활석(滑石) 자석(磁石) 각 1.5 수우각농축분(水牛角濃縮粉, 원래는 犀角) 영양각(羚羊角) 청목향(青木香) 침향(沈香) 각 150 현삼(玄蔘) 승마(升麻) 각 500 자감초(炙甘草) 250 정향(丁香) 30 망초(芒硝) 5 초석(硝石) 1 사향(麝香) 1.5 주사(朱砂) 90
- 용법: 위의 약물들을 극세말로 만들어 작은 병에 1.5g씩 넣는다. 매번 1.5~3g을 하루에 두 번씩 복용한다.
- 효능: 청열개규(清熱開竅), 식풍지경(息風止痙)
- 응용: 고열번조(高熱煩躁), 신혼섬어(神昏譫語), 경궐(痙厥), 반진토뉵(斑疹吐衄), 구갈인음(口渴引飮), 순초치조(脣焦齒燥), 요적변비(尿赤便秘), 설홍강태건황(舌紅絳苔乾黃), 맥삭유력혹현(脈數有力或弦)의 열사가 심포에 내함한 열성동풍증(熱盛動風證)을 치료한다.
- 대상 질환: 유행성 B형 뇌염, 유행성 뇌척수막염, 홍역폐렴합병증, 소아고열, 바이러스성 뇌염, 조현병, 중증 폐렴, 폐결핵 객혈, 중독성 이질, 급성 편도선염, 2형 당뇨병, 반진 상한, 성홍열, 디프테리아, 화농성 감염, 간성 혼수, 소아 경련, 홍역

○ **지보단**(至寶丹) 『**太平惠民和劑局方**』

- 조성: 수우각농축분(水牛角濃縮粉, 원래는 犀角) 주사(朱砂) 웅황(雄黃) 대모(玳瑁) 호박(琥珀) 각 30 사향(麝香) 빙편(氷片) 각 7.5 우황(牛黃) 15 안식향(安息香) 45
- 용법: 함께 갈아 고운 가루로 만들고 물기를 졸인 꿀로 환을 만들고 매 환의 무게는 3g으로 한다. 매번 1환을 하루에 한 번씩 따뜻한 물로 복용한다.
- 효능: 청열개규(清熱開竅), 화탁해독(化濁解毒)
- 응용: 신혼섬어(神昏譫語), 신열번조(身熱煩躁), 담성기조(痰盛氣粗), 설홍태황후니(舌紅苔黃厚膩), 맥활삭(脈滑數)의 담열내폐심포증(痰熱內閉心包證)을 치료한다.
- 대상 질환: 유행성 B형 뇌염, 뇌졸중, 간성 혼수, 유행성 뇌척수막염, 뇌전증, 중독성 이질, 일사병, 소아경기
- 주의 사항: 본 방에는 방향신조(芳香辛燥)한 약들이 비교적 많아 음액(陰液)을 손상할 수 있기 때문에 음휴(陰虧)가 비교적 심한 경우에는 사용을 금한다.

○ **자금정**(紫金錠) 『**片玉心書**』 (일명 玉樞丹)

- 조성: 산자고(山慈菇) 90 홍대극(紅大戟) 45 속수자상(續隨子霜) 30 오배자(五倍子) 90 사향(麝香) 9 웅황(雄黃) 30 주사(朱砂) 30
- 용법: 함께 갈아 고운 가루를 내어 찹쌀로 만든 풀로 정(錠)을 만들어 그늘에서 말린다. 매번 0.6~1.5g을 하루에 두 번씩 복용한다. 외용으로는 식초에 잘 갈아 환부에 붙인다.
- 효능: 화담개규(化痰開竅), 피예해독(辟穢解毒), 소종지통(消腫止痛)
- 응용: 완복창민복통(脘腹脹悶腹痛), 오심구토, 설사하는 일사병 등 중서시역증(中暑時疫證) 혹은 소아담궐(小兒痰厥), 혹은 정창절종(疔瘡癤腫), 충교손상(蟲咬損傷), 무명종독(無名腫毒)을 치료한다.

- 대상 질환: 중독、구토、독사교상、임파절결핵、유행성 뇌척수막염、뇌전증、만성 간염、급성 위장염、만성 궤양성 결장염、이질、티푸스、식중독、편도선염、급만성 인두염、식도암、분문암、백혈병、급만성 전립선염、각종 급성 화농성 감염
- 주의 사항: 속수자(續隨子)와 홍아대극(紅芽大戟)의 약성은 준맹(峻猛)하고 독이 있으므로 용량이나 기간에 주의해야 한다.

○ **소합향환**(蘇合香丸) 『太平惠民和劑局方』

- 조성: 소합향(蘇合香) 빙편(氷片) 각 30 사향(麝香) 안식향(安息香) 청목향(靑木香) 향부(香附) 백단향(白檀香) 침향(沈香) 정향(丁香) 필발(蓽撥) 각 60 유향(乳香) 백출(白朮) 가자(訶子) 서각(犀角) 주사(朱砂) 각 60
- 용법: 함께 곱게 갈아 물기를 졸인 꿀로 환을 만드는데、무게를 3g으로 한다. 매번 1환을 하루에 1~2번씩 식전에 따뜻한 물로 복용한다.
- 효능: 방향개규(芳香開竅)、행기지통(行氣止痛)
- 응용: 돌연혼도、아관긴급、인사불성、태백(苔白)、맥지(脈遲)의 한담울폐증(寒痰鬱閉證)이나 심복졸통(心腹卒痛)으로 심하면 혼궐(昏厥)하는 경우를 치료한다.
- 대상 질환: 관상동맥질환 협심증、고지혈증、심근경색、유행성 B형 뇌염、유행성 뇌척수막염、간성 혼수、뇌졸중、뇌전증、뇌진탕、담도회충증、담낭산통、과민성 비염

10. 이기제(理氣劑)

이기약 위주로 조성되어 기기(氣機)를 조리하는 작용이 있어서 기기 실상의 병증을 치료하는 방제이다.

기기의 실상은 주로 기체(氣滯)와 기역(氣逆)의 두 가지 형식이 있기 때문에 이기제는 행기(行氣)와 강기(降氣)의 두 가지 유형의 방제를 포함한다.

행기제(行氣劑)는 행기약 위주로 조성되어 행기해울(行氣解鬱)、소비제만(消痞除滿)의 작용이 있어서 비위기체(脾胃氣滯)와 간울기체(肝鬱氣滯)증후에 적용되며, '팔법' 가운데 '소법(消法)'에 해당한다. 강기제(降氣劑)는 강기약 위주로 조성되어 강역하기(降逆下氣), 평천지구(平喘止嘔)작용이 있어서 폐기상역(肺氣上逆)과 위기상역(胃氣上逆)의 증에 적용된다.

이기제의 조성약물은 대부분 신온향조(辛溫香燥)하여 쉽게 모기상진(耗氣傷津)하므로 과량이나 장기적으로 복용하지 말아야 하고, 노인이나 허약자、음허화왕(陰虛火旺)한 경우나 임신부들은 사용하지 말아야 한다.

○ **월국환**(越鞠丸) 『丹溪心法』

- 조성: 창출(蒼朮) 향부(香附) 천궁(川芎) 신곡(神曲) 치자(梔子) 각 등분
- 용법: 함께 갈아 고운 가루를 내고 물로 환을 만들어 매번 6~9g을 따뜻한 물에 하루에 두 번씩 복용한다. 탕제로도 가능하며, 용량은 원방의 비율에 따라 조절한다.
- 효능: 행기해울(行氣解鬱)
- 응용: 흉격비민(胸膈痞悶)、완복창통(脘腹脹痛)、탄산구토(呑酸嘔吐)、소화불량의 기혈담화습식(氣血痰火濕食) 여섯 가지 울증(鬱證)을 치료한다.
- 대상 질환: 만성 위염、만성 장염、위십이지장궤양、위신경증、만성 간염、만성 췌장염、담낭염、위장노이로제、위

장기능실조, 담석증, 늑간신경통, 정신실조증, 매핵기, 생리통, 편두통, 완고한 속발성 뇌전증, 저혈압, 관상동맥 질환, 뇌혈전, 완고한 구강궤양, 폐경, 골반강염, 기능성 식도장애, 위십이지장궤양
- 주의 사항: 임상에서는 육울증(六鬱證) 가운데 해당하는 울증(鬱證)에 따라 가감한다.

○ 시호소간산(柴胡疏肝散)『景岳全書』

- 조성: 진피(陳皮) 시호(柴胡) 각 6 천궁(川芎) 향부(香附) 지각(枳殼) 작약(芍藥) 각 5 자감초(炙甘草) 3
- 용법: 물로 달인다.
- 효능: 소간해울(疏肝解鬱), 행기지통(行氣止痛)
- 응용: 협늑완복창통(脇肋脘腹脹痛), 애기태식(噯氣太息), 맥현(脈弦)의 간기울체증(肝氣鬱滯證)을 치료한다.
- 대상 질환: 만성 위염, 만성 장염, 위십이지장궤양, 위신경증, 만성 간염, 만성 췌장염, 담낭염, 위장노이로제, 위장기능실조, 담석증, 늑간신경통, 정신실조증, 매핵기, 생리통, 편두통, 완고한 속발성 뇌전증, 저혈압, 관상동맥 질환, 뇌혈전, 완고한 구강궤양, 폐경, 골반강염

○ 반하후박탕(半夏厚朴湯)『金匱要略』

- 조성: 반하(半夏) 12 후박(厚朴) 9 복령(茯苓) 12 생강(生薑) 15 소엽(蘇葉) 6
- 용법: 물로 달인다.
- 효능: 행기산결(行氣散結), 강역화담(降逆化痰)
- 응용: 인중유물감(咽中有物感), 객토불출(喀吐不出), 탄인불하(呑咽不下), 흉격만민(胸膈滿悶), 혹 해 혹 구(或咳或嘔), 설태백니(舌苔白膩), 맥현활(脈弦滑)의 담기울결증(매핵기)(痰氣鬱結證(梅核氣))를 치료한다.
- 대상 질환: 만성 인후염, 만성 위염, 위십이지장궤양, 불안장애성 신경증, 조현병, 우울증, 과민성 천식, 기관지염, 식도경련, 위장노이로제, 성대용종, 불면, 갱년기증후군, 입덧, 완고한 불면, 암치료후 오심구토, 역류성 식도염, 메니에르 병, 뇌진탕후유증, 갑상선선종, 환상 골막염, 폐경, 영유아 설사, 신생아 유문경련, 히스테리, 기능성 식도장애
- 주의 사항: 매핵기가 있으면서 화열의 경향이 있거나 혹은 음상진소(陰傷津少)한 경우에는 사용하지 않는다.

○ 과루해백백주탕(瓜蔞薤白白酒湯)『金匱要略』

- 조성: 과루(瓜蔞) 12 해백(薤白) 9 백주(白酒) 30~60ml
- 용법: 물로 달인다.
- 효능: 통양산결(通陽散結), 행기거담(行氣祛痰)
- 응용: 흉부은통(胸部隱痛), 심하면 흉통철배(胸痛徹背), 천식해타(喘息咳唾), 단기(短氣), 설태백니(舌苔白膩), 맥침현혹긴(脈沉弦或緊)의 기울담조흉비경증(氣鬱痰阻胸痺輕證)을 치료한다.
- 대상 질환: 관상동맥질환 협심증, 비화농성 늑연골염, 늑간신경통, 만성 기관지염
- 주의 사항: 환자가 술을 마시지 못하는 경우에는 백주(白酒)의 양을 줄이거나 뺄 수 있다.

○ 지실소비환(枳實消痞丸)『蘭室秘藏』

- 조성: 건강(乾薑) 자감초(炙甘草) 맥아(麥芽) 복령(茯苓) 백출(白朮) 각 6 반하(半夏) 인삼(人蔘) 각 9 후박

(厚朴) 12 지실(枳實) 황련(黃連) 각 15

- 용법: 함께 갈아 가루를 내어 끓는 물에 쪄서 환으로 만든다. 매번 6~9g을 더운 물로 하루에 2~3번씩 복용한다. 탕제로도 가능하며, 용량은 원방의 비율에 따라 조절한다.
- 효능: 행기소비(行氣消痞)、건비화위(健脾和胃)
- 응용: 완복비만(脘腹痞滿)、식욕부진、권태무력、대변부조(大便不調)、태니미황(苔膩微黃)、맥세(脈細)의 비허기체한열착잡증(脾虛氣滯寒熱錯雜證)을 치료한다.
- 대상 질환: 만성 위염、만성 장염、과민성 대장증후군、만성 기관지염、위장신경증、십이지장궤양、소화불량、기능성 위장장애
- 주의 사항: 비위기체(脾胃氣滯)하면서 비위가 허하지 않으면 금한다.

○ **후박온중탕**(厚朴溫中湯)『**內外傷辨惑論**』

- 조성: 후박(厚朴) 진피(陳皮) 각 30 자감초(炙甘草) 복령(茯苓) 초두구(草豆蔻) 목향(木香) 각 15 건강(乾薑) 2
- 용법: 함께 갈아 가루를 내어 매번 9g씩에 생강 3쪽을 넣어 물로 달여 복용한다.
- 효능: 행기온중(行氣溫中)、조습제만(燥濕除滿)
- 응용: 완복창만 혹 동통(脘腹脹滿或疼痛)、식욕부진、설태백니(舌苔白膩)、맥침현(脈沈弦)의 비위한습기체증(脾胃寒濕氣滯證)을 치료한다.
- 대상 질환: 급만성 위염、위십이지장궤양、급만성 간염、만성 장염、만성 담낭염、만성 췌장염、대하、소화불량、급성 위확장

○ **천태오약산**(天台烏藥散)『**醫學發明**』

- 조성: 오약(烏藥) 목향(木香) 소회향(小茴香) 청피(靑皮) 고량강(高良薑) 각 15 빈랑(檳榔) 9 천련자(川楝子) 12 파두(巴豆) 12
- 용법: 먼저 파두를 살짝 으깨어 천련자와 같이 밀기울로 초흑(炒黑)하고 나서 파두와 밀기울의 껍질을 제거한 다음, 나머지 약들과 같이 갈아 고운 가루를 내어 매번 3g씩을 더운 술과 함께 복용한다. 탕제로도 가능하며, 용량은 원방의 비율에 따라 조절한다.
- 효능: 행기소간(行氣疏肝)、산한지통(散寒止痛)
- 응용: 소복통인고환(少腹痛引睾丸)、편타종창(偏墮腫脹)、설담태백(舌淡苔白)、맥침지 혹 현(脈沈遲或弦)의 간경기체한응증(肝經氣滯寒凝證)을 치료한다.
- 대상 질환: 서혜부 탈장、탈장、고환염、부고환염、고환낭종、전립선염、만성 위염、만성 결장염、위장기능실조、장경련、생리통、위십이지장궤양
- 주의 사항: 산기동통(疝氣疼痛)이 습열하주(濕熱下注)한 경우에는 복용하지 않는다.

○ **소자강기탕**(蘇子降氣湯)『**太平惠民和劑局方**』

- 조성: 소자(蘇子) 반하(半夏) 각 75 당귀(當歸) 45 자감초(炙甘草) 60 진호(前胡) 후박(厚朴) 각 30 육계(肉桂) 45
- 용법: 함께 갈아 가루를 내어 매번 6g씩 생강 2쪽과 대추 1개를 넣고 물로 달여 복용한다. 탕제로도 가능하며, 용량은 원방의 비율에 따라 조절한다.

- 효능: 강기평천(降氣平喘), 거담지해(祛痰止咳)
- 응용: 기침 천식, 담다색백(痰多色白), 흉격만민(胸膈滿悶), 혹 요동각연(腰疼脚軟), 혹 지체부종(肢體浮腫), 설태백활 혹 백니(舌苔白滑或白膩), 맥현활(脈弦滑)로 나타난 상실하허(上實下虛)의 해천증(咳喘證)을 치료한다.
- 대상 질환: 기관지천식, 만성 기관지염, 폐기종, 폐원성 심장병, 각기, 천식
- 주의 사항: 폐신음허(肺腎陰虛)로 인한 해천(咳喘)이나 폐열(肺熱)로 담천(痰喘)하는 경우에는 금한다.

○ **정천탕**(定喘湯) **『攝生衆妙方』**

- 조성: 백과(白果) 9 마황(麻黃) 9 소자(蘇子) 6 감초(甘草) 3 관동화(款冬花) 9 행인(杏仁) 9 상백피(桑白皮) 9 황금(黃芩) 6 반하(半夏) 9
- 용법: 물로 달인다.
- 효능: 선강폐기(宣降肺氣), 청열화담(淸熱化痰)
- 응용: 해천기급(咳喘氣急), 담다질조색황(痰多質稠色黃), 흉격창민(胸膈脹悶), 미오풍한(微惡風寒), 설태황니(舌苔黃膩), 맥활삭(脈滑數)의 담열옹폐증(痰熱壅肺證)을 치료한다.
- 대상 질환: 천식, 기침, 만성 기관지염, 만성 기관지천식, 폐기종, 폐원성 심장병, 감기
- 주의 사항: 천식이 오래 되어 폐신음허(肺腎陰虛)한 경우에는 금한다.

○ **선복대자탕**(旋覆代赭湯) **『傷寒論』**

- 조성: 선복화(旋覆花)(包煎) 9 대자석(代赭石) 3 인삼(人蔘) 6 생강(生薑) 15 자감초(炙甘草) 9 반하(半夏) 9 대추 4개
- 용법: 물로 달인다.
- 효능: 강역화담(降逆化痰), 익기화위(益氣和胃)
- 응용: 애기빈작(噯氣頻作), 반위구토(反胃嘔吐), 심하비경(心下痞硬), 설담태백활(舌淡苔白滑), 맥현이허(脈弦而虛)하는 위허담조기역증(胃虛痰阻氣逆證)을 치료한다.
- 대상 질환: 표재성 위염, 위신경증, 만성 위염, 궤양병, 유문불완전성 협착, 위확장, 위십이지장궤양, 신경성 구토, 만성 간염, 고혈압, 메니에르 병, 악성 종양 화학요법의 구토, 기능성 식도장애, 신경성 딸꾹질

○ **귤피죽여탕**(橘皮竹茹湯) **『金匱要略』**

- 조성: 귤피(橘皮) 12 죽여(竹茹) 12 생강 9 감초(甘草) 6 인삼(人蔘) 3 대추 5개
- 용법: 물로 달인다.
- 효능: 강역지애(降逆止呃), 익기청열(益氣淸熱)
- 응용: 애역 혹 건구(呃逆或乾嘔), 설눈홍(舌嫩紅), 맥허삭(脈虛數)으로 나타난 위허유열애역증(胃虛有熱呃逆證)을 치료한다.
- 대상 질환: 급만성 위염, 중증 간염, 완고한 구토, 횡격막경련, 위십이지장궤양, 신부전, 임신 반위, 유문불완전성 협착, 복부 수술후 딸꾹질, 입덧, 유문협착증, 복부 수술후 계속되는 오심
- 주의 사항: 애역구토(呃逆嘔吐)하면서 위완부(胃脘部)가 냉통(冷痛)하고 희온외한(喜溫畏寒)하는 경우에는 금한다.

11. 이혈제(理血劑)

이혈약 위주로 조성되어 활혈(活血)이나 지혈작용이 있어서 어혈이나 출혈병증을 치료하는 방제로, 이혈제라고 한다.

혈액이 끊임없이 혈관을 돌고 있는데, 일단 행혈(血行)이 여의치 않으면 응체되어 어(瘀)를 이루고 혈관 밖으로 넘쳐 출혈이 되기 때문에 이혈제는 주로 활혈거어(活血祛瘀)와 지혈의 두 가지 방제를 포함한다.

활혈거어제(活血祛瘀劑)는 활혈약 위주로 조성되어 활혈거어작용이 있어서 어혈이 장부나 경락에 저체되어 일으킨 각종 어혈병증에 적용되는데, '팔법' 가운데 '소법(消法)'에 해당한다. 지혈제(止血劑)는 지혈약 위주로 조성되어 지혈작용이 있어서 혈액이 혈관으로부터 벗어나 일으킨 다양한 출혈병증에 적용된다.

활혈거어제는 성질이 대부분 파설(破泄)하기 때문에 쉽게 혈액을 소모하고 정기를 상하며 동혈 동태(動胎)시키는 부작용도 있어서 사용시에는 축어(逐瘀)가 너무 지나치지 않도록 주의해야 하고, 부정(扶正) 약물을 적당히 배오하여 축어는 하되 정기를 상하지 않도록 하며, 월경 과다하거나 임신부들은 모두 피해야 한다. 지혈제의 성질은 대개 수삽(收澁)하여 체혈유어(滯血留瘀)케 하므로 사용시에는 활혈화어 약물을 배오하여 유어(留瘀)를 막아야 한다. 이외에도 어혈증이나 출혈증을 막론하고 그 원인으로 한열과 허실의 차이가 있기 때문에 치료시에는 심증구인(審證求因)하고 표본완급(標本緩急)을 잘 구분해야 한다.

○ **도핵승기탕**(桃核承氣湯) 『傷寒論』

- 조성: 도인(桃仁) 12 대황(大黃) 12 계지(桂枝) 6 자감초(炙甘草) 6 망초(芒硝) 6
- 용법: 앞의 네 약물을 물로 달이고 찌꺼기를 제거한 다음 망초를 넣는다.
- 효능: 사열축어(瀉熱逐瘀)
- 응용: 소복동통, 소변자리(小便自利), 야간 발열, 혹 섬어번갈(譫語煩渴), 심하면 광조불안(狂躁不安), 혹 생리통, 폐경, 산후오로불하(產後惡露不下), 맥침실이삽(脈沈實而澁)의 어열결우하초증(瘀熱結于下焦證)를 치료한다.
- 대상 질환: 신염 요독증, 만성 신우신염, 요로결석, 조현병, 급성 골반강염, 자궁경부염, 난소염, 장폐색, 고혈압, 동맥경화증, 습관성 변비, 뇌전증, 자궁외 임신, 생리통, 폐경, 간성 혼수, 잔류태반, 자궁부속기염
- 주의 사항: 평소 비허변당(脾虛便溏)하면 피한다.

○ **혈부축어탕**(血府逐瘀湯) 『醫林改錯』

- 조성: 도인(桃仁) 12 홍화(紅花) 당귀(當歸) 생지황(生地黃) 각 9 천궁(川芎) 5 적작(赤芍) 6 우슬(牛膝) 9 길경(桔梗) 5 시호(柴胡) 3 지각(枳殼) 6 감초(甘草) 3
- 용법: 물로 달인다.
- 효능: 활혈거어(活血祛瘀), 행기지통(行氣止痛)
- 응용: 오랜 흉통, 두통, 자통(刺痛) 통유정처(痛有定處), 혹 멈추지 않는 애역(呃逆), 혹 내열번민(內熱煩悶), 혹 심계 불면, 급조이노(急躁易怒), 입보소열(入暮潮熱), 순암(脣暗) 혹 양목암흑(兩目暗黑), 실암홍 혹 유어반(舌黯紅或有瘀斑), 맥삽 혹 현긴(脈澁或弦緊)의 흉중혈어증(胸中血瘀證)을 치료한다.
- 대상 질환: 부정맥, 고혈압, 고지혈증, 관상동맥질환, 협심증, 심근염, 동맥경화, 급성 위염, 간경화, 만성 간염, 급성 췌장염, 삼차신경통, 혈관성 신경성 두통, 편두통, 탈모, 조현병, 불임, 폐경, 월경과다증, 뇌전증, 시망막병변,

정맥염、혈행장애、류마티스 심장병、늑간신경통、늑연골염、간비종대、궤양병、노이로제、류마티스 심질환、흉부타박상、뇌진탕、우울증

○ **복원활혈탕**(復元活血湯) 『醫學發明』

- 조성: 시호(柴胡) 15 천화분(天花粉) 당귀(當歸) 각 9 홍화(紅花) 감초(甘草) 포천산갑(炮穿山甲) 각 6 대황(大黃)(酒制) 30 도인(桃仁)(酒浸) 9
- 용법: 함께 갈아 가루를 내어 매번 30g에 황주(黃酒) 30ml을 넣고 물로 달여 복용한다.
- 효능: 활혈거어(活血祛瘀)、소간통락(疏肝通絡)
- 응용: 타박 등 외상으로 어혈이 옆구리에 있어 참을 수 없는 통증의 어혈조체증(瘀血阻滯證)을 치료한다.
- 대상 질환: 연골염、연조직손상、늑간신경통、유선증식、관상동맥질환、늑연골염、타박상

○ **보양환오탕**(補陽還五湯) 『醫林改錯』

- 조성: 생황기(生黃芪) 120 당귀미(當歸尾) 6 적작(赤芍) 6 지룡(地龍) 3 천궁(川芎) 3 홍화(紅花) 3 도인(桃仁) 3
- 용법: 물로 달인다.
- 효능: 보기활혈통락(補氣活血通絡)
- 응용: 반신불수、구안와사、구각유연(口角流涎)、소변빈삭이나 유뇨불금(遺尿不禁)、설암담(舌黯淡)、태박백(苔薄白)、맥완(脈緩)의 기허혈어증(氣虛血瘀證)으로 인한 중풍후유증을 치료한다.
- 대상 질환: 뇌혈관질환、말초신경염、안면신경마비、관절염、다발성 주위신경염、좌골신경통、신경계통 염증、소아마비증、협심증、심근경색증、전신 홍반성 낭창、만성 신염、중풍후 반신불수、뇌동맥경화、신경쇠약、뇌전증、고혈압병、폐심병、폐색성 동맥경화、혈전폐색성 혈관염、하지정맥류、당뇨병、전립선비대
- 주의 사항: 처방 가운데 黃芪의 용량을 대개 30~60g부터 시작하여 효과가 여의치 않으면 점차로 증량한다. 회복이 된 다음에도 일정 기간 계속 복용하여 재발을 예방한다.

○ **온경탕**(溫經湯) 『金匱要略』

- 조성: 오수유(吳茱萸) 9 당귀(當歸) 6 작약(芍藥) 6 천궁(川芎) 6 인삼(人蔘) 6 계지(桂枝) 6 아교(阿膠) 6 목단피(牧丹皮) 6 생강 6 감초(甘草) 6 반하(半夏) 6 맥문동(麥門冬) 9
- 용법: 물로 달인다.
- 효능: 온경산한(溫經散寒)、거어양혈(祛瘀養血)
- 응용: 월경부조、혹 누하부지(漏下不止)、혹 생리통、혹 폐경、혹 궁냉불잉(宮冷不孕) 등의 충임허한어혈조체증(衝任虛寒瘀血阻滯證)을 치료한다.
- 대상 질환: 자궁난소 발육부전、기능성 자궁출혈、갱년기증후군、난관유착、자궁부속기염、골반강염、중추신경성 폐경、월경부조、유산전조증、산후복통、자궁출혈、불임
- 주의 사항: 만약에 어열(瘀熱)이 비교적 심하고 오심번열(五心煩熱)하면서 설홍맥삭(舌紅脈數)하면 금한다.

○ **생화탕**(生化湯) 『傅青主女科』

- 조성: 당귀(當歸) 24 천궁(川芎) 9 도인(桃仁) 6 포강(炮姜) 2 자감초(炙甘草) 2

- 용법: 물로 달이거나, 황주(黃酒)를 가해서 같이 달인다.
- 효능: 활혈거어(活血祛瘀), 온경지통(溫經止痛)
- 응용: 오로불행(惡露不行), 소복냉통의 산후어혈복통증(産後瘀血腹痛證)을 치료한다.
- 대상 질환: 산후 자궁복구불량, 잔류태반, 만성 골반강염, 난관유착, 인공유산후 지속적인 출혈, 자궁외 임신, 자궁근종
- 주의 사항: 산후오로불행(産後惡露不行)에 발열 구갈 설홍(舌紅) 등 증이 있으면 혈열(血熱)에 속하면서 어혈이 있는 것이므로 이 처방의 사용을 금한다.

○ **계지복령환**(桂枝茯苓丸) 『**金匱要略**』

- 조성: 계지(桂枝) 복령(茯苓) 목단피(牧丹皮) 도인(桃仁) 작약(芍藥) 각 등분
- 용법: 함께 갈아 고운 가루를 내어 물기를 졸인 꿀로 환을 만든다. 매번 3~5g을 하루에 두 번씩 복용한다. 탕제로도 가능하며, 용량은 원방의 비율에 따라 조절한다.
- 효능: 활혈화어(活血化瘀), 완소징괴(緩消癥塊)
- 응용: 복통거안(腹痛拒按), 혹 누하부지(漏下不止), 혈색자흑회암(血色紫黑晦暗), 혹 임신태동불안(妊娠胎動不安), 설질자암(舌質紫黯), 맥삽(脈澁)한 어조포궁증(瘀阻胞宮證)을 치료한다.
- 대상 질환: 자궁근종, 자궁외 임신, 난소낭종, 만성 골반강염, 만성 자궁부속기염, 만성 유선염, 종양, 자궁내막증, 나팔관염, 자궁경부염, 대하, 갱년기장애, 불임, 월경부조, 타박상, 피부병, 안질환, 동상, 기능성 자궁출혈, 전립선비대, 갑상선종, 간비종대, 잔류태반

○ **십회산**(十灰散) 『**十藥神書**』

- 조성: 대계(大薊) 소계(小薊) 하엽(荷葉) 측백엽(側柏葉) 백모근(白茅根) 천초근(茜草根) 치자(梔子) 대황(大黃) 목단피(牧丹皮) 종려피(棕櫚皮) 각 등분
- 용법: 각 약을 초탄존성(炒炭存性)하여 함께 갈아 고운 가루를 내고 우엉즙이나 무우즙을 더해 경묵(京墨)으로 갈아서 9~15g을 복용한다. 환으로 만들면 십회환(十灰丸)이라고 하는데, 매번 9g을 따뜻한 물로 하루에 2~3차례 복용한다.
- 효능: 양혈지혈(凉血止血)
- 응용: 토혈 객혈 수혈(嗽血) 코피, 혈색선홍(血色鮮紅), 설홍태황(舌紅苔黃), 맥삭(脈數)의 혈열망행증(血熱妄行證)을 치료한다.
- 대상 질환: 소화관 출혈, 과민성 자반병, 기관지확장, 폐결핵 출혈, 국부 외상출혈
- 주의 사항: 본 방은 지혈을 위해 치표(治標)하는 처방이므로 출혈이 멈추면 그 본을 치료해야 한다. 허한성(虛寒性) 출혈에는 금한다.

○ **해혈방**(咳血方) 『**丹溪心法**』

- 조성: 청대(青黛)(水飛) 6 과루인(瓜蔞仁) 9 가자(訶子) 6 해부석(海浮石) 9 치자(梔子)(炒黑) 9
- 용법: 함께 갈아 고운 가루를 내어 꿀과 생강즙으로 환을 만든다. 매번 9g을 하루에 두 번씩 입에 머금어 복용한다. 탕제로도 가능하며, 용량은 원방의 비율에 따라 조절한다.
- 효능: 청간녕폐(清肝寧肺), 양혈지혈(凉血止血)

- 응용: 기침, 담조대혈(痰稠帶血), 객토불상(喀吐不爽), 심번이노(心煩易怒), 흉협작통(胸脇作痛), 인건구고(咽乾口苦), 협적변비(頰赤便秘), 설홍태황(舌紅苔黃), 맥현삭(脈弦數)의 간화범폐해혈증(肝火犯肺咳血證)을 치료한다.
- 대상 질환: 기관지확장, 폐결핵, 기관지폐렴, 위식도역류성 기침
- 주의 사항: 해혈(咳血)이 폐신음허(肺腎陰虛)에서 비롯했거나 비허변당(脾虛便溏)을 겸하고 있으면 금한다.

○ **소계음자**(小薊飮子) 『**濟生方**』

- 조성: 생지황(生地黃) 120 소계(小薊) 15 활석(滑石) 15 목통(木通) 6 초포황(炒蒲黃) 9 담죽엽(淡竹葉) 9 우절(藕節) 9 당귀(當歸) 6 초치자(炒梔子) 9 자감초(炙甘草) 6
- 용법: 함께 갈아 가루를 내서 매번 12g씩 물에 달여 복용한다.
- 효능: 양혈지혈(凉血止血), 이뇨통림(利尿通淋)
- 응용: 요중대혈(尿中帶血), 소변빈삭, 적삽열통(赤澁熱痛), 설홍(舌紅), 맥삭(脈數)의 혈열림증(血熱淋證)을 치료한다.
- 대상 질환: 급만성 요도염, 방광염, 수뇨관염, 신염, 전립선염, 비뇨기계 결석, 급성 요로감염증
- 주의 사항: 소변에 피가 비쳐도 열상(熱象)이 없으면 금한다.

○ **황토탕**(黃土湯) 『**金匱要略**』

- 조성: 감초(甘草) 건지황(乾地黃) 백출(白朮) 포부자(炮附子) 아교(阿膠) 황금(黃芩) 각 9 조심황토(灶心黃土) 30
- 용법: 조심황토를 먼저 달여 즙을 취하고 다시 나머지 약들을 넣어 달인다.
- 효능: 온양건비(溫陽健脾), 양혈지혈(養血止血)
- 응용: 변혈 토혈 코피, 혹 붕루(崩漏), 혈색암담(血色暗淡), 사지불온(四肢不溫), 면색위황(面色萎黃), 설담태백(舌淡苔白), 맥침세무력(脈沈細無力)의 양허출혈증(陽虛出血證)을 치료한다.
- 대상 질환: 위십이지장궤양 출혈, 기능성 자궁출혈, 만성 혈소판감소성 자반병, 재생불량성 빈혈, 위장관출혈
- 주의 사항: 출혈이 있으면서 색이 선홍(鮮紅)하고 구건설홍(口乾舌紅)하면 금한다.

12. 치풍제(治風劑)

신산거풍(辛散祛風)이나 식풍지경약(息風止經藥) 위주로 조성되어 소산외풍(疏散外風)이나 평식내풍(平息內風) 작용이 있어서 風病을 치료하는 방제로, 치풍제라고 한다.

풍병은 풍사로 인해 발생한 질병이다. 풍사가 외감한 경우도 있고 또 안에서 생긴 경우도 있기 때문에 치풍제는 소산외풍(疏散外風)과 평식내풍(平息內風)의 두 가지 유형을 포함한다.

소산외풍제(疏散外風劑)는 신산거풍약(辛散祛風藥) 위주로 조성되어 소풍산사(疏風散邪)의 작용이 있어서 풍사가 밖으로부터 들어와 기육, 근골, 관절 등을 침범하여 생긴 질병에 적용된다. 평식내풍제(平息內風劑)는 평간식풍약(平肝息風藥) 위주로 조성되어 평간식풍 작용이 있으며 간풍내동(肝風內動)으로 인한 질병에 적용된다.

치풍제를 사용할 때에는 먼저 풍병의 내외와 한열허실을 변별해야 한다. 만약 외풍에 속하였으면 소산(疏散)을, 내풍에 속하였으면 평식(平息)해야 한다. 만약 풍사가 한, 열 습, 담을 끼고 있으면 거한(祛寒), 청열(淸熱), 화습(化濕),

화담(化痰) 등 방법을 결합하여 운용한다. 이외에도, 외풍과 내풍이 겸하였으면 그 주차를 밝혀 합리적으로 처방해야 한다.

○ **천궁다조산**(川芎茶調散) **『太平惠民和劑局方』**

- 조성: 천궁(川芎) 형개(荊芥) 각 120 백지(白芷) 강활(羌活) 자감초(炙甘草) 각 60 세신(細辛) 30 방풍(防風) 45 박하(薄荷) 240
- 용법: 함께 갈아 고운 가루를 내어 매번 6g씩 맑은 차로 하루에 두 번씩 복용한다. 탕제로도 가능하며, 용량은 원방의 비율에 따라 조절한다.
- 효능: 소풍지통(疏風止痛)
- 응용: 편정두통(偏正頭痛)이나 전정작통(巓頂作痛), 오한발열, 목현비색(目眩鼻塞), 설태박백(舌苔薄白), 맥부(脈浮)의 외감풍사두통증(外感風邪頭痛證)을 치료한다.
- 대상 질환: 혈관성 두통, 신경성 두통, 삼차신경성 두통, 감기, 두통, 과민성 비염, 부비동염, 어지럼증, 기와증(嗜臥症), 뇌외상후 후유증, 편두통
- 주의 사항: 두통이 기혈부족(氣血不足)이나 양항풍동(陽亢風動)으로 인한 경우에는 금한다.

○ **소풍산**(逍風散) **『外科正宗』**

- 조성: 형개(荊芥) 방풍(防風) 우방자(牛蒡子) 선태(蟬蛻) 창출(蒼朮) 고삼(苦蔘) 석고(石膏) 지모(知母) 당귀(當歸) 호마인(胡麻仁) 생지황(生地黃) 각 6 목통(木通) 감초(甘草) 각 3
- 용법: 물로 달인다.
- 효능: 소풍양혈(疏風養血), 청열제습(淸熱除濕)
- 응용: 피부진출색홍(皮膚疹出色紅), 혹 편신운편반점(遍身雲片斑点), 소양(瘙痒), 긁은 다음 진물이 나옴, 태백 혹 황(苔白或黃), 맥부삭(脈浮數)의 피부풍열증(皮膚風熱證)을 치료한다.
- 대상 질환: 담마진, 과민성 피부염, 일광성 피부염, 약물성 피부염, 신경성 피부염, 건선, 습진, 풍진, 무좀, 급성 신염, 수답성 피부염
- 주의 사항: 본 방을 복용하는 동안에는 맵고 자극적인 음식, 비린 생선, 술 담배, 진한 차 등을 피한다.

○ **소활락단**(小活絡丹) **『太平惠民和劑局方』**

- 조성: 제천오(制川烏) 제초오(制草烏) 포천남성(炮天南星) 지룡(地龍) 각 180 유향(乳香)(硏) 각 66
- 용법: 잘 갈아 고운 가루를 내어 물기 졸인 꿀과 함께 환을 만들고, 매 환의 무게를 3g으로 한다. 매번 1환을 오래된 술이나 따뜻한 물이나 형개차(荊芥茶)로 하루에 두 번씩 복용한다.
- 효능: 거풍제습(祛風除濕), 화담통락(化痰通絡), 활혈지통(活血止痛)
- 응용: 지체근맥련통(肢體筋脈攣痛), 관절굴신불리(關節屈伸不利), 동통유주부정(疼痛遊走不定), 오한희난(惡寒喜暖), 설담 혹 유자기(舌淡或有紫氣), 설태백(舌苔白), 맥침세(脈沈細)의 풍한습비증(風寒濕痺證)을 치료한다.
- 대상 질환: 뇌출혈 후유증, 류마티스 관절염, 신경성 두통, 다발성 신경염, 통풍
- 주의 사항: 본 방은 약성이 온조(溫燥)하고 약력이 준렬(峻烈)하기 때문에 신체가 건장하여 정기가 실하고 사기가 심한 환자에게 적당하고, 음허유열(陰虛有熱)하거나 임신부는 금한다.

○ 영각구등탕(羚角鉤藤湯)『重訂通俗傷寒論』

- 조성: 영각편(羚角片) 4.5 구등(鉤藤)(後下) 국화(菊花) 각 9 상엽(桑葉) 6 선생지(鮮生地) 15 백작(白芍) 9 패모(貝母) 12 선죽여(鮮竹茹) 15 복신목(茯神木) 9 생감초(生甘草) 2.4
- 용법: 죽여(竹茹)와 영양각(羚羊角)을 먼저 달이고 나서 다른 약을 넣어 달여 복용한다.
- 효능: 양간식풍(凉肝息風), 증액서근(增液舒筋)
- 응용: 고열불퇴(高熱不退), 번민조요(煩悶躁擾), 수족추축(手足抽搐), 설강이건(舌絳而乾), 혹 설초기자(舌焦起刺), 맥현이삭(脈弦而數)의 간경열성동풍증(肝經熱盛動風證)을 치료한다.
- 대상 질환: 원발성 고혈압, 고지혈증, 유행성 B형 뇌염, 유행성 뇌척수막염, 뇌전증, 혈관신경성 두통, 소아고열, 급경풍, 임신고혈압증후군, 뇌졸중, 류마티스 뇌막뇌염, 안면근육경련
- 주의 사항: 열병 후기(熱病 後期)의 음허풍동(陰虛風動)한 경우에는 금한다.

○ 진간식풍탕(鎭肝息風湯)『醫學衷中參西錄』

- 조성: 우슬(牛膝) 대자석(代赭石) 각 30 용골(龍骨) 모려(牡蠣) 구갑(龜甲) 백작(白芍) 현삼(玄蔘) 천문동(天門冬) 각 15 천련자(川楝子) 생맥아(生麥芽) 인진(茵蔯) 각 6 감초(甘草) 4.5
- 용법: 물로 달인다.
- 효능: 진간식풍(鎭肝息風), 자음잠양(滋陰潛陽)
- 응용: 어지럼증, 목창이명(目脹耳鳴), 뇌부 열통(腦部 熱痛), 심중번열(心中煩熱), 면색여취(面色如醉), 혹 시상애기(時常噫氣), 혹 지체점각불리(肢體漸覺不利) 구각점형와사(口角漸形喎斜)하거나, 심하면 어지럼증으로 쓰러져서 사람을 못 알아보고 이동하면 겨우 깨어나거나, 깨어난 후에 제대로 복구되지 못하고 맥현장유력(脈弦長有力)한 간신음허간양화풍증(肝腎陰虛肝陽化風證)을 치료한다.
- 대상 질환: 고혈압, 고지혈증, 혈관신경성 두통, 조현병, 중풍전조증, 중풍, 뇌혈전, 동맥경화, 크롬친화성 세포종, 월경전기 긴장증후군, 뇌졸중, 뇌전증, 파킨슨병, 삼차신경통, 완고한 딸꾹질, 관상동맥질환, 협심증, 뇌진탕증후군, 노이로제, 갱년기증후군, 고혈압 신병, 급성 신염, 피부병
- 주의 사항: 본 방은 진간잠양(鎭肝潛陽)의 중제(重劑)이기 때문에 간양상항(肝陽上亢)으로 기혈이 상역한 중증(重證)이 아니면 사용하지 말아야 한다.

○ 천마구등음(天麻鉤藤飮)『雜病證治新義』

- 조성: 천마(天麻) 9 구등(鉤藤)(後下) 12 석결명(石決明)(先煎) 18 치자(梔子) 황금(黃芩) 각 9 우슬(牛膝) 12 두충(杜沖) 익모초(益母草) 상기생(桑寄生) 야교등(夜交藤) 복신(茯神) 각 9
- 용법: 물로 달인다.
- 효능: 평간식풍(平肝息風), 청열활혈(淸熱活血), 보익간신(補益肝腎)
- 응용: 두통, 현훈, 불면, 설홍태황(舌紅苔黃), 맥현(脈弦)의 간양편항(肝陽偏亢) 간풍상요증(肝風上搖證)을 치료한다.
- 대상 질환: 고혈압, 고지혈증, 신경성 두통, 어지럼증, 불면, 중풍 후유증, 갱년기증후군

○ 대정풍주(大定風珠)『溫病條辨』

- 조성: 백작(白芍) 건지황(乾地黃) 맥문동(麥門冬) 각 18 구갑(龜甲) 별갑(鱉甲) 모려(牡蠣) 자감초(炙甘草)

각 12 아교(阿膠) 9 호마인(胡麻仁) 오미자(五味子) 각 6 계자황(鷄子黃) 2개

- 용법: 아교와 계자황을 제외한 약들을 물로 달인 다음 찌꺼기를 제거하고 아교를 녹여서 넣고 다시 계자황을 넣어 고루 잘 저은 다음 따뜻하게 복용한다.
- 효능: 자음식풍(滋陰息風)
- 응용: 온병 후기, 신권계종(身倦瘈瘲), 맥기허약(脈氣虛弱), 설강태소(舌絳苔少)의 음허동풍증(陰虛動風證)을 치료한다.
- 대상 질환: 말초신경염, 다발성 신경염, 근영양불량증, 근육긴장증후군, 유행성 B형 뇌염, 뇌막염, 뎅기열, 유행성 출혈열, 패혈증, 심부전, 어지럼증, 진전마비, 신경성 진전, 방사선요법후 설위축, 갑상선기능항진증(수술후 후유증), 과민성 담마진, 관상동맥질환, 티푸스, 유행성 뇌척수막염
- 주의 사항: 본 방은 자보진음(滋補眞陰)을 위주로 하기 때문에 음액(陰液)이 적으면서도 사열(邪熱)이 매우 성한 경우에는 금한다.

13. 거습제(祛濕劑)

거습약 위주로 조성되어 화습이수(化濕利水), 통림설탁(通淋泄濁)작용이 있어서 습사(濕瀉)로 된 병을 치료하는 방제로, 거습제라고 한다. 주로 '팔법' 가운데 '소법(消法)'에 해당한다.

습사(濕瀉)의 형성에는 외감과 내생의 구분이 있고, 병위에는 표리상하의, 성질에는 한열의 차이가 있기 때문에 거습제는 조습화위(燥濕和胃), 청열거습(淸熱祛濕), 이수삼습(利水滲濕), 온화수습(溫化水濕)과 거풍승습(祛風勝濕) 등의 유형이 있다.

조습화위제(燥濕和胃劑)는 고온조습약(苦溫燥濕藥) 위주로 조성되어 조습건비(燥濕健脾), 행기화위(行氣和胃)작용이 있어서 습조중초증(濕阻中焦證)에 적용된다. 청열거습제(淸熱祛濕劑)는 청열거습약(淸熱祛濕藥) 위주로 조성되어 청열해독(淸熱解毒), 이습화탁(利濕化濁)작용이 있어서 습열내온증(濕熱內蘊證)에 적용된다. 이수삼습제(利水滲濕劑)는 담삼리습약(淡滲利濕藥) 위주로 조성되어 통리소변(通利小便), 이수소종(利水消腫)작용이 있어서 수습옹성증(水濕壅盛證)에 적용된다. 온화수습제(溫化水濕劑)는 온양약(溫陽藥)과 이습약(利濕藥)을 배오하여 온양거한(溫陽祛寒), 이수삼습(利水滲濕)작용이 있어서 한습담음증(寒濕痰飮證)에 적용된다. 거풍승습제(祛風勝濕劑)는 거풍습약(祛風濕藥) 위주로 조성되어 거풍산한(祛風散寒), 승습지통(勝濕止痛)작용이 있어서 습조경락증(濕阻經絡證)에 적용된다.

거습제는 대개 방향온조(芳香溫燥) 혹은 감담삼리약(甘淡滲利藥)으로 조성되어 쉽게 음진(陰津)을 모상하기 때문에 평소 음허진휴(陰虛津虧)하거나 병후나 몸이 허약하거나 혹은 임신부의 경우는 꺼린다.

○ **평위산**(平胃散)『太平惠民和劑局方』

- 조성: 창출(蒼朮) 2500 후박(厚朴) 진피(陳皮) 각 1560 자감초(炙甘草) 900
- 용법: 함께 갈아 고운 가루를 내고 매번 6~9g씩 생강 두 쪽과 대추 두 개를 넣어 달인다.
- 효능: 조습건비(燥濕健脾), 행기화위(行氣和胃)
- 응용: 완복창만, 식욕부진, 구담무미(口淡無味), 오심구토, 애기탄산(噯氣呑酸), 지체침중(肢體沈重), 태타기와(怠惰嗜臥), 설태백니이후(舌苔白膩而厚), 맥완(脈緩)의 습체비위증(濕滯脾胃證)을 치료한다.
- 대상 질환: 급만성 위장염, 만성 담낭염, 만성 췌장염, 만성 간염, 소화관기능실조, 위십이지장궤양, 위장노이로

제, 소화불량, 위이완, 전염성 간염, 지방간, 장폐색, 회충성 식도폐색, 폐경, 월경전기 긴장증후군, 자궁경부염, 백일해, 소아염식증, 영유아설사, 급성 습진, 남성 성기능저하, 구강점막선암

- 주의 사항: 비위가 허약하거나 평소 음허(陰虛)한 경우에는 본 방의 사용을 피한다.

○ **곽향정기산**(藿香正氣散) 『**太平惠民和劑局方**』

- 조성: 곽향(藿香) 90 소엽(蘇葉) 백지(白芷) 대복피(大腹皮) 복령(茯苓) 각 30 반하(半夏) 백출(白朮) 진피(陳皮) 후박(厚朴) 길경(桔梗) 각 60 자감초(炙甘草) 75
- 용법: 함께 갈아 고운 가루를 내어 매번 6~9g씩 생강 세 쪽과 대추 한 개를 넣고 물로 달여 복용한다.
- 효능: 해표화습(解表化濕), 이기화중(理氣和中)
- 응용: 오한발열, 두통, 완복동통, 구토설사, 설태백니(舌苔白膩), 맥부 혹 유(脈浮或濡)의 외감풍한내상습체겸증(外感風寒內傷濕滯兼證)을 치료한다.
- 대상 질환: 위장형 감기, 급성 위장염, 만성 담낭염, 장티푸스, 감기, 일사병, 구토, 급만성 신염, 콜레라
- 주의 사항: 본 방의 약물이 대부분 방향신산(芳香辛散)하므로 탕제로 복용할 때 오래 달이지 않는다.

○ **인진호탕**(茵蔯蒿湯) 『**傷寒論**』

- 조성: 인진호(茵蔯蒿) 18 치자(梔子) 9 대황(大黃) 6
- 용법: 물로 달인다.
- 효능: 청열이습퇴황(清熱利濕退黃)
- 응용: 전신과 면목(面目)이 모두 노랗고, 황색이 선명하며, 복미만(腹微滿), 구갈, 소변불리, 설태황니(舌苔黃膩), 맥침삭(脈沈數)의 습열황달증(濕熱黃疸證)을 치료한다.
- 대상 질환: 화학요법 간손상, 급성 바이러스성 간염(B형, C형, A형), 만성 간염, 간경화, 간암, 중증 간염, 영아간염증후군, 급만성 담낭염, 화농성 담관염, 알코올성 간손상, 담도회충증, 담결석, 렙토스피라증, 장티푸스, 패혈증, 폐렴, 용혈성 황달
- 주의 사항: 황달이 음황(陰黃)에 속하면 금한다.

○ **삼인탕**(三仁湯) 『**溫病條辨**』

- 조성: 행인(杏仁) 15 활석(滑石) 18 통초(通草) 백두구(白豆蔻) 죽엽(竹葉) 후박(厚朴) 각 6 의이인(薏苡仁) 18 반하(半夏) 15
- 용법: 물로 달인다.
- 효능: 선창기기(宣暢氣機), 청리습열(清利濕熱)
- 응용: 두통오한, 신중동통(身重疼痛), 면색담황(面色淡黃), 흉민불기(胸悶不飢), 오후신열(午後身熱), 태백불갈(苔白不渴), 맥현세이유(脈弦細而濡)한 습온초기(濕溫初起)와 서온협습증(暑溫夾濕證)을 치료한다.
- 대상 질환: 장티푸스(초기), 급성 결장염, 급만성 신우신염, 브루셀라병, 브루셀라증, 담낭염, 황달형 간염, 장티푸스, 관절염, 류마티스 관절염
- 주의 사항: 입이 쓰고 마르며 설태가 황니(黃膩)하면 금한다.

○ **감로소독단**(甘露消毒丹) 『溫熱經緯』

- 조성: 활석(滑石) 450 인진호(茵蔯蒿) 330 황금(黃芩) 300 석창포(石菖蒲) 180 패모(貝母) 목통(木通) 각 150 곽향(藿香) 사간(射干) 연교(連翹) 박하(薄荷) 백두구(白豆寇) 각 120
- 용법: 함께 갈아 고운 가루를 만들어 매번 9g을 따뜻한 물로 하루에 두 번씩 복용한다. 신곡(神麴)으로 환을 만들어 따뜻한 물로 복용할 수도 있다. 탕제로도 가능하며, 용량은 원방의 비율에 따라 조절한다.
- 효능: 이습화탁(利濕化濁), 청열해독(清熱解毒)
- 응용: 발열권태(發熱倦怠), 흉민복창(胸悶腹脹), 구갈인통(口渴咽痛), 신목발황(身目發黃), 소변단적(小便短赤), 설사림탁(泄瀉淋濁), 설태담백 혹 후니 혹건황(舌苔痰白或厚膩或乾黃) 습열역독증(濕熱疫毒證)을 치료한다.
- 대상 질환: 장티푸스, 티푸스, 바이러스성 간염, 담낭염, 담석증, 급성 위장염, 렙토스피라증, 유행성 출혈열, 요독증, 당뇨병, 구강염, 아구창, 요도감염, 황달형 전염성 간염, 세균성 이질, 류마티스열, 과민성 자반증, 바이러스성 심근염, 이하선염, 신우신염

○ **연박음**(連朴飮) 『霍亂論』

- 조성: 후박(厚朴) 6 황련(黃連)(薑汁炒) 석창포(石菖蒲) 반하(半夏) 각 3 담두시(淡豆豉) 치자(梔子) 각 9 노근(蘆根) 60
- 용법: 물로 달인다.
- 효능: 청열조습(清熱燥濕), 이기화중(理氣和中)
- 응용: 상토하사(上吐下瀉), 흉완비민(胸脘痞悶), 심번조요(心煩躁擾), 소변단적(小便短赤), 설태황니(舌苔黃膩), 맥활(脈滑)의 습열토사증(濕熱吐瀉證)을 치료한다.
- 대상 질환: 급성 위장염, 장티푸스, 파라티푸스, 세균성 이질, 아메바성 이질

○ **팔정산**(八正散) 『太平惠民和劑局方』

- 조성: 차전자(車前子) 구맥(瞿麥) 편축(萹蓄) 활석(滑石) 치자인(梔子仁) 자감초(炙甘草) 목통(木通) 대황(大黃) 각 500
- 용법: 함께 갈아 가루를 내어 매번 6~9g을 등심초(燈心草)를 조금 넣고 물로 달인다.
- 효능: 청열사화(清熱瀉火), 이수통림(利水通淋)
- 응용: 요빈뇨급(尿頻尿急), 배뇨시 삽통(澁痛), 임력불창(淋瀝不暢), 요색혼적(尿色渾赤), 심하면 융폐불통(癃閉不通), 소복급만(小腹急滿), 구조인건(口燥咽乾), 설태황니(舌苔黃膩), 맥활삭(脈滑數)의 습열림증(濕熱淋證)과 심경열독증(心經熱毒證)을 치료한다.
- 대상 질환: 급성 방광염, 급성 요도염, 급성 신우신염, 급성 전립선염, 비뇨계 결석, 임질 감염, 전립선증식, 급성 신부전, 통풍, 산후 및 수술후 요저류, 골반강염, 사충병, 유미뇨, 방광염, 요도염, 급성 전립선염, 요로결석증, 신우신염
- 주의 사항: 본 방은 고한통리(苦寒通利)하여 실화증(實火證)에 적용되는데, 만약에 임증이 오래 되었거나 몸이 허약하거나 임신부들은 꺼린다.

○ **육일산**(六一散) 『傷寒標本』

- 조성: 활석(滑石) 180 생감초(生甘草) 30

- 용법: 함께 갈아 고운 가루를 내어 매번 9g을 싸서 달이거나 따뜻한 물로 하루에 세 번씩 복용한다.
- 효능: 청열이습(淸熱利濕)
- 응용: 신열번갈(身熱煩渴), 소변불리 혹 요빈급삽통(尿頻急澁痛), 혹 설사, 설홍태황니(舌紅苔黃膩), 맥삭(脈數)의 서습증(暑濕證)과 방광습열증(膀胱濕熱證)을 치료한다.
- 대상 질환: 일사병, 급성 요도염, 급성 방광염, 급성 장염, 설사, 위장형 감기, 약물 부작용, 비뇨기계 결석, 수술후 요도증후군, 수술후 포피부종, 습진, 땀띠
- 주의 사항: 평소 음허(陰虛)하거나 열상이 없으면 금한다.

○ **이묘산**(二妙散) 『**丹溪心法**』

- 조성: 초황백(炒黃柏) 초창출(炒蒼朮) 각 등분
- 용법: 함께 갈아 고운 가루를 내어 매번 6g을 생강즙 두 방울을 더해 따뜻한 물로 복용한다. 환으로도 만들어 매번 6g을 따뜻한 물로 복용한다.
- 효능: 청열조습(淸熱燥濕)
- 응용: 근골동통, 혹 양족위연(兩足痿軟), 혹 족슬홍종동통(足膝紅腫疼痛), 혹 습열대하(濕熱帶下), 혹 하부습창(下部濕瘡), 소변단적, 설태황니(舌苔黃膩), 맥유삭(脈濡數)의 습열하주증(濕熱下注證)을 치료한다.
- 대상 질환: 과민성 피부염, 음부 모낭염, 류마티스 관절염, 질염, 무좀, 관절염, 다발성 신경염, 급성 척수염, 진행성 근위축, 중증 근무력, 주기성 마비, 근영양불량증, 하지단독, 음낭습진, 자궁경부염, 요슬관절 골질증식, 통풍, 비장근 경련, 음낭염
- 주의 사항: 본 방은 청열거습(淸熱祛濕) 위주이기 때문에 습(濕)만 많고 열(熱)이 적으면 사용하지 않는다.

○ **오령산**(五苓散) 『**傷寒論**』

- 조성: 저령(猪苓) 9 택사(澤瀉) 15 백출(白朮) 9 복령(茯苓) 9 계지(桂枝) 6
- 용법: 함께 갈아 고운 가루를 내어 매번 6g을 따뜻한 물로 하루에 세 번씩 복용한다. 탕제로도 가능하며, 용량은 원방의 비율에 따라 조절한다.
- 효능: 이수삼습(利水滲濕), 온양화기(溫陽化氣)
- 응용: 부종, 설사, 소변불리, 설담(舌淡), 태백활(苔白滑), 맥유(脈濡)의 수습내정증(水濕內停證), 축수증(蓄水證), 담음증(痰飮證)을 치료한다.
- 대상 질환: 감기성 토사, 급성 위장염, 만성 췌장염, 만성 간염, 지방간, 신병증후군, 위확장, 위하수, 자가중독증, 소화불량, 입덧, 배멀미, 타액과다증, 신염, 심장성 부종, 요독증, 음낭부종, 습관성 두통, 편두통, 삼차신경통, 일사병, 누낭염, 결막염, 야맹증, 물집, 수두, 녹내장, 메니에르 병, 사구체신염, 간경화로 인한 부종과 장염, 요저류, 뇌수종, 흉수, 전염성 간염, 비뇨기계 감염, 중심성 시망막염
- 주의 사항: 수습이 열로 바뀐 경우에는 본 방을 사용하지 않는다.

○ **저령탕**(猪苓湯) 『**傷寒論**』

- 조성: 저령(猪苓) 택사(澤瀉) 복령(茯苓) 아교(阿膠) 활석(滑石) 각 9
- 용법: 물로 달인다.
- 효능: 이수삼습(利水滲濕), 청열양음(淸熱養陰)

- 응용: 소변불리, 발열, 구갈욕음(口渴欲飮), 혹 심번불매(心煩不寐), 혹 구토 설사, 혹 혈림(血淋), 설홍태백 혹 미황(舌紅苔白或微黃), 맥세삭(脈細數)의 수열호결상음증(水熱互結傷陰證)을 치료한다.
- 대상 질환: 만성 사구체신염, 만성 신우신염, 신병증후군, 신부전, 요도염, 신장염, 신석증, 배뇨통, 혈뇨, 허리이하 부종, 잔뇨감, 이질, 신방광결석, 급성 방광염, 영유아설사, 각종 출혈, 장염, 직장궤양, 뇌전증, 불면
- 주의 사항: 사열(邪熱)이 비교적 성하거나 음진(陰津)이 많이 부족하면 금한다.

○ 방기황기탕(防己黃芪湯) 『金匱要略』

- 조성: 방기(防己) 12 황기(黃芪) 15 자감초(炙甘草) 6 백출(白朮) 9
- 용법: 생강 네 쪽과 대추 두 개를 더해 물로 달여 복용한다.
- 효능: 익기거풍(益氣祛風), 건비이수(健脾利水)
- 응용: 한출오풍(汗出惡風), 신중(身重), 지체부종, 소변불리, 설담태백(舌淡苔白), 맥부(脈浮)의 태양풍습비증(太陽風濕痺證)을 치료한다.
- 대상 질환: 만성 신염, 류마티스 관절염, 근육 류마티스, 비만, 신병증후군, 간경화증, 흉수, 폐부종, 음낭부종, 전신 부종, 다한증, 담마진, 액취증, 월경부조, 심장성 부종, 만성 사구체신염
- 주의 사항: 수습이 옹성하고 표허(表虛)한 증상이 없으면 복용을 금한다.

○ 영계출감탕(苓桂朮甘湯) 『金匱要略』

- 조성: 복령(茯苓) 12 계지(桂枝) 9 백출(白朮) 6 감초(甘草) 6
- 용법: 물로 달인다.
- 효능: 온양화음(溫陽化飮), 건비삼습(健脾滲濕)
- 응용: 흉협창만(胸脇脹滿), 현훈, 심계, 단기(短氣), 기침, 설태백활(舌苔白滑), 맥현활(脈弦滑)의 중허담음증(中虛痰飮證)을 치료한다.
- 대상 질환: 신경성 구토, 만성 위장염, 장위노이로제, 위십이지장궤양, 기관지천식, 만성 기관지염, 메니에르 병, 만성 신염, 어지럼증, 심계, 심장판막증, 누낭염, 고혈압, 비염, 귓병, 폐기종

○ 진무탕(眞武湯) 『傷寒論』

- 조성: 복령(茯苓) 9 작약(芍藥) 9 백출(白朮) 6 생강(生薑) 9 포부자(炮附子) 9
- 용법: 물로 달인다.
- 효능: 온양이수(溫陽利水)
- 응용: 지체부종, 소변불리, 혹 복통설사, 설태백활(舌苔白滑), 맥침(脈沈)의 비신양허수습내정증(脾腎陽虛水濕內停證)을 치료한다.
- 대상 질환: 심장병 부종, 만성 사구체신염, 만성 신우신염, 신부전, 신병증후군, 만성 기관지염, 장결핵, 메니에르병, 간경화복수, 심부전, 불임, 난소낭종, 위하수, 위십이지장궤양, 늑막염, 고혈압, 심장판막증, 만성 장염, 소화불량, 위축신, 담마진, 기관지 천식

○ 실비산(實脾散) 『重訂嚴氏濟生方』

- 조성: 후박(厚朴) 백출(白朮) 목과(木瓜) 목향(木香) 초과(草果) 빈랑(檳榔) 포부자(炮附子) 백복령(白茯苓)

건강(乾薑) 각 30 감초(甘草) 15

- 용법: 함께 갈아 가루를 내어 매번 12g에 생강 다섯 쪽과 대추 한 개를 넣어 물로 달여 복용한다.
- 효능: 온양건비(溫陽健脾), 행기이수(行氣利水)
- 응용: 하반신 부종, 수족냉, 구중불갈(口中不渴), 흉복창만(胸腹脹滿), 설담반태백니(舌淡胖苔白膩), 맥침지(脈沈遲)의 비신양허기체수종증(脾腎陽虛氣滯水腫證)을 치료한다.
- 대상 질환: 간경화 복수, 만성 사구체신염, 신병증후군, 신성 부종, 심장성 부종

○ **비해분청음**(萆薢分淸飮) 『丹溪心法』

- 조성: 비해(萆薢) 오약(烏藥) 익지인(益智仁) 석창포(石菖蒲) 각 9
- 용법: 함께 갈아 가루를 내어 매번 15g에 소금을 조금 넣어 물로 달여 복용한다.
- 효능: 온신이습(溫腎利濕), 분청화탁(分淸化濁)
- 응용: 소변빈삭 백여미감(白如米泔) 응여고호(凝如膏糊), 설담태백(舌淡苔白), 맥침(脈沈)의 하초허한습탁증(下焦虛寒濕濁證)을 치료한다.
- 대상 질환: 만성 전립선염, 유미뇨, 만성 골반강염, 만성 신염, 비뇨기계 감염, 양위, 만성 질염, 골반강염, 대하
- 주의 사항: 소변이 혼탁하고 요빈급삽통(尿頻急澁痛)하면서 설홍(舌紅) 태황니(苔黃膩)하면 본 방을 금한다.

○ **강활승습탕**(羌活勝濕湯) 『內外傷辨惑論』

- 조성: 강활(羌活) 독활(獨活) 각 9 고본(藁本) 방풍(防風) 자감초(炙甘草) 천궁(川芎) 각 4.5 만형자(蔓荊子) 3
- 용법: 물로 달인다.
- 효능: 거풍승습(祛風勝濕)
- 응용: 두통 두중(頭重), 요배중통(腰背重痛), 혹 일신진통(一身盡痛), 난이전측(難以轉側), 태백맥부(苔白脈浮)의 외감풍습증(外感風濕證)을 치료한다.
- 대상 질환: 요추간판 탈출증, 감기, 두통, 경항신경통, 경추 요추 골증식, 좌골신경통, 오십견, 류마티스 관절염, 편두통, 혈관신경성 두통
- 주의 사항: 간양상항(肝陽上亢)하거나 기혈부족으로 두통이 있는 경우에는 복용을 금한다.

○ **독활기생탕**(獨活寄生湯) 『備急千金要方』

- 조성: 독활(獨活) 9 상기생(桑寄生) 두충(杜沖) 우슬(牛膝) 세신(細辛) 진교(秦艽) 복령(茯苓) 육계심(肉桂心) 방풍(防風) 천궁(川芎) 인삼(人蔘) 감초(甘草) 당귀(當歸) 작약(芍藥) 건지황(乾地黃) 각 6
- 용법: 물로 달인다.
- 효능: 거풍습(祛風濕), 지비통(止痹痛), 익간신(益肝腎), 보기혈(補氣血)
- 응용: 요슬동통, 관절굴신불리, 혹 마비, 외한희온(畏寒喜溫), 심계기단(心悸氣短), 설담태백(舌淡苔白), 맥세약(脈細弱)의 비증(痹證)이 오래되어 간신양허기혈부족증(肝腎兩虛氣血不足證)을 치료한다.
- 대상 질환: 류마티스 관절염, 요추간판 탈출증, 신경통, 경요추골질증식, 견주위염, 경추병, 소아마비증, 만성 브루셀라병, 강직성 척추염, 습진, 만성 관절염, 요부 염좌, 류마티스 좌골신경통
- 주의 사항: 비증(痹證)으로 정기가 허하지 않거나 관절이 홍종동통(紅腫疼痛)하면 본 방을 사용하지 않는다.

14. 거담제(祛痰劑)

거담약 위주로 조성되어 소제담음(消除痰飮)작용이 있어서 각종 담병(痰病)을 치료하는 방제로, 거담제라고 한다. '팔법' 가운데 '소법(消法)'에 해당한다.

담병은 그 원인에 따라 습담, 열담, 조담, 한담, 풍담의 다섯 가지로 나누어지기 때문에 거담제는 조습화담(燥濕化痰), 청열화담(淸熱化痰), 윤조화담(潤燥化痰), 온화한담(溫化寒痰), 화담식풍(化痰息風) 등 유형을 포함한다.

조습화담제(燥濕化痰劑)는 조습화담약 위주로 조성되어 조습화담(燥濕化痰), 행기화중(行氣和中)작용이 있어서 비실건운(脾失健運)하여 습이 몰려 생긴 담증에 적용된다. 청열화담제(淸熱化痰劑)는 청열화담약 위주로 조성되어 청열화담(淸熱化痰), 이기지해(理氣止咳)작용이 있어서 화열내성(火熱內盛)으로 진액이 상하여 생긴 담증에 적용된다. 윤조화담제(潤燥化痰劑)는 윤폐화담약 위주로 조성되어 윤폐청열(潤肺淸熱), 화담지해(化痰止咳)작용이 있어서 폐조진휴(肺燥津虧)하여 허화연액(虛火煉液)으로 생긴 담증에 적용된다. 온화한담제(溫化寒痰劑)는 온폐화담약 위주로 조성되어 온폐익음(溫肺益陰), 화담지해(化痰止咳)작용이 있어서 비신양허(脾腎陽虛)로 인한 한음내정(寒飮內停)이나 폐한유음증(肺寒留飮證)에 적용된다. 화담식풍제(化痰息風劑)는 화담약과 평간식풍약(平肝息風藥)을 배오하여 화담식풍(化痰息風)작용이 있어서 담탁중조(痰濁中阻)와 간풍내동(肝風內動)으로 인한 풍담상요증(風痰上搖證)에 적용된다.

담은 대개 습이 몰려 생기며, 비는 수습을 운화하기 때문에 "비는 담이 생기는 근원(脾爲生痰之源)"이라는 말이 있고, 담은 유형의 사기로 쉽게 기기를 막기 때문에 거담제에는 항상 건비약을 배오하여 담이 생기는 근본을 치료하고, 이기약을 배오하여 기를 잘 다스려 담을 제거한다. 조습화담약의 성질이 대개 온조(溫燥)하여 쉽게 동혈하므로 객혈하는 경향이 있는 환자는 복용을 피한다.

○ 이진탕(二陳湯)『太平惠民和劑局方』

- 조성: 반하(半夏) 귤홍(橘紅) 각 15 복령(茯苓) 9 자감초(炙甘草) 5
- 용법: 함께 갈아 가루를 내어 매번 12g에 생강 일곱 쪽과 오매(烏梅) 한 개를 넣어 물로 달여 복용한다.
- 효능: 조습화담(燥濕化痰), 이기화중(理氣和中)
- 응용: 기침, 담다색백이해(痰多色白而咳), 흉격비민(胸膈痞悶), 오심구토, 권태무력, 현훈 심계, 설태백니(舌苔白膩), 맥활(脈滑)의 습담증(濕痰證)을 치료한다.
- 대상 질환: 어지럼증, 구토, 입덧, 위하수, 숙취, 음식상, 습관성 두통, 뇌출혈, 신경기능병, 만성 기관지염, 폐기종, 만성 위염, 심근허혈, 고지혈증
- 주의 사항: 본 방의 약성은 온조(溫燥)하기 때문에 음허폐조(陰虛肺燥)하여 객혈하는 경우에는 금한다.

○ 온담탕(溫膽湯)『三因極一病證方論』

- 조성: 반하(半夏) 죽여(竹茹) 지실(枳實) 각 6 진피(陳皮) 9 자감초(炙甘草) 3 복령(茯苓) 5
- 용법: 함께 갈아 가루를 내어 매번 15g에 생강 다섯 쪽과 대추 두 개를 넣어 물로 달여 복용한다.
- 효능: 이기화담(理氣化痰), 청담화위(淸膽和胃)
- 응용: 담겁이경(膽怯易驚), 허번불녕(虛煩不寧), 불면 다몽(多夢), 구토 애역(呃逆), 혹 간질, 설태백니미황(舌苔白膩微黃), 맥현활(脈弦滑)의 담위불화 담열내요증(膽胃不和 痰熱內擾證)을 치료한다.
- 대상 질환: 위염, 만성 기관지염, 신경쇠약, 고혈압, 고지혈증, 노이로제, 임신구토, 메니에르 병, 뇌전증

- 주의 사항: 음허혈소(陰虛血少)로 현훈、불면、심계하면 본 방을 사용하지 않는다.

○ **청기화담환**(清氣化痰丸)『**醫方考**』

- 조성: 과루인(瓜蔞仁) 진피(陳皮) 황금(黃芩) 행인(杏仁) 지실(枳實) 복령(茯苓) 각 30 담남성(膽南星) 반하(半夏) 각 45
- 용법: 함께 갈아 고운 가루를 내어 생강즙으로 작은 환을 만들고, 매번 6g을 따뜻한 물로 복용한다. 탕제로도 가능하며, 용량은 원방의 비율에 따라 조절한다.
- 효능: 청열화담(清熱化痰)、이기지해(理氣止咳)
- 응용: 기침、담조색황(痰稠色黃)、해지불상(咳之不爽)、흉격비민(胸膈痞悶)、심하면 기급구오(氣急嘔惡)、설홍태황니(舌紅苔黃膩)、맥활삭(脈滑數)의 담열호결증(痰熱互結證)을 치료한다.
- 대상 질환: 기관지염、급성 기관지폐렴、바이러스성 폐렴、기관지천식、폐간질섬유화、상기도감염、감기、폐렴
- 주의 사항: 본 방의 약성이 한량(寒凉)하기 때문에 평소 비허변당(脾虛便溏)한 사람은 복용을 피한다.

○ **소함흉탕**(小陷胸湯)『**傷寒論**』

- 조성: 황련(黃連) 6 반하(半夏) 12 과루(瓜蔞)(先煎) 20
- 용법: 물로 달인다.
- 효능: 청열화담(清熱化痰)、관흉산결(寬胸散結)
- 응용: 흉완비민(胸脘痞悶)、만지면 통증을 느낌、혹 해담황조(咳痰黃稠)、설태황니(舌苔黃膩)、맥활삭(脈滑數)의 담열호결증(痰熱互結證)을 치료한다.
- 대상 질환: 급만성 위염、급만성 담낭염、만성 췌장염、폐렴、기관지염、흉막염、늑막염、위산과다、담석증、폐기종、협심증、췌장염、위신경증、흉막유착、늑간신경통

○ **곤담환**(滾痰丸)『**丹溪心法附餘**』

- 조성: 대황(大黃)(酒蒸) 황금(黃芩)(酒洗) 각 240 몽석(礞石)(硝石과 같이 煅한다) 30 침향(沈香) 15
- 용법: 함께 갈아 고운 가루를 내어 물로 환을 만들고 매번 5~9g을 하루에 1~2 번씩 식사 후에 옅은 차나 따뜻한 물로 복용한다.
- 효능: 사화축담(瀉火逐痰)
- 응용: 전광경계(癲狂驚悸)、정충혼미(怔忡昏迷)、해천담조(咳喘痰稠)、비민(痞悶)、현훈 이명、구안순동(口眼瞤動)、불면、몽매기괴지상(夢寐奇怪之狀)、골절졸통(骨節卒痛)、열식번민(噎息煩悶)、대변비결、설태황니(舌苔黃膩)、맥활삭유력(脈滑數有力)의 실열노담증(實熱老痰證)을 치료한다.
- 대상 질환: 신경쇠약、조현병、중풍、뇌전증、편두통、노이로제、만성 기관지염、폐감염、만성 결장염、바이러스성 뇌염、조울증
- 주의 사항: 본 방의 약력이 강하기 때문에 평소에 비위허약(脾胃虛弱)、비신양허(脾腎陽虛)、임신부는 모두 피한다. 복용 후에 잠시 설사가 나거나, 일부 환자들에게서 인후점체(咽喉黏滯)、옹색불리(壅塞不利) 혹 경미한 복통이나 이급후중 등 증상이 나타날 수도 있으나, 이는 정기가 사기를 물리치는 정상적인 반응으로 저절로 없어지기 때문에 걱정할 필요가 없다.

○ **패모과루산**(貝母瓜蔞散)『醫學心悟』

- 조성: 패모(貝母) 5 과루(瓜蔞) 3 천화분(天花粉) 복령(茯苓) 귤홍(橘紅) 길경(桔梗) 각 2.5
- 용법: 물로 달인다.
- 효능: 윤폐청열(潤肺淸熱), 화담지해(化痰止咳)
- 응용: 기침, 해담불상(咳痰不爽), 구순인후건조(口脣咽喉乾燥), 설태박백이건(舌苔薄白而乾), 맥세 혹 세삭(脈細或細數)의 조담증(燥痰證)을 치료한다.
- 대상 질환: 급만성 기관지염, 폐기종, 상기도감염, 폐결핵, 기관지폐렴
- 주의 사항: 만약에 음허화요(陰虛火搖)하여 조열도한(潮熱盜汗), 오심번열(五心煩熱) 하면 본 방을 금한다.

○ **영감오미강신탕**(苓甘五味姜辛湯)『金匱要略』

- 조성: 복령(茯苓) 12 감초(甘草) 9 건강(乾薑) 9 세신(細辛) 5 오미자(五味子) 5
- 용법: 물로 달인다.
- 효능: 온폐화음(溫肺化飮)
- 응용: 기침, 담다(痰多) 청희색백(淸稀色白), 흉격비민(胸膈痞悶), 설태백활(舌苔白滑), 맥현활(脈弦滑)의 한음해수증(寒飮咳嗽證)을 치료한다.
- 대상 질환: 만성 기관지염, 기관지확장, 기관지천식, 폐기종

○ **삼자양친탕**(三子養親湯)『韓氏醫通』

- 조성: 백개자(白芥子) 6 소자(蘇子) 9 나복자(蘿蔔子) 9
- 용법: 세 약을 으깨어 거즈로 싸서 달인 탕약을 자주 복용한다.
- 효능: 화담이기(化痰理氣), 강역소식(降逆消食)
- 응용: 기침 천식, 담다흉민(痰多胸悶), 식소난소(食少難消), 설태백니(舌苔白膩), 맥활(脈滑)의 담옹기체증(痰壅氣滯證)을 치료한다.
- 대상 질환: 완고성 기침, 만성 기관지염, 기관지천식, 폐심병, 폐기종
- 주의 사항: 본 방의 약성은 침강(沈降)하기 때문에 이기화담(理氣化痰)하여 표(標)를 치료하는데, 복약후 효과가 있으면 바로 그 본(本)을 치료해야 한다.

○ **반하백출천마탕**(半夏白朮天麻湯)『醫學心悟』

- 조성: 반하(半夏) 9 천마(天麻) 6 복령(茯苓) 9 귤홍(橘紅) 6 백출(白朮) 9 감초(甘草) 3
- 용법: 생강 두 쪽과 대추 3개를 더해 물로 달인다.
- 효능: 조습화담(燥濕化痰), 평간식풍(平肝息風)
- 응용: 현훈두통, 오심구토, 흉격비민(胸膈痞悶), 설태백니(舌苔白膩), 맥현활(脈弦滑)의 풍담상요증(風痰上搖證)을 치료한다.
- 대상 질환: 고혈압, 이원성 어지럼증, 기와증(嗜臥症), 중풍전조증, 뇌동맥경화성 어지럼증, 신경쇠약, 신경성 어지럼증
- 주의 사항: 간신음허(肝腎陰虛)와 간양상항(肝陽上亢)으로 인한 현훈 두통에는 본 방을 금한다.

○ **정간환**(定癎丸)『醫學心悟』

- 조성: 천마(天麻) 패모(貝母) 강반하(姜半夏) 복령(茯苓) 복신(茯神) 각 30 담남성(膽南星) 석창포(石菖蒲) 전갈(全蝎) 강잠(僵蠶) 호박(琥珀) 등심초(燈心草) 각 15 진피(陳皮) 원지(遠志) 각 21 단삼(丹蔘) 맥문동(麥門冬) 각 60 주사(朱砂)(水飛) 9
- 용법: 함께 갈아 고운 가루를 낸 다음, 죽력(竹瀝) 작은 사발 하나와 생강즙 한 잔에 甘草 120g을 넣고 졸여서 膏를 만들어 약가루와 섞어 환을 만들고 주사로 옷을 입힌다. 매번 6g을 하루에 두 번 따뜻한 물로 복용한다.
- 효능: 식풍화담(息風化痰), 개규안신(開竅安神)
- 응용: 갑작스런 발작, 현부도지(眩仆倒地), 인사 불성, 심하면 추축, 구안와사, 담연직류(痰涎直流), 규함작성(叫喊作聲), 및 담열전광(痰熱癲狂)의 담열간증(痰熱癎證)을 치료한다.
- 대상 질환: 뇌전증, 고혈압, 조현병, 우울증, 조울증
- 주의 사항: 본 방은 척담식풍(滌痰息風)하는 힘이 강하기 때문에 간증(癎證)이 계속 발작하여 오래도록 낫지 않아 정기가 허약한 사람은 복용을 금한다.

15. 소식제(消食劑)

소식약을 위주로 조성되어 소식화체(消食化滯) 건비화위(健脾和胃)작용이 있어서 숙식불화(宿食不化), 식적내정(食積內停)을 치료하는 방제로, 소식제라고 한다. '팔법' 가운데 '소법(消法)'에 해당한다.

식적은 항상 폭음 폭식이나 비허불운(脾虛不運)하여 생기기 때문에 소식제는 주로 소식화체(消食化滯)와 건비소식(健脾消食)의 두 가지를 포함한다.

소식화체제(消食化滯劑)는 소식약 위주로 조성되고 대부분 이기, 사하, 거습, 청열한 약을 배오하기 때문에 소식도체(消食導滯)작용이 있어서 과식상중(過食傷中), 식적내정(食積內停)의 증에 적용된다. 건비소식제(健脾消食劑) 역시 소식약 위주로 조성되어 대개 보기건비약을 배오함으로써 익기건비(益氣健脾), 소식화위(消食和胃)작용이 있어서 비위허약, 식적내정증에 적용된다.

식적내정은 항상 기기의 운행을 불창케 할 뿐만 아니라, 쉽게 습과 열이 생긴다. 그러므로 소식제를 처방할 때에는 식, 기, 습, 열의 정도를 잘 파악하여 상응하는 약물을 배오해야 한다. 만약에 식적과 습열이 장위를 막아 적체를 형성하여 복통, 변비, 설사를 일으키면 사하약에 화체공적(化滯攻積)하는 약물을 배오한다.

○ **보화환**(保和丸)『丹溪心法』

- 조성: 산사(山査) 180 신곡(神麴) 60 반하(半夏) 복령(茯苓) 각 90 진피(陳皮) 연교(連翹) 나복자(蘿蔔子) 각 30
- 용법: 함께 갈아 고운 가루를 내어 증편으로 환을 만든다. 매번 9g을 따뜻한 물이나 맥아탕(麥芽湯)으로 하루에 세 번 복용한다. 탕제로도 가능하며, 용량은 원방의 비율에 따라 조절한다.
- 효능: 소식화위(消食和胃)
- 응용: 완복비만창통(脘腹痞滿脹痛), 애부탄산(噯腐呑酸), 염식구토(厭食嘔吐), 설사, 설태후니(舌苔厚膩), 맥활(脈滑)의 식적증(食積證)을 치료한다.
- 대상 질환: 급만성 위염, 만성 담낭염, 만성 췌장염, 설사, 식욕부진, 만성 결장염, 만성 간염, 소화불량, 소아 설사
- 주의 사항: 본 방은 약성이 평화(平和)하고 소식화위(消食和胃)를 주로 하기 때문에 복창통이나 변비가 있으

면 금한다.

○ **지실도체환**(枳實導滯丸)『內外傷辨惑論』

- 조성: 대황(大黃) 30 지실(枳實) 신곡(神麴) 각 15 복령(茯苓) 황금(黃芩) 황련(黃連) 백출(白朮) 각 9 택사(澤瀉) 6
- 용법: 함께 갈아 고운 가루를 내어 끓는 물에 쪄서 떡을 만들어 환으로 빚는다. 매번 6~9g을 따뜻한 물로 하루에 2~3차례 복용한다. 탕제로도 가능하며, 용량은 원방의 비율에 따라 조절한다.
- 효능: 소식도체(消食導滯)、청열거습(清熱袪濕)
- 응용: 완복창통(脘腹脹痛)、설사나 변비、소변단적(小便短赤)、설태황니이후(舌苔黃膩而厚)、맥침삭유력(脈沈數有力)한 식적습열증(食積濕熱證)을 치료한다.
- 대상 질환: 급성 위장염、변비、만성 변비、세균성 이질、담낭염、췌장염、위장기능실조、장염、소화불량、위장기능성 장애、만성 이질
- 주의 사항: 본 방은 사하도체(瀉下導滯)시키는 힘이 강하기 때문에 만약에 설리(泄痢)하면서 적체가 심하지 않거나 설사가 오래 되어 비허(脾虛)하면 꺼린다. 임신부는 사용을 금한다.

○ **지출환**(枳朮丸) (張洁古方〮『內外傷辨惑論』)

- 조성: 지실(枳實) 30 백출(白朮) 60
- 용법: 함께 갈아 고운 가루를 내어 연잎으로 싸서 지은 밥으로 환을 만든다. 매번 5~10g을 하루에 2~3 차례 따뜻한 물로 복용한다.
- 효능: 건비소적(健脾消積)
- 응용: 흉완비만(胸脘痞滿)、식욕부진、먹으면 소화가 안됨、복만설사(腹滿泄瀉)의 비허기체식적증(脾虛氣滯食積證)을 치료한다.
- 대상 질환: 만성 위장염、소화불량、위장노이로제、위십이지장궤양

○ **건비환**(健脾丸)『證治准繩』

- 조성: 초백출(炒白朮) 75 목향(木香) 황련(黃連)(酒炒) 감초(甘草) 각 22.5 복령(茯苓) 60 인삼(人蔘) 45 초신곡(炒神麴) 진피(陳皮) 사인(砂仁) 초맥아(炒麥芽) 산사(山查) 산약(山藥) 육두구(肉豆蔲) 각 30
- 용법: 함께 갈아 고운 가루를 내어 쪄서 환으로 빚는다. 매번 9g을 하루에 2~3차례 식사 전에 따뜻한 물이나 묵은 쌀을 달인 물로 복용한다. 탕제로도 가능하며、용량은 원방의 비율에 따라 조절한다.
- 효능: 건비화위(健脾和胃)、소식지사(消食止瀉)
- 응용: 식소난소(食少難消)、완복비민(脘腹痞悶)、대변당박(大便溏薄)、태니미황(苔膩微黃)、맥상허약(脈象虛弱)의 비허식적증(脾虛食積證)을 치료한다.
- 대상 질환: 만성 위장염、소화불량、만성 간염、만성 담낭염、만성 췌장염、영유아 설사
- 주의 사항: 비허식소(脾虛食少)하고 안에 적체(積滯)가 없는 경우에는 복용을 금한다.

16. 치옹제(治癰劑)

해독소종(解毒消腫)、배농생기(排膿生肌)작용이 있어서 옹저창양(癰疽瘡瘍)을 치료하는 방제로, 치옹제라고 한다.

옹저창양이 체표에 생기기도 하고(外癰), 또 체내에 생기기도(內癰)하기 때문에 치옹제는 치료외옹제(治療外癰劑)와 치료내옹제(治療內癰劑)의 두 가지로 나뉜다.

체표에 발생하는 옹양 가운데, 국부의 홍、종、열、통이 뚜렷하면 양증이라 하고, 국부가 만종(漫腫)、견경(堅硬) 혹은 면연(綿軟)하며 피부색이 변하지 않고 범위가 흩어져 있으면 음증이라고 한다. 체표 옹양의 치료에는 외치법과 내치법의 두 종류가 있으며, 여기에서는 주로 내치의 방제를 소개키로 한다. 외옹의 내치방법은 일반적으로 옹양(癰瘍)의 발전과정의 세 단계(初起、膿成、潰後)로 나누어 소(消)、탁(托)、보(補)의 삼법을 사용한다. 소법(消法)은 옹양이 아직 농을 이루지 않은 초기로, 독산종소(毒散腫消)케 하는데, 양증인 경우에는 청열해독(清熱解毒) 위주로 치료하고, 음증(陰證)인 경우에는 산한화담(散寒化痰) 위주로 치료한다. 탁법(托法)은 옹양의 중기에 정허사함(正虛邪陷)하여 농이 형성되고 터지지는 않은 증에 대해 부정투농(扶正透膿)을 통해 창독(瘡毒)이 쉽게 터지거나 아물게 하려는 것이다. 보법(補法)은 창양 후기에 기혈이 모두 허해서 고름이 맑고 창구가 오래도록 아물지 않는 증에 대해 보익약으로 기혈을 충실케 하여 궤란부위가 잘 아물고 새 살이 돋아나게 하는 것이다.

치료내옹제(治療內癰劑)는 청열해독(清熱解毒)、축어배농약(逐瘀排膿藥) 위주로 조성되어 청해장부열독(清解臟腑熱毒)、거부축어배농(祛腐逐瘀排膿)、산결소종렴창(散結消腫斂瘡)작용이 있다.

치옹제를 사용할 때에는 먼저 창양의 발생부위、성질과 단계를 고려하여 적절한 방제를 선택해야 한다. 옹양 후기에 정기가 부족하면 당연히 溫補해야 하는데, 보(補)가 지나치게 이르거나 순전히 보만 하는 것은 절대로 피해야 한다. 여독이 미진하고 사기로 하여금 머물지 않게 하기 위함이다.

○ 선방활명음(仙方活命飮)『校注婦人良方』

- 조성: 백지(白芷) 패모(貝母) 방풍(防風) 적작(赤芍) 당귀미(當歸尾) 감초(甘草) 초조각자(炒皂角刺) 자천산갑(炙穿山甲) 천화분(天花粉) 유향(乳香) 몰약(沒藥) 각 3 금은화(金銀花) 진피(陳皮) 각 9
- 용법: 물로 달이거나 물과 술을 같은 분량으로 하여 달인다. 약찌꺼기는 짓찧어 피부에 붙인다.
- 효능: 청열해독(清熱解毒)、소종궤견(消腫潰堅)、활혈지통(活血止痛)
- 응용: 국부홍종열통(局部紅腫熱痛)、농(膿)、혹 신열미오한(身熱微惡寒)、설태박백혹박황(舌苔薄白或薄黃)、맥삭유력(脈數有力)의 옹양종독(癰瘍腫毒) 초기 양옹증(陽癰證)을 치료한다.
- 대상 질환: 봉와직염、화농성 편도선염、유선염、농포창、중이염、결막염、비염、구강궤양、농포성 여드름、종기、심부 농양
- 주의 사항: 본 방의 약성은 한량(寒凉)하고 통투(通透)하는 힘이 강하기 때문에 창양(瘡瘍)이 이미 궤란한 경우에는 금한다. 평소 비위가 허약하고 기혈(氣血)이 부족하면 꺼린다.

○ 투농산(透膿散)『外科正宗』

- 조성: 생황기(生黃芪) 12 당귀(當歸) 6 초천산갑(炒穿山甲) 3 조각자(皂角刺) 5 천궁(川芎) 9
- 용법: 물로 달인다.
- 효능: 탁독궤농(托毒潰膿)
- 응용: 옹양으로 안에 이미 농(膿)이 생겼으나 밖으로는 궤(潰)하지 않음、만종무두(漫腫無頭)、혹 산창열통(酸

瘡熱痛)의 옹양종통(癰瘍腫痛)으로 정기가 허하여 탁독(托毒)하지 못하는 경우를 치료한다.
- 대상 질환: 피부근육염, 홍반성 낭창, 임파절결핵, 심부 정맥염, 말초신경염, 연조직 화농성 감염
- 주의 사항: 본 방은 탁법(托法)에 속하는 방제이기 때문에 옹양 초기에 고름이 아직 형성되지 않은 경우에는 금한다.

○ **양화탕**(陽和湯) **『外科全生集』**
- 조성: 숙지황(熟地黃) 30 육계(肉桂) 3 마황(麻黃) 2 녹각교(鹿角膠) 9 백개자(白芥子) 6 포강(炮姜) 2 생감초(生甘草) 3
- 용법: 물로 달인다.
- 효능: 온양보혈(溫陽補血), 산한통체(散寒通滯)
- 응용: 국부만종무두(局部漫腫無頭), 피부색불변(皮膚色不變), 산통무열(酸痛無熱), 구중불갈(口中不渴), 설담태백(舌淡苔白), 맥침세혹지세(脈沈細或遲細)의 양허한응증(陽虛寒凝證)을 치료한다.
- 대상 질환: 음저증(陰疽證), 골결핵, 괴저, 장내기생충 복통, 만성 임파절염, 골막염, 근육낭종, 만성 골수염, 무균성 근육심부 농양, 부인 유선소엽 과형성
- 주의 사항: 외옹(外癰) 陽證에는 본 방을 금한다.

○ **위경탕**(葦莖湯) **『備急千金要方』**
- 조성: 위경(葦莖) 60 의이인(薏苡仁) 15 동과자(冬瓜子) 15 도인(桃仁) 9
- 용법: 물로 먼저 위경을 끓여 즙을 낸 다음, 다시 위경즙으로 나머지 약을 달인다. 탕약이 완성되면 찌꺼기를 버리고 나누어 복용한다.
- 효능: 청폐화담(淸肺化痰), 축어배농(逐瘀排膿)
- 응용: 해토성취황담농혈(咳吐腥臭黃痰膿血), 흉중은은작통(胸中隱隱作痛), 기침을 하면 더 심해짐, 설홍태황니(舌紅苔黃膩), 맥활삭(脈滑數)의 열독옹폐, 담어호결(熱毒壅肺, 痰瘀互結)로 인한 폐옹증(肺癰證)을 치료한다.
- 대상 질환: 화농성 폐농양, 급성 대엽성 폐렴, 기관지폐렴, 바이러스성 폐렴, 백일해, 폐농양, 기관지염, 기관지확장, 폐암

○ **대황목단탕**(大黃牧丹湯) **『金匱要略』**
- 조성: 대황(大黃) 12 목단피(牧丹皮) 3 도인(桃仁) 9 동과자(冬瓜子) 30 망초(芒硝) 9
- 용법: 앞의 네 약을 물로 달이고 나서 찌꺼기를 버리고 망초를 넣은 다음 나누어 복용한다.
- 효능: 사열파어(瀉熱破瘀), 산결소종(散結消腫)
- 응용: 우하복동통거안(右下腹疼痛拒按) 혹은 오른쪽 발을 구부렸다 펴지 못하고 펴면 통증이 더 심해짐, 혹시시발열(時時發熱), 자한오한(自汗惡寒), 설태박황이니(舌苔薄黃而膩), 맥지긴혹활삭(脈遲緊或滑數)의 장옹초기(腸癰初起)의 습열어체증(濕熱瘀滯證)을 치료한다.
- 대상 질환: 급성 충수염, 급성 골반 염증성 질환, 난관 결찰후 감염, 충수농종 혹 결석, 다발성 결장게실증, 경련성 장폐색, 세균성 이질, 방광직장와농종, 자궁직장와농종, 생리통, 폐경, 수란관난소염, 난소낭종, 방광염, 비뇨기계 감염, 신우염, 치질, 직장염, 결장염, 급성 담관감염, 담관회충증, 급성 췌장염, 급성 골반강염
- 주의 사항: 장옹(腸癰)이 궤란된 후나, 노인, 임신부, 산후 환자는 본 방의 사용을 금한다. 중증 급성 화농성이

나 괴저성 충수염, 충수염합병복막염, 영아의 급성 충수염 등의 경우에는 본 방을 사용하지 않는다.

참고문헌

1. 『景岳全書』 張介賓
2. 『霍亂論』 王士雄
3. 『校注婦人良方』 陳自明
4. 『究原方』 張松
5. 『金匱要略』 張仲景
6. 『蘭室秘藏』 李杲
7. 『內科摘要』 薛己
8. 『內外傷辨惑論』 李杲
9. 『丹溪心法』 朱震亨
10. 『丹溪心法附余』 方廣
11. 『東垣試效方』 李杲
12. 『本草衍義』 寇宗奭
13. 『傅青主女科』 傅山
14. 『備急千金要方』 孫思邈
15. 『三因極一病證方論』 陳言
16. 『傷寒論』 張仲景
17. 『傷寒六書』 陶華
18. 『傷寒標本』 劉完素
19. 『仙授理傷續斷秘方』 藺道人
20. 『攝生秘剖』 洪基
21. 『攝生衆妙方』 張時徹
22. 『素問病機氣宜保命集』 劉完素
23. 『小兒藥證直訣』 錢乙
24. 『續名醫類案』 魏之琇
25. 『愼齊遺書』
26. 『十藥神書』 葛可久
27. 『溫病條辨』 吳瑭
28. 『溫熱經緯』 王士雄
29. 『外科全生集』 王維德
30. 『外科正宗』 陳實功
31. 『外臺秘要』 王燾
32. 『魏氏家藏方』 魏峴
33. 『醫林改錯』 王清任
34. 『醫方考』 吳昆
35. 『醫方類聚』 金禮蒙 等
36. 『醫方集解』 汪昂
37. 『醫學啓源』 張元素
38. 『醫學發明』 李杲
39. 『醫學心悟』 程国彭
40. 『醫學衷中參西錄』 張錫純
41. 『雜病證治新義』 胡光慈
42. 『正體類要』 薛己
43. 『重訂嚴氏濟生方』, 嚴用和, 1980, 人民衛生出版社
44. 『重訂通俗傷寒論』 清 俞根初 撰, 徐榮齋 重訂, 2011, 中國中醫藥出版社
45. 『證治准繩』 王肯堂
46. 『此事難知』 王好古
47. 『太平惠民和劑局方』 宋代 太平惠民和劑局
48. 『片玉心書』 李子毅
49. 『韓氏醫通』 韓懋
50. 한의과대학 방제학교수, 방제학, 1999, 영림사
51. 樊巧玲 主編, 中醫學概論, 2010, 中國中醫藥出版社
52. 謝鳴 等, 方劑學, 2012, 人民衛生出版社
53. 李飛 等, 方劑學, 2018, 人民衛生出版社
54. Kim HU et al, A systems approach to traditional oriental medicine, Nature Biotechnology, 33, 264-268, Mar 2015

제 18 장 침구

Acupuncture and Moxibustion

침구(鍼灸)는 한의학이론을 기초로 하며, 침과 뜸으로 인체의 경락과 수혈(腧穴)을 자극하여 경기(經氣)를 소통시키고, 장부 기혈(臟腑氣血)의 기능을 조절한다. 한약과 더불어 한의 임상에서 중요한 치료수단이다. 침과 뜸의 도구와 조작방법은 서로 다르지만, 대부분 함께 사용하기 때문에 전통적으로 침구 혹은 침구요법이라고 하였다. 침구요법은 적응증이 광범위하고, 치료효과도 신속하고 확실하며, 조작이 간편하고, 경제적이며, 안전하다는 장점을 가지고 있기 때문에 이미 세계적으로 널리 활용되고 있다.

제1절 수혈

수혈(腧穴)은 경락이 흐르는 체표에 분포하며, 인체 장부의 경락지기(經絡之氣)가 체표로 통하는 곳이다. 수(腧)는 '수(輸)'와 통하여 전수(轉輸)한다는 의미를 가지며, '혈(穴)'은 구멍을 뜻한다. 인체의 수혈은 모두 각 경락에 속하고, 경락은 또 특정 장부로 예속되어 수혈–경락–장부의 상관관계를 이룬다. 수혈은 침구를 시술하는 부위이며, 임상에서 정확하게 침구를 운용하여 질병을 치료하려면 반드시 수혈의 정위(定位), 귀경(歸經), 주치(主治) 등 기본 지식을 잘 알고 있어야 한다.

1. 수혈의 분류와 작용

1) 수혈의 분류

체표에 분포된 수혈은 매우 많은데, 크게 세 가지로 분류할 수 있다.

(1) 십사경혈(十四經穴)

십사경혈은 십이경맥(十二經脈)과 임맥(任脈) 독맥(督脈)에 분포되어 있는 수혈이며, 일반적으로 '경혈(經穴)'이라고 한다. 경혈은 모두 309개의 대칭혈(對稱穴)과 52개의 단혈(單穴)로 구성되며, 수혈의 대부분을 차지하고 경락을 외부로 반영하는 기초가 된다.

(2) 기혈(奇穴)

기혈은 '경외기혈(經外奇穴)'이라고도 한다. 명칭과 위치는 있지만, 십사경락의 수혈에 포함되지는 않는다.

(3) 아시혈(阿是穴)
아시혈은 '압통점', '천응혈(天應穴)', '부정혈(不定穴)' 등으로도 불린다. 아플 때에 잠시 체표에 나타나는 압통점이나 반응점이다. 이러한 수혈은 구체적인 명칭이 없고 또 고정된 위치도 없기 때문에 옛날에는 "아픈 곳을 급소로 삼았다[1]"고 하였다.

2) 수혈의 작용

(1) 근치작용(近治作用)
근치작용은 수혈 근처의 조직이나 기관의 국소적인 병증을 치료하는 것이다. 이는 모든 수혈이 가지는 주치작용의 공통적인 특징이다.

(2) 원치작용(遠治作用)
원치작용은 주슬(肘膝) 관절 이하에 있는 십이경맥의 수혈로 국소의 병증을 치료할 뿐만 아니라, 해당 경락이 미치는 원거리의 장부、조직、기관의 질환을 치료하는 것이다. 이는 십사경혈이 가지는 주치작용의 기본 원리이다.

(3) 특수작용
특수작용은 일부 수혈이 가지는 이중적인 조절작용을 가리킨다. 예컨대 내관혈(內關穴)을 침자하면 심박동이 지나치게 빠른 경우도 치료하지만 심박동이 지나치게 느린 경우도 치료한다.

2. 수혈의 위치를 정하는 방법

수혈의 위치는 치료효과에 직접적으로 영향을 미치기 때문에 반드시 취혈의 기본 방법을 숙지하고 있어야 한다. 흔히 이용하는 취혈 방법은 다음과 같다.

1) 골도분촌정위법(骨度分寸定位法)
골도분촌정위법을 '골도법(骨度法)'이라고도 하였는데, 인체의 각 부분을 등분하여 매 일등분을 1촌으로 하고, 이를 취혈하는 표준으로 삼았다.

2) 자연표지정위법(自然標識定位法)

(1) 고정표지(固定標識)
몸에서 고정되어 있는 부위를 취혈의 근거로 삼았는데, 예를 들면, 오관(五官)、눈썹과 모발、손발톱、유두、배꼽 및 각종 골 관절돌기 등이다. 이런 표지는 움직이지 않기 때문에 수혈의 위치를 정하는 데에 유리하다.

---
1) 以痛爲輸 (靈樞·經筋)

(2) 활동표지(活動標識)

활동표지는 적절한 동작이나 자세를 취해야만 나타나는 표지이다. 예컨대, 입을 벌리면 귀 구슬 앞쪽에 움푹 들어가는 곳은 청궁(聽宮)이고, 팔을 들면 어깨에 두 군데 움푹 들어간 곳이 생기는데, 앞쪽은 견우(肩髃), 뒤쪽은 견료(肩髎)이며, 주먹을 쥐어 장횡문두(掌橫紋頭)에서 후계(後谿)를 취하는 등이다.

3) 수지동신촌정위법(手指同身寸定位法)

지량정위법(指量定位法)이라고도 한다. 환자의 손가락을 표준으로 하여 수혈의 위치를 정하는데, 만약 의사의 손과 환자의 손의 크기가 비슷하면 의사의 손을 표준으로 할 수도 있다. 주로 쓰는 지량법에는 세가지가 있다.

(1) 중지동신촌(中指同身寸)

환자 중지의 가운데 마디를 굽힐 때 요측(橈側)의 두 단문두(端紋頭) 사이의 거리를 1촌으로 하며, 사지부(四肢部) 혈위를 정할 때의 직촌(直寸)과 배부(背部) 수혈의 횡촌(橫寸)에 이용한다.

(2) 무지동신촌(拇指同身寸)

환자 엄지 관절의 폭을 1촌으로 하며, 1촌을 간격으로 하는 취혈에 이용한다.

(3) 횡지동신촌(橫指同身寸)

검지와 중지를 모아 1.5촌으로 하고, 검지부터 약지까지 네 손가락을 모으고 중지 둘째 마디 위치의 전체 폭을 기준으로 삼아 3촌으로 하는데, 이를 '일부법(一夫法)'이라고도 한다.

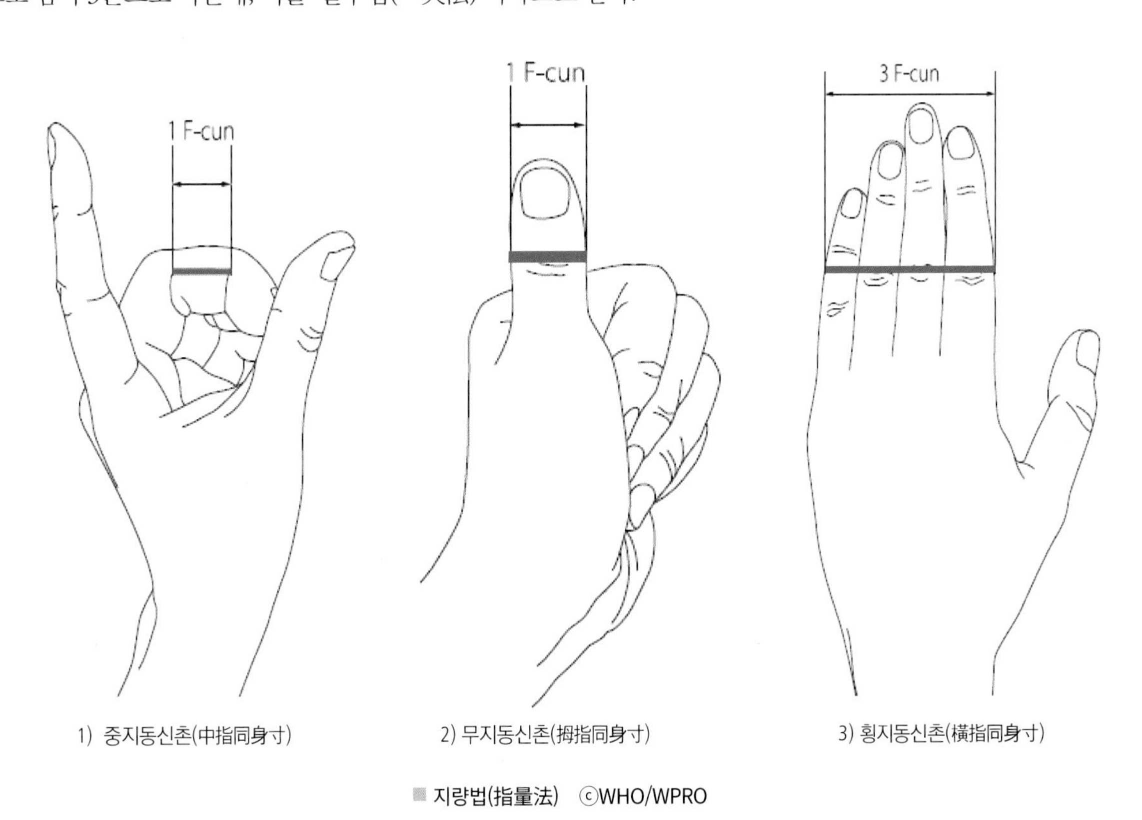

1) 중지동신촌(中指同身寸) 2) 무지동신촌(拇指同身寸) 3) 횡지동신촌(橫指同身寸)

■ 지량법(指量法) ⓒWHO/WPRO

4) 간편정위법(簡便定位法)

임상에서 상용하는 간편한 취혈방법이다. 예를 들면, 두 눈썹 사이를 인당(印堂), 두 유두 사이를 단중(膻中)이라 하고, 양쪽 이첨(耳尖)에서 곧장 올라가 백회(百會)를 취하고, 두 손의 호구(虎口)를 교차하여 열결(列缺)을 취하며, 손을 늘어뜨려 중지 끝이 대퇴부 외측과 만나는 곳을 풍시(風市)라고 하는 등이다.

제2절 침과 뜸을 놓는 방법

1. 자법(刺法)

자법은 침법(鍼法)이라고도 하는데, 침을 인체의 수혈에 자입하여 서경활락(舒經活絡), 조기활혈(調氣活血), 부정거사(扶正袪邪)하고 음양을 조화시키는 치료방법이다.

1) 침자 도구

침자하는 도구를 침구(鍼具)라고도 하는데, 임상에서 상용하는 침구에는 호침(毫鍼), 삼릉침(三稜鍼), 피부침(皮膚鍼), 피내침(皮內鍼) 등이 있다. 그 중에서 호침은 임상적으로 가장 많이 쓰이고 있다. 침을 만드는 재료는 금, 은, 합금 등 다양하다. 현재는 주로 스테인레스 철로 만든 침을 많이 쓰고 있다. 상용하는 호침의 길이는 0.5촌, 1촌, 1.5촌, …, 4촌, 5촌 등이고, 침신의 굵기는 24호, 26호, 28호, 30호, 31호 등이다. 호침의 구조는 침미(鍼尾), 침병(鍼柄), 침근(鍼根), 침신(鍼身), 침첨(鍼尖)의 다섯 부분으로 나눈다.

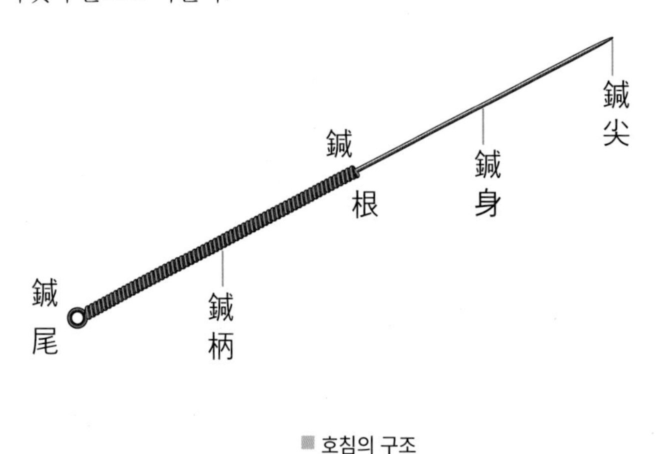

■ 호침의 구조

2) 침자 전의 준비

(1) 침구의 선택

최근에 가장 많이 쓰이고 있는 침 재료는 스테인레스 철인데, 녹슬지 않고, 열에 강하며, 적정한 강도, 탄성과 인성(靭性, toughness)을 지니고 있다. 금이나 은으로 만든 침은 탄성이 떨어지고 가격도 비싸다. 침시술을 하기 전에 반드시 침구를 면밀히 검사하여 시술 과정에서 환자에게 불필요한 고통을 주지 말아야 한다.

환자의 성별、연령、신체조건、체력、병의 허실、병변부위 및 취혈하는 부위에 따라 적당한 길이와 굵기의 침구를 선택해야 한다. 예컨대 체격이 건장하고、뚱뚱하며、병변 부위가 비교적 깊이 있으면 다소 굵고 긴 호침을 선택해야 하고, 체력이 약하고、말랐으며、병변 부위가 비교적 얕으면 짧고 가느다란 호침을 써야 한다. 수혈의 위치에 따라 침을 선택할 때에는 일반적으로 피부가 얇고 살집이 적은 곳과 비교적 얕게 자침해야 하는 수혈의 경우에는 침이 짧고 가늘어야 한다. 피부가 두텁고 살집이 많고 깊이 자침해야 하는 수혈의 경우에는 침신이 좀 길고 두꺼운 호침을 사용해야 한다. 침의 길이는 자침한 후에 침신이 피부에 약간 노출될 정도여야 한다. 예를 들면, 0.5촌을 자입하려면 1촌의 침을, 1촌을 자입할 때에는 1.5촌의 침을 선택한다.

(2) 체위의 선택

침을 놓을 때 환자의 적절한 체위는 시술자의 정확한 취혈과 시술조작에 영향을 준다. 병이 중하거나、체력이 약하고、정신적으로 긴장하고 있는 환자들이 앉는 자세를 취하면 환자가 피로감을 느낄 수 있고 종종 훈침이 발생하기도 한다. 그러므로 자침하려는 수혈에 대해 적당한 체위를 선택해야만 수혈의 정확한 위치를 잡고 침구의 시술조작을 하기에 유리하며 비교적 긴 시간 유침을 해도 환자가 피로해지지 않는다. 임상에서 주로 이용하는 체위는 다음과 같다.

① 앙와위(仰臥位): 머리、얼굴、가슴、배의 수혈과 손、발의 수혈
② 측와위(側臥位): 신체 측면、소양경(少陽經)의 수혈과 손、발의 수혈
③ 복와위(伏臥位): 머리、뒷목、척추、등、허리와 둔부의 수혈과 하지 뒷면 및 상지의 수혈
④ 앙고좌위(仰靠坐位): 앞머리、얼굴과 목 앞의 수혈
⑤ 부복좌위(俯伏坐位): 뒷머리、뒷목과 등의 수혈
⑥ 측복좌위(側伏坐位): 얼굴의 한 쪽 빰 및 귀 앞뒤의 수혈

임상에서는 이상의 상용하는 체위 외에도 일부 수혈에 대해서는 그 특수성을 감안하여 적절한 체위를 선택해야 한다. 초진이거나、정신적으로 긴장하였거나、노인이거나、체력이 약하거나、병이 중한 경우에는 눕혀서 환자가 피로감이나 훈침을 일으키지 않도록 해야 한다.

(3) 소독

자침 전에는 반드시 소독을 잘 해야 하는데, 침구 소독、수혈부위의 소독과 의사의 손소독을 포함한다. 소독하는 방법은 구체적인 조건에 따라 다음의 방법을 이용한다.

① 수침구 소독 : 반드시 일회용 침을 써야 한다. 부득이한 사정으로 침을 재사용하는 경우, 사용한 침자용구를 헝겊으로 잘 싸서 고압 증기멸균소독기에 넣어 15파운드 기압에 120℃ 고온으로 15분간 유지하면 된다.
또한 약물소독도 가능한데, 침구를 75% 에틸 알코올에 30분간 담갔다가 꺼내어 쓰면 된다. 집게 등 기타 용구들은 2% 리졸 (lysol) 용액이나 1:1000 염화수은 (HgCl2) 용액에 1~2시간 담갔다가 사용한다. 전염병 환자에게 썼던 침구는 반드시 별도로 폐기 처분해야 한다. 일반 환자의 경우 한 수혈에 한 개의 침을 써야만 한다.
② 수혈부위와 의사 손가락의 소독: 환자의 수혈부위를 소독할 때에는 75% 에틸 알코올을 이용한다. 수혈과 주변부위를 솜이나 작은 거즈를 이용하여 문지른다. 혹은 먼저 2.5% 요오드 팅크로 소독하고 나서 다시 75% 에틸 알콜로 소독하는데, 그런 다음 절대로 오물을 접촉하지 말아야 한다. 의사의 손가락 소독은 시술 전에 먼저 비누로 깨끗하게 씻은 다음 마르면 75% 에틸 알코올로 문질러 소독한다.

3) 호침자법

(1) 진침법(進鍼法, Needle insertion method)

일반적으로 오른손은 침을 잡으므로 '자수(刺手)'라고 하며, 왼손으로는 보조하므로 '압수(押手)'라고 한다. 자수의 역할은 주로 침구를 집어 침의 자세를 유지하는 것인데, 일반적으로 엄지와 검지로 침병을 잡고 중지는 보조하여 침을 자입할 때에 손가락 힘을 이용하여 침첨이 신속하게 피부를 뚫고 들어가게 하고 다시 돌리면서 더욱 깊이 자입한다. 압수의 주요 역할은 경혈을 고정시키는 것이며, 침이 들어갈 때의 동통을 감소시켜주고, 침신이 이에 의지하여 흔들리거나 휘지 않게 해준다. 임상에서는 한 손으로 자침하기도 하지만, 대부분 두 손으로 다음과 같이 자침한다.

① 지절진침법(指切進鍼法) (Fingernail-pressing needle insertion): 왼손 엄지 손톱으로 경혈 옆을 누르고 오른손으로 침을 집고 자입시킨다.

② 협지진침법(挾持進鍼法) (Hand-holding needle insertion): 변지진침법(騈指進鍼法)이라고도 하는데, 왼손 엄지와 검지로 소독 솜을 잡고 침신 하단을 잡아 침첨을 자침코자 하는 수혈의 표면위치에 고정시키고 오른손으로 침병을 돌리면서 침을 수혈에 자입한다. 이 방법은 장침(長鍼)을 쓸 때 주로 사용한다.

③ 제날진침법(提捏進鍼法) (Pinching needle insertion): 왼손 엄지와 검지로 침자부위의 피부를 들어올리고 오른손으로 침을 잡아 들어올린 경혈피부의 상단에서부터 침을 자입한다. 이 방법은 피육이 얕고 엷은 부위(얼굴)의 수혈을 자침할 때 주로 사용한다.

④ 서장진침법(舒張進鍼法) (Skin-spreading needle insertion): 왼손 엄지와 검지로 침자부위의 피부를 양쪽으로 벌려서 피부를 잡아당긴 다음(두 손가락의 힘이 같아야 함) 오른손으로 침을 잡고 왼손의 엄지와 검지 사이 중간으로부터 자입한다. 이 방법은 피부가 느슨하거나 주름진 부위(복부) 수혈을 자침할 때 주로 사용한다.

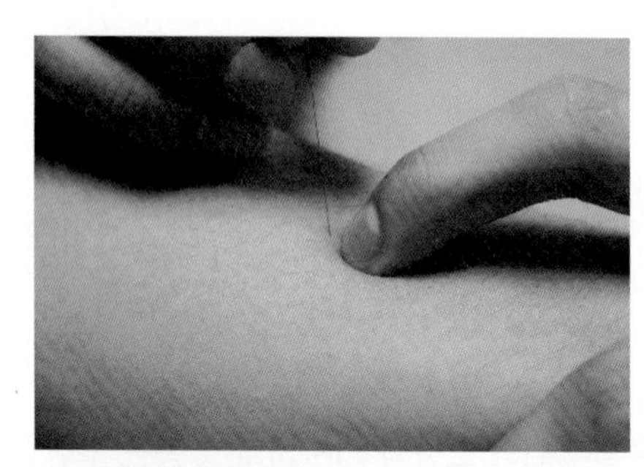

지절진침법(指切進鍼法)

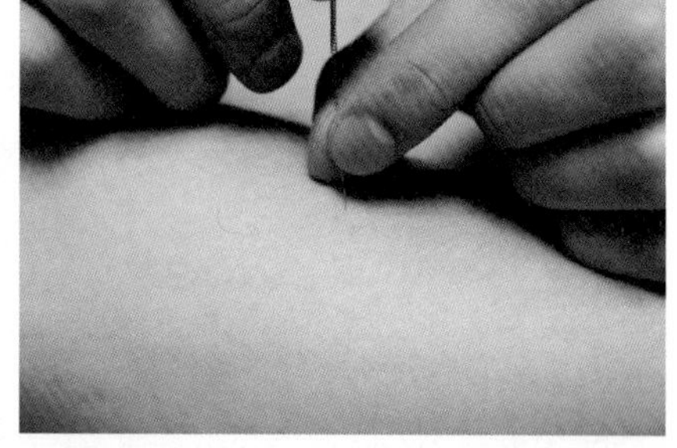

협지진침법(挾持進鍼法)

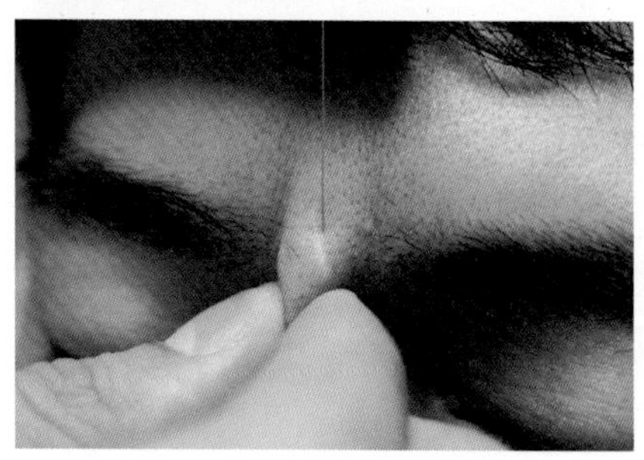

제날진침법(提捏進鍼法)

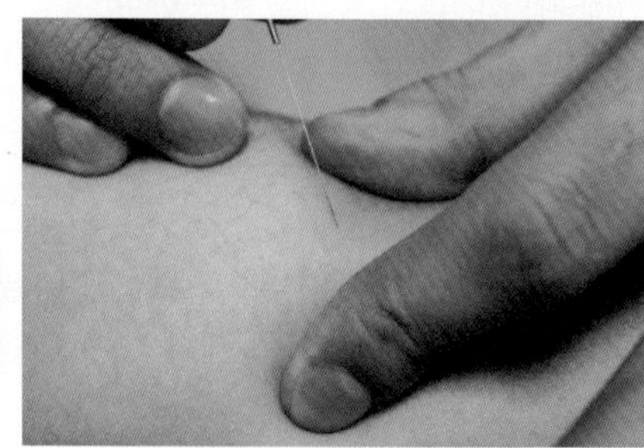

서장진침법(舒張進鍼法)

(2) 침자의 각도와 깊이 (Angle and depth of needle insertion)

침을 자입하는 과정에서 침자의 각도와 깊이를 정확하게 파악하는 것은 침감을 증강시키고 치료효과를 높이며 의외의 사고를 방지하는 중요한 관건이 된다. 같은 수혈이라도 침자의 각도、방향、깊이가 다르면 침감의 강약、전도되는 감각의 방향과 치료효과도 뚜렷하게 달라진다. 임상에서 침자의 각도와 깊이는 시술부위와 병정 및 환자 체력의 강약、체형의 비만과 수척한 상태 등 구체적인 정황을 종합적으로 고려해서 결정해야 한다.

① 각도 (Angle): 침자 각도는 침이 들어갈 때 침신과 피부표면이 이루는 각도를 가리키며, 일반적으로 직자(直刺)、사자(斜刺)와 평자(平刺)의 세 가지이다.

- 직자(直刺) (Perpendicular insertion): 침신과 피부표면이 90°를 이루면서 수직으로 자입하는데, 이 방법은 대부분의 수혈, 특히 허리、배、사지부위 수혈에 적용된다.
- 사자(斜刺) (Oblique insertion): 침신과 피부표면이 45°를 이루어 자입한다. 이 방법은 피부가 엷고 중요한 장기가 있는 가슴、등 부위 등의 수혈에 적용된다.
- 평자(平刺) (Transverse insertion): '연피자(沿皮刺)' 혹은 '횡자(横刺)'라고도 한다. 침신과 피부표면이 10°~20°를 이루면서 자입한다. 이 방법은 피육이 특히 얇은 머리나 흉골부위 등의 수혈에 적용된다.

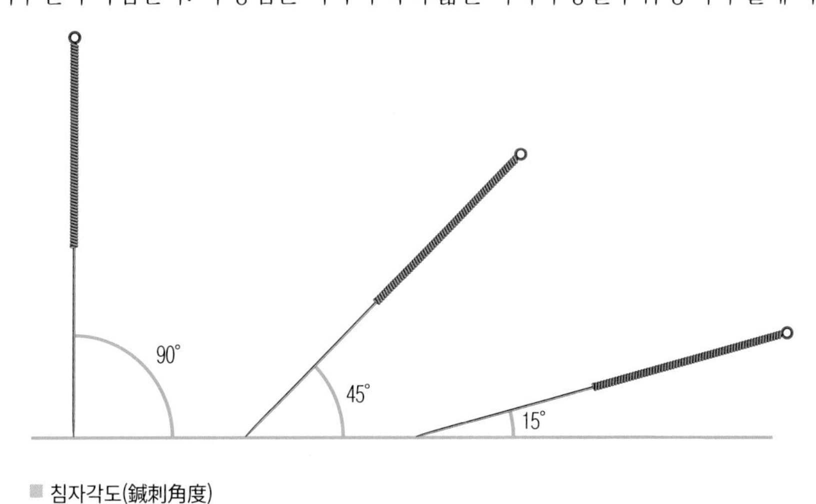

■ 침자각도(鍼刺角度)

② 깊이 (Depth): 침자의 깊이는 침신이 피부와 근육에 자입되는 깊이이다. 일반적으로 침감이 있어야 하고 중요한 장기를 상하지 않는 것을 원칙으로 한다. 임상에서 다음의 경우를 고려하여 정한다.

- 연령: 노인이나 소아 등 약한 사람들은 천자(淺刺)하며, 청장년으로 신체가 건장하면 심자(深刺)한다.
- 형체: 마른 사람은 천자하고, 건장하고 뚱뚱한 사람은 심자한다.
- 부위: 머리、얼굴、가슴、등 및 피부가 얇고 살집이 적은 부위의 수혈은 천자하고, 팔다리、엉덩이、배 또는 살집이 풍만한 곳의 수혈은 심자한다.
- 병정: 양증(陽證)이나 새로운 병이면 천자하고, 음증(陰證)이나 오래된 병이면 심자한다.
- 계절: 봄과 여름에는 천자하고, 가을과 겨울에는 심자한다.

침자의 각도와 깊이는 서로 밀접한 관계를 가지고 있다. 일반적으로, 심자는 대개 직자하고, 천자는 대개 사자나 평자한다. 아문(啞門)、풍부(風府)、풍지(風池)、천돌(天突)이나 흉복부와 같이 주요 장기가 있는 부위의 수혈은 더욱 주의해서 침자의 각도와 깊이를 숙지해야 한다.

(3) 행침(行鍼, Needle manipulation)과 득기(得氣, Obtaining qi/deqi)

자침한 다음 환자로 하여금 침감을 느끼게 하기 위해서 행하는 수기법을 '행침'이라고 한다. 환자는 침자부위에서 산(酸)、마(麻)、창(脹)、중(重)이나 부위를 따라 특정한 방향으로 확산되고 전도되는 느낌을 가지며, 의사는 손 끝에서 일종의 침긴(沈緊)하거나 삽체(澀滯)한 감각을 가지는데, 이를 '득기' 혹은 침감(鍼感, needle sensation)이라고 한다. 침감의 유무와 강약은 치료효과와 밀접한 관계를 가지고 있다. 임상적으로 득기가 빠르면 치료효과도 좋고 득기가 비교적 느리면 치료효과도 떨어지며 만약 득기가 없으면 치료효과는 더욱 저조하거나 없다. 그러므로 침자 과정에서 득기가 느리거나 없으면 행침하여 최기(催氣)하거나 유침하여 후기(候氣)함으로써 득기가 되도록 하여 치료효과를 증강해야 한다.

행침의 기본 수기법은 제삽법(提揷法, lifting-thrusting method)과 염전법(捻轉法, twirling method)이다. 제삽법은 침을 수혈에 자입하여 일정한 깊이에 도달하면 침을 상하로 진퇴시키는 조작방법이다. 침을 더 깊이 자입하는 것을 '삽(揷)'이라 하고, 위로 올리는 것을 '제(提)'라고 한다. 염전법은 침이 수혈의 일정 깊이에 도달하면 오른손 엄지와 검지、중지로 침병을 잡고 앞으로 뒤로 회전시키는 조작방법이다. 이상의 두 가지 방법은 임상에서 필요에 따라 단독으로 사용해도 좋고 또 서로 배합해서 운용하기도 한다. 침이 수혈의 일정한 깊이에 도달하면 득기를 하기 위하여 순법(循法, massage along meridian)、괄병법(刮柄法, handle-scraping method)、탄병법(彈柄法, handle-flicking method)、차병법(搓柄法, handle-twisting method)、요병법(搖柄法, handle-waggling method)、진전법(震顫法, trembling method) 등을 보조적으로 쓸 수 있다.

(4) 침자보사(鍼刺補瀉, Supplementation and draining by needle insertion)

침자보사는 수혈에 자침하여 적절한 수기법으로 경기(經氣)를 움직여 정기를 보하거나 병사(病邪)를 몰아냄으로써 인체의 장부 경락 기능을 조절하여 침자의 치료효과를 높이는 수기법으로, 보허(補虛)와 사실(瀉實)의 두 측면을 포함하고 있다. 임상에서는 같은 수혈에 다른 수기법을 운용하여 상반된 작용을 일으키기도 한다. 예를 들어 합곡(合谷)은 땀을 내기도 하지만 땀을 그치게도 하며, 내관(內關)은 토하게도 하지만 멈추게도 하고, 천추(天樞)는 대변을 통하게 하면서도 설사를 멎게 한다. 그러나 조작과정에서 반드시 득기를 전제로 병정의 허실에 근거하여 보법이나 사법을 택한다. 보법은 정기의 회복을 도와주고, 사법은 병사를 몰아내는 데에 유리하므로 질병을 치료하는 효과를 거둘 수 있다. 오랜 기간에 걸쳐 다양한 보사수기법이 개발되었는데, 현재 임상에서 많이 사용하고 있는 보사수기법은 다음과 같다.

주요 단식(單式) 보사수기법

	보법(補法)	사법(瀉法)
염전보사(捻轉補瀉, twirling method)	염전하는 각도가 작고, 서서히 돌리며, 힘을 적게 주고, 조작시간이 짧다. 엄지가 앞을 향하도록 돌린다.	염전하는 각도가 크고, 빨리 돌리며, 힘을 주고, 조작시간이 길다. 검지가 앞을 향하도록 돌린다.
제삽보사(提揷補瀉, lifting-thrusting method)	먼저 얕게 나중에 깊게, 무겁게 내리고 가볍게 올리며, 제삽의 폭이 작고, 서서히 행하며, 조작시간이 짧다.	먼저 깊게 나중에 얕게, 가볍게 내리고 무겁게 올리며, 제삽의 폭이 크고, 빨리 행하며, 조작시간이 길다.
서질보사(徐疾補瀉, slow-quick method)	서서히 자입하고, 빠르게 뺀다.	빠르게 자입하고, 서서히 뺀다.

개합보사(開闔補瀉, open-closed method)	침을 빼고 나서 바로 침공(鍼孔)을 누른다.	침을 빼고서 침공을 그대로 둔다.
영수보사(迎隨補瀉, directional method)	침첨이 경맥이 순행하는 방향을 향하여 자침한다.	침첨이 경맥을 역행하는 방향을 향하여 자침한다.
호흡보사(呼吸補瀉, respiratory method)	숨을 내쉬면서 자침하고 들이쉬면서 침을 뺀다.	숨을 들이쉬면서 자침하고 내쉬면서 침을 뺀다.
평보평사(平補平瀉, neutral method)	자침후에 고르게 제삽 및 염전을 시행하고, 득기 후에 침을 뺀다.	

이상의 보사수기법을 임상에서 결합하여 사용하는 것이 복식 보사수기법이다. 소산화법(燒山火法, Mountain-burning fire method)나 투천량법(透天凉法, heaven-penetrating cooling method) 등 복식 보사수기법은 이러한 기본 수기법을 바탕으로 만들어진 것이다.

(5) 유침(留鍼, Needle retention)과 출침(出鍼, needle withdrawal)

① 유침: 자침하고나서 침을 머물게 하면 침자의 지속작용을 강화하는 데에 유리하다. 일반적인 질병의 경우 침으로 득기가 되면 바로 침을 뺀다. 예컨대 만성 질병의 경우에는 10~30분 정도 유침하고, 급성 복통、파상풍、각궁반장(角弓反張)、완고한 한성(寒性) 통증이나 경련성 병증과 같은 경우에는 유침시간을 연장할 수 있는데, 때로는 수 시간 동안 유침하는 경우도 있다. 유침 과정에서 간헐적으로 행침하여 일정한 자극량을 유지하면 치료효과를 증강시킬 수 있다.

② 출침: 침을 뺄 때에 먼저 왼손 엄지와 검지로 소독솜을 집어 침공 주위 피부를 누르고, 오른손으로는 침을 잡고 가볍게 염전하면서 서서히 피하까지 들어 올린 다음 침을 뺀다.

4) 비상시의 처리와 예방

(1) 훈침(暈鍼, Faint during acupuncture treatment)

환자가 정신적으로 긴장하고、체력이 약하며、피로、굶주린 상태、부당한 체위 혹은 지나친 수기법 등으로 종종 자침이나 유침과정 중에 '훈침'이 발생할 수 있다. 훈침이 발생하면 환자가 갑자기 피로나 권태감을 느끼고、어지러우며、안색이 창백해지고、속이 울렁거리면서 토할 것 같고、가슴이 두근거리고 땀이 나며、손발이 차가워지고、혈압이 떨어지면서 맥상이 침세(沉細)해지거나、심하면 정신이 없으면서 인사불성하고、입술과 손톱이 청자색으로 변하며、대소변 실금이 있고、맥상이 미세하여 끊어질 것 같은 현상이 나타난다. 만약에 훈침이 발생하면 바로 침을 모두 빼고 환자를 똑바로 눕히며 따뜻하게 해준다. 가벼운 경우 누우면 바로 회복되고 따뜻한 물이나 설탕물을 마시면 이내 정상으로 회복된다. 심한 경우에는 이상의 처리를 하고나서 인중(人中)、소료(素髎)、내관(內關)、족삼리(足三里)를 지압하거나 자침하고, 백회(百會)、관원(關元)、기해(氣海) 등에 뜸을 뜨면 점차 회복된다. 처음으로 침을 맞거나 정신적으로 지나치게 긴장하거나 신체가 허약한 사람에게는 먼저 잘 설명해주어 침에 대한 두려움을 없애고 동시에 편안한 체위를 택하게 한다. 누운 자세가 가장 좋으며, 수혈은 적게 선택하고 수기법도 가볍게 한다. 또한 환자에게 자침 과정에서 갑자기 어지럽거나 가슴이 답답하고 토할 것 같은 증상 등을 느끼면 반드시 바로 의사에게 말하도록 일러 두어야 한다. 의사 역시 환자의 안색을 잘 살피고 그 느낌을 물어보아야 하고, 일단 훈침의 기미가 보이면 바로 조치를 취해야 한다. 지나치게 굶었거나 피로한 환자의 경우에는 음식을 먹고 휴식을 취한 다음 다시 침 치료하도록 한다.

(2) 체침(滯鍼, Stuck needle)

자침하고 나서 환자가 정신적으로 긴장하면 국소의 근육을 강하게 수축시키고, 또 의사가 행침하면서 지나치게 염전하거나 혹은 연속해서 한 방향으로만 염전하면 근섬유가 침신을 감아서 제삽 염전과 출침이 곤란해지는데, 이를 '체침'이라고 한다. 이러한 경우에는 원인에 따라 처리해야 한다. 만약 정신적으로 긴장해서 국소 근육이 잠시 연축된 경우라면 자침한 혈주위를 문지르거나 근처의 수혈에 침을 놓아 기혈을 풀어주면 체침 부위 근육의 긴장이 풀려서 침을 뺄 수 있게 된다. 만약에 한 방향으로만 염전하여 근육섬유가 침신을 감고 있는 경우라면 반대 방향으로 서서히 염전하면서 동시에 계속해서 가볍게 제삽을 하거나, 괄병(刮柄)하거나 탄병법(彈柄法)으로 감고 있던 근섬유를 풀면서 서서히 침을 뺀다.

(3) 만침(彎鍼, Bending of the needle)

자침하는 기술이 숙련되지 못하거나, 다루는 손가락 힘이 고르지 못하거나, 지나치게 힘을 쓰거나, 너무 서둘러 자침을 하여 침첨이 체내의 단단한 조직이나 기관을 만나거나, 혹은 유침 상태에서 체위를 바꾸면 체내에서 침신이 구부러지는데, 이를 '만침'이라고 한다. 만침이 발생하면 제삽 염전 및 출침이 곤란해지고 환자도 통증을 느끼게 된다. 이 때에는 발생 원인을 잘 살펴 처리한다. 일반적으로 왼손으로 침자 부위를 누르고 오른손으로 침병의 경사방향을 따라 천천히 침을 빼는데, 빼면서 침병의 경사방향을 계속 확인해야 한다. 만약에 환자가 체위를 바꾸었다면 환자로 하여금 천천히 원래의 체위로 돌아가게 하여 국소의 근육이 이완되면 다시 침을 서서히 빼는데, 침이 체내에서 부러지지 않도록 하기 위해서 강제로 빼지 않는다.

(4) 단침(斷鍼, Needle breakage)

만약 침의 품질이 나쁘거나, 침근과 침신이 손상 부식되었거나, 행침 시 무리하게 제삽 염전하여 근육이 갑자기 수축되거나, 유침 시 환자가 제멋대로 체위를 바꾸거나, 만침이나 체침을 잘 처리하지 못하면 침이 부러지게 된다. 이때에 의사는 반드시 침착하게 대처해야 한다. 환자로 하여금 절대로 원래의 체위를 바꾸지 않도록 하여 부러진 침이 근육 더 깊이 들어가지 않도록 한다. 만약에 부러진 침의 끝이 아직 체표로 나와 있으면 집게를 이용하여 끄집어낸다. 만약 부러진 침의 끝이 겨우 보이거나 피하로 살짝 들어가 있으면 왼손 엄지와 검지를 이용하여 수직으로 침의 양쪽을 눌러 부러진 침이 밖으로 드러나게 한 다음 집게를 이용하여 끄집어낸다. 만약에 부러진 침이 이미 완전히 피하나 근육 깊은 곳으로 들어갔다면 x-ray로 위치를 확인한 다음 수술해서 꺼낸다. 단침의 사고를 예방하기 위해서는 먼저 침구를 자세히 검사해야 하며, 침자할 때에는 침신 전체를 수혈에 자입하지 말고 침체의 1/4 정도를 체외에 남아 있도록 해야 하는데, 이는 침근부가 가장 취약하여 그 부분이 쉽게 부러질 수 있기 때문이다. 그리고 만침이나 체침 시 적절히 처리하여 단침의 가능성을 없애야 한다.

(5) 혈종(血腫, Hematoma)

침을 빼고 나서 침공에 약간의 출혈이 있으면서 부분적으로 청자색의 반점이 남는 경우에는 특별히 처리하지 않아도 며칠 후면 저절로 사라진다. 그러나 무리하게 자침하거나 침첨이 다소 거칠어 피육이나 혈관을 손상시키면 그 부위가 비교적 심하게 붓고 통증이 발생하면서 피부가 조금 넓게 청자색으로 변하고, 심한 경우 활동에도 지장을 준다. 이 때에는 먼저 냉찜질을 하여 지혈시킨 다음 다시 온찜질을 하거나 가볍게 그 부위를 문질러 어혈이 흩어져 흡수되도록 한다.

5) 침자의 주의사항

(1) 환자가 굶었거나 피로하거나 정신적으로 많이 긴장되어 있으면 침을 놓지 않는다. 체력이 약한 환자에게는 자극을 너무 강하지 않게 하고, 가능하면 눕힌 채로 시술한다.

(2) 임신 3개월 이하인 경우에는 하복부에 침을 놓지 않는다. 임신 3개월 이상인 경우에는 배와 허리, 그리고 합곡, 삼음교(三陰交), 곤륜(崑崙), 지음(至陰)과 같이 자궁을 수축시킬 수 있는 혈위에는 자침하지 않는다.

(3) 소아의 숨골이 아직 닫히지 않은 경우, 머리 정수리 부분의 수혈은 자침하지 않는다. 또한 소아에게는 유침하지 않는다.

(4) 혈관은 자침하지 않는다. 자발성 출혈이나 손상 후 출혈이 멈추지 않는 환자는 함부로 침을 놓지 않는다.

(5) 피부에 감염, 궤양, 반흔(瘢痕)이나 종양이 있으면 그 부위에는 침을 놓지 않는다.

(6) 중요한 장기나 기관의 손상을 막기 위하여 다음 사항에 주의해야 한다.

① 눈 주위에 자침할 때에는 각도와 깊이에 주의해야 하며, 안구나 혈관을 손상하지 않도록 염전이나 제삽을 무리하게 하거나 장시간 유침하지 않는다. 침을 뺄 때에는 침공을 잘 눌러서 출혈이 되지 않도록 한다.

② 등 부위 11번째 흉추의 양측, 측면부 액와정중선의 8번째 늑간, 앞가슴 쇄골중심선의 6번째 늑간 이상의 수혈은 심장이나 폐를 찌를 수 있는 직자와 심자를 하지 말아야 하고, 특히 폐기종 환자의 경우에는 기흉이 발생하지 않도록 더욱 주의하여야 한다.

③ 양 갈비뼈 부근이나 신장이 위치한 곳에는 간, 비장 및 신장을 상할 수 있는 직자와 심자를 해서는 안되며, 특히 간종대나 비장종대가 있는 환자는 더 주의해야 한다.

④ 위궤양, 장유착증, 장폐색증 환자의 복부와 요폐 환자의 치골결합은 침자의 각도와 깊이에 주의해야 한다. 만약 침자가 잘못되면 위장관이나 방광을 상할 수 있다.

⑤ 뒷목과 등 부위 정중선 1째 요추 이상의 수혈을 자침하는 경우, 침의 각도와 깊이가 잘못되면 연수나 척수를 상하여 심각한 결과가 발생할 수 있다. 이러한 수혈을 자침하는 경우, 일정한 깊이에 도달하여 환자가 사지나 전신으로 감전되는 느낌이 퍼져 나가면 바로 침을 빼야 하고 절대로 침을 만지작거려서는 안된다.

2. 뜸(구법, 灸法, Moxibustion)

뜸은 쑥이나 한약을 체표 혈위에 훈고(熏烤), 소작(燒灼), 온탕(溫燙), 부첩(敷貼)하여 열의 자극과 약물의 작용을 빌어 경락의 전도를 통해 경락을 온통(溫通)시키고 부정거사(扶正祛邪)한다.

뜸은 잘 연소되는 물질을 이용하는데, 쑥을 주로 쓴다. 쑥 잎을 곱게 다듬은 뜸쑥으로 쑥 심지나 쑥막대기를 만들어 수혈 위에 불을 붙여 태우면 온일 자극을 통해 행기통경(行氣通經), 활혈축어(活血逐瘀), 회양구역(回陽救逆) 등 작용을 함으로써 질병을 예방 치료하는 방법이다.

1) 주로 사용하는 구법

임상에서 주로 쓰는 구법은 애주구(艾炷灸), 애조구(艾条灸), 온침구(溫鍼灸)의 세 가지로 나누는데, 병의 상황과 조건에 따라 골라서 사용한다.

(1) 애주구(艾炷灸, Moxa cone moxibustion)

애주구는 질이 좋은 뜸쑥을 원추형으로 만드는데, 큰 것은 대추씨의 절반 크기로 하고, 작은 것은 보리의 절반 크기로 한다. 뜸 뜰 때에 뜸쑥 하나가 다 타면 한 장(壯)이라고 한다. 애주구는 직접구(直接灸)와 간접구(間接灸)의 두 가지로 나눈다.

① 직접구 (Direct moxibustion): 뜸쑥을 수혈 위에 놓고 직접 태운다. 병의 상태와 연소의 정도가 다르기 때문에 반흔구(瘢痕灸)와 무반흔구(無瘢痕灸)로 나눈다.

- 반흔구 (Scarring moxibustion): 화농구(化膿灸)라고도 한다. 시술 전에 마늘 즙을 내어 시술 부위에 발라서 잘 붙고 자극이 강해지도록 하며, 그 다음 적절한 크기의 뜸쑥을 태운다. 뜸쑥이 다 타면 재를 제거하고 이어 계속해서 뜸을 뜬다. 일반적으로 5~7장을 뜨며, 국소적인 화상을 입어 물집이 잡히고 화농하고 나면 5~6주 후에 상처는 저절로 아물고 반흔이 남는다. 뜸을 뜨는 과정에 아플 때에는 의사가 손으로 뜸 뜨는 부위 주변을 계속해서 두드려주어 통증을 줄여 준다. 이 방법은 천식、폐로(肺癆)、나력(瘰癧) 등 완고한 만성 질환을 치료할 때에 사용한다.
- 무반흔구 (Non-scarring moxibustion): 뜸을 뜨려고 하는 부위에 소량의 바세린을 발라 잘 붙어 있게 하고 적당한 크기의 뜸쑥을 놓고 불을 붙여 반쯤이나 2/3 정도 타면서 환자가 뜨거운 통증을 느낄 때 바로 다 타지 않은 뜸쑥을 제거하고 새로운 뜸쑥으로 계속해서 뜸을 뜨는데, 국부가 충혈되어 발갛게 되면 멈춘다. 이 구법은 피부를 상하지 않기 때문에 뜸을 뜨고 나도 반흔이 남지 않는데, 다양한 허한성(虛寒性) 질환에 적용된다.

② 간접구 (Indirect moxibustion): 뜸쑥 아래 한 층의 간격물을 놓아 피부를 직접적으로 태우지 않도록 한다. 간격물은 병인이나 병증에 따라 선택할 수 있다.

- 격강구(隔薑灸, Moxibustion on ginger): 생강을 직경 약 2~3cm, 두께 약 0.2~0.3cm의 박편으로 만들고, 가운데에 침으로 구멍을 여러 개 뚫어 시술부위에 놓고 뜸쑥으로 뜸을 뜬다. 환자가 뜨거운 통증을 느끼면 뜸쑥을 바꾸어 피부가 발갛게 될 때까지 뜸을 뜬다. 이 방법은 한증(寒證)의 구토、복통、설사 및 풍한비통(風寒痺痛) 등에 적용한다.
- 격산구(隔蒜灸, Moxibustion on garlic): 마늘을 대략 0.2~0.3cm의 박편으로 만들어 격강구와 같은 방법으로 시행한다. 이 방법은 옹저(癰疽) 초기、나력、폐로나 독충에 물렸을 때 적용한다.
- 격약병구(隔藥餠灸, Moxibustion on medicinal cake): 주로 부자병구(附子餠灸)를 이용한다. 부자를 갈아서 분말로 만들어 술과 버무려 직경 3cm 두께 0.8cm의 부자병(附子餠)을 만들어 격강구와 같은 방법으로 시행한다. 명문화쇠(命門火衰)로 인한 양위(陽痿)、조설(早泄)이나 창양(瘡瘍)이 오래되어 궤양이 아물지 않는 데에 적용한다.
- 격염구(隔鹽灸, Moxibustion on salt): 식염을 배꼽 위에 고르게 메우거나, 소금 위에 얇은 생강편을 놓고 큰 뜸쑥으로 뜸을 뜬다. 회양구역(回陽救逆)하는 효과가 있어서 설사하면서 사지가 시리거나 맥복허탈(脈伏虛脫)한 환자에게 탁월한 효과가 있고, 아울러 허한성 복통、하리(下痢)、산통(酸痛) 등의 증상을 치료한다.

(2) 애조구(艾条灸, Moxa stick moxibustion)

쑥막대기의 한 쪽 끝에 불을 붙인 다음, 뜸 뜨려고 하는 수혈과 일정한 거리를 두고 훈구하는데, 환자가 온열감이나 가벼운 작통감(灼痛感)을 느끼게 한다. 한번은 가까이 한번은 멀리, 마치 참새가 부리로 쫒는 것처럼 훈구(薰灸)하거나, 빙빙 돌리면서 훈구할 수 있는데, 국부가 발갛게 될 때까지 한다. 이 법은 사용이 간편하여 일반적으로 뜸이 가능한 질환에는 모두 적용할 수 있다.

(3) 온침구(溫鍼灸, Warm needling moxibustion)

호침으로 유침하는 동안 대추 크기의 뜸쑥을 침병에 씌우고 불을 붙인 다음 뜸쑥이 다 타면 다시 새로 갈거나, 혹은 침병 위에 1.5cm 크기의 비교적 가느다란 쑥막대기를 꽂아 놓고 뜸을 뜬다. 이 방법은 열이 침신을 통과하여 수혈에까지 전달하게 하는데, 특히 한습(寒濕)으로 인한 비증(痺證)에 좋다.

2) 구법의 적응증과 금기

(1) 적응 범위

만성 질환과 양기가 부족한 병에 속하는 구사(久瀉)、구리(久痢)、구학(久瘧)、담음、부종、한효(寒哮)、양위(陽痿)、유뇨、산기(疝氣)、탈항、위비(痿痺)、복통、위통、부녀의 기허혈붕(氣虛血崩)、노인 양허다뇨(陽虛多尿)와 허탈(虛脫)을 구하고, 나력이나 음저(陰疽) 등 모든 허한성 질병에도 고루 적용할 수 있다.

(2) 금기증

대열증(大熱證)과 음허발열증(陰虛發熱證)에는 뜸을 뜨지 않는다. 얼굴、오관(五官)과 큰 혈관이 있는 부위도 반흔구를 하지 않는다. 부녀 임신기에는 아랫배와 요천추부에 뜸을 뜨지 않는다.

3) 뜸 뜰 때의 주의사항

(1) 체위(體位)

뜸 뜰 때와 침을 놓을 때의 체위가 동일한데, 편안하고 자연스럽게 하여 오래 견딜 수 있는 것이 원칙이고, 체위가 평직(平直)하면 뜸을 뜨기에 좋다.

(2) 정확한 점혈(点穴)

뜸 뜨기 전에 먼저 수혈을 점으로 표시해 놓고 뜸쑥을 수혈 위에 놓고 불을 붙여 뜸을 뜬다.

(3) 선후 순서

먼저 인체의 상부에 뜸을 뜨고 나서 하부에 뜸을 뜨며, 먼저 등과 허리부위에 뜸을 뜨고 나서 가슴과 배부위에 뜸을 뜬다. 먼저 체간부에 뜸을 뜨고 나서 사지에 뜸을 뜨는 등의 순서에 따라 뜸을 뜬다. 그러나 특수한 경우에는 이에 구애받지 않는다.

(4) 뜸 뜨는 표준

사용하는 뜸쑥의 크기、횟수나 쑥막대기로 뜸 뜨는 시간은 환자의 상태、체질、연령과 뜸 뜨는 부위에 따라 결정된다. 대개 질병 초기나 체력이 강하면 뜸쑥이 커야 하고, 장수(壯數)도 많다. 오래된 병이나 체력이 약하면 뜸쑥의 크기가 작아야 하고 장수도 적어야 한다. 사지 말단과 살이 적은 부위에는 뜸을 많이 뜨지 말아야 하고, 배와 등과 근육이 발달한 부위에는 뜸을 많이 뜬다. 부녀와 아동은 뜸쑥이 작고, 성인 남성은 큰 뜸쑥을 이용한다. 일반적으로 뜸쑥은 1회에 3~5장이나 5~7장을 사용하며, 쑥막대기는 대개 10~15분 정도 시행한다.

(5) 주의사항

뜸을 뜰 때에는 안전에 주의하고, 뜸쑥이 타다가 옷으로 떨어져 피부를 상하는 일이 없도록 해야 한다. 일반적으로 뜸을 뜬 다음에 바로 그 부위를 습하게 하거나 비벼서 씻지 말아야 한다.

4) 뜸 뜨고 나서의 처리

뜸을 뜬 다음, 피부가 약간 붉어지거나 뜨거운 것은 정상적인 현상으로 따로 처리할 필요가 없다. 뜸 뜨는 양이 많거나 시간이 지나치게 길면 국부에 물집이 잡히는데, 문질러서 터뜨리지 말고 그대로 놔두면 저절로 흡수된다. 만약에 물집이 비교적 크면 작은 호침으로 물집을 터뜨리고 진물을 빼내거나 주사침을 이용하여 진물을 빼내는데, 다시 crystal violet을 바르고 거즈로 덮는다. 의도적으로 화농을 유발시킨 것을 발구창(發灸瘡)이라고 하는데, 높은 치료효과를 기대할 수 있다. 구창으로 화농하는 기간에는 적당히 휴식을 취하고 국부의 청결상태를 유지하여 감염되지 않도록 해야 한다. 매일 약을 바꿀 때에 고름도 제거한다. 상처를 소독하고 구창을 보호하면서 약 1개월 정도가 지나면 해당 부위가 자연스럽게 유합된다.

3. 부항 (附缸, Cupping therapy)

©refugeofhealing.com

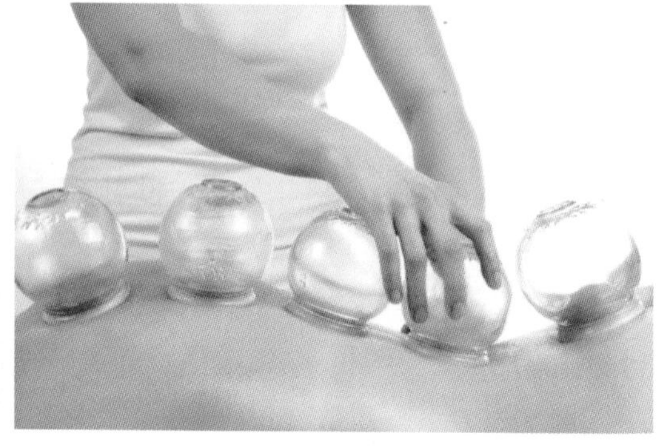

©bodymindheartandsoulharmony.com.au

부항은 관(罐)을 도구로 하는데, 관 속의 공기를 태워 없애는 등의 방법으로 음압 상태를 만들어서 수혈이나 기타 부위의 체표에 붙여 자극함으로써 그 부위의 피부에 충혈이나 어혈을 일으켜 질병의 예방과 치료를 한다.

부항은 발관법, 흡통요법(吸筒療法)이라고도 하며, 옛날에는 각법(角法)이라고 하였다. 마왕퇴한묘(馬王堆漢墓)에서 출토된 백서(帛書) 『오십이병방(五十二病方)』에도 기재된 바 있다. 그 후로 많은 문헌에 언급되었는데, 주로 창양(瘡瘍)을 외과적으로 치료할 때 흡혈배농(吸血排膿)하였다. 화관(火罐)의 재료와 발관의 방법이 발전하면서 치료의 범위도 점차 확대되어 외과나 내과 등 각과에서 고루 활용되었으며 침자와 함께 사용되었다.

1) 관(罐, Cup)의 종류

관의 종류가 매우 많은데, 최근 국내에서는 일회용 플라스틱 부항이 주로 활용되고 있다.

(1) 죽관(竹罐, Bamboo cup)

직경 3~5cm의 단단하고 흠 없는 대나무를 6~8cm 혹은 8~10cm 길이로 잘라, 한 쪽 끝의 마디를 남기고 다른 한 쪽은 터서, 관구(罐口)를 형성하고 칼로 푸른 색의 껍질과 내막을 제거하여 요고(腰鼓)와 같은 모양의 원통을 만든다. 사포지로 잘 다듬고 관구는 반들반들하고 매끈하게 만든다. 죽관의 장점은 재료를 구하기가 쉽고, 경제적이며, 가볍고, 잘 깨지지 않는다는 점이지만, 쉽게 말라 터지기 쉽고, 공기가 새며, 흡착력이 세지 않다는 단점이 있다.

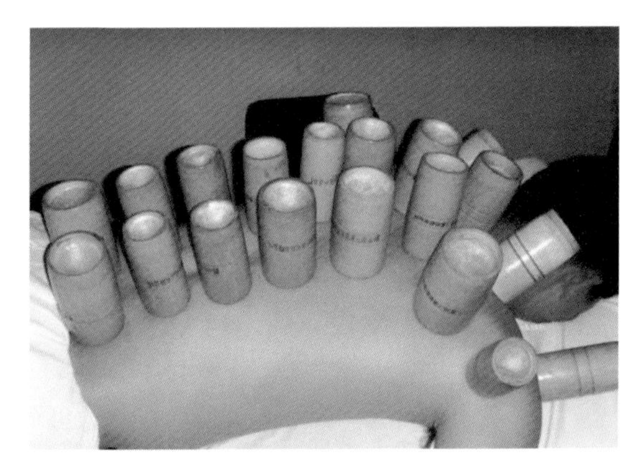

©ameliaislandmassage.com

■ 죽관(竹罐)

(2) 도관(陶罐, Pottery cup)

도자기로 만들고, 다양한 크기가 있으며, 관구가 반들반들하고 매끈하며, 가운데 부분이 둥글고 크며, 주둥이 바닥이 비교적 좁아 그 모양이 요고와 비슷하다. 장점은 흡착력이 크다는 것이며, 단점은 쉽게 깨지는 것이다.

©taobao.com

■ 도관(陶罐)

(3) 유리관(琉璃罐, Glass cup)

도자기에서 발전하여 유리를 가공하여 만든 것이며, 공모양으로 관구가 고루 매끄럽다. 장점은 투명해서 사용할 때 시술하는 부위의 피부에 충혈이나 어혈이 있는지를 관찰할 수 있는 점이다. 단점은 쉽게 깨질 수 있다는 것이다.

ⓒblackrockwellness.org

■ 유리관(瑜璃罐)

(4) 일회용 플라스틱 부항

ⓒkmsupplies.com

최근 안전성 등을 고려하여 국내에서는 일회용 플라스틱 부항을 많이 활용하고 있다.

2) 부항 (Cupping) 방법

부항의 방법은 매우 많은데, 상용하는 방법은 다음과 같다.

(1) 화관(火罐, Fire cupping)

불로 관 속의 공기를 태워 음압을 만들어 관을 피부에 붙인다. 구체적인 조작방법은 다음과 같다.

① 섬화법(閃火法, Flash-fire cupping method): 종이를 길게 말거나 집게로 알코올 솜을 집어 종이나 솜에 불을 붙인 다음, 그 불을 관 속에서 1~3번 두르고(절대로 관구를 불로 태우거나 피부에 닿지 않게 한다), 불을 꺼내고 관을 재빨리 해당 부위에 갖다 대면 피부에 흡착된다. 이 방법은 관 속에 불이 없기 때문에 비교적 안전해서, 가장

많이 쓰이는 방법이다.

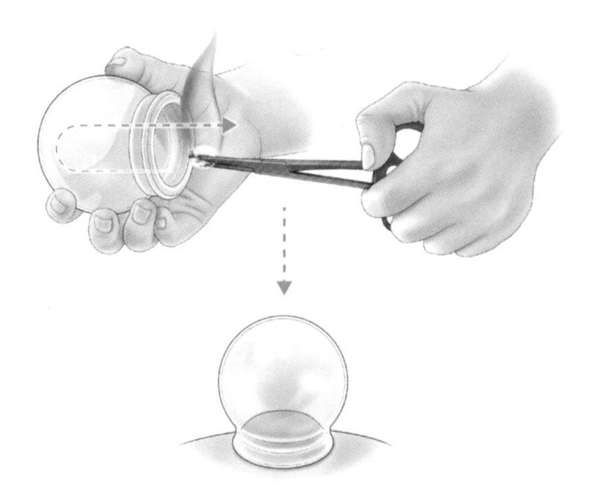

■ 섬화법(閃火法)

② 투화법(投火法, Fire-insertion cupping method): 불에 잘 타는 종이나 솜에 불을 붙여 관 속에 넣고 신속하게 관을 해당 부위에 갖다 대면 피부에 흡착된다. 이 방법은 측면에서 옆으로 붙이는 경우에 적절하다.

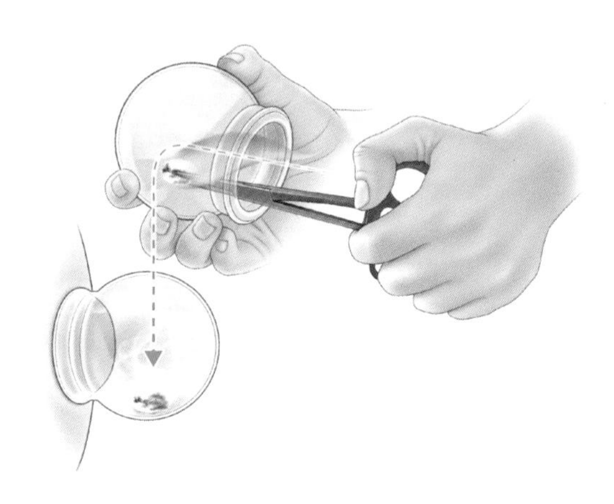

■ 투화법(投火法)

③ 적주법(滴酒法, Alcohol fire cupping method): 95% 에틸 알코올이나 독한 술을 관 속에 1~3 방울 떨어뜨려 관의 내벽에 퍼지게 하고 불을 붙인 다음 신속하게 관을 갖다 붙인다.

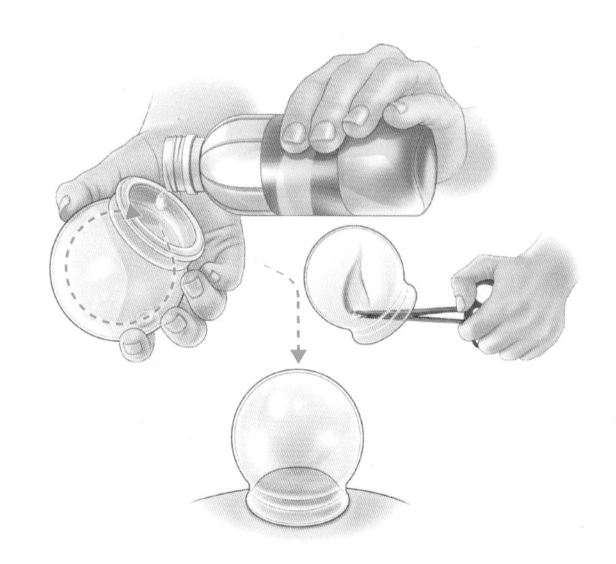

■ 적주법(滴酒法)

- 첩면법(貼棉法, Cotton-burning cupping method): 크기가 적당한 알코올 솜을 관 내벽 아래 1/3 부근에 놓고 불을 붙인 다음 신속하게 해당 부위에 관을 붙인다.
- 가화법(架火法, Fire throwing cupping method): 병뚜껑이나 작은 술잔과 같이 불에 타지 않고 열을 전달하는 물체(그 직경이 관구보다는 작아야 한다)를 해당 부위에 놓고 나서 95% 에틸 알코올 몇 방울을 떨어뜨리거나 에틸 알코올 솜을 병뚜껑이나 술잔에 넣고 에틸 알코올로 불을 붙인 다음, 신속하게 관을 붙인다.

이상의 부항은 섬화법을 제외하고 모두 관 속에 불이 있기 때문에 피부가 화상을 입지 않도록 주의해야 한다.

(2) 수자법(水煮法, Boiled cupping method)

먼저 5~6매의 죽관을 솥에 넣고 물로 끓인 다음 집게를 이용하여 관구를 아래로 하고서 꺼내 신속하게 찬 수건으로 관구를 닦아 바로 해당 부위에 갖다 대면 피부에 흡착된다. 강활、독활、당귀、홍화、마황、애엽、천초、모과、천오、초오 등 적당량의 거풍활혈약(祛風活血藥)을 넣은 것을 약관(藥罐)이라고 하는데, 풍한습비(風寒濕痺) 등의 증상을 치료한다.

이상의 방법들은 대개 10~15분간 지속하고, 시술부위의 피부에 충혈이나 어혈이 있으면 관을 뗀다. 만약에 관이 커서 흡착력이 지나치게 강하면 시술시간을 단축하여 물집이 생기는 것을 방지한다. 주로 풍습비증(風濕痺證)、감기、기침、위통、구토、복통、설사 등에 쓰인다.

(3) 기타

이 외에도 임상에서 부항을 운용하는 방법은 다음과 같다.

① 주관(走罐, Slide cupping): 추관(推罐)이라고도 하는데, 시술할 때에 먼저 시술부위의 피부나 관구 위에 바세린 같은 윤활유를 바르고 다시 관을 붙이고서 의사는 오른손으로 관을 잡고 상하좌우로 왕복하면서 피부가 발갛고 충혈되거나 어혈이 생기면 멈춘다. 이 방법은 등、허리、엉덩이、대퇴 등 근육이 많고 두터운 부위의 산통(酸痛)、마목(麻木)、풍습비통(風濕痺痛) 등의 증상에 적용된다.

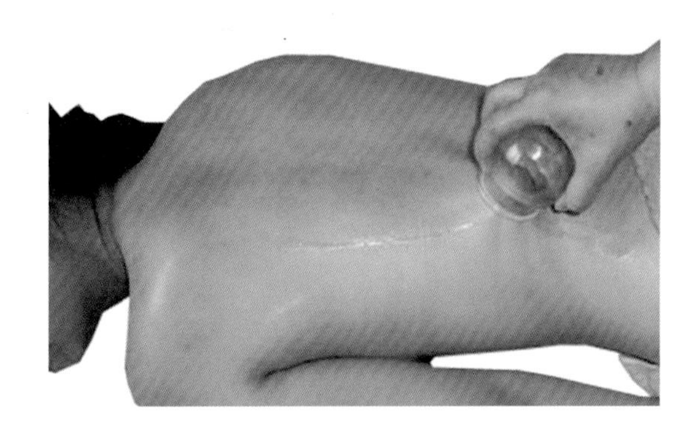

■ 주관(走罐)

② 섬관(閃罐, Quick/twinkling cupping): 관을 붙인 다음 바로 떼는 것인데, 이처럼 여러 차례 붙이고 떼기를 반복하여 피부가 붉어지고 충혈이나 어혈이 생기면 멈춘다. 국소 부위 피부의 마목감·동통이나 기능 감퇴 등의 증상에 많이 쓴다.

■ 섬관(閃罐)

③ 습부항 (Blood-letting/pricking cupping method): 해당 부위를 소독한 다음, 삼릉침으로 출혈시키거나 피부침으로 두드린 다음 시행하여 자혈(刺血)치료의 작용을 강화시키는데, 주로 단독(丹毒)·유상(扭傷)이나 유옹(乳癰) 등에 쓰인다.

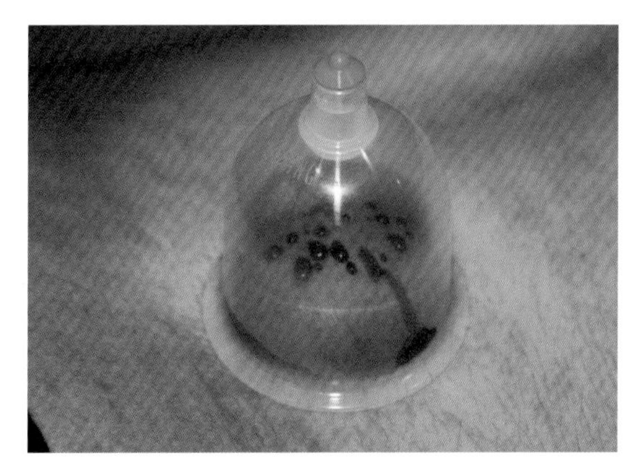

■ 습부항

④ 유침발관(留鍼拔罐, Retaining the needle and cupping): 줄여서 침관(鍼罐)이라고도 하는데, 유침할 때에 관의 중심에 침이 놓이게 하여 약 5~10분 동안 피부가 발갛고 충혈이나 어혈이 생기면 관을 뗀 다음 침을 빼는데, 이 방법은 침자와 부항의 배합작용을 일으킬 수 있다.

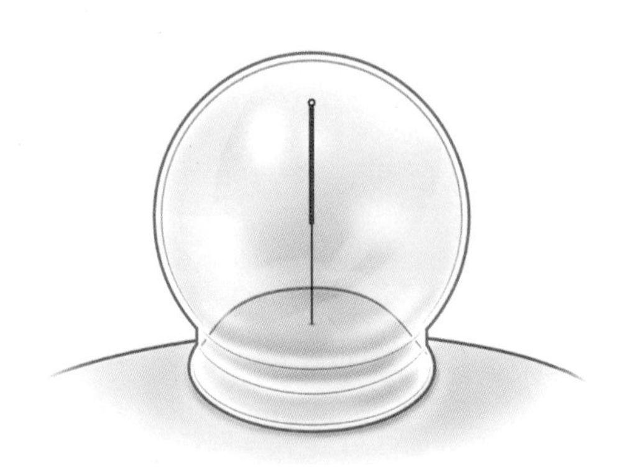

■ 유침발관(留鍼拔罐)

3) 기관법(起罐法, Removing method of the cup)

관을 뗄 때에 만약에 관의 흡착력이 지나치게 강하면 힘을 무리하게 써서 피부에 찰과상을 입지 않도록 한다. 대개 먼저 왼손으로 화관을 잡고 오른손 엄지나 검지로 관구 주변을 누르면 공기가 관속으로 들어가 관을 뗄 수 있다.

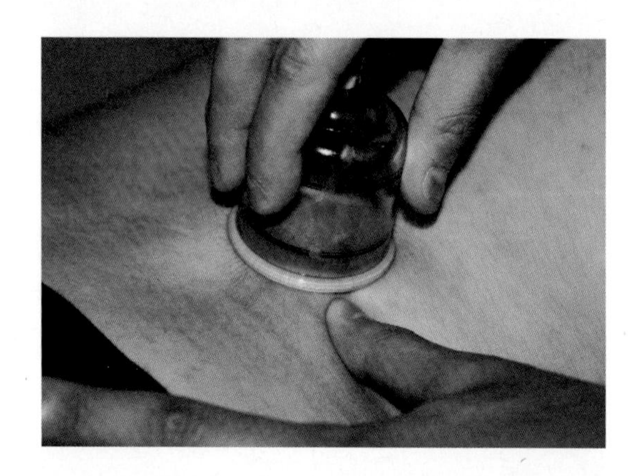

■ 기관법(起罐法)

4) 주의 사항

- 시술할 때는 적당한 체위와 근육이 많은 부위를 선택해야 한다. 체위가 부적합하거나, 움직이거나, 골격의 요철이 고르지 않거나, 모발이 비교적 많은 부위는 모두 부적당하다.
- 시술할 때는 해당 부위의 면적에 따라 적당한 크기의 관을 선택하여야 한다. 반드시 조작이 신속하게 이루어져야만 관의 흡착력이 생긴다.
- 화관을 이용할 때에는 피부가 화상을 입지 않도록 해야 한다. 만약에 화상을 입거나 유관시간이 너무 길거나 피부에 물집이 생긴 경우, 작으면 반드시 처리할 필요는 없고 소독한 거즈를 붙인다. 물집이 비교적 큰 경우에는

소독침으로 진물을 빼내고 요오드 팅크를 바르거나 소독 거즈를 덮어 감염을 막는다.
- 피부에 과민、궤양、부종이 있거나 큰 혈관이 분포되어 있는 부위에는 부항을 하지 않는다. 고열、추축(抽搐)하는 환자와 임신부의 배、허리 및 천골 부위에는 시행하지 않는다.

4. 이혈요법(耳穴療法, Auricular points therapy)

1) 이혈의 개념

이혈요법은 귀의 특정점에 대한 자극을 통해 질병을 예방 치료하는 방법이다. 조작이 간편하며 효과가 신속하다는 특징이 있다. 그 치료수단이 간단하고, 주로 침자、안압(按壓)、뜸、사혈、펄스 전류시험 방법을 통해 자극을 주며, 재료를 구하기가 쉽고、치료효과가 확실하며、일부 만성 질환에 대해 효과가 좋고、안전하며、통증이 없고、부작용이 없다는 등의 장점을 가지고 있다.

2) 귀와 장부 경락 관계

귀와 장부 사이에는 밀접한 관계가 있다. 예컨대『소문 금궤진언론(素問 金匱眞言論)』에서 "남방은 적색(赤色)이며, 심(心)으로 통하고, 귀로 개규(開竅)하며, 그 정(精)이 심에 저장된다[2]'고 하였으며,『영추 맥도(靈樞 脈度)』에서 "신기(腎氣)는 귀로 통하며, 신(腎)이 조화로우면 귀가 오음(五音)을 잘 듣는다[3]"고 하는 등이다. 인체의 장부나 몸에 이상이 생기면 종종 귀의 상응하는 부위에 압통이나 민감반응이 나타난다. 귀의 형태、색택、피하전기의 특이성 변화 등을 참고하여 진단하고 이혈의 자극을 통해 질병을 예방 치료할 수 있다. 귀와 경락은 서로 관계되는데, 수태양(手太陽)、수족소양(手足少陽)、수양명(手陽明) 등 경맥과 경별은 귓속으로 들어 가며, 족양명(足陽明)과 족태양(足太陽)의 경맥은 귀 앞쪽과 귀의 상각에 이른다. 육음경(六陰經)이 직접 귀로 가지는 않으나 경별(經別)과 양경(陽經)이 서로 만나 귀와 서로 연계된다. 그러므로 십이경맥은 모두 직간접적으로 귀로 올라간다. 기경팔맥 가운데 음교맥(陰蹻脈)과 양교맥(陽蹻脈)은 함께 귀 뒤쪽으로 가며 양유맥(陽維脈)은 머리를 돌아 귀로 간다. 그래서『영추 구문(口問)』에서 "귀는 종맥(宗脈)이 모이는 곳이다[4]"라고 하였다.

3) 이혈의 임상 응용

(1) 보조 진단

발병하면 종종 귀의 상관부위에 이혈의 전기저항 저하、통증의 역치 저하、피부 색택 및 형태의 변화 등 각종 반응이 나타난다. 귀에 나타나는 양성 반응은 진단을 보조하는 근거가 될 뿐만 아니라, 질병을 치료하는 자극점이 되기 때문에 양성 반응점의 탐측은 이혈의 진단과 치료를 위해 중요하다.

이혈 탐측 방법은 매우 많으며, 망진법、압통법과 전측법(電測法)이 주로 활용된다. 망진법은 육안이나 확대경으로 자연광선 아래 직접 귀에 변색이나 변형이 있는지 확인하며, 점 (pigmented nevus)、동상 및 생리변화로 나타나는 반응 등 가양성(假陽性)은 배제한다. 압통법은 탄황탐봉(彈簧探棒, spring probe) 등으로 질병과 상응하는 부위를 주변에서

---

2) 南方赤色, 入通于心, 開竅于耳, 藏精于心 (素問·金匱眞言論)
3) 腎氣通于耳, 腎和則耳能聞五音矣(靈樞·脈度)
4) 耳者, 宗脈之所聚也(靈樞·口問)

중심을 향하여 고루 압력을 가하면서 자세히 탐측한다. 환자가 눈썹을 찌푸리거나, 눈을 깜박거리거나, 아파하거나, 몸을 피하는 등의 반응이 나타나고, 주위와 뚜렷하게 차이가 나타나면 진단과 치료에 참고한다. 전측법은 이혈전자탐측기(耳穴電子探測器)를 이용하여 피부 전기저항, 전위, 전기용량 등 변화를 측정하는데, 전기저항이 저하되어 전류가 증가하면서 양도점(良導点)을 형성하면 참고할 만하다.

(2) 치료

① 적응증

임상에서 이침이 적용될 수 있는 질병의 범위는 매우 넓어서, 기능성 질병뿐 만 아니라, 일부 기질성 질병에도 효과가 있다. 그 적응증은 다음과 같다.

- 각종 동통성 질병, 예컨대 두통, 편두통, 삼차신경통, 늑간신경통, 대상포진, 좌골신경통 등 신경성 동통; 유상(扭傷), 좌상(挫傷), 낙침(落枕) 등 외상성 동통; 오관(五官), 두개골, 흉복, 사지 등 각종 외과 수술후 생기는 수술부위의 통증; 마취 후 두통, 요통 등 수술후유통 등에 모두 비교적 양호한 진통작용이 있다.
- 각종 염증성 질환, 예를 들면 급성 결막염, 중이염, 치주염, 인후염, 편도선염, 이하선염, 기관지염, 장염, 자궁염, 류마티스성 관절염, 안면신경염, 말초신경염 등에 소염 진통 효과가 있다.
- 일부 기능실조성 질병, 예컨대 어지럼증, 부정맥, 고혈압, 다한증, 장기능실조, 월경부조, 유뇨, 신경쇠약, 히스테리 등에 대해 조절작용을 하여 병증의 완화나 완치를 촉진한다.
- 과민반응성 병증, 예를 들면 과민성 비염, 천식, 과민성 대장염, 두드러기 등에 대해 소염, 탈감작(脫感作, desensitization)하며 면역기능을 개선한다.
- 내분비대사성 병증, 예를 들면 단순성 갑상선종, 갑상선기능 항진, 폐경기와 관련된 증상을 개선시키고 약량을 감소시키는 등 보조치료작용을 한다.
- 일부 전염병증, 예를 들면 세균성 이질, 학질 등을 회복시키고 인체의 면역기능을 올려 질병의 치료를 돕는다.
- 각종 만성 병증, 예를 들면 소화불량, 지체 마비 등에 대해 증상을 개선시키고 통증을 줄여주는 작용을 한다.
- 이침은 상술한 병증 이외에 침마취에도 이용된다. 또한 유도분만이나 모유분비 촉진 등 산부인과 분야에서도 쓰이고, 감기, 차멀미, 배멀미 등의 예방이나, 흡연, 약물중독, 비만 등 치료에도 이용된다.

② 선혈원칙(選穴原則)

- 부위에 따른 처방선혈법은 환자의 발병부위에 따라 상응하는 이혈을 선택하는데, 예를 들면 위병(胃病)에는 위혈(胃穴), 눈병에는 안혈(眼穴), 견비(肩痺)에는 견관절혈(肩關節穴) 등이다.
- 변증에 따른 처방선혈법은 장상 경락학설에 근거하여 먼저 상응하는 이혈을 선택하는 것으로, 예를 들면 골비(骨痺), 이롱(耳聾), 이명, 탈모 등에는 신혈(腎穴)을 취하는데, 신이 뼈를 주관하고 귀로 개규하며 그 상태가 두발에 나타나기 때문에 신혈을 취하는 것이고, 편두통은 족소양담경(足少陽膽經)의 순행부위에 속하기 때문에 담혈(膽穴)을 취한다.
- 월경부조에는 내분비혈(內分泌穴), 소화기 궤양에는 피질하혈(皮質下穴), 교감혈(交感穴)을 취한다.
- 임상 경험에 근거한 취혈법으로, 신문혈(神門穴)은 진통 진정작용이 있으며, 이첨(耳尖)은 외감성 발열, 고혈압 등에 비교적 양호한 해열, 강압효과가 있다.
- 상술한 이침 처방선혈원칙은 단독으로도 사용하고 서로 배합하여 같이 사용하기도 한다. 선혈할 때에는 이혈의 특성을 잘 파악해야 하는데, 혈자리 수는 적고 정확해야 한다.

③ 조작 순서

먼저 이혈을 정한다. 처방에 열거된 이혈을 근거로 혈구(穴區) 안에서 양성 반응점을 탐측하여 치료의 자극점으로 잘 표시해두고 엄격히 소독해야 한다. 정확한 자극방법을 골라야 하는데, 이혈의 자극방법이 비교적 많기 때문에 환자、병정、혈위 등 구체적인 정황에 근거하여 잘 골라서 사용한다.

④ 자극방법

- 침자법: 호침이나 피내침으로 이혈을 자침하는 상용방법이다. 반드시 철저히 소독해야 한다. 체위를 선택해야 하는데, 일반적으로 앉은 자세를 취하지만, 노인이나 체력이 약하고 중병이나 정신적으로 긴장해 있는 경우에는 누운 자세를 취한다. 침자를 시행할 때에는 의사가 왼손 엄지와 검지로 귓바퀴를 고정시키고 중지로 침을 놓으려고 하는 부위의 뒤쪽을 대며, 침자의 깊이를 잘 파악하고 있어야 자침으로 인한 동통을 줄일 수 있다. 오른손으로 침을 잡고 자극점에 자침하면 된다. 자입한 다음 국부의 감응이 강렬해지면서 증상이 즉시 줄어든다. 유침 시간은 일반적으로 15~30분 정도이며, 만성병과 동통성 질환에는 유침 시간을 연장할 수 있고, 아동이나 노인은 오래 유침하지 않는다. 유침은 치료효과를 높이기 위한 것이며, 여러 차례 운침(運鍼)할 수 있다. 침을 뺄 때에는 의사가 왼손으로 귓바퀴를 잡고 오른손으로 호침을 수직으로 빼며, 다시 소독 솜으로 침공을 눌러 출혈을 막는다.
- 압자법(壓籽法): 이혈 표면에 압환(壓丸)을 부착하여 매침(埋鍼)을 대신하는 일종의 간이요법이다. 이 방법은 지속적으로 혈위를 자극할 수 있을 뿐만 아니라, 안전하고 통증과 부작용이 없어서 현재 임상에서 널리 응용되고 있다. 압환으로는 유채씨、좁쌀、녹두、왕불류행、자석구슬 등을 이용하는데, 임상에서는 현재 왕불류행이 많이 쓰이고 있다. 왕불류행을 0.6cm×0.6cm 크기의 접착테이프 중앙에 붙이고 집게를 이용하여 선택된 이혈에 붙이고 매일 3~5차례 눌러주는데, 매번 1~2분 정도 하고, 3일에 한번씩 갈아주고 두 귀를 교대로 한다. 자극의 강도는 환자에 따라 정하는데, 일반적으로 아동、임신부、노인、허약자、신경쇠약자 등은 약하게 자극하고, 급성 동통성 병증에는 강하게 자극한다.
- 자혈법: 삼릉침을 이용하여 귀에서 출혈시키는 치료방법인데, 진정개규(鎭靜開竅)、설열해독(泄熱解毒)、소종지통(消腫止痛)、거어생신(祛瘀生新)시키므로 실열、어혈、열독 등 병증에 사용한다. 조작방법은 귀를 안마하여 충혈시키고 소독한 다음 점자법 (点刺法)으로 이혈에서 3~5방울 방혈시킨다. 그리고 나서 소독 솜으로 눌러 지혈시킨다. 대개 이틀에 한 번 정도 하는데, 급성병에는 하루에 두 번씩 한다. 임신부의 출혈성 질병과 혈액 응고 기능에 장애가 있는 경우에는 금한다. 허약한 사람도 조심해야 한다.

⑤ 주의 사항

- 엄격하게 소독하여 감염을 막는다. 귀는 밖으로 드러나 있으며, 구조가 특수하여 혈액순환도 비교적 원활하지 않으며, 쉽게 감염되고, 감염후에도 쉽게 연골에 영향을 주어 심한 경우에는 연골이 괴사 위축되어 귀가 기형으로 변하기 때문에 감염에 주의해야 한다. 일단 감염이 되면 바로 상응하는 조치를 취하는데, 국부의 홍종동통이 비교적 가벼우면 2.5% 요오드 팅크를 매일 2~3차례 바르고, 중한 경우에는 항생제를 복용해야 한다. 만약 국부가 화농되고 오한발열이 있으며 백혈구가 증가하고 연골막염이 발생하면 적절한 항생제 주사를 쓰고 환부를 잘 소독하며, 청열해독제를 복용하면서 한약을 외용으로 붙일 수 있다. 귀에 습진、궤양、동상 등이 있으면 이혈 치료를 하지 않는다.
- 유상(扭傷)과 운동장애가 있는 경우, 침을 놓은 다음 환부를 적절하게 운동시켜 치료효과를 높이도록 한다.
- 습관성 유산의 경력을 가진 임신부는 피한다. 임신기간 중에도 사용에 조심해야 하며, 특히 자궁、난소、내분비、

신(腎) 등의 혈위는 피한다.

- 환자가 중한 기질성 병변이 있으면서 고도의 빈혈인 경우에 자침해서는 안되고, 중한 심장병､노인､허약자､고혈압환자는 치료 전에 적당한 휴식을 취하고 강자극을 피해야 한다.
- 훈침이 발생하는 것을 피해야 한다.

제 3절 침구치료

1. 침구치료의 작용

1) 음양을 조화시킨다

음양의 실조는 질병을 일으키는 근본 원인이므로 음양을 조화시키는 것은 질병을 치료하는 기본 원칙이다. 침구의 치료작용은 경락 수혈의 배오와 침구방법 등을 통해 음양을 조화시킨다.

2) 경락을 소통시킨다

경락 기혈의 실조는 질병을 유발하는 중요한 병리변화로, 경락을 통해 기혈을 조리하는 것이 임상적으로 치료의 중요한 방법이다.

3) 부정거사(扶正祛邪)한다

질병의 발생 및 발전은 인체의 정기(正氣)와 사기(邪氣)간의 투쟁 결과이고, 부정거사는 임상치료의 중요 법칙이다. 침구는 허(虛)를 보하고 실(實)을 사하는 치료방법을 통해 부정거사의 작용을 실현한다.

2. 침구치료의 원칙

1) 보허사실(補虛瀉實)

허증을 보한다는 것은 인체의 정기를 북돋우고 장부와 기관의 기능을 증강시키며 체내의 음양기혈을 보익하여 질병에 저항하는 것이고, 실증을 사한다는 것은 사기를 제거하여 정기의 회복을 이롭게 하는 것이다.『영추 경맥(經脈)』에 "성(盛)하면 사(瀉)하고, 허(虛)하면 보(補)하며, 열증(熱證)은 빠르게 치료하고, 한증(寒證)은 오랫동안 치료하며, 함하(陷下)되어 있으면 뜸을 뜨고, 성하지도 않고 허하지도 않으면 경(經)을 치료한다[5]"고 하였으며,『영추 구침십이원(九鍼十二原)』에서는 "허하면 실하게 하고, 만(滿)하면 사하며, 맺힌 것이 오래되면 제거하고, 사기가 성하면 허하게 한다[6]"고 하였는데, 침구가 허증과 실증을 치료하는 원칙을 설명한 내용이다. 침구가 보허사실한다는 것은 직접적인 보사가 아니라, 자침의 수기법과 수혈배오 등을 통해 간접적으로 실현하는 것이며, 인체의 기능상태､경락､수혈､처방､자구법(刺灸法) 등과 모두 관계된다.

---

5) 盛則瀉之, 虛則補之, 熱則疾之, 寒則留之, 陷下則灸之, 不盛不虛以經取之 (靈樞·經脈)

6) 虛則實之, 滿則瀉之, 菀陳則除之, 邪盛則虛之 (靈樞·九鍼十二原)

2) 청열온한(淸熱溫寒)

청열은 소풍산열(疏風散熱)、청열해독、사열개규(瀉熱開竅)를 통해 열증을 치료하는 방법이며, 온한은 온통경락(溫通經絡)、온양양기(溫養陽氣)、온중산한(溫中散寒)、회양구역(回陽救逆)을 통해 한증을 치료하는 방법이다. 『영추 경맥』에 "열증은 빠르게 치료하고, 한증은 오랫동안 치료한다[7]"고 하였으며, 『영추 금복(禁服)』에 "혈이 한(寒)하면 뜸을 뜬다[8]"고 하였는데, 침구가 열증과 한증을 치료하는 원칙을 설명한 것이다. 열증을 치료할 때에는 호침을 천자하고 빨리 빼거나 삼릉침과 매화침으로 방혈시켜 치료하고, 한증을 치료할 때에는 호침으로 심자하여 오랫동안 유침시키거나, 구법으로 치료한다. 이외에도 '투천량법'이나 '소산화법' 등의 수기법을 이용하여 열증과 한증을 치료한다.

3) 표본완급(標本緩急)

표본은 상대적인 개념으로, 질병과정에서의 주차(主次)관계이다. 『소문 지진요대론(至眞要大論)』에 "병에는 성쇠가 있고, 치료에는 완급이 있다[9]"고 하여 침구치료를 할 때에는 병증의 경중완급에 근거하여 치료방안을 확정해야 한다고 설명하였다. 표본완급의 운용원칙으로 "병을 치료하기 위해서는 반드시 그 근본을 다스려야 하며[10]", "급하면 그 표를 치료하고, 완만하면 그 본을 치료하며[11]", "표본이 모두 급하면 표본을 같이 치료한다[12]"고 하였다. 병을 치료하기 위해서 반드시 그 근본을 다스려야 한다는 것은 질병의 본질에 대한 치료를 강조한 것이다. '급하면 그 표를 치료한다'는 것은 어떤 병증이 긴급한데 만약 급히 치료하지 않으면 생명이 위험할 정도로 위중할 수 있으므로 먼저 표병을 치료해야 함을 가리키며, '완만하면 그 본을 치료하라'는 것은 표병이 급하지 않으면 일반적으로 본병부터 치료해야 한다는 것이다. '표본이 모두 급하면 표본을 같이 치료한다'는 것은 표병과 본병이 같이 급하거나(혹은 같이 완만하면) 반드시 표본을 같이 고려하는 치료를 해야 한다는 것이다.

4) 삼인제의(三因制宜)

삼인제의는 인시(因時)、인지(因地)、인인제의(因人制宜)를 가리킨다. 인시제의는 계절과 시간의 특징에, 인지제의는 지리환경、기후조건과 생활습관에, 인인제의는 환자의 성별、나이와 체질 등에 따른 침구치료를 해야 한다는 것이다.

3. 침구배혈처방

정확하게 선택된 수혈과 적절한 배혈처방은 침구 치료효과를 얻기 위해서 매우 중요하다. 배혈처방은 반드시 한의학이론에 따라야 하며, 수혈의 기능과 특성을 고려하여 수혈을 조합함으로써 적절한 침구처방을 구성한다.

1) 선혈 원칙(選穴原則)

선혈원칙은 수혈을 선택하는 기본원칙이며, 배혈처방의 기초 전제이자 선결조건이다. 대개 다음의 네 가지로 정

7) 熱則疾之, 寒則留之 (靈樞·經脈)
8) 血寒, 故宜灸之 (靈樞·禁服)
9) 病有盛衰, 治有緩急 (素問·至眞要大論)
10) 治病必求于本 (素問·陰陽應象大論)
11) 急則治其標, 緩則治其本 (景岳全書·標本論)
12) 標本俱急, 標本兼治

리된다.

(1) 근위 취혈 (Selection of adjacent points)

병증이나 병변의 국소 혹은 인근 부위에서 혈위를 선택하는 것을 가리키며, 수혈의 근치(近治)작용을 보여준다. 예를 들면 귓병에는 이문(耳門)、청궁(聽宮)、청회(聽會)、예풍(翳風)을 취하고, 견통에는 견삼침(肩三鍼)을 취한다.

(2) 원위 취혈 (Selection of distant points)

병변으로부터 멀리 떨어진 부위에서 혈위를 선택하는 것으로, 수혈의 원치(遠治)작용을 가리킨다. 예컨대, 귓병에 중저(中渚)、족임읍(足臨泣)、태계(太谿)를 취하고, 견통에 합곡、외관(外關)、양노(養老)를 취한다. 이는 경락학설의 진수를 보여주는 침치료 특징이다.

(3) 변증 선혈(辨證選穴, Selection of points according to pattern identification)

변증 선혈은 전신 증상이나 질병의 병인병기에 따라 혈위를 선택하는 것이다. 예를 들면 허열(虛熱)에는 신수(腎俞)와 태계(太谿)를 취하고, 위화(胃火)치통에는 내정(內庭)과 이간(二間)을 취한다.

(4) 대증 선혈(對症選穴, Selection of points according to symptoms)

대증 선혈은 증상에 따라 혈위를 선택하는 것이다. 예를 들면 천식에는 정천(定喘)을, 유소(乳少)에는 소택(少澤)을, 태위부정(胎位不正)에는 지음(至陰)에 뜸을 뜨는 등이다.

2) 배혈 방법 (Point combination)

배혈 방법은 선혈원칙의 기초 위에 주치가 같거나 비슷한 수혈을 배오응용함으로써 상보상성(相輔相成)하여 치료효과를 높힌다. 상용하는 배혈 방법은 다음과 같다.

(1) 원근배혈법(遠近配穴法, Remote-adjacent point combination)

병변 부위에 따라 병변 근처의 수혈과 멀리 떨어진 수혈을 배합 응용하는 배혈 방법이다. 같은 경락의 수혈을 배오하는 것을 '본경배혈법(本經配穴法)'이라고 하는데, 예컨대 기침의 경우 가까이는 중부(中府)를, 멀리서는 척택(尺澤)과 열결(列缺)을 취한다. 치통은 가까운 곳에서는 협거(頰車)와 하관(下關)을, 멀리서는 내정(內庭)과 합곡을 취한다.

(2) 표리경배혈법(表裏經配穴法, Exterior-interior point combination)

어떤 장부나 경맥에 병이 있을 때에 본경의 수혈과 그와 서로 표리를 이루는 경맥의 수혈을 배합 응용하는 배혈 방법이다. 예컨대 간병에는 간경(肝經)의 기문(期門)과 태충(太衝)을, 담경(膽經)에서는 양릉천(陽陵泉)을 배오한다. 특정혈 가운데 '원락배혈법(原絡配穴法)'은 이 방법을 구체적으로 운용한 것이다.

(3) 전후배혈법(前後配穴法, Anterior-posterior point combination)

인체 앞쪽의 수혈과 뒤쪽의 수혈을 배합 응용하는 배혈 방법이다. 예를 들면 위통(胃痛)의 경우 앞에서는 중완을, 뒤에서는 위수(胃俞)를 배오한다. 특정혈 가운데 '수모배혈법(俞募配穴法)'은 이 방법을 구체적으로 운용한 것이다.

(4) 상하배혈법(上下配穴法, Superior-inferior point combination)

허리를 중심으로 상하의 수혈을 배합 응용하는 배혈 방법이다. 예컨대 편두통의 경우, 위에서는 솔곡(率谷)과 외관(外關)을, 아래에서는 족임읍(足臨泣)과 태충(太衝)을 취한다. 특정혈 가운데 팔맥교회혈(八脈交會穴)의 배혈 응용은 이 방법을 구체적으로 운용한 것이다.

(5) 좌우배혈법(左右配穴法, Left-right point combination)

인체 좌측의 수혈과 우측의 수혈을 배합 응용하는 방법이다. 좌우로 같은 수혈을 선택할 수 있는데, 예를 들면 심병의 경우 양측의 심수(心俞)와 내관을 취한다. 또한 좌우측의 같지 않은 수혈을 취할 수도 있는데, 예를 들면 좌측의 안면신경마비에 좌측의 지창(地倉)과 사백(四白), 그리고 우측의 합곡을 취한다.

4. 특정혈 (Specific point)의 응용

특정혈은 십사경(十四經) 가운데 특수한 치료작용을 가진 수혈을 가리키며, 오수혈(五輸穴)、원혈(原穴)、낙혈(絡穴)、배수혈(背俞穴)、모혈(募穴)、팔회혈(八會穴)、극혈(郄穴)、하합혈(下合穴)、교회혈(交會穴) 등이 있다. 이런 특정혈의 분류는 분포、특성과 작용에 따라 붙여진 이름이다.

1) 오수혈(五輸穴, Five transport points)

오수혈은 십이경혈 가운데 팔꿈치와 무릎 아래의 정(井)、형(滎)、수(腧)、경(經)、합(合) 다섯 수혈을 간략하게 명명한 것이다. 매 경락의 다섯 혈로, 십이경이면 모두 60개 혈위이며, 경맥에 귀속될 뿐만 아니라, 각자 오행의 특성을 가지고 있다. 오수혈과 그 오행 속성은 아래의 표에 나타나 있다.

음경 오수혈표(陰經 五輸穴表)

經脈(경맥)	井(木)[정(목)]	滎(火)[형(화)]	輸(土)[수(토)]	經(金)[경(금)]	合(水)[합(수)]
手太陰肺經(수태음폐경)	少商(소상)	魚際(어제)	太淵(태연)	經渠(경거)	尺澤(척택)
手厥陰心包經(수궐음심포경)	中衝(중충)	勞宮(노궁)	大陵(대릉)	間使(간사)	曲澤(곡택)
手少陰心經(수소음심경)	少衝(소충)	少府(소부)	神門(신문)	靈道(영도)	少海(소해)
足太陰脾經(족태음비경)	隱白(은백)	大都(대도)	太白(태백)	商丘(상구)	陰陵泉(음릉천)
足厥陰肝經(족궐음간경)	大敦(대돈)	行間(행간)	太衝(태충)	中封(중봉)	曲泉(곡천)
足少陰腎經(족소음신경)	涌泉(용천)	然谷(연곡)	太谿(태계)	復溜(부류)	陰谷(음곡)

양경 오수혈표(陽經 五輸穴表)

經脈(경맥)	井(金)[정(금)]	滎(水)[형(수)]	輸(木)[수(목)]	經(火)[경(화)	合(土)[합(토)]
手陽明大腸經(수양명대장경)	商陽(상양)	二間(이간)	三間(삼간)	陽谿(양계)	曲池(곡지)
手少陽三焦經(수소양삼초경)	關衝(관충)	液門(액문)	中渚(중저)	支溝(지구)	天井(천정)
手太陽小腸經(수태양소장경)	少澤(소택)	前谷(전곡)	後谿(후계)	陽谷(양곡)	小海(소해)
足陽明胃經(족양명위경)	厲兌(여태)	內庭(내정)	陷谷(함곡)	解谿(해계)	足三里(족삼리)
足少陽膽經(족소양담경)	足竅陰(족규음)	俠谿(협계)	足臨泣(족임읍)	陽輔(양보)	陽陵泉(양릉천)
足太陽膀胱經(족태양방광경)	至陰(지음)	足通谷(족통곡)	束骨(속골)	崑崙(곤륜)	委中(위중)

오수혈의 응용에는 세 가지가 있는데, 첫째는 오수혈의 주병(主病) 특징에 따른 것으로, 『난경 육십팔난(難經 六十八難)』에서 "정혈(井穴, well point)은 심하만(心下滿)을, 형혈(滎穴, brook point)은 신열(身熱)을, 수혈(輸穴, stream point)은 체중절통(體重節痛)을, 경혈(經穴, river point)은 천해한열(喘咳寒熱)을, 합혈(合穴, sea point)은 역기(逆氣)하여 설(泄)하는 것을 치료한다[13]"고 하였다. 현재 임상에서 정혈은 주로 급증을, 형혈은 열증을 치료한다. 둘째는 오행의 생극(生剋)관계에 따른 것으로, 『난경 육십구난(六十九難)』에서 "허(虛)하면 그 모혈(母穴)을 보(補)하고, 실(實)하면 그 자혈(子穴)을 사(瀉)한다[14]"는 원칙에 따라 적당한 오수혈을 취하여 질병을 치료한다. '자모보사취혈법(子母補瀉取穴法)'이라고 하며, 본경의 자모보사와 다른 경의 자모보사의 두 가지 취혈법을 포함한다. 본경의 자모보사법은 예컨대 폐경(肺經)의 실증(實證)에는 폐경의 합혈인 척택(尺澤)을 사하며, 폐경의 허증(虛證)에는 폐경의 수혈인 태연(太淵)을 보하는 것이다. 다른 경의 자모보사법은 예컨대 폐경의 실증에는 신경(腎經)의 합혈인 음곡(陰谷)을 사하고, 폐경의 허증에는 비경(脾經)의 수혈인 태백(太白)을 보한다. 셋째는 계절 등 시기에 따른 것으로, 『난경 육십구난』에 "봄에는 정혈에, 여름에는 형혈에, 계하(季夏)에는 수혈에, 가을에는 경혈에, 겨울에는 합혈에 자침한다[15]"고 하여 계절에 따른 자침방법을 제시하였으며, 그 외에 자오유주침법(子午流注鍼法)의 납갑법(納甲法)、납자법(納子法) 등은 오수혈을 시기에 따라 응용하는 예이다.

2) 원혈(原穴, Source point)과 낙혈(絡穴, connecting point)

원혈은 장부의 원기(原氣)가 지나면서 머무르는 십이경맥의 수혈이고, 손목과 발목 관절 부근에 분포해 있으며, 장부의 병변이 종종 해당 원혈에 반응한다. 낙혈은 십오락맥이 경맥으로부터 나뉘어 나온 곳의 수혈이며, 표리 양경(兩經)이 연결되는 곳이다. 십이경맥의 원혈과 낙혈은 아래의 표와 같다.

십이경 원혈(十二經 原穴)과 낙혈표(絡穴表)

經脈(경맥)	原穴(원혈)	絡穴(락혈)	經脈(경맥)	原穴(원혈)	絡穴(락혈)
手太陰肺經(수태음폐경)	太淵(태연)	列缺(열결)	手陽明大腸經(수양명대장경)	合谷(합곡)	偏歷(편력)
手厥陰心包經(수궐음심포경)	大陵(대릉)	內關(내관)	手少陽三焦經(수소양삼초경)	陽池(양지)	外關(외관)
手少陰心經(수소음심경)	神門(신문)	通里(통리)	手太陽小腸經(수태양소장경)	腕骨(완골)	支正(지정)
足太陰脾經(족태음비경)	太白(태백)	公孫(공손)	足陽明胃經(족양명위경)	衝陽(충양)	豐隆(풍륭)
足厥陰肝經(족궐음간경)	太衝(태충)	蠡溝(여구)	足少陽膽經(족소양담경)	丘墟(구허)	光明(광명)
足少陰腎經(족소음신경)	太谿(태계)	大鐘(대종)	足太陽膀胱經(족태양방광경)	京骨(경골)	飛揚(비양)

원혈과 낙혈은 단독 혹은 배합해서 응용한다. 단독으로 사용할 때에 원혈은 주로 상관되는 장부 질병의 치료와 진단을 도와주는데, 예를 들면 간의 병증에는 태충(太衝)을 취한다. 낙혈은 그 낙맥의 병증을 치료하는 외에도 표리 양경의 병증을 치료하는데, 예를 들면 비경(脾經)의 낙혈인 공손(公孫)은 비경의 병증을 치료할 뿐만 아니라, 위경(胃經)의 병증을 치료하기도 한다. 배합하여 응용할 때에는 일반적으로 먼저 병든 장부를 위주로 그 경의 원혈을 취하며, 나중에 병든 장부를 객(客)으로 하여 그 경의 낙혈을 취한다. 이를 '원락배혈법(原絡配穴法)' 혹은 '주객배혈법(主客配

13) 井主心下滿, 滎主身熱, 輸主體重節痛, 經主喘咳寒熱, 合主逆氣而泄 (難經·六十八難)
14) 虛者補其母, 實者瀉其子 (難經·六十九難)
15) 春刺井, 夏刺滎, 季夏刺輸, 秋刺經, 冬刺合 (難經·六十九難)

穴法)'이라고 한다. 예컨대 폐경(肺經)이 먼저 병든 경우 그 경의 원혈인 태연(太淵)을 위주로 하고, 나중에 대장경(大腸經)이 병든 경우에는 그 경의 낙혈인 편력(偏歷)을 객으로 한다. 반대로 대장경에 먼저 병이 들면 그 경의 원혈인 합곡을 위주로 취하고 폐경이 나중에 병든 경우에는 그 경의 낙혈인 열결(列缺)을 객으로 한다.

3) 배수혈(背兪穴, Transport point)과 모혈(募穴, alarm point)

배수혈은 장부의 기가 배요부(背腰部)로 가서 머무는 수혈이며, 모혈은 장부의 기가 흉복부(胸腹部)에 모여 있는 수혈이다. 십이장부의 배수혈과 모혈은 다음과 같다.

십이장부 배수혈(十二臟腑 背兪穴)과 모혈표(募穴表)

六臟(육장)	背兪穴(배수혈)	募穴(모혈)	六腑(육부)	背兪穴(배수혈)	募穴(모혈)
肺(폐)	肺兪(폐수)	中府(중부)	大腸(대장)	大腸兪(대장수)	天樞(천추)
心包(심포)	厥陰兪(궐음수)	膻中(단중)	三焦(삼초)	三焦兪(삼초수)	石門(석문)
心(심)	心兪(심수)	巨闕(거궐)	小腸(소장)	小腸兪(소장수)	關元(관원)
脾(비)	脾兪(비수)	章門(장문)	胃(위)	胃兪(위수)	中脘(중완)
肝(간)	肝兪(간수)	期門(기문)	膽(담)	膽兪(담수)	日月(일월)
腎(신)	腎兪(신수)	京門(경문)	膀胱(방광)	膀胱兪(방광수)	中極(중극)

배수혈과 모혈은 단독으로 사용할 수도 있지만, 배합하여 응용하기도 한다. 단독으로 응용할 때에는 배수혈과 모혈이 주로 상관되는 장부 질병의 치료와 진단에 쓰이고, 임상적으로 장병(臟病)은 대개 배수혈을 취하고 부병(腑病)은 주로 모혈을 취한다. 예를 들면 폐병에는 폐수(肺俞)를, 위병에는 중완(中脘)을 취한다. 배수혈과 모혈은 대응하는 장부 경락과 서로 연계되는 조직 기관의 병증을 치료하는데, 예를 들면 눈병과 근육의 병은 간수(肝俞)를 취한다. 배합하여 응용할 때에는 항상 병변 장부의 배수혈과 모혈을 동시에 운용하고, 그 협동작용을 발휘하는데, 이를 '수모배혈법(俞募配穴法)'이라 하며, 예를 들면 위병에는 중완(中脘)과 위수(胃俞)를 취하는 것이다.

4) 팔맥교회혈(八脈交會穴, Confluence points of eight vessels)

팔맥교회혈은 기경팔맥과 십이경맥의 기가 서로 통하는 8개 수혈을 가리키며, 모두 손목 및 발목관절 부위 주변에 분포되어 있는데, 기경팔맥의 병증을 주치하는 작용을 한다. 팔맥교회혈과 상합하는 부위는 아래의 표에 나타나 있다.

팔맥교회혈(八脈交會穴)과 상합부위표(相合部位表)

穴名과 그 상통하는 經脈	相合部位
公孫通衝脈, 內關通陽維脈(공손통충맥, 내관통양유맥)	心、胸、胃(심、흉、위)
後谿通督脈, 申脈通陽蹻脈(후계통독맥, 신맥통양교맥)	目內眦、頸項、耳、肩(목내자、경항、이、견)
足臨泣通帶脈, 外關通陽維脈(족임읍통대맥, 외관통양유맥)	目銳眦、耳後、頰、頸、肩(목예자、이후、협、경、견)
列缺通任脈, 照海通陽蹻脈(열결통임맥, 조해통양교맥)	肺系、咽喉、胸膈(폐계, 인후, 흉격)

팔맥교회혈은 단독으로 혹은 배합하여 응용되기도 한다. 단독으로 응용할 때에는 주로 서로 통하는 기경팔맥의 병증 치료에 쓰이는데, 예컨대 척주강통(脊柱强痛)、각궁반장 등 독맥병증(督脈病症)은 독맥으로 통하는 후계(後谿)

를 취하여 치료한다. 배합하여 응용할 때에는 상합부위와 같은 양혈(兩穴)을 배합하여 양맥(兩脈)과 상응하는 부위의 병증을 치료하는데, 예를 들면 공손과 내관은 충맥과 음유맥이 상합하는 부위인 심、흉、위(胃)의 병증을 치료한다.

5) 팔회혈(八會穴, Eight meeting points)

팔회혈은 장(臟)、부(腑)、기(氣)、혈(血)、근(筋)、맥(脈)、골(骨)、수(髓)의 정기(精氣)가 모이는 8개 수혈로, 비록 서로 다른 경맥에 속해 있지만, 모두 각기 상응하는 장부 조직 등 병증에 대해 특수한 치료작용을 가지고 있다. 팔회혈은 아래 표와 같다.

팔회혈표(八會穴表)

臟會(장회)	腑會(부회)	氣會(기회)	血會(혈회)	筋會(근회)	脈會(맥회)	骨會(골회)	髓會(수회)
章門(장문)	中脘(중완)	膻中(단중)	膈兪(격수)	陽陵泉(양릉천)	太淵(태연)	大杼(대저)	絶骨(절골)

팔회혈은 각기 상응하는 장부와 조직 등의 병증을 치료하는 주혈이다. 예컨대 부병(腑病)에는 부의 회혈(會穴)인 중완(中脘)을, 기병(氣病)에는 기의 회혈인 단중(膻中)을 취한다.

6) 극혈(郄穴, Cleft point)

극혈은 경맥의 기가 깊숙이 모여 있는 수혈이다. 십이경에 각기 한 개의 극혈이 있고, 음유맥、양유맥、음교맥、양교맥에도 한 개씩의 극혈이 있어서 모두 16개의 극혈이 있다. 십육경맥(十六經脈)의 극혈은 아래의 표에 나타나 있다.

십육경맥 극혈표(十六經脈 郄穴表)

經脈(경맥)	郄穴(극혈)	經脈(경맥)	郄穴(극혈)
手太陰肺經(수태음폐경)	孔最(공최)	手陽明大腸經(수양명대장경)	溫溜(온류)
手厥陰心包經(수궐음심포경)	郄門(극문)	手少陽三焦經(수소양삼초경)	會宗(회종)
手少陰心經(수소음심경)	陰郄(음극)	手太陽小腸經(수태양소장경)	養老(양로)
足太陰脾經(족태음비경)	地機(지기)	足陽明胃經(족양명위경)	梁丘(양구)
足厥陰肝經(족궐음간경)	中都(중도)	足少陽膽經(족소양담경)	外丘(외구)
足少陰腎經(족소음신경)	水泉(수천)	足太陽膀胱經(족태양방광경)	金門(금문)
陰維脈(음유맥)	築賓(축빈)	陽維脈(양유맥)	陽交(양교)
陰蹻脈(음교맥)	交信(교신)	陽蹻脈(양교맥)	跗陽(부양)

극혈은 임상에서 주로 급성 병증의 진단과 치료에 이용된다. 예컨대 폐병으로 인한 토혈에는 공최(孔最)를, 심흉동통(心胸疼痛)에는 극문(郄門)을 취한다. 극혈이 팔회혈과 배합되면 '극회배혈(郄會配穴)'이라 하는데, 예를 들면 양구(梁丘)와 중완(中脘)을 배혈하여 급성 위통을 치료한다.

7) 하합혈(下合穴, Lower sea points)

하합혈은 육부의 기(氣)가 아래로 족삼양경(足三陽經)의 6개 수혈과 합한 것이다. 하합혈은 아래의 표와 같다.

하합혈표(下合穴表)

六腑(육부)	胃(위)	大腸(대장)	小腸(소장)	膽(담)	膀胱(방광)	三焦(삼초)
下合穴(하합혈)	足三里(족삼리)	上巨虛(상거허)	下巨虛(하거허)	陽陵泉(양릉천)	委中(위중)	委陽(위양)

하합혈의 응용은『내경』에서의 "합혈(合穴)은 안으로 부병(腑病)을 치료한다[16]"는 원칙에 따르는데, 육부와 관련되는 질병은 항상 각자 상응하는 하합혈로 치료한다. 예를 들면 장옹(腸癰)은 대장부병(大腸腑病)으로 상거허(上巨虛)를 취하고, 유뇨(遺尿)나 요폐(尿閉)는 위양(委陽)으로 치료한다. 하합혈도 진단에 도움이 된다.

8) 교회혈(交會穴, Crossing point)

교회혈은 두 개 이상의 경맥이 서로 만나는 부위의 수혈로, 본경(本經)과 서로 만나는 경맥의 병증을 치료하는 작용이 있다. 교회혈은 대략 100개 정도 있으며, 대부분『침구갑을경(鍼灸甲乙經)』에 나온다.

교회혈은 임상에서 서로 만나는 여러 경의 병증을 치료한다. 예컨대 삼음교(三陰交)는 족태음비경의 수혈이면서 동시에 족삼음경(足三陰經)의 교회혈이기 때문에 비경의 병증을 치료할 뿐만 아니라, 족궐음간경과 족소음신경의 병증을 치료한다.

16) 合治內腑 (靈樞·邪氣臟腑病形)

[Acupuncture: Review and analysis of reports on controlled clinical trials] 17)

2002년 WHO는 전 세계적으로 침구의 사용을 권장하기 위하여 당시까지 발표된 침구 관련 임상실험연구를 분석하여 'Acupuncture: Review and analysis of reports on controlled clinical trials'를 발간한 바 있다. 이 보고서에서는 침구치료의 효과 등을 분석하여 네 가지 범주로 나누어 소개하고 있는데, 그 내용은 다음과 같다.

1. 임상 시험을 통해 침술이 효과적인 치료방법으로 입증된 질환, 증상이나 병리적 상태:

(1) adverse reactions to radiotherapy and/or chemotherapy
(2) allergic rhinitis (including hay fever)
(3) biliary colic
(4) depression (including depressive neurosis and depression following stroke)
(5) dysentery, acute bacillary
(6) dysmenorrhoea, primary
(7) epigastralgia, acute (in peptic ulcer, acute and chronic gastritis, and gastrospasm)
(8) facial pain (including craniomandibular disorders)
(9) headache
(10) hypertension, essential
(11) hypotension, primary
(12) induction of labor
(13) knee pain
(14) leukopenia
(15) low back pain
(16) malposition of fetus
(17) morning sickness
(18) nausea and vomiting
(19) neck pain
(20) pain in dentistry (including dental pain and temporomandibular dysfunction)
(21) periarthritis of shoulder
(22) postoperative pain
(23) renal colic
(24) rheumatoid arthritis
(25) sciatica
(26) sprain
(27) stroke
(28) tennis elbow

17) WHO, Acupuncture: Review and analysis of reports on controlled clinical trial, 2002

2. 침술이 치료효과는 있으나 더 검증이 필요한 질환, 증상이나 병리적 상태:

(1) abdominal pain (in acute gastroenteritis or due to gastrointestinal spasm)
(2) acne vulgaris
(3) alcohol dependence and detoxification
(4) Bell's palsy
(5) bronchial asthma
(6) cancer pain
(7) cardiac neurosis
(8) cholecystitis, chronic, with acute exacerbation
(9) cholelithiasis
(10) competition stress syndrome
(11) craniocerebral injury, closed
(12) diabetes mellitus, non-insulin-dependent
(13) earache
(14) epidemic hemorrhagic fever
(15) epistaxis, simple (without generalized or local disease)
(16) eye pain due to subconjunctival injection
(17) female infertility
(18) facial spasm
(19) female urethral syndrome
(20) fibromyalgia and fasciitis
(21) gastrokinetic disturbance
(22) gouty arthritis
(23) hepatitis B virus carrier status
(24) herpes zoster (human (alpha) herpesvirus 3)
(25) hyperlipaemia
(26) hypo-ovarianism
(27) insomnia
(28) labor pain
(29) lactation, deficiency
(30) male sexual dysfunction, non-organic
(31) Ménière disease
(32) neuralgia, post-herpetic
(33) neurodermatitis
(34) obesity
(35) opium, cocaine and heroin dependence
(36) osteoarthritis

(37) pain due to endoscopic examination
(38) pain in thromboangiitis obliterans
(39) polycystic ovary syndrome (Stein–Leventhal syndrome)
(40) postextubation in children
(41) postoperative convalescence
(42) premenstrual syndrome
(43) prostatitis, chronic
(44) pruritus
(45) radicular and pseudo radicular pain syndrome
(46) Raynaud syndrome, primary
(47) recurrent lower urinary-tract infection
(48) reflex sympathetic dystrophy
(49) retention of urine, traumatic
(50) schizophrenia
(51) sialism, drug-induced
(52) Sjögren syndrome
(53) sore throat (including tonsillitis)
(54) spine pain, acute
(55) stiff neck
(56) temporomandibular joint dysfunction
(57) Tietze syndrome
(58) tobacco dependence
(59) Tourette syndrome
(60) ulcerative colitis, chronic
(61) urolithiasis
(62) vascular dementia
(63) whooping cough(pertussis)

3. 단지 개별적인 임상실험에서만 치료효과가 보고되었으나, 양방이나 기타 요법에 의해서는 치료가 어렵기 때문에 침술을 시도해 볼만한 질환, 증상이나 병리적 상태:

(1) chloasma
(2) choroidopathy, central serous
(3) color blindness
(4) deafness
(5) hypophrenia
(6) irritable colon syndrome
(7) neuropathic bladder in spinal cord injury

(8) pulmonary heart disease, chronic
(9) small airway obstruction

4. 시술자에게 특별한 현대의학 지식과 적절한 모니터장치가 제공되는 경우에 침술을 시도할 수 있는 질환, 증상이나 병리적 상태:
(1) breathlessness in chronic obstructive pulmonary disease
(2) coma
(3) convulsions in infants
(4) coronary heart disease (angina pectoris)
(5) diarrhea in infants and young children
(6) encephalitis, viral, in children, late stage
(7) paralysis, progressive bulbar and pseudobulbar

참고문헌

1. 『景岳全書·標本論』 張介賓
2. 『難經·六十八難』 扁鵲
3. 『難經·六十九難』 扁鵲
4. 『素問·金匱真言論』
5. 『素問·陰陽應象大論』
6. 『素問·至眞要大論』
7. 『靈樞·經脈』
8. 『靈樞·九鍼十二原』
9. 『靈樞·禁服』
10. 『靈樞·經筋』
11. 『靈樞·口問』
12. 『靈樞·脈度』
13. 『靈樞·邪氣臟腑病形』
14. 대한침구의학회 교재편찬위원회, 침구의학, 2012, 집문당
15. 전국한의과대학 한의학전문대학원 교재편찬회 저, 대학경락경혈학총론, 2012, 종려나무
16. 沈雪勇, 經絡腧穴學, 2012, 人民衛生出版社
17. 梁繁榮 等, 鍼灸學, 2012, 人民衛生出版社
18. WHO, Acupuncture: Review and analysis of reports on controlled clinical trial, 2002

일반 색인

국문

ㄱ

ㄴ

ㄷ

ㄹ

ㅁ

ㅂ

ㅅ

ㅇ

ㅈ

大

ㅋ

ㅌ

ㅍ

ㅎ

영문

A

B

C

D

E

F

G

H

I

K

L

M

N

O

P

Q

R

S

T

U

V

W

인물 색인

국문

문헌 색인

ㄱ

ㄴ

ㄷ

ㅁ

ㅂ

ㅅ

ㅇ

ㅈ

ㅊ

ㅌ

ㅍ

ㅎ

변증 색인 (가나다순)

ㄱ

ㄷ

ㅂ

ㅅ

ㅎ

변증 색인 (분류순)

1. 기혈변증

2. 진액변증

3. 장부변증

4. 기항지부변증

본초 색인 (가나다순)

ㅂ

ㅅ

ㅇ

본초 색인 (분류순)

1. 해표약(解表藥)

2. 청열약(清熱藥)

3. 사하약(瀉下藥)

13. 화담지해평천약(化痰止咳平喘藥)

14. 안신약(安神藥)

15. 평간식풍약(平肝息風藥)

16. 개규약(開竅藥)

17. 보익약(補益藥)

18. 수삽약(收澁藥)

19. 용토약(涌吐藥)

20. 외용약(外用藥)

처방 색인 (가나다순)

ㅅ

ㅇ

ㅈ

ㅊ

ㅌ

ㅍ

ㅎ

처방 색인 (분류순)

1. 해표제(解表劑)

2. 청열제(淸熱劑)

3. 온리제(溫裏劑)

4. 사하제(瀉下劑)

5. 화해제(和解劑)

6. 보익제(補益劑)

7. 고삽제(苦澁劑)

8. 안신제(安神劑)

9. 개규제(開竅劑)

10. 이기제(理氣劑)

11. 이혈제(理血劑)

12. 치풍제(治風劑)

13. 거습제(祛濕劑)

14. 거담제(祛痰劑)

15. 소식제(消食劑)

16. 치옹제(治癰劑)

저자소개

최 승 훈(崔昇勳, Choi Seung-hoon)

경희대학교 한의과대학을 졸업하고, 동 대학원에서 한의학박사 학위를 취득하였으며, 이어 고려대학원 철학석사 과정을 수료하였습니다.

1985년부터 대전대학교 한의학과에서, 1988년부터는 경희대학교 한의과대학에서, 2014년 9월부터는 단국대학교에서 특임부총장을 역임하고, 현재 동 대학원 생명융합학과 교수로 재직하면서 국내외적으로 한의학 중심 통합의학 발전을 위해 연구 노력하고 있습니다.

한편, 대만 中國醫藥大學(1989), 대만 國家科學委員會(1990), 중국 國家中醫藥管理局(1993), 미국 Stanford의대(2001), Emory의대(2018, 2020) 등 여섯 차례에 걸쳐 해외 파견교수로 근무했습니다.

1989, 1990년 중국의약대학의 대학원 석·박사과정에서 영어와 중국어로 四象醫學의 원전인 「동의수세보원」을 강의하였으며, 이를 바탕으로 1996년, 국내 최초로 한의학 원전의 영문번역인 「東醫壽世保元 (Longevity and Life Preservation in Oriental Medicine)」을 발간하였으며, 2009년에는 개정판을 출간하였습니다.

2003년부터 5년간 WHO(세계보건기구) 서태평양지역 전통의학 자문관으로 근무하면서 32 차례 전통의학 관련 국제회의를 주관하였으며, 그 결과물로서 2007년 「WHO 전통의학 국제표준용어(WHO-IST)」와 2008년 「WHO 침구경혈위치 국제표준」을 제정하는 한편, 2006년에는 ICD-11에 포함될 ICTM 프로젝트를 출범시켰습니다. 그후 WHO-IST는 2019년 5월 WHA(세계보건총회)에서 승인된 ICD-11 26章으로 進化하였습니다. (Nature, 2018.9.26 자 참조)

2008년 귀국하여 경희한의대 학장으로 재직하면서 WHO/ICTM 프로젝트와 ISO/TC249의 한국 대표직을 수행하였으며, 2009년에는 5개국 7개 대학으로 구성된 세계전통의학대학협의회 (The Global University Network of Traditional Medicine: GUNTM)를 창설하고 초대 회장직을 역임하면서 국제적으로 한의학 고등교육기관의 공동 발전과 협력을 위해 기여하였습니다.

2011년부터 3년간 한국한의학연구원 원장으로 봉직하면서 한의학의 객관화 표준화 국제화를 위해 헌신하였으며, 재임중 정부출연연 기관평가에서 최우수성적을 거두었습니다.

대한한의사협회 부회장(1996), 대한동의종양학회 회장(2000-02), 대한한의학회 부회장(2002-03), 대한동의병리학회 회장(2010-11), 한약진흥재단 이사장(2018-19) 등을 역임한 바 있습니다.

이상의 공적을 국가로부터 인정받아 2014년 '세계 표준의 날' 기념식에서 勤政褒章을 수훈하였으며, 2015년에는 경희한의대 동문회로부터 '자랑스러운 慶熙韓醫人賞'을 수상하였고, 2017년에는 대만의 12개 학회가 연합하여 선정한 國醫大師로 추대되기도 했습니다.

저서

"내경병리학", 통나무, 서울, 1993, 1995(2판), 1999(3판), 2001(중국어판, 중의고적, 북경)

"동의종양학" 행림출판, 서울, 1995

영문 "동의수세보원 (Longevity and Life Preservation in Oriental Medicine)", 경희대출판국, 서울, 1996, 2009(개정판)

"동의병리학", 일중사, 서울, 1997

"한의학이야기", 푸른나무, 서울, 1997

"난경입문", 법인문화사, 서울, 1998

"한의학", 빅북운동본부, 부산, 2016

논문

"血府逐瘀湯이 혈전증과 피하 혈종에 미치는 영향"(박사학위 논문, 1987년)

"A Proposed Revision of the International Classification of Diseases, 11th Revision, Chapter 26" (Integrative Cancer Therapies, 2020, 2, 18)

외 180 여 편의 논문